Reader's Digest

# In het voetspoor van de Bijbel

Reader's Digest

# In het voetspoor van de Bijbel

## Atlas van het Heilige Land, vroeger en nu

Uitgeversmaatschappij The Reader's Digest N.V.
Amsterdam - Brussel

# In het voetspoor van de Bijbel

Deze Nederlandse uitgave van
Atlas of the Bible (The Reader's Digest Association, Inc.)
kwam tot stand met medewerking van Jac. G. Constant,
Gerard Michon en Hanny Ris-Hoogendoorn.
Adviezen van Leo van den Bogaard, oudtestamenticus.
Op reis in Israël werd geschreven door Doris Metzger
en Dr. Hartmut Metzger
De bijbelteksten zijn ontleend aan de Willibrordvertaling van de
Katholieke Bijbelstichting, © 1978 KBS, Boxtel.
Voor de schrijfwijze van de bijbelse namen is gebruik gemaakt van de
'Lijst van bijbelse persoons- en plaatsnamen', opgesteld in opdracht
van de Katholieke Bijbelstichting en het Nederlands
Bijbelgenootschap'.
Aan de oorspronkelijke editie werkten mee:
Harry Thomas Frank (hoofdadviseur) en
Denis Baly, Edward F. Campbell Jr., David Noel Freedman,
Stephen J. Hartdegen, Laton E. Holmgren, George MacRae,
Nahum M. Sarna en Rabbi Marc H. Tanenbaum.

ISBN 90 6407 103 9
Wettelijk depot in België D/MCMLXXXIII/0621/23
Printed in Spain by Printer, Industria Gráfica S.A.   D.L.B. 29523-1983

# Voorwoord

De smalle strook tussen Azië en Afrika - historisch Palestina, tegenwoordig een landstreek die verdeeld is tussen Israël en zijn Arabische buren - hoort geografisch gezien tot de belangrijkste gebieden ter wereld. Als schakel tussen de vroegste beschavingen van Mesopotamië en Egypte werd het de voornaamste route voor oprukkende legers, een pion in de machtsstrijd die zich honderden, zelfs duizenden jaren lang afspeelde tussen de grote rijken die in het Nabije Oosten opkwamen en weer ten onder gingen. In deze tijd lezen we er bijna dagelijks over in de krant, omdat verschillende naties elkaar de aanspraak op dit gebied vaak zelfs op bloedige wijze betwisten.

De werkelijke betekenis van dit oude land gaat natuurlijk elk politiek en geografisch belang te boven. Want dit is het Heilige Land, waar zowel het Jodendom als het Christendom zijn ontstaan, en dat ook voor de mohammedanen een gewijde plaats is. De serieuze lezer van de Bijbel is met dit land even vertrouwd als met de buurt waar hij woont. Met Abraham stond hij bij de eik van More en hoorde hij de belofte van de Heer: 'Aan uw nageslacht zal Ik dit land in bezit geven' (Gn 12:7). Met Mozes beklom hij de berg Nebo om getuige te zijn van 'een heerlijk land, een land met beken vol water, met bronnen en stromen, die op de bergen en in de dalen ontspringen,...' (Dt 8:7). Hij trok met Jozua op toen deze 'veroverde ... het hele land: het bergland, de Negeb, het laagland en de duinstreek ...' (Joz 10:40). Hij volgde Jezus langs de oevers van het meer van Galilea, waar Hij zijn 'vissers van mensen' (Mc 1:17) om zich heen verzamelde en begeleidde Hem op zijn laatste, tragische tocht naar Jeruzalem. Met Paulus ging hij op weg naar die verblindende ontmoeting op de weg naar Damascus.

Uit deze enkele voorbeelden blijkt al dat de Bijbel een boek is vol beweging, vol grootse en glorieuze gebeurtenissen die zich afspelen tegen de achtergrond van een schitterend, ontzagwekkend land en die de lezer vanuit het 'Ur in Chaldea' (Gn 11:31) meenemen naar Egypte en over de noordkust van de Middellandse Zee naar Griekenland en Italië. Reader's Digest heeft geprobeerd de onsterflijke verhalen van de Bijbel in hun eigen geografische en historische context te plaatsen, zodat ze nog beter begrepen zouden worden. Het resultaat, IN HET VOETSPOOR VAN DE BIJBEL, is niet alleen een unieke bijbelatlas geworden, maar ook een fascinerend boek, dat u in één adem uitleest.

De meeste bijbelatlassen zijn gemaakt door wetenschapsmensen ten behoeve van hun vakgenoten. Ze geven noodzakelijke en waardevolle informatie en hebben een plaats veroverd in bibliotheken en op literatuurlijsten, zoals op blz. 293. Het boek dat nu voor u ligt werd echter gemaakt voor elke lezer die belangstelling heeft voor het Heilige Land. Het steunt op moderne wetenschappelijke theorieën en werd samengesteld door een uitgelezen staf geleerden en theologen. Het doel dat de redactie voor ogen stond was een helder, verantwoord, eigentijds boek te maken. IN HET VOETSPOOR VAN DE BIJBEL wil wat in de Bijbel staat, maar niet onmiddellijk voor iedereen duidelijk is, verklaren, toelichten en uitwerken. Het is niet alleen geschreven om van de eerste tot de laatste bladzijde gelezen te worden, maar het is ook bedoeld als naslagwerk, dat u kunt raadplegen voor bijzonderheden die betrekking hebben op de Bijbel.

De kern van elke atlas bestaat uit kaarten; in IN HET VOETSPOOR VAN DE BIJBEL zijn er tientallen opgenomen. Maar voor u aan de kaarten toekomt vindt u eerst een uitgebreide inleiding tot de wereld van de Bijbel, als het ware een geïllustreerde gids voor het Heilige Land, waarin een aantal bijzondere onderwerpen aan de orde komen.

De oude volken van Mesopotamië en Egypte hebben talrijke documenten nagelaten waarop te zien is hoe ze gekleed gingen; een modern kunstenaar heeft deze bronnen gebruikt om met uiterste precisie de mensen uit de Bijbel af te beelden. U vindt in dit boek leden van een Semitische stam in de tijd van de aartsvaders, een Kanaänitische wagenmenner, een Filistijnse krijger, een Farizeeër in gebed, een Romeinse legioensoldaat, een boerenfamilie in de tijd van Jezus, en vele anderen. Zoals de lezers van de Bijbel wel weten is zowel het Oude als het Nieuwe Testament rijk aan verwijzingen naar de planten- en dierenwereld. De fauna en flora uit bijbel-

*Assyrische boogschutter en schildhouder, blz. 14*

*Jesaja-rol en kruiken waarin enkele van de beroemde Dode-Zeerollen gevonden werden, blz. 27*

se tijden zijn in deze atlas in kleurige illustraties weer tot leven gebracht. Er is een tabel opgenomen van maten en gewichten, die in de Bijbel genoemd worden, en ook een verzameling oude munten.

Dit boek toont duidelijk aan dat de Bijbel van onschatbare betekenis is als betrouwbaar en informatief historisch document - los van zijn tijdloze, ongeëvenaarde waarde als getuigenis van geloof en wijsheid. De Bijbel heeft ook zelf een fascinerende geschiedenis. U leest in een bijdrage van vier bladzijden hoe hij oorspronkelijk in het Hebreeuws en Grieks geschreven werd; wanneer en hoe hij voor het eerst in het Duits, Engels en Nederlands vertaald werd, wat de literaire kwaliteiten zijn van de Lutherbijbel, de Statenbijbel en de King James Version. Foto's van de Dode-Zeerollen en van oude manuscripten en gedrukte Bijbels verluchten de tekst en geven een goed beeld van de historie van de Bijbel.

Vanwege zijn grote strategische waarde en unieke religieuze betekenis is het Heilige Land een van de meest nauwkeurig in kaart gebrachte gebieden van de wereld van vandaag. Ook door de eeuwen heen heeft het cartografen geboeid, zoals blijkt uit een map met zeldzame en ongewone oude kaarten.

Anders dan Egypte met zijn piramiden en andere monumenten uit de tijd van de farao's zijn in het Heilige Land slechts weinig substantiële getuigenissen van het roemrijke verleden bewaard gebleven. Wat het echter wel heeft zijn tells, in lagen op elkaar gestapelde resten van oude steden en versterkingen, die steeds weer op de ruïnes van de verwoeste of vervallen nederzettingen gebouwd werden. Archeologen hebben deze tells onderzocht en met grote nauwkeurigheid het verleden aan het licht gebracht. Zo vonden ze tevens de bevestiging van menig bijbelverhaal. Aan een van deze archeologische opgravingen, nl. die van Tell el-Hesi, is een fotoreportage gewijd.

De mensen in de tijd van de Bijbel keken vol ontzag op tegen hun vreemd en geheimzinnig land. Binnen een gebied dat ongeveer 70% is van Nederland zijn er sterke contrasten: golvende heuvels van het onherbergzame woestijnlandschap, meren die onder de zeespiegel liggen, vruchtbare valleien en vlakten, de levengevende Jordaan, dorre verlaten streken, de met sneeuw bedekte berg Hermon. De moderne geologie kan verklaren hoe het land aan zijn huidige vorm is gekomen; deze speciale bijdrage wordt gevolgd door vier bladzijden met foto's van het Heilige Land in deze tijd.

Aan het einde van deze uitgebreide inleiding zijn vier bladzijden landkaarten opgenomen (schaal ongeveer 1:65 000). Ze geven een overzicht van het Heilige Land van noord tot zuid met de hoogteverschillen in kleur uitgewerkt en met de namen en de ligging van meer dan 300 bijbelse plaatsen. Zoals ook de meeste andere kaarten in IN HET VOETSPOOR VAN DE BIJBEL zijn deze grootschalige projecties door Reader's Digest speciaal voor dit boek vervaardigd. Ze zijn gebaseerd op de laatst bijgewerkte reliëfkaarten, uitgebracht door de cartografische dienst van het Israëlische Ministerie van Arbeid dat ze welwillend ter beschikking heeft gesteld.

Met een luchtfoto vanuit een NASA-satelliet begint het gedeelte 'Historische atlas van bijbelse tijden', het uitgebreide middengedeelte van dit boek. De kaarten wor-

*Jeruzalem in het middelpunt van de wereld op een radvormige landkaart uit de 13e eeuw, blz. 31*

*Een hoofdlandmeter die in Tell-el Hesi een opgraving uitzet, blz. 36*

*De Grote Afrikaanse Slenk op een globekaart, blz. 39*

den vergezeld van teksten, die de geliefde en bekende verhalen uit de Bijbel in een geografisch en historisch kader plaatsen. Het begint met de reis van aartsvader Abraham van Mesopotamië naar het land Kanaän en eindigt met de zendingsreizen van de apostel Paulus en de daaropvolgende verspreiding van het Christendom in het Romeinse Rijk.

De kaarten die gebaseerd zijn op de reliëfkaarten van de Israëlische cartografische dienst zijn op drie schalen en in twee kleurencombinaties afgedrukt. Voor iedere kaart werd op basis van zorgvuldig onderzoek een schets gemaakt, voorzien van een tekstuele toelichting. Het geheel werd voorgelegd aan prof. Harry Thomas Frank, redactioneel hoofdadviseur van IN HET VOETSPOOR VAN DE BIJBEL. Speciaal vervaardigde extra kaarten ondersteunen de verhalen die zich buiten de strikte grenzen van het Heilige Land afspelen, zoals de geschiedenis van de uittocht, de Babylonische ballingschap en de veroveringen van Alexander de Grote.

Naast de grote verscheidenheid aan kaarten bevat dit gedeelte van IN HET VOETSPOOR VAN DE BIJBEL tientallen foto's van het tegenwoordige Heilige Land, historische artefacten en indrukwekkende kunstwerken door de eeuwen heen. In aparte kaders worden buren en vijanden van de Hebreeërs voorgesteld, zoals de Feniciërs, Filistijnen, Assyriërs, Babyloniërs, en komen onderwerpen aan de orde als de ontdekking van een reeds lang vergeten beschaving in Ebla, het leven van woestijnnomaden, vissen in het meer van Galilea. Aan de hand van verslagen van recente archeologische expedities schiepen kunstenaars zes indrukwekkende reconstructies van oude steden en gebouwen, waarvan de voorlopige schetsen eerst door deskundigen waren gecontroleerd.

Op blz. 209 begint als aanvulling van het boek de 'Encyclopedie van bijbelse plaatsen'. Dit gedeelte werd geschreven door dr. Frank en bevat ongeveer 900 plaatsnamen met aanduidingen van bijbelteksten en waar mogelijk verwijzingen naar de grote kaarten op blz. 44-47. De encyclopedie besluit met een historisch overzicht van de bijbelse tijd. Een extra facet verleent 'Op reis in Israël' aan het boek, een reisgids voor de hedendaagse geïnteresseerde toerist. Hier wordt het verleden met het heden verbonden door middel van deugdelijke, praktische en belangwekkende informatie. Het geheel wordt afgesloten met een literatuuropgave voor verdere studie, de vermelding van de herkomst van de illustraties en een volledig register.

We zijn in het land geweest waarheen u ons gestuurd hebt . . .' vertelden de verkenners Mozes, nadat ze uit Kanaän waren teruggekeerd, 'en het vloeit werkelijk over van melk en honing . . .' (Nu 13:27). Deze mededeling bood de rondzwervende Hebreeërs nieuw perspectief en gaf hun moed bij hun strijd om het Beloofde Land zegevierend terug te winnen. En zoals dit land gestalte gaf aan de bewogen geschiedenis en het volhardende geloof van de Joden, zo was het ook juist dit land dat een nederige leermeester voortbracht, Jezus van Nazaret, wiens boodschap van hoop en liefde eens uitgedragen zou worden naar de vier windstreken van de aarde. IN HET VOETSPOOR VAN DE BIJBEL wil de achtergrond zijn, waartegen het meest ingrijpende verhaal aller tijden opnieuw verteld wordt.

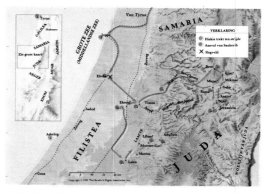

*Sanherib valt Juda aan, blz. 140*

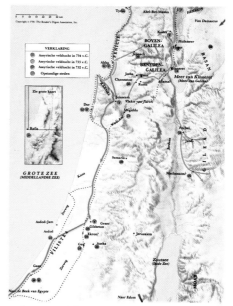

*Val van Israël, blz. 137*

*De uittocht, blz. 67*

# Inhoud

# 'In het begin...'

Nooit zijn er woorden geschreven, zo roerend als de uiterst eenvoudige, maar toch zo majestueuze en welluidende zinnen, waarmee het boek Genesis begint. 'In het begin schiep God de hemel en de aarde. De aarde was woest en leeg; duisternis lag over de diepte, en de Geest van God zweefde over de wateren' (Gn 1:1, 2).

De eerste elf hoofdstukken van Genesis worden door de geleerden beschouwd als de oergeschiedenis die een algemeen kader vormt voor wat later het verhaal is van een bijzondere groep mensen, de Hebreeërs van het Oude Testament. Enkele gebeurtenissen die ons vertrouwd voorkomen - schepping, zondeval, zondvloed - treft men ook aan in de literatuur van andere oude volkeren. Het verhaal van Kaïn en Abel wordt wel geïnterpreteerd als een personificatie van de eeuwenoude strijd tussen het herdersbestaan en het boerenleven. De geschiedenis van de Hebreeuwse aartsvaders - we zullen dat later zien - gaat over halfnomaden, veehoeders die zich blijvend op een plek vestigden en landbouwer werden. Voor tenminste één gebeurtenis in de eerste hoofdstukken van Genesis, de bouw van de toren van Babel, zorgt de archeologie voor een geloofwaardige verklaring. Maar dramatische voorvallen als deze zijn historisch helemaal niet te achterhalen. Toch zijn de eerste elf hoofdstukken van Genesis misschien wel als geen ander werk onderzocht, met fascinerende zij het vaak tegenstrijdige resultaten.

Het bijbelverhaal van de schepping heeft een literaire tegenhanger in een vroeg episch gedicht uit Mesopotamië met de naam *Enuma elisi*, naar de eerste woorden van de beginregel 'Toen daarboven de hemel nog niet was ge-

*De verboden vrucht van 'de boom van de kennis van goed en kwaad' (Gn 2:9) was volgens de overlevering een appel. Deze voorstelling van Adam en Eva in de tuin van Eden is van de hand van de 16e-eeuwse Duitse kunstenaar Lucas Cranach.*

noemd...' In dit Babylonische scheppingsverhaal staan veel bijzonderheden die ook in Genesis worden teruggevonden: de oorspronkelijke chaos, de schepping van het licht, het uitspansel, het droge land, de hemellichten en de mens, de goden die na hun werk rusten. Toch is er een fundamenteel verschil tussen beide werken. In *Enuma elisi* gaat het over een aantal elkaar bestrijdende goden; Genesis wordt beheerst door één God en vertolkt zo vanaf het begin de idee van het monotheïsme, het thema van de hele Bijbel.

Toen geleerden in Mesopotamië een literair equivalent van het scheppingsverhaal in Genesis ontdekt hadden, zijn ze er ook gaan zoeken naar de situering van de hof van Eden. 'Uit Eden stroomt de rivier die water geeft aan de tuin; hij splitst zich in vier armen' (Gn 2:10). De namen van twee van deze armen, de Tigris en de Eufraat, bestaan tot op de dag van vandaag en leveren geen problemen op. Pogingen om de Pison en de Gichon te identificeren als de Indus in het verre oosten en de Nijl in Afrika, zijn echter op niets uitgelopen.

De Pison wordt beschreven als de rivier die 'stroomt om geheel Chawila heen, waar goud is; het goud van dat land is voortreffelijk; en ook balsemhars en edelstenen worden er gevonden' (Gn 2:11-12). Dit is de enige plaats in de Bijbel waar de Pison met name wordt genoemd, maar in een latere verwijzing naar Chawila (Gn 10:29) wordt ze in het zuidwesten van Arabië gesitueerd. Volgens een andere verwijzing (Gn 25:18) ligt ze aan de grens van het land, dat door de afstammelingen van Ismaël bewoond werd, het noordoosten van Arabië. De zinspeling op goud en edelstenen biedt geen houvast bij de oplossing van de puzzel. De Gichon wordt beschreven als de rivier die 'stroomt om geheel Kus heen' (Gn 2:13). Dit is de enige verwijzing in het Oude Testament naar de Gichon als rivier, hoewel ze elders opduikt als een bron ten oosten van Jeruzalem. De naam Kus wordt gewoonlijk voor Ethiopië gebruikt.

Sommige bijbelvorsers trekken een verdere parallel tussen Genesis en andere vroege Mesopotamische werken, zoals de Babylonische Gilgamesj. In een van de episoden wordt Enkidu, de vriend van de halfgod Gilgamesj, door een vrouw verleid; ze prijst hem daarna, omdat hij de wijsheid van een god heeft verworven. Na zijn val heeft Enkidu, evenals Adam toen deze voor de verleiding was bezweken, kleren nodig om zijn naaktheid te bedekken.

Nog opvallender is de overeenkomst tussen de geschiedenis van Noach en de grote overstroming waarvan in Gilgamesj sprake is. In het Babylonische verhaal besluiten de goden een zondvloed over de aarde te laten komen om een einde te maken aan het ondraaglijke kabaal waarmee de

*Toen er 40 dagen voorbij waren, liet Noach eerst een raaf en daarna een duif los om te weten te komen of het water van de zondvloed gedaald was. Toen de duif met een olijftak terugkeerde, wist Noach dat zijn beproeving ten einde was. Venetiaanse handwerkslieden legden dit in mozaïek vast (13e eeuw).*

*De Vlaamse kunstenaar Pieter Brueghel de Oude verplaatste de geschiedenis van de toren van Babel naar zijn eigen Noord-Europa van de 16e eeuw. Als voorbeeld voor het kolossale bouwwerk gebruikte hij het Colosseum, dat hij op zijn reis naar Rome had gezien. Brueghels toren is een stelsel van honingraten in*

*terugwijkende verdiepingen, dat door de wolken heensteekt en aan de bovenkant bijna buiten het doek komt. Terwijl een legertje werklieden zich als mieren op en rond het bouwwerk beweegt, maakt een koning of edelman (links op de voorgrond) een inspectieronde.*

mensen hen uit de slaap houden. Maar eerst kiest een van de goden een man uit, Uta-napisjtim genaamd, die de ramp zal overleven. Deze krijgt opdracht een boot te bouwen, waarin hij de vloed kan doorstaan. Hij neemt zijn familie aan boord en ook de dieren van het veld en wilde beesten. 'Bij het aanbreken van de dageraad', vertelt de kroniekschrijver van Gilgamesj, 'rijst een zwarte wolk op aan de horizon'. Spoedig wordt alles door een storm geteisterd, zo hevig, dat zelfs de goden bevreesd worden. Op de zevende dag, als het noodweer bedaart, landt Uta-napisjtim op de top van een berg en laat achtereenvolgens een duif, een zwaluw en een raaf los die droog land moeten gaan zoeken. En als hij eenmaal zijn vaartuig heeft verlaten, brengt de Babylonische halfgod, evenals Noach, een dankoffer voor zijn redding. De berg waarop Uta-napisjtim vastliep, is in het noorden van Irak gesitueerd, nog geen 500 km ten zuidoosten van de Turkse berg Ararat.

Geologische onderzoekingen in Mesopotamië hebben aangetoond dat er in het verre verleden soms grote stukken langs de kust door het water van de Perzische Golf overstroomd werden. Als deze plotselinge stijging van het zeeniveau veroorzaakt werd door vulkaanwerking onder water, ging dit

waarschijnlijk ook gepaard met wolkbreuken - een samengaan van natuurrampen waarvan melding wordt gemaakt in de geschiedenis en legenden van verschillende volken van het Nabije Oosten, met inbegrip van de Hebreeërs.

De afstammelingen van Noach, zo gaat Genesis verder, verspreidden zich over de aarde. 'Nadat ze uit het oosten weggetrokken waren, vonden ze een vlakte in Sinear' (Gn 11:2), waar ze stenen maakten om te bouwen. Sinear wordt wel geïdentificeerd met Sumer. Op deze vruchtbare landbouwgrond tussen de Tigris en de Eufraat ontstond wat algemeen beschouwd wordt als 's werelds eerste beschaving - een netwerk van steden, gebouwd van leemstenen en beheerst door trappiramiden, die ziggurats genoemd werden en waarmee ze hun goden vereerden. Men ontkomt er niet aan de toren van Babel als een van deze ziggurats te zien. Als het 'Ur der Chaldeeën', van waaruit Terach zijn stam wegvoerde, het Sumerische Ur is, zou het wel eens kunnen zijn, dat de patriarchale stam de herinnering aan de ziggurat in de stad levend heeft gehouden in de verhalen over zijn herkomst.

Vanaf blz. 50 zien we dat, met het verschijnen van Abraham (Gn 11:26), Bijbel en geschiedenis parallel gaan lopen.

# Mensen uit de Bijbel

Bij hun pogingen de kleding te herscheppen die gedragen werd door mensen die ten tijde van de Bijbel in de Vruchtbare Halvemaan leefden, hebben moderne geleerden zich vooral laten leiden door allerlei kunstwerken, die de oude Egyptenaren en Assyriërs hebben nagelaten. Jammer genoeg zijn er maar weinig beschrijvingen; er worden in de Bijbel weliswaar verschillende kledingstukken met name genoemd, maar de aanduidingen zijn dikwijls vaag en verwarrend of schijnen van betekenis te veranderen.

De stof die in Egypte gewoonlijk werd gebruikt was linnen, geweven van vlas dat in dat land overvloedig groeide. Het koelere, meer vochtige klimaat van Mesopotamië,

Syrië en Palestina vroeg echter om warmere kleding; daarom droegen de bewoners niet alleen linnen, maar ook schapewol. In tegenstelling tot de Egyptenaren, die vooral van witte gewaden hielden, gaven de Hebreeërs en Mesopotamiërs de voorkeur aan bonte kleren, die ze met franje en kwasten versierden.

De speciaal vervaardigde illustraties op deze en de volgende bladzijden, afgedrukt met de oude kunstwerken waarop ze zijn gebaseerd, laten enkele mensen zien uit het volk dat de wereld van de Bijbel bewoonde in een tijdsspanne van 2000 jaar, vanaf de tijd van de patriarchen tot de 2e eeuw v.C.

Het fragment hierboven is ontleend aan een beroemde muurschildering uit het begin van de 19e eeuw v.C., die ontdekt werd op de graftombe van een Egyptische edelman uit Beni Hasan. Het stelt een Semitische stam voor die naar Egypte is gekomen om zwarte oogverf tegen graan te verhandelen. Hun kleding komt waarschijnlijk sterk overeen met wat Abraham en zijn gezin droegen. De sandalen van de mannen zijn blijkbaar van leren banden gemaakt, terwijl de lage schoenen van de vrouwen en de jongens waarschijnlijk uit soepel leer vervaardigd zijn. De meeste figuren uit de groep dragen veelkleurige tunieken; een voorbeeld van de voorkeur voor de kleurrijke versiering, die de kleding van de Hebreeërs ten tijde van de Bijbel kenmerkte. Uit opgravingen blijkt dat sommige steden sterk gespecialiseerde weef- en verfindustrieën hadden. Men verfde eerst de garens en weefde er daarna patroonstoffen van. De tekening hiernaast laat zien dat onder de vele kleuren die beschikbaar waren, ook de tinten rood, blauw, geel en bruin voorkwamen. Het meest geliefd was purper, waarvoor de kleurstof gewonnen werd uit de purperslak in het oosten van de Middellandse Zee. Deze kleur hoorde op veel plaatsen in het oude Nabije Oosten bij de hoge sociale klasse.

De kleding die door het Egyptische paar (rechts) gedragen wordt, stamt uit de 18e dynastie (ca. 1552-1306 v.C.) en is gebaseerd op de afbeelding hierboven uit het Dodenboek op een papyrusrol. De Egyptische kleren werden van linnen gemaakt; aan de kwaliteit van het materiaal kon men zien tot welke stand de drager behoorde. Slaven en werklieden droegen grove lendedoeken, soms met tunieken tot de knie; de hogere klasse ging gekleed in doorzichtige tunieken en geplooide rokken tot op de enkels. Zowel mannen als vrouwen droegen wijde kragen van gekleurde kralen en liepen blootsvoets of op eenvoudige sandalen.

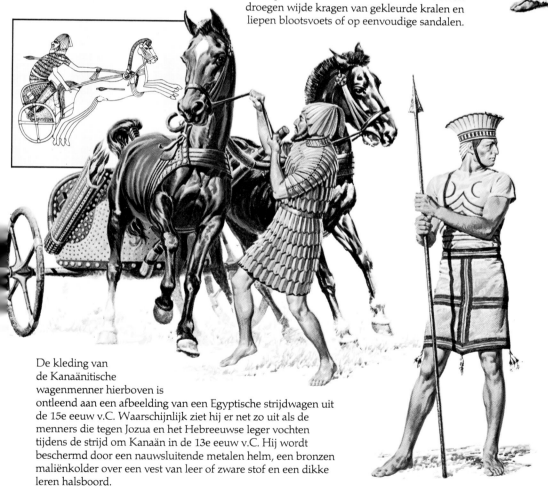

De kleding van de Kanaänitische wagenmenner hierboven is ontleend aan een afbeelding van een Egyptische strijdwagen uit de 15e eeuw v.C. Waarschijnlijk ziet hij er net zo uit als de menners die tegen Jozua en het Hebreeuwse leger vochten tijdens de strijd om Kanaän in de 13e eeuw v.C. Hij wordt beschermd door een nauwsluitende metalen helm, een bronzen maliënkolder over een vest van leer of zware stof en een dikke leren halsboord.

Op het fragment van een Egyptisch reliëf uit de 12e eeuw v.C. (boven) is een groep Filistijnen afgebeeld die gevankelijk wordt weggevoerd na de overwinning van Ramses III op de zeevolken. Een typische Filistijnse krijgsman (links) was glad geschoren en droeg een korte rok met kwasten en een kroonhelm die met een kinband op zijn plaats werd gehouden. Sommige deskundigen denken dat deze hoofdtooi van veren werd gemaakt, anderen dat hij uit rietstelen, stroken leer of paardehaar bestond.

# Mensen uit de Bijbel *(vervolg)*

Zoals dat de bewoners van een machtig rijk betaamt, hielden zowel de Assyriërs als de Perzen van zware, rijk versierde kleding. Daarmee vergeleken waren de kleren van de Israëlitische koning en de joodse soldaat eenvoudig; ze zijn waarschijnlijk ook niet karakteristiek. De enige bekende voorstellingen van de Hebreeërs uit deze periode staan op Assyrische reliëfs. Ze zijn afgebeeld als verslagen vijanden, niet bepaald een situatie om fraai gekleed te zijn.

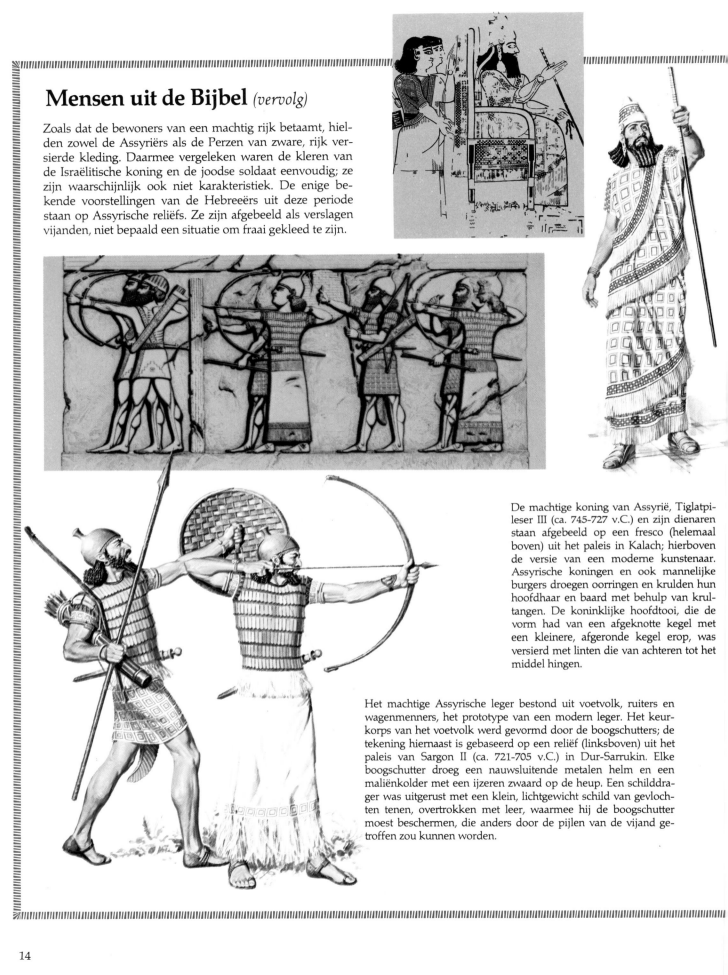

De machtige koning van Assyrië, Tiglatpileser III (ca. 745-727 v.C.) en zijn dienaren staan afgebeeld op een fresco (helemaal boven) uit het paleis in Kalach; hierboven de versie van een moderne kunstenaar. Assyrische koningen en ook mannelijke burgers droegen oorringen en krulden hun hoofdhaar en baard met behulp van krultangen. De koninklijke hoofdtooi, die de vorm had van een afgeknotte kegel met een kleinere, afgeronde kegel erop, was versierd met linten die van achteren tot het middel hingen.

Het machtige Assyrische leger bestond uit voetvolk, ruiters en wagenmenners, het prototype van een modern leger. Het keurkorps van het voetvolk werd gevormd door de boogschutters; de tekening hiernaast is gebaseerd op een reliëf (linksboven) uit het paleis van Sargon II (ca. 721-705 v.C.) in Dur-Sarrukin. Elke boogschutter droeg een nauwsluitende metalen helm en een maliënkolder met een ijzeren zwaard op de heup. Een schilddrager was uitgerust met een klein, lichtgewicht schild van gevlochten tenen, overtrokken met leer, waarmee hij de boogschutter moest beschermen, die anders door de pijlen van de vijand getroffen zou kunnen worden.

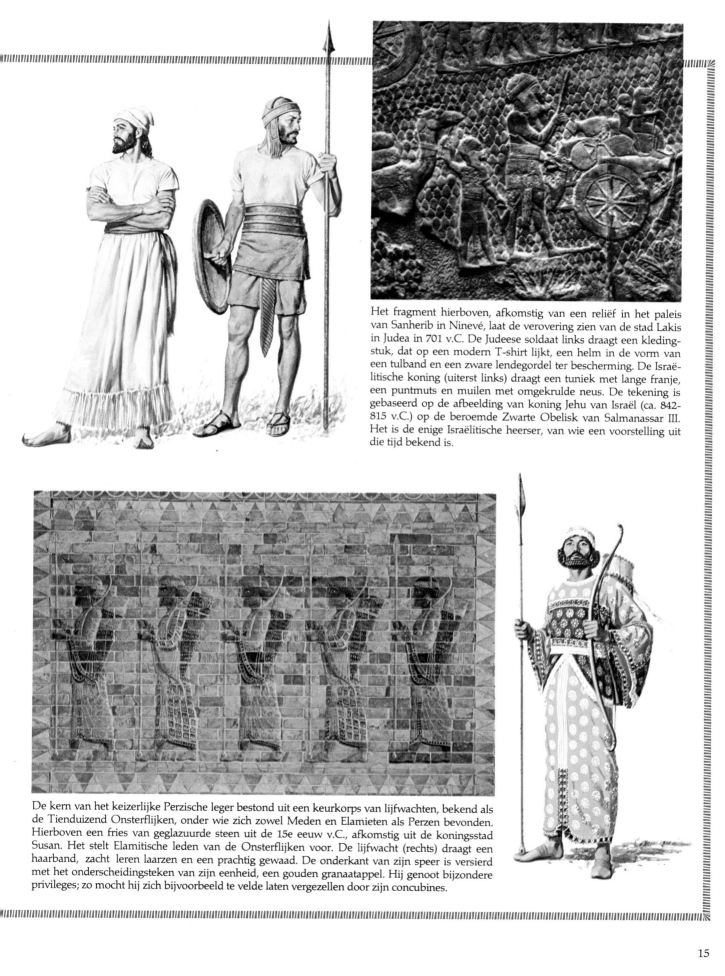

Het fragment hierboven, afkomstig van een reliëf in het paleis van Sanherib in Ninevé, laat de verovering zien van de stad Lakis in Judea in 701 v.C. De Judeese soldaat links draagt een kledingstuk, dat op een modern T-shirt lijkt, een helm in de vorm van een tulband en een zware lendegordel ter bescherming. De Israëlitische koning (uiterst links) draagt een tuniek met lange franje, een puntmuts en muilen met omgekrulde neus. De tekening is gebaseerd op de afbeelding van koning Jehu van Israël (ca. 842-815 v.C.) op de beroemde Zwarte Obelisk van Salmanassar III. Het is de enige Israëlitische heerser, van wie een voorstelling uit die tijd bekend is.

De kern van het keizerlijke Perzische leger bestond uit een keurkorps van lijfwachten, bekend als de Tienduizend Onsterflijken, onder wie zich zowel Meden en Elamieten als Perzen bevonden. Hierboven een fries van geglazuurde steen uit de 15e eeuw v.C., afkomstig uit de koningsstad Susan. Het stelt Elamitische leden van de Onsterflijken voor. De lijfwacht (rechts) draagt een haarband, zacht leren laarzen en een prachtig gewaad. De onderkant van zijn speer is versierd met het onderscheidingsteken van zijn eenheid, een gouden granaatappel. Hij genoot bijzondere privileges; zo mocht hij zich bijvoorbeeld te velde laten vergezellen door zijn concubines.

# Mensen uit de Bijbel *(vervolg)*

Met de verovering van het Nabije Oosten door Alexander de Grote tegen het einde van de 4e eeuw v.C. en de Romeinse bezetting van het Heilige Land bijna drie eeuwen later was de kleding die de Joden droegen achtereenvolgens aan Griekse en Romeinse invloed onderhevig. Omdat er uit die tijd geen afbeeldingen van joodse kleding bestaan, moet de informatie ontleend worden aan geschreven bronnen. In het bijzonder is de uitrusting van de hogepriester opgetekend in Exodus 28 en in de geschriften van de joodse historicus Flavius Josefus.

Het voorschootachtige gewaad dat de hogepriester (boven) draagt, is de efod. Het wordt gedeeltelijk bedekt door het borstschild dat met gouden kettingen aan kornalijnstenen schouderstukken hangt en bezet is met twaalf edelstenen (zie afbeelding rechtsboven). De stenen, in goud gezet en gegraveerd met de namen van de zonen van Israël, zijn alle twaalf verschillend van kleur en symboliseren de twaalf stammen.

In de tijd van Jezus droegen de Joden van beiderlei kunne een linnen onderkleed en een wollen tuniek, die het lichaam vanaf de hals tot een stuk onder de knieën bedekte. Daaroverheen was een grote omslagdoek geslagen die beurtelings dienst deed als mantel, deken, kussenrol, vloerkleed en zelfs als onderpand voor leningen. In het laatste geval mocht degene die hem als borg gekregen had, hem 's nachts gebruiken. Om hinderlijk opbollen van de tuniek te voorkomen droegen mannen en vrouwen ceintuurs van touw, leer of textiel, soms met veel versieringen.

De Farizeeër, die hierboven in gebed is afgebeeld, draagt kleding die in grote lijnen maar weinig verschilt van de dagelijkse kleding van de boerenfamilie links. Bovendien heeft hij een *tallit* of gebedsdoek met kwasten om. Deze omslagdoek was gemaakt van wol, linnen of zijde, maar bij voorkeur van ruwe, ongebleekte lamswol en werd door de Joden tijdens hun morgengebed gedragen. De *tefillin*, ook bekend onder de Griekse naam *phylacteria*, werden met leren riemen op het voorhoofd en aan de linkerarm bevestigd. Het zijn kleine doosjes, gemaakt van de huid van ritueel reine dieren, die elk vier, op perkament geschreven teksten uit Exodus en Deuteronomium bevatten.

Het reliëf rechts, een detail van de Ara Pacis, het altaar van de Augusteïsche Wereldvrede uit 9 v.C., toont de stichtingsprocessie met leden van het keizerlijk huis en hoge functionarissen. De mannen dragen toga's en de vrouwen zijn gehuld in gedrapeerde stola's. In vroegere tijden was de toga het voornaamste kledingstuk voor beide geslachten van elke maatschappelijke rang of stand. De toga's verschilden voornamelijk in kleur en materiaal. In de tijd van Augustus werden ze slechts gedragen door mannen uit de hoogste stand, zoals de aristocraat links. Later werden er steeds meer verfijningen en details met tal van variaties in kleur en patroon aangebracht om de stand van de drager aan te duiden.

De tekening links van een Romeinse legioensoldaat gaat terug op reliëfs op de Trajanuszuil (fragment uiterst links), ter gedachtenis aan de overwinningen van de keizer in Dacië in het begin van de 2e eeuw, en op de ijzeren helm (foto boven), die in 1970 in Israël werd gevonden. Romeinse legioensoldaten droegen karakteristieke soepele sandalen tot enkelhoogte; het harnas om het bovenlichaam bestond uit metalen platen, zodat ze hun armen en schouders vrij konden bewegen. Ze droegen verder een zwaarleren zwaardkoppel en een korte rok van leer of stof, soms versterkt met metalen banden. Hun rechthoekige, gebogen, met leer overtrokken en met metaal verstevigde houten schilden beschermden in feite het hele lichaam en werden bij het marcheren aan de linkerschouder gehangen.

**Wilde os**

**Aziatisch huisrund**

**Ezel**

**Wilde ezel**

**Muildier**

**Geit**

**Paard**

**Schaap**

Van de dieren hierboven wordt het wilde rund of oerrund beschouwd als de voorvader van het huisrund, een trek-, slacht- en offerdier. Hebreeërs gebruikten de ezel als rijdier, maar zijn stamvader, de wilde ezel of onager, was befaamd om zijn ontembaarheid. Ismaël werd 'een wilde ezel in de steppe' (Gn 16:12) genoemd. Muilezels moesten worden ingevoerd, omdat de Bijbel het fokken van bastaarden verbood. De geit en het schaap (rechts in de groep) waren vrijwel helemaal tam en worden herhaaldelijk in de Bijbel genoemd. Het paard werd voor de Hebreeërs belangrijk vanaf de tijd van Salomo.

# Dieren uit de Bijbel

De Bijbel staat vol verwijzingen naar de fauna van het oude Heilige Land. De tamme soorten worden het meest genoemd; ze waren voor de bewoners erg belangrijk. Wilde dieren die men vaak kon gadeslaan komen eveneens herhaaldelijk ter sprake, ook de gevaarlijke soorten die een bedreiging vormden voor de mens en zijn kudden. Behalve in verhalen die betrekking hebben op het dagelijkse leven van die tijd spelen dieren ook een rol in de levendige beeldspraak van de Bijbel. Jesaja bijvoorbeeld beschreef het rijk van de vrede als volgt: 'De wolf en het lam wonen samen, de panter vlijt zich neer naast het bokje, het kalf en

de leeuw weiden samen: een kleine jongen kan ze hoeden'. (Js 11:6).

Onze specifieke kennis van de dieren in de tijd van de Bijbel is afkomstig uit drie bronnen. Het belangrijkste zijn de benamingen in joodse en Griekse manuscripten, hoewel exacte vertalingen van oudtestamentische termen misschien voorgoed verloren zijn gegaan. Krastekeningen en andere eigentijdse illustraties vormen de tweede belangrijke bron. Ook archeologisch onderzoek levert belangrijke aanwijzingen op. De tekeningen boven geven een beeld van de diersoorten die vaak in de Bijbel voorkomen.

**Arabische eenbultige kameel of dromedaris**

De kameel die als rijdier en lastdier dienst deed, wordt gebruikt in metaforen, zoals de kameel die door het oog van de naald gaat.

**Aziatische olifant**

**Gazelle**

**Arabische spiesbok**

De olifant werd ten tijde van de Bijbel bij oorlogen gebruikt en leverde tevens ivoor. Darius III van Perzië had oorlogsolifanten bij Gaugamela ingezet; in navolging daarvan werden ze in het Nabije Oosten gebruikt, ook bij de vernietigende aanval op de Joden door de troepen van Antiochus V.

De gazelle is in de Bijbel het symbool van schoonheid en gratie, met name in het Hooglied. Een andere telg van de antilopenfamilie, de spiesbok, leefde in het wild. Jesaja schrijft over een antilope, die werd opgejaagd en in een net werd gevangen. Het damhert wordt in Deuteronomium 14:5 genoemd als een van de reine dieren waarvan de Hebreeërs mochten eten. Het vlees van de steenbok, een soort wilde berggeit, werd graag gegeten; het wild dat Esau op verzoek van Isaak ging schieten, kan een steenbok geweest zijn.

**Damhert**

**Nubische steenbok**

19

# Dieren uit de Bijbel

*(vervolg)*

De leeuw komt ten tijde van de Bijbel op talloze plaatsen in het Nabije Oosten voor. Zijn majestueuze verschijning en zijn meedogenloze moed vormden een rijke bron van gelijkenissen en metaforen voor de schrijvers van de Bijbel. De toorn van een koning was 'als het gebrul van een leeuw' (Spr 19:12); Judas de Makkabeeër 'vocht als een leeuw' (1 Mak 3:4). De leeuw komt dikwijls voor in de regionale kunst van de Oudheid en de leeuwejacht was bij uitstek de sport van koningen. De leeuwekuil waarin Daniël geworpen werd - en waar God hem tegen letsel beschermde - was een stenen put, die gemaakt was om gevangen leeuwen in vast te houden.

Aziatische leeuw

Leeuwin

Welp

Wolf

Jakhals

Vos

De faam van de wolf als overvaller van kudden komt in de bijbelse beeldspraak herhaaldelijk terug. Jeremia noemt de vijanden van Juda wolven. 'Wacht u voor de valse profeten,' waarschuwt Matteüs, 'mensen die tot u komen in schaapskleren, maar van binnen roofzuchtige wolven zijn'. (Mt 7:15). Voor bijbelvertalers was het soms moeilijk de benamingen voor de jakhals en de vos uit elkaar te houden, waarschijnlijk omdat de bijbelse schrijvers in de war gebracht werden door de uiterlijke gelijkenis van deze dieren. Over het algemeen hebben de geleerden aangenomen dat beeldspraak die bijvoorbeeld betrekking heeft op het opruimen van afval, op de jakhals slaat - 'Jeruzalem maak ik ... een plaats waar de jakhalzen huizen' (Jr 9:10) -, terwijl het in zinspelingen op sluwheid om de vos gaat, zoals in Jezus' scherpe karakterisering van Herodes Antipas: 'Gaat aan die vos zeggen ...' (Lc 13:32).

Panter

Een andere telg van de grote katachtigen, de panter, zwierf in vroegere tijden door het Heilige Land; de manier waarop hij 's nachts rondsloop maakte dat hij meer gevreesd werd dan de leeuw. In de Bijbel wordt de panter gebruikt als een metafoor voor bedreiging. De Israëlieten worden door God gewaarschuwd: 'Ik loer als een panter langs de weg' (Hos 13:7) en Israëls buitenlandse vijanden, met inbegrip van de Babyloniërs, Perzen en Romeinen, worden met loerende panters vergeleken.

**Syrische beer**

**Rotsduif**

**Tortelduif**

**Raaf**

**Palestijnse adder**

**Nijlkrokodil**

De duif was een steeds terugkerend symbool in de christelijke kunst, afkomstig van Matteüs' beschrijving van de doop van Jezus: '. . . daar ging de hemel open en Hij zag de Geest Gods neerdalen in de gedaante van een duif . . .' (Mt 3:16). De Hebreeërs hielden duiven die als offergave dienden voor arme mensen. De van afval levende raven werden als onrein beschouwd, maar ook zij leefden onder Gods oog: '. . . ze zaaien niet en maaien niet, . . ., maar God voedt ze.' (Lc 12:24).

Ten tijde van de Bijbel leefde de bruine beer in de beboste heuvels van het Heilige Land. Gewoonlijk ging hij mensen uit de weg; bijbelse schrijvers vermelden echter de felheid waarmee de berin haar jongen verdedigde: 'Ik voer hen aan als een berin die van haar jongen beroofd is, . . .' (Hos 13:8) symboliseerde de toorn van de Heer. De spreuk over de dwaas en zijn dwaasheid wordt kracht bijgezet door de opmerking dat men beter 'een van haar jongen beroofde berin' (Spr 17:12) kan ontmoeten dan een dwaas. Onze uitdrukking 'van de wal in de sloot' betekent hetzelfde als de zinsnede in Amos: 'Zoals iemand, die vlucht voor een leeuw, door een beer wordt overvallen, . . .' (Am 5:19).

Toen Johannes de Doper de Farizeeën en Sadduceeën veroordeelde - 'Adderengebroed, wie heeft u voorgespiegeld dat ge de dreigende toorn kunt ontvluchten?' (Mt 3:7) - zinspeelde hij waarschijnlijk op de levensgevaarlijke Palestijnse adder die in het hele gebied veel voorkwam. Voor de schrijvers van de Bijbel waren adders of slangen symbolen van gevaar, bedrog en vrees; vanaf de veroordeling van de slang in Genesis als vervloekt 'onder alle tamme dieren en onder alle wilde beesten!' (Gn 3:14) lag hun rol in de bijbelse beeldspraak vast.

In hoofdstuk 40 van het boek Job spreekt God vanuit de stormwind om Job te berispen voor zijn twijfels; hij wijst hem op zijn menselijke zwakheid door hem te vragen: 'Jij slaat de krokodil aan de haak . . .?' (Job 40:25). Door vele geleerden wordt het machtige watermonster dat in de daaropvolgende verzen beschreven wordt, beschouwd als de nijlkrokodil. De krokodil werd echter niet alleen in zijn bekende territorium in Egypte aangetroffen; uit de literatuur is duidelijk dat hij ten tijde van de Bijbel ook voorkwam in de kustvlakte van het Heilige Land. Klaarblijkelijk bestond er een stad, Krokodilopolis genaamd, ten zuiden van de berg Karmel. Ofschoon er in het boek Job sprake is van een groot monster, waar vlammen en damp uitslaan, wordt het uit andere zinsneden in de beschrijving duidelijk dat het hier om een krokodil gaat. De Heer vraagt: 'Prik jij zijn huid vol harpoenen, zijn kop vol vishaken?' (Job 40:31); 'Wie . . . dringt door het dubbele pantser?' (Job 41:5); 'Zijn rug is schild op schild . . .' (Job 41:7); 'De wateren doet hij koken als in een pot . . .' (Job 41:23).

# Planten uit de Bijbel

Vlas

Katoen

Evenals andere volken uit de Oudheid wijzigden de Hebreeërs langzaam maar zeker hun nomadenbestaan; ze vestigden zich blijvend op één plaats en gingen een agrarisch leven leiden. Het is dan ook geen wonder dat er in de Bijbel wel honderd verschillende planten met name genoemd worden. Sommige worden zo vaak vermeld dat ze een bijna spreekwoordelijke bekendheid gekregen hebben. Dadelpalmen, olijfbomen, wijnstokken waren niet alleen van levensbelang als bronnen van voedsel, drank, brandstof en koopwaar, maar dienden ook als fundamentele en duurzame symbolen: de palm, een boom die in verband werd gebracht met Jericho en de koningen van Israël, was ook een plechtig zinnebeeld van de overwinning, de olijftak een teken van vrede en de wijnstok een symbool van Israël zelf. Een ander traditioneel symbool, de beroemde ceders van de Libanon - niet minder dan 70 keer genoemd in bijbelse teksten -, worden niet alleen om hun natuurlijke schoonheid geprezen, maar ook om hun buitengewone duurzaamheid als bouwmateriaal. Even bekend zijn de welriekende harsen wierook en mirre, plantaardige produkten die bij godsdienstige plechtigheden werden gebruikt.

Veel planten die in de Bijbel vermeld worden komen nu nog net zo vaak voor als in die tijd: gewassen als tarwe, gerst en vlas, groente en fruit als bonen, komkommers, uien, vijgen en abrikozen (appels in de Bijbel). Ook bloemen worden dikwijls genoemd. Het is wel niet altijd even duidelijk over welke soort het gaat, maar zeker horen er ook inheemse wilde bloemen bij als tulpen, hyacinten, irissen, anemonen en narcissen. De planten van het Nabije Oosten uit de Oudheid die op deze en de volgende bladzijde zijn afgebeeld groeiden weelderiger en waren sterker dan in onze tijd. Alleen al in het Heilige Land kwamen er zo'n 2300 soorten voor.

**Planten voor de tempel**

Wilg

Wierook

Citroen

Welriekende storax

Mirte

Mirre

Cassia

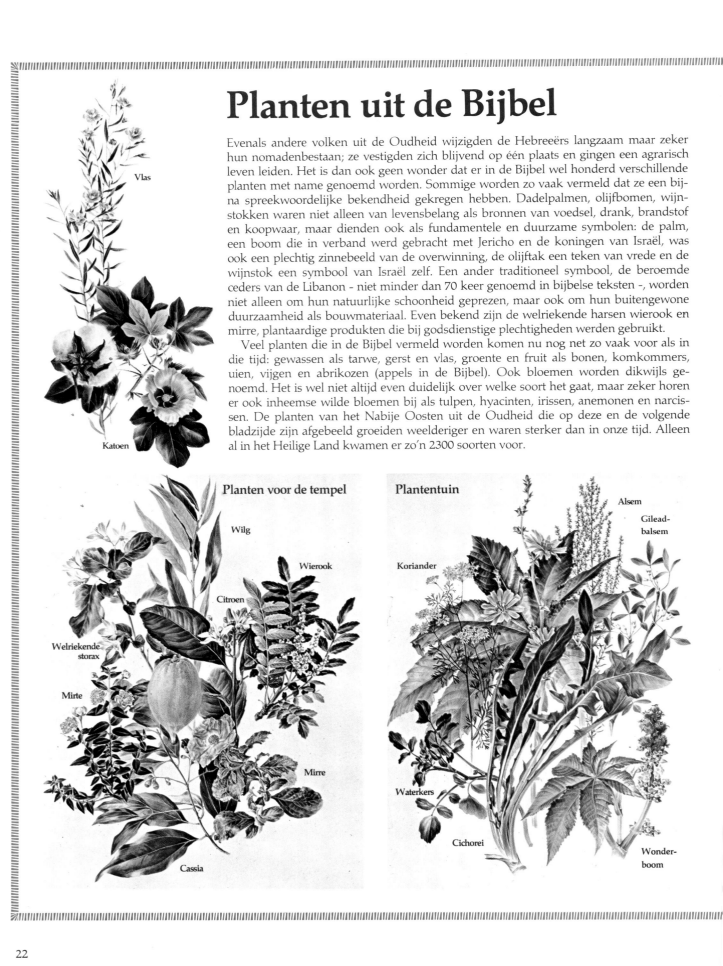

**Plantentuin**

Alsem

Gilead-balsem

Koriander

Waterkers

Cichorei

Wonderboom

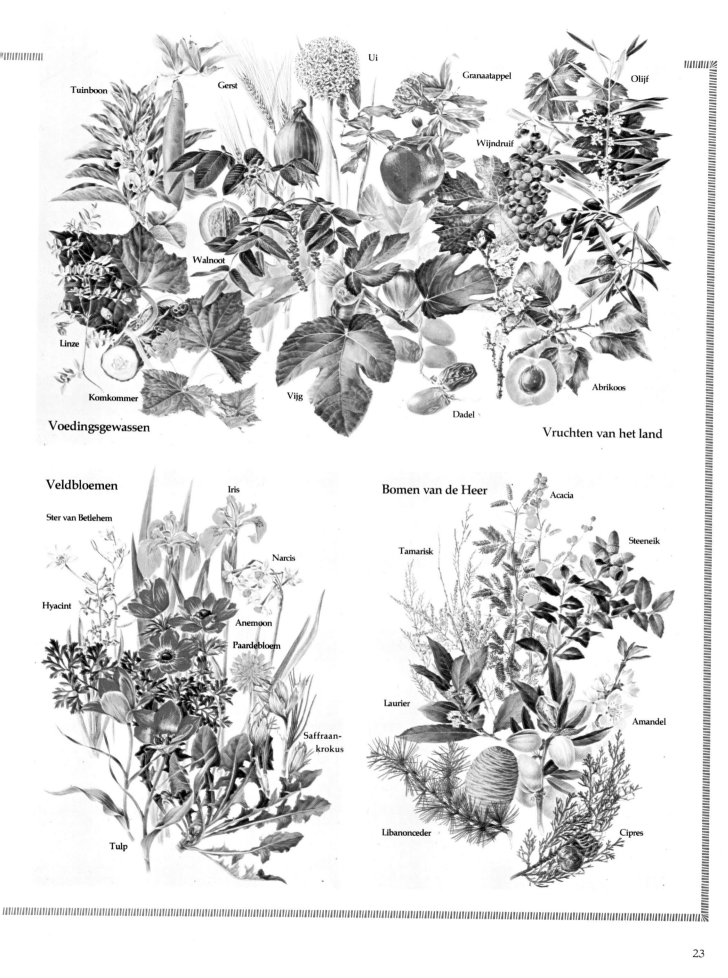

Ui

Granaatappel

Olijf

Tuinboon

Gerst

Wijndruif

Walnoot

Linze

Komkommer

Vijg

Dadel

Abrikoos

**Voedingsgewassen**

**Vruchten van het land**

**Veldbloemen**

Iris

**Bomen van de Heer**

Acacia

Ster van Betlehem

Tamarisk

Steeneik

Narcis

Hyacint

Anemoon

Paardebloem

Laurier

Amandel

Saffraan-
krokus

Tulp

Libanonceder

Cipres

# Maten en gewichten

In de Oudheid werden maten en gewichten in termen van gewone alledaagse dingen vastgelegd. Zo werden bijvoorbeeld gewichten uitgedrukt in graankorrels en diende de afstand van de elleboog tot de top van de vinger of de breedte van de handpalm als lengtematen. Na verloop van tijd ging men stenen en stukjes metaal gebruiken om de waarde te vergelijken van goederen die men wilde ruilen. Het oudste instrument om iets te wegen was waarschijnlijk een primitieve balans met twee schalen.

De maten en gewichten uit de tijd van de Bijbel waren meestal gebaseerd op die van Mesopotamië en Egypte. Men beschikte niet over één enkele standaardmaat. Soms gaf eenzelfde maat twee verschillende waarden aan. Zo was er een el van 44,4 cm (de korte of gewone el) en een van 52 cm (de grote el of el van Ezechiël). Ten tijde van het Nieuwe Testament kon een talent een bepaald gewicht betekenen, maar ook wel gewoon een willekeurig zwaar gewicht of een grote som gelds.

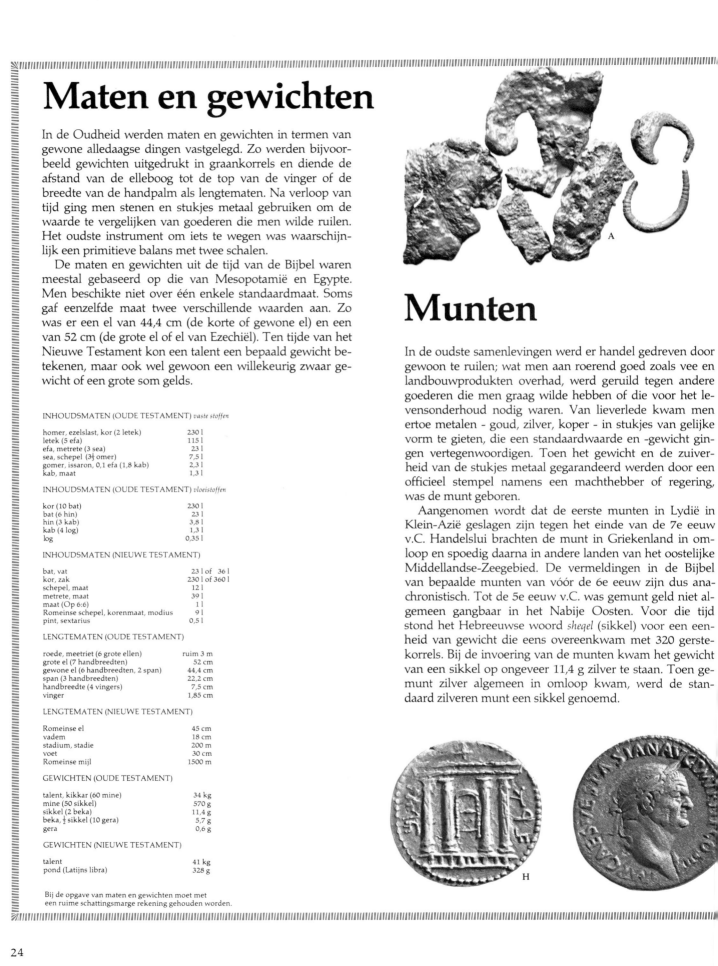

A

INHOUDSMATEN (OUDE TESTAMENT) *vaste stoffen*

| | |
|---|---|
| homer, ezelslast, kor (2 letek) | 230 l |
| letek (5 efa) | 115 l |
| efa, metrete (3 sea) | 23 l |
| sea, schepel (3⅓ omer) | 7,5 l |
| gomer, issaron, 0,1 efa (1,8 kab) | 2,3 l |
| kab, maat | 1,3 l |

INHOUDSMATEN (OUDE TESTAMENT) *vloeistoffen*

| | |
|---|---|
| kor (10 bat) | 230 l |
| bat (6 hin) | 23 l |
| hin (3 kab) | 3,8 l |
| kab (4 log) | 1,3 l |
| log | 0,35 l |

INHOUDSMATEN (NIEUWE TESTAMENT)

| | |
|---|---|
| bat, vat | 23 l of 36 l |
| kor, zak | 230 l of 360 l |
| schepel, maat | 12 l |
| metrete, maat | 39 l |
| maat (Op 6:6) | 1 l |
| Romeinse schepel, korenmaat, modius | 9 l |
| pint, sextarius | 0,5 l |

LENGTEMATEN (OUDE TESTAMENT)

| | |
|---|---|
| roede, meetriet (6 grote ellen) | ruim 3 m |
| grote el (7 handbreeten) | 52 cm |
| gewone el (6 handbreedten, 2 span) | 44,4 cm |
| span (3 handbreedten) | 22,2 cm |
| handbreedte (4 vingers) | 7,5 cm |
| vinger | 1,85 cm |

LENGTEMATEN (NIEUWE TESTAMENT)

| | |
|---|---|
| Romeinse el | 45 cm |
| vadem | 18 cm |
| stadium, stadie | 200 m |
| voet | 30 cm |
| Romeinse mijl | 1500 m |

GEWICHTEN (OUDE TESTAMENT)

| | |
|---|---|
| talent, kikkar (60 mine) | 34 kg |
| mine (50 sikkel) | 570 g |
| sikkel (2 beka) | 11,4 g |
| beka, ½ sikkel (10 gera) | 5,7 g |
| gera | 0,6 g |

GEWICHTEN (NIEUWE TESTAMENT)

| | |
|---|---|
| talent | 41 kg |
| pond (Latijns libra) | 328 g |

Bij de opgave van maten en gewichten moet met een ruime schattingsmarge rekening gehouden worden.

# Munten

In de oudste samenlevingen werd er handel gedreven door gewoon te ruilen; wat men aan roerend goed zoals vee en landbouwprodukten overhad, werd geruild tegen andere goederen die men graag wilde hebben of die voor het levensonderhoud nodig waren. Van lieverlede kwam men ertoe metalen - goud, zilver, koper - in stukjes van gelijke vorm te gieten, die een standaardwaarde en -gewicht gingen vertegenwoordigen. Toen het gewicht en de zuiverheid van de stukjes metaal gegarandeerd werden door een officieel stempel namens een machthebber of regering, was de munt geboren.

Aangenomen wordt dat de eerste munten in Lydië in Klein-Azië geslagen zijn tegen het einde van de 7e eeuw v.C. Handelslui brachten de munt in Griekenland in omloop en spoedig daarna in andere landen van het oostelijke Middellandse-Zeegebied. De vermeldingen in de Bijbel van bepaalde munten van vóór de 6e eeuw zijn dus anachronistisch. Tot de 5e eeuw v.C. was gemunt geld niet algemeen gangbaar in het Nabije Oosten. Voor die tijd stond het Hebreeuwse woord *sheqel* (sikkel) voor een eenheid van gewicht die eens overeenkwam met 320 gerstekorrels. Bij de invoering van de munten kwam het gewicht van een sikkel op ongeveer 11,4 g zilver te staan. Toen gemunt zilver algemeen in omloop kwam, werd de standaard zilveren munt een sikkel genoemd.

H

B

C

**A)** Zilveren staafjes en gedeelten van sieraden uit de 7e eeuw v.C. Voordat er munten werden geslagen dienden stukjes metaal in de vorm van staafjes of blokjes en armbanden, oorringen en andere sieraden als betaalmiddel.

**B)** Zilveren tetradrachme, geslagen in Gaza in de 5e eeuw v.C. Een replica van een Atheense munt met op de voorzijde het hoofd van de godin Athena en op de keerzijde een uil. Ofschoon het westen van Azië onder de heerschappij van Perzië stond werden er alleen Griekse munten en imitaties ervan gebruikt.

**C)** Zilveren drachme, geslagen in Judea in de 4e eeuw v.C. De voorzijde toont een man met baard, de keerzijde een god met een valk in een wagen, mogelijk een Perzische interpretatie van de joodse godheid

**D)** Gouden octadrachme, geslagen in Joppe in de 3e eeuw v.C. Arsinoë, echtgenote van de Egyptische heerser Ptolemeüs II, staat op de voorzijde; op de keerzijde is een dubbele hoorn des overvloeds afgebeeld. Aangenomen wordt dat de Griekse uitgave van het Oude Testament, de Septuagint, in Alexandrië vertaald is en dat er een begin mee gemaakt werd tijdens de regering van Ptolemeüs II (284-246 v.C.).

**E)** Zilveren sikkel, geslagen in Tyrus. Op de voorzijde het hoofd van de Fenicische god Melqart; op de keerzijde een arend. De zilve-ren sikkel was het meest gangbare muntstuk in het Nabije Oosten vanaf 126 v.C. tot 65 n.C. Men neemt aan dat de 'dertig zilverlingen' (Mt 26:15), die Judas voor het verraden van Jezus kreeg, Tyreense zilverlingen kunnen zijn geweest. Volgens de joodse wet moest de bijdrage aan de tempel in zilver betaald worden; de Fenicische sikkel kwam daarvoor in aanmerking ondanks de heidense symbolen.

**F)** Bronzen pruta, geslagen in Judea tijdens de regering van Alexander Janneus (103-76 v.C.). Op de voorzijde een lelie met 'Koning Jonatan' in oudhebreeuws schrift, op de keerzijde een anker met het inschrift 'Koning Alexander' in het Grieks.

**G)** Bronzen sestertius, geslagen in Rome in het jaar 71 ter herdenking van de Romeinse verovering van Jeruzalem een jaar tevoren. Een van de vele stukken uit de series *Judea Capta*-munten in goud, zilver en brons. Het toont keizer Vespasianus op de voorzijde en twee figuren op de keerzijde: een triomferende Romein en - symbool van het verslagen Judea - een treurende vrouw onder een palmboom.

**H)** Tijdens de Tweede Joodse Oorlog (132-135) werd een aantal Romeinse munten overgeslagen met Joodse symbolen. Op de voorzijde van deze Judeese zilveren tetradrachme is een gehate Romeinse afbeelding vervangen door de tempel en het woord 'Jeruzalem' in oude Hebreeuwse letters.

D

E

G

F

# Geschiedenis van de Bijbel

Alle geestelijke arbeid die in de loop der eeuwen door joodse schriftgeleerden, christelijke kerkvaders, moderne wetenschappers en talloze andere vrome, weetgierige mensen aan één enkel boek, de Bijbel werd besteed, is eenvoudig niet te schatten. Al vroeg is men begonnen de geschiedenis van de Bijbel stap voor stap te onthullen, de inhoud woord voor woord te verklaren en voor exacte vertalingen te zorgen. Tot op de dag van vandaag houdt men zich intensief met dit werk bezig en ongetwijfeld zal men ermee doorgaan, zolang dit verheven document de hoekpijler van het joodse en christelijke denken blijft.

De Hebreeuwse Bijbel of het Oude Testament is in de eerste plaats de kroniek van de bemoeienissen van God met de kinderen van Israël, het door Hem uitverkoren volk. Het gaat hier om mondelinge en schriftelijke overleveringen, waarvan het begin teruggaat tot de 12e eeuw v.C. en die in een tijdsspanne van ongeveer 1000 jaar hun definitieve vorm hebben gekregen. Aanvankelijk was er eigenlijk geen sprake van een vaste inhoud, maar na verloop van tijd bestond het Oude Testament slechts uit die geschriften, die men als canoniek, d.w.z. door God geïnspireerd beschouwde. Alle overige teksten bleven voortaan buiten de canon of werden eruit verwijderd. Het Oude Testament bevat bijgevolg slechts een selectie uit de veel omvangrijkere Hebreeuwse literatuur. Alleen al in de Bijbel worden er 19 niet-bijbelse werken vermeld, waaronder het *Boek van de Rechtvaardige* (Joz 10:13), het *Boek van de oorlogen van Jahwe* (Nu 21:14) en de *Annalen van de koningen van Israël* (1 K 14:19). Geen van deze boeken heeft ons bereikt. Omdat ze niet in de canon zijn opgenomen, werden ze ook niet overgeleverd.

De Hebreeuwse canon bestaat - naar ontstaan en ordening van de onderscheiden delen - uit drie gedeelten: de *Wet*, de *Profeten* en de (overige) *Geschriften* . In het Nieuwe Testament wordt het hele Oude Testament kortweg 'de Wet en de Profeten' of alleen 'de Wet' genoemd. De Wet (in het Hebreeuws *Thora*) omvat de vijf boeken van Mozes, de Pentateuch. Bij de Profeten maken de joodse schriftgeleerden onderscheid tussen de vroege profeten - de boeken Jozua, Richteren, Samuël en Koningen, die in feite over de geschiedenis van Israël handelen - en de late profeten, de profeten in engere zin, namelijk de boeken Jesaja, Jeremia, Ezechiël en het boek van de Twaalf Profeten. Tot de Geschriften horen in de eerste plaats de Psalmen, verder het boek Job, het boek der Spreuken, het boek Ruth, de Klaagliederen van Jeremia, de boeken Prediker, Ester, Daniël, Ezra en Nehemia en de Kronieken. In deze opzet kreeg de Hebreeuwse canon op de joodse synode van Jabneël (Jamnia) tegen het einde van de 1e eeuw n.C. zijn uiteindelijke vorm. Hij omvat 24, volgens een andere telling 22 boeken en komt - zij het in een enigszins andere rangschikking - overeen met het Oude Testament in protestantse Bijbels. De inhoud van het Hebreeuwse Oude Testament lag sedert de canonisering vast. Daarna hielden joodse tekstcritici, de Masoreten, zich tussen 750 en 1000 n.C. alleen nog maar bezig met het uniformeren van de spelling en het vastleggen van de juiste uitspraak door het aanbrengen van klinkertekens en andere aanwijzingen voor het lezen.

Nadat in het boek Exodus verteld is dat Jozua met de hulp van Mozes de Amalekieten versloeg, verhaalt de schrijver hoe Jahwe aan Mozes de opdracht geeft: 'Stel dit ter gedachtenis op schrift...' (Ex 17:14). Het is inderdaad waarschijnlijk dat er al vroeg een begin werd gemaakt met de schriftelijke overlevering. Maar jammer genoeg is van geen enkel bijbelboek het originele handschrift bewaard gebleven. De heilige boeken werden door de eeuwen heen van geslacht tot geslacht door kopiisten doorgegeven. Tot aan het verschijnen van de eerste gedrukte Bijbels in de 15e eeuw bleven deze godvruchtige en gewetensvolle schrijvers de enigen die voor de overlevering van het Oude en spoedig ook van het Nieuwe Testament zorg droegen. De oudst bekende handschriften van delen van het Oude Testament - het boek Jesaja en gedeelten uit bijna alle andere boeken - zijn afkomstig uit de grotten van Qumran, waar ze vanaf 1947 gevonden werden. Deze beroemde Dode-Zeerollen stammen waarschijnlijk uit de periode tussen 250 v.C. en 70 n.C. Ze vormden het boekenbestand van een joodse geloofsgemeenschap, die in de literatuur als de Essenen bekend is.

De taal van het Oude Testament is het Hebreeuws, op enkele gedeelten in het Aramees na. Toen na de Babylonische gevangenschap (6e eeuw v.C.) het Aramees de omgangstaal van de Joden werd, vertaalde men de heilige geschriften tijdens de lezing in de synagoge in deze taal. Dit gebeurde weliswaar heel vrij en lange tijd alleen maar mondeling. Door de veroveringstocht van Alexander de Grote werd het Grieks de voornaamste taal in het Nabije Oosten en in de landen aan de kusten van het oostelijke Middellandse-Zeegebied. De beroemdste en zeker ook meest invloedrijke Griekse vertaling van het Oude Testament is de *Septuagint* (zeventig). Volgens een legendarische overlevering werd de Pentateuch namelijk door 70 of 72 joodse schriftgeleerden in opdracht van koning Ptolemeüs II Filadelfos (285-246 v.C.) in 70 dagen voor de beroemde bibliotheek van Alexandrië vertaald. In de volgende twee eeuwen werden ook de andere delen van het Oude Testament in het Grieks overgezet. De Septuagint was eigenlijk voor de Grieks sprekende Joden van Alexandrië en van andere delen van de Hellenistische wereld bestemd. Omdat ze vóór de definitieve canonisering van de Hebreeuwse tekst ontstond, bevat ze ook geschriften die niet in de canon werden opgenomen en die thans door de protestanten apocriefe, door de katholieken deuterocanonieke boeken genoemd worden. Het zijn de boeken Tobit, Judit, 1 en 2 Makkabeeën, het Boek der Wijsheid, de Wijsheid van Jezus Sirach, het boek Baruch en enkele toevoegingen aan de boeken Ester en Daniël. Naast de Septuagint bestond er nog een hele reeks andere vertalingen van het Oude Testament in het Grieks.

De lange ontstaansgeschiedenis van het Oude Testament, het betrekkelijk kleine aantal werkelijk oude Hebreeuwse bijbelmanuscripten - de eerste compleet bewaard gebleven Hebreeuwse bijbeltekst dateert pas van het jaar 1008 -, de talloze goede vertalingen van verschillende herkomst, evenals de wijzigingen en fouten die door het voortdurend overschrijven niet te vermijden waren, hebben alles bij elkaar voor zeer veel problemen gezorgd die door de bijbelwetenschap nog lang niet allemaal opgelost konden worden. Bij het Nieuwe Testament staat men weer voor andere opgaven.

De meest spectaculaire bijbelse vondst van de laatste tijd is die bij Qumran op de westelijke oever van de Dode Zee in 1947. Een jonge bedoeïenenherder stootte toevallig op een grot, waarin manuscripten lagen die later bekend zouden worden als de Dode-Zeerollen. Deze en andere vondsten in grotten in de buurt bleken de verborgen boekenschat te zijn van een joodse sekte, volgens velen de Essenen. Ze bestonden uit oudtestamentische handschriften, die een duizend jaar ouder waren dan alle tot dan toe bekende. De zgn. Grot IV (foto links) bevatte een enorm aantal fragmenten. Boven een gedeelte van de rol met het boek Jesaja; rechts twee van de stenen kruiken waarin enkele van de leren rollen werden bewaard.

De 27 boeken van het Nieuwe Testament - het deel van de Bijbel, waarin het vooral gaat om het leven en de boodschap van Jezus en zijn apostelen - werden in het Grieks geschreven. Van de afzonderlijke gedeelten zijn de brieven van Paulus de oudste (50-54). Aan de vier evangeliën, die tussen 70 en 100 werden opgetekend, lagen belangrijk oudere bronnen ten grondslag, waaronder met name een verzameling 'uitspraken van Jezus', waarover Paulus al beschikte. Van veel boeken van het Nieuwe Testament zijn plaats en tijd van ontstaan en ook de schrijver niet zeker. Er zijn geen oorspronkelijke manuscripten bekend. De oudste kopieën van gedeelten van het Nieuwe Testament, die de tijden hebben overleefd - bijvoorbeeld een fragment van het Johannesevangelie (ca. 125) - liggen in jaren veel dichter bij de originele geschriften dan de bewaard gebleven kopieën van het Oude Testament. Uit de rijke literatuur van het eerste Christendom ontstond tegen het einde van de 2e eeuw een canon, die de belangrijkste boeken van het Oude Testament bevatte. De christenen hadden van meet af aan het Oude Testament in de vorm van de Septuagint als Heilige Schrift overgenomen. Samen met de boeken van het Nieuwe Testament vormden ze de christelijke Bijbel, waarvan al vanaf de 4e eeuw complete manuscripten bewaard gebleven zijn. In deze vorm is hij ook nu nog de Bijbel van de Grieks-Orthodoxe Kerk.

De verspreiding van het Christendom zorgde er in de Oudheid al voor dat de Bijbel, of gedeelten ervan, ook in andere talen vertaald werd, onder andere al zeer vroeg in het Syrisch en Koptisch, de jongste vorm van het Egyptisch. Belangrijk werd vooral de vertaling van de Bijbel in het Latijn. Er bestonden Latijnse teksten die blijkbaar niet voldeden aan de eisen,

die kerkelijke hoogwaardigheidsbekleders stelden. De H. Augustinus klaagde al over de 'eindeloze verscheidenheid van Latijnse vertalingen'. Om aan deze toestand een einde te maken gaf paus Damasus I in 383 aan Hiëronymus, een om zijn geleerdheid beroemde kerkvader, de opdracht een bindende standaardvertaling van de Bijbel in het Latijn te maken. Ongeveer twintig jaar lang werkte Hiëronymus aan deze taak, waarbij hij gebruik maakte van de oorspronkelijke Hebreeuwse tekst van het Oude Testament, Latijnse versies, de Septuagint en manuscripten van het Nieuwe Testament in het Grieks. Het resultaat van zijn werk, dat omstreeks 405 voltooid werd, was de Vulgaat (d.w.z. 'gangbare versie'), die slechts langzaam bekendheid kreeg, maar uiteindelijk toch de toonaangevende Bijbel van de Rooms-Katholieke Kerk werd. In 1547, tijdens het Concilie van Trente, werd ze tot authentieke en bindende Latijnse bijbelvertaling verklaard. De invloed ervan op de christenheid van het Avondland is nauwelijks te schatten.

Voor volken die tot dan toe geen geschreven taal kenden was het vertalen van de Bijbel of van enkele boeken vaak de eerste literaire schepping. Daarvoor moesten de toenmalige missionarissen eerst een taal scheppen, waarin men zich literair kon uitdrukken; het kwam zelfs vaak voor dat ze vooraf nog een alfabet moesten samenstellen. Dat gebeurde bijzonder vaak in de periode van de grote zendingsactiviteiten sedert de 18e eeuw en ook nu nog in de jonge kerken. Maar ook in de Oudheid was er al sprake van, bijvoorbeeld bij volken die aan de grens van de antieke wereld leefden, zoals de Armeniërs en Georgiërs of de Goten.

Al in de 2e eeuw verspreidde het christelijke geloof zich in

# Oude Bijbels

De Bijbel is niet alleen in deze tijd het meest verspreide boek ter wereld; hij was het al vóór de uitvinding van de boekdrukkunst. Dat blijkt uit het grote aantal bewaard gebleven Bijbels en gedeelten van Bijbels, die in de scriptoria van middeleeuwse kloosters door monniken gekalligrafeerd zijn. De handschriften werden met initialen en dikwijls ook met miniaturen versierd. Tot de fraaie oude Bijbels hoort de 42-delige Bijbel van Gutenberg.

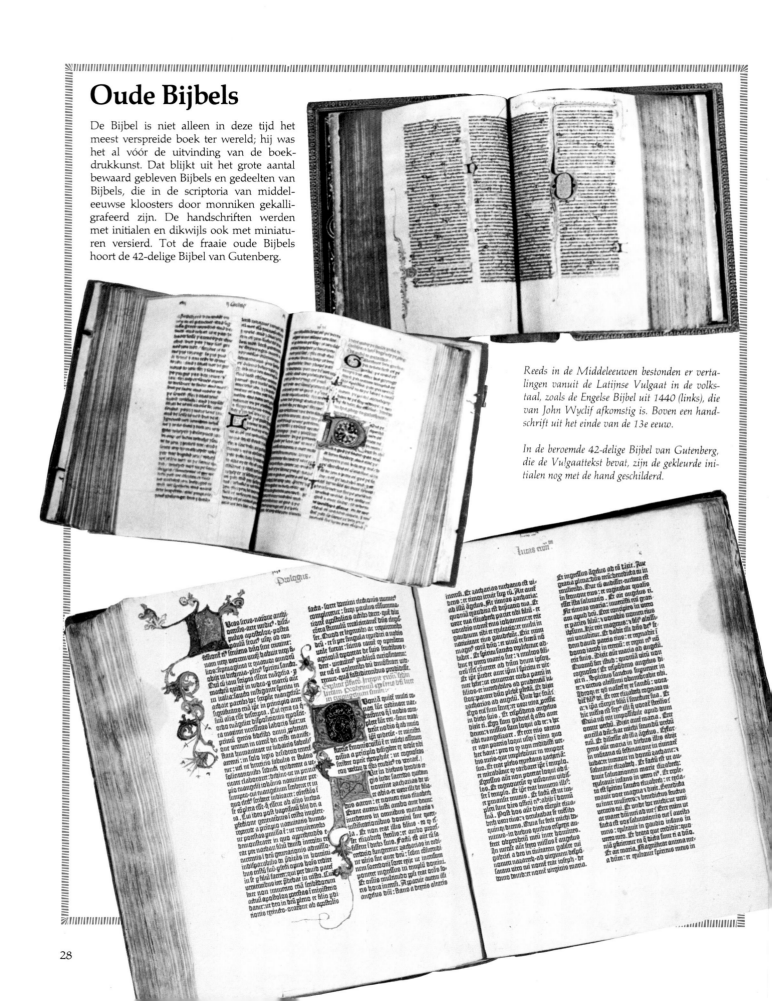

*Reeds in de Middeleeuwen bestonden er vertalingen vanuit de Latijnse Vulgaat in de volkstaal, zoals de Engelse Bijbel uit 1440 (links), die van John Wyclif afkomstig is. Boven een handschrift uit het einde van de 13e eeuw.*

*In de beroemde 42-delige Bijbel van Gutenberg, die de Vulgaattekst bevat, zijn de gekleurde initialen nog met de hand geschilderd.*

# Geschiedenis van de Bijbel *(vervolg)*

Armenië. Bij de doop van koning Tiridates III in het jaar 301 werd het tot staatsgodsdienst, nog voordat Constantijn de Grote in 311 het Christendom in het Romeinse Rijk officieel erkende. Ongeveer 100 jaar later ontwierp de monnik Mesrop of Mastots een Armeens schrift en begon hij de Bijbel te vertalen. De Armeense Bijbel en het Armeense schrift dienden nog in dezelfde eeuw de Georgiërs als voorbeeld voor een eigen schrift en als basis voor een Georgische bijbelvertaling. Het werk van bisschop Wulfila was, historisch gezien, nog belangrijker: hij bracht het Christendom en de Bijbel naar de Goten, de eerste van de barbaarse stammen die in het noorden een bedreiging vormden voor de grenzen van het Romeinse Rijk en er telkens weer binnenvielen.

Wulfila werd omstreeks 311 geboren. Zijn vader hoorde tot de Goten, zijn moeder stamde uit een christelijke familie, die door de Goten uit Kappadocië in Klein-Azië was weggevoerd en die waarschijnlijk Grieks sprak. Na een verblijf in Constantinopel werd Wulfila tot lector en in 341 tot bisschop gewijd. Zeven jaar lang was hij missionaris onder de Westgoten, die ten noorden van de Donau, dus buiten de grenzen van het Gotische rijk leefden. Vervolgens was hij 33 jaar geestelijk en wereldlijk hoofd van de Westgoten die zich ten zuiden van de Donau, in het huidige Bulgarije hadden gevestigd. Hier vertaalde hij vanaf 369 de Bijbel in het Gotisch, nadat hij uit het Griekse alfabet en enkele runentekens een Gotisch schrift ontworpen had. Gedeelten van deze Gotenbijbel zijn bewaard gebleven, vooral in de beroemde *Codex Argenteus*, een prachtig manuscript dat zich thans in de universiteitsbibliotheek van Uppsala bevindt.

Met de antieke Oudheid was aanvankelijk ook de tijd van de grote bijbelvertalingen voorbij. Wulfila had de Bijbel nog uit het Grieks vertaald, maar voor het Romaans-Germaanse Westen was alleen de Latijnse Vulgaat van belang, waaruit aanvankelijk slechts enkele boeken werden vertaald. Dikwijls stond terwille van de verkondiging de tekst in de volkstaal woord voor woord tussen de Latijnse regels. In de tijd van de Karolingen ontstonden naar oudere voorbeelden 'evangeliën-harmonieën', waarin het leven van Jezus in de volkstaal naverteld werd aan de hand van de vier evangeliën. Het meest beroemd zijn twee in dichtvorm geschreven werken van dit genre, de oudsaksische *Heliand* in een versvorm met stafrijm en de oudhoogduitse evangeliënharmonie van Otfrid van Weissenberg in verzen met eindrijm.

Vanaf het einde van de 13e eeuw waren er ook prentenbijbels die men - overigens niet helemaal terecht - *biblia pauperum*, armenbijbels noemde. Behalve de belangrijkste gebeurtenissen uit het leven van Christus, werden er telkens vier profeten afgebeeld en twee taferelen uit het Oude Testament, die naar de betreffende heilsgebeurtenis verwezen. Bij de afbeeldingen stonden korte teksten, aanvankelijk in het Latijn, maar vanaf het midden van de 14e eeuw ook in de volkstaal of in beide talen. In de 15e eeuw verschenen zulke armenbijbels als zgn. blokboeken. Deze werden gedrukt met behulp van een houten blok, waarin aan de ene kant de afbeelding en aan de andere kant de tekst uitgesneden was.

Een gebeurtenis die voor de verspreiding van de Bijbel van beslissende en daarmee van historische betekenis zou zijn, was de uitvinding van de boekdrukkunst omstreeks 1450 door Johann Gutenberg en Laurens Janszoon Coster, die gebruik maakten van losse gegoten letters van metaal en een

drukpers. De 'zwarte kunst' verspreidde zich ongehoord snel over heel Europa en daarmee de bijbeluitgaven, en niet alleen die van de Vulgaat. Reeds in 1462 verscheen in Mainz de eerste gedrukte Duitse Bijbel; in 1488 volgde de Hebreeuwse Bijbel en in 1516 de door Erasmus voorbereide Griekse tekst van het Nieuwe Testament.

In de late Middeleeuwen was de Bijbel, geheel of gedeeltelijk, in groten getale in verschillende volkstalen vertaald, bijvoorbeeld in het Nederlands, Duits, Engels en Frans. Deze vertalingen waren allemaal op de Latijnse tekst van de Vulgaat gebaseerd; alleen in Spanje was men tot de oorspronkelijke talen teruggegaan. Ook de grote Engelse hervormer John Wyclif, die in 1384 stierf, vertaalde vanuit de Vulgaat. Alleen al in het Duitse taalgebied zijn uit de Middeleeuwen 817 handschriften met bijbelvertalingen bewaard gebleven, waaronder 43 complete Bijbels. Vóór het optreden van Luther verschenen 14 Hoogduitse en 4 Nederduitse Bijbels in druk. In het Nederlandse taalgebied werd in de periode tot de Reformatie werk gemaakt van de 'verdietsing' van psalmen en evangeliën. Bekend zijn de Wachtendonckse Psalmen in het Oudoostnederfrankisch (9e-10e eeuw), de psalmvertaling van Geert Groote in het Dietse Getijdenboek, de vertaling van het Nieuwe Testament en de psalmen van zijn leerling Johan Scutken. Daarnaast kregen ook de *Rijmbijbel* van Jacob van Maerlant (1271) en de zgn. Tweede Historiebijbel (1359-1390), in 1477 te Delft als *Delftse Bijbel* in druk verschenen, grote vermaardheid.

De Bijbel stond in het middelpunt van de Reformatie. De hervormers beriepen zich telkens opnieuw op het woord van de Heilige Schrift. Wat lag dan meer voor de hand dan de Bijbel direct vanuit de oorspronkelijke tekst in de volkstaal, die iedereen verstond, te vertalen. Luther benutte de tijd die hij op de Wartburg moest doorbrengen en vertaalde in vier maanden het Nieuwe Testament. Het verscheen in Wittenberg in 1522. In de periode tot 1534 werd de hele Bijbel door Luther in het Duits vertaald. Zijn Bijbel vormt het begin van de nieuwere Duitse literatuur. Hoe hij te werk ging schrijft hij in 1530 in zijn *Sendbrief vom Dolmetschen*: 'Men moet er de moeder thuis, de kinderen op straat, de gewone man op de markt naar vragen en naar hun mond kijken hoe ze praten en je op dezelfde manier uitdrukken; dan begrijpen ze het en merken ze dat je Duits met hen spreekt'. In taalkundig opzicht was Luthers Bijbel een meesterwerk.

Daarmee was het begin gemaakt. De Bijbel werd - dikwijls naar het model van Luthers vertaling - in zo goed als alle Europese talen overgezet. Belangrijk voor Nederland was de Statenbijbel, de eerste volledige bijbelvertaling die op de grondtalen Hebreeuws en Grieks was gebaseerd. De Dordtse Synode had in 1619 tot deze uitgave besloten, die in 1637 verscheen op last van de 'Hoogh-Mogende Heeren Staten Generael van de Vereenighde Nederlanden'. Deze Statenvertaling heeft - ook taalkundig - dezelfde betekenis gehad als in Duitsland de Lutherbijbel. Datzelfde geldt overigens ook voor de zgn. King James Version uit 1611 voor Engeland en het Angelsaksische taalgebied.

Intussen is de Bijbel of zijn gedeelten ervan in ongeveer 1800 talen vertaald. De oudere vertalingen moesten herzien worden, omdat taal verandert. Hieraan ontkwamen de Statenbijbel, de Bijbel van Luther en de King James Version evenmin.

# Het Heilige Land in kaart gebracht

Toen Jozua zijn mannen beval 'Gaat door het land, maakt er een beschrijving van . . .' (Joz 18:8), heeft hij hun wellicht opgedragen het land in kaart te brengen. Het verslag van de volkstelling van David in 2 Samuël 24:1-9 en 1 Kronieken 21:1-6 wekt de indruk dat de volkstellers een landkaart hebben gebruikt. Er bestaan echter geen Hebreeuwse landkaarten uit zo'n vroege periode en ook de oude beschavingen die strijd leverden om de strategische landengte tussen Azië en Afrika lieten geen enkele cartografische voorstelling van het Heilige Land na. De oudste overgebleven geografische documenten van dit gebied zijn een overzicht waarop de ligging van de steden door Ptolemeüs van Alexandrië in de 2e eeuw n.C. is aangegeven en een plaatsnamenlijst uit het begin van de 4e eeuw, opgesteld door Eusebius van Caesarea.

Gedurende de 1000 jaar dat de prestaties van Ptolemeüs en Eusebius in het Westen lang en breed vergeten waren, bleef het Heilige Land, als de geboortestreek van het joodse en christelijke geloof, cartografen boeien. Op de meeste middeleeuwse afbeeldingen van de wereld, zoals men die toen kende, lag Palestina in het midden; op sommige voorstellingen die vooral symbolisch bedoeld waren, werd Jeruzalem zelfs letterlijk als het centrum van de wereld uitgebeeld (zie hiernaast).

In weerwil van het groeiend aantal bedevaarten naar het Heilige Land na de 4e eeuw betrof de vooruitgang in de cartografie meer de artistieke waarde dan de geografische betrouwbaarheid. Dat de belangstelling vooral naar het illustreren uitging blijkt uit een kaart (blz. 32-33), gemaakt in opdracht van de 15e-eeuwse Duitse geestelijke Bernhard von Breydenbach; het verlangen om bijbelse bijzonderheden in beeld te brengen was sterker dan welke poging tot geografische precisie ook.

Pas in de 18e eeuw begon de cartografie van Palestina meer realistische vormen aan te nemen, wat voor een deel te danken was aan de uitvinding van meetapparatuur en onderzoekingsinstrumenten. Toen Napoleon bij voorbeeld in 1798 zijn veldtocht in het Nabije Oosten ondernam, werd zijn leger vergezeld van een staf geleerden die Egypte en Palestina opmaten en in kaart brachten. De landkaart die ze maakten (een fragment ervan is afgebeeld op blz. 32) betekende een mijlpaal in de moderne cartografie van het Heilige Land.

De toenemende verfijning van de bijbelwetenschap in de 19e eeuw en de daarmee gepaard gaande groeiende belangstelling voor de archeologie van het Heilige Land brachten de nog steeds bestaande leemten in cartografische kennis van die streek aan het licht. Een van de eerste projecten, waarvoor het in Londen gevestigde Palestine Exploration Fund na zijn oprichting in 1865 opdracht gaf, was een volledig uitgewerkte kaart van Palestina. Het veldwerk onder leiding van Luit. C.R. Conder en Luit. H.H. Kitchener van de Royal Engineers nam zes jaar in beslag. Het tot in de finesses uitgevoerde werk, getekend op een schaal van ongeveer 1:65 000 (1 duim : 1 mijl) werd in 1878 in 26 kaarten uitgegeven (fragment op blz. 33). De nauwgezette vermelding van plaatsnamen is tot op de dag van vandaag gezaghebbend.

De hoge cartografische maatstaven die Condor en Kitchener bij hun metingen aanlegden, zijn gehandhaafd gebleven. Het Heilige Land is bijzonder nauwkeurig in kaart gebracht.

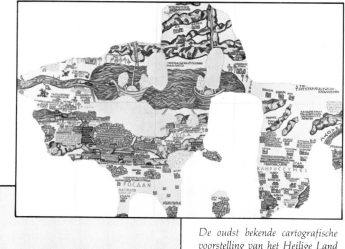

De oudst bekende cartografische voorstelling van het Heilige Land is het fragment van een mozaïek hierboven, in 1884 gevonden tussen de ruïnes van een Byzantijnse kerk in Medeba, ten oosten van de Dode Zee. Het werd gemaakt in 560 n.C. en is voorzien van Griekse teksten; het oosten ligt aan de bovenkant. Het doopsel van Jezus is afgebeeld op de plaats waar de Jordaan in de Dode Zee uitmondt (linksboven). Links een detail van Jeruzalem. Aan de binnenkant van wat tegenwoordig de Damascuspoort is (uiterst links) staat de zuil van waaruit alle afstanden in het Heilige Land werden gemeten.

Op deze radvormige kaart uit een Latijns manuscript, daterend van ongeveer 1250, is Jeruzalem afgebeeld als het middelpunt van een wereld waarover Jezus regeert. Aan de bovenkant ligt Azië, links Europa en rechtsonder Afrika. De zeven mondingen van de Nijl komen uit in de Middellandse Zee (onder het midden); de Rode Zee is echt rood. De Jordaan stroomt door het meer van Galilea (met vis) en mondt uit in de Dode Zee, links van de Rode Zee.

# Het Heilige Land in kaart gebracht

*(vervolg)*

Het tot in details uitgewerkte panorama rechts is het middelste gedeelte van een kaart, gemaakt door de Hollandse schilder Erhard Reuwich, die de Duitse geestelijke Bernhard von Breydenbach in 1483 op een bedevaartstocht naar het Heilige Land vergezelde. De ommuurde stad Jeruzalem domineert volledig Reuwichs voorstelling, hoewel ook andere bijbelse plaatsen schilderachtig zijn uitgebeeld. Rechtsboven ligt Betlehem onder de Dode Zee. Linksboven het meer van Galilea. Links op de voorgrond de berg Karmel met een stroom die zich vanaf de hoogten naar de kust slingert. De zorgvuldig uitgewerkte boot, links op de voorgrond, ligt voor de wal in de Middellandse-Zeehaven Jaffa (Joppe). Binnen de muren van Jeruzalem steekt de Dom van de Rotskoepel (Moskee van Omar) boven alles uit. Boven het open vierkant, rechts van de moskee, zijn de koepels van de kerk van het Heilig Graf gemarkeerd met patriarchale kruisen. Bij het midden van de lange muur op de voorgrond bevindt zich de Gouden Poort, waardoor Jezus op palmzondag de stad binnenkwam.

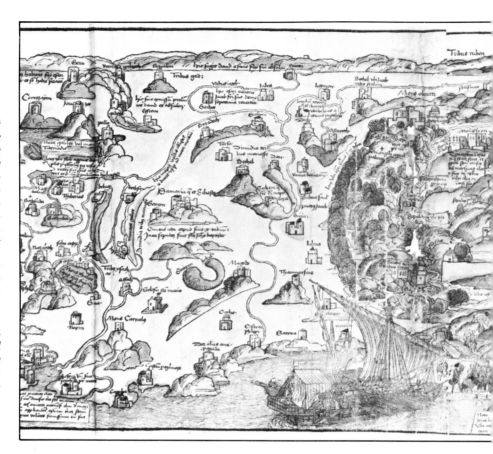

*Napoleons veldtocht naar het Nabije Oosten (1798-1799) was een militaire ramp, maar in wetenschappelijk en historisch opzicht een triomf. Een legertje geleerden verspreidde zich over de oudheden van Palestina en Egypte (boven wordt de grote Sfinx van Gizeh opgemeten). Rechts een gedeelte van de kaart van Palestina, vanaf de kust van de Middellandse Zee oostwaarts tot het meer van Galilea. Ze werd gemaakt door kolonel M. Jacotin, de voornaamste cartograaf van Napoleon en wordt beschouwd als de eerste moderne cartografische weergave van het Heilige Land.*

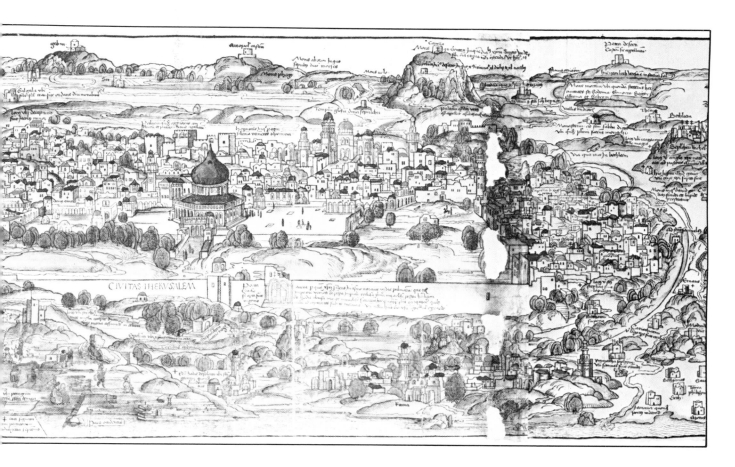

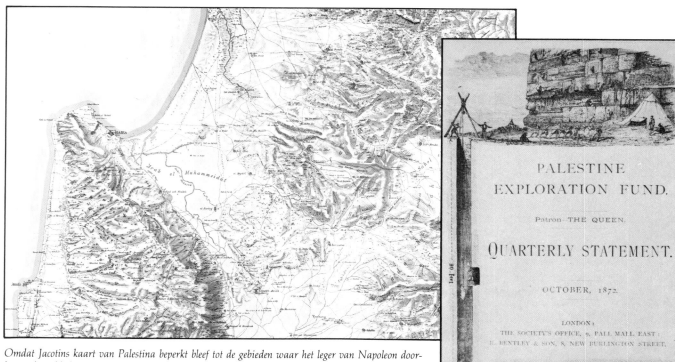

Omdat Jacotins kaart van Palestina beperkt bleef tot de gebieden waar het leger van Napoleon door-heentrok, stelde het Palestine Exploration Fund zich tot taak het eerste volledige overzicht van het land financieel mogelijk te maken. Onder aanvallen van malaria en belaagd door de bewoners werkten car-tografen van het Britse leger van 1871 tot 1877 aan hun opdracht. Het detail van hun werk hierbo-ven overlapt een gedeelte van Jacotins kaart. Rechts het tijdschrift van het Palestine Exploration Fund met een voorstelling van onverschrokken onderzoekers die in een 15m diepe schacht afdalen.

# Graven in het verleden

De oude geschiedenis van het Heilige Land, zoals we die uit de Bijbel kennen, is een fragmentarisch geheel, nu eens rijk en uitvoerig van opzet dan weer teleurstellend vaag, soms zelfs met onderlinge tegenspraak. Bij het ontrafelen van de mysteries en het opvullen van de leemten is de archeologie van grote betekenis. Er werd ongeveer 150 jaar geleden voor het eerst gebruik van gemaakt in het Nabije Oosten 'ter illustratie en verdediging van de Bijbel', zoals een sponsorgroep het onder woorden bracht, en heeft een steeds verder uitgewerkt kader opgeleverd, waarbinnen de lange loop van de bijbelse geschiedenis onderzocht kon worden.

In tegenstelling tot monumentale werken uit de oude wereld die van verre zichtbaar zijn, zoals de piramiden van Egypte of het Parthenon van Athene, zitten in het Heilige Land de stoffelijke restanten van voorbije millennia gewoonlijk in de grond. Een van de unieke topografische kenmerken van het landschap van het Nabije Oosten is het grote aantal aardverhogingen of *tells* , waarvan lang gedacht werd dat het gewone natuurlijke heuveltjes waren. Pas in de loop van de laatste eeuw hebben archeologen aangetoond dat deze tells in feite met de hand waren opgeworpen en een rijke getuigenis van het verleden vormen. De eerste serieuze, bijbels georiënteerde topografische studie werd in 1838 opgezet door de Amerikaanse geleerden Edward Robinson en Eli Smith, die sporen van historische plaatsen in het Heilige Land identificeerden. Spoedig volgden andere expedities met steun van kort tevoren opgerichte organisaties als het Palestine Exploration Fund (1865) en de American Palestine Society (1870). Maar het geheim van de tells werd pas in 1890 volledig onthuld, toen de Engelsman W.M. Flinders Petrie de grondslagen legde voor de moderne archeologische wetenschap.

Petrie, een ervaren egyptoloog, bracht zes weken door in Tell el-Hesi (Eglon?), ongeveer 26 km ten noordoosten van Gaza. Hij leverde het overtuigende bewijs dat de tells in feite de opeengehoopte, gelaagde resten waren van oude steden en versterkingen, telkens weer gebouwd op de ruïnes van hun voorgangers, die stuk voor stuk ten prooi waren gevallen aan verlatenheid, verval of verwoesting, zoals dat in Jozua beschreven wordt: 'Tenslotte liet Jozua Ai platbranden en maakte het tot een blijvende puinhoop, een ruïne, die tot op de huidige dag is blijven bestaan' (Joz 8:28). Op de plek Tell el-Hesi introduceerde Petrie twee sleutelbegrippen van de archeologie, die heden ten dage nog gelden, het principe van de 'stratigrafie' of de wetenschap der beschrijving van de verschillende lagen van ruïnes, en van de 'aardewerktypologie', de techniek om de lagen te dateren aan de hand van aardewerk en potscherven, die tijdens het zorgvuldig afgraven van de lagen te voorschijn kwamen. 'Er zijn geen munten en geen inschriften die ons kunnen helpen bij het dateren van de lagen', zei Petrie over Tell el-Hesi. 'Hoe kunnen we dan de geschiedenis van een plaats achterhalen, als er geen enkel geschreven document is? Hoe kunnen we vaststellen hoe oud iets is, als er geen enkele naam, geen enkel jaartal is te vinden? Dit is de taak van de archeologie. Alles is voor de archeoloog een document. Zijn taak is op de hoogte te zijn van de produkten uit het verleden in al hun verscheidenheid en te weten van welke tijd ze dateren. Als we over deze kennis beschikken is alles boordevol informatie. Er is niets zo pover, zo onbeduidend, of het heeft ons wel iets te zeggen. De gereedschappen, de potscherven, zelfs de stenen en keien van de muur schreeuwen het uit, als wij tenminste bij machte zijn ze te verstaan'.

Volgens de theorie van Petrie was Tell el-Hesi de oude bijbelse stad Lakis, maar latere onderzoekers hebben vastgesteld dat het om Eglon ging. De plek wordt nog steeds intensief bestudeerd. De foto's op de volgende twee bladzijden laten het werk zien van de Joint Archaeological Expedition die, gesponsord door de American Schools of Oriental Research, een consortium van onderwijsinstellingen, in 1970 met een systematisch onderzoek van de tell begon.

Toen Petrie het pionierswerk gedaan had, begonnen ook andere tells hun geheimen prijs te geven. De Amerikaan George Reisner, die van 1908-1910 in Samaria werkte, verfijnde de nieuwe technieken van Petrie. Het Brits mandaat over Palestina na de Eerste Wereldoorlog bracht het land politieke stabiliteit en leidde een gouden tijd voor de archeologie in. Tientallen expedities verspreidden zich over het gebied. Sommige plaatsen die ze onderzochten waren onduidelijk, andere rijk aan bijbelse historiografie. Een groots opgezette, 14 jaar durende onderneming groef in de geschiedenis van de beroemde vestingstad Megiddo, ten tijde van de Bijbel het toneel van vele veldslagen. Er werd aangekondigd dat de legendarische muren van Jericho gevonden waren (wat later werd betwist). In de periode na de Tweede Wereldoorlog ondernam men opnieuw belangrijke expedities, waarbij steeds meer verfijnde methoden werden gebruikt en waarbij de archeologie zich ontwikkelde tot een moderne, interdisciplinaire wetenschap.

Een van de grote moderne archeologen, Kathleen Kenyon, beschrijft het dilemma van haar beroep als volgt: 'Men mag niet vergeten dat elke opgraving iets verwoest. Het bewijs dat het om een oude plaats gaat, is opgesloten in de grond waarop ze gebouwd is en in de lagen erboven en eronder. Als er eenmaal in deze lagen gegraven is, is ook het bewijs vernietigd en wel grondig, al is het dan wel volledig bestudeerd, vastgelegd en tenslotte aan de openbaarheid prijsgegeven'. Pas nadat de betekenis van een laag is vastgelegd, mag deze verwijderd worden; het opgravingswerk kan worden voortgezet in de volgende, oudere laag. Zoals archeologen zeggen, 'het antwoord ligt dieper'.

Nadat een plek uitgekozen en geïnspecteerd is, worden er proefgreppels gegraven, waarvan de zijkanten zorgvuldig worden gladgestreken. Op deze wijze worden lagen zichtbaar door verschillen in kleur en opbouw. Als het graven van greppels netwerksgewijze wordt voortgezet, worden er misschien muren van keien of baksteen blootgelegd. In dat geval worden er greppels haaks op de muren gegraven om de ligging van de bodemlaag en van het door mensen veroorzaakte puin nauwkeurig vast te stellen. Van alle vondsten worden er volledige overzichten bijgehouden met beschrijving en vindplaats. Er worden schema's en tekeningen gemaakt en foto's genomen. Het is een langdurig en nauwgezet proces - de bekende Israëlische archeoloog Yigael Yadin schatte dat men honderden jaren nodig zou hebben om de plek Hasor op een behoorlijke manier uit te graven - dat om zorgvuldige planning, leiding en teamwerk vraagt. Het feit dat men de laatste jaren de ongeschoolde arbeiders uit de streek steeds meer heeft vervangen door studenten-vrijwilligers om de opgravingen te verrichten, heeft ertoe geleid dat de professionalisering van de typische 'uitgraving' in hoge mate is toegenomen en dat er tegelijkertijd een nieuwe generatie archeologen is ontstaan die op uitstekende wijze ter plekke getraind is. De dagen zijn voorbij dat een bataljon werklieden diepe schachten in de historische grond groef, zoals kapitein Charles Warren van de Royal Engineers dat in 1867 deed om naar de fundamenten van de muren van Jeruzalem te zoeken, waarbij hij overblijfselen van het lange verleden van de stad vernielde of hopeloos door elkaar gooide.

De tweede archeologische techniek, waarin Petrie baanbrekend werk verrichtte, was het analyseren van voorwerpen die tijdens de opgravingen gevonden werden, vooral aardewerk. Niet alleen werd aardewerk in de oude wereld overal gebruikt, maar gelukkig voor de archeologie kunnen scherven praktisch niet vergaan. Bij werkzaamheden, uitgevoerd in Tell Beit Mirsim tussen 1926 en 1932, classificeerde de eminente Amerikaanse archeoloog W.F. Albright de ontwikkeling van het aardewerk vanaf het 3e millennium tot het begin van de 6e eeuw v.C. De verandering in stijl en methode van bakken zijn van onschatbare betekenis gebleken om de groepen mensen die achtereenvolgens op de plaatsen van de tells woonden, in de tijd te kunnen plaatsen. De vondst van 'vreemd' aardewerk en andere voorwerpen vormt een aanwijzing voor de omvang van het handelsverkeer of misschien voor de bezetting van de plaats door een binnendringend leger. De ontdekking van tabletten of inscripties is niet alleen belangrijk voor de datering van een bepaalde plek, maar levert tevens een bijdrage aan de ontcijfering van de talen die in de loop van de geschiedenis in dat gebied gesproken werden. Zulke vondsten werpen nieuw licht op bijbelinterpretaties, zoals dat ook met tekstkritiek van bijbelse manuscripten het geval is.

Archeologie heeft tal van terreinen van de bijbelse geschiedenis bestreken en veel zaken bevestigd. De Filistijnen bijvoorbeeld vormen slechts een van de vele volkeren waarover in de Bijbel gesproken wordt. Door de opgravingen op plaatsen als Asdod en Gezer, waar de lagen 11 tot en met 13 van een totaal van 26 als Filistijns zijn geïdentificeerd kreeg men een duidelijker beeld van hun geschiedenis en cultuur. De meest belangrijke feiten van de ballingschap van de Joden in de 6e eeuw v.C. zijn komen vast te staan; archeologen hebben bewijzen gevonden van de verwoesting en ontvolking in deze periode van zo goed als elke plaats in Juda. De rijkdom en de macht van Israël ten tijde van Salomo, waarvan lang gedacht werd dat het in de Bijbel overdreven was voorgesteld, zijn niet alleen bevestigd, maar overtroffen wellicht nog de beschrijvingen in 1 Koningen en 2 Kronieken. De grootte en rijkdom van steden als Megiddo en Hasor in deze tijd worden aangetoond door de uitgebreide waterwerken en zware dubbele muren en poorten die zijn blootgelegd. Als gevolg van deze en vele andere ontdekkingen hebben de geleerden opnieuw respect gekregen voor de bijbelse kroniekschrijvers. Er blijven nog veel hiaten in onze kennis en veel schijnbare tegenstrijdigheden zijn nog niet verklaard, maar dank zij de archeologie zullen verdere onderzoekingen veel vragen kunnen beantwoorden en veel raadsels kunnen oplossen.

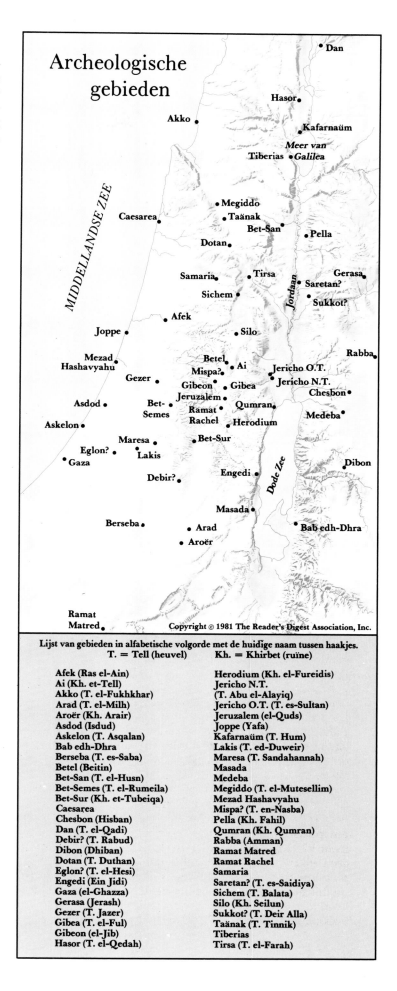

# Archeologische gebieden

Dan

Hasor

Akko

Kafarnaüm

Meer van
Tiberias · Galilea

Caesarea

MIDDELLANDSE ZEE

Megiddo
Taänak
Bet-San · Pella
Dotan

Samaria · Tirsa
Sichem
Gerasa
Saretan?
Sukkot?

Afek

Joppe

Silo

Mezad
Hashavyahu

Rabba

Betel
Mispa? · Ai
Jericho O.T.
Gezer
Gibeon · Gibea
Jericho N.T.
Jeruzalem
Chesbon
Asdod
Bet-
Semes
Ramat
Rachel
Qumran
Herodium
Medeba

Askelon

Maresa
Bet-Sur
Eglon?
Lakis
Gaza
Dode Zee

Debir?
Engedi
Dibon

Masada
Bab edh-Dhra
Berseba
Arad
Aroër

Ramat
Matred

Jordaan

Copyright © 1981 The Reader's Digest Association, Inc.

Lijst van gebieden in alfabetische volgorde met de huidige naam tussen haakjes.
T. = Tell (heuvel)          Kh. = Khirbet (ruïne)

Afek (Ras el-Ain)
Ai (Kh. et-Tell)
Akko (T. el-Fukhkhar)
Arad (T. el-Milh)
Aroër (Kh. Arair)
Asdod (Isdud)
Askelon (T. Asqalan)
Bab edh-Dhra
Berseba (T. es-Saba)
Betel (Beitin)
Bet-San (T. el-Husn)
Bet-Semes (T. el-Rumeila)
Bet-Sur (Kh. et-Tubeiqa)
Caesarea
Chesbon (Hisban)
Dan (T. el-Qadi)
Debir? (T. Rabud)
Dibon (Dhiban)
Dotan (T. Duthan)
Eglon? (T. el-Hesi)
Engedi (Ein Jidi)
Gaza (el-Ghazza)
Gerasa (Jerash)
Gezer (T. Jazer)
Gibea (T. el-Ful)
Gibeon (el-Jib)
Hasor (T. el-Qedah)

Herodium (Kh. el-Fureidis)
Jericho N.T.
 (T. Abu el-Alayiq)
Jericho O.T. (T. es-Sultan)
Jeruzalem (el-Quds)
Joppe (Yafa)
Kafarnaüm (T. Hum)
Lakis (T. ed-Duweir)
Maresa (T. Sandahannah)
Masada
Medeba
Megiddo (T. el-Mutesellim)
Mezad Hashavyahu
Mispa? (T. en-Nasba)
Pella (Kh. Fahil)
Qumran (Kh. Qumran)
Rabba (Amman)
Ramat Matred
Ramat Rachel
Samaria
Saretan? (T. es-Saidiya)
Sichem (T. Balata)
Silo (Kh. Seilun)
Sukkot? (T. Deir Alla)
Taänak (T. Tinnik)
Tiberias
Tirsa (T. el-Farah)

# Tell el-Hesi

In Tell el-Hesi bij Gaza deed W.M.Flinders Petrie bijna een eeuw geleden baanbrekend werk voor de moderne archeologie. Nu is dit gebied het toneel van onafgebroken graafwerk door de Joint Archaeological Expedition, die onderzoekers uit verschillende disciplines aantrekt en gebruik maakt van nieuwe wetenschappelijke technieken. Deze foto's laten de moeizame pogingen zien die in het werk gesteld worden om de geheimen van Tell el-Hesi te onthullen.

*Op de volgende bladzijde bovenaan staat een overzichtsfoto van de akropolis van Tell el-Hesi. De opgravingsgebieden liggen op de top en de zuidelijke helling van de heuvel. De akropolis werd bewoond van ca. 2000 v.C. tot aan de Hellenistische periode (4e tot 1e eeuw v.C.) en ook vrij recentelijk tijdens de Arabisch-Israëlische conflicten in 1948 en 1956, toen er een militaire post gevestigd was. Rechts een opname van het terrein op de zuidelijke helling. Ze laat het netwerkpatroon van de uitgravingen zien, die de lemen muren van een uitgebreide versterking uit de Israëlitische periode hebben blootgelegd. Steunpilaren staan hellend in de grond eromheen, wellicht ten gevolge van erosie. De loopbruggen of aarden 'balken' zijn intact gelaten om de blootgelegde lagen te kunnen analyseren.*

*Op de foto hierboven vindt een overleg ter plekke plaats. De voormalige leider van de expeditie, John E.Worrel, zit onder in het midden; rechts zijn opvolger, D.Glenn Rose. Eerst moet ieder nieuw stukje getaxeerd en geregistreerd worden. Als het belangrijk is brengt landmeter Bishara Zoughbi de constructie in kaart, die door de uitgraving van de akropolis van Tell el-Hesi is blootgelegd.*

Op de foto hierboven bestuderen Lawrence E.Stager (links) en Lawrence E.Toombs het aardewerk dat tijdens de opgravingen te voorschijn is gekomen. Potscherven en andere artefacten vormen het voornaamste archeologische bewijsmateriaal. Verschillende aardewerkmodellen en vervaardigingsmethoden leveren een belangrijke blauwdruk van de oude wereld en stellen onderzoekers in staat tijd en identiteit te bepalen van de culturen en van de volkeren die het oude Tell el-Hesi bewoonden.

Ongeveer vanaf de 15e eeuw lag op de akropolis van Tell el-Hesi een mohammedaans kerkhof. Links onderzoekt een vrijwilliger van de expeditie een van de graven. Het lichaam, opgeborgen in een 'doodskist' van stenen, werd begraven met het hoofd naar Mekka gericht. In de graven van de vrouwen worden dikwijls kralen, armbanden en andere sieraden aangetroffen. De osteoloog van de expeditie, een specialist die zich bezighoudt met de studie van beenderen, kan uit de skeletresten gegevens verzamelen betreffende ziekte, voeding en cultuur.

# Het land van de Bijbel

'Gij grondde de aarde op haar zuilen,
  onwrikbaar, eeuwig van duur,
dekte haar met een sluier, de oerzee.
  Het water stond tot boven de bergen.
Doch het week voor uw dreigen terug,
  het vlood voor de stem van uw donder:
en de bergen kwamen omhoog,
  hun kloven werden tot dalen
alnaar Gij de plaats hun beschikt had' (Ps 104:5-8).

Zo beschreef de psalmist meer dan 2500 jaar geleden de schepping van de aarde. De moderne geologische theorieën leveren een frappante bevestiging van deze beschrijving.

Miljoenen jaren geleden bijvoorbeeld vormde het Heilige Land de bodem van een zee. Bezinksel, bestaande uit schelpen van kleine zeediertjes, werd samengeperst en vormde het schitterende witte kalksteen dat Salomo zou laten uitgraven om er de tempel in Jeruzalem van te laten bouwen. Gedurende het tijdperk van de dinosaurussen werden bergen uit harde kalksteen en dolomiet uit de zee omhoog gedrukt. Tenslotte begon het Heilige Land ongeveer 26 miljoen jaar geleden de vormen aan te nemen, zoals we die nu kennen.

Verschillende factoren hebben het land mee gestalte gegeven. Regens die in stromen neervielen, vulden een groot, 320 km lang binnenmeer tussen de centrale bergkam en het hoogland van Transjordanië in het oosten. De Middellandse Zee tastte de kust aan, toen de sterke stroming zand uit de monding van de Nijl aanvoerde en daarmee het lage land langs de kust uitschuurde; er werden duinen opgeworpen die tot op de dag van vandaag tot ver het land in liggen. Vulkanische werking en erosie door wind en water lieten verschillende lagen achter in de valleien en verzonken vlakten. Tijdens een periode van geleidelijke verandering van klimaat nam de hoeveelheid neerslag af tot ze geen gelijke tred meer hield met de graad van verdamping en de binnenzee werd teruggebracht tot de drie gescheiden watermassa's (zie rechts).

De meest dramatische gebeurtenis in de geologische kalender van het Heilige Land die met deze verandering samenviel, begon ongeveer 20 miljoen jaar geleden. Volgens de geologische theorie van de plaattektoniek heeft verschuiving van platen onder de oppervlakte, waarop de continenten rusten, enorme breuken in de aardkorst veroorzaakt. De Grote Afrikaanse Slenk is het grootste en meest spectaculaire breukencomplex in het landoppervlak van deze planeet. Ze strekt zich uit over 4000 km, van Syrië in het noorden door het Jordaandal en de Rode Zee tot Mozambique in het oosten van Afrika. Het massieve granietblok dat het Transjordanese oppervlak van de breuk vormt, werd in het Heilige Land omhooggekanteld en veroorzaakte de steile rotsen van de oostelijke hoogvlakte. In het westen kwamen de bergketens omhoog en vormden de huidige hoogvlakten van Juda en Efraïm. Er ontstond een netwerk van kleinere breuken, dat deel uitmaakt van de Grote Afrikaanse Slenk. Het Jordaandal zakte en werd de diepste scheur in het vasteland op de aardbol; tegenwoordig ligt de Dode Zee ongeveer 400 m onder de zeespiegel.

De volken in de tijd van de Bijbel keken naar dit ontzagwekkende en aangrijpende landschap met een gevoel van verwondering. Zoals George Adam Smith in zijn klassieke *The Historical Geography of the Holy Land* schrijft: 'het gevoel voor ruimte en afstand, de geweldige tegenstellingen tussen dorheid en vruchtbaarheid, de ruige rechte kust waartegen de schuimkoppen van de zee stukslaan, het snelle opkomen van de zon, de onweersbuien die het land geselen en de aardbevingen . . . waren symbolen van de grote profetische getuigenissen'. Uit dit land sprak Gods voorzienigheid en gerechtigheid, Gods majesteit, want het was - om met de psalmist te spreken - het land '. . . alnaar Gij de plaats hun beschikt had' (Ps 104:8).

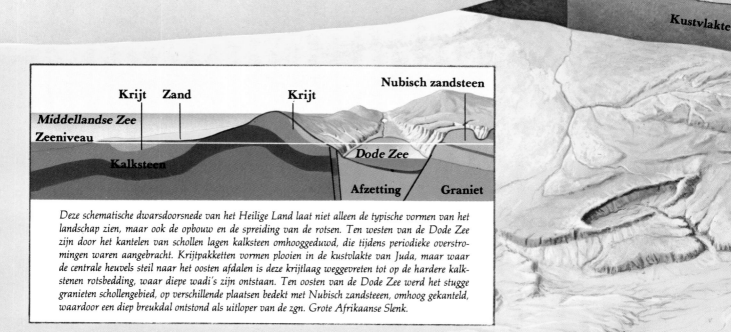

*Deze schematische dwarsdoorsnede van het Heilige Land laat niet alleen de typische vormen van het landschap zien, maar ook de opbouw en de spreiding van de rotsen. Ten westen van de Dode Zee zijn door het kantelen van schollen lagen kalksteen omhooggeduwd, die tijdens periodieke overstromingen waren aangebracht. Krijtpakketten vormen plooien in de kustvlakte van Juda, maar waar de centrale heuvels steil naar het oosten afdalen is deze krijtlaag weggevreten tot op de hardere kalkstenen rotsbedding, waar diepe wadi's zijn ontstaan. Ten oosten van de Dode Zee werd het stugge granieten schollengebied, op verschillende plaatsen bedekt met Nubisch zandsteen, omhoog gekanteld, waardoor een diep breukdal ontstond als uitloper van de zgn. Grote Afrikaanse Slenk.*

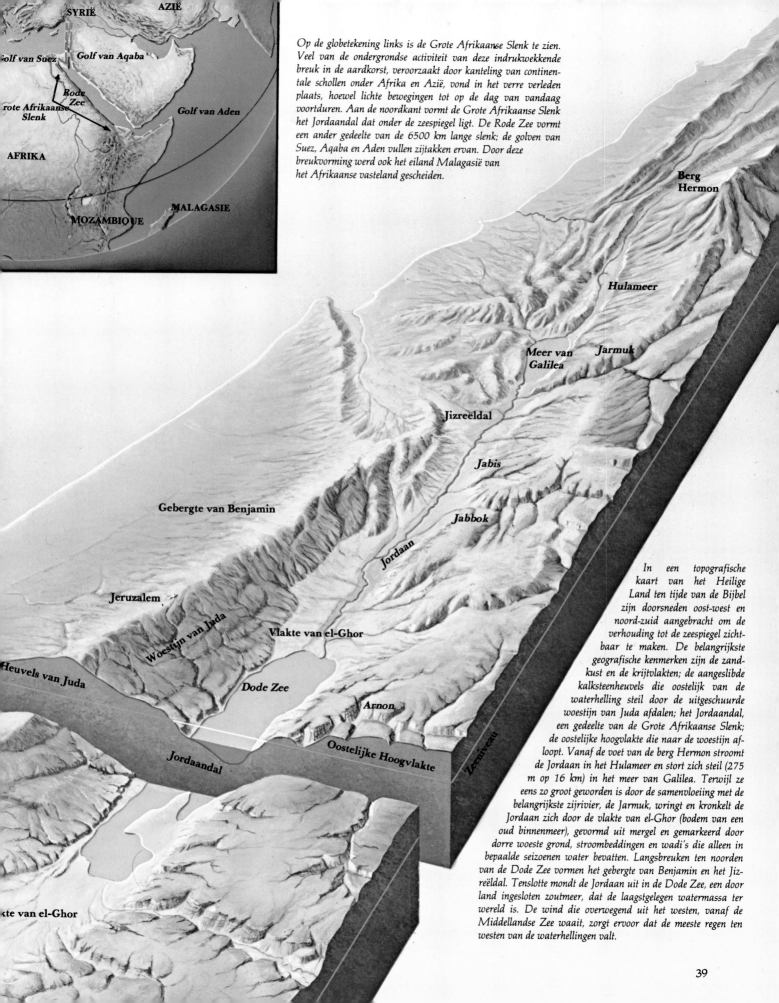

Op de globetekening links is de Grote Afrikaanse Slenk te zien. Veel van de ondergrondse activiteit van deze indrukwekkende breuk in de aardkorst, veroorzaakt door kanteling van continentale schollen onder Afrika en Azië, vond in het verre verleden plaats, hoewel lichte bewegingen tot op de dag van vandaag voortduren. Aan de noordkant vormt de Grote Afrikaanse Slenk het Jordaandal dat onder de zeespiegel ligt. De Rode Zee vormt een ander gedeelte van de 6500 km lange slenk; de golven van Suez, Aqaba en Aden vullen zijtakken ervan. Door deze breukvorming werd ook het eiland Malagasië van het Afrikaanse vasteland gescheiden.

In een topografische kaart van het Heilige Land ten tijde van de Bijbel zijn doorsneden oost-west en noord-zuid aangebracht om de verhouding tot de zeespiegel zichtbaar te maken. De belangrijkste geografische kenmerken zijn de zandkust en de krijtvlakten; de aangeslibde kalksteenheuvels die oostelijk van de waterhelling steil door de uitgeschuurde woestijn van Juda afdalen; het Jordaandal, een gedeelte van de Grote Afrikaanse Slenk; de oostelijke hoogvlakte die naar de woestijn afloopt. Vanaf de voet van de berg Hermon stroomt de Jordaan in het Hulameer en stort zich steil (275 m op 16 km) in het meer van Galilea. Terwijl ze eens zo groot geworden is door de samenvloeiing met de belangrijkste zijrivier, de Jarmuk, wringt en kronkelt de Jordaan zich door de vlakte van el-Ghor (bodem van een oud binnenmeer), gevormd uit mergel en gemarkeerd door dorre woeste grond, stroombeddingen en wadi's die alleen in bepaalde seizoenen water bevatten. Langsbreuken ten noorden van de Dode Zee vormen het gebergte van Benjamin en het Jizreëldal. Tenslotte mondt de Jordaan uit in de Dode Zee, een door land ingesloten zoutmeer, dat de laagstgelegen watermassa ter wereld is. De wind die overwegend uit het westen, vanaf de Middellandse Zee waait, zorgt ervoor dat de meeste regen ten westen van de waterhellingen valt.

39

# Gezicht op het Heilige Land

De oppervlakte van het Heilige Land beslaat maar iets meer dan twee derden van Nederland. Toch bezit het gebied een opvallend grote verscheidenheid aan geografische bijzonderheden en de verschillen in temperatuur en neerslag lopen sterk uiteen. De foto's op deze en de volgende bladzijde zijn in het noordelijk deel van het land genomen; de foto's op bladzijde 42 en 43, die een heel ander zicht op het Heilige Land geven, zijn opnamen in de omgeving van de Dode Zee. De plaatsen waar de acht foto's werden genomen staan op het kaartje hiernaast aangegeven.

Vaak zijn er binnen betrekkelijk korte afstanden abrupte verschillen in landschap en klimaat. Over een afstand van nog geen 55 km rijzen vanuit de milde, vlakke zeekust tot aan Jeruzalem met zijn gematigde temperatuur 800 m hoge heuvels op. Naar het oosten toe daalt het land sterk. Jericho is maar 24 km verder, maar ligt 240 m onder de zeespiegel; het heeft een tropisch klimaat dat in de zomer afmattend kan zijn. Enkele kilometers oostelijker ligt, 1200 m boven Jericho, de hoogvlakte van Transjordanië, waar 's winters sneeuw valt. De contrasten tussen noord en zuid zijn even sterk. Vanuit het hete, droge Jordaandal, waar de temperatuur tot 38°C kan oplopen, zijn de sneeuwbedekte toppen van de berg Hermon duidelijk te zien. Het land ten westen van de waterscheiding is vruchtbaar en rijk begroeid, omdat er voldoende regen valt. Regen, soms in stromen, valt er ook op de oostelijke hoogvlakte. De waterscheidingslijn vormt als het ware de grens tussen de koele, zachte wind van de Middellandse Zee en de hete, dikwijls stormachtige woestijnwinden. Volgens George Adam Smith is het dan ook niet verwonderlijk dat in een land met zulke sterke contrasten zoveel verschillende volkeren hun eigen karakter bewaarden.

*Hierboven stort de bovenloop van de Jordaan zich van de rotsen aan de voet van de berg Hermon, een rug van kalksteen die zo poreus is, dat het sneeuwwater vanaf de toppen naar de voet doorsijpelt. Nadat ze door het Hulameer is gestroomd stort de Jordaan zich in het meer van Galilea (rechts), op 210 m onder de zeespiegel het laagstgelegen zoetwatermeer ter wereld. Het is ongeveer 20 km lang en maximaal 13 km breed.*

Deze foto biedt, over het Hulameer heen in noordoostelijke richting, een uitzicht op de besneeuwde toppen van de berg Hermon. De weg op de voorgrond buigt zich om de heuvel van Hasor. De vruchtbare akkers zijn het resultaat van eeuwen. Miljoenen jaren geleden was het gebied bedekt met een groot binnenmeer. Veranderingen in het klimaat maakten dat het werd teruggebracht tot de wat bescheidener afmetingen van het Hulameer, dat door verdamping steeds kleiner werd. Ten tijde van het Nieuwe Testament werd de alluviale grond van het bekken intensief bewerkt. Josefus schrijft dat 'geen gedeelte braak bleef liggen.' Maar door dichtslibbing ten gevolge van erosie van omliggende heuvels veranderde het gebied in een zoetwatermoeras, gevoed door de Jordaan en omzoomd door velden papyrusriet. Eeuwen later, in onze vijftiger jaren, zorgden de Israëli's voor afwatering van het moeras; opnieuw kreeg het drooggelegde land de glans die het had in de tijd van de Bijbel. De smalle blauwe strook in het midden, net boven de bomenrand, is alles wat overbleef van het oude Hulameer.

Ten zuidwesten van het meer van Galilea ligt de heuvel More, hier gezien vanaf de toppen van het Gilboagebergte. Het is een uitstulping temidden van een grote hoeveelheid vulkanisch basalt. De berghellingen, die Nazaret beschutten, liggen bovenaan links aan de horizon. Het Jizreëldal (midden) is een dwarsbreuk die vanuit de vlakte van Jizreël in de Jordaanslenk afdaalt. Het Jizreëldal, een ingezakt bekken, dichtgeslibd met vruchtbare rode en zwarte leemgrond, was vroeger een invalsweg. Hier voerde Gideon een veldtocht aan tegen de Midjanieten die de Israëlieten onderdrukten, en trok Jehu ten strijde tegen de volgelingen van Omri.

Deze spectaculaire luchtfoto toont de vochtige hellingen van het gebergte van Juda ten zuidwesten van Jeruzalem en ten westen van de waterscheidingslijn. Het land dat eens met dichte bossen was bedekt, werd door erosie verwoest, maar net als in de tijd van de Bijbel begonnen de boeren op de hellingen terrassen aan te leggen om de verwoestende werking van de regen tegen te gaan. De groene, bebouwde gebieden zijn beddingen van wadi's.

Vanuit de dorre streek Qumran kijkt men uit op de rotsen van Moab op de oostelijke oever van de Dode Zee.
Links ligt een groene oase. Oeverterrassen die men gevonden heeft leveren het bewijs dat het meer 30 niveaus heeft
gehad. Het niveau van de zoute Dode Zee, die haar water krijgt van de Jordaan, maar die geen afwatering heeft,
wordt op peil gehouden door verdamping. Deze is soms zo sterk dat er zich een dichte blauwe nevel boven het
oppervlak van het meer vormt.

Hierboven het maanlandschap van de woestijn van Juda, een onzalig
toevluchtsoord voor David en de opstandige Makkabeeën. 'Een gloeien-
de, drukkende hitte als in een oven,' schreef een waarnemer vol ontzag,
'waarbij het gevoel ontstaat dat de hel nabij is.'

De diep uitgesneden wadi Qilt komt in scherpe bochten bij Jericho uit
de heuvels van Juda en mondt uit in de Dode Zee. Herodes leidde deze
seizoenwaterloop naar zijn paleizen in Jericho.

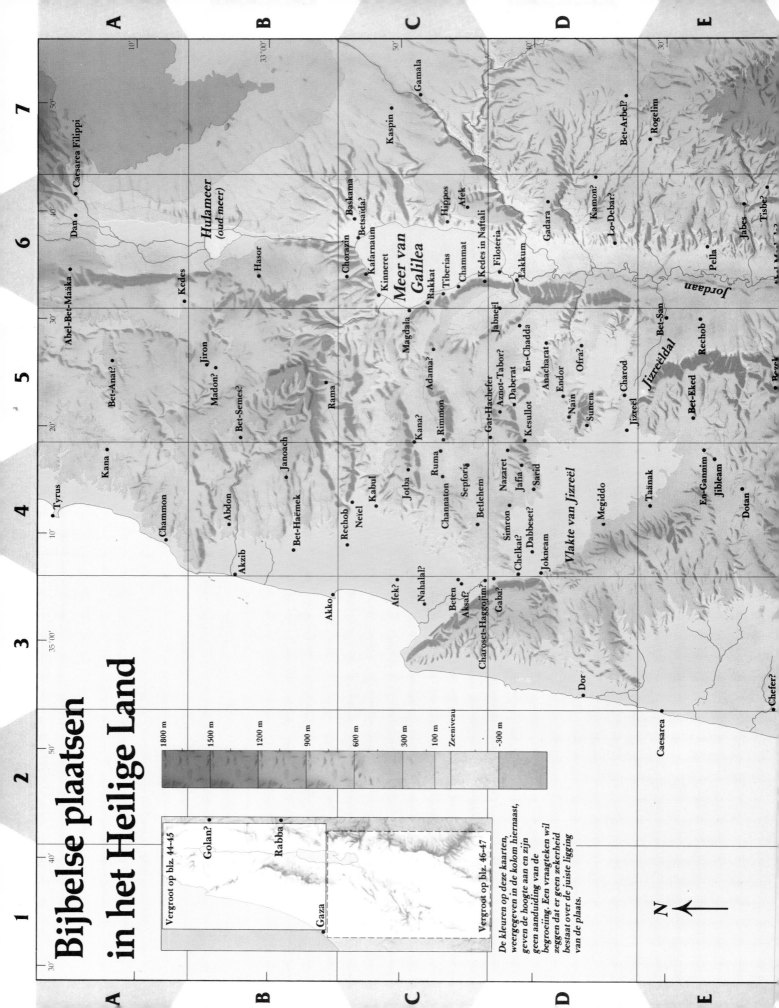

# Bijbelse plaatsen
# in het Heilige Land

Vergroot op blz. 44-45

Vergroot op blz. 46-47

*De kleuren op deze kaarten,
weergegeven in de kolom hiernaast,
geven de hoogte aan en zijn
geen aanduiding van de
begroeiing. Een vraagteken wil
zeggen dat er geen zekerheid
bestaat over de juiste ligging
van de plaats.*

| | |
|---|---|
| 1800 m | |
| 1500 m | |
| 1200 m | |
| 900 m | |
| 600 m | |
| 300 m | |
| 100 m | |
| Zeeniveau | |
| -300 m | |

N

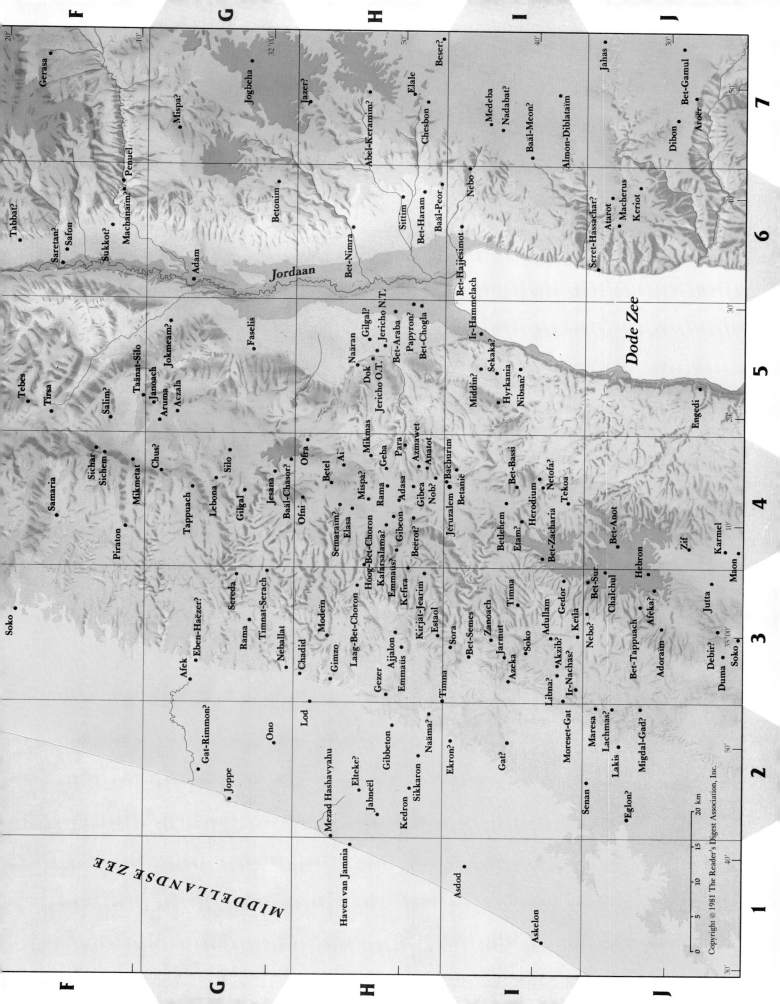

MIDDELLANDSE ZEE

Dode Zee

Jordaan

F
G
H
I
J

1 2 3 4 5 6 7

20'
10'
32°00'
50'
40'
30'

40'
35°00'
30'

**F column:**
Soko
Gerasa
Tabbat?
Saretan?
Safon
Sukkot?
Machanaïm?
Penuël?
Mispa?
Jogbeha
Adam
Betonim

**G column:**
Samaria
Tebes
Tirsa
Sichar
Sichem
Mikmetat
Chus?
Piraton
Afek
Eben-Haëzer?
Rama
Sereda
Timnat-Serach
Neballat
Tappuach
Lebona
Gilgal
Silo
Jesana
Baäl-Chasor?
Taänat-Silo
Janoach
Aruma
Aczala
Jokmeam?
Salim?
Mispa?
Jazer?
Faselis
Chadid
Moderin
Ginzo

**H column:**
Ono
Lod
Gat-Rimmon?
Joppe
Mezad Hashavyahu
Elteke?
Jabneël
Gibbeton
Kedron
Sikkaron
Naäma?
Ekron?
Gat?
Ofra
Betel
Ai
Ofni
Semaraïm?
Elasa
Hoog-Bet-Choron
Laag-Bet-Choron
Kafarsalama?
Emmaüs?
Kefira
Kirjat-Jearim
Estaol
Gezer
Ajjalon
Emmaüs
Beërot?
Gibeon
Mispa?
Rama
Adasa
Gibea
Nob?
Mikmas
Geba
Para
Azmawet
Anatot
Naäran
Dok
Gilgal?
Jericho O.T.
Jericho N.T.
Bet-Araba
Papyron?
Bet-Chogla
Bachurim
Jeruzalem
Betanië
Sora
Bet-Semes
Zanoach
Jarmut
Timna
Timna
Azeka
Soko
Adullam
Gedor
Keïla
Nebo?
Libna?
Akzib?
Ir-Nachas?
Betlehem
Etam?
Herodium
Bet-Zacharia
Netofa?
Tekoa
Bet-Sur
Chalchul
Hebron
Bet-Anot
Zif
Karmel
Maon
Bet-Tappuach
Afeka?
Adoraim
Debir?
Duma
Soko
Jutta

**I column:**
Asdod
Ekron?
Moreset-Gat
Maresa
Lachmas?
Lakis
Senan
Eglon?
Migdal-Gad?
Bet-Hajjesimot
Bet-Haram
Baäl-Peor
Sittim
Nebo
Ir-Hammelach
Middin?
Sekaka?
Hyrkania
Nibsan?
Bet-Bassi
Engedi
Medeba
Nadabat?
Baäl-Meon?
Abel-Keramim?
Chesbon
Elale
Beser?

**J column:**
Askelon
Seret-Hassachar?
Atarot
Macherus
Keriot
Almon-Diblataim
Jahas
Dibon
Bet-Gamul
Aroër

0 5 10 15 20 km

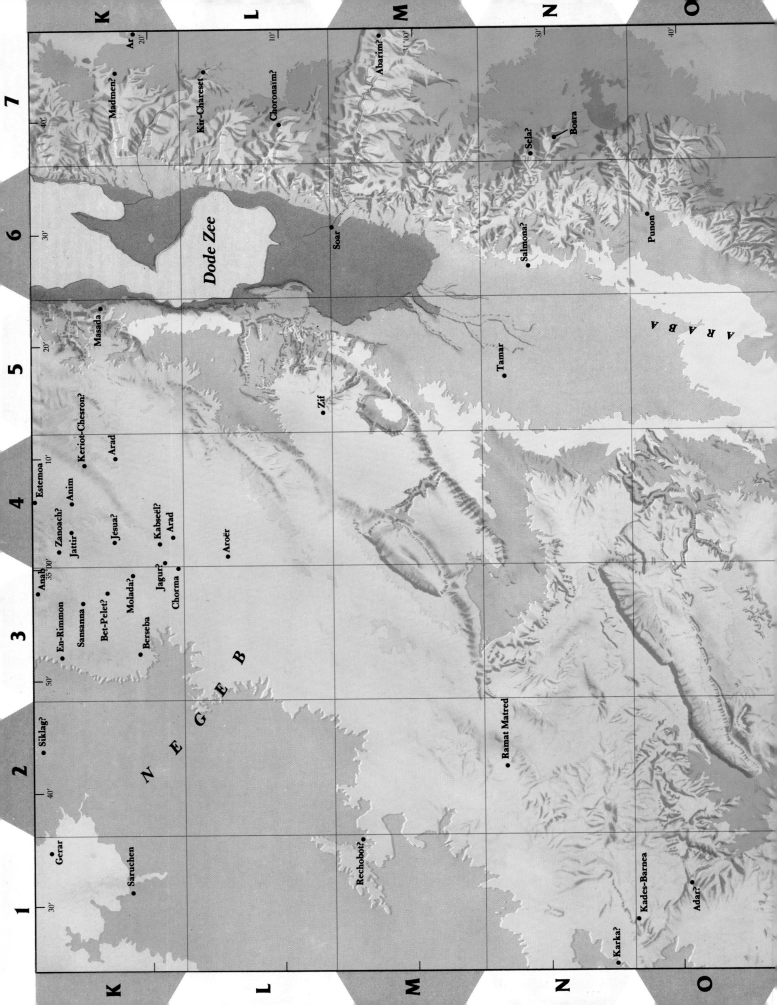

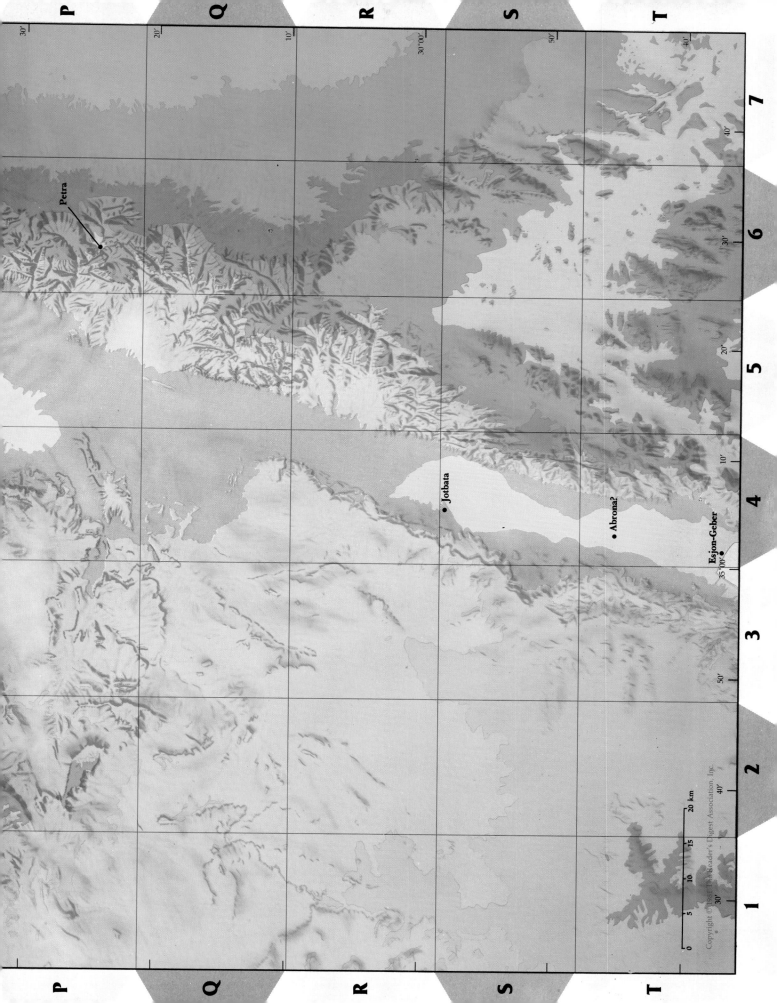

P

Q

R

S

T

30′

20′

10′

30°00′

50′

40′

Petra

Jotbata

Abrona?

Esion-Geber

35°00′

40′

30′

7

6

5

4

3

2

1

0    5    10    15    20 km

30′    40′    50′    35°00′    10′    20′    30′    40′

Copyright © 1961 The Reader's Digest Association, Inc.

# Historische
# atlas
# van
# bijbelse
# tijden

# De wereld van de aartsvaders

Met Abraham en zijn nakomelingen, Isaak, Jakob en Jozef, stapt het volk van de Bijbel de geschiedenisboeken binnen. De aartsvaders van Israël zijn de eerste figuren in de Bijbel die met enige zekerheid in een eigen geografische en historische context geplaatst kunnen worden.

Deze voorvaders van het Israëlische volk, van wie de geschiedenis wordt verhaald in Genesis 11:50, leefden tussen 2000 en 1500 v.C. (zie historisch overzicht, blz. 242). Hun wereld besloeg een enorm groot gebied van het oude Nabije Oosten, de grote boog die zich over 2000 km uitstrekt van Mesopotamië in het oosten tot Egypte in het westen. De Vruchtbare Halvemaan werd ingesloten door hoog oprijzende bergen, ontoegankelijke woestijnen en dreigende zeeën. De bewoners konden zich echter cultureel en economisch goed bedruipen; om aan grondstoffen te komen dreven ze ruilhandel met omringende landen. De vlakte werd beheerst door twee machtige rivierenstelsels, de Eufraat en de Tigris in Mesopotamië en de Nijl in Egypte.

Het woord 'Mesopotamië' betekent 'tussen rivieren'. De Eufraat en de Tigris ontspringen op minder dan 160 km afstand van elkaar in het hoogland van Turkije. Van daaruit stroomt de Tigris 1850 km lang, kolkend naar de vlakten van Zuid-Mesopotamië. De Eufraat slingert zich ongeveer 2750 km door het land tot ze met de Tigris samenvloeit, 195 km voor ze in de Perzische Golf uitmonden. Ze is wel niet zo onstuimig als de Tigris, maar kan eveneens gevaarlijk zijn. Er zijn verschrikkelijke stroomversnellingen en waar ze de zuidelijke vlakte doorkruist over de bijna ondoordringbare bodem, kan ze plotseling van loop veranderen met alle rampzalige gevolgen van dien. In het middelste gedeelte van de vallei komen de twee rivieren tot op 50 km bij elkaar; daarna gaan ze weer uiteen in zuidoostelijke richting om tenslotte 320 km verder weer samen te vloeien. De bodem kan hier dan wel vruchtbaar zijn, het klimaat is er een van uitersten: in de winter daalt de temperatuur tot onder het vriespunt, in de zomer stijgt het kwik tot boven 40 C in de schaduw en hangt er een dikke mist van opgewaaid stof in de hitte. Er valt niet zoveel regen in deze laaggelegen vlakte, die zich eentonig tot aan de horizon uitstrekt. In het noorden en oosten echter wordt de rijke, roodbruine leemgrond tussen de Tigris en het Zagrosgebergte vochtig gehouden door zijrivieren en door regen die van tijd tot tijd valt. De heuvels zijn prachtig als ze na de regenbuien met een tapijt van bloemen bedekt zijn; maar 's zomers is het land al gauw bruingeblakerd door de zon en de winters zijn hier nog strenger dan in de vlakte.

De Nijl in Egypte, aan het andere einde van de Vruchtbare Halvemaan, is een kalme, betrouwbare rivier, veel vriendelijker dan de Eufraat of de Tigris. Ze krijgt haar water van de moessonregens die in het zuiden in het hoogland van Ethiopië vallen. Tijdens de jaarlijkse overstroming van juni tot oktober treedt ze buiten haar oevers. Ze brengt leven in de vallei die eigenlijk erg dor is, en zorgt voor vruchtbare grond in de vorm van dik, vulkanisch slib dat ze van duizenden kilometers stroomopwaarts aanvoert.

Als de rivier zich door de eindeloze zandvlakten van de Egyptische woestijn naar het noorden slingert, zorgt ze voor taferelen van verbluffende schoonheid. Bij de eerste waterval weerspiegelen zich steile zandsteenrotsen in warme gele, bruine en rode tinten in het ruisende water. Op een andere plaats glijdt de rivier eindeloos door het 'zwarte land',een grijsachtig zwarte, aangeslibde vlakte. Dan komt het 'rode land', waar woestijnen zich uitstrekken achter steile rotsen uit zand- en kalksteen langs de rand van de vallei. Verder stroomafwaarts wijken de rotsen terug en wordt de vlakte breder. Het blauw van de Nijl steekt hier glinsterend af tegen het groen en zwart van de oevers, het rood van de woestijn en de steeds wisselende kleuren van de heuvels. En de overal aanwezige zon werpt lange schaduwen langs de kalksteenrotsen. Dan wordt de vlakte nog breder en over een lengte van ruim 300 km langs de rivier wordt de woestijn 10 tot 15 km teruggedrongen, vooral op de westelijke oever. In Beneden-Egypte vormt de Nijl een waaiervormige delta, 160 km lang en over de grootste afstand 240 km breed. En terwijl de rivier Boven-Egypte tot een eenheid maakt, deelt ze het gebied hier in de delta in stukken: in oude tijden doorsneden zeven grote zijtakken van de Nijl (nu nog maar twee) en talloze kleinere de lage zwarte grond.

Tussen deze twee uitersten van de Vruchtbare Halvemaan, langs de beide grote rivierenstelsels, ontstonden de vroegste stadsculturen van de wereld. De eerste kwam tot bloei in Beneden-Mesopotamië, dat de bakermat van de beschaving wordt genoemd. Misschien al vanaf 5000 v.C. werd het gebied bewoond door volkeren die leefden in de dorpen, verspreid over de vlakte tussen de Eufraat en de Tigris. Deze oude bewoners ontwikkelden de eerste beginselen van de bevloeiingstechniek, zodat ze graan en vruchten konden gaan verbouwen. Ze legden zich ook toe op visserij en veeteelt; ze waren bedreven in weven, potten bakken, hout bewerken en metselen. Omstreeks 3500 v.C. verschenen de Sumeriërs ten tonele, een niet-Semitisch volk, waarvan algemeen wordt aangenomen dat het zijn oorsprong heeft in Centraal-Azië. In Genesis staat een zinsnede, die op de komst van de Sumeriërs betrekking zou kunnen hebben: 'Nadat ze uit het oosten weggetrokken waren, vonden ze een vlakte in Sinear en vestigden zich daar' (Gn 11:2).

Deze immigranten ontwierpen een ingewikkeld netwerk van bevloeiingskanalen en waterkeringen, waardoor ze in staat waren een bevolking die steeds groeide te onderhouden. Los van deze groei ontstond er een nieuwe, complexere beschaving. Toen de dorpen in de loop van enkele eeuwen voor steden moesten wijken, ontwierpen de Sumeriërs een politiek en sociaal stelsel, gebaseerd op de stadstaat. Tegen 3000 v.C. zag de vlakte geel van tarwe en gerst en lagen er steden over verspreid als Ur, Nippur, Erek, Eridu, Lagas en Kis.

De Sumeriërs bouwden hun steden van leem, een materiaal dat voorhanden was in hun land, waar men vrijwel geen bomen of stenen aantrof. Van dit eenvoudige materiaal maakten ze stenen, die ze in de zon lieten drogen. Daarmee bouwden ze zware muren rondom hun steden om zich tegen elkaar te beschermen (want de Sumerische steden bleven lang politiek onafhankelijk en lagen voortdurend met elkaar overhoop om de hoogste macht) en tegen vijanden van buitenaf, plunderende stammen uit de bergen en opdringende woestijnnomaden die een voortdurende bedreiging vormden. Ter

Landschap in Mesopotamië: in de moerassige delta van de Eufraat en de Tigris worden sierlijke boten gebruikt om goederen te vervoeren. Meer dan 6000 jaar geleden, toen in deze vallei een van de oudste beschavingen ter wereld bloeide, voeren er net zulke boten over het water, die in die tijd echter van riet waren.

Het oudst bekende schrift, het spijkerschrift, werd in Sumerië in het derde millennium v.C. uitgevonden. Als volk van kooplieden introduceerden de Sumeriërs hun woordsymbolen in het hele Nabije Oosten. Het spijkerschrift werd op grote schaal gebruikt, omdat het gemakkelijk in verschillende talen toe te passen was. Rechts een blok met een lijst van Sumerische koningen in spijkerschrift.

Dit gipsen beeldje uit Mesopotamië werd gevonden in een Sumerische tempel en dateert van ongeveer het derde millennium v.C. Het stelt een gelovige voor met een plengbeker, die bij godsdienstige plechtigheden werd gebruikt. De haardracht, de golvende baard en het gewaad met franje worden als kenmerkend voor die tijd beschouwd.

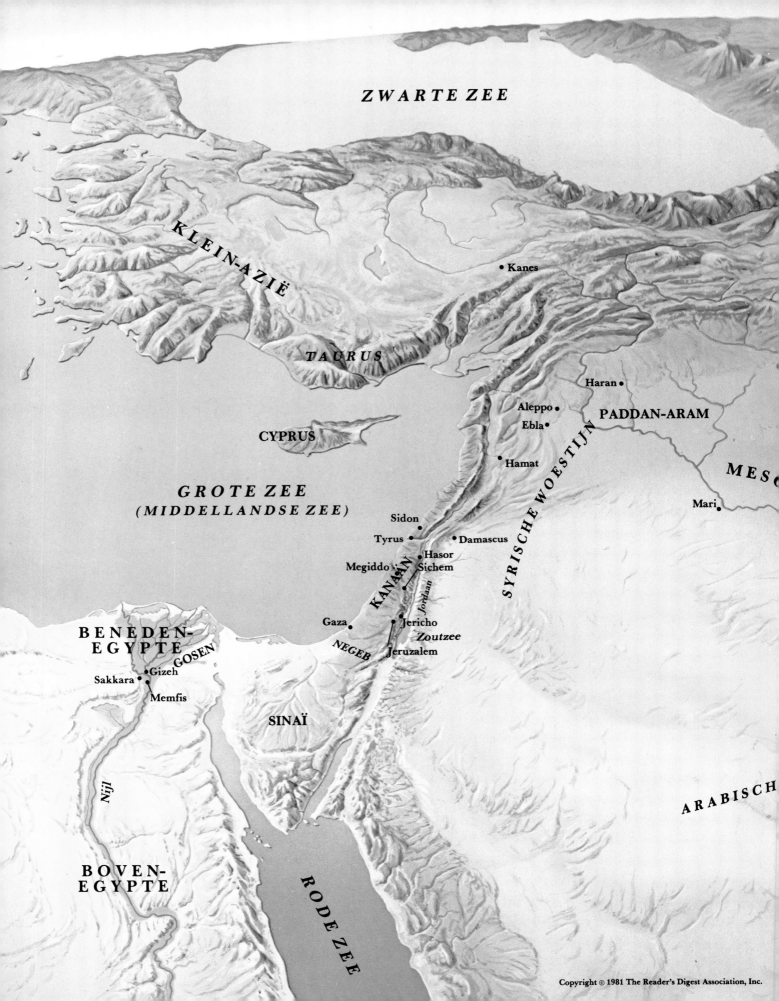

ZWARTE ZEE

KLEIN-AZIË

TAURUS

• Kanes

CYPRUS

Haran •

Aleppo •
Ebla •

PADDAN-ARAM

GROTE ZEE
(MIDDELLANDSE ZEE)

Hamat •

SYRISCHE WOESTIJN

MESO

Mari •

Sidon •
Tyrus •

Damascus •

Hasor
Megiddo • Sichem

KANAÄN

BENEDEN-
EGYPTE

GOSEN

Gaza •

Jordaan

Jericho
Zoutzee

NEGEB

Jeruzalem

Sakkara •
• Gizeh
• Memfis

SINAÏ

ARABISCH

Nijl

BOVEN-
EGYPTE

RODE ZEE

KAUKASUS

ARARAT

KASPISCHE ZEE

...TAMIË

...uttul

AKKAD

Tigris

Babel • Kis

ZAGROSGEBERGTE

BABYLONIË • Nippur

Lagas

Eufraat • Erek SUMERIË

Ur •
• Eridu

...OESTIJN

PERZISCHE GOLF

# De wereld van de aartsvaders *(vervolg)*

ere van hun vele goden bouwden ze binnen de stadsmuren trappiramide-vormige tempeltorens die ze ziggurats noemden. De Sumeriërs waren een opmerkelijk en vindingrijk volk: ze waren de eersten die in hun gebouwen de boog toepasten, en het wiel bij het potten bakken en het transport. Ze maakten stenen beelden van hun goden en koningen en ze beheersten de ingewikkelde techniek van het legeren van tin en koper tot brons, een metaal waarvan ze bruikbaar gereedschap vervaardigden. Ze ontwierpen een rekensysteem, gebaseerd op het 60-tallig stelsel, dat tot op de dag van vandaag nog is blijven voortbestaan in de aanduiding van de tijd en de verdeling van een cirkel in 360°.

Hun voornaamste prestatie was echter de ontwikkeling van een compleet schrift, spijkerschrift genaamd, waarbij wigvormige tekentjes in kleitabletten werden gedrukt. Dit was het begin van de geschreven geschiedenis. Voor het eerst kon de mensheid aan toekomstige generaties doorgeven, wat het verleden aan wijsheid had vergaard. Op de kleitabletten die de tijd hebben overleefd, hebben de Sumeriërs ons een opmerkelijke hoeveelheid literatuur nagelaten: mythen, heldendichten, hymnen, het oudst bekende wetboek. Uit deze documen-

ten komt een volk naar voren vol levenslust, die echter getemperd wordt door een diep gevoel van onzekerheid en hulpeloosheid ten opzichte van de ruige natuurkrachten.

Spoedig na het ontstaan van de typisch Sumerische cultuur vlamde er opnieuw een vonk van beschaving op, nu in Egypte aan het zuidwestelijke uiteinde van de Vruchtbare Halvemaan. De Egyptenaren ontdekten hoe ze van de jaarlijkse overstroming van de Nijl gebruik moesten maken om het land te bevloeien.

Geografisch lag Egypte veel geïsoleerder dan Sumerië; dit speelde een belangrijke rol bij de vorming van het karakter van het land en zijn cultuur. Er was geen voortdurende bedreiging van buitenaf zoals in Mesopotamië. De Egyptenaren bouwden geen grote ommuurde steden [zoals die van de Mesopotamiërs] en lange tijd hadden ze zelfs geen paraat leger. Waarschijnlijk al in 3100 v.C. werden Boven- en Beneden-Egypte tot een politieke staat samengevoegd, sterk gecentraliseerd, voortvarend en machtig. Telkens als de politieke rust gevaar liep, versterkten natuurlijke omstandigheden de eenheid en zorgde die eenheid voor nieuwe kracht.

De Egyptenaren waren de eersten die monumentale stenen

*Landschap in Egypte: een boer bewerkt de rijke zwarte grond van het Nijldal. De landbouwmethoden zijn sinds de oude tijden nauwelijks veranderd. Ook nu nog zijn de mensen afhankelijk van de jaarlijkse overstroming van de Nijl,* *waarbij het land bedekt wordt met een laag mineraalrijk slib en de kanalen van het bevloeiingssysteem gevuld worden. De ploeg die al vanaf het Oude Rijk (2664-2180 v.C.) op afbeeldingen voorkomt wordt nog altijd door ossen getrokken.*

Als symbool van het Egyptische geloof in een leven na de dood bekroont het grote piramidencomplex van Gizeh, ter ere van de farao's Mykerinos, Chefren en Cheops, al ongeveer 45 eeuwen lang de zandvlakte van de woestijn. De piramiden werden zo perfect uit zand- en rotsgesteente opgebouwd, dat er geen mortel nodig was. Ze zijn hun buitenste laag van kalksteen kwijtgeraakt; alleen op de top van de piramide van Chefren (midden) zijn er nog resten van overgebleven. De drie bijgraven voor de piramide van Mykerinos (op de voorgrond) behoren aan de naaste familie van de farao. De graftombe van Chefren lijkt hoger dan de grote piramide van Cheops erachter, omdat ze op hoger gelegen grond is gebouwd. Deskundigen vragen zich nog altijd af wat de betekenis hiervan is.

bouwwerken maakten. Het is alsof de piramiden het hart van het oude Egypte zijn: massief, onwrikbaar, als het ware geworteld in de eeuwigheid. Deze koningsgraven kennen hun weerga niet, vooral de trappiramide van Zoser in Sakkara uit de 3e dynastie (ca. 2664-2615 v.C.) en de drie grote piramiden te Gizeh uit de 4e dynastie (ca. 2614-2502). Zelfs nu nog komen we onder de indruk van deze grootse bouwkundige prestaties. De grote piramide van Cheops in Gizeh, het meest kolossale grafmonument, beslaat een oppervlakte van 53 000 m² en is 137 m (oorspronkelijk 146 m) hoog. Ze bestaat uit 2 300 000 gedolven steenblokken met een gewicht van gemiddeld 2½ ton per stuk, en uit negen granietplaten die het plafond vormen van de koninklijke grafkamer en die elk ongeveer 45 ton wegen.

De Egyptenaren ontwierpen 's werelds eerste zonnekalender van 365 dagen, die het jaar verdeelt in 12 maanden van elk 30 dagen plus 5 feestdagen. Geen volk uit de Oudheid kon hen in medisch opzicht evenaren. Hun kennis van de anatomie hadden ze opgedaan bij het mummificeren van hun doden; ze waren in staat moeilijke operaties uit te voeren. Ze ontwikkelden een gecompliceerd schrift, waarbij ze eerst beeldtekens gebruikten die later uitgewerkt werden tot hiërogliefen. De literatuur van de Egyptenaren is minder gevarieerd en rijk dan die van de Sumeriërs, maar ze schreven wel medische verhandelingen en omvangrijke religieuze teksten en ze verheerlijkten hun koningen zonder ophouden op de muren van tempels en paleizen. Door de eeuwen heen hebben de Egyptenaren tot de

Koning Narmer wordt hier afgebeeld, terwijl hij een gevangene neerslaat. Dit schminkpalet uit ongeveer 3100 v.C. is wellicht gemaakt ter herdenking van de eenwording van Boven- en Beneden-Egypte.

menselijke verbeelding gesproken. Vol ontzag keek men op naar hun graftomben en hun tempels, bedekt met afbeeldingen waaruit hun gehechtheid aan het leven spreekt en hun geloof, zo anders dan bij de Sumeriërs, in de onveranderlijkheid en betrouwbaarheid van hun stoffelijke en geestelijke wereld.

Tussen Mesopotamië en Egypte lag Kanaän, een vruchtbare landengte, die tussen de Middellandse Zee en de Jordaan maar 65 km breed is. Het terrein is geaccidenteerd. Er zijn geen belangrijke rivieren; de akkers, wijngaarden en boomgaarden zijn dan ook volledig afhankelijk van de seizoenregens, die gewoonlijk in oktober begint, in december heviger wordt en die pas in april weer ophoudt. De hoeveelheid neerslag loopt uiteen van 25 cm per jaar in het zuiden tot ongeveer 58 cm op de centrale hoogvlakte en 75 cm in de hoogste gedeelten van Galilea in het noorden. Het regent er kort, maar hevig. Zware stormen jagen over de heuvels, vreten het landschap aan en vegen de kostbare dunne bovenlaag van de bodem weg. De Egyptenaren spraken dan ook over de regen van Kanaän als over de Nijl die uit de hemel valt. In goede jaren kon in de vlakte van Jizreël in Galilea twee keer per jaar geoogst worden en ook in de nauwe centrale valleien was de opbrengst overvloedig. Maar er waren ook jaren dat er een nijpende schaarste in het land heerste.

Kanaän speelde een historische rol als verbindingsweg tussen Egypte en Mesopotamië. Langs de kust van de Middellandse Zee en langs de hoog-

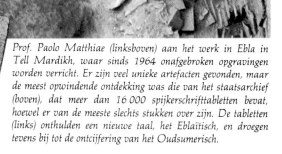

*Prof. Paolo Matthiae (linksboven) aan het werk in Ebla in Tell Mardikh, waar sinds 1964 onafgebroken opgravingen worden verricht. Er zijn veel unieke artefacten gevonden, maar de meest opwindende ontdekking was die van het staatsarchief (boven), dat meer dan 16 000 spijkerschrifttabletten bevat, hoewel er van de meeste slechts stukken over zijn. De tabletten (links) onthulden een nieuwe taal, het Eblaïtisch, en droegen tevens bij tot de ontcijfering van het Oudsumerisch.*

# Ebla: ontdekking van een verdwenen beschaving

Een lang vergeten stad in het oude Syrië, Ebla, is uit het puin van een zware tell, bijna 320 km ten noorden van Damascus, te voorschijn gekomen en heeft zich een plaats veroverd onder de oude beschavingen van Mesopotamië en Egypte.

Een Italiaans archeologisch team onder leiding van Paolo Matthiae begon hier in 1964 opgravingen te doen, maar het duurde 10 jaar voor men kon vaststellen dat Ebla met zo'n 260 000 inwoners het middelpunt was geweest van een der meest uitgestrekte bewoonde gebieden van het Nabije Oosten in het derde millennium v.C. De stad Ebla kon zich beroemen op een koninklijk paleis en een enorm staatsarchief, het oudst bekende in de geschiedenis. Uit een eerste bestudering van de spijkerschrifttabletten die in het archief zijn gevonden, bleek al dat Ebla een toonaangevend economisch centrum moet zijn geweest. Er zijn uitgebreide handelsbetrekkingen aangetoond met Kanes in Klein-Azië in het noorden, Mari en Tuttul aan de Eufraat in het zuidoosten en mogelijk ook met Hasor, Tyrus en Megiddo in het zuiden. Maar

Ebla lag in het uitbreidingsgebied van het Akkadische rijk en werd omstreeks 2250 v.C. verwoest. Het werd herbouwd en nog minstens twee keer met de grond gelijk gemaakt.

Het meest belangwekkende van deze opgravingen was de ontdekking van een nieuwe Semitische taal, die door Giovanni Pettinato, de schriftkundige van het team, Eblaïtisch genoemd werd. Het feit dat het Eblaïtisch in de eerste plaats verwant is met het Akkadisch en dus ook met andere Semitische talen is voor sommige deskundigen aanleiding geweest om verband te leggen tussen Ebla en het volk en de gebeurtenissen van het Oude Testament. Onder de duizenden tabletten werden gegevens aangetroffen die naar de vijf steden van de vlakte, genoemd in Genesis 14:2, zouden kunnen verwijzen. Men dacht aanvankelijk dat er ook andere bijbelse namen uit de archieven te voorschijn zouden komen. Terwijl de discussies doorgaan, proberen de archeologen door zorgvuldig onderzoek de geschiedenis te onthullen van een grote stad, die 4000 jaar geleden opkwam.

# De wereld van de aartsvaders *(vervolg)*

vlakten dwars over de Jordaan liepen twee belangrijke internationale handelswegen, de zeeweg en de koninklijke weg of koningsweg in het binnenland. De ommuurde steden van Kanaän - zoals Megiddo aan de vitale kustweg of Sichem aan een belangrijk kruispunt van binnenlandse wegen - dankten hun welvaart niet alleen aan de vruchtbaarheid van de omliggende velden, maar ook aan deze handelsroutes. Historisch gezien was het grootste gedeelte van Kanaän echter niet veel meer dan een achterland, in politieke zin alleen belangrijk als de grootmachten in het noordoosten of zuidwesten verslapten.

De geografische situatie van Kanaän werkte verdeeldheid in de hand en het ontbrak de Kanaänieten aan politieke eenheid, toen de ene stad tegen de andere vocht en immigranten de verwarring nog groter maakten. De Negeb in het zuiden en de vlakten aan de overzijde van de Jordaan herbergden grote groepen rondtrekkende herders. Voortdurend plunderden deze nomaden de onbeschermde omgeving van de bewoonde gebieden; van tijd tot tijd waagden ze zich zelfs tot diep in de nederzetting. Maar er waren ook vredelievende herders. Deze trokken weg uit de brandende woestijn en zwermden uit over Kanaän op zoek naar goede grazige weiden voor hun kudden en naar een plek waar ze druiven en olijven konden kweken en wellicht zelfs hun eigen gerst- en tarwevelden konden aanleggen. Abraham was een van hen.

In de tijd van Abraham en de andere patriarchen waren de landen van het Nabije Oosten al oud; ze hadden een lange, kleurrijke geschiedenis. Een volk dat handelsbetrekkingen aanging met verre landen kon zich nagenoeg zelf bedruipen. Gewoonlijk, maar niet altijd, was het ook in militair opzicht sterk genoeg om zich te handhaven onder de druk van bergbewoners en woestijnstammen, die altijd probeerden de meer vruchtbare valleien voor zichzelf te bemachtigen.

Ook de Sumeriërs bezweken onder de druk van buitenaf. Verzwakt door onderlinge wedijver en door telkens terugkerende oorlogen tussen de stadstaten om de hoogste macht, was Sumerië rijp om ten prooi te vallen aan de nomaden uit het noorden. Een Semitisch volk onder koning Sargon de Grote maakte zich in de 24e eeuw v.C. meester van de macht en vestigde de Akkadische dynastie. Het was het eerste echte wereldrijk, dat niet alleen over Sumerië, maar over heel Mesopotamië ging heersen en dat zich bij tijden tot de Middellandse Zee uitstrekte. De Akkadiërs namen de Sumerische cultuur en godsdienst over en wisten bijna 200 jaar lang hun heerschappij te handhaven. In de 22e eeuw v.C. werden ze op hun beurt ten val gebracht door de Guteeërs, barbaren uit het Zagrosgebergte, die Sumerië veroverden, maar het blijkbaar niet met sterke hand geregeerd hebben. Er is van deze periode niet veel bekend, maar tegen de 21e eeuw v.C. maakten de Sumeriërs zich los van de heerschappij van de Guteeërs en stichtten ze de 3e dynastie van Ur.

Hoewel de 3e dynastie nog geen eeuw bleef voortbestaan (ca. 2060-1950), bracht ze een culturele en politieke opleving teweeg, hetgeen tot uitdrukking kwam in bouwkunst en literatuur. Maar ze slaagde er nooit in de steden bij elkaar te houden onder een sterk centraal bestuur. Oude rivaliteit laaide opnieuw op, toen de stadstaten met elkaar strijd leverden om politiek en commercieel voordeel. Dit maakte de weg vrij voor de opkomst van de dynastie der Amorieten, die al in Mesopotamië binnengedrongen waren. Tegen het einde van de 18e eeuw was het land onderworpen aan het Babylonische rijk en zijn grote koning Hammurabi. Maar de culturele erfenis van Sumerië werd aan Babylonië doorgegeven; literatuur en wetenschappen bleven bloeien. Hammurabi is nog steeds beroemd om zijn befaamde wetboek, dat grotendeels werd afgeleid van de oudst bekende verzameling wetten, vastgesteld door Ur-Nammu, de grondvester van de 3e dynastie van Ur. Het wetboek van Hammurabi is verscheidene eeuwen ouder dan de bijbelse wetten van Mozes.

Volgens Genesis 11:27-31 kwamen Abraham en zijn familie oorspronkelijk uit de stad Ur in Mesopotamië. Wellicht woonde hij daar in de tijd dat de Sumerische beschaving haar laatste gloriedagen beleefde, toen Ur een toonaangevende plaats was en de hoofdstad van de heersende dynastie. De welvarende stad was meer dan 1500 jaar eerder gesticht. Ze lag op de oevers van de Eufraat, waar schepen, geladen met goederen uit verre landen, konden aanleggen. Rondom de zware muren lagen bevloeide velden die zorgvuldig onderhouden werden; daarboven doemde de beroemde ziggurat van Ur op, die in drie etages omhoogrees vanuit een basis van 60 bij 45 m tot aan een hoogte van ruim 20 m. Helemaal boven bevond zich een heiligdom voor de Sumerische maangod Nanna, de beschermgod van de stad.

Abraham verliet met zijn vader Terach, zijn vrouw Sara en zijn neef Lot, Ur zo verhaalt Genesis,' . . . en ging op weg naar Kanaän' (Gn 11:31). Voordat ze aan hun bewogen tocht begonnen, zullen ze zeker nog een keer omgekeken hebben naar de trotse stad aan de rivier met haar machtige tempeltoren die boven de muren uitstak. Nu vormen de ruïnes van deze ziggurat in het huidige Zuid-Irak de meest omvangrijke, tastbare nalatenschap van de Sumeriërs. Toen lang geleden de loop van de Eufraat veranderde, bleef de stad Ur in het stof achter; de ziggurat is niet veel meer dan een verlaten berg leemstenen in een woeste, onherbergzame streek.

Waarschijnlijk volgden Abraham en zijn stam de Eufraat stroomopwaarts, toen ze met hun tenten en kudden naar het noordwesten trokken tot ze bij het gebied kwamen, bekend als Paddan-Aram, waar de woestijn van Mesopotamië overgaat in het bergland van Anatolië. Het zuidelijke gedeelte van Paddan-Aram is een uitgestrekt steppelandschap, doorspekt met diepe wadi's. Er valt genoeg regen (20 cm per jaar) om er gras en ook andere gewassen te laten groeien. In het noordelijke deel valt meer neerslag (25 cm per jaar), voldoende voor een permanente bevolking van bescheiden omvang. Toen de reizigers Haran bereikt hadden, een knooppunt van karavaanwegen, ongeveer 1000 km ten noordwesten van Ur, bleven ze er wonen. Hier stierf Terach, nadat hij zijn zoon het leiderschap van de stam overgedragen had.

In Haran gaf de Heer aan Abraham het bevel: 'Trek weg uit uw land, uw stam en uw familie, naar het land dat Ik u aan zal wijzen', en Hij beloofde hem: 'Ik zal een groot volk van u maken. Ik zal u zegenen en uw naam groot maken . . .' (Gn 12:1-2).

Abraham, met Sara en Lot en de rest van zijn stam, brak opnieuw op en trok dit keer zuidwaarts, naar Kanaän, 650 km verder. De tocht vorderde slechts langzaam: ze sloegen links en rechts hun tenten op, bleven zolang er voldoende gras voor de kudden was en verbouwden zelfs een of twee seizoenen lang hun eigen gerst en tarwe. Maar telkens weer trokken ze verder, steeds verder naar het Beloofde Land toe, het land dat de Heer aan Abraham en zijn nakomelingen beloofd had.

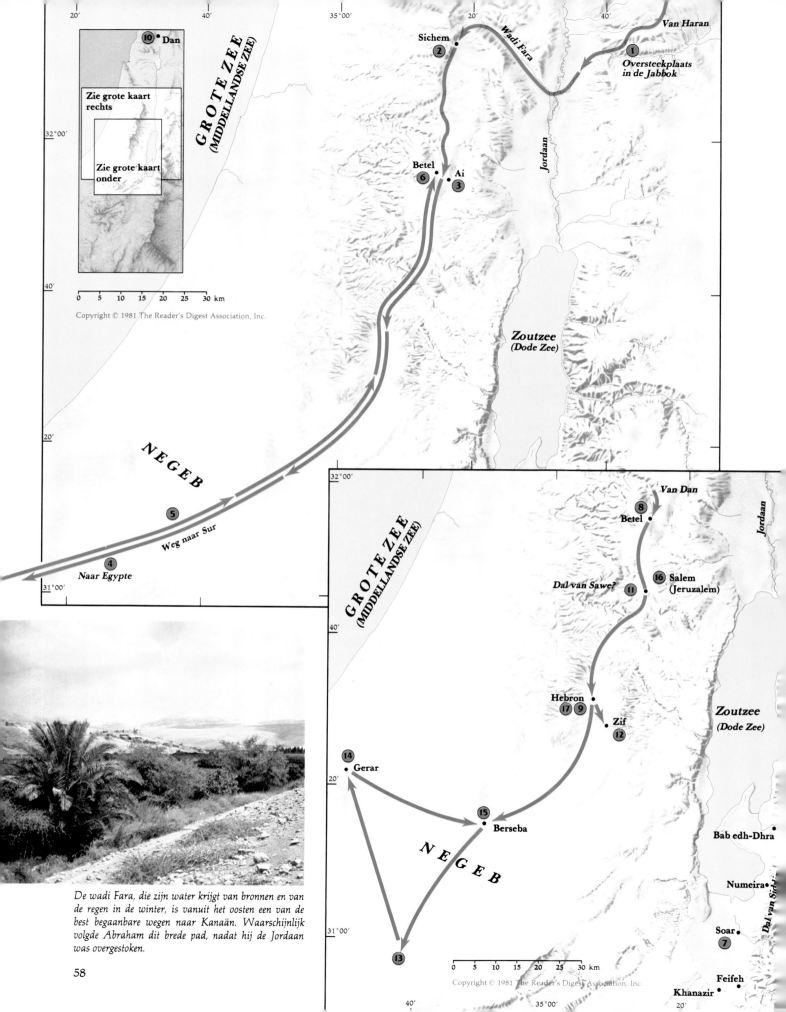

20'  35°00'  20'  40'

**Van Haran**

① *Oversteekplaats in de Jabbok*

Wadi Fara

Sichem ②

⑩ • Dan

**GROTE ZEE**
**(MIDDELLANDSE ZEE)**

Zie grote kaart rechts

Zie grote kaart onder

32°00'

Betel ⑥ • • Ai ③

Jordaan

40'

0  5  10  15  20  25  30 km

Copyright © 1981 The Reader's Digest Association, Inc.

**Zoutzee**
**(Dode Zee)**

**N E G E B**

⑤

*Weg naar Sur*

20'

Naar Egypte ④

31°00'

32°00'

**Van Dan**

Betel ⑧ •

**GROTE ZEE**
**(MIDDELLANDSE ZEE)**

*Dal van Sawe?* ⑪  ⑯ Salem (Jeruzalem)

40'

Jordaan

Hebron
⑰ ⑨ • Zif ⑫

**Zoutzee**
**(Dode Zee)**

⑭ • Gerar

Bab edh-Dhra

20'

⑮ Berseba

**N E G E B**

Numeira

31°00'

⑬

Soar ⑦

Feifeh

Khanazir

0  5  10  15  20  25  30 km

Copyright © 1981 The Reader's Digest Association, Inc.

40'  35°00'  20'

*De wadi Fara, die zijn water krijgt van bronnen en van de regen in de winter, is vanuit het oosten een van de best begaanbare wegen naar Kanaän. Waarschijnlijk volgde Abraham dit brede pad, nadat hij de Jordaan was overgestoken.*

# Abraham in Kanaän

Vanaf de hoogvlakte ten oosten van de Jordaan is een aantal smalle passen te zien dat aan de overkant van het dal de bergen inloopt. De meest aanlokkelijke doorgang is de wadi Fara, die niet alleen in de Oudheid, maar ook nu nog voornamelijk gebruikt wordt. Waarschijnlijk daalde Abraham af naar de doorwaadbare plaats in de Jabbok (1, kaart links, bovenaan) voor hij de Jordaan overstak en Kanaän binnentrok, want dit is de weg die zijn kleinzoon Jakob later nam, toen hij uit Haran terugkeerde. Ongetwijfeld liet Abraham halt houden bij de oases in het dal, bijna 250 m onder de zeespiegel. Vanuit deze laagten is hij met zijn familie en zijn kudde over minder dan 37 km 700 m geklommen tot bij de eik van More in Sichem (2). Hier bouwde Abraham zijn eerste altaar in Kanaän, nadat de Heer hem beloofd had het land aan zijn nakomelingen te schenken.

Abraham vertoefde niet lang in de dalen die bij Sichem samenkomen, maar hij trok verder zuidwaarts langs de waterscheiding die de natuurlijke noord-zuidverbinding door het land vormt. Hij voelde zich aangetrokken tot de golvende heuvels 'tussen Betel in het westen en Ai in het oosten' (Gn 12:8) (3); daar bouwde hij een tweede altaar. Er lagen slechts enkele kleine en geen grote steden in het gebied; zo was er op de met struiken en bomen begroeide heuvels genoeg gras voor zijn kudde. Water was echter schaars en nijpende hongersnood dreef Abraham ver naar het zuiden, tot in Egypte, waarschijnlijk over de weg naar Sur (4), een rechtstreekse, open route door de Negeb.

Abraham was bang dat de Egyptenaren hem zouden doden, omdat hij zo'n knappe vrouw had. Daarom had hij Sara voorgesteld als zijn zuster. Maar toen Sara in het huis van de farao was gebracht, teisterde de Heer de Egyptische vorst met plagen. Zodra deze wist wat de oorzaak van zijn ellende was, gaf hij de Hebreeuwse aartsvader bevel het land te verlaten. En Abraham, nu 'een rijk man die zeer veel vee, zilver en goud bezat' (Gn 13:2), begon aan zijn reis naar het noorden met Sara en Lot, de zoon van zijn broer.

Opnieuw trok hij door de Negeb (5), keerde terug in de streek Betel (6) en sloeg zijn tenten nog eens tussen de vredige heuvels op. Maar ruzie tussen zijn veehoeders en die van Lot verstoorde de pastorale rust en de twee besloten uiteen te gaan uit vrees dat ook zij niet langer meer in vrede met elkaar zouden kunnen leven. Lot, die de eerste keus kreeg, ging in de richting van Soar ten zuiden van de Zoutzee (7, kaart linksonder) en 'sloeg zijn tent op in de nabijheid van Sodom' (Gn 13:12). Zo kwam de neef van Abraham in het gebied van de vijf steden op de vlakte (zie blz. 60) in het dal van Siddim.

Voor de tweede maal trok Abraham ten zuiden van Betel (8) rond, dit keer tot bij de eiken van Mamre te Hebron (9), op het hoogste punt van de centrale bergrug, waar de heuvels zacht glooiend afdalen naar de kale vlakte van Berseba. In Mamre hoorde hij dat de koningen van het noorden de steden in de vlakte hadden aangevallen en dat Lot gevankelijk was weggevoerd. Met 318 geoefende mannen achtervolgde hij hen tot Dan (10, inzet), toen bekend als Laïs. Hij viel de koningen 's nachts aan, versloeg hen en joeg hen na 'tot aan Choba, ten noorden van Damascus' (Gn 14:15). Lot, zijn bezittingen, vrouwen en krijgsvolk waren gered.

Toen hij naar Hebron terugkeerde, - blijkbaar nam hij de route over de centrale bergkam die hij zo goed kende -, trof hij in het dal van Sawe (11) de koning van Sodom. Melchisedek, koning en priester van het naburige Salem (Jeruzalem) bood de beide mannen brood en wijn aan; hij zegende Abraham en dankte God, 'die uw vijand aan u heeft overgeleverd!' (Gn 14:20).

Terug in Hebron werden Abraham en Sara steeds verdrietiger. Meer dan eens had God hun een nageslacht beloofd, maar toch bleven ze kinderloos en kwam Sara op een leeftijd dat ze geen kinderen meer kon krijgen. Naar het gebruik van die tijd bracht Sara haar Egyptische slavin Hagar naar Abraham, opdat er een erfgenaam zou komen; Hagar kreeg een zoon Ismaël. Toen de jongen 13 jaar was, kwamen op zekere dag drie mannen bij de tent van Abraham en vertelden hem dat Sara in de lente een zoon zou krijgen. Nadat Abraham hen op de typisch gastvrije wijze van de nomaden had onthaald, wees hij hun de weg naar Sodom en vergezelde hen waarschijnlijk tot Zif (12), van waaruit twee wegen door de rotsachtige ravijn naar de Zoutzee leidden. Hier liet de Heer Abraham weten dat hij van plan was Sodom en Gomorra te verwoesten, maar dat hij bereid was de steden te sparen, als er 10 rechtvaardigen in Sodom gevonden konden worden. Maar de volgende morgen, toen Abraham opnieuw naar de plek kwam waar hij tegenover de Heer had gestaan en naar Sodom en Gomorra keek, zag hij rook uit de vallei opstijgen.

Ten zuiden van Hebron buigen de heuvels naar het westen en sluiten een driehoekige laagvlakte in die zich van Berseba tot aan de kust uitstrekte. Door deze schrale streek, beheerst door de stad Gerar, liepen de voornaamste handelswegen tussen Egypte en Kanaän. Dit was het gebied waar Abraham leefde en werkte, misschien als leider van een ezelkaravaan, waarmee produkten van Kanaän, zoals zout, potas, wijn en olijven naar het zuiden gebracht werden om ze te ruilen tegen katoen en linnen uit Egypte. Hij woonde in de woestijn (13) tussen Kades en Sur en verbleef enige tijd in Gerar (14). Hoewel ze in het begin verschil van mening hadden, stond de koning van Gerar, Abimelek, de aartsvader toe ten oosten van de stad zijn tenten op te slaan en zijn kudden te weiden. Ergens tussen Gerar en Berseba vervulde God zijn belofte en werd Isaak geboren. Temidden van de feestvreugde liet Sara Hagar en Ismaël echter verjagen naar de woestijn, waar ze zeker zouden omkomen. Maar God ontfermde zich over de vluchtelingen - de afstammelingen van Ismaël werden nomaden in de zuidelijke woestijn.

Na een conflict met dienaren van Abimelek over een waterput, verliet Abraham Gerar en trok naar Berseba (15), een oase rondom een aantal bronnen in de woestijn. Daar stelde God hem zwaar op de proef: 'Ga met Isaak, uw zoon, ..., naar het land van de Moria, en draag hem daar, ..., als brandoffer op' (Gn 22:2). De Moria wordt vanouds her beschouwd als de Tempelberg in Jeruzalem (16). Op het moeilijke moment, waarop Abraham zijn geloof wilde bewijzen, zei God hem Isaak te sparen.

Toen Sara stierf kocht Abraham de grot van Makpela bij Hebron (17), waarin hij haar begroef. Ook hij zou daar later een rustplaats vinden.

# De steden van de vlakte

In zijn geschiedschrijving over de tijd waarin Jezus leefde, merkt de joodse historicus Flavius Josefus op dat men ten zuiden van de Dode Zee nog de resten van oude steden kan waarnemen. Zeker al vanaf de 1e eeuw v.C. hebben geschiedschrijvers de bijbelse steden van de vlakte - Sodom, Gomorra, Adma, Seboïm en Bela (Soar) - in dit gebied gesitueerd. Later veronderstelde men dat de steden door aardbevingen werden verwoest en dat de resten in het ondiepe water van het zuidelijke deel van de Dode Zee verdwenen waren. In 1924 ontdekte W.F. Albright een plaats uit de vroege Bronstijd, Bab edh-Dhra, gelegen in het zuidoostelijke Dode-Zeegebied.

Paul Lapp, die hier in de zestiger jaren opgravingen verrichtte, vond een uitgestrekte stad met een kerkhof in de buurt. Vanaf 1973 zijn twee Amerikaanse archeologen, Walter Rast en Thomas Schaub, bezig geweest met het localiseren van vier andere nederzettingen, bekend onder hun huidige Arabische namen Numeira, es-Safi, Feifeh en Khanazir. Opgravingen in Bab edh-Dhra en Numeira wekten bij Rast en Schaub het vermoeden dat het hier om twee bijbelse steden ging. Onderzoekingen in de omgeving hebben aan het licht gebracht dat het land aan het zuideinde van de Dode Zee in het derde millennium v.C. vruchtbaarder was en dat het genoeg water had voor een vrij omvangrijke landbouw. In moeilijke tijden zullen de versterkte steden een toevluchtsoord geweest zijn. Bab edh-Dhra, de grootste stad, was zeer waarschijnlijk ook de belangrijkste plaats. Het kan goed zijn dat er de ruïnes liggen van het oude Sodom, en mogelijk in Numeira de resten van de nabijgelegen stad Gomorra. Beide plaatsen werden omstreeks 2350 v.C. verwoest, bijna vier eeuwen voordat Abraham, naar men thans aanneemt, leefde. Een gedenkwaardige gebeurtenis als de plotseling verwoesting van deze steden zal ongetwijfeld hecht verankerd zijn geweest in de overleveringen van deze streek en kan zo in de geschiedenis van Abraham terecht zijn gekomen.

*Uit het water van de Dode Zee rijzen met een zoutkorst bedekte boomstronken omhoog (boven). Ze doen denken aan de zoutpilaar waarin de vrouw van Lot veranderde. Bij opgravingen in Bab edh-Dhra in het zuidoostelijke gebied van de zee zijn enkele van de meest gave voorbeelden van aardewerk uit de vroege Bronstijd te voorschijn gekomen (links), die dateren van 3200-3100 v.C. De indrukwekkende ronde graven (boven) in Bab edh-Dhra zijn uniek; op geen enkele andere plaats in het Nabije Oosten zijn zulke bouwsels gevonden. In die tijd werden de lichamen gewoonlijk in holen gelegd. De zorgvuldig gebouwde grafhuisjes wijzen op een welvarende bevolking.*

# Isaak, Jakob en Jozef

Isaak was een man van de woestijn, een veeteeltnomade die van plek naar plek trok, soms gewassen verbouwde en voortdurend op zoek was naar water voor zijn kudde. Dit 'kind van de belofte', deze vreugde van Abrahams oude dag werd in de woestijn uit Sara geboren, ergens tussen Gerar en Berseba (1, kaart blz. 63). Daar in het noordwesten van de Negeb bracht hij het grootste gedeelte van zijn leven door. Hij waagde zich nauwelijks verder dan 80 km buiten zijn geboorteplaats. Voor zover we weten verliet hij het gebied alleen, toen hij als kind door zijn vader op de Moria (2) in de centrale hoogvlakte bijna geofferd werd. Na de dood van zijn moeder woonde Isaak in Beër-Lachai-Roï (3), een oase op de karavaanweg naar Egypte. Dit was ook de plek waar de engel de zwangere slavin van Sara, Hagar, moed had ingesproken toen deze voor de wreedheid van haar meesteres op de vlucht was. Daar zag Isaak voor het eerst zijn bruid Rebekka, die op een kameel kwam aanrijden, en daar werden ook hun beide zonen Esau en Jakob geboren.

De Negeb is, net als de meeste woestijnen van het Heilige Land, een rotsachtige streek met enkele zandvlakten. Als de bronnen en putten droogvallen, dreigt het gevaar dat de veehoeders door nijpend gebrek aan voedsel voor hun vee geruïneerd worden. In de Oudheid boden de vruchtbare vlakten van Egypte, gevoed door de Nijl, een veilig toevluchtsoord bij zo'n ramp. Als er hongersnood heerste keek Isaak verlangend die kant uit, zoals zijn vader dat vóór hem gedaan had. In Gerar (4) gehoorzaamde Isaak echter aan God die hem bevolen had niet naar Egypte te gaan.

De streek van Gerar, bezaaid met rijke bronnen, lag tussen de echte woestijn en het gebied waar mensen zich blijvend gevestigd hadden. Hoewel plotselinge overstromingen in de winter diepe geulen in de grond vreten en de zomerwinden dichte stofwolken over de korrelige, geblakerde aarde jagen, is deze zuidelijke steppe eigenlijk niet dor. De grond bestaat uit dezelfde geelbruine löss als in de meer vruchtbare gebieden in het noorden en is in de loop van de geschiedenis maar sporadisch bewerkt. Jaarlijks valt er 15 tot 25 cm regen; als er daarnaast nog een eenvoudig bevloeiingssysteem gebruikt wordt, kan men er met succes gewassen verbouwen.

Isaak maakte de putten die Abraham geslagen had weer open en zaaide gewassen. 'Hij oogstte dat jaar honderdvoudig' (Gn 26:12) en werd zo rijk en machtig dat Abimelek zich bedreigd voelde en hem bevel gaf te vertrekken. Isaak ging niet verder dan het dal van Gerar (5), waarschijnlijk ten zuidwesten van de stad. Hier vond hij opnieuw water voor zijn kudden. Maar de veehoeders van Gerar maakten ruzie met die van Isaak over de putten die hij Esek ('twist') en Sitna ('onenigheid') genoemd had. Isaak sloeg toen een derde put die hij de naam Rechobot ('ruimte') gaf, want eindelijk scheen hij een plek gevonden te hebben waar hij zijn kudden in vrede kon weiden. Toch verliet Isaak Gerar en trok naar de oase Berseba (6), waar de Heer zijn verbond met de aartsvaders hernieuwde.

Jakob leefde niet zoals zijn vader Isaak aan de rand van de Negeb; hij kende het uitgestrekte gebied van het Nabije Oosten, vanaf het steppelandschap van Paddan-Aram in het noorden aan de overzijde van de Eufraat tot aan de vruchtbare Nijldelta in het zuiden, een afstand van bijna 1000 km. Hij werd als jongste van twee zonen geboren in Beër-Lachai-Roï (7), diep in de woestijn. Terwijl zijn oudere broer Esau meer voelde voor het harde leven van een woestijnjager, was Jakob 'een rustig man, die in zijn tenten bleef' (Gn 25:27).

Toen Esau op een dag moe en hongerig van het veld terugkeerde, verkocht hij het eerstgeboorterecht van de oudste zoon voor een stuk brood en de linzenbrij, die Jakob aan het koken was. Later, in Berseba, hielp Rebekka haar lievelingszoon Jakob de hoogbejaarde, nagenoeg blinde Isaak te misleiden, zodat deze over zijn tweede zoon de zegen uitsprak. Esau die door de listigheid van zijn broer zijn eerstgeboorterecht en de zegen verspeeld had, vatte het plan op Jakob te doden. Om aan de woede van Esau te ontkomen en om een vrouw te zoeken onder de familie van zijn moeder trok Jakob naar het noorden, naar Haran, de grond van zijn vaderen in Paddan-Aram.

Hij nam de weg langs de waterscheiding van het gebergte van Juda. Toen hij in de glooiende heuvels overnachtte, zag hij in zijn droom een ladder die tot de hemel reikte met engelen die omhoog en omlaag gingen. De Heer verscheen hem en hernieuwde de belofte die hij aan zijn grootvader en vader gedaan had. Toen Jakob wakker werd, zette hij de steen die hem als kussen gediend had rechtop, goot er olie over uit en noemde de plaats Betel (9), 'huis van God' (Gn 28:17).

We weten niet welke weg Jakob van Betel naar Haran genomen heeft. Vermoedelijk stak hij bij Adam de Jordaan over en beklom hij de flauwe helling van het sterk geërodeerde, maar toch groene Jabbokdal tot hij tenslotte de koningsweg op de hoogvlakte bereikte. Hij moet dan langs Damascus gekomen zijn, toen al een oude stad, voorbij Hamat langs de westelijke rand van de grote steppe en door Aleppo, dwars over de handelsweg. Tenslotte zal hij de Eufraat zijn overgestoken naar de grasvlakten van Paddan-Aram (zie kaart blz. 52-53). Hier ontmoette hij toevallig zijn nicht Rachel bij een bron, waar ze het vee van haar vader liet drinken. Ze ging het vlug aan haar vader Laban vertellen en deze ontving de zoon van zijn zuster Rebekka zeer gastvrij.

Laban bood zijn neef werk en loon, maar Jakob stelde voor dat hij Laban zeven jaar zou dienen om Rachel tot vrouw te krijgen. Door een list raakte Jakob met Lea getrouwd, de oudste dochter van Laban. Hij werkte opnieuw zeven jaar om een huwelijk met Rachel te verdienen. Daarna bleef hij nog zes jaar als veehoeder bij zijn schoonvader en werd intussen een rijk man. Uit angst dat Laban zich tegen zijn vertrek zou verzetten vluchtte Jakob tenslotte, terwijl zijn schoonvader weg was met het vee.

Laban achtervolgde Jakob en diens traag voorttrekkende kudden en zeven dagen later haalde hij hem bij het gebergte van Gilead in. Na een hevige ruzie verzoenden ze zich en sloten een wankel vredesverdrag. Laban keerde naar huis terug en Jakob ging op weg naar zijn broer Esau.

Vanuit Machanaïm (10), dat beheerst wordt door de gespleten kalksteenrotsen van het smalle Jabbokdal, zond Jakob boden naar Esau in het verre Edom (Seïr) met de bede om verzoening. Ze kwamen terug met het bericht dat zijn broer met 400 man in aantocht was. Uit voorzorg verdeelde Jakob

# Isaak, Jakob en Jozef (vervolg)

zijn mensen en bezittingen, want hij dacht: 'Als Esau op de éne groep afkomt en die neerslaat, dan kan de andere tenminste ontkomen' (Gn 32:9). Dan zond hij geschenken naar zijn broer en bleef in gebed achter. Die nacht worstelde hij met een vreemdeling tot het aanbreken van de dag. Toen zei de man tot hem: 'Voortaan zult gij geen Jakob meer heten, maar Israël, want gij hebt met God gestreden en met mensen en gij hebt hen overwonnen' (Gn 32:29). Bij zonsopgang strompelde Jakob langs Penuël (11); zijn heup was tijdens de worsteling ontwricht.

Hier trof Jakob de manschappen van zijn broer. Maar tot zijn grote opluchting begroette Esau hem hartelijk; de broers die elkaar zo lang niet meer gezien hadden, vielen elkaar om de hals en huilden van vreugde. Esau keerde terug naar Edom, Jakob ging naar Sukkot (12), diep in het Jordaandal. Op deze hete, vochtige plek bouwde hij een huis en stallen voor zijn vee. Maar spoedig brak hij weer op, trok de Jordaan over naar Kanaän en volgde de wadi Fara naar Sichem (13). Daar kocht hij land en richtte een altaar op.

Nu sloeg het noodlot toe. De dochter van Jakob, Dina, werd aangerand door Sichem, de zoon van de Chiwwitische prins Hemor. Uit wraak doodden twee van haar broers de prins en zijn zoon, moordden de mannen van Sichem uit en plunderden de stad. Bevreesd voor vergelding trok Jakob met zijn stam naar Betel (14) en richtte daar een altaar op. Dan volgde hij de voetsporen van zijn vader en trok verder over de weg door het centrale bergland. Bij Betlehem stierf Rachel tijdens de geboorte van Jakobs 12e zoon, Benjamin. Na meer dan 20 jaar zagen Jakob en Isaak te Mamre (Hebron, 15) elkaar weer terug en toen Isaak stierf werd hij hier door Jakob en Esau in de grot van Makpela begraven. 'Esau nu verliet zijn broer Jakob, ... en trok naar een ander land. Hun bezit was zo groot, dat ze niet bij elkaar konden blijven' (Gn 36:6-7).

Bij de geboorte van haar eerste kind, Jozef, Jakobs 11e zoon, had Rachel gezegd: 'God heeft mijn schande weggenomen' (Gn 30:23). Het was duidelijk: 'Israël hield meer van Jozef dan van al zijn andere zonen, omdat hij hem nog op zijn oude dag had gekregen. Hij had voor hem een prachtig kleed laten maken' (Gn 37:3). Het gewaad van Jozef was rijk vergeleken bij de eenvoudige mantels van stug geitehaar, zacht kamelehaar of leer, die de veehoeders droegen. Geen wonder dat de broers van Jozef in hun ruwe kleren een hekel hadden aan de 17 jaar oude lieveling van hun vader.

Jakob was een rijk man met veel vee. In het droge jaargetijde moesten de schapen, geiten en runderen naar water en gras gedreven worden, een karwei voor de broers van Jozef. Het was verantwoordelijk werk: de dieren moesten niet alleen dagelijks te drinken krijgen, maar op elk beest moest worden gelet, zodat het in de rotsachtige heuvels niet zou verdwalen of in de doornstruiken verstrikt raken. En natuurlijk moesten de kudden, vooral 's nachts, tegen jakhalzen, vossen, leeuwen, beren en andere roofdieren beschermd worden.

Ruben en zijn broers waren vol wrok toen ze de kudden naar het noorden dreven op zoek naar weiland. Jozef zou het wel gemakkelijk hebben in de tenten van hun vader in Mamre, terwijl zij de hitte van de dag moesten verduren, de koude van de nacht. Ze kregen altijd hetzelfde voedsel: geitemelk, olijven, rozijnen en soms brood en kaas. En de trotse Jozef flaneerde rond in zijn mooie kleren en vertelde hun dat ze zich op een dag voor hem zouden buigen ...

'Ga dan eens kijken of alles in orde is met je broers en met het vee ...' (Gn 37:14), zei Jakob tot zijn zoon Jozef. Zo verliet de jonge Jozef Hebron (16) en begaf zich naar het noorden over de bergweg, die duidelijk afgebakend lag tussen de waterscheiding aan de ene kant en diepe valleien aan de andere. Hij kwam langs Betlehem, Jeruzalem en Betel, die we nu gewijde plaatsen noemen. De tocht was gevaarlijk, want nu en dan liep de weg langs steile hellingen met veel grote keien en dun struikgewas, bij uitstek een plaats waar rovers zich konden verschuilen. En dan, bij Lebona, weken de heuvels uiteen voor het dal dat naar Sichem (17) voerde. Tevergeefs zocht Jozef zijn broers in de velden aan de voet van de bergen Gerizzim en Ebal, tot er een man naar hem toekwam, die hem vertelde dat ze naar het noorden, naar Dotan waren getrokken.

Jozef ging hen achterna; nog eens beklom hij de heuvels en kwam in de prachtige vlakte van Dotan (18). Daar grepen zijn broers hem ruw vast en gooiden hem in een droge put.

In het groeiseizoen, als de wind zachtjes door de zware aren van rijpend gerst en ander graan waait, lijkt de vlakte op een golvende zee. Maar na de oogst blijft er een kale, uitgestrekte vlakte over, waar slechts schapen en geiten naar voedsel zoeken, terwijl herders de wacht over hen houden. Nu en dan trekt er een karavaan door de streek over een aftakking van de zeeweg, een van de belangrijkste handelsroutes in het Nabije Oosten.

Toen de broers van Jozef merkten dat er een Ismaëlitische karavaan naderde, zagen ze de kans schoon om van Jozef af te komen zonder hem te hoeven doden en er bovendien nog munt uit te slaan. Ze haalden Jozef uit de put en verkochten hem als slaaf voor twintig sikkel zilver. Daarna namen ze zijn kleed, scheurden het kapot, doopten het in het bloed van een geit en brachten het naar hun vader in Hebron. Jakob was diepbedroefd, want hij dacht dat een wild dier zijn zoon verscheurd had. Maar Jozef was toen al op weg naar Egypte (19).

Dertien jaar later - Jozef was toen dertig - werd hij onderkoning van Egypte. Hij vermoedde niet dat zijn vader, die weer terug was in Berseba, zo'n verdriet had. Toen er hongersnood in het land kwam, zei Jakob tot zijn zonen: 'Ik heb gehoord dat er in Egypte graan te krijgen is. Ga daar toch heen om graan te kopen, zodat wij in leven blijven en niet sterven' (Gn 42:2). Jozef gaf hun graan en nadat hij hen verschillende keren op de proef had gesteld, vertelde hij wie hij was. Hij vroeg zijn broers om Jakob naar Egypte te halen, opdat ze weer samen zouden zijn. Jakob en zijn nakomelingen kwamen wonen 'in het beste deel van het land ... in Gosen ...' (Gn 47:6). Daar weidden de Hebreeuwse herders hun kudden in vrede en overvloed en ze dienden de farao met vreugde. De donkere dagen van slavernij waren nog ver.

'Uw vader is ziek' (Gn 48:1). Zo werd Jozef aan het bed van Jakob geroepen. Hij bracht zijn zonen Manasse en Efraïm mee voor de laatste zegen en hij zorgde ervoor dat Manasse, de eerstgeborene, zo stond dat Jakob zijn rechterhand op diens hoofd kon leggen. Maar Jakob kruiste zijn handen, zegende de zonen van Jozef en stelde Efraïm boven diens oudere broer. Dan zegende hij zijn 12 zonen en vertelde hun waar hij begraven wilde worden. 'Toen Jakob zijn zonen deze laatste opdracht gegeven had, trok hij zijn voeten terug op het bed, gaf de geest en werd met zijn voorvaderen verenigd' (Gn 49:33).

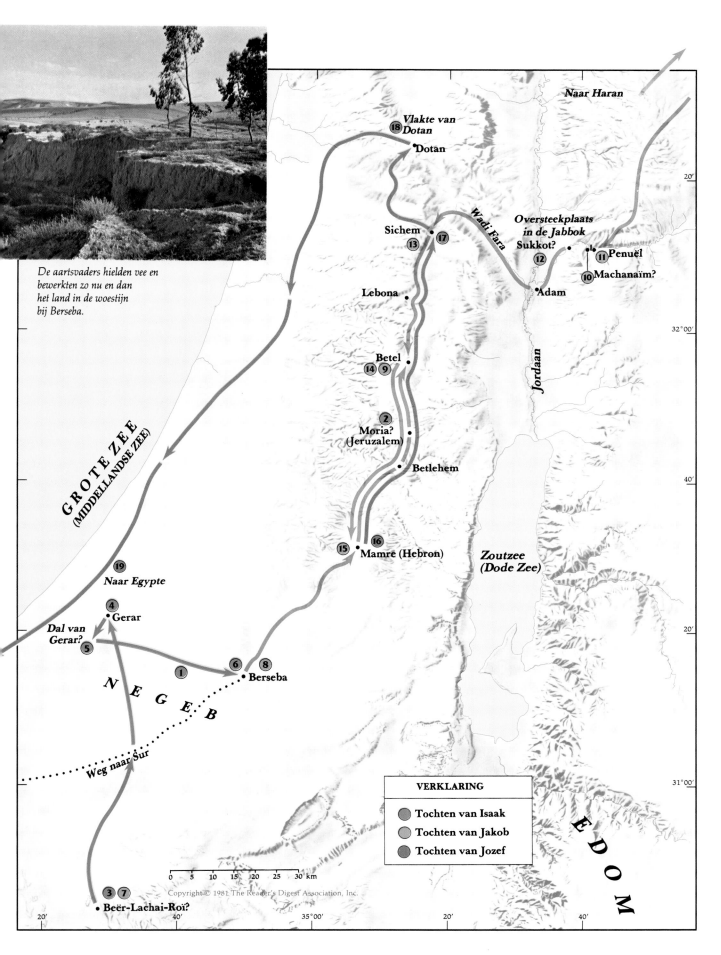

*Naar Haran*

*Vlakte van
Dotan*
(18)
•Dotan

*Wadi Fara*

*Oversteekplaats
in de Jabbok*
Sukkot?
(12)

Sichem
(13) (17)

Penuël (11)
Machanaïm? (10)

Lebona
•

•Adam

20'

De aartsvaders hielden vee en
bewerkten zo nu en dan
het land in de woestijn
bij Berseba.

32°00'

Betel
(14) (9)

(2)
Moria?
(Jeruzalem)

*Jordaan*

•Betlehem

40'

GROTE ZEE
(MIDDELLANDSE ZEE)

(15) (16)
•Mamre (Hebron)

*Zoutzee
(Dode Zee)*

(19)
*Naar Egypte*

20'

(4)
•Gerar

*Dal van
Gerar?*
(5)

(6) (8)
•Berseba

N
E
G
E
B

(1)

*Weg naar Sur*

31°00'

**VERKLARING**

● Tochten van Isaak
● Tochten van Jakob
● Tochten van Jozef

E
D
O
M

0  5  10  15  20  25  30 km

(3) (7)
•Beër-Lachai-Roï?

20'  40'  35°00'  20'  40'

# Ramses II, farao van de uittocht?

In de tijd dat de Hebreeërs uit Egypte wegtrokken werd het land waarschijnlijk bestuurd door de machtige farao Ramses II, de derde koning van Egyptes 19e dynastie. De lange regering van Ramses (ca. 1290-1224 v.C.) is een van de meest gedenkwaardige uit de geschiedenis van het oude Egypte, vooral omdat hij een onvermoeibare bouwer was met grootse ideeën. Zijn naam is verbonden aan bijna de helft van de Egyptische tempels die de tijd hebben getrotseerd en waarvan er vele werden opgericht om zijn roemruchte daden te verheerlijken.

In het begin van zijn regering was Ramses vooral de oorlogskoning die met alle kracht het werk van zijn vader Seti I wilde voortzetten om het Aziatische rijk van Egypte te bevestigen en te behouden. (De grenzen van dit rijk zijn op de kaart hieronder aangegeven). De Hethieten in het noorden vormden de voornaamste bedreiging voor de hegemonie van het rijk van de farao. De krachtmeting tussen Ramses en dit volk speelde zich af in Syrië en omstreeks 1286 v.C. stonden de beide strijdkrachten bij Kades tegenover elkaar. Ramses blufte dat hij het gevecht zonder hulp van anderen zou winnen. Nu weten we echter dat de slag onbeslist bleef. Hoe het ook zij, bijna 20 jaar later sloot hij duurzaam vrede met de Hethieten en om het verbond te bezegelen trouwde hij met de dochter van hun koning. Intussen had hij ook een geslaagde veldtocht ondernomen tegen opstandige steden in Kanaän. Toen de vijandelijkheden voorbij waren wijdde Ramses de rest van zijn leven aan het bouwen van monumenten die de herinnering aan zijn bewind levend zouden houden.

Farao Seti I maakte een begin met de strijd om Egyptes vergane glorie te herstellen, een werk dat zijn zoon Ramses II voortzette. Op een muurreliëf van een tempel in Karnak (boven) is Seti afgebeeld die met zijn strijdwagen over de lichamen van zijn verslagen vijanden rijdt. Hieronder een cartouche uit een tempel in Abydos, met de naam van farao Ramses II in hiërogliefen.

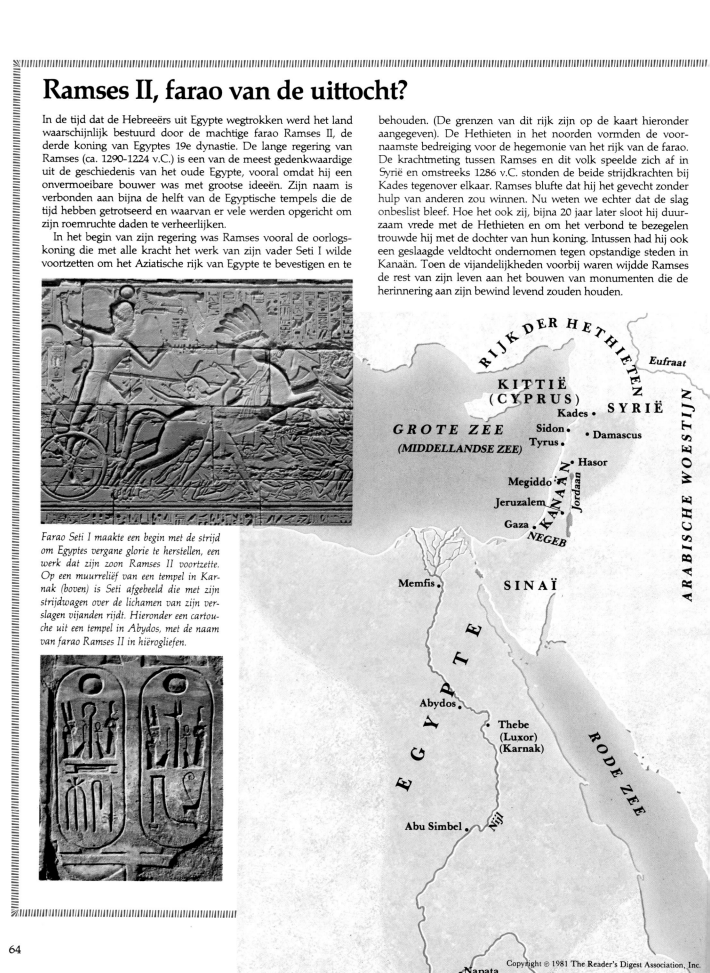

RIJK DER HETHIETEN

KITTIË (CYPRUS)

Eufraat

SYRIË

Kades

Sidon

GROTE ZEE
(MIDDELLANDSE ZEE)

Tyrus

Damascus

Hasor

ARABISCHE WOESTIJN

Megiddo

Jordaan

KANAÄN

Jeruzalem

Gaza

NEGEB

Memfis

SINAÏ

EGYPTE

Abydos

Thebe
(Luxor)
(Karnak)

RODE ZEE

Abu Simbel

Nijl

Napata

De tempels in Abu Simbel, gehouwen uit de zandsteenrotsen die uitzien op de Nijl, zijn wellicht de meest opmerkelijke bouwwerken van Ramses II. Links het uit-
wendige van de grootste van de twee tempels. De ingang
wordt bewaakt door kolossale standbeelden van Ramses
II, elk ruim 20 m hoog. Hierboven een deel van een bin-
nenmuur, waarop Ramses is afgebeeld. In een geweldig
project dat in 1966 voltooid was, werden de reusachtige
tempels van de rots losgemaakt en naar een hoger gelegen
gebied gebracht om ze te beschermen tegen het wassende
water van de nieuwe Aswandam.

Deze schildering op een graftombe in Thebe laat tot in bijzonderheden zien
hoe gevangenen bezig zijn met het maken van stenen, een werk waartoe de
Hebreeërs door de Egyptische farao's gedwongen werden. Eerst wordt er
water gehaald (links). De klei, die gemaakt wordt met behulp van troffels
(midden), wordt onder het waakzaam oog van een opzichter in steenvormen
gestort (rechtsboven). De stenen worden opgetast om te drogen en te harden.

# De uittocht

'Toen kwam er in Egypte een nieuwe koning aan het bewind, die van Jozef niet meer afwist' (Ex 1:8). Zo beschrijft Exodus een ingrijpende gebeurtenis in het bestaan van de Hebreeërs. In één enkele zin wordt 400 jaar in de geschiedenis van Egypte samengevat. Omstreeks 1750 v.C. drongen de Hyksos, een vreemde volksstam, Egypte binnen, nestelden zich in de delta en heersten tenslotte meer dan een eeuw over het hele land. Onder hun heerschappij was Jozef opgeklommen tot de invloedrijke positie van onderkoning aan het hof van de farao. Maar toen de Hyksos omstreeks 1550 v.C. werden verdreven en het oorspronkelijke bewind weer terugkeerde, kwam er ook een einde aan de koninklijke voorrechten die de nakomelingen van Jakob hadden genoten. Onder Egyptes 18e dynastie waren de Hebreeërs niet veel meer dan verachte boeren tussen de andere vreemdelingen, 'vuile Aziaten' en 'zandbewoners' zoals de Egyptenaren de nomaden noemden die in en uit de vruchtbare Nijldelta trokken.

Met de komst van de koningen van de 19e dynastie (ca. 1306 v.C.) begonnen de Egyptenaren grote voorraadsteden te bouwen, Pitom en Raämses, vlak bij de Hebreeuwse nederzettingen in het oostelijke deel van de delta, het land Gosen (1). De Hebreeërs werden in ploegen tewerkgesteld en moesten als steenbakkers en mortelmakers de bouwprojecten van de farao helpen uitvoeren. De slavernij was onbeschrijflijk wreed. Toch slaagden de machteloze Hebreeërs erin zich aan de greep van de sterkste heerser ter aarde te ontworstelen, waarschijnlijk in het begin van de regering van Ramses II (ca. 1290-1224 v.C.). Geleid door de ziener Mozes begonnen ze aan de tocht, die hen uit Egypte zou wegvoeren naar het Beloofde Land.

In Exodus staat vermeld: '... het aantal mannen die zelf liepen - de kinderen dus niet meegerekend - bedroeg ongeveer zeshonderdduizend' (Ex 12:37). Dat betekent in totaal ongeveer 2½ miljoen mensen, en misschien zelfs nog meer. Zo'n groot aantal is nauwelijks aannemelijk. Waar zouden zoveel mensen tijdens hun omzwervingen door een troosteloos gebied voedsel en water voor zichzelf en hun dieren vandaan gehaald moeten hebben? Waarschijnlijk geeft dit getal in feite een beeld van de bevolking van de Hebreeuwse rijken in de 10e eeuw v.C. Wat het werkelijke aantal ten tijde van de uittocht dan ook geweest moge zijn ... de Hebreeërs verlieten in ieder geval Egypte. Maar welke weg namen ze? De route van de uittocht is niet met zekerheid bekend en zal dat waarschijnlijk ook nooit worden.

Wellicht hebben groepen Hebreeërs op verschillende tijden en langs verschillende wegen Egypte verlaten en zijn hun wederwaardigheden later gebundeld tot één bijbelverhaal. Dit heeft aanleiding gegeven tot verschillende theorieën over de weg waarlangs de uittocht plaatsvond. Over één ding zijn

*'Strek uw hand uit over de zee, dan zal het water terugstromen over de Egyptenaren . . .' (Ex 14:26), zo sprak de Heer tot Mozes. Een bekend verhaal, in beeld gebracht in een vroeg-14e-eeuws manuscript.*

de geleerden het nu wel eens: nadat de Hebreeërs Sukkot (2) achter zich hadden gelaten, trokken ze door de Rietzee en niet, zoals men vroeger dacht, door de Rode Zee. De verwarring is waarschijnlijk ontstaan toen het Hebreeuwse *Jam Suf* wat 'Rietzee' betekent ten onrechte vertaald werd met 'Rode Zee'. Deze vergissing bleef niet tot het Nederlands beperkt: in het Engels lijken 'Red Sea' en 'Sea of Reeds' ook op elkaar.

Deskundigen zijn het niet eens over de ligging van de Rietzee. Volgens sommigen lag ze in het gebied van het Timsameer (3) ten noorden van de Bittermeren. Anderen denken dat het de zoetwatermoerassen (4) ten oosten van Raämses zijn, waar papyrusriet groeit; vandaar de oude Egyptische naam voor dat gebied, Papyrusmoeras. Weer anderen identificeren de Rietzee met het meer dat de Grieken Sirbonis (5) noemden, een andere met riet begroeide plas. In zulke moerasgebieden kon het gemakkelijk gebeuren dat de achtervolgende Egyptische strijdwagens verongelukten, wat In Exodus zo levendig beschreven wordt.

Geleerden zijn het verder niet eens over de weg waarlangs de Hebreeërs daarna over het schiereiland Sinaï trokken, een uitgestrekt, driehoekig stuk land dat ongeveer 370 km lang is en in het noorden 250 km breed. Er zijn vier mogelijkheden geopperd.

In Exodus lezen we dat de Hebreeërs, nadat ze Sukkot achter zich hadden gelaten, op weg gingen naar de woestijn, maar dan omkeerden en hun tenten opsloegen '... voor Pi-Hachirot, tussen Migdol en de zee. Voor Baäl-Sefon ...' (Ex 14:2). Geleerden die veronderstellen dat met het Sirbonismeer en de moerassige Rietzee hetzelfde bedoeld wordt, denken dat de Hebreeërs een goed heenkomen zochten over het smalle zandstrand (6) tussen het meer en de Grote Zee. Migdol werd beschouwd als de meest noordelijke stad van Egypte, zoals in het boek Ezechiël tweemaal wordt vermeld; en als het klassieke Mons Cassius hetzelfde is als Baäl-Sefon ('Heer van het noorden') dan wordt daarmee het gegeven in Exodus, dat ze 'aan zee' waren, bevestigd. Maar andere plaatsen die in de Bijbel worden genoemd, kunnen moeilijk aan deze route gesitueerd worden. Het was ook een onherbergzame weg met weinig drinkwater en veel verraderlijk drijfzand. Bovendien zou de noordelijke route de Hebreeërs over de zogenaamde 'weg door het land van de Filistijnen' gevoerd hebben (ofschoon de Filistijnen zich er pas later kwamen vestigen). En Exodus zegt: 'Toen Farao het volk had laten vertrekken liet God hen niet door het gebied van de Filistijnen gaan, hoewel deze weg korter is' (Ex 13:17).

Een tweede mogelijkheid is de weg naar Sur (7). Deze leidde van Sukkot en Pitom dwars door de woestijn rechtstreeks naar Berseba en Hebron en langs Kades-Barnea, het knooppunt van latere omzwervingen van de Hebreeërs door de

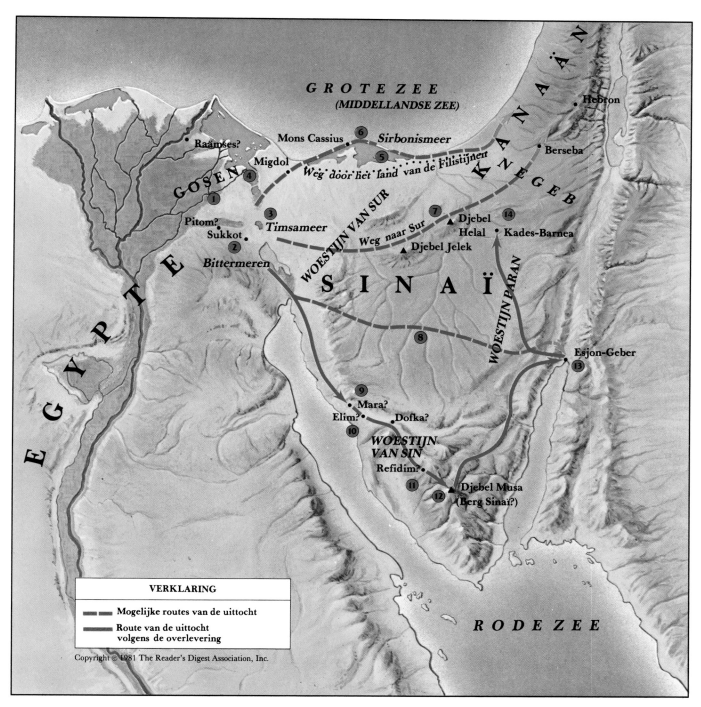

**VERKLARING**

━ ━ ━ Mogelijke routes van de uittocht

━━━ Route van de uittocht
volgens de overlevering

woestijn. Als ze deze weg hebben genomen, zou ofwel de Djebel Jelek, een massieve, geelachtige berg die 1080 m boven de zeespiegel uitsteekt, ofwel de 890 m hoge Djebel Helal de vanouds uit de Bijbel bekende berg Sinaï geweest moeten zijn. De weg naar Sur was een van de meest gebruikte karavaanwegen tussen Egypte en Kanaän, maar hij werd door legers gemeden, omdat er niet genoeg water was, dezelfde reden waarom ook de Hebreeërs hem waarschijnlijk niet genomen hebben.

Een derde route die voor de uittocht van de Hebreeërs in aanmerking zou kunnen komen, was de Arabische handelsweg (8) dwars door de Sinaï naar Esjon-Geber. Egyptische en Arabische kooplieden vervoerden hun goederen over deze onherbergzame weg, vrijwel zonder water, wellicht omdat het de kortste verbinding tussen beide landen was. Maar ze was nauwelijks geschikt voor grote groepen nomaden die maar langzaam vooruitkwamen.

De traditionele route van de uittocht, die ook nu nog door deskundigen als de meest aannemelijke wordt beschouwd, liep naar het zuidzuidoosten over de weg die naar de oude Egyptische turkoois- en kopermijnen in het westen van de Sinaï leidde. Nadat ze door de Rietzee ontkomen waren, trokken de Hebreeërs door de woestijn van Sur naar het zuiden. Na drie dagen kwamen ze in de oase van Mara (9), wat 'bitter'

# De uittocht *(vervolg)*

betekent; het water bleek inderdaad niet te drinken. Volgens Exodus maakte Mozes het water zoet en konden mens en dier hun dorst lessen. Ze reisden verder naar het zuiden, naar Elim, waar ze hun tenten opsloegen tussen rijke bronnen en schaduwrijke bosjes, voor ze de dorre, onherbergzame woestijn van Sin binnengingen.

Naarmate ze dieper de onvruchtbare, bergachtige Sinaï introkken werd het land steeds troostelozer en droger. Grillige rotsformaties rezen overal op boven smalle, bochtige valleien. De steile bergen, aanvankelijk uit rode en bruine zandsteen, later van bronsrood graniet, schrikaanjagend maar toch prachtig in de zinderende hitte van de dag, hielden zwijgend de wacht, als het voortslingerende lint van mannen, vrouwen en kinderen zijn weg zocht door het met keien bezaaide zand. Hier en daar werd het landschap onderbroken door bosjes armtierig struikgewas en af en toe een tamarisk. Meestal was er gebrek aan water en spoedig raakte ook het voedsel op. Het morrende volk dacht terug aan de weelderige velden van Egypte, waar het eens zo'n hekel aan had, maar waar het nu wanhopig naar terugverlangde. Zelfs de harde dagen van slavernij leken hun beter dan dit miserabele bestaan in de woestijn en een onzekere toekomst. Achter de turkooismijnen in Dofka (Serabit el-Khadim), in Refidim (11), werden de Israëlieten aangevallen door de woeste Amalekieten, de plaag van de woestijn. Mozes stelde Jozua aan als aanvoerder van de krijgsmacht (zijn naam komt hier voor het eerst in de Bijbel voor) en deze slaagde erin de rovers te verjagen.

Het volk van Israël trok, weer veilig, langzaam de hooglanden in het zuiden van de Sinaï in en bereikte de berg Sinaï, van oudsher vereenzelvigd met de Djebel Musa (12) of 'berg van Mozes'. Het is wel niet de hoogste berg in dit gebied, maar de machtige toppen die een hoogte bereiken van 2300 m, zijn niettemin indrukwekkend. Een natuurlijke bron, die het hele jaar door voor water zorgde, en grazige weiden voorzagen in het levensonderhoud van mens en dier, terwijl de rotswanden bescherming boden tegen nieuwe aanvallen. In deze ideale omgeving temidden van majestueuze, oprijzende bergen speelde zich de gebeurtenis af, waarbij de Israëlieten als volk van God bevestigd werden. Volgens Exodus ging de Heer hier een eeuwigdurend verbond met zijn volk aan en openbaarde Hij Mozes de goddelijke voorschriften en wetten.

Het verband tussen de berg Sinaï uit de Bijbel en de Djebel Musa werd pas in de 4e eeuw n.C. gelegd, toen de moeder van keizer Constantijn, de H.Helena, een kapel en een toren aan de voet van de berg zou hebben gebouwd ter gedachtenis aan de plek waar Mozes de brandende doornstruik zag. Twee eeuwen later bevestigde keizer Justinianus (527-565) Djebel Musa als een heilige plaats.

In het voorjaar, een jaar nadat de Hebreeërs uit Egypte gevlucht waren, verlieten ze de berg Sinaï en trokken de woestijn Paran in die in de Negeb overgaat. Welke weg de Hebreeërs ook gevolgd hebben, ze sloegen tenslotte hun kamp op in de heuvels en dalen rondom de oase Kades-Barnea. Waarschijnlijk gingen ze - zoals vermeld staat in Numeri 33:35 - tot aan Esjon Geber (13). In Deuteronomium 1:2 staat dat het 11 dagen duurde om van de heilige berg in Kades-Barnea te komen (14), een afstand van ongeveer 240 km, maar dat slaat op pelgrims die zonder ballast reizen. Nomadenfamilies die achter hun vee aantrekken zullen maar erg langzaam vooruitgekomen zijn.

# Het leven in de woestijn

Toen de Hebreeërs onder aanvoering van Mozes door de onherbergzame valleien trokken, tussen de machtige kalksteenheuvels en de veelkleurige granietbergen van de Sinaïwoestijn, leidden ze waarschijnlijk hetzelfde soort leven als de bedoeïenen die nu in dit gebied wonen.

De bedoeïenen, die beschouwd worden als de afstammelingen van de verjaagde Ismaël, hebben hun levensstijl eeuwenlang niet veranderd. Ze wonen in tenten van kameelhaar, hoeden hun kudden, jagen op wild en beroven van tijd tot tijd naburige stammen. Deze nomaden zwerven niet doelloos rond, maar trekken door duidelijk afgebakende gebieden. Soms blijven ze dagen, weken of een heel seizoen in een bepaalde streek voor ze op zoek gaan naar nieuwe grazige weiden. Naar westerse maatstaven is het voedsel van de bedoeïenen maar karig. Ze leven van wat het land opbrengt: dadels, vijgen en water uit de oasen, aangevuld met kameelmelk en meel of geroosterd graan. Vlees wordt alleen gegeten bij speciale gelegenheden, zoals feesten. Maar volgens de tradities van de woestijn delen ze wat ze hebben, want een vreemdeling gastvrijheid weigeren in de grimmige, onherbergzame woestijn is een belediging voor hun god Allah.

Een bedoeïen heeft leren leven met de woestijn en kan zijn tekenen verstaan. Hij voelt wanneer er een zandstorm in de lucht hangt, en waar een oase ligt; met verbluffende zekerheid kiest hij zijn weg door het ogenschijnlijk eentonige landschap.

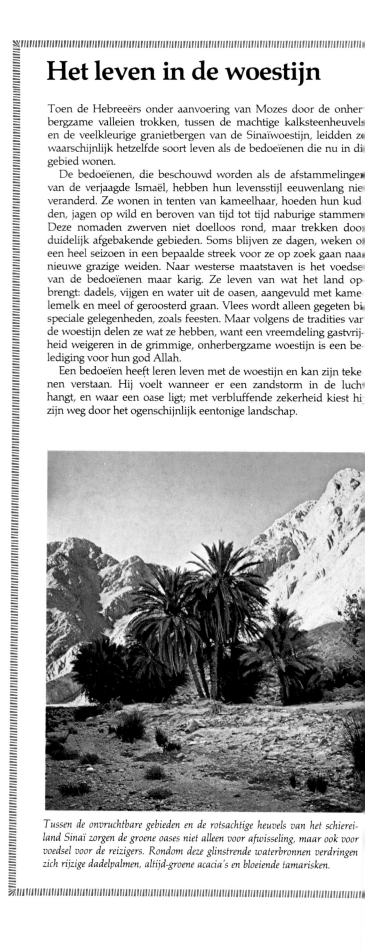

*Tussen de onvruchtbare gebieden en de rotsachtige heuvels van het schiereiland Sinaï zorgen de groene oases niet alleen voor afwisseling, maar ook voor voedsel voor de reizigers. Rondom deze glinsterende waterbronnen verdringen zich rijzige dadelpalmen, altijd-groene acacia's en bloeiende tamarisken.*

Djebel Musa, 'Berg van Mozes,' in het zuiden van het schiereiland Sinaï, is volgens de traditie de berg Sinaï waar Mozes de tien geboden van de Heer kreeg. De rode granieten top op de voorgrond, waarop een kapel is gebouwd, bereikt de indrukwekkende hoogte van bijna 2300 m.

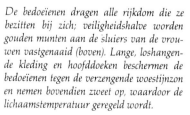

De bedoeïenen dragen alle rijkdom die ze bezitten bij zich; veiligheidshalve worden gouden munten aan de sluiers van de vrouwen vastgenaaid (boven). Lange, loshangende kleding en hoofddoeken beschermen de bedoeïenen tegen de verzengende woestijnzon en nemen bovendien zweet op, waardoor de lichaamstemperatuur geregeld wordt.

De kameel, het schip van de woestijn, voorziet in vele levensbehoeften van de bedoeïenen. Hij is niet alleen een onvervangbaar vervoermiddel, maar levert ook voedsel en materiaal voor kleding en tenten. Zelfs zijn mest wordt gebruikt: als brandstof.

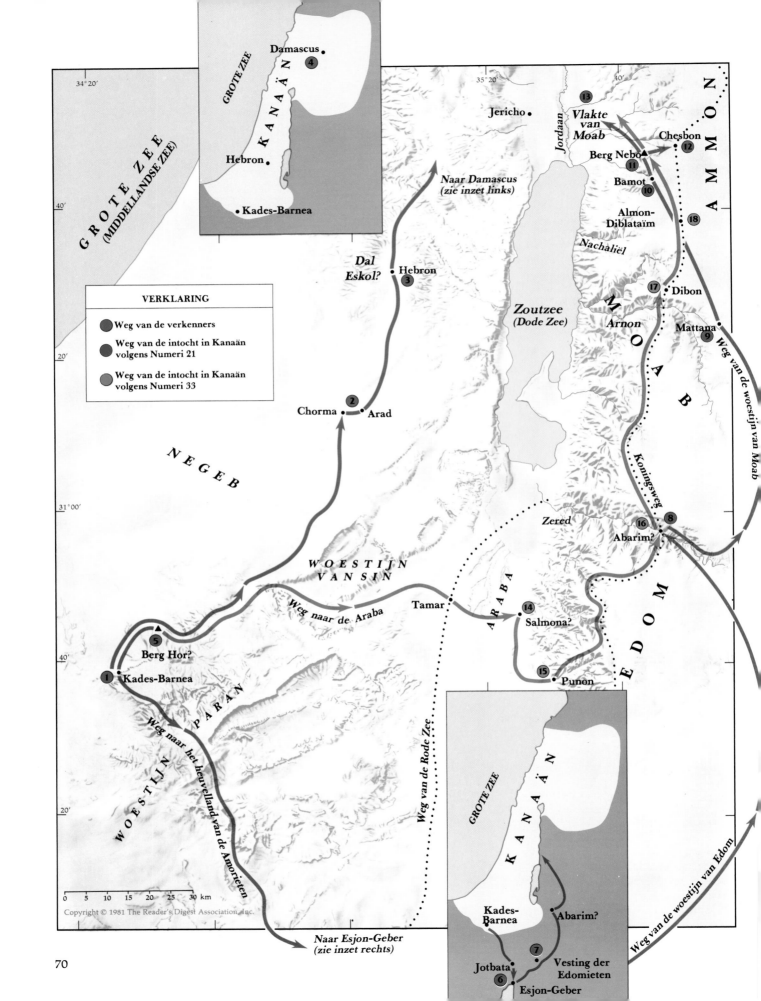

VERKLARING

Weg van de verkenners

Weg van de intocht in Kanaän
volgens Numeri 21

Weg van de intocht in Kanaän
volgens Numeri 33

GROTE ZEE
(MIDDELLANDSE ZEE)

Damascus
KANAÄN
Hebron
Kades-Barnea

Jericho
Vlakte van Moab
Chesbon
Berg Nebo
Bamot
Almon-Diblataïm
Nachaliël
Dibon
Mattana
Arnon
Koningsweg
Zered
Abarim?
EDOM
Punon
Salmona?
ARABA
Tamar
Weg naar de Araba
WOESTIJN VAN SIN
Zoutzee
(Dode Zee)
MOAB
AMMON
Weg van de woestijn van Moab

Naar Damascus
(zie inzet links)

Dal Eskol?
Hebron

Chorma
Arad

NEGEB

Berg Hor?
Kades-Barnea
Weg naar het heuvelland van de Amorieten
WOESTIJN PARAN

Weg van de Rode Zee

Naar Esjon-Geber
(zie inzet rechts)

GROTE ZEE
KANAÄN
Kades-Barnea
Abarim?
Jotbata
Esjon-Geber
Vesting der Edomieten

Weg van de woestijn van Edom

0 5 10 15 20 25 30 km

# De omzwervingen van de Hebreeërs

'Trek eerst de Negeb door en ga dan het bergland in. Stel vast wat het voor een land is, of het volk er sterk is of zwak...' (Nu 13:17-18). Met deze woorden zond Mozes Jozua uit Efraïm, Kaleb uit Juda en één man uit elk der overige 10 stammen op verkenningstoch naar Kanaän. Ze moesten onder andere verslag uitbrengen over een geschikte invalsroute.

In het noordwesten liggen de open kustwegen die door nomaden als de Hebreeërs gemeden werden. In het oosten bevindt zich een van de meest afschrikwekkende en troosteloze gebieden van de Negeb. De kortste en gemakkelijkste weg voor de verkenners van Mozes - de enige die in de loop der eeuwen door de woestijnbewoners werd gebruikt - leidde van Kades-Barnea (1) noordoostelijk naar Chorma en Arad (2) en dan naar de hoogvlakte rondom Hebron (3). Deze belangrijke route was goed van water voorzien, een open weg die naar de zacht glooiende zuidelijke hellingen van het heuvelland leidde, dat er ogenschijnlijk weerloos bijlag.

De verkenners van Mozes bleven niet in Hebron, maar gingen tot de noordelijke grens van Kanaän voorbij Damascus (4, inzet boven), 'tot aan Rechob, waar de weg naar Hamat begint' (Nu 13:21). Ze verkenden dus heel het gebied van het Beloofde Land en nog een stuk daarbuiten. Het natuurlijke doelwit van een inval vanuit het zuiden was echter de hoogvlakte die ten noorden van Hebron een hoogte van 1000 m bereikt. Maar daar zagen de Hebreeërs de zware muren van versterkte steden en ze keerden terug met verschrikkelijke verhalen over de nakomelingen van Enak, een volk van reuzen. 'Wij voelden ons sprinkhanen...' (Nu 13:33), vertelden ze, maar toch trok het land hen onweerstaanbaar aan.

Toen de verkenners aan de reis begonnen, liep de zomer ten einde; de granaatappels, vijgen en druiven werden rijp. In het dal Eskol bij Hebron sneden ze een tros druiven af, die zo zwaar was dat hij door twee mannen aan een stok moest worden gedragen. Ook nu nog is deze streek beroemd om haar buitengewone druiven die over opeengestapelde stenen groeien, omdat de geleidelatten het gewicht van de trossen niet kunnen dragen. De rondtrekkende boer verbouwde nu en dan wel graan, maar vruchten waren voor mensen uit de woestijn een lekkernij en het kweken ervan was een teken dat men zich ergens blijvend gevestigd had. De verkenners brachten dan ook verslag uit: het land dat ze gezien hadden 'vloeit werkelijk over van melk en honing' (Nu 13:27).

Kaleb en Jozua drongen erop aan het land onmiddellijk binnen te trekken, maar het volk werd afgeschrikt door de angst van de andere verkenners en het jammerde dat het beter in Egypte of in de woestijn had kunnen sterven. De Heer willigde deze wens in en deelde Mozes mee dat zijn volk 40 jaar in de woestijn zou rondzwerven, één jaar voor elke dag die de verkenners in Kanaän hadden doorgebracht. Niemand van hen die toen ouder dan 20 jaar was, behalve Kaleb en Jozua, zou het Beloofde Land binnengaan. Ondanks de waarschuwing van Mozes 'De Heer is niet bij u' (Nu 14:42) maakte een eigengereide groep zich op om het heuvelland in te trekken. Het gevolg was een rampzalige nederlaag. De Amalekieten en Kanaänieten hielden de Hebreeërs nog voor Arad tegen en dreven de onvoorzichtigen, die niet naar Mozes geluisterd hadden, terug de woestijn in tot voorbij Chorma.

Toen het volk uit het bergland de invallers 'als bijen' (Dt 1:44) had verjaagd, sloegen de Hebreeërs hun tenten op in het noorden van de Sinaï. Archeologische onderzoekingen tonen aan dat, hoewel de streek zowel daarvoor als daarna werd bewoond, er hier in de 13e eeuw v.C., de tijd van Mozes, zo goed als geen permanente nederzettingen waren, een situatie die gunstig was voor de Hebreeërs. Het gebied rondom Kades-Barnea kan gedurende een lange tijd in het onderhoud voorzien van een grote groep nomaden. Er is een aantal krachtige bronnen, half verborgen onder de rotsen. De brede ondiepe wadi's kunnen worden afgedamd om het water van de winterregens op te vangen ten behoeve van een bescheiden landbouw. Zelfs als het prachtige voorjaarstapijt van gras en bloemen heeft plaats gemaakt voor het geel en bruin van de zomer, houden de beddingen in ondiepe putten voldoende ondergronds water vast om de eindeloze dorst van mens en dier te lessen.

Mirjam, de zuster van Mozes en Aäron stierf in Kades-Barnea en werd er begraven. Wellicht sloeg Mozes hier met zijn staf tegen de rots om aan water te komen. Maar hij schoot tekort in zijn geloof aan het wonder van de Heer en daarom mocht hij later het Beloofde Land niet binnengaan. Van Kades-Barnea trok de menigte naar de bijbelse berg Hor (5), waarschijnlijk de Djebel Madura langs de weg die de verkenners al eerder hadden genomen. Hier stierf Aäron.

De smadelijke aftocht bij Arad had de Hebreeërs afgeschrikt; ze durfden niet opnieuw naar het noorden door te stoten. Wellicht weerhield de komst van de Filistijnen naar de kust hen ervan Kanaän vanuit het westen binnen te dringen. Ze namen dus de enige weg die hun nog overbleef: vanuit het oosten optrekken naar het midden van Kanaän. Maar hoe moesten ze van de berg Hor naar hun basiskamp op de vlakte van Moab ten noorden van de Zoutzee komen? Er zijn weinig kwesties in de geografie van de Bijbel, die zo ingewikkeld zijn en zoveel discussie hebben losgemaakt. In Numeri worden er twee verschillende wegen aangegeven en de geschiedenis wordt enigszins gewijzigd herhaald in Deuteronomium.

*Steil oprijzende rotsen, sommige ruim 600 m hoog, tekenen zich af tegen de noordelijke oever van de Golf van Akaba, eens beheerst door de nederzetting Esjon-Geber. Koraalriffen, onverwachte windvlagen en een groot aantal eilanden maakten van de golf een verraderlijke waterweg voor de kleine, logge schapen.*

*In de Bijbel is de wijnstok het symbool van de verovering van het Beloofde Land door de Hebreeërs. 'Een wijnstok groef Gij los uit Egypte, verdreef volken dat hij hier geplant werd . . .' (Ps 80:9).*

*Golvende groene heuvels, bedekt met wijnstokken en vruchtbomen, vormen een van de drie belangrijkste geografische gebieden van Israël. Een land vol tegenstellingen: de vruchtbare heuvels, die valleien beschutten (zie hiernaast), kunnen plotseling overgaan in boomloze vlakten of dorre woestijnen.*

In Numeri 20-21 (mogelijk naverteld in Deuteronomium 2) lezen we dat de Edomieten en Moabieten Mozes en zijn volk geen toestemming gaven door hun gebied te trekken en dat ze sterk genoeg waren om hun weigering kracht bij te zetten. De Hebreeërs waren zodoende gedwongen door de afschrikwekkende woestijn Paran te trekken, mogelijk helemaal tot Esjon-Geber in het zuiden (6, zie inzet onder). Maar uit Numeri 33 blijkt dat ze zich van de berg Hor onmiddellijk oostwaarts naar Salmona (14) begaven. In dat geval volgden ze de weg naar de Araba, een belangrijke handelsroute met een schitterend uitzicht. Het probleem van de beide in Numeri aangegeven routes wordt nog ingewikkelder omdat een aantal plaatsen dat vermeldt wordt, niet te identificeren is. Hoogstwaarschijnlijk gaat het hier om op zichzelf staande verhalen uit de overlevering, waarin de ervaringen van verschillende groepen uit verschillende tijden zijn samengevat. In archeologische rapporten wordt wel gesuggereerd dat de koninkrijken Edom en Moab tegen het einde van de 13e

eeuw v.C. opkwamen ten oosten en zuidoosten van de Zoutzee. Numeri 33 beschrijft de machteloosheid van de bewoners van Edom en Moab tegenover de grote nomadenstammen die met hun vraatzuchtige kudden kriskras door hun land trokken. Het gaat hier kennelijk om een situatie die zich eerder in de geschiedenis heeft voorgedaan dan die in Numeri 20-21, waar de Hebreeërs de gevestigde koninkrijken uit de weg moesten gaan. Volgens sommige geleerden leveren de veroveringsverhalen (Jozua en Richteren), geschreven nadat het volk Kanaän was binnengetrokken, nader bewijs dat het bij de omzwervingen in de woestijn en de intocht in Kanaän om meer dan één groep mensen ging. Ze stellen zich voor dat bijbelse schrijvers later verschillende overleveringen verwerkten tot één enkel verhaal over het volk van Israël en zo probeerden een ingewikkelde reeks historische en geografische gebeurtenissen te vereenvoudigen.

Welke weg de Hebreeërs ook namen, de tocht van Kades-Barnea naar de grenzen van Moab nam 38 jaar in beslag, een

# Het Beloofde Land

Voor de Hebreeërs die 40 jaar in de barre woestijn van Sinaï doorbrachten, was Kanaän 'een land van melk en honing' (Ex 3:8), het lang verbeide Beloofde Land. 'Honing' (hoogstwaarschijnlijk dadelsiroop) en 'melk' verwijzen naar de bestaansmiddelen in Kanaän, namelijk bewerken van de grond en weiden van vee. Als volk van herders waren de Hebreeërs al vertrouwd met het verzorgen en hoeden van kudden. Maar het land bebouwen op grote schaal en het kweken van vruchten was nieuw voor hen; het betekende welvaart voor deze boeren die lang van eenvoudige kost geleefd hadden en het van de woestijn en van verspreid liggende oases moesten hebben. De verkenners die Mozes naar Kanaän gestuurd had om poolshoogte te nemen keerden dan ook triomfantelijk terug me een tros druiven, zo groot dat ze hem '... met twee man aan een stok moesten dragen' (Nu 13:23).

In Deuteronomium staat dat Kanaän was '... een heerlijk land, een land van beken vol water, met bronnen en stromen, die op de bergen en in de dalen ontspringen, een land met tarwe, gerst, wijnstokken, vijgen en granaatappels, een land met vette olijven en honing' (Dt 8:7-8). Van de produkten die hier opgenoemd worden vormden druiven, olijven en graan de basis van de economie van Kanaän. Druiven werden niet alleen zo uit de hand gegeten, men droogde ze ook tot rozijnen of maakte er wijn van. Ook olijven at men vers, maar men gebruikte ze vooral voor het bereiden van olie. Graan, zoals tarwe en gerst, vormde het hoofdbestanddeel van het dagelijkse voedsel van de inwoners.

De Hebreeërs waren niet de eersten die Kanaän een aantrekkelijk land vonden. In de 20e eeuw v.C. schreef de Egyptische vluchteling Sinuhe, die naar Kanaän uitgeweken was, enthousiast: 'Het was een goed land... Er groeiden vijgen en druiven. Het

*Van het rode, sappige vruchtvlees van de granaatappel werden dranken gemaakt; van het sap van de schil maakte men leerverf.*

had meer wijn dan water. Er was volop honing en een overvloed aan olijven. Fruitbomen waren er in vele soorten. Er groeide gerst en ook tarwe. En vee van allerlei soort kwam er in onbeperkte mate voor.'

Maar vergeleken met de weelderige Nijldelta en met het grootste gedeelte van de dalen van de Eufraat en de Tigris was Kanaän maar dun begroeid. In Deuteronomium worden de Hebreeërs gewaarschuwd dat het land heel anders is dan Egypte. 'Dat moest gij na het zaaien zelf bevloeien, als een groentetuin' (Dt 11:10). Het is meer een land '... dat door regen uit de hemel besproeid wordt' (Dt 11:11). Kanaän, een land van bergen en dalen, moest het hebben van wisselvallige regenbuien, totaal anders dan de grote vlakten van Mesopotamië en Egypte waar de velden hun water kregen van machtige rivieren en door middel van bevloeiingswerken. Het was een land waar hard gewerkt moest worden, volgens het woord van de Heer 'In het zweet zult ge werken voor uw brood ...' (Gn 3:19).

Aangezien de landbouw zo'n grote plaats innam in het leven van de oude Hebreeërs is het niet verwonderlijk dat dit in hun godsdienst tot uitdrukking kwam. Religieuze denkbeelden worden in de Bijbel dikwijls met bewoordingen uit het agrarische leven uiteengezet. Zo wordt het herstel van Israël als volgt afgeschilderd: 'Ik zal hen planten in hun eigen grond en zij worden niet meer weggerukt uit de grond die Ik hun heb gegeven' (Am 9:15). Enkele van de meest bekende landbouwmetaforen treffen we aan in het Nieuwe Testament in de gelijkenissen van Jezus, zoals bij voorbeeld de vergelijking van het koninkrijk van God met een mosterdzaadje, 'het allerkleinste zaadje op aarde; maar eenmaal gezaaid schiet het op en wordt groter dan alle tuingewassen' (Mc 4:31-32).

periode die werd doorgebracht in tijdelijke kampementen bij oases en bronnen of beekjes, waar ze gewassen verbouwden terwijl ze hun kudden lieten grazen. Als het korte groeiseizoen ten einde liep, dreven ze hun dieren verder het land in op zoek naar water en voedsel, en altijd werkten ze samen als familie, groep of stam. Telkens trokken ze weer verder, meestal al na één seizoen, soms pas na een jaar of enkele jaren.

Van de berg Hor trokken zij naar de Rode Zee met de bedoeling om Edom heen te trekken. De weg naar de Rode Zee liep aan de westkant over de hele lengte van de Araba, een 180 km lange vallei die zich van het zuiden van de Zoutzee uitstrekt tot aan de golf van Akaba en die in het westen begrensd wordt door de steile kalkstenen rotswanden van de zuidelijke Negeb en in het oosten door de muur van de zandsteenbergen van Edom. De vallei ertussen is bezaaid met rotsgesteente dat op een dunne laag kiezel ligt. De bovenloop van de stromen, die zich een weg banen door de heuvels zijn

ruw en liggen vol keien, maar beneden bestaan de kanten uit aangeslibde waaiers van zand vermengd met löss en klei, hier en daar gemarkeerd door wat begroeiing die het dorre landschap sterk accentueert. In het midden versmalt de Araba zich en is dan gemiddeld nog maar 6 à 7 km breed. Er valt minder dan 2,5 cm regen per jaar; de beken zijn kort en staan jarenlang droog. Dikwijls maken uitgestrekte zandwoestijnen plaats voor zoutvlakten. Alleen ten zuiden van de oase in Jotbata liggen afwisselend zandduinen en afzettingen van zand en löss, waar voldoende op kan groeien - tenminste in de regentijd - om het vee te onderhouden.

Hebben de Hebreeërs van Kades-Barnea tot Tamar de weg naar de Araba gevolgd en zijn ze daarna over de lange weg naar de Rode Zee naar het zuiden afgebogen? Het is nauwelijks aannemelijk dat hun omvangrijke kudden in zo'n onvruchtbaar landschap lang in leven zouden zijn gebleven. Het is waarschijnlijker dat ze de weg naar het bergland van de Amorieten zijn gevolgd.

# De omzwervingen van de Hebreeërs *(vervolg)*

Als de Hebreeërs vanuit Esjon-Geber in noordelijke richting verder getrokken zijn langs de oases en bronnen aan de koningsweg, moeten ze al na 80 km op een muur van 1400 tot 1700 m hoge bergen gestoten zijn. Archeologische onderzoekingen wijzen uit dat deze zuidgrens van Edom in die tijd zwaar versterkt was. Een machtige Edomitische vesting (7, inzet onder) bewaakte de steile pas, waardoor de koningsweg naar de hoogvlakte van Edom omhoogliep. Enkele kilometers verder naar het noordoosten zijn vandaag de dag de puinresten van muren nog te zien. Het zijn de stille getuigen van de pogingen die de Edomieten in het werk stelden om indringers, die om de hoofdvesting heentrokken, te beletten langs de andere pas binnen te dringen. Een rij versterkingen die zich naar het noorden uitstrekte zorgde ervoor dat ongewenste groepen aan de rand van de woestijn bleven als ze om Edom heentrokken. Voor de Hebreeërs betekende dat een nog grotere omweg op hun toch al lange reis.

Volgens deze eerste routebeschrijving trokken de Hebreeërs langs de grenzen van Edom, bogen af naar het westen door het dal van de Zered, sloegen hun kamp eerst op in Obot (ligging onzeker) en daarna in Abarim (8). Daarmee zouden ze weer terugzijn op de koningsweg en zo in Moab komen. Maar hun poging om Moab binnen te dringen mislukte blijkbaar en weer trokken de Hebreeërs zich in de woestijn terug, wellicht over de weg van de woestijn van Moab. Ze bereikten tenslotte de Arnon, een rivier die door een spectaculair breukravijn van 4 km breed stroomt. De Heer zorgde voor water in Beër ('bron', ligging onzeker), toen de Hebreeërs naar het noordwesten afbogen, in de richting van de plaats van hun bestemming, de vlakte van Moab. Bij Mattana (9) trokken ze het land van Sichon, de koning van de Amorieten binnen. Ze staken de ondiepe bovenloop van de Nachaliël over, gingen tot Bamot (10) en het gebergte van Pisga, waartussen de berg Nebo oprijst (11).

De weigering van Sichon om het volk door zijn land te laten trekken werd hem en zijn Amoritische en Ammonitische onderdanen fataal; de Hebreeërs versloegen hem en namen de hoofdstad Chesbon (12) en het land ten noorden ervan in. Toen de Hebreeërs tenslotte op de vlakte van Moab (13) gelegerd waren, aan de oostkant van de Jordaan tegenover Jericho, kwamen de stammen Ruben en Gad in het bezit van een groot gedeelte van Transjordanië.

'Zij vertrokken van de berg Hor ... En zij sloegen hun kamp op te Salmona', lezen we in Numeri 33:41. Tussen Salmona (14) aan de oostkant van de Araba, en de berg Hor ligt over een afstand van ongeveer 100 km een van de meest ruige, troosteloze en onherbergzame gebieden van het hele land. De beschrijving in Numeri doet veronderstellen dat de Hebreeërs de weg naar de Araba namen, die langs een hoog-

*Vanaf de top van de berg Nebo, ten zuidoosten van de vlakte van Moab, keek Mozes over de Jordaan naar Kanaän. De bejaarde profeet mocht zich echter op bevel van de Heer niet bij zijn volk aansluiten.*

vlakte en de noordgrens van het hoogst gelegen gedeelte van de woestijn Paran loopt. In het zuidwesten rijzen de getande pieken tot 950 m boven de zeespiegel op voor het land in de Araba afdaalt. Schaarse begroeiing tekende zich langs de talrijke beddingen af, maar naarmate de Hebreeërs dieper de woestijn van Sin binnendrongen werden de resultaten van de bevloeiing van de oostelijke hellingen van de Negeb meer zichtbaar en was er voedsel en water voor de kudden in overvloed. Links, aan de noordelijke rand van de woestijn van Sin, vormde de zacht glooiende helling uitlopers in het dal. Maar rechts, in het zuiden waar de hoge rotsen steil tot onderin het dal afdaalden en tal van afschrikwekkende diepe ravijnen de rotswand opengespleten hadden, zag het landschap er veel woester en onherbergzamer uit.

In de winter is het zelfs voor nomadenherders slechts korte tijd mogelijk om op deze barre heuvels ten zuiden van de woestijn van Sin in leven te blijven en we kunnen er bijna zeker van zijn dat de Hebreeërs zich niet hebben laten verleiden om hier te blijven. In plaats daarvan zakten ze af naar het diepste punt van de hete, droge Araba, waarschijnlijk bij Tamar, een oase en knooppunt van wegen op ongeveer 275 m onder de zeespiegel. Ze passeerden de diep uitgeholde wadi's die alle naar het grote zoutwatermeer in het noorden liepen, staken op de gemakkelijkste plek de vallei over en bereikten Salmona (14) aan de oostkant van de Araba. Nu bogen ze naar het zuiden af, onder de Transjordaanse hoogvlakte door en trokken de heuvels in over de weg die naar de brede inham van de vallei bij Punon (15) leidde.

Vanuit Punon begonnen de Hebreeërs aan de beklimming van de geërodeerde en uiterst steile wegen die hen op het brede oostelijke plateau bracht, 975 tot 1100 m boven de zeespiegel, en op de koningsweg, een van de beroemdste karavaanroutes in de Oudheid. Zo bereikten ze Abarim (16) aan de oversteekplaats in de Zered, langs de grens van Moab met Edom. De Hebreeërs trokken over de koningsweg verder naar het noorden, staken de Arnon over en sloegen hun tenten op bij Dibon (17), de belangrijkste Moabitische stad in dat gebied, later toegewezen aan de stam Gad. Nog verder noordwaarts, bij Almon-Diblataïm (18) volgden ze een zijweg, die zich van de koningsweg afsplitste, naar het noordwesten door het steeds dichter bevolkte heuvelgebied, naar de vlakte van Moab tegenover Jericho.

Mozes had zijn volk tot aan de grens van Kanaän gebracht; hij beklom de berg Nebo en keek uit over het land dat de aartsvaders beloofd was. Zijn zending was volbracht, maar hij mocht het Beloofde Land niet in. Mozes stierf en werd op een onbekende plek begraven. 'In de vlakte van Moab treurden de Israëlieten dertig dagen om Mozes, totdat de rouwtijd voorbij was' (Dt 34:8). Dit alles vond plaats aan de vooravond van een lang verbeide intocht.

# Ontdekking van het oude Jericho

Jericho, in de Bijbel Palmstad, ligt op de brede, vochtige vlakte in het Jordaandal, 255 m onder de zeespiegel en ongeveer 15 km verwijderd van de Dode Zee. Het is de oudste bewoonde stad die bekend is. De oase die door middel van bronnen ruimschoots van water wordt voorzien, maakt de omgeving tot een gebied waar het goed toeven is, terwijl de nabijgelegen doorwaadbare plaatsen in de Jordaan van strategisch belang zijn. Ofschoon er in Tell el-Sultan verschillende keren opgravingen werden verricht, slaagde men er pas in de vijftiger jaren in, tijdens het werk van Kathleen Kenyon, op deze plek het oude verleden van deze stad te onthullen. Omstreeks 8000 v.C. werd Jericho al bewoond; van die tijd dateert een wonderlijk bouwwerk, waarvan archeologen denken dat het een heiligdom was. Later, rond 7000 v.C., bouwden de inwoners van Jericho een zware muur en een stenen toren en kapten ze een enorme spleet in de rots. Dit bewijst dat een uitgebreide gemeenschap minstens 3000 jaar voordat de Sumeriërs hun steden bouwden, al in staat was publieke werken uit te voeren. Ergens in de eerste helft van de 16e eeuw, de Midden Bronstijd, werd de stad klaarblijkelijk door vuur verwoest. Na deze ramp werd Jericho weer korte tijd bezet van de 14e tot de 13e eeuw, waarschijnlijk tijdens de inval van Jozua. Uit de daarop volgende eeuwen zijn geen resten gevonden; pas de 7e eeuw v.C. leverde weer brokstukken van een beschaving op. Na deze tijd was de tell niet langer het middelpunt van Jericho.

*De tell Jericho, die 20 m boven de vlakte uitsteekt, was duizenden jaren bewoond, vooral vanwege zijn rijke, nooit opdrogende bron. In het hartje van de tell - een door mensen gemaakte heuvel, bestaande uit verschillende lagen nederzettingen - hebben archeologen resten van oude beschavingen gevonden. De ronde stenen toren (rechts boven), die nu nog 7,5 m hoog is, gaat terug tot de oudste verdedigingswerken uit omstreeks 7000 v.C. De fraaie koppen van klei, die over schedels geboetseerd werden - mogelijk een soort vooroudercultus - zijn afkomstig van mensen die van het 7e tot het 6e millennium in Jericho woonden.*

# Intocht en verovering van Kanaän

Toen de Hebreeërs in Abel-Hassitim (1) op de vlakte van Moab gelegerd waren en een groot gedeelte van Ammon en Gilead onder controle hadden, troffen ze voorbereidingen om het Beloofde Land binnen te trekken.

Hoogstwaarschijnlijk zijn de pogingen van verschillende groepen in de loop der jaren, of zelfs eeuwen, samengevat in het bijbelverhaal, dat we in de boeken Jozua en Richteren aantreffen. Volgens dat zogeheten veroveringsverhaal zond Jozua eerst twee verkenners naar de overzijde van de Jordaan om poolshoogte te nemen. Op een afstand van bijna 8 km van de rivier, in het hete stoffige dal, lag Jericho (2), ruim 250 m onder de zeespiegel. Het ging de verkenners om deze oasestad en de bergen erachter. Hun verslag over een volk dat doodsbenauwd was voor een mogelijke aanval gaf de Hebreeërs moed; vroeg in de morgen braken ze op om de ondiepe, modderige Jordaan over te steken.

Het was lente, de tijd waarin het aanzwellende water van de buiten haar oevers getreden rivier de steile mergelrotsen bij Adam, 30 km meer naar het noorden, kan ondermijnen. In de loop van de 20e eeuw is het twee keer gebeurd dat de rivier door het instorten van deze rotsen afgedamd werd - één keer meer dan 21 uur - waardoor de bedding naar het zuiden droogviel. Toen Jozua aan zijn intocht begon, maakte zo'n afdamming van het water bij Adam, als door de Voorzienigheid beschikt, het de Hebreeërs mogelijk over de droge bodem van de Jordaan over te steken.

Eenmaal veilig aan de overkant verzamelden ze zich bij Gilgal (3), waar Jozua zijn kamp opsloeg om van hieruit zijn gezag in de onmiddellijke omgeving te vestigen en zijn aanval op het centrale bergland in te zetten. Ter gedachtenis aan de wonderbaarlijke doortocht werden bij Gilgal de 12 stenen opgesteld - voor elke stam één - die ze tijdens de tocht door de rivierbedding hadden meegenomen. Hier werden bovendien alle mannen die tijdens de omzwervingen waren geboren, be-

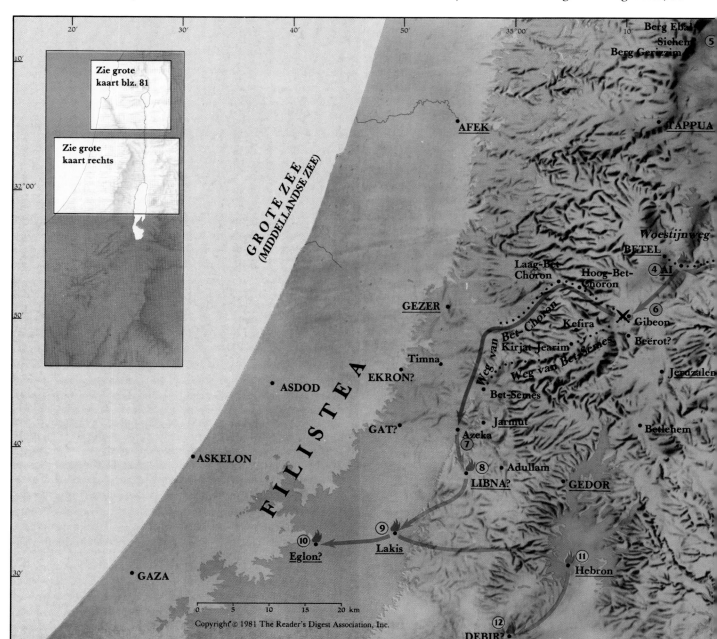

Zie grote kaart blz. 81

Zie grote kaart rechts

sneden om het verbond met de Heer te bekrachtigen en ze toe te rusten voor de heilige oorlog.

De overwinning van Jozua met de inname van Jericho is een van de best voorbereide veldslagen uit de Oudheid. Zes dagen achtereen trokken de Hebreeërs één keer rond de ommuurde stad. En op de zevende dag, nadat ze zeven keer om de stad getrokken waren, bliezen er zeven priesters op hun ramshoorn, het volk schreeuwde en de muren stortten in. De Hebreeërs overvielen de stad, joegen de inwoners over de kling en maakten zich meester van de schatten 'voor het huis van de Heer' (Jos 6:24).

Uitgebreid archeologisch onderzoek te Jericho in de vijftiger jaren heeft aan het licht gebracht dat er in de 12e eeuw, de tijd waarin de inval van Jozua plaatsvond, geen sprake was van een ommuurde stad. Er was hoogstens een kleine nederzetting met geen of weinig versterkingen. Aan het bestaan van Jericho als ommuurde stad was al 300 jaar eerder een einde gekomen na een gewelddadige verwoesting, wellicht eveneens bij een inval. Maar hoe groot de nederzetting in Jericho in de tijd van Jozua ook was, ze werd waarschijnlijk door de

**VERKLARING**

● Aanval door het midden

● Aanval langs het zuiden

**KAPITAAL**: Kanaänitische steden volgens Jozua 12:7-24

Onderstreepte steden: Kanaänitische steden van het verbond van Adonisedek
**KAPITAAL**: Filistijnse steden

🔥 Aangevallen en platgebrande stad

✗ Slagveld

Hebreeërs ingenomen om de waterbronnen in het dal ten noorden van de Zoutzee veilig te stellen, voordat ze het centrale bergland introkken.

Er zijn drie wegen die vanuit Jericho het bergland inleiden. Ze lopen allemaal over de bergkammen, hoog boven de ontzagwekkende, diepe ravijnen, karakteristiek voor dit troosteloze, woeste gebied, dat vanuit de laagte van het Jordaandal opklimt tot een hoogte van ruim 800 m boven de zeespiegel rondom Jeruzalem. De meest zuidelijke weg loopt zuidzuidwestwaarts naar Betlehem. De tweede weg, de kortste, gaat naar Jeruzalem en is door de eeuwen heen de meest gebruikte. Maar ook deze weg is, net als die naar Betlehem, vol risico's voor een leger. De beklimming wordt bemoeilijkt door het ontbreken van schaduw en, wat nog erger is, door gebrek aan water. Er staan bremstruiken en distels en er groeit wat borstelig gras. De allesoverheersende sfeer is er een van grote troosteloosheid; de bijbelse naam van deze streek is dan ook Jesimon, wat 'verlatenheid' betekent. Jozua koos de meest noordelijke route, de woestijnweg, die de heuvels ten westen van Jericho inloopt en naar het noordwesten in de richting van Ai afbuigt. Zodra de hoogvlakte eenmaal is bereikt en er meer begroeiing komt, is deze weg niet meer zo moeilijk als de beide andere. Bovendien is deze route van grote betekenis als rechtstreekse verbinding met de brede, woeste, met keien bezaaide hoogvlakte ten noorden van Jeruzalem. Controle over deze hoogvlakte is altijd van wezenlijk belang geweest bij gevechten om het bezit van dit gebied.

Volgens het bijbelverhaal stootten de Hebreeërs tijdens hun opmars naar het hoogland op de versterkte stad Ai (4). Opnieuw zond Jozua verkenners om zich van de situatie op de hoogte te stellen. Hun verslag over een beperkte verdedigingsmacht die gemakkelijk overrompeld kon worden, bleek niet juist. De frontale aanval van de Hebreeërs werd afgeslagen en ze verloren 36 man. Toen ontdekten de Hebreeërs dat een van hen in Jericho buit voor zichzelf had gehouden en daarmee de wraak van de Heer over het hele leger had afgeroepen. Om het leger weer te zuiveren werden de man en zijn gezin ter dood gebracht. Jozua koos toen voor een krijgslist, waardoor de verdedigers van Ai tot een uitval naar het open noorden van de stad verleid werden, terwijl een Hebreeuws leger vanuit het westen Ai binnendrong. En weer ging er een stad in vlammen op en werden de bewoners uitgeroeid.

Opnieuw hebben archeologen een bepaalde episode in het veroveringsverhaal niet kunnen bevestigen. Op de plek van Ai lag in de 13e eeuw v.C. geen stad. Veel vroeger was dit wel het geval; het moet een belangrijke plaats geweest zijn, die echter omstreeks 2400 v.C. verwoest werd. Pas na 1200 ontstond er een nieuwe nederzetting; het was slechts een primitief, niet-versterkt dorp, gebouwd op de oude puinresten. De oplossing van het probleem kan zijn dat Ai als ruïne (Ai betekent trouwens ook 'ruïne') gedurende lange perioden in de Oudheid in de belangstelling stond. Wellicht werden er in het heiligdom van Betel verhalen verteld over de verwoesting van de stad. Toen het veroveringsverhaal dat we uit de Bijbel kennen, vaste vorm ging aannemen, waren dergelijke streekverhalen wellicht al in het grote epos van Israël opgenomen.

Het is duidelijk dat de Hebreeërs onder Jozua Sichem (5) niet met geweld hoefden in te nemen, hoewel deze belangrijke stad die ruim 30 km ten noorden van Ai zou hebben gelegen, een uitgestrekt gebied van het centrale bergland in haar

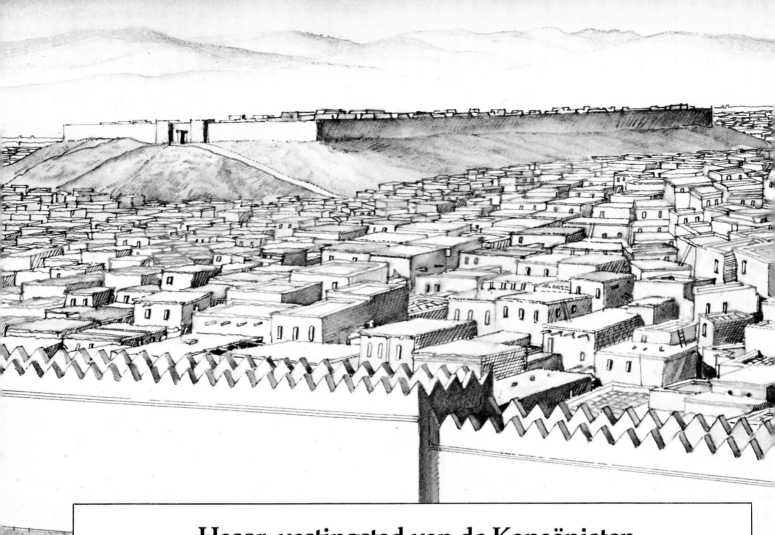

# Hasor, vestingstad van de Kanaänieten

Hasor was de grootste stad van Kanaän en lange tijd een belangrijk politiek en commercieel centrum. Het had tegen het einde van de 13e eeuw v.C. tussen de 30 000 en 40 000 inwoners. De voorstelling op deze bladzijden is gebaseerd op de opgravingen, die in de late vijftiger en de zestiger jaren van onze eeuw door een team onder leiding van de Israëlische archeoloog Yigael Yadin werden uitgevoerd. De ommuurde stad moet er voor Jozua en zijn mannen ongeveer zo hebben uitgezien. Hier, voor een zware zuidwestpoort in de buitenste ommuring, ziet men de benedenstad op het plateau, en de bovenstad die daaruit oprijst. De bovenstad beslaat een oppervlakte van ongeveer 60 000 m² en was omgeven door een aparte muur, een duizend jaar oude verdedigingslinie.

Voor generaties die na de verwoesting door Jozua leefden, was de stad niet meer dan een toneel van troosteloosheid. Tot aan de 10e eeuw v.C., toen Salomo een gedeelte van de bovenstad herbouwde als koninklijke garnizoensplaats van waaruit de troepen de noordelijke toegangswegen onder controle hielden, stonden er op de plek slechts eenvoudige onderkomens en tenten. Het Hasor van Salomo werd door vuur verwoest en in de 9e eeuw werd op deze plaats, waarschijnlijk tijdens de regering van koning Achab van Israël, een indrukwekkende nieuwe stad gebouwd. Tenslotte kwam er aan de geschiedenis van Hasor als Kanaänitische en daarna als Israëlitische stad een einde, toen de Assyriërs het in 733 v.C. met de grond gelijk maakten.

# Intocht en verovering van Kanaän *(vervolg)*

macht had. De Sichemieten hadden gemengde voorouders en waren wellicht nakomelingen van de stammen waarmee Abraham tijdens de volksverhuizing naar Kanaän was gekomen. Ze hadden de uittocht niet meegemaakt, maar voelden zich waarschijnlijk toch verwant aan de binnentrekkende Hebreeërs en wilden graag een verdrag met hen sluiten. Dit zou de bijeenkomst kunnen verklaren van 'vreemdelingen zowel als geboren Israëlieten' (Joz 8:33) tussen de bergen Gerizzim en Ebal, de twee toppen die de pas bij Sichem bewaken, om de zegen over Israël af te smeken.

Ook de vitale hoogvlakte rondom Gibeon (6) ten zuidwesten van Ai kwam door een verdrag onder beheer van de Hebreeërs. Vier steden in dit strategisch belangrijke gebied van 20 bij 12 km - Gibeon, Beërot, Kefira en Kirjat-Jearim - hadden een federatie gevormd, die niet door een koning maar door oudsten geregeerd werd. De inwoners waren Chiwwieten, geen Kanaänieten. De oudsten begaven zich naar Jozua in Gilgal. Opdat deze niet zou denken dat ze de Hebreeërs vijandig gezind waren, deden ze net alsof ze uit een ver land kwamen. Het resultaat was dat de mannen van Israël met de Chiwwieten een verbond sloten dat ze met een plechtige eed bezegelden. Toen Jozua merkte dat hij misleid was, deed hij het verbond toch gestand: hij spaarde de levens van de Chiwwieten. Maar hij stelde hen aan als 'houthakkers en waterdragers voor de gemeente en voor het altaar van de Heer' (Joz 9:27).

De Hebreeërs hadden de toegang in handen tot de wegen die naar het westen, naar de Laagte voerden, het lage heuvelland langs de kustvlakte. Nu ook het smalle middengedeelte van het land met invasie bedreigd werd is het niet verwonderlijk dat de koningen van Kanaän zich aaneensloten om de Hebreeërs te beletten nog verder naar het westen op te rukken. Adonisedek, koning van Jeruzalem, riep de heersers van Hebron, Jarmut, Lakis en Eglon op om gezamenlijk een aanval op Gibeon te ondernemen.

De belegerde Gibeonieten beriepen zich onmiddellijk op hun verbond met Jozua. Na een nachtelijke mars vielen de Hebreeërs aan en behaalden een snelle overwinning op de Kanaänieten. De bijbel verhaalt uitvoerig hoe verbaasd en dankbaar de Hebreeërs waren, toen de Heer hen bij Gibeon te hulp kwam. Hij liet grote stenen hagelen, waardoor er meer mensen omkwamen dan door het zwaard van de Israëlieten en Hij liet de zon en de maan stilstaan '... terwijl het volk zijn vijand afstrafte' (Joz 10:13). De Kanaänieten werden over de weg van Bet-Choron teruggedreven. De Hebreeërs die hen achtervolgden tot Azeka (9) en Makkeda (ligging onzeker), brachten hun een verpletterende nederlaag toe. Jozua behaalde een volledige overwinning: hij had het land in tweeën gedeeld en zijn veldtocht in het centrale bergland was met succes bekroond.

In de snelle tweede fase van de verovering, de veldtocht naar het zuiden, profiteerden de Hebreeërs van hun doorbraak naar de Laagte en vielen de strategische gelegen vallei ten zuiden van Azeka aan. Vanuit deze vallei, die een oppervlakte heeft van 5 bij 3 km, leiden twee belangrijke wegen terug het centrale bergland in. Aan de noordkant loopt de weg van Bet-Semes over een steil, rotsachtig pad naar Jeruzalem. Het toezicht over deze onmiskenbaar belangrijke weg werd fel bestreden en speelde een belangrijke rol in de verdere geschiedenis van Israël. In het zuiden loopt een tweede route door dichte bossen langs een groot gedeelte van de weg van Lakis naar het 900 m hoge tafelland rondom Hebron. Jozua leidde zijn volk nu door de vallei en voerde een aantal naar het schijnt bliksemsnelle aanvallen uit op Libna (8), Lakis (9) en Eglon (10). Hij trok naar het oosten en verwoestte Hebron (11) en Debir (12). 'Zo veroverde Jozua het hele land ... Tenslotte keerde Jozua met heel Israël naar het kamp bij Gilgal terug' (Joz 10:40, 43).

Het toneel voor de derde fase van de geweldadige verovering van het land door de Hebreeërs waren de vochtige, vruchtbare heuvels en uitgestrekte bossen in Boven-Galilea, ver in het noorden. Hasor (13, kaart blz. 81) was de voornaamste plaats in dit gebied. Het lag langs de zeeweg, ruim 13 km ten noorden van het meer van Kinneret en naast het moerasgebied dat zich 8 km ten zuiden van het Hulameer uitstrekte. Hasor had voor de komst van de Hebreeërs geduren-

*Dit 13e-eeuwse heiligdom in Hasor dateert vermoedelijk van voor de komst van de Hebreeërs. De zittende figuur, de rij kleine stèles en de offertafel op de voorgrond zijn hoogstwaarschijnlijk aan de maangodin gewijd. De leeuw maakte wellicht deel uit van een deurpost.*

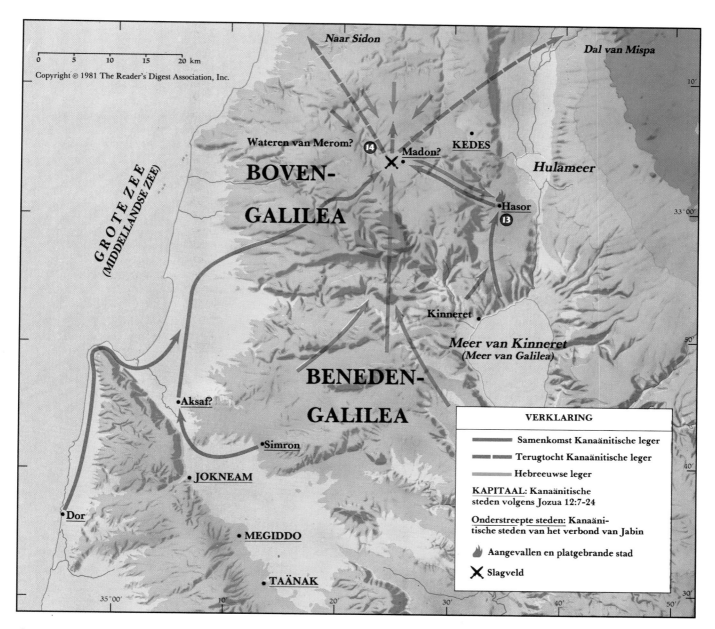

**VERKLARING**

| | |
|---|---|
| ——— | Samenkomst Kanaänitische leger |
| – – – | Terugtocht Kanaänitische leger |
| ——— | Hebreeuwse leger |

**KAPITAAL:** Kanaänitische steden volgens Jozua 12:7-24

Onderstreepte steden: Kanaänitische steden van het verbond van Jabin

🔥 Aangevallen en platgebrande stad

✕ Slagveld

---

de meer dan 1500 jaar af en toe een periode van bloei gekend. In de tijd dat Jozua voor de diepe gracht, de dikke muren en de zware poorten stond, was Hasor met zijn citadel en benedenstad van 0,8 km² verreweg de grootste stad van Kanaän.

De heerschappij van Hasor over het noorden werd echter in toenemende mate betwist door het groeiend aantal Hebreeërs dat zich in de heuvels vestigde, gestaag het grondgebied van Hasor binnendrong en de macht van de grote stad uitholde. Om de dreiging van de Hebreeërs te keren riep Jabin, de koning van Hasor, zijn bondgenoten uit de Kanaänitische steden van heel Boven- en Beneden-Galilea en uit de kuststreek op om zich bij de wateren van Merom (14) te verzamelen. De zwaar bewapende Kanaänitische krijgers waren er rotsvast van overtuigd dat de Hebreeuwse bergsoldaten het zouden moeten afleggen tegen hun leger met paarden en strijdwagens.

Maar ook Jozua bracht zijn strijdkrachten uit Boven- en Beneden-Galilea bijeen voor een verrassingsaanval op het Ka-

naänitische leger dat in de smalle passen en in de dichte esdoorn- en eikenbossen bij Merom zijn kamp had opgeslagen. Zonder ruimte om te manoeuvreren waren de strijdwagens onbruikbaar. Temidden van de opperste verwarring sneden de Hebreeërs de hielpezen van de paarden door en staken de strijdwagens in brand. De Kanaänieten vluchtten de bossen in en namen de wijk door de dalen, maar de Hebreeërs versperden de ontsnappingsweg naar Hasor en ook alle zuidelijke uitvalswegen, die zich aftakten van de noorderlijke wegen naar Sichem (de belangrijke Fenicische zeehaven in het noordwesten) en naar het dal van Mispa. Terwijl de koningen van het Kanaänitische verbond totaal in de war vluchtten, keerden Jozua en zijn mannen van de achtervolging terug, bereikten Hasor en staken de stad in brand, nadat ze de inwoners hadden vermoord. Het veroveringsverhaal van de Hebreeërs eindigt met een lijst van de verslagen Kanaänitische steden, maar vermeldt ook dat er nog land overbleef dat veroverd moest worden.

# Grondgebied der stammen en Levietensteden

Toen Jozua 'oud en hoogbejaard geworden was' (Joz 13:1), gaf de Heer hem de opdracht: 'Wijs dit land maar door het lot als erfdeel aan Israël toe . . .' (Joz 13:6), ofschoon een groot gedeelte van Kanaän nog veroverd moest worden.

De stammen van Israël, die het land aan weerszijden van de Jordaan in bezit kregen, gingen terug op de 12 zonen van Jakob. Uit de afstammelingen van Jozef waren nu twee stammen ontstaan, de nakomelingen van zijn zonen Manasse en Efraïm. Omdat Ruben, Gad en de halve stam Manasse stukken land aan de oostkant van de Jordaan gekregen hadden, moest Jozua het land ten westen van de rivier nog toewijzen aan Juda, Efraïm, Benjamin, Simeon, Zebulon, Issakar, Aser, Naftali, Dan en de andere helft van de stam Manasse. De stam Levi, waarvan de leden met de eredienst waren belast, kreeg geen eigen grondgebied, maar wel 48 steden (41 ervan staan op de kaart links) en de bijbehorende weilanden. Zes van de 48 werden aangewezen als vrijsteden. Daar konden mensen die zich niet moedwillig aan doodslag schuldig hadden gemaakt een toevlucht zoeken tegen de wraak van de verwanten van het slachtoffer, totdat zij waren berecht.

De kwestie van de grenzen tussen de stammen is een van de moeilijkst op te lossen problemen in de historische geografie van de Bijbel. Jozua 13-19 geeft bij voorbeeld aan dat een stad aan een bepaalde stam toebehoort, terwijl Jozua 20-21 haar in het gebied van een andere stam situeert. Bovendien zijn, naar het schijnt, in Jozua 13-19 twee lijsten gecombineerd, een met grenzen en een andere met steden; deze twee lijsten zijn wellicht uit verschillende tijden afkomstig. Er worden bij voorbeeld voor Efraïm en Manasse alleen grenzen vermeld, terwijl er voor Simeon alleen steden worden opgesomd. Voor een aantal stammen in het noorden gebeurt het beide, maar de grens van Issakar is onvolledig. Ruben, Gad en de halve stam Manasse ten oosten van de Jordaan worden slechts in grote lijnen beschreven. De zuidgrens die voor Juda wordt vermeld, is in feite de grens van Kanaän.

Grenzen uit die tijd zijn niet met zekerheid vast te stellen; ze waren bovendien voortdurend aan veranderingen onderhevig. Simeons erfdeel bij voorbeeld lag midden in het grondgebied van Juda en schijnt al vrij spoedig door de veel machtigere Judeeërs te zijn ingepalmd. De stam Dan, die niet in staat was zich te vestigen in het gebied dat hem was toegedeeld, verhuisde tenslotte ver naar het noorden en maakte zich meester van de stad Laïs (Lesem), die Dan genoemd werd. Het land dat oorspronkelijk aan Dan was toegewezen werd verdeeld tussen Benjamin (zie op de kaart de eigenlijke westgrens van Benjamin), Efraïm, de Filistijnen en waarschijnlijk Juda.

Veel deskundigen beschouwen de stammengebieden, vermeld in Jozua, als belastingdistricten uit een latere periode, de tijd van David, of waarschijnlijker nog van Salomo. We weten echter ook dat er in de 12e en 11e eeuw v.C. in Kanaän grote verwarring heerste na het wegvallen van de heerschappij van Egypte over het gebied. Veel volken, waaronder de stammen van Israël, maakten aanspraak op verschillende gebieden. De gevechten van de stammen onderling en met andere volken vormen het thema van het volgende hoofdstuk uit de geschiedenis van Israël, de periode van de rechters.

*Hierboven het grondgebied van de verschillende stammen (volgens Jozua 13-19); de cijfers verwijzen naar de steden hieronder; in KAPITAAL:de levietensteden (volgens Jozua 20-21 en 1 Kronieken 6:54-81).*

1. Tyrus
2. ABDON
3. Akko
4. RECHOB
5. MISAL?
6. Kabul?
7. Chukok?
8. Abel-Bet-Maäka
9. Dan
10. Bet-Anat?
11. KEDES
12. Bet-Semes
13. Hasor
14. Rama
15. Kinneret
16. KARTAN?
17. CHAMMAT
18. EN-GANNIM?
19. Jabneël
20. Chelef?
21. DABERAT
22. Jotba
23. Kana
24. Channaton
25. Gat-Hachefer
26. Kislot-Tabor
27. Sarid
28. CHELKAT
29. JOKNEAM
30. Megiddo
31. KISJON
32. Endor
33. JARMUT?
34. TAÄNAK

35. Bet-Haggan
36. Jibleam
37. Dotan
38. Bet-San
39. Tirsa
40. SICHEM
41. Taänat-Silo
42. Jokmeam?
43. Naäran
44. Gilgal?
45. ASTAROT
46. GOLAN?
47. RAMOT IN GILEAD
48. MACHANAÏM?
49. JAZER?
50. MEFAÄT?
51. CHESBON
52. BESER?
53. Medeba?
54. JAHAS?
55. KEDEMOT?
56. Dibon
57. Aroër
58. GAT-RIMMON?
59. Mikmetat
60. Tappuach
61. Silo
62. Janoach
63. ELTEKE?
64. GEZER
65. AJJALON
66. LAAG-BET-CHORON
67. Hoog-Bet-Choron

69. Betel
70. GIBBETON
71. Sikkaron
72. Timna
73. BET-SEMES
74. Kirjat-Jearim
75. Mispa?
76. Rama
77. ALMON
78. GIBEON
79. Gibea
80. Water van Neftoach
81. ANATOT
82. En-Semes
83. Jeruzalem
84. GEBA
85. Jericho
86. Bet-Chogla
87. Bet-Araba
88. Jabneël
89. Ekron
90. Gat?
91. Eglon?
92. Gaza
93. Askelon
94. Asdod
95. LIBNA?
96. Betlehem
97. HEBRON
98. JUTTA
99. DEBIR?
100. ESTEMOA
101. JATTIR
102. Berseba

**Op de kaart:**

GROTE ZEE (Middellandse Zee)

ASER, NAFTALI, ZEBULON, ISSAKAR, MANASSE, EFRAÏM, GAD, DAN, BENJAMIN, JUDA, FILISTIJNEN, SIMEON, RUBEN

Hulameer

Meer van Kinneret (Meer van Galilea)

oorspronkelijke grens

Zoutzee (Dode Zee)

Vrijstad

# Strijd van de rechters

Gedurende een groot gedeelte van de 11e en 12e eeuw v.C., het tijdperk van de rechters, was Kanaän in feite onbestuurbaar. Hoewel de Hebreeuwse stammen aanspraak maakten op het hele land, waren ze er toch niet in geslaagd alle bevolkingsgroepen die daar leefden te onderwerpen. De stadstaten van Kanaän die nu nog slechts in naam onder heerschappij van de Egyptenaren stonden, werden door bergen en dalen van elkaar gescheiden. Zo werkte de geografische ligging politieke verdeeldheid in de hand, een chronisch probleem voor de Kanaänieten, dat nog in omvang toenam door de voortdurende invasies van nieuwe volkstammen. De Hebreeërs raakten eveneens in conflict met een aantal van deze stammen, vooral met de Filistijnen, maar ook met de Ammonieten en Moabieten, die al lange tijd in Transjordanië woonden, en met de Midjanieten en Amalekieten, stropende nomaden uit de woestijnen in het oosten en zuiden. Van tijd tot tijd vochten de stammen tegen elkaar. Maar als er rust in het land heerste, legden de Hebreeërs vreedzame contacten met hun buren. Ze probeerden van hen het boerenbedrijf te leren en deden geleidelijk aan afstand van hun nomadenbestaan.

'In die tijd was er in Israël nog geen koning; iedereen deed wat hem goed leek' (Ri 21:25). Zo beschrijft Richteren de chaotische toestand onder de Hebreeuwse stammen, toen er nog geen centraal gezag was. Maar in crisistijden werden bepaalde stamhoofden - die naar het schijnt over Israël hebben rechtgesproken - door de Heer geroepen om het volk uit de handen van de vijand te bevrijden. Ehud, Debora, Gideon, Jefta en Simson, enkelen van de meest belangrijke bevrijders uit de tijd tussen de dood van Jozua en het koningschap van Saul, werden ware volkshelden. In de verhalen komen ze dan ook over als edele, bijna legendarische figuren.

**Ehud.** Vanaf het moment dat de Hebreeërs de vlakte van Moab (1, kaart blz. 84) tijdens hun intocht in Kanaän bezet hielden, hebben de Moabieten telkens opnieuw geprobeerd hun rechten op dit gebied te doen gelden. Gesteund door de Ammonieten en Amalekieten slaagden ze erin de vlakte te heroveren en zelfs de 'Palmstad' (Jericho, 2) aan de overkant van de Jordaan in te nemen. De invloed van de Moabieten reikte tot het gebergte van Benjamin (3), een vriendelijk heuvelland met wadi's en grazige weiden. De Hebreeërs die er woonden moesten belasting betalen aan Eglon, de koning van Moab in Jericho.

De Israëlieten hadden 18 jaar lang de Moabitische overheersing verdragen, toen een linkshandige Benjaminiet, Ehud, een stoutmoedig plan beraamde, terwijl hij samen met anderen belasting naar Eglon bracht. In plaats van met zijn mannen naar huis te gaan liet hij hen in Gilgal (4) achter en keerde terug naar het paleis van Eglon, waar hij de Moabiet vertelde dat hij een geheime boodschap voor hem had. Nadat de hovelingen van de koning zich hadden teruggetrokken, doorstak Ehud Eglon, die 'heel alleen in de koele bovenzaal zat' (Ri 3:20), met een lang tweesnijdend zwaard, dat hij onder zijn kleren op zijn rechterheup verborgen had, onopgemerkt door de koninklijke lijfwacht. Ehud ontsnapte naar het bergland van Efraïm (5) en verzamelde de Hebreeërs voor een aanval op de vijand, die nu geen leider had. Toen de hevig ontstelde Moabieten over de vlakte wegvluchtten en bij de oversteekplaatsen in de Jordaan (6) aankwamen, vonden ze hun ontsnappingswegen in handen van de Hebreeërs en werden ze afgeslacht. Deze nederlaag maakte blijkbaar een einde aan de Moabitische macht over de streek rondom Jericho en bracht 80 jaar vrede.

**Debora.** In een belangrijk conflict in het noorden moesten de Hebreeërs die zich in de bossen en valleien van Galilea hadden gevestigd, het opnemen tegen de Kanaänitische bewoners van het gebied. In het verhaal wordt melding gemaakt van Jabin van Hasor (1). Dit kan betekenen dat de geschiedenis van Debora zich afspeelt vóór de verwoesting van Hasor door Jozua of dat Jabin, een beroemd koning, pas later in het verhaal terecht is gekomen. In ieder geval had, volgens Richteren, koning Jabin kans gezien om 20 jaar lang de macht over het gebied te behouden, ondanks de druk van de Hebreeërs. Toen ontbood Debora, een profetes die tussen Rama en Betel (2) leefde, Barak uit de stam Naftali en droeg hem op 10 000 manschappen te verzamelen op de berg Tabor (3) en Sisera, de legeraanvoerder van Jabin, uit zijn tent te lokken. De Hebreeërs kwamen betrekkelijk veilig in Kedes (4) aan, waar manschappen uit Efraïm en Manasse zich bij hen voegden. Van daaruit trokken ze naar de hellingen van de berg Tabor. Het leger van Sisera had zich met 900 ijzeren strijdwagens opgesteld bij Charoset-Haggojim (5), ten westen van de Hebreeërs, maar van hen gescheiden door bergen en dalen. Een treffen met de goed geoefende, zwaar bewapende Kanaänieten en hun geduchte strijdwagens in een open gevecht in de vlakte kon voor de slecht toegeruste mannen uit de bergen alleen maar op een rampzalige nederlaag uitlopen. Toch rukten de Hebreeërs door de velden op toen de Kanaänieten hun paarden en wagens naar voren dreven.

De twee legers troffen elkaar in een moerassig gebied (6) 'bij het water van Megiddo' (Ri 5:19). Het was het bekken van de Kison, een riviertje dat naar het binnenland toe het grootste gedeelte van het jaar droog staat. Maar als zware regenbuien vanuit de Middellandse Zee over het land jagen, treedt de ondiepe Kison buiten haar oevers, bevloeit de vlakte en maakt haar in feite onbegaanbaar. En nu regende het, zowel voor de Kanaänieten als voor de Hebreeërs. De strijdwagens liepen spoedig vast in de drassige bodem en daarmee raakten de Kanaänieten hun meest gevreesde wapen kwijt. Toen de Hebreeërs tussen de vastgeraakte wagens opdoken, raakte Sisera in paniek en vluchtte te voet naar de eik van Saänannim (7) bij Kedes. Daar vond hij de dood in de tent van Cheber, met wie koning Jabin van Hasor vermoedelijk in vrede leefde.

De overwinning van de Hebreeërs wordt bezongen in het 'Lied van Debora', het oudste fragment van enige omvang uit de Hebreeuwse literatuur, waarin we lezen:

> 'Hoog uit de hemel streden de sterren,
> streden zij tegen Sisera, uit hun banen.
> De Kison sleurde hen mee,
> het geweld van de Kison spoelde hen weg.
> Verder moet ik, onversaagd' (Ri 5:20-21).

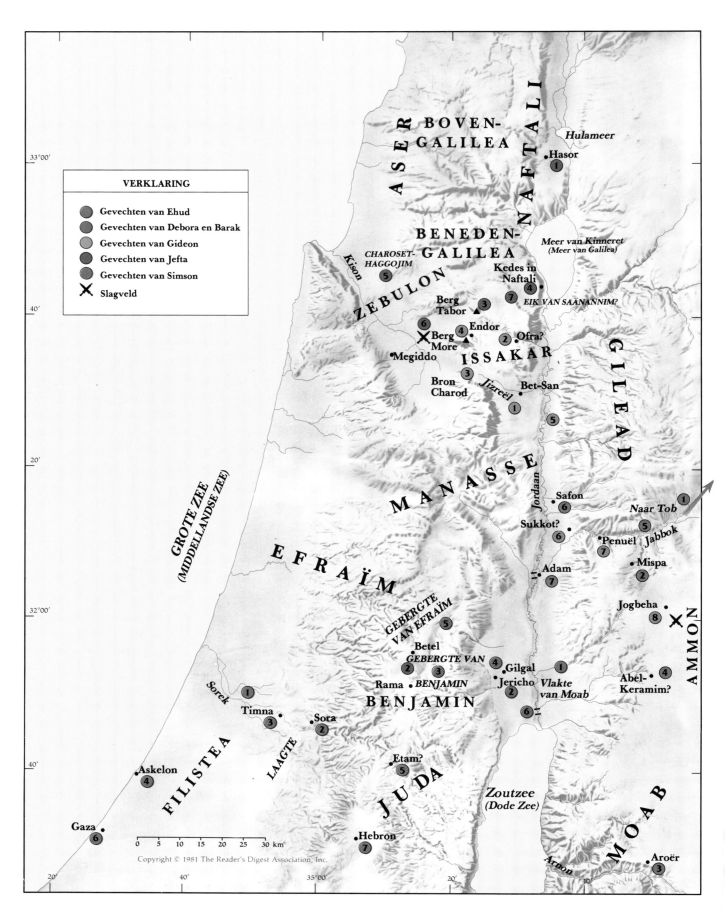

**VERKLARING**

- 🔵 Gevechten van Ehud
- 🔵 Gevechten van Debora en Barak
- 🔵 Gevechten van Gideon
- 🔵 Gevechten van Jefta
- 🔵 Gevechten van Simson
- ✕ Slagveld

*ASER*

**BOVEN-GALILEA**

*Hulameer*

•Hasor ①

*NAFTALI*

**BENEDEN-GALILEA**

*Meer van Kinneret (Meer van Galilea)*

*Kison*

CHAROSET-HAGGOJIM ⑤

Kedes in Naftali ④
⑦ *EIK VAN SAÄNANNIM?*

*ZEBULON*

Berg Tabor ▲ ③

⑥ ④ Endor• ② Ofra?

✕ Berg More ▲

•Megiddo

*ISSAKAR*

③

Bron Charod

Jizreël
① Bet-San

⑤

*GILEAD*

*MANASSE*

*Jordaan*

Safon•
⑥

Naar Tob ①

Sukkot?•
⑥

•Penuël ⑦ Jabbok
•Mispa ②

*EFRAÏM*

Adam•
⑦

Jogbeha• ⑧ ✕

*GROTE ZEE (MIDDELLANDSE ZEE)*

*GEBERGTE VAN EFRAÏM*
⑤

Betel•
② ③ ④ •Gilgal
Rama• *GEBERGTE VAN BENJAMIN* ②

*AMMON*

Abel-Keramim? ④

*BENJAMIN*

•Jericho
*Vlakte van Moab*
①

⑥

*Sorek*

①
Timna• ③
•Sora ②

Etam? ⑤

*JUDA*

*Zoutzee (Dode Zee)*

*LAAGTE*

Askelon• ④

*FILISTEA*

Gaza• ⑥

0 5 10 15 20 25 30 km

Copyright © 1981 The Reader's Digest Association, Inc.

•Hebron ⑦

*MOAB*

*Arnon*

•Aroër ③

33°00′

40′

20′

32°00′

40′

20′    40′    35°00′    20′    10′

# Rechters *(vervolg)*

**Gideon.** Hoewel Barak en Debora de Kanaänitische heerschappij in het zuidelijke bergland van Galilea hadden gebroken, stond er geen leider op om de macht over te nemen en lag het gebied open voor plunderaars uit de woestijnen in het oosten. Het smalle Jizreëldal (1), een waterrijke vallei die naar de Jordaan voerde, vormde voor de Midjanieten en Amalekieten een gemakkelijke toegang tot het vruchtbare land. Zeven jaar lang terroriseerden ze de stammen Manasse, Aser, Zebulon, Naftali en waarschijnlijk ook Issakar, hoewel dit niet in het verhaal vermeld wordt. Tenslotte koos de Heer Gideon uit Ofra (2) om zijn volk te bevrijden. Hij was de jongste zoon en, wat opmerkelijk is, kwam uit de minst belangrijke familie in de stam Manasse.

Toen Gideon de Hebreeërs uit het gebied opriep zich tegen de invallers te verzetten, boden 32 000 mannen zich aan. Uit hen koos Gideon er slechts 300; hij gaf hun elk een ramshoorn en een lemen kruik met een fakkel erin. In drie groepen van 100 man verlieten ze hun kamp bij de bron Charod, staken in het holst van de nacht het smalle dal over en kozen positie aan drie kanten van het vijandelijke kamp bij Endor (4). Op een teken van Gideon bliezen de indringers op hun hoorns, sloegen hun kruiken stuk en schreeuwden: 'Te wapen! Voor de Heer en voor Gideon!' (Ri 7:20). Verrast door deze overval vluchtte de vijand in paniek naar de Jordaan, de enige mogelijkheid om te ontkomen.

Gideon riep de mannen van Efraïm op de doorwaadbare gedeelten van de Jordaan af te sluiten, waarschijnlijk de gemakkelijke oversteekplaatsen (5) ten zuiden van Bet-San. Maar zijn oproep kwam te laat en vele Midjanieten konden ontsnappen. Nu spoorde Gideon zijn mannen aan de vijand aan de overzijde van de rivier te achtervolgen. In Sukkot (6) en Penuël (7) vroegen de hongerige troepen om voedsel, maar de inwoners weigerden hulp te bieden uit angst dat de Midjanieten wraak zouden nemen. Voorbij Jogbeha (8) werden de vijanden, die rustig in hun kamp zaten, door Gideon en zijn soldaten verrast. Nadat de Midjanitische koningen Zebach en Salmunna in handen van Gideon waren gevallen, nam de Hebreeuwse leider wraak op Sukkot en Penuël en doodde vervolgens de heersers van de Midjanieten. De zegevierende Hebreeërs wilden Gideon tot hun koning maken, maar deze weigerde.

**Jefta.** Ten oosten van de Jordaan hadden de Ammonieten de Hebreeërs van Gilead 18 jaar lang onder druk gezet in een poging het land terug te krijgen, dat ze vroeger aan de Hebreeërs waren kwijtgeraakt. Ze waren zelfs de Jordaan overgestoken om Juda, Benjamin en Efraïm binnen te vallen. De oudsten van Gilead wendden zich tot de zoon van een publieke vrouw, de dappere krijger Jefta, die als balling in Tob (1) leefde. Nadat hij in Mispa (2) was teruggekeerd en het leiderschap over de Hebreeërs had aanvaard, zond Jefta een dringend bevel naar de Ammonitische koning om zijn vijandelijkheden te staken. Toen de koning zijn aanspraken bleef afdwingen, besloot Jefta aan te vallen. Hij beloofde de Heer plechtig dat, als hij zou overwinnen, hij de eerste die hem ter begroeting bij zijn terugkomst tegemoet zou komen, als brandoffer zou opdragen. In de veldtocht die erop volgde versloeg Jefta de Ammonieten vanaf Aroër (3), diep in het zuiden op de rand van het ravijn van de Arnon, tot aan Abel-Keramin (4). Hij veroverde de malse graslanden van de Ammonie-

ten en het land dat naar het noorden liep aan de overzijde van de Jabbok (5). Toen Jefta als overwinnaar in Mispa bij zijn huis aankwam, sloeg zijn vreugde om in smart, want zijn dochter, zijn enig kind 'kwam ... de deur uit om hem met tamboerijnen en reidansen tegemoet te gaan' (Ri 11:34). Maar de diepbedroefde vader deed wat hij gezworen had.

Nu trokken de twistzieke Efraïmieten de rivier over en troffen Jefta in Safon (6). Ze wilden wel eens weten waarom zij niet voor de aanval op de Ammonieten waren opgeroepen. Wellicht maakten ze aanspraak op het gebied, wellicht kwamen ze zich wreken of zochten ze buit. Wat de bedoeling ook is geweest, ze begingen in elk geval de fout om Jefta te bedreigen. Deze viel hen met geweld aan en dreef hen in wanorde naar de oversteekplaatsen van de Jordaan bij Adam (7). Daar troffen de Efraïmieten de mannen van Jefta, die het wachtwoord 'sjibbolet' van hen wilden horen, voor ze de rivier mochten oversteken. Omdat mensen uit Efraïm blijkbaar de sj-klank niet konden uitspreken - ze zeiden 'sibbolet' -, werden ze herkend en onmiddellijk door hun Hebreeuwse broeders gedood.

**Simson.** De Laagte, een apart gebied met lage heuvels en smalle dalen tussen de Filistijnse kustvlakte en het gebergte van Juda, was het toneel van voortdurende strijd tussen de Hebreeërs en de Filistijnen. Het was in het brede, lieflijke Sorekdal dat Simson het in zijn eentje tegen de Filistijnen opnam. Ondanks hun legendarisch karakter weerspiegelen de vele verhalen over deze grote volksheld duidelijk de uitzichtloze strijd van de Hebreeërs bij hun pogingen om rust in het gebied te krijgen. De stam Dan, waartoe Simson behoorde, zag dan ook geen kans zich in de Laagte te vestigen en trok tenslotte ver naar het noorden.

De geboorte van Simson werd voorspeld door een engel, die aan Manoach en zijn onvruchtbare vrouw in Sora (2) verscheen en hun vertelde dat Simson een nazireeër zou zijn, iemand die door een speciale gelofte aan God was gewijd.

Simson verschilde in zoverre van de andere rechters, dat hij zich op zijn eigen grote lichaamskracht kon verlaten, als hij het met de vijand aan de stok kreeg, en anderen de oorlog niet hoefde in te sturen. Bovendien besteedde hij het grootste gedeelte van zijn korte leven aan het tarten van zijn Filistijnse buren en aan losbandige omgang met Filistijnse vrouwen.

Simsons eerste liefde was een Filistijns meisje uit Timna (3) Toen hij een keer naar haar onderweg was, had hij met zijn blote handen een leeuw verscheurd. Op de bruiloft gaf hij de Filistijnse gasten een raadsel op over deze leeuw, dat ze binnen zeven dagen moesten oplossen. Als ze er niet in slaagden zou hun dat 30 stel onderkleren en 30 stel bovenkleren kosten. Na zeven dagen met hem getrouwd te zijn, ontfutselde zijn vrouw hem de oplossing voor haar landgenoten. Simson was razend. Hij ging naar Askelon (4), sloeg 30 Filistijnen dood en gebruikte hun kleren om in Timna zijn schuld te vereffenen. Terug in Timna merkte hij dat zijn bruid aan een van zijn metgezellen gegeven was.

Op het moment dat de tarwe geoogst werd nam Simson wraak. Hij ving 300 vossen en bond deze twee aan twee met de staarten aan elkaar. Toen liet hij ze met een brandende fakkel in elk paar staarten in de akkers los. Niet alleen de tarweoogst, maar ook de langzaam groeiende olijfbomen gingen door brand verloren.

# Rechters *(vervolg)*

Als vergelding doodden de Filistijnen zijn vrouw en zijn schoonvader. Simson 'sloeg er ongenadig op los, en richtte een grote slachting aan' (Ri 15:8); hij vluchtte naar Etam (5) in het bergland van Juda. Bevreesd voor de Filistijnen die Simson kwamen zoeken, haalden de Judeeërs de voortvluchtige over om zich te laten boeien en uit te laten leveren aan zijn vijanden. Maar toen de Filistijnen op Simson afkwamen, gebeurde het: 'opeens werden de touwen om zijn armen als vlasdraad dat door het vuur wordt verteerd, en de boeien smolten van zijn handen. Toevallig lag daar een nog verse kinnebak van een ezel; hij pakte die en sloeg er duizend man mee dood. Toen zei Simson: 'Met een kinnebak van een ezel, zo maar een ezel, met een ezelskinnebak sloeg ik duizend man dood.' Toen hij dat gezegd had, wierp hij de kinnebak weg, en hij noemde die plaats Ramat-Lechi (Ri 15:14-16).

Bij een van Simsons andere avonturen waren de manschappen van de Filistijnse stad Gaza (6) betrokken, die aan de stadspoort op de loer lagen, toen hij bij een hoer op bezoek was. Niet alleen ontkwam Simson aan zijn belagers, maar hij nam tegelijk de deuren van de stadspoort mee en droeg ze naar 'de top van de berg tegenover Hebron' (7) (Ri 16:3), een afstand van bijna 65 km.

Weer eens terug in het Sorekdal werd Simson verliefd op Delila. Het is een van de beroemdste liefdesverhalen uit de geschiedenis. De Filistijnen haalden Delila over te proberen Simson het geheim van zijn grote kracht te ontfutselen. Ze deed drie keer een poging en drie keer mislukte het, want hij leidde haar met zijn antwoorden om de tuin. Maar toen Delila volhield 'kon hij het niet meer harden' (Ri 16:16) en vertelde hij haar: 'Mijn hoofdhaar is nog nooit afgeschoren, omdat ik aan God gewijd ben, van de moederschoot af. Als mijn haren worden afgeschoren verlies ik mijn kracht en ben ik even zwak als ieder ander' (Ri 16:17). En terwijl Simson op haar knieën sliep schoor Delila zijn hoofdhaar af en riep de leiders van de Filistijnen. De held, eenmaal ontwaakt, kon gemakkelijk worden overmeesterd. Terug in Gaza werden hem de ogen uitgestoken; hij werd aan bronzen kettingen vastgelegd en te werk gesteld aan de molensteen van de gevangenis. Op een feestdag tenslotte werd Simson - zijn haar was toen al weer aangegroeid - uit de gevangenis gehaald om de aanwezigen te vermaken in de grote tempel van Dagon, een van de oppergoden van de Filistijnen. Simson riep God aan en wreekte zich. Hij duwde de twee middelste zuilen weg en de tempel stortte in, bovenop hem en op de Filistijnen. 'Zo deed hij bij zijn dood meer mensen sterven dan tijdens heel zijn leven' (Ri 16:30).

**De kleine rechters.** In de Bijbel worden vijf kleine rechters vermeld. Ofschoon ze 'rechter over Israël' (Ri 10:2) waren, worden ze geen bevrijders genoemd. Er is maar weinig over hen bekend. Soms kennen we de naam van de stad waar ze leefden of waar ze begraven werden. Van anderen weten we hoogstens uit welk gebied ze afkomstig waren. Tola, de zoon van Pua, woonde in Samir 'in het gebergte van Efraïm' (Ri 10:1) en werd daar ook begraven. Jaïr de Gileadiet werd begraven in Kamon in Gilead. Ibsan van Betlehem had evenals Jaïr 30 zonen. Elon, de Zebuloniet werd begraven in Ajjalon in Zebulon, ergens in de vlakte van Jizreël. Abdon, de zoon van de Piratoniet Hillel, kwam uit Piraton in Efraïm en had 40 zonen.

Opgravingen in Asdod (boven) hebben aan het licht gebracht dat er hier in de tijd van de Kanaänieten een belangrijk handelscentrum lag. De nederzetting werd in de 13e eeuw in de as gelegd mogelijk door zeevolken tijdens hun doortocht naar Egypte. Op deze plek bouwden de Filistijnen later Asdod, een van de vijf koningssteden. Het was een belangrijk religieus centrum want het bevatte een heiligdom ter ere van de God Dagon, een machtige martiale figuur. Het lemen standbeeld in de vorm van een troon (links) is te voorschijn gekomen uit de ruïnes van het Filistijnse Asdod. Het stelt een godin voor.

# De Filistijnen

Bijna 200 jaar lang hadden de Israëlieten in Kanaän zo'n last van hun buren, de Filistijnen, dat zelfs het bestaan van de opkomende natie in gevaar gebracht werd. Dit volk behoorde oorspronkelijk tot een uiteengevallen federatie van stammen die bekend zijn als de zeevolken. Volgens de bijbelse overlevering waren de Filistijnen afkomstig van het eiland Kaftor, dat heel dikwijls geïdentificeerd wordt met Kreta. Tegenwoordig huldigen veel historici echter de opvatting dat hun stamland Anatolië is. Door hongersnood en gebrek in Klein-Azië aan het einde van de 13e eeuw v.C. waren zij genoodzaakt het moederland te verlaten; ze drongen Syrië en Kanaän binnen en richtten in de 12e eeuw v.C. hun aanvallen op Egypte om het bezit van de zuidelijke kuststreek van Kanaän.

De Filistijnen worden voor het eerst vermeld in de opschriften van farao Ramses III van Egypte (ca. 1183-1152 v.C.), die hun invasie liet vastleggen op de muren van zijn tempel in Medinet Habu. Op deze fraai gebeeldhouwde bas-reliëfs is te zien hoe de zeevolken over land en over zee aankwamen en vrouwen, kinderen en bezittingen meebrachten. Hele volksstammen drongen onstuitbaar op naar het zuiden, terwijl ze onderweg steden en dorpen plunderen en in brand staken. Tenslotte werd deze menselijke golfbeweging in een aantal veldslagen tot stilstand gebracht; de indringers leden een nederlaag op de drempel van Egypte. Omdat ze gedwongen waren uit te wijken, trokken veel van de zeevolken zich langs de kust van Kanaän terug. Een van deze groepen, de Filistijnen, ging tenslotte vanuit de vijf koningssteden de macht over de zuidelijke kustvlakte uitoefenen. Deze steden waren Gaza, Askelon en Asdod, die de belangrijke handelsweg door het kustgebied, de zeeweg, beheersten, en Gat en Ekron, verder het binnenland in. De legers van de Filistijnen raakten spoedig in een gewapend conflict met de Israëlieten over het bezit van het bergland. De Filistijnen bleken een geduchte

*Het Filistijnse aardewerk - van links naar rechts een 'bierkruik', een 'stijgbeugelkan' en een kom - zijn verfraaid met geometrische tekeningen en een sierlijk gestileerde vogel. De stijl van decoreren wijst op een culturele mengvorm van Egeïsche, Cypriotische, Egyptische en Kanaänitische elementen.*

vijand vanwege hun politieke geslepenheid, hun militaire organisatie en vooral hun superieure wapens. De Israëlieten vochten nog met koperen en bronzen wapens, maar de Filistijnen hadden geleerd hoe ze ijzer moesten bewerken, een geheim dat ze angstvallig voor de Hebreeërs verborgen hielden. Volgens 1 Samuël was er dan ook 'in heel Israël geen smid te vinden' (1 S 13:19). Toen de primitief bewapende en slecht georganiseerde Israëlieten in de tweede helft van de 11e eeuw v.C. met hun vijand bij Eben-Haëzer slaags raakten, kon dit alleen maar op een catastrofe uitlopen. De Hebreeërs kregen er flink van langs, maar het was wel de prikkel die ze nodig hadden om zich onder één leider te gaan verenigen. In de 10e eeuw v.C. werden de Filistijnen door koning David onderworpen, hoewel niet verdreven.

Ze bleven in hun steden nog 300 jaar voortbestaan. Tegen de 7e eeuw v.C. gingen ze echter op in de Assyriërs, die hen overwonnen hadden. In die periode vielen ze de Hebreeuwse staten zo nu en dan nog wel eens lastig, maar er is nooit meer een nieuwe Filistijnse federatie ontstaan.

*Deze tekening is gebaseerd op een reliëf in de tempel te Medinet Habu en stelt een gevecht voor tussen de zeemacht van Ramses III van Egypte en de Filistijnen. Het Egyptische schip (links) heeft één mast en roeiriemen; de boeg is versierd met een leeuwekop die als stormram dienst deed. Het Filistijnse schip is ook een eenmaster, maar het heeft geen roeiriemen en zowel voor- als achtersteven zijn uitgerust met een stormram in de vorm van een eendekop. Aan de helmbossen zien we dat we hier met Filistijnse krijgers te doen hebben; de verenigde zeevolken (rechtsonder) droegen helmen met hoorns.*

# De ark buitgemaakt

Een oorlog tussen de Hebreeërs, die zich in het bergland hadden gevestigd, en de Filistijnen, die langs de kust woonden, was onvermijdelijk toen beide volken in omvang toenamen en pogingen deden om hun machtsgebied verder uit te breiden. Dat er allang spanningen waren blijkt wel uit de verhalen van Simsons schermutselingen met de Filistijnen. Maar ergens in de 11e eeuw v.C., tegen het einde van de tijd van de rechters, nam de vijandigheid toe en ontlaadde zich in een openlijke strijd. In de loop van dit conflict werd het voor vele Hebreeërs duidelijk dat er een centraal bestuur moest komen. Ze waren gedwongen zich niet langer als aparte stammen, maar als één volk tegen de sterke Filistijnse bedreiging op te stellen. De nederlaag na de eerste echte botsing tussen de Hebreeërs en de Filistijnen bewijst nog eens hoe machteloos een verdeeld volk is als het tegen een goed georganiseerd leger moet vechten.

Vanuit hun oorspronkelijke nederzettingen in Filistea (1) hadden de Filistijnen zich naar het noorden verspreid. Nu verzamelden ze hun strijdkrachten in Afek (2), een strategisch belangrijk knooppunt waar de westelijke en de oostelijke tak van de zeeweg samenkwamen; ze omzeilden daarbij de bronnen langs de Jarkon (3) en de moerassige vlakte van Saron in het noorden, een gebied waardoor geen karavanen of legers konden trekken. De Hebreeërs, die gelegerd waren in Eben-Haëzer (4), ongeveer 3 km ten oosten van Afek, versperden een bergkamweg die naar het centrum van Efraïm leidde en naar Silo (5), een belangrijke heilige plaats van de Hebreeërs, waar de ark van het verbond stond. Sinds de tijd van de uittocht was de ark, een speciaal gemaakte houten kist waarin de tien geboden bewaard werden, het meest heilige bezit van het volk van Israël. Ze had de Hebreeërs begeleid tijdens hun omzwervingen door de woestijn en was het bewijs van hun verbond met de Heer.

De Filistijnen vielen de Hebreeërs bij Eben-Haëzer aan. In een gevecht over de hele linie leden de Hebreeërs een nederlaag, maar ze werden niet uit Eben-Haëzer verdreven. In de hoop de strijdkrachten weer te verzamelen en de krijgers nieuwe moed te geven vroegen de oudsten om de ark. Ze werd erheen gebracht onder de hoede van Chofni en Pinechas, de twee zonen van de bejaarde en blinde Eli, een pries-

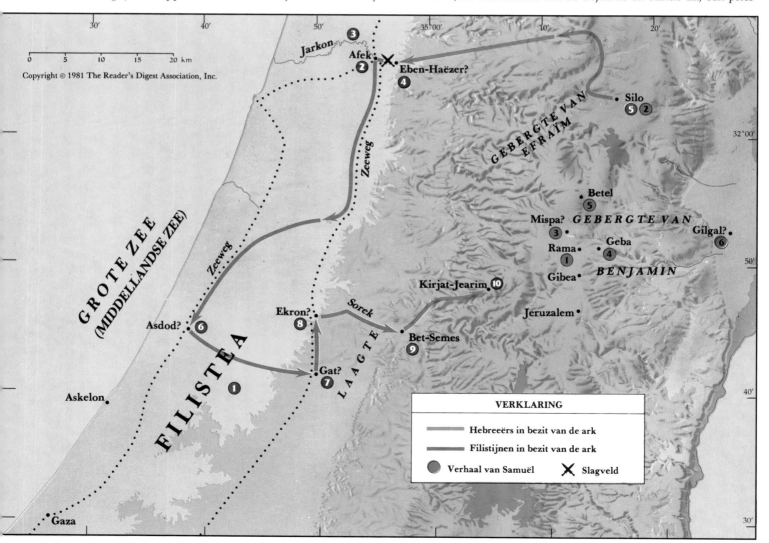

ter in Silo en in die tijd geestelijk leider van de Hebreeërs. Maar toen de strijd opnieuw losbrandde, slaagden de Filistijnen erin, ondanks hun angst voor de macht die wellicht van de ark zou uitgaan, de Hebreeërs een vernietigende nederlaag toe te brengen. Een groot aantal van hen sneuvelde, waaronder de beide zonen van Eli. Daar kwam nog bij dat de ark door de vijand werd buitgemaakt. Toen het verschrikkelijke nieuws over alles wat zich had afgespeeld Eli in Silo bereikte, viel de oude man achterover, brak zijn nek en stierf. Zijn schoondochter die een kind van Pinechas verwachtte, kreeg plotseling weeën en bracht een zoon ter wereld. Ze noemde hem Ikabod, want ze zei: 'Weggehaald is de Heerlijkheid uit Israël, want de ark van God is buitgemaakt' (1 S 4:22).

De opgetogen Filistijnen namen hun belangrijke overwinningstrofee mee naar Asdod (6) in het zuiden en plaatsten haar in de tempel van Dagon, een van hun oppergoden. Maar de volgende morgen maakte hun vreugde plaats voor panische angst, toen ze het beeld van Dagon op de grond zagen liggen. En tot overmaat van ramp kregen de Asdodieten ook nog gezwellen. (De gezwellen waren waarschijnlijk een vorm van builenpest die, naar later bekend werd, door knaagdieren werd overgebracht. In Samuël lezen we dat een muizenplaag het land teisterde). De onthutste stadsvorsten van de Filistijnen - de bestuurders van de vijf koningssteden, Gaza, Askelon, Gat, Ekron en Asdod - kwamen bijeen en besloten de ark naar Gat (7) te brengen. Maar opnieuw brak er builenpest uit, nu onder de inwoners van deze stad. Toen de ark naar Ekron (8) werd gevoerd, verspreidde 'een dodelijke ontzetting' (1 S 5:11) zich over de stad, want ook hier kreeg de bevolking gezwellen. Op advies van priesters en waarzeggers maakten de Filistijnse stadsvorsten zich op om de ark buiten hun grondgebied te brengen; zeven maanden lang had ze niets dan ellende veroorzaakt.

Van Ekron uit leidde er een belangrijke weg naar het oosten door het Sorekdal naar het grondgebied van de Hebreeërs. Over deze route werd de ark teruggebracht, langzaam, op een wagen zonder voerman, getrokken door twee koeien. Op de wagen stond ook een klein kistje met een zoenoffer: vijf gouden gezwellen en vijf gouden muizen, een voor elk van de vijf Filistijnse steden. De Filistijnen hoopten dat hun land door deze genoegdoening van de plaag bevrijd zou worden. De Hebreeërs die in de vallei hun tarwe aan het oogsten waren, zagen de wagen, zodra deze Bet-Semes (9) aan de grens met het grondgebied van de Filistijnen naderde. Er ging een gejuich onder hen op. En toen de wagen bij het veld van Jehosua stilstond, hakten ze hem tot brandhout, staken dit aan en droegen uit dankbaarheid de koeien als brandoffer op. Na de overwinning van de Filistijnen bij Eben-Haëzer was er van het heiligdom in Silo nog slechts een ruïne over. Daarom werd de ark naar Kirjat-Jearim (10) gebracht, waar ze ongeveer 20 jaar zou blijven.

# Samuël

Nog steeds liepen de jonge stammen van de Israëlieten grote gevaren. De machtige, goed uitgeruste Filistijnen uit de kuststrook hadden een groot gedeelte van het land Kanaän in handen en dreigden het volk van de Hebreeërs onder de voet te lopen. Het land had behoefte aan politieke eenheid.

Nog voordat Samuël werd geboren beloofde zijn moeder Hanna onder ede dat haar zoon aan de dienst van de Heer gewijd zou zijn. Toen ze het kind zelf niet meer voedde, bracht ze het vanuit zijn geboorteplaats Rama (1, kaart blz. 88) naar het heiligdom in Silo (2), waar het onder toezicht van de priester Eli de Heer voortaan diende. Ze groeide de jongen op en heel Israël, van Dan tot Berseba kwam te weten 'dat Samuël inderdaad als profeet van de Heer was aangesteld' (1 S 3:20).

*Dit kalkstenen altaar dateert van de 10e eeuw v.C. en komt uit Megiddo. Het is 56 cm hoog en werd waarschijnlijk door priesters uit de tijd van Samuël gebruikt voor wierookoffers. De hoorns symboliseren goddelijke macht; de vorm ervan kan zich ontwikkeld hebben uit beelden van stierfiguren, die de eerste Kanaänieten wel vereerden'.*

Na de slag van Eben-Haëzer - toen Eli stierf, Silo verwoest werd en de Filistijnen diep de hoogvlakte introkken - werd Samuël belast met het geestelijk leiderschap over de Hebreeërs. Zijn eerste zorg ging uit naar hun geloof. Hij liet hen naar Mispa (3) komen, waar ze hun zonden beleden, terwijl hij voor hen tot de Heer bad. Toen de Filistijnen hoorden dat de Hebreeërs bijeengekomen waren, vielen ze Mispa aan. 'Maar de Heer liet die dag met machtig geluid de donder rollen...' (1S 7:10); de Filistijnen raakten in verwarring en sloegen op de vlucht. Spoedig echter hadden ze zich in Geba (4) hersteld en beheersten ze de belangrijke oostelijke toegang door het gebergte van Benjamin tot de hoogvlakte. Slechts met veel moeite konden de Hebreeërs hen later uit dit gebied verdrijven.

Het was een bewogen periode in de geschiedenis van de Hebreeërs met de steeds weer oplaaiende strijd in de hoogvlakte en de aangrenzende Laagte, maar kennelijk vond Samuël de toestand toch rustig genoeg om jaarlijks een rondreis te maken van zijn woonplaats Rama naar de belangrijke steden Betel (5), Gilgal (6) en Mispa.

Toen Samuël oud geworden was en het duidelijk werd dat zijn zoons niet deugden als opvolgers, zag het volk de toekomst met toenemende bezorgdheid en onzekerheid tegemoet. Een sterk centraal gezag in handen van een krachtig leider die snel en kordaat tegen de vijand kon optreden scheen velen het laatste redmiddel toe. De oudsten van Israël zeiden dus tot Samuël: 'Stel daarom een koning aan om rechter over ons te zijn, een koning zoals alle andere volken die hebben' (1 S 8:5). Samuëls waarschuwingen dat een koning zijn macht zou kunnen misbruiken, waren aan dovemans oren gericht en de Heer beval hem op de wens van het volk in te gaan en een koning te zoeken. De keus van Samuël, door God geïnspireerd, viel op Saul uit Gibea, een krijger die zijn manschappen goed kon aanvoeren, maar wiens macht als koning een te smalle basis zou hebben.

# Saul, eerste koning van Israël

De crisis die Saul aan de macht bracht, was ontstaan door de steeds sneller terugkerende conflicten tussen de Filistijnen en de Hebreeërs, vooral in het bergland van Benjamin, net ten noordoosten van zijn woonplaats Gibea (1). De Filistijnen waren er niet op uit het land te bezitten of te beheersen, ze probeerden alleen hun machtspositie te versterken en het opdringen van de Israëlieten tegen te gaan. Maar zonder het te willen werkte hun krachtsinspanning de situatie in de hand, die ze nu juist wilden voorkomen, namelijk de eenwording van de Hebreeuwse stammen onder één enkele leider.

Van de plotselinge uitverkiezing van Saul tot koning van Israël wordt in 1 Samuël tweemaal melding gemaakt. Saul doolde met een knecht door het bergland van Efraïm op zoek naar de ezelinnen van zijn vader. Toen ze na een vergeefse tocht terugkeerden, kwamen ze in Rama (2) en besloten bij de profeet Samuël te rade te gaan. Samuël kende Saul niet, maar de Heer had hem net een dag daarvoor laten weten: 'Morgen om deze tijd stuur Ik een man uit Benjamin naar u toe, die gij moet zalven tot vorst van mijn volk Israël' (1 S 9:16). Tot zijn verbazing werd Saul hartelijk en uitbundig begroet. De volgende morgen in alle vroegte nam Samuël hem apart, zalfde hem met olijfolie en verkondigde plechtig: 'U zult heersen over het volk van de Heer; u moet het verlossen uit de handen van zijn vijanden rondom' (1 S 10:1).

In een ander verhaal over de wijze waarop Saul koning werd lezen we dat Samuël de stammen van Israël in Mispa (3) bijeenriep om hen naar hun mening te vragen en in het openbaar door loting een koning aan te wijzen, een aloude methode om de wil van God kenbaar te maken. Het lot viel op Saul, die zich echter verstopt had. Het volk riep hem tot koning uit en juichte luidkeels: 'Leve de koning' (1 S 10:24). Toen hij naar zijn woonplaats Gibea terugkeerde, werd hij vergezeld door 'de dapperen die God daartoe aandreef' (1 S 10:26). Maar anderen waren er niet zo zeker van dat de onervaren Saul hen van de Filistijnse bedreiging kon verlossen. Al spoedig kreeg hij echter de kans te laten zien dat hij een goed legeraanvoerder was, nog wel niet in een gevecht tegen de Filistijnen, maar tegen de Ammonieten.

De Ammonietenleider Nachas belegerde de Israëlitische stad Jabes in Gilead (4), diep in het noorden aan de overzijde van de Jordaan. Als voorwaarde voor een vredesverdrag eiste Nachas meedogenloos het rechteroog van iedereen in de stad. De wanhopige Jabesieten vroegen zeven dagen respijt en zonden boden uit om hulp te zoeken voor hun netelige situatie. Toen Saul met zijn runderen van het veld terugkwam, hoorde hij van de hopeloze toestand en 'hij ontstak in hevige toorn' (1S 11:6). Hij hakte een koppel runderen in stukken en liet deze in heel Israël rondbrengen met de waarschuwing: 'Wie niet uittrekt achter Saul en achter Samuël, met diens runderen zal het net zo gaan!' (1 S 11:7). Het volk gaf 'als één man' (1 S 11:7) aan zijn oproep gehoor en verzamelde zich in Bezek (5), aan de weg van Sichem naar Bet-San. Het was een belangrijk moment: alle Hebreeuwse stammen verenigden zich tegen een gemeenschappelijke vijand.

Al gauw werd duidelijk dat Saul een dapper man was. In een snelle, nachtelijke mars leidde hij zijn strijdmacht de Jordaan over en voerde ze door de wadi Jabis (6) naar de groene vallei ten zuiden van Jabes. Bij het aanbreken van de dag drong hij met drie groepen het kamp van de niets vermoedende Ammonieten binnen. De verrassing was compleet en de overwinning volledig. De slachting duurde 'tot op het heetst van de dag' (1 S 11:11). De bevrijding van Jabes in Gilead vestigde Sauls reputatie als legeraanvoerder. Hij kon nu zijn aandacht richten op een bedreiging die veel ernstiger was, de Filistijnen.

Op de oude offerplaats te Gilgal (7) werd Saul in zijn koningschap bevestigd. Nog geen 25 km daarvandaan, in Geba (8) en Mikmas (9), bevonden de Filistijnen zich boven de strategisch belangrijke pas naar de hoogvlakte, die in handen van de Hebreeërs was. Saul vormde een leger van 3000 man; 2000 ervan rukten onder zijn leiding op naar Mikmas, de overigen liet hij onder aanvoering van zijn zoon Jonatan als reserve in Gibea achter. De voortvarende prins opende de aanval en versloeg het Filistijnse garnizoen in Geba. Saul liet de overwinning in heel het land rondbazuinen en probeerde zo meer Hebreeërs voor zijn zaak te vinden. Beducht voor het gevaar brachten de Filistijnen de verspreide buitenposten bijeen tot één machtig leger van strijdwagens, ruiters en voetvolk, '... zo talrijk als de zandkorrels op het strand van de zee' (1 S 13:5).

Toch rukte Saul naar Geba op met de 600 man die hij nog overhad. Aan de overzijde van het dal hielden de Filistijnen Mikmas in hun macht; ze zonden groepen rovers in drie richtingen om het platteland te plunderen en hun posities te verbeteren. Saul viel niet aan, maar trok zich terug in Gibea, ongeveer 8 km ervandaan. De stoutmoedige Jonatan besloot echter zelf iets te ondernemen. Hij maakte zich op om de stellingen van de vijand te verkennen en nam alleen een wapendrager met zich mee. Een Filistijnse voorpost op een rotspiek daagde hem uit. Op handen en voeten klauterden Jonatan en zijn wapendrager tegen de berghelling omhoog, wierpen zich onbesuisd op de vijand en doodden ongeveer 20 man. Het bericht van deze onverhoedse en onverschrokken overval, dat als een lopend vuurtje door de legerplaats van de Filistijnen ging, bracht hen in verwarring en zaaide paniek. Toen Saul zag 'dat het rumoer in het kamp hoe langer hoe erger werd' (1 S 14:16), besloot hij met zijn hele leger in de aanval te gaan. Er werd een slachting aangericht onder de Filistijnen, die in wanorde uit hun kamp wegvluchtten. Nu kwamen ook de Israëlitische deserteurs, die zich eerst verstopt hadden, uit hun graven, putten en grotten te voorschijn en sloten zich bij de achtervolgers aan, zodat het net was of het hele land als één man tegen de vijanden van Israël was opgestaan. De Filistijnen maakten dat ze wegkwamen over de weg van Bet-Choron (10) langs Ajjalon (11), de snelste weg naar Filistea. Het landschap was bezaaid met hun lichamen. Pas aan de grenzen van Filistea gaven de Israëlieten hun achtervolging op.

Door de spectaculaire overwinning bleef de hoogvlakte, het hart van Sauls koninkrijk, voor de Hebreeërs behouden. Vanuit deze basis trok Saul op om op alle fronten met de vijanden van Israël strijd te leveren. Hij trok oostwaarts de Jordaan over en naar het zuiden de woestijn in en 'hij behaalde de overwinning op ieder volk waartegen hij zich keerde' (1 S 14:47). Op een van deze veldtochten voldeed Saul niet aan de

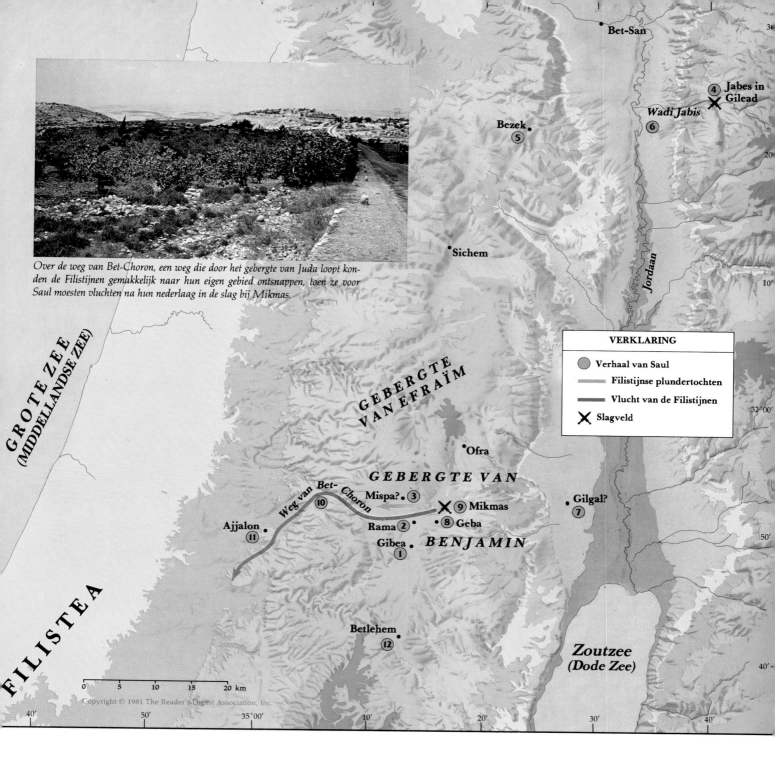

Over de weg van Bet-Choron, een weg die door het gebergte van Juda loopt konden de Filistijnen gemakkelijk naar hun eigen gebied ontsnappen, toen ze voor
Saul moesten vluchten na hun nederlaag in de slag bij Mikmas.

**VERKLARING**

🔴 Verhaal van Saul

▬ Filistijnse plundertochten

▬ Vlucht van de Filistijnen

✗ Slagveld

opdracht van de Heer, waardoor hij verworpen werd.

In een gevecht met de Amalekieten, een volkstam uit de
zuidelijke woestijn, nam Saul de koning van de Amalekieten,
Agag, gevangen. Terwijl alle volgelingen van Agag werden
gedood, spaarde Saul het leven van de koning. Hij nam ook
de beste runderen en ossen van de Amalekieten mee naar
Gilgal. Daar viel Samuël woedend tegen Saul uit, omdat deze
nagelaten had alles en iedereen te vernietigen. 'Omdat u het
woord van de Heer verworpen hebt, heeft de Heer u verworpen en zult u geen koning meer zijn' (1 S 15:23). Tevergeefs
trachtte Saul zich met Samuël te verzoenen. Toen Agag voor
Samuël gebracht werd, zei de Amalekiet opgewekt: 'De bitte-

re dood is dus geweken' (1 S 15:32). 'Uw zwaard heeft vrouwen hun kinderen ontnomen', antwoordde Samuël. 'Nu
wordt ook uw moeder een vrouw zonder zoon' (1 S 15:33) en
de onverzettelijke profeet hakte de koning onmiddellijk in
stukken.

Daarna keerde Samuël naar Rama terug en ging Saul naar
Gibea, dat er nog geen 5 km vanaf lag. Op bevel van de Heer
vulde Samuël zijn hoorn met olie en trok naar het zuiden,
naar Betlehem (12). Hij verhulde zijn werkelijke opdracht,
omdat hij bang was dat Saul hem misschien zou doden. In
Betlehem vond hij David, de jongste zoon van Isaï, en zalfde
hem tot koning van Israël.

# Saul en David: strijd om de macht

David is een geweldenaar in de geschiedenis van Israël. Zijn leven, vooral zijn jeugd, was het onderwerp van legendarische verhalen waarin de grote koning, die als het ware uit het niets opgekomen was, werd opgehemeld. Geschiedenis en legende werden in elkaar vervlochten. We weten bij voorbeeld niet precies hoe David voor het eerst de aandacht van Saul op zich vestigde, want de Bijbel geeft twee verschillende lezingen.

Na zijn breuk met Samuël leed Saul, volgens 1 Samuël 16, aan aanvallen van diepe neerslachtigheid; hij voelde zich gekweld door een demon, als teken van ongenade van de Heer. Zijn hovelingen stelden hem voor een knap citerspeler te laten komen, die hem uit zijn zwaarmoedigheid kon opbeuren. David van Betlehem, die reeds als jongeman enige faam had, niet in de laatste plaats als muzikant, werd naar Saul gebracht. Zijn citerspel had het gewenste resultaat: '...dan kalmeerde Saul en voelde hij zich beter en de boze geest week van hem' (1 S 16:23). David kwam in dienst bij de dankbare koning, niet alleen als muzikant, maar ook als zijn persoonlijke wapendrager, die de zware uitrusting van Saul, onder andere zijn schild, moest dragen en verantwoordelijk was voor zijn veiligheid tijdens gevechten. Maar volgens 1 Samuël 17 zou David pas op het slagveld aan Saul zijn opgevallen toen hij oog in oog stond met de reus Goliat tijdens opnieuw opgelaaide gewapende conflicten met de Filistijnen.

De Filistijnen lagen weer eens met de Hebreeërs overhoop, deze keer in de Laagte. Ze hadden hun legers samengetrokken tussen Soko en Azeka (1) en waren van plan door te stoten naar de hoogvlakte van Juda. Beducht voor de bedreiging had Saul zijn manschappen gelegerd in het Terebintendal (2) met aan beide zijden lage heuvels. De stellingen van de twee legers werden door de natuurlijke ligging versterkt en geen van beide maakte onmiddellijk aanstalten om de aanval te openen. De gevechtslinies lagen afwachtend tegenover elkaar.

Bij legers in de Oudheid bestond een traditie dat in zo'n situatie een gevecht tussen twee personen de beslissing zou kunnen brengen. Aan beide kanten werd één krijger naar voren geschoven. De strijdmacht waartoe de overlevende hoorde, zou tot overwinnaar worden uitgeroepen; het leger van de verliezer zou zijn stellingen opgeven. De Filistijnen zonden een werkelijk angstaanjagende figuur, de machtige Goliat uit Gat.

Deze enorme kampvechter 'was zes el en een span lang' (1 S 17:4), ongeveer 3 m, en 'de schacht van zijn lans leek wel een weversboom' (1 S 17:7). Veertig dagen achter elkaar trad hij elke dag uit de Filistijnse gelederen naar voren en tartte het leger van Saul om een kampvechter te sturen die zich in een gevecht van man tegen man met hem zou meten. Maar op zijn uitdaging werd niet gereageerd. 'Bij het zien van de man gingen alle Israëlieten op de vlucht en waren zeer bevreesd' (1 S 17:24). Alleen David niet; hij ergerde er zich mateloos aan dat het leger van de levende God op deze wijze getart werd en hij besloot de uitdaging aan te nemen. Saul bood hem zijn eigen wapenrusting en zwaard aan, maar David, die zulke wapens niet gewend was, weigerde ze. Alleen gewapend met zijn slinger en een handvol stenen uit een nabijgelegen bedding trok hij erop uit. Goliat bespotte en hoonde hem. David sprong naar voren, zwaaide zijn slinger in het rond en slinger-de één steen weg. Hij trof de reus midden op zijn voorhoofd. Goliat viel neer en David greep het zwaard van de Filistijn en onthoofdde hem. Zodra de Filistijnen zagen dat hun kampvechter gedood was, namen ze de benen, achtervolgd door de mannen van Saul. De vlucht eindigde pas, toen de verslagen Filistijnen zich achter de poorten van de versterkte steden Gat (3) en Ekron (4) hadden teruggetrokken.

De jonge David was nu de grote held voor de Israëlieten en behaalde triomf na triomf in dienst van de koning. 'De dansende vrouwen hieven een beurtzang aan en zongen:
"Bij duizenden sloeg Saul ze neer,
maar David bij tienduizenden!"' (1 S 18:7).
Er ontstond een hechte vriendschap tussen David en een zoon van Saul, Jonatan. Nadat David bewezen had wat hij waard was door 200 Filistijnen te doden, trouwde hij zelfs met Mikal, de dochter van de koning. Maar het zaad van de tragedie begon reeds te ontkiemen. 'Toen maakte een boze demon zich van Saul meester in zijn huis' (1 S 18:10), hij werd grenzeloos afgunstig en 'raakte buiten zichzelf' (1 S 18:10). Bij drie gelegenheden slingerde de koning zijn lans naar David, als de jongeman probeerde hem met zijn citerspel te kalmeren. 'Hij bleef David vijandig gezind altijd door' (1 S 18:29). Mikal kwam achter een samenzwering en waarschuwde haar echtgenoot: 'als je vannacht niet weet te ontkomen, word je morgen gedood' (1 S 19:11). Ze hielp David om uit zijn huis in Gibea (5) te ontsnappen en legde de huisgoden en 'een vlechtsel van geitehaar' (1 S 19:13) in zijn bed om de boden van de koning om de tuin te leiden. Zo begon Davids odyssee, die hem ver van zijn huis zou wegvoeren om aan de wraak van Saul te ontkomen.

David begaf zich eerst naar Rama (6) om steun te zoeken bij Samuël, die hem tot toekomstige koning van Israël gezalfd had. Drie keer zond Saul boden, die echter in plaats van David gevangen te nemen, net als Samuël en zijn profeten in vervoering raakten en niet meer terugkeerden. Dan ging Saul zelf naar Rama, maar ook hij slaagde niet in zijn voornemen, omdat hij buiten zinnen raakte, zich de kleren van het lijf rukte en tegen de grond sloeg. David keerde terug naar Gibea en smeekte zijn vriend Jonatan om voor hem een goed woordje bij zijn vader te doen. Ze spraken een teken af. Als bleek dat Saul David weer goed gezind was, zou Jonatan in het veld waar zijn vriend zich verborgen hield drie pijlen afschieten tot voor de voeten van zijn dienaar die ze op moest rapen. Maar als David nog niet veilig kon terugkeren, zou hij de pijlen ver achter de dienaar schieten. De uitslag was ongunstig, de pijlen vlogen over het hoofd van de dienaar heen en David vluchtte opnieuw. Hongerig en ongewapend ging hij naar Nob (7), waar hij de priester van het belangrijke heiligdom ervan overtuigde dat hij een geheime opdracht van Saul had. Hij kreeg heilig brood mee en het zwaard van Goliat, dat daar als trofee heengebracht was.

Nu besloot David tot een brutale list: hij ging asiel vragen aan de aartsvijanden van Israël, de Filistijnen. Hij zakte uit het gebergte van Juda af en bereikte Gat (8). De hovelingen van Akis, de koning van Gat, bekeken hem met argusogen en vroegen zich af waarom die beroemde Filistijnendoder de zijde van de vijand gekozen zou kunnen hebben. David reali-

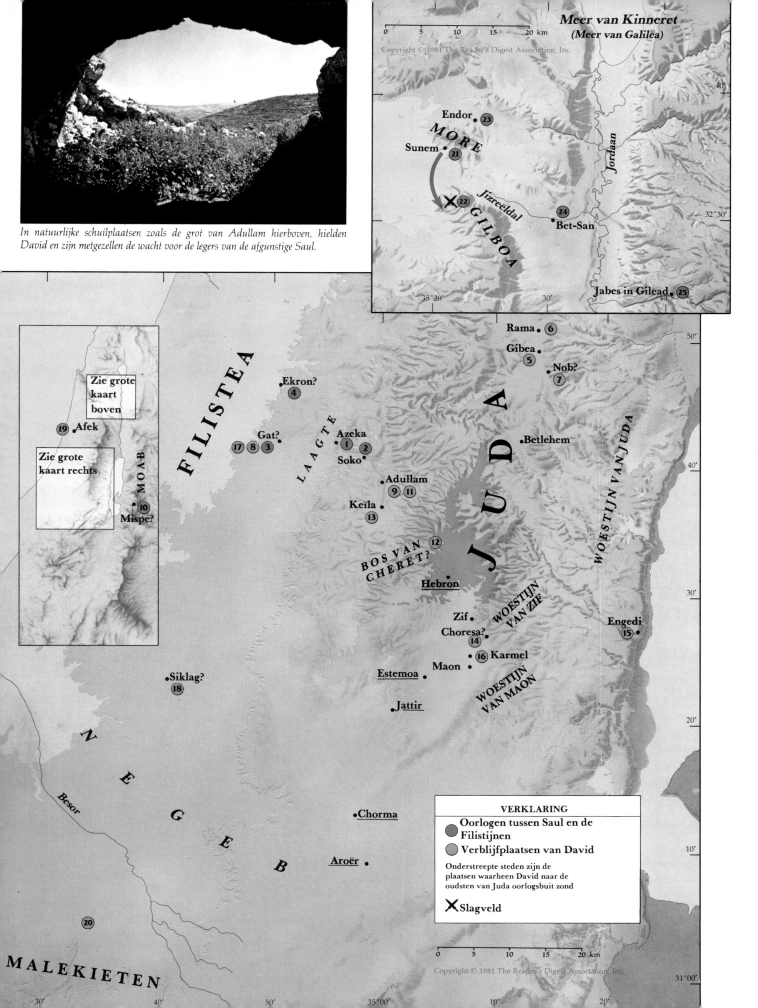

In natuurlijke schuilplaatsen zoals de grot van Adullam hierboven, hielden David en zijn metgezellen de wacht voor de legers van de afgunstige Saul.

Meer van Kinneret
(Meer van Galilea)

0   5   10   15   20 km

Copyright © 1981 The Reader's Digest Association, Inc.

Endor ㉓
MORE
Sunem ㉑
Jizreëldal
✕ ㉒
GILBOA
Bet-San ㉔
Jordaan

Jabes in Gilead ㉕

Rama ⑥
Gibea ⑤
Nob? ⑦

Zie grote kaart boven

Afek ⑲

Zie grote kaart rechts

MOAB

Mispe? ⑩

FILISTEA

Ekron? ④

Gat? ③
⑰ ⑧ ③

LAAGTE

Azeka ①
② 
Soko

Betlehem

JUDA

WOESTIJN VAN JUDA

Adullam
⑨ ⑪
Keïla
⑬

BOS VAN CHERET?

⑫

Hebron

Zif
Choresa? ⑭
⑯ Karmel
Maon
Estemoa

WOESTIJN VAN ZIF

Engedi ⑮

Jattir

WOESTIJN VAN MAON

N E G E B

Siklag? ⑱

Besor

Chorma

Aroër

VERKLARING

⬤ Oorlogen tussen Saul en de Filistijnen

⬤ Verblijfplaatsen van David

Onderstreepte steden zijn de plaatsen waarheen David naar de oudsten van Juda oorlogsbuit zond

✕ Slagveld

⑳

MALEKIETEN

0   5   10   15   20 km

Copyright © 1981 The Reader's Digest Association, Inc.

# Saul en David *(vervolg)*

seerde zich dat hij zichzelf in levensgevaar had gebracht en deed net of hij krankzinnig was; vol afkeer stuurde Akis hem weg. Hij trok ongeveer 16 km door de Laagte naar het oosten toe tot bij Adullam (9), vlak bij de plek waar hij Goliat had verslagen. In dit onherbergzame niemandsland tussen het gebied van de Filistijnen en dat van Saul sloeg hij een versterkt kamp op. Veilig tussen de steile bergen met voldoende water en veel grotten om zich in schuil te houden kon hij niet gemakkelijk door zijn vijanden verrast worden. Daar voegden zijn broers en zijn familieleden zich bij hem. 'Ook sloten zich allerlei lieden bij hem aan die in het nauw zaten of schulden hadden of verbitterd waren' (1 S 22:2). Uit deze bende ontevredenen stelde hij een leger samen van 400 vogelvrije avonturiers. Hij nam nog andere voorzorgsmaatregelen. Bevreesd voor de veiligheid van zijn familieleden vergezelde hij zijn ouders op de lange reis naar Mispe (10, inzet) in Moab aan de overkant van de Zoutzee en liet hen daar onder de hoede van de Moabitische koning achter. Toen zocht hij eerst in zijn 'schuilplaats' (1 S 22:4) (11) bij Adullam een goed heenkomen en daarna in het bos van Cheret (12), strategisch een betere plek.

Toen David hoorde dat de Filistijnen Keïla aanvielen, dat niet van Juda, maar evenmin van de Filistijnen was, trok hij met zijn mannen ten strijde tegen de belegeraars en joeg hen op de vlucht. Maar tot Davids verbijstering toonden de inwoners van Keïla zich niet dankbaar voor hun bevrijding. Integendeel, hij ontdekte dat ze van plan waren hem uit te leveren aan het oprukkende leger van Saul. Opnieuw vluchtte David, dit keer naar Chresa (14) in de woestijn van Zif. In dit gebied - eerder een hoogvlakte dan een woestijn - installeerde David zich. Maar de bewoners van Zif zochten Saul op om te verraden dat David zich bij hen schuilhield. Achtervolgd door het 3000 man sterke leger van Saul haastte David zich hals over kop naar de woestijn van Maon in het zuiden. 'Saul trok voort aan de ene kant van de berg, terwijl David zich met zijn mannen aan de andere kant bevond. David trachtte in allerijl aan Saul te ontkomen, maar reeds stonden Saul en zijn mannen op het punt David en de zijnen te omsingelen ... (1 S 23:26). Voor David scheen het einde nabij. Toen kwam, als door de voorzienigheid gezonden, een renbode Saul waarschuwen dat de Filistijnen op strooptocht in het noorden waren. De koning keerde terug om de crisis het hoofd te bieden. En weer was David aan de dood ontsnapt en bereikte hij het betrekkelijk veilige Engedi (15) aan de kust van de Dode Zee.

Toen stierf Samuël; hij werd in Rama begraven. Dit kan de reden zijn dat David zijn basis weer verlegde en terugging naar de woestijn van Maon. Vlak bij Karmel (16) werd David door de koopman Nabal onbehoorlijk behandeld; later trouwde hij met diens weduwe Abigaïl.

Opnieuw lieten de Zifieten Saul weten waar David zich bevond om zo het terrein te effenen voor een definitieve afrekening tussen de twee rivalen. De koning en zijn leger hadden hun tenten opgeslagen aan de rand van de woestijn van Zif en maakten zich op om David in de val te lokken. 's Nachts, toen Saul temidden van zijn troepen sliep, slopen David en Abisaï, een metgezel, ongezien het kamp binnen. Abisaï bood aan de slapende vorst te doden, maar David hield hem tegen. 'Zowaar de Heer leeft,' zei hij, 'de Heer zal hem slaan, hetzij dat zijn dag komt en hij sterft, hetzij dat hij ten strijde trekt en weggerukt wordt' (1 S 26:10). Hij stelde zich tevreden met de

lans van Saul en zijn persoonlijke waterkruik. Weer veilig terug in zijn kamp liet hij rondbazuinen wat hij gedaan had; hij liet de lans en de waterkruik zien als teken dat hij opnieuw het leven van de koning had gespaard. En opnieuw toonde Saul berouw en gaf de achtervolging op.

Diep in zijn hart wist David dat de wapenstilstand niet kon blijven duren. Hij ontwierp een nieuwe, meer agressieve strategie. Hij zocht zijn toevlucht in Gat (17) tussen de Filistijnen, net zoals hij al eerder had gedaan. Maar deze keer nam hij zijn hele leger met zich mee, 600 ervaren strijders. Toen Saul hoorde dat David in Gat was teruggekeerd, 'zocht hij niet langer naar hem' (1 S 27:4). David vroeg Akis, de koning van Gat, om een Filistijnse nederzetting waar hij, als dienaar van de koning, zou kunnen heersen. Wellicht werd zijn verzoek ingewilligd, omdat hij nu over een leger beschikte. Hij kreeg de stad Siklag (18) in de Negeb. Daar bleef hij 16 maanden en speelde een luguber spelletje met de Filistijnen. Het was de bedoeling van Akis dat David en zijn leger de vijanden van Filistea zouden bestoken in de heuvels van Juda en in het grensgebied van de Negeb. Maar David trok diep de Negeb in en vocht tegen de Amalekieten en andere volken die daar woonden. Het waren bijzonder bloedige overvallen, want om Akis te misleiden 'liet hij geen man of vrouw in leven' (1 S 27:9), als hij ergens toesloeg.

Toen de Filistijnen in Afek (19, inzet) hun troepen monsterden als voorbereiding op een oorlog met Israël, stond David voor een dilemma. Als hij zich zou aansluiten bij zijn Filistijnse gastheer, zou hij een verrader van zijn volk worden. Maar als hij zou weigeren zou zijn bedriegelijk spel onmiddellijk aan het licht komen. Maar gelukkig hoefde David geen keuze te maken. De andere Filistijnse heersers wantrouwden de beroemde aanvoerder David en waren bang dat de grote kracht van de Hebreeuwse huurlingen zich op een kritiek moment in de komende strijd tegen hen zou kunnen keren. David en zijn mannen werden dus naar Siklag teruggestuurd en de Filistijnen trokken naar het noorden en bereidden zich voor op een beslissende veldslag met Saul.

Terug in het dorre, stoffige land van Siklag ontdekte David dat de Amalekieten, uit wraak voor zijn vroegere overvallen, de stad in brand hadden gestoken en de families en bezittingen van zijn mannen hadden meegenomen. Davids verbitterde troepen keerden zich tegen hem en wilden hem stenigen,

maar hij kalmeerde hen en zette de achtervolging in. Bij hun woestijnkamp (20) diep in de Negeb, nog voorbij de Besor, haalde hij de plunderaars in en nam gruwelijk wraak.

Ondertussen waren de Filistijnen klaar voor hun strijd tegen de Israëlieten. Vanuit hun verzamelpunt bij Afek trokken ze over de zeeweg op naar het noorden en bogen naar het oosten af, het Jizreëldal in (kaart blz. 93 bovenaan). Aan het begin van het dal bij Sunem (21) sloegen de Filistijnen hun kamp op in de schaduw van de berg More. Saul koos met zijn leger positie op de nabijgelegen berg Gilboa (22), meer naar het zuiden, waarschijnlijk bij de bronnen aan de noordwestelijke rand van het gebergte. Toen Saul zag hoe geweldig groot het vijandelijke leger was, 'sloeg de schrik hem om het hart' (1 S 28:5). Al zijn pogingen om aan de weet te komen hoe God de dreigende oorlog zou laten verlopen liepen op niets uit. In zijn wanhoop zocht hij, tegen zijn eigen voorschriften in, naar een medium dat hem een teken zou kunnen geven. In de nacht ging hij heimelijk en vermomd naar Endor (23), waar hij de waarzegster van Endor smeekte de geest van Samuël op te roepen. De vrouw deed wat Saul gevraagd had. Maar net zomin als tijdens zijn leven kon Samuël Saul nu bemoedigen. Hij voorspelde alleen maar rampspoed: 'Morgen zult u samen met uw zonen bij mij zijn en de Heer zal ook het legerkamp van Israël aan de Filistijnen overleveren' (1 S 28:19).

In vroegere gevechten met de Filistijnen hadden Sauls bedrevenheid en de inspirerende huzarenstukjes van Jonatan en David de doorslag gegeven. Dit keer mochten de Filistijnen niet onderschat worden. Toen hun gevreesde strijdwagens op het ruwe terrein van de Gilboa grotendeels onbruikbaar bleken, besloten ze hun numerieke overwicht uit te buiten om de stellingen van Saul stormenderhand te nemen. Hun aanval werd waarschijnlijk niet rechtstreeks vanuit Sunem ingezet, maar vanuit punten verder in het zuiden, waar zacht glooiende hellingen en ondiepe wadi's een gemakkelijke toegang boden tot de linkervleugel van Sauls leger. En tegelijkertijd werd daarmee ook de terugweg afgesneden. Sauls verdedigingslinies werden overrompeld en hij en zijn mannen vluchtten hals over kop de flanken van de Gilboa op. Tussen de rotsen en het kreupelhout op de toppen werden ze meedogenloos achtervolgd. De dappere Jonatan, die plechtig beloofd had David te zullen steunen, sneuvelde in de aanval en nog twee zonen van Saul, Abinadab en Malkisua, werden gedood.

*Het lieflijke Jizreëldal dat met een grote boog verdwijnt in de bergketen van Gilboa (in de verte zichtbaar), werd het toneel van een bloedige strijd toen de Israëlieten een verschrikkelijke nederlaag tegen de Filistijnen leden. Onder de mannen die 'sneuvelden op het gebergte van Gilboa' (1 S 31:1) waren Saul en zijn drie zonen Jonatan, Abinadab en Malkisua.*

De koning zelf was door een Filistijnse boogschutter zwaar gewond. Hij vroeg zijn wapendrager met aandrang hem te doden, 'anders gaan die onbesnedenen mij doorboren en de spot met mij drijven!' (1 S 31:4). Toen de man terugdeinsde en weigerde,' ... nam Saul zelf het zwaard en stortte zich erin' (1 S 31:4).

De volgende dag trokken de Filistijnen over het slagveld en ontdekten de lichamen van Saul en de drie prinsen. Ze werden onthoofd en van hun wapenrusting beroofd; deze werd als een overwinningsoffer in de tempel van Astarte in Bet-San (24) neergelegd. De Filistijnen brachten het hoofd van Saul naar de tempel van Dagon en hingen de verminkte lichamen aan de muren van de stad. Boden haastten zich naar Filistea 'om in de tempels van hun afgoden en onder het volk het blijde nieuws te melden' (1 S 31:9). De berichten over de nederlaag en over de vernedering van de lichamen van Saul en zijn zonen gingen als een lopend vuurtje door Israël. Een groep moedige mannen uit Jabes in Gilead (25), een stad aan de oostkant van de Jordaan die vroeger door Saul was bevrijd, begaven zich die nacht naar Bet-San, haalden stiekem de lichamen weg en brachten ze naar Jabes terug voor de rituele verbranding.

Door de nederlaag van Sauls leger bij Gilboa verloren de Hebreeërs de macht over het gebied langs het Jizreëldal; ze verlieten hun steden en vluchtten. Drie dagen na zijn terugkeer van de strafexpeditie naar de Amalekieten, hoorde David in Siklag in de woestijn het afschuwelijke bericht van de ramp. 'Toen greep David zijn kleed en scheurde het middendoor; dat deden ook al de mannen die bij hem waren. Ze hielden de rouwklacht en weenden en vastten tot de avond over Saul en zijn zoon Jonatan, en over het volk van de Heer, over Israël ... (2 S 1:11-12). Zijn diepe droefheid inspireerde David tot het maken van een van de mooiste klaagzangen uit de literatuur, dat als volgt begint:

'Uw glorie, Israël, ging op uw hoogten ten gronde.
Hoe konden zij vallen, die helden?' (2 S 1:19).

# Koning David

De dood van Saul omstreeks 1000 v.C. bracht de Israëlitische monarchie in gevaar; er dreigde een terugval tot de politieke stuurloosheid van vroeger dagen. Vooral belangrijk was dat de opvolging in het koningschap geregeld werd. Het kwam tot een kritiek treffen tussen David en Isboset, de overlevende zoon van Saul, en even leek het erop of er twee koninkrijken zouden zijn in plaats van één.

Isboset eiste het koningschap op 'over Gilead, over de Asurieten en over Jizreël, over Efraïm en over Benjamin, dus over geheel Israël' (2 S 2:9), dat wil zeggen het hele koninkrijk van Saul met uitzondering van Juda. Maar het waren ijdele praatjes. In feite was hij een marionet, die afhankelijk was van de trouw van Abner, aanvoerder van Sauls leger. En het feit dat hij genoodzaakt was zijn hof in Machanaïm (1, kaart rechtsonder) te houden, in Gilead ten oosten van de Jordaan, maakt duidelijk dat het grootste gedeelte van het voormalige koninkrijk van Saul in handen van de Filistijnen was gevallen. Intussen legde David de basis voor zijn eigen macht. Toen de periode van rouw na Sauls rampzalige nederlaag op de Gilboa voorbij was, gaf de Heer hem bevel Siklag (2) in de Negeb te verlaten en naar Hebron (3) te gaan, de voornaamste stad in Juda, waar de aartsvaders van Israël begraven lagen. Daar zalfden de oudsten hem 'tot Koning over Juda' (2 S 2:4) en daar zou hij ruim zeven jaar regeren. Spoedig brak een koude oorlog uit tussen het huis van David en het huis van Saul, vertegenwoordigd door Isboset en Abner. De eerste tactische zetten die David in de machtsstrijd deed berustten op overreding en waren van politieke aard. Hij zond bij voorbeeld boden naar Jabes in Gilead (4) ver in het noorden - een strategische plaats ten opzichte van Machanaïm - om zijn zegen over te brengen aan de bewoners voor wat ze voor de lichamen van Saul en diens zonen hadden gedaan en om hen te vragen hem trouw te zijn nu hun eigen vorst dood was. Maar deze poging leverde niets op.

Bij Gibeon (5) in Benjamin, strategisch gelegen aan de belangrijkste oost-westverbinding naar de hooglanden, kwamen eenheden van beide legers tegenover elkaar te staan. Abner zelf stond aan het hoofd van de troepen van Isboset; de manschappen van Juda werden aangevoerd door Joab, de legeroverste van David. De mannen keken dreigend naar elkaar over 'de vijver van Gibeon' (2 S 2:13). (Waarschijnlijk maakte deze vijver deel uit van een bijzonder systeem voor watervoorziening dat tegen het einde van de vijftiger jaren door archeologen is blootgelegd en dat is afgebeeld op de foto op blz. 97. Het lag 25 m lager dat de stad, veilig tussen rotsmuren, en zorgde ervoor dat de inwoners van Gibeon ook in tijden van belegering geen gebrek aan water kregen.) In een poging om de spanning wat weg te nemen stelde Abner voor dat twaalf mannen uit ieder kamp zouden 'aantreden en . . . een gevecht ten beste geven' (2 S 2:14). Zulke worstelpartijen werden opgezet om geschillen bij te leggen zonder bloedvergieten. Maar spoedig flikkerden er zwaarden, mannen stortten op de grond en er ontstond een hevig gevecht. De troepen van Joab kregen de overhand en Abner en zijn manschappen vluchtten weg over de bergen.

Asaël, een jongere broer van Joab, ging de legeraanvoerder van de vijand achterna. 'Ga toch van me weg!', zei Abner hem, 'Of moet ik je neerslaan? Maar hoe zou ik dan je broer Joab onder ogen kunnen komen?' (2 S 2:22). Maar de heetgebakerde Asaël negeerde de opmerkingen; hij bleef achter hem aanlopen en werd door de ervaren krijger gedood. Met een wanhoopsbericht voor Joab - 'Moet het zwaard dan maar blijven verslinden? Begrijpt u niet dat dit op een ramp uitloopt? Wanneer zult u het leger eindelijk bevel geven de achtervolging van zijn broers te staken?' (2 S 2:26) - keerde Abner naar Machanaïm terug. Waarschijnlijk kwam hij daarbij langs Mikmas en de oversteekplaatsen in de Jordaan bij Adam. Verdrietig en verbitterd begroef Joab zijn broer in het graf van zijn vader in Betlehem (6). 'Daarop trokken Joab en zijn manschappen heel de nacht door, en toen het licht werd, waren ze in Hebron' (2 S 2:32).

'De strijd tussen het huis van Saul en het huis van David duurde lang' (2 S 3:1). Het goede gesternte van Isboset ging verbleken, terwijl Davids positie steeds sterker werd. Voor het tot een krachtmeting op het slagveld kwam kregen Isboset en Abner ruzie. Nijdig riep de koning zijn legeraanvoerder ter verantwoording, omdat deze een verhouding had met een van Sauls bijvrouwen. Isboset legde dit uit als zou Abner aanspraak maken op de koninklijke macht. Abner was briesend; hij besloot zijn trouw op te zeggen en Davids heerschappij over heel Israël en Juda, van Dan (7) ver in het noorden tot Berseba (8) in de Negeb te steunen. Hij maakte plannen om de troon van Isboset omver te werpen, met name in Benjamin, omdat, zo beweerde hij, David de beste kansen bood op bevrijding van het juk van de Filistijnen. Isboset, ver weg in Machanaïm aan de andere kant van de Jordaan, was misleid. Onder Davids belofte van een vrijgeleide kwamen Abner en 20 van zijn mannen naar Hebron, waar de vorst een feestmaal voor hen aanrichtte. Abner sloot in het geheim een overeenkomst met de koning en 'vertrok ongehinderd' (2 S 3:21).

Toen Joab terugkeerde van een strooptocht, maakte hij zich kwaad over het verbond tussen David en Abner. Zonder David iets te zeggen liet Joab Abner naar Hebron terugroepen en vermoordde hij hem als vergelding voor de dood van zijn broer Asaël; zo ontdeed hij zich tevens van een mededinger naar het commando over het leger van David. De moord bracht Davids verstandhouding met de oudsten van de noordelijke stammen in gevaar, want Abner had onder bescherming van de koning gestaan. Uitdrukkelijk wees David de verantwoordelijkheid voor de dood van de hand door een grootse begrafenis voor Abner te organiseren en zelf als eerste rouwdrager op te treden. De weeklagende koning liep achter de baar en weende aan het graf van de legeroverste.

De moord op Abner bracht het hof van Isboset in Machanaïm in grote verwarring. Twee bendeleiders, de broers Rekab en Baäna, zagen de kans schoon om het recht in eigen hand te nemen. Ze slopen langs de sluimerende deurwachter, vonden de koning in zijn slaapkamer terwijl hij een middagdutje deed en vermoordden hem. Omdat ze een forse beloning verwachtten, namen ze het hoofd van Isboset en liepen de hele nacht door om dit aan David te overhandigen. Vanuit Machanaïm (9) staken ze de Jordaan over en trokken haastig door het Jordaandal (10) naar Hebron (11) in het zuiden. De reactie van David was een duidelijke les voor koningsmoor-

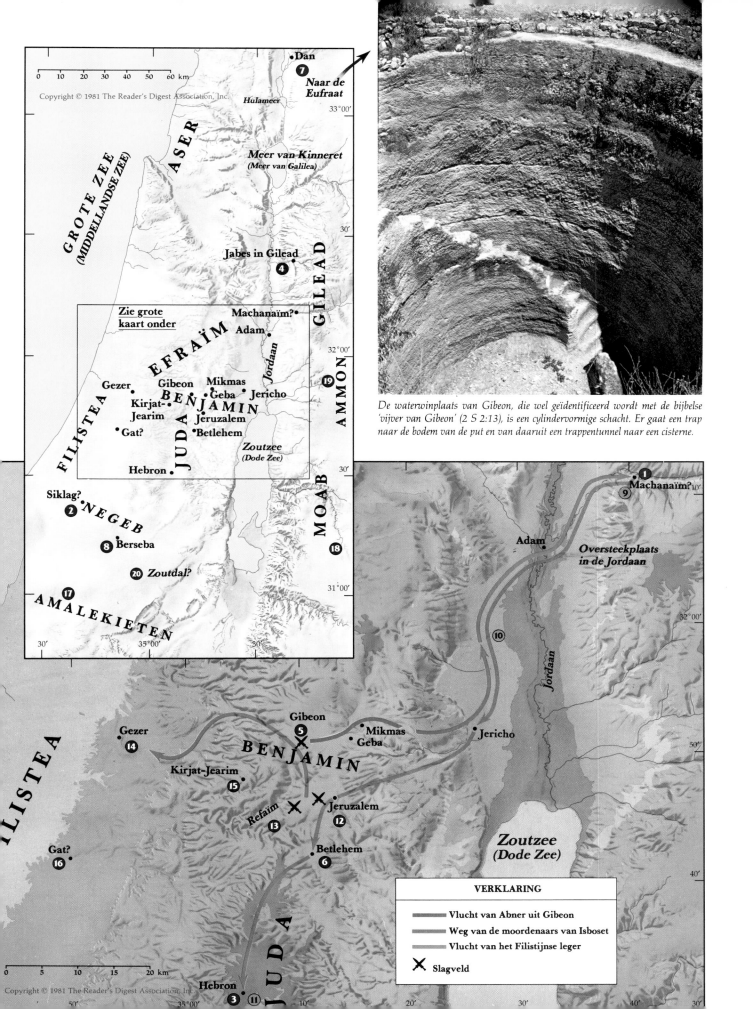

## Kaart-labels

**Bovenste kaart (grote overzichtskaart):**

GROTE ZEE (MIDDELLANDSE ZEE)

ASER

Dan
7
Naar de Eufraat
33°00'

Hulameer

Meer van Kinneret
(Meer van Galilea)

30'

Jabes in Gilead
4

GILEAD

Machanaïm?
Adam

EFRAÏM

Zie grote
kaart onder

Jordaan

32°00'

AMMON
19

Gezer
Gibeon
Mikmas
Geba
Jericho

BENJAMIN

Kirjat-
Jearim

Jeruzalem

FILISTEA

JUDA

Gat?

Betlehem

Zoutzee
(Dode Zee)

Hebron

30'

MOAB

Siklag?
2

NEGEB

Berseba
8

18

Zoutdal?
20

31°00'

17

AMALEKIETEN

30'    35°00'    30'

Copyright © 1981 The Reader's Digest Association, Inc.

**Foto-onderschrift:**

*De waterwinplaats van Gibeon, die wel geïdentificeerd wordt met de bijbelse 'vijver van Gibeon' (2 S 2:13), is een cylindervormige schacht. Er gaat een trap naar de bodem van de put en van daaruit een trappentunnel naar een cisterne.*

**Onderste kaart (detailkaart):**

1
Machanaïm?
9

Adam

Oversteekplaats
in de Jordaan

10

Jordaan

32°00'

Gibeon
5

Mikmas
Geba

Jericho

BENJAMIN

Gezer
14

Kirjat-Jearim
15

Refaïm
13

Jeruzalem
12

Betlehem
6

Zoutzee
(Dode Zee)

ILISTEA

Gat?
16

JUDA

### VERKLARING

Vlucht van Abner uit Gibeon

Weg van de moordenaars van Isboset

Vlucht van het Filistijnse leger

✗  Slagveld

0  5  10  15  20 km

Hebron
3  11

Copyright © 1981 The Reader's Digest Association, Inc.

# Koning David *(vervolg)*

denaars en een openlijk eerbetoon aan Saul en zijn familie. De twee moordenaars werden ter dood gebracht, hun handen en voeten afgehakt en hun lichamen in het openbaar opgehangen, zodat iedereen ze kon zien.

Toen kwamen de oudsten van alle stammen in het noorden naar David in Hebron en zeiden: 'Hier zijn wij, uw eigen vlees en bloed' (2 S 5:1). Ze sloten ten overstaan van de Heer een plechtig verbond en zalfden de 37 jaar oude David tot koning over heel Israël. Hij zou 33 jaar lang over het verenigd koninkrijk regeren tot ongeveer 961 v.C.

Hebron lag te ver naar het zuiden en werd te zeer met Juda vereenzelvigd om hoofdstad voor David te blijven. Ruim 30 km verder naar het noorden lag Jeruzalem (12) aan de centrale bergkamweg. Om tal van redenen kwam het als hoofdstad van het verenigde Israël in aanmerking. Het lag op een driehoekige rotsachtige uitloper en was vanuit verschillende richtingen gemakkelijk bereikbaar, hoewel het aan twee kanten door diepe dalen werd beveiligd. Een betrouwbare bron stelde de watervoorziening in Jeruzalem veilig, terwijl van de andere kant de enkele bronnen in het kalksteengebergte in de omgeving te weinig water leverden om in de behoeften van een aanvalsleger te voorzien. De hellingen rondom de stad stonden vol olijven en druiven. Maar het belangrijkste was wellicht dat Jeruzalem neutraal gebied was.

David en zijn leger sloegen het beleg voor Jeruzalem. De Jebusieten bespotten hem vanaf de muren en riepen: 'Hier komt u niet binnen! Voorwaar, blinden en kreupelen houden u tegen' (2 S 5:6). Maar hun bravour was nauwelijks in overeenstemming met hun militair vakmanschap. Ze verwaarloosden de bewaking van de bochtige tunnel en de verticale schacht, waardoor de Jebusieten van water werden voorzien. Terwijl David een schijnaanval op de muren uitvoerde, sloop Joab met een keurtroep via de waterschacht Jeruzalem in. Zo werd Jeruzalem de 'Davidstad' (2 S 5:9).

De Filistijnen die ongetwijfeld altijd tevreden toegekeken hadden, als de Hebreeuwse stammen met elkaar slaags raakten, kregen het nu benauwd. Ze voelden niet zoveel voor een verenigd Israël onder een kundig leider als David. Ze trokken op naar de hooglanden van Juda en naderden Jeruzalem door

*Dit landschap dat met zijn waterval en poel uitnodigt tot recreatie, maakt deel uit van de oase van Engedi. De plassen die door bronnen van water worden voorzien liggen op de westelijke oever van de Dode Zee.*

de ruige en moeilijk begaanbare Refaïmvlakte (13). Plotseling werden ze aangevallen en uiteengedreven door het leger van David. Hardnekkig hergroepeerden de Filistijnen zich en rukten opnieuw op door de Refaïmvlakte; maar dit keer waren ze op hun hoede voor een hinderlaag. David had echter een andere verrassing voor hen in petto. Hij stuurde zijn troepen door de balsemstruiken heimelijk om de vijand heen; ze vielen de Filistijnen in de rug aan, maakten veel slachtoffers en blokkeerden de aftocht over de vlakte. De vijand worstelde zich door het woeste gebied naar het noorden, fel achtervolgd tot aan Gezer (14) toe in het land van de Filistijnen. Een zegevierende David had de vijand niet éénmaal maar twee keer teruggeslagen.

Nu Jeruzalem in veiligheid was zette David zich aan het werk om zijn macht te versterken. Hij haalde de ark van het verbond uit Kirjat-Jearim (15), waar ze 20 jaar lang had gestaan, nadat ze door de Filistijnen was teruggestuurd. Onderweg struikelden de ossen die de wagen met de ark trokken en de ark dreigde te kantelen. Toen een van de drijvers, Uzza, zijn hand uitstak en haar tegenhield, bleef hij ter plekke dood. Door vrees óvermand 'zag David ervan af, de ark van de Heer bij zich in de Davidstad te halen; hij liet haar onderbrengen in het huis van Obed-Edom de Gittiet' (2 S 6:10). Pas drie maanden later, toen hij hoorde dat de ark zegen had gebracht over het huis van Obed-Edom, liet David haar naar Jeruzalem brengen, een reden tot grote blijdschap. David, slechts gekleed in een linnen efod, waarschijnlijk een soort lendedoek, was helemaal uitzinnig van vreugde en danste voor de ark uit. Zijn vrouw Mikal keek vanuit haar raam naar de koning en deed er meesmuilend over: 'als de eerste de beste landloper heeft hij zich onder de ogen van zijn slavinnen uitgekleed' (2 S 6:20).

David voerde een meedogenloze strijd tegen reële en mogelijke vijanden van Israël. Hij viel de Filistijnen aan en een tijdlang hield hij zelfs hun vesting Gat (16) bezet. Hij deed uitvallen naar zijn oude nomadenvijanden, de Amalekieten (17) in de Negeb. In een reeks veldtochten naar de overzijde van de Jordaan onderwierp hij de Moabieten (18) en de Ammonieten (19). Hij verpletterde de Edomieten in het Zoutdal (20).

Tijdens de oorlogen met de Ammonieten speelde de geschiedenis van David met Batseba zich af. Laat op een avond in het voorjaar wandelde de koning op het dak van zijn paleis in Jeruzalem en zag hij een mooie vrouw een bad nemen. Hij liet haar bij zich brengen en door hun samenzijn werd Batseba zwanger. Maar ze was nog getrouwd met Uria de Hethiet en daarom beraamde David het plan om Uria naar de voorste linies te sturen, waar de gevechten het hevigst waren. Wat niet uit kon blijven gebeurde: Uria sneuvelde in het heetst van de strijd. Toen de rouwtijd voorbij was trouwde David met Batseba. Maar omdat hij gezondigd had, werd de zoon die ze hem schonk door de Heer gedood. Later kregen David en Batseba een tweede zoon, die ze Salomo noemden.

Het rijk van David strekte zich ver naar het noorden uit; bovendien onderhield hij bijzondere handelsbetrekkingen met het gebied van de Eufraat. In de roes van de overwinningen stroomden buit en belasting naar Jeruzalem. Koning David had in zijn lange regeringsperiode een machtig rijk opgebouwd, maar hij had tegelijkertijd Israëls mogelijkheden om zo'n uitgestrekt gebied in stand te houden, overschat.

Een groot gedeelte van de woestijn van Juda bestaat uit eindeloze rotsformaties. Op zijn vlucht voor Saul trok David met zijn getrouwen door deze doorploegde heuvels om een schuilplaats te zoeken in de woestijn bij Engedi. De Hebreeuwse woorden voor dit soort doodse gebieden zijn jesimon ('verlatenheid') en sia ('wildernis'). In de Bijbel wordt het land rondom Engedi ook vermeld als de Wilde-Geitenrotsen.

# De opstand van Absalom

David was een groot koning. Naarmate hij ouder werd, nam hij evenwel meer afstand de dagelijkse gang van zaken. Zijn derde zoon, Absalom, maakte daar misbruik van om tegen het bestaande gezag in opstand te komen.

Het zaad voor die rebellie was al 11 jaar eerder ontkiemd. Amnon, Davids eerstgeboren zoon en erfgenaam van de troon, verkrachtte toen zijn halfzuster Tamar. David was daarover zeer verbolgen, maar hij trof geen maatregelen. Absalom, de broer van Tamar, wachtte twee jaar af en nam toen zelf het heft in handen. Hij beval zijn dienaren Amnon te vermoorden. Vervolgens vluchtte hij naar het noorden en hield zich drie jaar lang schuil bij zijn grootvader van moeders kant, de koning van Gesur (1). Uiteindelijk was het Joab die David ertoe bracht Absalom terug te laten keren naar Jeruzalem (2), want hij zag hoezeer de koning hunkerde naar zijn zoon.

De welgeschapen Absalom was zeer begaafd en leek geboren om leiding te geven. Zijn moeder was een prinses en hij had veel van zijn vaders dapperheid en vernuft geërfd. Toen Absalom eenmaal bij zijn vader in de gunst was, begon hij het gezag van de oude koning te ondermijnen. Hij gedroeg zich niet alleen als een koning door zich te laten rondrijden in een strijdwagen en 50 mannen voor zich uit te laten rennen, maar hij ging nog veel verder. Zo was hij regelmatig te vinden bij de stadspoort en vertelde ieder die er binnenkwam om een gerechtelijke uitspraak van David te verkrijgen, dat er pas echt snel recht gesproken zou worden zodra hij eenmaal koning was. '. . . en hij wist daarmee het hart van de mannen van Israël te stelen' (2 S 15:6).

Na vier jaar omzichtig samenzweren, voelde Absalom zich machtig genoeg om een regelrechte greep naar de troon te doen. Onder het mom een oude afspraak na te komen, begaf Absalom zich naar Hebron (3) met 200 volgelingen, die geen idee hadden van zijn ware bedoelingen.

Eenmaal op zijn bestemming aangekomen, liet hij zich tot koning zalven en in het hele land stonden zijn aanhangers op en juichten: 'Absalom is koning geworden in Hebron!' (2 S 15:10).

Toen David het nieuws hoorde, besefte hij dat hij niet in staat was openlijk de strijd aan te binden met zijn zoon en hij vluchtte met zijn hofhouding en een troep trouwe soldaten uit Jeruzalem weg (4). Hij koos de snelste vluchtroute naar de doorwaadbare plaatsen van de Jordaan bij Jericho. Daar kon hij veilig oversteken, wist hij, om in noordelijke richting door te trekken naar Gilead, dat hem nog trouw was.

David voelde er niets voor de troon aan zijn zoon af te staan. Terwijl hij voortvluchtte, stuurde de geslepen vorst een vertrouweling, Chusai genaamd, terug naar Jeruzalem dat intussen bezet was door Absalom en de mannen van Israël. Chusai moest doen alsof hij aan de kant van Absalom stond maar hem tegelijkertijd verkeerde raad geven. David kreeg daardoor de kans ongehinderd te ontkomen en zijn strijdkrachten weer bijeen te brengen. De hoofdman Achitofel had Absalom het advies gegeven David onmiddellijk te achtervolgen. Maar Chusai ried hem rustig af te wachten en intussen een strijdmacht te verzamelen, waarmee hij David voorgoed kon verslaan. De oude koning, zei Chusai, was nog altijd een 'ervaren krijgsman' (2 S 17:8).

Aangezien Chusai niet wist wiens raad Absalom zou opvolgen, liet hij David weten dat hij niet moest overnachten aan de oever van de Jordaan. Het was beter de rivier snel over te steken, anders konden hij en zijn mannen wel eens door het leger van Absalom worden 'omgebracht' (2 S 17:16). Tegen het aanbreken van de nieuwe dag was het gezelschap van David veilig aan de overkant van de Jordaan (5) en begon aan de afmattende tocht naar Machanaïm (6).

In Transjordanië kregen de dodelijk vermoeide uitgewekenen bedden en voedsel van Davids trouwe onderdanen in Rabba (7), Lo-Debar (8) en Rogelim (9) in de landstreken Gilead en Ammon.

Op advies van Chusai ging Absalom niet over tot de achtervolging. Toen Achitofel ontdekte dat zijn raad niet was opgevolgd, 'zadelde hij zijn ezel en ging naar huis, naar zijn woonplaats. Daar stelde hij orde op zijn zaken en verhing zich' (2 S 17:23).

De strijdmacht die Absalom bijeen had gebracht stak de Jordaan over en trok Gilead binnen. Maar David was inmiddels voorbereid op een treffen. Hij stuurde zijn beste krijgers erop af, zij het met de waarschuwing aan hun officieren: 'Zorgt dat de jongen, mijn Absalom, gespaard blijft!' (2 S 18:5).

De twee legereenheden raakten slaags in het dichte woud van Efraïm (10). Absaloms mannen waren nauwelijks opgewassen tegen de ervaren krijgers van David. Het aantal doden en gewonden in Absaloms gelederen steeg dan ook snel en er raakten nog meer krijgers hopeloos verloren in het dichte oerwoud. Uit vrees voor zijn leven sloeg Absalom met zijn muildier op de vlucht, maar hij kwam niet ver. Zijn lange haar raakte verward in de takken van een reusachtige eik en hij bleef hulpeloos hangen. Joab en zijn wapendragers vonden hem in deze benarde positie, en zij vermoordden de eerzuchtige jongeman, die niet het geduld had weten op te brengen te wachten tot de troon hem rechtens toekwam.

Door verdriet verscheurd over de dood van zijn zoon keerde David terug naar de Jordaan, waar velen uit Juda zich verzamelden om eer te brengen aan dezelfde koning tegen wie ze zo kort geleden strijd hadden geleverd. Met dit opgetogen gezelschap van Judeeërs stak David over naar de oude heilige plaats Gilgal (11). Toen ook de mannen van Israël daar aankwamen, waren zij zeer verbolgen dat zíj David niet bij de overtocht door de Jordaan hadden mogen begeleiden. In de toenemende onenigheid viel de slotakte van de opstand die door Absalom was ontketend.

Seba, een Benjaminiet uit het gebergte van Efraïm (12), bevond zich onder de Israëlieten in Gilgal. Hij verzamelde zijn mannen om zich heen en zei: 'Met David hebben wij niets te maken, en met de zoon van Isaï hebben wij niets gemeen!' (2 S 20:1).

Seba trok zich terug in noordelijke richting en liet David alleen achter met zijn volgelingen uit Juda. David gaf Amasa, voormalig bevelhebber van Absalom, opdracht een troepenmacht bijeen te brengen voor een eventueel gevecht met Seba. Maar toen Amasa te lang wegbleef, gingen Joab, diens broer Abisai en al de invloedrijke mannen van David - de lijfwacht van de koning - achter Seba aan. Ze haalden Amasa in bij Gibeon (13) en Joab bracht hem om het leven.

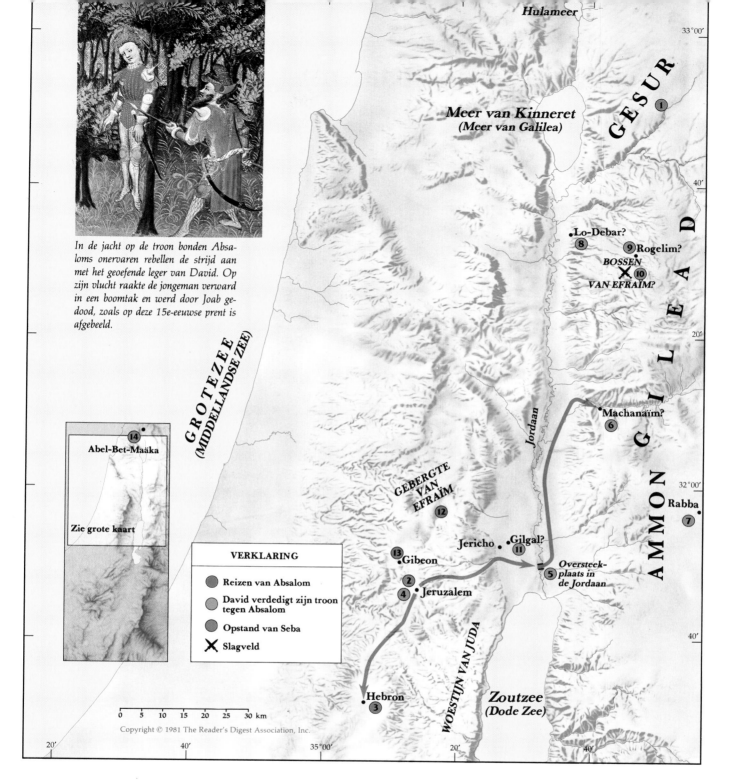

In de jacht op de troon bonden Absaloms onervaren rebellen de strijd aan met het geoefende leger van David. Op zijn vlucht raakte de jongeman verward in een boomtak en werd door Joab gedood, zoals op deze 15e-eeuwse prent is afgebeeld.

**GROTE ZEE (MIDDELLANDSE ZEE)**

**Hulameer**

**GESUR**

**Meer van Kinneret (Meer van Galilea)**

**GILEAD**

Lo-Debar?
⑧
⑨ Rogelim?
**BOSSEN** ✕ ⑩
**VAN EFRAÏM?**

•Machanaïm?
⑥

**AMMON**

Rabba
⑦

Abel-Bet-Maäka
⑭

Zie grote kaart

**GEBERGTE VAN EFRAÏM**
⑫

Jordaan

Jericho• •Gilgal?
⑪

⑬
•Gibeon

②
④ •Jeruzalem

⑤ Oversteek-plaats in de Jordaan

**WOESTIJN VAN JUDA**

**Zoutzee (Dode Zee)**

**VERKLARING**

🔴 Reizen van Absalom

🔵 David verdedigt zijn troon tegen Absalom

🔴 Opstand van Seba

✕ Slagveld

•Hebron
③

0  5  10  15  20  25  30 km

Daarna zette Joab de achtervolging van Seba voort, helemaal tot Abel-Bet-Maäka (14, inzet) en begon de stad te belegeren. Uit vrees voor hun eigen leven lieten de bewoners van Abel-Bet-Maäka Seba onthoofden en wierpen het hoofd over de stadsmuur naar Joab, die de belegering prompt beëindigde en terugkeerde naar Jeruzalem. De opstand van Absalom was daarmee voorgoed gesmoord en de rust keerde terug in het land van Israël.

In de latere jaren van Davids leven, toen zijn gezondheid zwakker werd en hij eigenlijk niet meer goed in staat was te regeren, werd de vraag wie hem moest opvolgen kritiek. De situatie die ontstond, kreeg iets dreigends.

Adonia, de vierde en oudste nog levende zoon van David, ging er als vanzelfsprekend vanuit dat hij zijn vader zou opvolgen. Maar Batseba, aanvankelijk Davids maîtresse en nu zijn vrouw, wist de koning te bewegen hun tweede nog levende zoon, Salomo, tot koning over Israël en Juda te benoemen.

Kort nadat Salomo gezalfd was, stierf David '... in gezegende ouderdom, verzadigd van het leven, van rijkdom en heerlijkheid...' (1 Kr 29:28).

101

# Het rijk van Salomo

Salomo, zonder twijfel de meest glorieuze vorst die ooit in Israël aan de macht is gekomen, was een heel ander heerser dan zijn twee voorgangers. Voerde Saul zijn volk aan vanonder een boom, Salomo regeerde omringd door de weelde van een indrukwekkend paleis. En bracht David de ark van het verbond onder in een tent in zijn nieuwe hoofdstad Jeruzalem, Salomo bouwde er een prachtige tempel voor.

Hoewel Salomo een beroemde figuur in de geschiedenis werd, is er merkwaardigerwijs weinig over hem bekend. De Bijbel vertelt over zijn jonge jaren niet veel meer dan dat hij de tweede zoon was van David en Batseba. Volgens 1 Koningen kwam hij aan de macht door de invloed van zijn eerzuchtige moeder. Het gevolg was dat Salomo tot koning werd gezalfd terwijl zijn vader nog leefde, een uniek feit in de geschiedenis van de monarchie der Israëlieten. Salomo's benoeming was wel een verstandige stap, want Israël bezat geen dynastieke traditie en dat zou anders geleid kunnen hebben tot een bittere en bloedige strijd om de troonopvolging.

Toen de oude koning tenslotte stierf, verjoeg Salomo zonder pardon alle hovelingen die een bedreiging voor zijn macht konden vormen. Onder hen bevond zich Adonia, de oudste nog levende zoon van David, die eertijds tevergeefs gepoogd had zichzelf tot koning te laten uitroepen. En daarmee 'had Salomo de koninklijke macht vast in handen' (1 K 2:46).

Het rijk dat Salomo van zijn vader erfde, strekte zich in noordelijke richting uit van Egypte tot het gebied rond Kades. Zijn invloedssfeer reikte evenwel tot aan de Eufraat. Hij ondernam spoedig de noodzakelijke stappen om dat uitgestrekte domein veilig te stellen. Zijn tactiek om vruchtbare bondgenootschappen te sluiten - dikwijls bezegeld door een koninklijk huwelijk, zoals met de dochter van de farao - legde hem geen windeieren.

Gedurende zijn lange, vreedzame regeringsperiode van ca. 961-922 v.C., stelde Salomo alles in het werk om de culturele en economische ontwikkeling van het land te bevorderen. Zo vestigde hij een succesrijke scheepvaartindustrie, de eerste in de geschiedenis van Israël, waardoor handel in luxe goederen gedreven kon worden met Oost-Afrika en waarschijnlijk het Arabisch Schiereiland. Hij zorgde ervoor dat de natuurlijke bronnen werden benut en dat de voor de welvaart zo noodzakelijke landbouwnederzettingen er kwamen. Hij herzag het belastingstelsel door het land te verdelen in districten. Maar hij legde vooral een niet te stuiten passie aan de dag voor bouwwerken en stortte grote rijkdommen voor de uitvoering van opzienbarende plannen op dat gebied.

Jeruzalem (1) profiteerde natuurlijk vooral van Salomo's bouwdrift. Op het plateau even ten noorden van de stad van David liet hij zijn pontificale paleis bouwen met aangrenzend, zoals in die tijden gebruikelijk, de koninklijke tempel. Deze heilige plaats werd veel meer dan een gebouw voor eredoensten; de tempel was het middelpunt van het leven in Israël, want Salomo bracht er de ark van het verbond in onder. (Op blz. 108-109 is een reconstructie van de tempel van Salomo afgebeeld.)

Het paleis was overigens niet minder prachtig. Het bestond uit een aantal schitterende koninklijke verblijven en drie grote, voor het publiek toegankelijke gebouwen, waaronder het huis 'Woud van de Libanon'. Hier leidden zes trappen naar de grote, ivoren troon, die belegd was met het fijnste goud, want zilver 'was er niet, het had in de tijd van Salomo niet zoveel waarde' (1 K 10:21).

Met inzet van dwangarbeid zorgde Salomo voorts voor de aanleg van militaire versterkingen, die het gebied in het hart van zijn koninkrijk moesten bewaken, zoals Hasor (2) dat de toegangswegen uit het noorden beheerste, Meggido (3) aan de doorgang in de Karmelbergketen, Gezer (4) bij de toegang tot de rechtstreekse route van de kust naar de hooglanden van Juda en Jeruzalem, en Laag-Bet-Choron (5). Baälat, een vijfde stad, zou Kirjat-Jearim (6) geweest kunnen zijn, in dat geval ook een fort ter bewaking van de westelijke oevers. (Het is te begrijpen dat Salomo zich vooral zorgen maakte over de toegangswegen tot zijn gebied. Wellicht waren de Egyptenaren alweer de baas in Filistea - wat het schenken door de farao van Gezer als onderdeel van de bruidsschat van Salomo's Egyptische vrouw zou verklaren.) Tamar (7), gelegen aan de zuidpunt van de Zoutzee, hield de onrustige vazal Edom mee in bedwang. Bovendien moest het de wegen naar de kopermijnen van de Araba en naar de haven van Esjon-Geber (8) bewaken.

Om het succes van zijn spectaculaire bouwprogramma te verzekeren, had Salomo de hulp ingeroepen van Chiram, koning van het Fenicische Tyrus (9). Chiram kon Salomo helpen aan architecten, metselaars en timmerlieden - de Feniciërs genoten een welverdiende reputatie als vakbekwame bouwers. Bovendien was Chiram in staat bouwmaterialen te leveren, vooral cipressen- en cederhout uit de bergen van Libanon. In ruil daarvoor zou Salomo 20 000 kor tarwe en een 20 000 vaten olijfolie per jaar aan Chiram leveren. Een aantal jaren gingen de zaken goed.

Salomo sloot ook een samenwerkingsverbond met Chiram en zijn zeelieden op koopvaardijgebied. Israël was al meester over de zeeweg en de koningsweg, twee van de belangrijkste handelsroutes in de oude wereld (inzet rechts). Met zijn koopvaardijvloot in Esjon-Geber boven aan de Golf van Akaba, zond Salomo schepen naar het legendarische Ofir. (De juiste ligging van Ofir is onzeker. Sommige geleerden vereenzelvigen het met Somaliland in Oost-Afrika, anderen houden het erop dat het aan de Arabische kust heeft gelegen.) Als de koopvaarders van hun drie jaar lange tochten terugkeerden, brachten ze van alles mee: goud, zilver, ivoor, pauwen en zelfs apen. Esjon-Geber was bovendien het strategische middelpunt van de Arabische karavaanroute. Zodoende beheerste Salomo ook de handel tussen Azië en Afrika en de specerijentransporten van Arabië. Hij werd de schatrijke schakel tussen de machtshebbers van het noorden en de Egyptenaren en ruilde kostbare Egyptische strijdwagens voor volbloedhengsten uit Cilicië. Ook de reis die de koningin van Seba maakte om Salomo in Jeruzalem te bezoeken werd waarschijnlijk door zakelijke motieven ingegeven.

Salomo schonk tenslotte extra aandacht aan de Negeb. Hij liet een netwerk van kleine forten bouwen om de karavaanroutes te beschermen. En hij vestigde tal van landbouwnederzettingen in een vroegtijdige, deels succesvolle poging de woestijn tot ontwikkeling te brengen. Aangezien landbouw

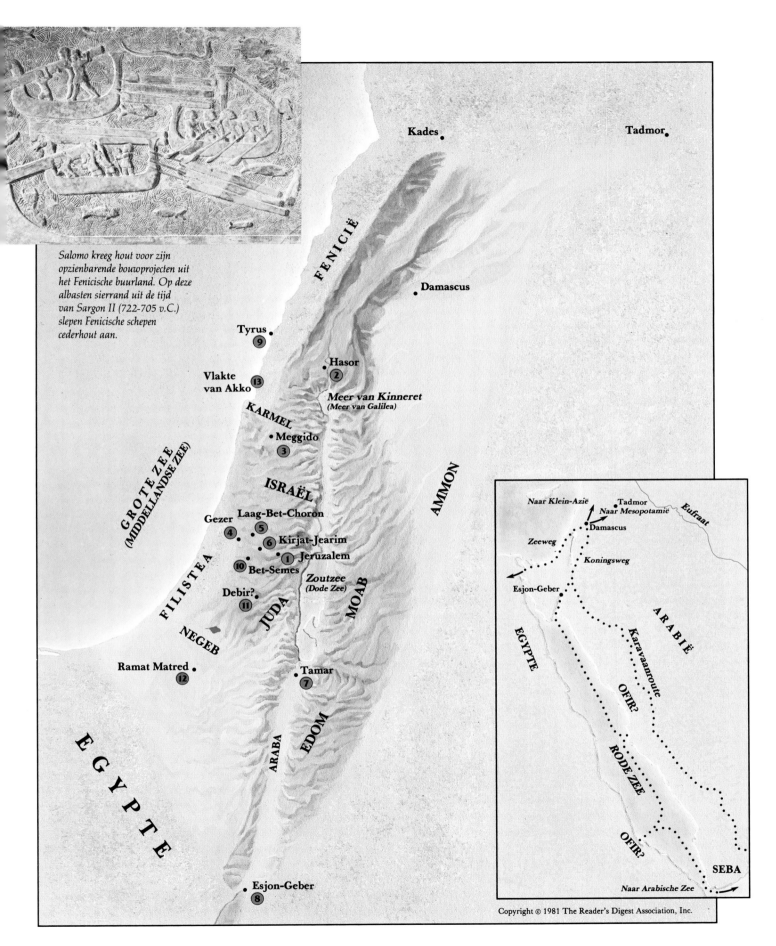

*Salomo kreeg hout voor zijn opzienbarende bouwprojecten uit het Fenicische buurland. Op deze albasten sierrand uit de tijd van Sargon II (722-705 v.C.) slepen Fenicische schepen cederhout aan.*

KADES

TADMOR

FENICIË

DAMASCUS

Tyrus ⑨

Vlakte van Akko ⑬

Hasor ②

*Meer van Kinneret*
*(Meer van Galilea)*

KARMEL

Meggido ③

GROTE ZEE (MIDDELLANDSE ZEE)

ISRAËL

AMMON

Gezer ④  Laag-Bet-Choron ⑤

Kirjat-Jearim ⑥

Jeruzalem ①

Bet-Semes ⑩

*Zoutzee (Dode Zee)*

FILISTEA

Debir? ⑪

JUDA

MOAB

NEGEB

Ramat Matred ⑫

Tamar ⑦

ARABA

EDOM

EGYPTE

Esjon-Geber ⑧

*Naar Klein-Azië*  Tadmor  *Eufraat*
*Naar Mesopotamië*
Damascus

*Zeeweg*  *Koningsweg*

Esjon-Geber

ARABIË

EGYPTE

*Karavaanroute*

OFIR?

RODE ZEE

OFIR?

SEBA

*Naar Arabische Zee*

Copyright © 1981 The Reader's Digest Association, Inc.

# De koningin van Seba

*Zover bekend, zijn er geen afbeeldingen van de koningin van Seba bewaard gebleven. Het hoofd van deze jonge vrouw is vervaardigd in de tijd van de koningin van Seba. Het gezicht is gekerfd in albast, de haren zijn van gips en de ogen van lazuursteen. De afbeelding is afkomstig van de Timna-begraafplaats in Kataban, een koninkrijk bij Seba.*

De koningin van Seba heeft 3000 jaren lang tot de verbeelding van de mensheid gesproken, en ze leeft nog steeds voort in literatuur, muziek en beeldende kunst. De dichter William Butler Yeats roemde haar kennis; de componist Händel bracht haar eerbetoon in de barokke cadans van zijn oratorium *Salomo*; en beeldende kunstenaars van Pierro della Francesca tot Hans Holbein, Tintoretto en Rubens hebben getracht haar geheimzinnigheid, gratie en élégance vast te leggen in hun kunstuitingen. Het is vooral de romantische relatie die er tussen koning Salomo en de koningin van Seba bestaan zou hebben, waar men altijd belangstelling voor gehad heeft.

Toch weten we eigenlijk heel weinig van die romance af. Het is zelfs niet helemaal duidelijk of er iets waar is van dit verhaal. Misschien vormden alleen zakelijke motieven de grondslag voor het bezoek en is het daarbij gebleven.

Het oorspronkelijke verhaal van Salomo en de koningin van Seba wordt verteld in de eerste 13 verzen van 1 Koningen 10. Volgens dit bijbelse verslag had de koningin vernomen van Salomo's grote wijsheid en wilde zij 'hem persoonlijk op de proef stellen met raadsels' (1 K 10:1). Eenmaal overtuigd dat zijn kennis en rijkdom al haar verwachtingen overtroffen, gaf zij 'de koning honderdtwintig talenten goud, zeer veel reukwerk en ook kostbare stenen' (1 K 10:10). Naar het schijnt, was Salomo ook onder de indruk van zijn bezoekster, want hij gaf 'de koningin van Seba al wat zij maar wenste... Hierop aanvaardde zij de terugreis en keerde met haar dienaren naar haar land terug' (1 K 10:13).

Seba was gelegen aan de karavaanroutes die in noordelijke en oostelijke richting naar Syrië, Klein-Azië en Mesopotamië voerden; in westelijke richting naar Egypte. De koningin van Seba zou bijzonder geïnteresseerd zijn geweest in het aanknopen van goede betrekkingen met Salomo. Deze beheerste immers een vitaal knooppunt in de handelsroute over land. Salomo's schepen dreven bovendien handel met de havens van Arabië en keerden van hun reizen langs de kust van Oost-Azië terug met goud, zilver, juwelen, ivoor en uitheemse goederen. Voor de koningin was het daarom van belang monsters van haar eigen waren aan Salomo te brengen, in de hoop tot handelsbetrekkingen met hem te komen.

Wat de reden van hun ontmoeting ook geweest mag zijn, het verhaal is in de loop der eeuwen mooier en mooier gemaakt. In sommige beschrijvingen is de koningin een aantrekkelijke verleidster, in andere een boosaardige feeks. Men heeft haar ook een aantal bizarre lichamelijke eigenschappen toegedicht. Zo wordt zij in joodse lezingen wel voorgesteld als de vrouwelijke demon Lilit; in islamitische verhalen heeft ze een ezelsvoet; en een Frans gotisch beeldhouwwerk toont haar met zwemvliezen tussen de tenen.

De geschriften van Ethiopische herkomst melden dat de koningen van Ethiopië rechtstreeks afstammen van Menelik, een kind geboren uit de verbintenis van Salomo en de koningin.

Het is onwaarschijnlijk dat de ware feiten van deze koninklijke ontmoeting in de Oudheid ooit nog bekend zullen worden. De geschiedenis van Salomo en de koningin van Seba zal evenwel altijd een der populairste verhalen van de bijbelse literatuur blijven.

de basis was van de economie van het land, stelde Salomo alles in het werk om deze welvaartsbron tot grote bloei te brengen.

Archeologische vondsten tonen aan dat Bet-Semes (10), Debir (11) en Ramat Matred (12, naam van weleer onbekend) in Salomo's tijd belangrijke landbouwcentra geweest moeten zijn. Vooral Ramed Matred is in dit opzicht interessant, want de overblijfselen laten zien dat Salomo van daaruit pogingen heeft ondernomen de zuidelijke woestijn te ontginnen.

Evenals de tot leven komende woestijn onderging het volk veranderingen door Salomo's doen en laten. Een wijd vertakt en goed georganiseerd ambtelijk apparaat bezorgde zeer velen werk, evenals het leger met zijn nieuwe stootkracht van 1400 strijdwagers en 12 000 ruiters. Opbrengsten uit belastingen en handel brachten Israël groeiende materiële welvaart. Velen kwamen tot rijkdom. De kunst bloeide. De verhalen over de tradities van het aloude Israël - de tijd van de patriarchen, de uittocht, de verovering van Kanaän - vormden een nationaal epos. God bepaalde daarin het lot van zijn uitverkoren volk, terwijl de heldenverhalen over David het regerende vorstenhuis roem brachten. Er klonk volop muziek in de nieuwe tempel. En de koning werd geprezen om zijn wijsheden die ook in schrift vastgelegd werden, zoals wellicht het boek Spreuken, dat volgens de overlevering aan Salomo wordt toegeschreven.

Maar voor dit alles werd de rekening gepresenteerd. Zo begonnen de schulden aan Chiram zich meer en meer op te stapelen. Na verloop van 20 jaar was Salomo zelfs gedwongen afstand te doen van 20 steden ten noorden van de berg Karmel en een groot deel van de vlakte van Akko, om zijn schuld te vereffenen. Dit was geen veroverd land maar een deel van Israël zelf en de mensen trokken zich het verlies hevig aan.

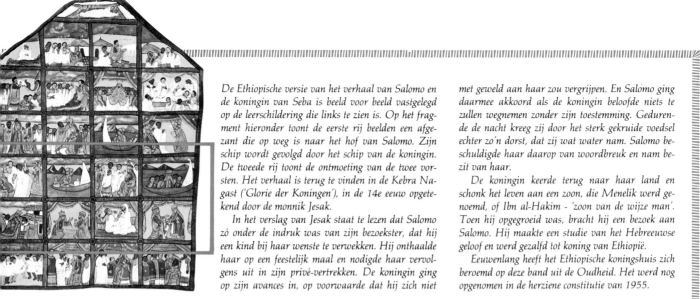

De Ethiopische versie van het verhaal van Salomo en de koningin van Seba is beeld voor beeld vastgelegd op de leerschildering die links te zien is. Op het fragment hieronder toont de eerste rij beelden een afgezant die op weg is naar het hof van Salomo. Zijn schip wordt gevolgd door het schip van de koningin. De tweede rij toont de ontmoeting van de twee vorsten. Het verhaal is terug te vinden in de Kebra Nagast ('Glorie der Koningen'), in de 14e eeuw opgetekend door de monnik Jesak.

In het verslag van Jesak staat te lezen dat Salomo zó onder de indruk was van zijn bezoekster, dat hij een kind bij haar wenste te verwekken. Hij onthaalde haar op een feestelijk maal en nodigde haar vervolgens uit in zijn privé-vertrekken. De koningin ging op zijn avances in, op voorwaarde dat hij zich niet met geweld aan haar zou vergrijpen. En Salomo ging daarmee akkoord als de koningin beloofde niets te zullen wegnemen zonder zijn toestemming. Gedurende de nacht kreeg zij door het sterk gekruide voedsel echter zo'n dorst, dat zij wat water nam. Salomo beschuldigde haar daarop van woordbreuk en nam bezit van haar.

De koningin keerde terug naar haar land en schonk het leven aan een zoon, die Menelik werd genoemd, of Ibn al-Hakim - 'zoon van de wijze man'. Toen hij opgegroeid was, bracht hij een bezoek aan Salomo. Hij maakte een studie van het Hebreeuwse geloof en werd gezalfd tot koning van Ethiopië.

Eeuwenlang heeft het Ethiopische koningshuis zich beroemd op deze band uit de Oudheid. Het werd nog opgenomen in de herziene constitutie van 1955.

Salomo's niet te verzadigen behoeften aan geldmiddelen om zijn ambitieuze bouwprogramma en zijn dure levensstijl te bekostigen, brachten hem ertoe 'geheel Israël' (1 K 4:7) - dat wil zeggen: de noordelijke stammen - in 12 belastingdistricten te verdelen. Elk district moest jaarlijks voldoende opbrengen om de koninklijke hofhouding een maand lang te onderhouden. Volgens 1 Koningen betekende dat een dagelijkse bijdrage van 'dertig kor bloem en zestig kor meel, tien gemeste en twintig gewone runderen en honderd schapen, nog afgezien van de herten, gazellen, reebokken en het gemeste pluimvee' (1 K 5:2-3). Dat Juda waarschijnlijk was vrijgesteld van deze zware heffing wierp nog extra brandstof op het smeulende vuur van ontevredenheid in het noorden.

Er ontstond ook verzet van de geestelijkheid tegen de tempels die de koning even ten oosten van Jeruzalem had laten bouwen ter ere van de goden van Salomo's uitheemse vrouwen. Zijn stijl van leven, met een harem van 700 vrouwen en 300 concubines, eiste nog extra financiële offers van de mensen. Maar de algemene verbolgenheid had ook nog een diepere achtergrond. Velen namen hevig aanstoot aan Salomo's beleid, dat zij zagen als een aantasting van de oude sociale orde en een breken met de traditionele levenspatronen. Hierin lag het zaad voor toekomstige politieke verdeeldheid.

Onder al deze druk begon het 'regeringsbouwwerk' allengs uiteen te vallen. Israëls grondgebied was nog altijd indrukwekkend van afmetingen. Maar Salomo had zijn greep op het gebied ten zuiden van de Eufraat verloren en zich een vijand op de hals gehaald in Damascus. Na een regeringsperiode van 40 jaar stierf Salomo omstreeks 922 v.C. en zijn glorieuze rijk ging met hem ten onder. In Egypte wachtte Jerobeam zijn kans af om de heerschappij over te nemen, want van Salomo's zoon Rechabeam had men geen hoge dunk.

# Het Jeruzalem van David en Salomo

'Want de Heer heeft Sion verkoren,
het zich tot een zetel verlangd:
"Hier laat Ik mij neder voor immer,
hier woon Ik: hier heb Ik mijn wens.
Mild zal Ik met voedsel het zegenen..."' (Ps 132:13-14).
Deze versregels uit Psalmen onderstrepen de unieke en belangrijke rol die de stad Jeruzalem in het godsdienstige leven van het oude Israël vervulde. Jeruzalem was niet zomaar een stad, het was de Heilige Stad, een symbool, een begrip. Gedurende een lange, tumultueuze periode in de geschiedenis van de Joden vormde Jeruzalem de bindende kracht die hen in staat stelde hun identiteit te bewaren. En in de loop der tijden werd de stad - waarmee zowel Jezus als Mohammed werd geïdentificeerd - een middelpunt van godsdienstbeleving voor zowel christelijke als mohammedaanse gelovigen.

Jeruzalem kreeg aanvankelijk om een zuiver praktische reden een plaats in het leven van Israël: koning David had namelijk een hoofdstad nodig voor zijn verenigd koninkrijk (zie blz. 98). Vergeleken met het Jeruzalem van vandaag en zelfs met de stad uit de tijd van Jezus (zie de reconstructie op blz. 184-185) was de vroegere nederzetting van de Jebusieten een heel bescheiden plaats.

Zoals op het inzetkaartje hiernaast te zien is, lag de stad van David - met een bevolking van ten hoogste 2500 zielen - aan de zuidelijke uitloper van het Ofelgebergte. Toch was het gebied al zo'n 2000 jaar bewoond en werd de nederzetting al genoemd in Egyptische documenten in de 19e eeuw v.C. De naam Jeruzalem betekent 'gesticht door (=jeru) Salem', de god van de avondster. In een oud bijbelverhaal, verteld in Genesis 14:18, krijgt aartsvader Abraham brood en wijn aangeboden door de koning van Salem, op de plaats van het latere Jeruzalem.

De eerste taak die David zich stelde, was zijn koninkrijk versterken en uitbreiden. Hij schijnt evenwel niet al zijn ontwikkelingsplannen voor de nieuwe hoofdstad voltooid te kunnen hebben. De Bijbel vertelt daarover: David 'liet de stad rondom weer opbouwen, eerst het Millo,' (mogelijk de terrassen op de oostelijke helling), 'en vervolgens heel de omtrek daarvan. Joab herbouwde de rest van de stad.' (1 Kr 11:8)

Hieruit en uit andere vermeldingen kan worden opgemaakt dat David de verdedigingsmuren van de stad versterkte, waarna hij kazernes liet bouwen voor zijn troepen. De Bijbel verhaalt ook, dat hij 'voor zichzelf een paleis' (1 Kr 15:1) bouwde. Maar als we denken aan de beperkte ruimte die er binnen de stadsmuren beschikbaar was, kan het paleis van David nauwelijks vorstelijke afmetingen gehad hebben. Salomo vond het in elk geval te bescheiden, te oordelen naar de tijd en de kosten die hij aan een nieuw onderkomen spendeerde. Davids voornaamste bijdrage aan de nieuwe hoofdstad is natuurlijk het overbrengen van de ark van het verbond geweest van de oude verblijfplaats Kirjat-Jearim naar Jeruza-

*De ark was voor de Hebreeërs het heiligste goed, het symbool van Gods verbond met zijn uitverkoren volk, maar hoe ze er uitzag, bleef geheim. Deze afbeelding, een versierde kist op wielen, is afkomstig uit een synagoge in Galilea en dateert van de 3e eeuw n.C.*

lem. De ark werd er, naar de traditie van Mozes, ondergebracht in een rijkversierde tent en David stelde Asaf en zijn broers aan om hier onafgebroken de dienst waar te nemen. En daarmee was de stad van David het godsdienstige zowel als het politieke hart van een land dat snel op weg was een belangrijke macht in het Nabije Oosten te worden.

Had David weinig tijd voor architectonische hoogstandjes, Salomo vond niets belangrijker dan zijn ambitieuze bouwprojecten. Hij erfde het door zijn vader gestichte rijk en met de grote rijkdom die het opleverde, maakte hij van Jeruzalem een hoofdstad, waar een groot en machtig koninkrijk trots op kon zijn. Het middelpunt van de stad was het paleiscomplex, waarin Israëls eerste tempel op de berg Moria werd ondergebracht. Deze gewijde plaats was de oude dorsvloer die David eertijds had gekocht van de Jebusiet Arauna om er zijn offeraltaar op te richten en zich weer met de Heer te verzoenen.

Salomo begon met de stadsmuren in noordelijke richting te verplaatsen. Daarna liet hij een stenen, ongeveer rechthoekig terras aanleggen voor de fundering. Volgens de berichten vergde de voltooiing van de tempel alleen al zeven jaar; voor de bouw van de aangrenzende koninklijke verblijven was nog eens dertien jaar nodig. Ze bevatten aparte paleizen voor Salomo en zijn belangrijkste vrouw, de dochter van de farao, en verschillende representatieve gebouwen en kantoren.

Met deze activiteiten veranderde Salomo het aanzien van Jeruzalem ingrijpend. Het stadsgebied werd uitgebreid tot bijna drie keer de vroegere afmetingen en de bevolking tot misschien wel 4500 of 5000 mensen. Daarbij waren dan nog niet de nederzettingen geteld, die altijd als vanzelf buiten de stadsmuren van een bloeiend handelscentrum plegen te verrijzen. En inderdaad ontplooide Jeruzalem gedurende de meeste jaren van Salomo's langdurige regeringsperiode ongeëvenaarde handelsactiviteiten. Het bracht transacties tot stand tussen Egypte en Mesopotamië en zorgde voor een enorme bloei in het handelsverkeer tussen Fenicië en Esjon-Geber, Salomo's zeer drukke toegangspoort tot de Rode Zee.

Als men uiteindelijk de invloed van Salomo op de aard en de geschiedenis van Jeruzalem overziet, verbleekt evenwel alles in vergelijking met de bouw van de tempel (zie de reconstructie op blz. 108-109). David had de gewichtige stap gezet de ark naar Jeruzalem te brengen. Toen hij er een blijvende ereplaats voor wilde bouwen, droeg de Heer hem via de profeet Natan echter op daarvan af te zien. Salomo viel de eer te beurt Jeruzalem tot de Heilige Stad van Israël te maken. Hij bouwde daartoe een waardig onderdak voor de ark - het symbool van Gods heilig verbond met zijn uitverkoren volk - en verhief Jeruzalem aldus boven alle andere steden.

Met de bouw van de tempel als vaste verblijfplaats voor de ark maakte Salomo een eind aan het tijdperk van zwerven voor de Hebreeërs.

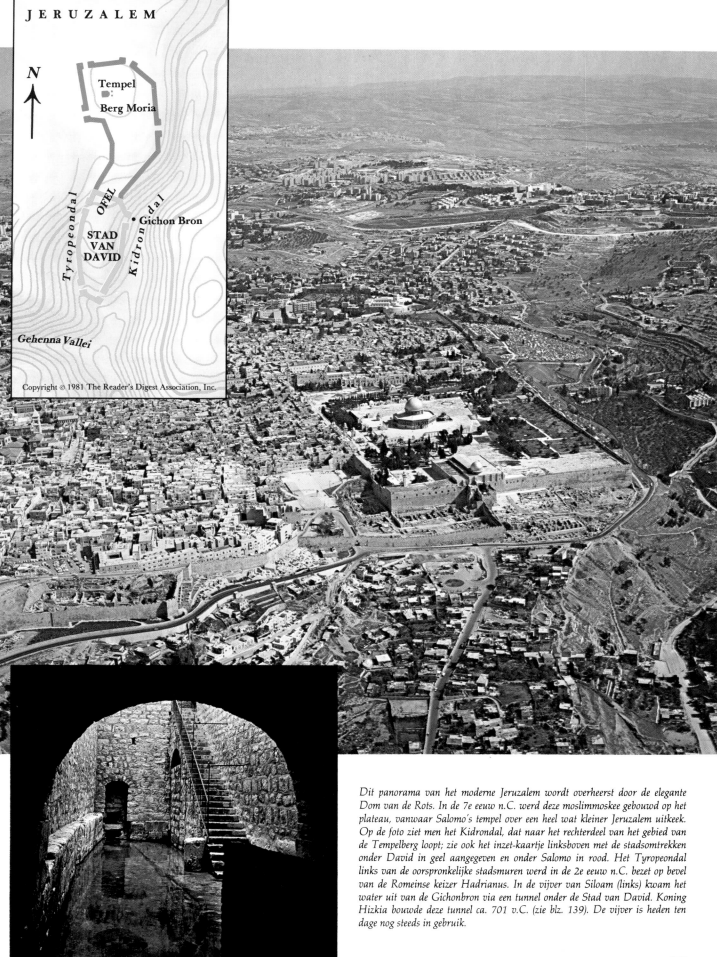

JERUZALEM

N

Tempel
Berg Moria

Tyropeondal
OFEL
STAD VAN DAVID
Kidrondal
• Gichon Bron

Gehenna Vallei

Dit panorama van het moderne Jeruzalem wordt overheerst door de elegante Dom van de Rots. In de 7e eeuw n.C. werd deze moslimmoskee gebouwd op het plateau, vanwaar Salomo's tempel over een heel wat kleiner Jeruzalem uitkeek. Op de foto ziet men het Kidrondal, dat naar het rechterdeel van het gebied van de Tempelberg loopt; zie ook het inzet-kaartje linksboven met de stadsomtrekken onder David in geel aangegeven en onder Salomo in rood. Het Tyropeondal links van de oorspronkelijke stadsmuren werd in de 2e eeuw n.C. bezet op bevel van de Romeinse keizer Hadrianus. In de vijver van Siloam (links) kwam het water uit van de Gichonbron via een tunnel onder de Stad van David. Koning Hizkia bouwde deze tunnel ca. 701 v.C. (zie blz. 139). De vijver is heden ten dage nog steeds in gebruik.

'Verder liet hij de Zee gieten, tien el in
doorsnee, helemaal rond en vijf el hoog ...
De Zee stond op twaalf ossen, waarvan er
telkens drie naar het noorden, het westen, het
zuiden en het oosten gekeerd stonden ...'
(2 Kr 4:2,4).

'De Zee zette hij bij de
zuidoosthoek van de tempel'
(1 K 7:39).

'Hij liet een bronzen altaar
vervaardigen, twintig el lang en
twintig el breed en tien el hoog'
(2 Kr 4:1).

'Vóór de tempel liet hij twee zuilen plaatsen, vijfendertig el hoog, met
daarop kapitelen met een hoogte van vijf el ...
De zuilen plaatste hij vóór het schip, de ene rechts en de
andere links; de rechtse zuil noemde hij Jakin, de linkerzuil
gaf hij de naam Boaz'
(2 Kr 3:15,17).

*'... liet hij de muren van de tempel betimmeren met planken van cederhout, vanaf de vloer van de tempel tot aan de balken van het plafond. Hij liet ze aan de binnenkant met hout betimmeren; de vloer van de tempel liet hij bedekken met planken van cypressenhout'*
(1 K 6:15).

*'In al de muren van de tempel, zowel in de achterste als in de voorste ruimte, liet hij rondom kerubs, palmbomen en bloemreliëfs snijden'*
(1 K 6:29).

*'In de tempel liet hij vensters aanbrengen met raamwerk en tralies'*
(1 K 6:4).

*'Hij liet een plafond maken van balken en binten van cederhout'*
(1 K 6:9).

*'Aan de ingang van de achterzaal liet hij deuren maken van olijfhout ...'*
(1 K 6:31).

*'Voor de achterzaal liet hij van olijfhout twee kerubs maken van tien el hoogte. Ook de kerubs liet hij met goud bekleden'*
(1 K 6:23,28).

*'De kerubs spreidden hun beide vleugels uit over de plaats van de ark en overschaduwden de ark en de draagstokken'*
(1 K 8:7).

# De tempel van Salomo

De uit glanzende kalksteen opgetrokken tempel die koning Salomo liet bouwen, werd omstreeks 950 v.C. ingewijd. Het monumentale bouwwerk had indrukwekkende afmetingen: een lengte van ongeveer 55 meter, een breedte van 27 meter en een hoogte van 15 meter. Men trad binnen aan de oostzijde door een toegang, die geflankeerd werd door 12 meter hoge pilaren. Via een portaal kwam men in de grote zaal. Binnen in de tempel was nergens steen te zien, omdat de vloer van cipressenhout was en de plafonds geheel betimmerd waren. Voorbij de tafel van de toonbroden in het midden van de zaal gingen trappen omhoog naar de meest gewijde plaats van de Hebreeuwse wereld: het raamloze heilige der heiligen, dat slechts eenmaal per jaar werd betreden door de hogepriester. Voor de ingang hiervan stond een 4,5 meter hoog offeraltaar en een immens grote bronzen kom die *de zee* werd genoemd. Het water in de kom zal wellicht gediend hebben voor reinigingsrituelen.

De reconstructie is gebaseerd op bewijsmateriaal uit de Bijbel (zoals de citaten die hierboven zijn afgedrukt) en op even oude archeologische vondsten elders.

# Scheuring van het koninkrijk

Kort nadat Salomo in Jeruzalem (1) begraven was, viel het verenigde koninkrijk uiteen. Salomo's zoon Rechabeam, die door de stamoudsten van Juda als koning werd erkend, trok naar Sichem (2) in het noorden. Daar waren de oudsten van 'heel Israël' (1 K 12:1) bijeen. Zij weigerden hem evenwel tot de troon toe te laten, tenzij hij zijn vaders onderdrukkingsbeleid zou afzweren. Rechabeams oudere raadsmannen drongen er op aan dat hij zich toegeeflijk zou opstellen, maar hij kondigde een nog veel harder bewind aan. 'Heeft mijn vader u gekastijd met zwepen, ik zal het doen met schorpioenen' (1 K 12:11). De oudsten uit het noorden wezen de arrogante jonge koning af. Ze gebruikten daarbij nagenoeg dezelfde woorden die de Benjaminiet Seba eerder had gebezigd toen hij Rechabeams grootvader David afwees: 'Wat hebben wij te maken met David? Wat hebben wij uit te staan met de zoon van Isaï? Israël, terug naar uw tenten; David, zorg maar voor uw eigen huis' (1 K 12:16). De oudsten gingen voort en zalfden hun eigen koning, de Efraïmiet Jerobeam, een rebel tegen het bewind van Salomo, die nu teruggekeerd was van zijn schuilplaats in Egypte. En vanaf dat moment was de monarchie verdeeld in twee koninkrijken, elk met een eigen regeerder. (Zie de chronologische lijst van koningen hieronder.)

Het machtige rijk dat was gevormd door Saul, David en Salomo viel ongeveer uiteen langs de stamgrenzen zoals die hadden bestaan sinds de tijd van Jozua. 'Geheel Israël' (1 K 12:20) - de noordelijke stammen van het centraal gelegen bergland, de vlakte van Jizreël, het gebied van Galilea en het gebied aan de andere kant van de Jordaan - werd vanuit Sichem geregeerd door Jerobeam. En vanuit Jeruzalem regeerde de trotse Rechabeam alleen over Juda, over Simeon, het grootste deel van Benjamin (zie kaart op blz. 82), een klein gedeelte van Filistea, een woestijnstrook in zuidelijke richting tot Esjon-Geber, en mogelijk stukken van Edom.

Veroverde gebieden vielen voor beide koninkrijken af en Salomo's economische rijk stortte ineen. De koning van Damascus handhaafde zijn positie in Syrië, en Ammon en Moab kregen hun onafhankelijkheid terug. Hoe de situatie in Edom werd, is minder duidelijk. Juda behield in elk geval niet het hele gebied en wellicht ook geen groot deel ervan. In het westen vielen de Filistijnen weer onder Gibbeton. De winstgevende handelsroutes - de zeeweg en de koningsweg - brachten nu niet alleen Jeruzalem geld op. Er kwam natuurlijk ook een einde aan de bijdragen van de vroeger veroverde gebieden. De grote transacties met Egypte, Kus, Seba en Afrika namen

## De koningen van Juda en Israël

David en zijn zoon Salomo regeerden meer dan 70 jaar over het verenigde koninkrijk. Na de dood van Salomo omstreeks 922 v.C. viel het koninkrijk uiteen in twee delen: Juda, dat Salomo's zoon Rechabeam als koning erkende, en Israël, waarvoor de noordelijke stammen de rebel Jerobeam als regerend vorst kozen. De Heer had beloofd (2 S 7:16) dat het koningshuis van David altijd, van vader op zoon, zou regeren over Juda. De dynastie overleefde 19 generaties, tot Jeruzalem in 587 in handen van de Babyloniërs viel. De enige onderbreking in de rechtstreekse lijn vormde prinses Atalja van Omri, die zich in 842 meester maakte van de troon en vijf jaar aan de macht bleef. Een zoon van de vermoorde Achazja bleef gespaard voor de zuivering van de beide koningshuizen die volgde op de opstand van Jehu in 842. Als koning Joas bracht hij de troon van Juda weer onder het huis van David. Pas tegen het eind van de dynastie in het zuiden kwamen er onregelmatigheden in de rechtstreekse opvolging. Josia werd door twee zoons na elkaar opgevolgd: Joachaz en Jojakim. Daarna kwam de kleinzoon Jojakin die verbannen werd. En tenslotte een derde zoon, Sedekia, die met blindheid werd gestraft en in boeien geslagen naar Babylon werd gebracht. Daar stierf hij.

In Israël daarentegen was er praktisch niet één rechtstreekse opvolging. In het noordelijke koninkrijk waren moord en staatsgrepen aan de orde van de dag. Jerobeams zoon Nadab werd vermoord door Basa; Basa's zoon Ela door Zimri, die tijdens een belegering na een week de troon bezet te hebben zelfmoord pleegde. Het huis Omri hield iets langer dan 3 decennia stand; het huis Jehu - Israëls langdurigste dynastie - bijna een eeuw. In de twee decennia voor de val van Samaria aan de Assyriërs in 721 regeerden er vijf koningen over Israël. Daarvan was er maar één zoon, Pekachja, die zijn vader (Menachem) opvolgde.

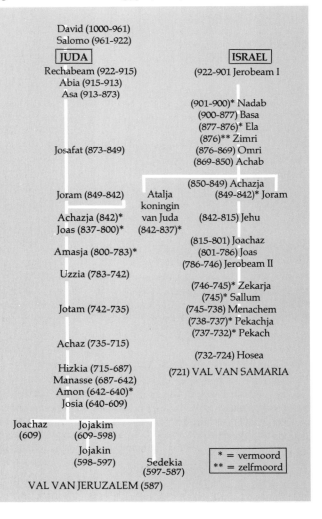

David (1000-961)
Salomo (961-922)

| JUDA | | ISRAEL |
|---|---|---|
| Rechabeam (922-915) | | (922-901 Jerobeam I |
| Abia (915-913) | | |
| Asa (913-873) | | (901-900)* Nadab |
| | | (900-877) Basa |
| | | (877-876)* Ela |
| | | (876)** Zimri |
| Josafat (873-849) | | (876-869) Omri |
| | | (869-850) Achab |
| | | (850-849) Achazja |
| Joram (849-842) | Atalja koningin van Juda (842-837)* | (849-842)* Joram |
| Achazja (842)* | | (842-815) Jehu |
| Joas (837-800)* | | |
| | | (815-801) Joachaz |
| Amasja (800-783)* | | (801-786) Joas |
| | | (786-746) Jerobeam II |
| Uzzia (783-742) | | |
| | | (746-745)* Zekarja |
| | | (745)* Sallum |
| Jotam (742-735) | | (745-738) Menachem |
| | | (738-737)* Pekachja |
| | | (737-732)* Pekach |
| Achaz (735-715) | | |
| | | (732-724) Hosea |
| Hizkia (715-687) | | (721) VAL VAN SAMARIA |
| Manasse (687-642) | | |
| Amon (642-640)* | | |
| Josia (640-609) | | |

Joachaz (609)  Jojakim (609-598)

Jojakin (598-597)  Sedekia (597-587)

* = vermoord
** = zelfmoord

VAL VAN JERUZALEM (587)

af of verdwenen helemaal. Een belangrijke oorzaak ervan was dat broedertwist en oorlogen met naburige landen te veel energie van de twee volken opeisten.

Rechabeams voornemen het land met kracht te herstellen werd verijdeld door de tegenstand van godsdienstige conservatieven, die toch al gekant waren tegen de monarchie. Daarbij kwam het nuchtere besef dat Israël in militair opzicht sterker was dan Juda. En de mensen uit het noorden waren in hun verbittering over het bewind van Salomo meer dan bereid om hun zelfstandigheid te verdedigen. Het volk van Juda was minder gebrand op oorlog voeren, al werden ze gedwongen zich sterk te maken voor een behoorlijk te verdedigen grens met Israël.

De lijn die de twee koninkrijken scheidde, liep ongeveer langs de traditionele grens tussen Efraïm en Benjamin. In het noordwesten vielen Gezer (3), Ajjalon en de belangrijke doorgang van Bet-Choron er evenwel buiten en bleven in handen van Juda. De grenslijn liep vervolgens onder Betel (4) door en ging oostwaarts door Benjamin naar de Jordaanvallei onder Jericho (5), dat bezet was door Israël. Voor Rechabeam was deze grens onaanvaardbaar, omdat Jeruzalem, zijn hoofdstad, er te kwetsbaar door bleef. 'Rechabeam en Jerobeam leefden voortdurend op voet van oorlog' (1 K 14:30), omdat de twee rivalen allebei de strategisch zo belangrijke hoogvlakte ten noorden van Jeruzalem in handen wilden hebben.

Na Rechabeams dood wist zijn zoon Abiam (ook wel Abia) Betel en het eromheen liggende heuvelland aan Israël te ontfutselen. Basa, die Jerobeams zoon en opvolger Nadab vermoordde en zich Israëls troon toeëigende, pakte het gebied weer af van Abia's zoon Asa. Hij rukte zelfs helemaal op tot Rama (6), slechts ongeveer 9 kilometer verwijderd van Jeruzalem.

Asa deed een meesterlijke tegenzet en sloot een verbond met Benhadad van Damascus, die zo vriendelijk was Israël in het noorden binnen te vallen. Hij liep daarbij verschillende nederzettingen onder de voet, zoals Dan (7), Abel-Bet-Maäka (8), Hasor (9; hoewel de Bijbel Hasor niet noemt, zijn er archeologische vondsten van de vernietiging in die tijd), en Kinneret (10). Zoals Juda's koning had voorzien, trok Basa Israëls troepen van zijn zuidgrens terug om de dreiging uit Syrië het hoofd te bieden. Asa greep zijn kans en viel aan. Hij veroverde Rama, waarna hij er het nog niet voltooide fort ontwapende en in Mispa (12) een nieuwe versterking tegen Israël opwierp. Archeologen hebben bij opgravingen in Mispa overblijfselen van een zware muur aangetroffen, die deel leek uit te maken van Asa's fort op de noordelijke toegangsweg naar Jeruzalem. Betel en het gebied er vlak omheen bleven van de Israëlieten, en de Judeeërs moesten accepteren dat de vijand zich op slechts 15 kilometer afstand van hun hoofdstad bevond.

Wat aantal inwoners en rijkdommen betreft, was Israël (zie de kaart op de volgende bladzijde) verreweg de meerdere van de twee koninkrijken. De geografische ligging maakte die voorsprong alleen nog maar groter. Jerobeam koos aanvankelijk Sichem (1) tot zijn hoofdstad, maar hij verhuisde spoedig naar de makkelijker te verdedigen stad Tirsa (2). Zijn op het oosten gerichte buitenlandse politiek werd onderstreept door de versterking van Penuël (3). Daarmee zette Israël een stap op de lange, moeizame weg naar beheersing van een gedeelte van de koningsweg (4). De zeeweg (5) was voor Israël evenwel

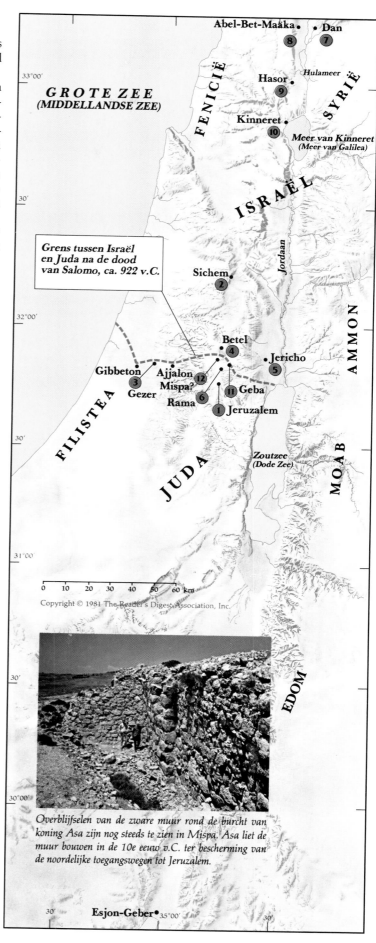

*Overblijfselen van de zware muur rond de burcht van koning Asa zijn nog steeds te zien in Mispa. Asa liet de muur bouwen in de 10e eeuw v.C. ter bescherming van de noordelijke toegangswegen tot Jeruzalem.*

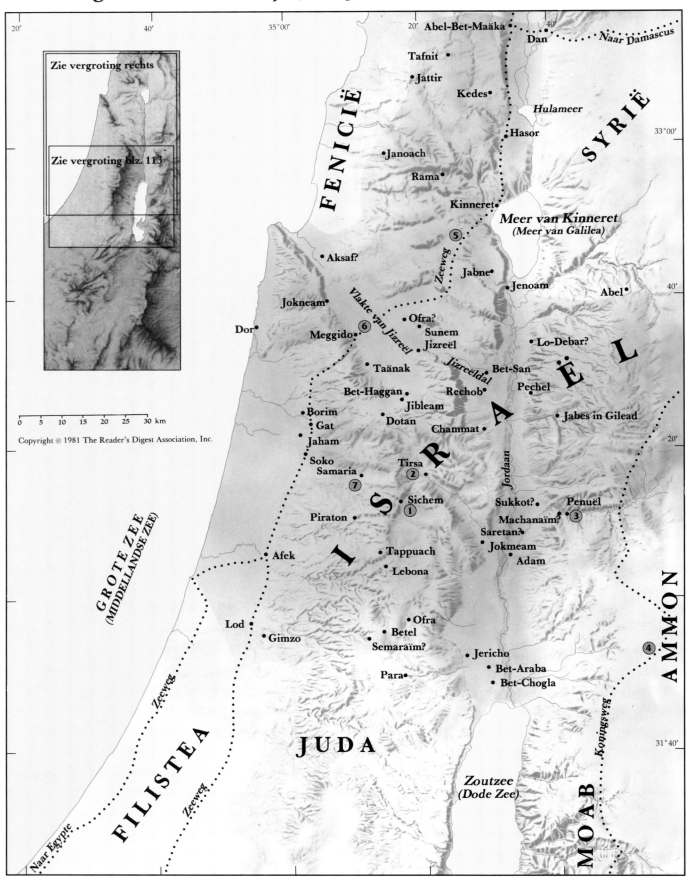

Abel-Bet-Maäka
Dan
Naar Damascus
Tafnit
Jattir
Kedes
Hulameer
Hasor
Janoach
Rama
FENICIË
Kinneret
Meer van Kinneret
(Meer van Galilea)
SYRIË
33°00′
Aksaf?
Zeeweg
⑤
Jabne
Jenoam
Abel
Jokneam
Vlakte van Jizreël
Ofra?
Sunem
Jizreël
Lo-Debar?
Dor
Meggido
⑥
Jizreëldal
Bet-San
Taänak
Rechob
Pechel
Bet-Haggan
Jibleam
Jabes in Gilead
Borim
Gat
Dotan
Chammat
Jaham
Jordaan
Soko
Samaria
Tirsa
②
⑦
Sichem
①
Sukkot?
Penuël
③
Piraton
Machanaïm?
Saretan?
Jokmeam
Adam
Afek
Tappuach
Lebona
Lod
Ofra
Gimzo
Betel
Semaraïm?
Jericho
④
AMMON
Para
Bet-Araba
Bet-Chogla
GROTE ZEE
(MIDDELLANDSE ZEE)
ISRAËL
JUDA
MOAB
Koningsweg
31°40′
Zoutzee
(Dode Zee)
FILISTEA
Zeeweg
Zeeweg
Naar Egypte

Zie vergroting rechts

Zie vergroting blz. 113

0   5   10   15   20   25   30 km

Copyright © 1981 The Reader's Digest Association, Inc.

van nog groter belang, omdat deze het koninkrijk in tweeën deelde. Deze zeer belangrijke route gold als een levensader voor de doorvoer van karavanen met goederen, mensen met ideeën en legers met hun veroveringsdrift.

De geografische ligging van Israël gaf het een heel eigen plaats in het internationale gebeuren van die tijd, in voor- en tegenspoed. Er werd handel gedreven en er was een zekere mate van welvaart. Maar als er in Egypte of Assyrië een regeerder met veroveringsplannen op de troon zat, kon men in Israël de grond al voelen trillen nog voor de vijand een stap had gezet. Ook de vlakte van Jizreël (6) vormde een belangrijke aanvoerroute, die Israël welvaart bracht. Vooral na omstreeks 875 v.C. toen koning Omri zijn nieuwe hoofdstad bouwde in Samaria (7) en zijn handelsbeleid richtte op het noordwesten. Er was daar geen sprake van oorlogsdreiging, maar de godsdienstige, politieke en economische opvattingen van de vreemdelingen botsten nogal eens met de bestaande orde in Israël. De gevolgen waren dikwijls hevige twisten die het dagelijks leven verscheurden en tot grote politieke onrust leidden. Hoofdpersonen in deze hoog oplaaiende conflicten waren Elia, Elisa en koningin Izebel. De profeten riepen op tot trouw aan de God van Israël en verzetten zich heftig tegen de Baälsdienst, waarvan koningin Izebel een fanatiek aanhangster was en die ze tot de officiële godsdienst van het koninkrijk Israël wilde maken.

Juda (zie kaart hierboven) daarentegen was een aan alle kanten ingesloten stuk land dat ver van belangrijke handelsroutes lag. Davids koningshuis bracht bijna 400 jaar lang poli-

tiek evenwicht. De tempel in Jeruzalem (1) en een voortgaande traditie van profetische hervormers zorgden voor samenhang op godsdienstig gebied. Toch was Juda een betrekkelijk arm, conservatief en achtergebleven volk. Dat veranderde pas toen het omtrent 600 v.C. verwikkeld raakte in samenzweringen tegen Babylonië. En dit was ook het begin van het einde voor het zuidelijke koninkrijk.

Het hart van Juda werd deugdelijk ingesloten door de versterkingen die Rechabeam er had laten bouwen. Ze waren mogelijk aangelegd in de beginperiode van zijn regering, maar waarschijnlijk pas toen hij zijn land moest gaan verdedigen tegen een aanval van de Egyptische farao Sisak. In 2 Kronieken 11:5-10 wordt verhaald dat Rechabeam 15 'steden in staat van verdediging' (2 Kr 11:10) bracht. Hij versterkte Ajjalon (2), Sora (3), Azeka (4), Soko (5), Adullam (6), Maresa (7) en Lakis (8) om de vier westelijke doorgangen in het bergland te beveiligen. Gat (9), dat bezet was door de Judeeërs lag in de kustvlakte. Bij Bet-Sur (10) en Hebron (11) versterkte hij de zuidkant van de weg die over de bergketen van noord naar zuid door het midden van zijn koninkrijk liep. Adoraïm (12) en Zif (13) waren strategisch gelegen aan de westelijke en zuidoostelijke toegangswegen tot Hebron. Betlehem (14) en Etam (15) blokkeerden de bergweg meer in de buurt van Jeruzalem en vormden bovendien samen met Tekoa (16) een verdedigingsring tegen vijanden vanuit het oosten.

Rechabeams pogingen om zijn aangetaste koninkrijk te verdedigen tegen een vijandelijke inval uit het zuiden bleken weldra tevergeefs geweest te zijn.

Map labels:

30'  35°00'  30'

FENICIË

*Hulameer*

• Hasor                                    33°00'

*Meer van Kinneret*
*(Meer van Galilea)*

GROTE ZEE
(MIDDELLANDSE ZEE)

Megiddo •        • Sunem
Aruna •      ⑩                            30'
           ⑪  Taänak •      • Bet-San
Borim •                        • Rechob
Jaham •  • Gat?
Soko •                    ⑦  • Tirsa
              Sichem        Safon •
Saron           ⑥          Sukkot • Machanaïm
vlakte                     ⑨  Penuël • *Jabbok*
       ⑫                  • Adam
                                          32°00'
Hoog-Bet-Choron ③          ⑧
Ajjalon •        Betel •
Gezer •        Semaraïm •
Ekron? •      ⑤ Gibeon •
        ②      • Jeruzalem
Asdod •                    *Jordaan*
       • Gat?  ④  • Kirjat-Jearim
Askelon •      Bet-Semes •

①
  Gaza •                    Zoutzee           30'
  ⑬                        *(Dode Zee)*
*Van Egypte*

⑭ Saruchen        ⑮ • Arad

JUDA

N E G E B

                                          31°00'

Ramat-Matred •
⑯              • Tamar

E D O M                                    30'

**VERKLARING**

🔴 Sisaks aanval op Juda
   en Israël

🔵 Sisaks veldtocht
   in de Negeb

                                          30°00'

0  10  20  30  40  50  60 km

Copyright © 1981 The Reader's Digest Association, Inc.

⑰ • Esjon-Geber

# Inval van Egypte

In het vijfde jaar dat Rechabeam over Juda heerste (ca. 918 v.C.) viel farao Sisak, de Libische stichter van Egyptes 22e dynastie, de Hebreeuwse koninkrijken binnen. Het buurland was voor Sisak een hinderlijke tegenstander geworden, toen het steeds belangrijkere handelsbetrekkingen met Azië ging onderhouden. Daardoor stond het de belangen van de farao in de weg. En toen Salomo's koninkrijk uiteenviel, sloeg Sisak zonder aarzelen toe.

De weinige berichten die de Bijbel (1 K 14:25-28 en 2 Kr 12:1-12) wijdt aan Sisaks inval, wekken de indruk dat het de farao voornamelijk ging om de verovering van Jeruzalem. Rechabeam zou de schatten van de tempel en van het paleis (met inbegrip van Salomo's gouden schilden) afgestaan hebben om te voorkomen dat Sisak Jeruzalem zou verwoesten. Maar de Bijbel vermeldt ook dat het Egyptische leger bestond uit 1200 strijdwagens en 60 000 ruiters en dat Sisak 'de vestingsteden van Juda' (2 Kr 12:4) veroverde. Hetgeen wel iets meer doet vermoeden dan alleen een aanval op Jeruzalem om de aanzienlijke goudschat van Salomo te bemachtigen.

Gelukkig hebben we op een muur in de tempel van Amon in Karnak Sisaks eigen verslag van de veldtocht gevonden. De muuropschriften geven een lijst van meer dan 150 veroverde plaatsen. Bovendien kunnen we eruit opmaken dat Sisak zijn aanvallen niet beperkte tot Juda, maar ook de nederzettingen in de Negebwoestijn innam en doorstootte tot in het noordelijke koninkrijk Israël en Transjordanië. Zeer verspreide archeologische vondsten bevestigen het Egyptische verslag van de inval. Brandschade die nog steeds zichtbaar is op muren en poorten, evenals puinresten van verwoeste huizen en winkels tonen de vernietigende kracht van de Egyptische aanvallen. Men kan zo het spoor van verdelging zelfs nu nog volgen, 3000 jaar nadat de Hebreeuwse koninkrijken onder de voet werden gelopen.

Oprukkend naar de Vlakte van Filistea kwamen de Egyptenaren tot in Gaza (1) en daar splitsten zij hun leger in tweeën. Eén strijdmacht trok in zuidelijke en oostelijke richting de Negebwoestijn binnen; de andere boog af naar het noorden. De Egyptenaren van de noordwaarts oprukkende legermacht drongen Juda echter niet via een enkele aanvalsroute binnen. Eén onderdeel trok vanuit Ekron (2) naar het noorden en boog af in oostelijke richting langs de weg van Bet-Choron door Hoog-Bet-Choron (3). Een tweede onderdeel vervolgde zijn vernietigende tocht tot in het centraal gelegen heuvelgebied, twaalf kilometer ten zuiden van de weg van Bet-Semes, dwars door Kirjat-Jearim (4). Via dezelfde route hadden de Filistijnen eertijds de ark van het verbond teruggebracht.

De twee gevechtscolonnes verenigden zich weer in Gibeon (5), nog geen 10 kilometer ten noordwesten van Jeruzalem. En nu de vestingsteden nog slechts rokende puinhopen waren, bleef er Rechabeam niet veel keus meer over dan naar Gibeon te gaan om de rijkdommen van zijn vader aan te bieden in ruil voor de veiligheid van Juda's hoofdstad.

Noordwaarts trekkend langs de bergketen van het centrale bergland viel het Egyptische leger het koninkrijk Israël binnen op een kwetsbaar punt. Er waren daar geen vestingsteden die een verdedigingslinie vormden. Er was eigenlijk helemaal geen sprake van enige verdediging.

Door de voortdurende grensverwikkelingen met Juda hadden de Israëlieten zich nooit zo druk gemaakt over een mogelijke bedreiging vanuit het zuiden. En aangezien Jerobeam farao Sisak als een bondgenoot beschouwde, had hij waarschijnlijk helemaal geen rekening gehouden met de kans op een Egyptische inval. Maar nu bevond het Egyptische leger zich ineens in de wijngaarden en boomgaarden van het centrale bergland . . .

De forten uit de tijd van David en Salomo noch de verdedigingsmaatregelen die Rechabeam had getroffen, konden de Egyptische horde tegenhouden. Salomo's genietroepen hadden kazematmuren (dubbele stadswallen met verbindende kruisstukken) aangebracht tegen het geweld van stormrammen. Voorbeelden van die stadsmuren uit Salomo's tijd zijn gevonden in Gezer, Hasor en Meggido. Archeologen hebben daar ook de typische driedubbele poorten - eveneens het werk van Salomo's genie - blootgelegd. Maar Sisaks leger had niet de minste moeite met de kazematmuren in Gezer en Meggido, zoals de sporen van vernietiging nog steeds laten zien. Terwijl deze versterkingen toch als de modernste vindingen op het gebied van stadsverdediging in die tijd golden.

Het is opmerkelijk dat de Bijbel niet gewaagt van gevechten. En de Egyptische muuropschriften in Karnak geven alleen een opsomming van de veroverde plaatsen. Wat was er overgebleven van Salomo's beroemde, tot de tanden gewapende strijdkrachten?

De Egyptenaren trokken langs Sichem (6) - dat volgens archeologische vondsten rond die tijd verwoest geweest moet zijn - en maakten korte metten met Tirsa (7), toendertijd de hoofdstad van Israël. Uit overblijfselen is gebleken dat Tirsa minder beschadigd werd dan heel wat andere plaatsen. Het kon zich dan ook betrekkelijk snel weer herstellen. Ten oosten van Tirsa vormde de wadi Fara voor de Egyptenaren een weg die doorliep tot aan de oversteekplaats in de Jordaan bij Adam (8). Daar stak het leger over naar de oostoever om vervolgens in noordelijke richting op te rukken naar Sukkot (9). Vandaar ging het omhoog door het dal van Jabbok naar Manachaïm en Penuël.

Stad na stad viel onder het geweld van de niet te stuiten Egyptische strijdmacht. Na Bet-San (10), Sunem en Taänak (11) werd ook Salomo's roemruchte nederzetting Meggido

bestormd. Het brandde tot de grond toe af en werd herbouwd tot een Egyptische basis aan de belangrijke handelsroute door het Karmelgebergte. Een deel van de zuil die werd opgericht ter herinnering aan Sisaks verovering van Meggido is later teruggevonden.

Ongeveer op dit punt keerde Sisak huiswaarts, hoewel zijn vernietigende werk nog niet helemaal voltooid was. Op de terugweg bracht hij nog een flink aantal steden ten val, waaronder Aruna, Borim, Gat, Jaham en Soko. Hij kreeg daarmee niet alleen de handelsroute in het gebied van de noordelijke valleien in handen, maar ook op de Saronvlakte (12) en helemaal omlaag langs de kust tot aan Filistea.

Intussen veroverde het Egyptische leger, dat van Gaza (13) de Negebwoestijn introk, Saruchen (14). Volgens opgravers is die stad waarschijnlijk weer in gebruik genomen als Egyptische garnizoensplaats om activiteiten tussen de woestijn en de kust in de gaten te kunnen houden.

Sisaks lijst van veroveringen in de Negebwoestijn omvat ongeveer 70 namen van nederzettingen, de meeste uit de tijd van Salomo. Er zijn nu nog maar weinig van die namen thuis te brengen, maar we weten genoeg om vast te stellen dat de Egyptische veroveringen zich concentreerden in het zuidelijke deel van de Negeb.

De Egyptenaren stroopten het hele Negeb-gebied ten zuiden van Arad (15) af. Militaire nederzettingen als Arad en landbouwvestigingen als Ramat-Negeb (16) zijn volgens overblijfselen in die tijd verwoest. De Egyptenaren hadden geen belangstelling voor nieuwe ontginningsactiviteiten in de woestijn. Het ging er hen alleen om een eind te maken aan Juda's greep op het gebied. Met datzelfde doel voor ogen zijn ze ook doorgestoten tot vlakbij Edom, waarmee ze afrekenden met Juda's hegemonie in die streek. Tenslotte weten we van opgravingen bij Esjon-Geber (17) dat Salomo's stad daar in diezelfde tijd aan de vlammen is overgeleverd.

Toen de farao eenmaal zo'n groot deel van de twee koninkrijken had verwoest, werd hij gedwongen naar huis terug te keren om zich bezig te houden met verwikkelingen in eigen land. Al slaagde Sisak er niet in Egyptes macht in heel Azië te herstellen, toch wist hij met zijn verwoestende veldtocht in elk geval te bewerkstelligen dat er niet langer een sterke macht gevestigd zou zijn aan Egyptes noordoostgrens.

# De Feniciërs: zeevaarders en ambachtslieden

Israëls noordelijke buren, de Feniciërs, waren de kooplui, handwerkslieden en zeevaarders van het oostelijke Middellandse-Zeegebied. Als afstammelingen van de vroegere bewoners van Kanaän vestigden ze zich omtrent 1200 v.C. langs de kust in een losvast verbond van kleine staatjes.

De Feniciërs bezetten een smalle strook tussen de bergen in het oosten en de zee in het westen. Daar bouwden ze hun nederzettingen op eilandjes en op rotsachtige uitsteeksels, die natuurlijke havens vormden aan hun noordelijke en zuidelijke kustgebieden. De trotse vestingen Sidon en Tyrus, Arwad en Gebal tooiden de landstrook als fonkelende juwelen, jaloezie opwekkend bij hun buurstaten en wedijver onder elkaar. De Hebreeuwse profeet Ezechiël voorspelde echter dat het arrogante Tyrus door toedoen van vreemdelingen ten onder zou gaan. 'Die zullen', sprak hij, 'hun zwaarden trekken tegen uwe majesteit met al haar wijsheid en uw luister zullen ze onteren. In de onderwereld zullen ze u doen afdalen . . .' (Ez 28:7-8).

De Feniciërs ontwikkelden een bloeiende zeehandel evenals een sterke scheepsbouwindustrie. Hun grondgebied was niet groot, maar ze beschikten over vruchtbare aarde, die bevloeid werd door het water uit de bergen. Vijgebomen, olijven en palmbomen groeiden weelderig; het koren en de druiven rijpten voorspoedig; schapen en geiten graasden op de bergweiden. Er waren vissen en schelpdieren in overvloed en niet te vergeten, ook de purperslak kwam er veelvuldig voor. Dit weekdier leverde de Feniciërs de grondstof op voor hun beroemde, zeer winstgevende purperverf. Uit de bergen kwam marmer, ligniet en ijzer, evenals het fijne zand dat gebruikt werd bij de fabricage van glas. En dan waren er natuurlijk de kostelijke wouden van Libanon, die in het hele Nabije Oosten faam genoten om hun pijnbomen, cipressen en vooral ceders. Zo gebruikte Salomo ceders uit Libanon, die koning Chiram van Tyrus hem leverde voor de bouw van de tempel van Jeruzalem.

De handel die Fenicië op het toppunt van zijn roem dreef met het buitenland nam een zeer hoge vlucht. Dat blijkt wel uit de bijdrage die het land betaalde aan de Assyrische koningen, hun latere overheersers. Omstreeks 876 maakte Assurnasirpal II een expeditie naar Fenicië. Hij kreeg er volgens zijn berichten: 'Zilver, goud, lood, koper, bronzen vaten, gewaden van kleurige wollen stoffen, linnen kleding, een grote aap en een klein aapje, esdoornhout, palmhout en ivoor . . .'.

Veel van de hierboven genoemde rijkdommen kwam ongetwijfeld van eigen bodem. Maar de Feniciërs importeerden ook van alles: koper van Cyprus, goud en linnen uit Egypte, ivoor uit India, koper, tin en ijzer uit Spanje, kostbare stenen uit Arabië, wol uit Syrië, paarden uit Anatolië, en slaven en pauwen uit de afgelegen gebieden van Afrika.

De Feniciërs waren zeer vakbekwame ambachtslieden en stonden wijd en zijd bekend als uitstekende timmerlui, metselaars en architecten. Ze worden ook algemeen beschouwd als de uitvinders van het glasblazen. Maar hun voornaamste culturele bijdrage aan de geschiedenis schijnt de ontwikkeling van het alfabet te zijn. Het Fenicische alfabet geldt als de basis voor het Hebreeuws, het Arabisch, het Syrisch en voor verschillende andere alfabetische schriften die in het Nabije Oosten werden toegepast. Het werd ook overgenomen door de Grieken en drong door tot in alle geledingen van de westerse beschaving.

Fenicië bereikte het hoogtepunt van zijn macht in het eerste millennium v.C. met het koloniseren van tal van landen in het Middellandse-Zeegebied. Rond 900 waren de Feniciërs doorgedrongen tot in Cyprus, Sicilië, Sardinië, Afrika en Spanje. En in 814 v.C. stichtten ze Kartago, dat in het Fenicisch *Qart Hadasht*, Nieuwe Stad, heet.

Maar ook aan de macht en de onafhankelijkheid van de invloedrijke Fenicische staatjes kwam tenslotte een eind, en wel door de veroveringen van Assyrië. Met de val van Tyrus na de inval van de Babylonische koning Nebukadnessar in 573 kwam de profetie van Ezechiël uit. De Babyloniërs moesten op hun beurt het onderspit delven voor de Perzen in het jaar 539. En in 332 nam Alexander de Grote - na de inname van Tyrus - de overblijfselen van de Fenicische beschaving op in zijn Hellenistische rijk.

*De Fenicische kooplieden waren gebaat bij het invoeren van het muntstelsel. De eerste Fenicische munten werden rond het midden van de 5e eeuw v.C. geslagen. De afgebeelde sikkel uit Tyrus toont een dolfijn en een purperslak, het weekdier dat grondstof voor purperverf leverde. Rechts beuken de golven op de kust van Fenicië.*

Bij het koloniseren van de landen rond de Middellandse Zee namen de Feniciërs hun goden mee. De figuur met opgeheven armen op de grafversiering hierboven is de godin Tanit of Astarte. De dolfijn onder de godin is een vruchtbaarheidssymbool.

Veel van de Fenicische kunstuitingen zijn ontleend aan andere volkeren. Dat blijkt uit de figuren (afkomstig uit Egypte) en de Egeïsche paarden op de vergulde schaal. Het kunstwerk dateert van de 7e eeuw.

Hieronder een model van gebakken klei uit de 5e of 4e eeuw. Het stelt een Fenicische oorlogsgalei voor met drie rijen roeibanken boven elkaar, een forse stormram, en een rij schilden om de roeiers op het bovendek bescherming te bieden. Dit soort schepen kan 36 meter lang geweest zijn en 170 roeiers aan boord gehad hebben. De Feniciërs voeren ook 's nachts en navigeerden dan op de sterren. Hun handels- en ontdekkingsreizen brachten hen over de hele wereld, waarschijnlijk tot aan de Britse eilanden.

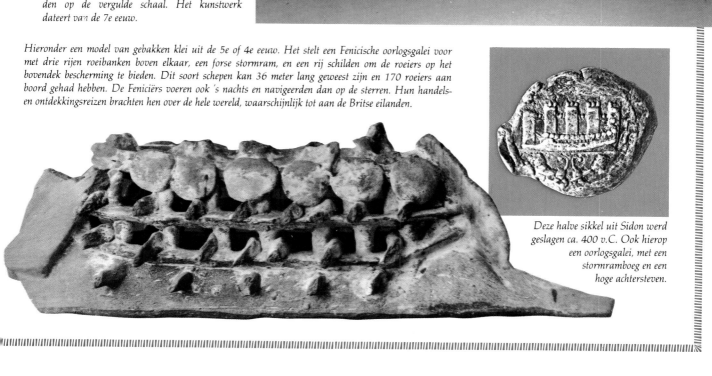

Deze halve sikkel uit Sidon werd geslagen ca. 400 v.C. Ook hierop een oorlogsgalei, met een stormramboeg en een hoge achtersteven.

# Oorlogen van Israël en Juda

In de halve eeuw die volgde op de dood van Salomo werd het noordelijke deel van Israël meer en meer verzwakt door oorlogen en politieke onrust. Toen koning Basa in 877 v.C. stierf, waren delen van Boven-Galilea verwoest door de Syriërs; het grootste deel van Benjamin aan Israëls zuidelijke grens was in handen van Juda. Basa's zoon Ela regeerde nog korter dan twee jaar. Hij werd in zijn hoofdstad Tirsa (1) vermoord door de eerzuchtige strijdwagenmenner Zimri.

De nieuwe koning werd legeraanvoerder Omri, die van het strijdtoneel bij Gibbeton (2) met zijn troepen oprukte naar Tirsa. Toen de stad voor het beleg van Omri viel, trok Zimri zich terug in de citadel van het paleis en kwam in de door hemzelf aangestoken vlammen om. Israël kreeg in één week tijds zijn derde koning, maar Omri moest het eerst nog uitvechten met een andere tegenstander, een zekere 'Tibni, de zoon van Ginat' (1 K 16:21) voor hij zeker was van de troon.

Hoewel Omri zelf slechts zeven jaar regeerde, stichtte hij een koningshuis dat geruime tijd geschiedenis zou maken. Tientallen jaren na de uiteindelijke val van de dynastie werden de koningen van Israël nog altijd zoons van Omri genoemd. De Omri's brachten niet alleen grote politieke en godsdienstige veranderingen voor het noordelijke koninkrijk; zij slaagden er ook in de koningen van Juda naar de achtergrond te verdringen.

Eenmaal aan de macht probeerde Omri een beleid te voeren als zijn grote voorganger Salomo. Hij stelde alles in het werk om de vrede te handhaven en bevorderde de handel met de buurlanden van Israël. Dit bracht rust en welvaart in het land, maar het wekte tevens tegenstand op in godsdienstige kringen.

Ook in de buitenlandse politiek boekte Omri succes, onder meer door Israëls kroonprins Achab uit te huwelijken aan Izebel, dochter van de koning van Tyrus in Fenicië. (Later zou Achab het voorbeeld van zijn vader als koninklijke huwelijksmakelaar volgen door zijn dochter Atalja uit te huwelijken aan Juda's kroonprins Joram).

Omri beklemtoonde de nieuwe stijl van regeren nog eens extra door zijn hoofdstad over te plaatsen naar een verlaten heuvel die hij had gekocht van een man, genaamd Semer. De naam van de stad Samaria (3) is daarvan afgeleid. Evenals Salomo's Jeruzalem werd Samaria gebouwd door Fenicische architecten en metselaars. En de fragmenten die er bewaard zijn gebleven van paleismuren uit Samaria behoren tot de fraaiste overblijfselen uit de Oudheid.

Achab besteeg de troon in 869 en zette het werk van zijn vader voort. In Samaria voltooide hij het 'ivoren paleis' (1 K 22:39), een weelderig bouwwerk, waar de profeet Amos zich later spottend over zou uitlaten. Het koninklijke onderkomen bevond zich op de top van de berg en was van de rest van de

*Samaria, de hoofdstad van Israël, werd gebouwd met de hulp van Feniciërs. Deze zeer bekwame handwerkslieden waren onder meer beroemd om hun ivoorsnijwerk. Hier een miniatuurgedenkplaat van een sfinx uit de 9e eeuw v.C.*

stad afgescheiden door een lichte kazematmuur. Zo'n barrière tussen de koning en zijn volk beantwoordde uiteraard niet aan het ideaalbeeld dat de Israëlieten hadden van een uit hun midden gekozen vorst.

De wederopbouw werd ook stevig aangepakt in Meggido (4), Hasor (5) en ongetwijfeld elders in het land. In Meggido werd de stadsmuur hersteld en de poort versterkt. Er verrees voorts een klein, deugdelijk gebouwd paleis met daarnaast een kolossaal stallencomplex, dat zo'n 500 paarden onderdak kon bieden. Nog altijd zijn die stallen stille getuigen van de inspanning die Achab zich getroostte om vooral het bataljon strijdwagens van Israëls leger te versterken. In Hasor werd een stevig fort gebouwd, dat bijna de hele stadsburcht omsloot. De oude kazematmuren van Salomo, die niet bestand waren gebleken tegen de Syrische aanvallers, werden hersteld en opgevuld. Om de watervoorziening van het fort veilig te stellen, werd er een tunnel gegraven tot aan de grondwaterstand aan de zuidkant van de stadswal. Dit opmerkelijke watertoevoersysteem, dat in 1968 werd blootgelegd, is 30 meter diep; de 4,5 meter omlaag lopende tunnel heeft 80 traptreden die tot een breedte van 5 meter uitlopen.

Deze en andere voorzieningen die Achab trof voor de verdediging van zijn rijk kunnen gevolgd zijn op de inval van de Arameeërs uit Damascus. In de 9e eeuw v.C. had Syrië onder de Arameeërs de overheersende macht van Davids en Salomo's Israël overgenomen. De leider van de Arameese bondgenoten, Benhadad, trok nu tijdens een veldtocht (waarvan we niet veel weten) diep Israël binnen. De route die het grote leger van Benhadad volgde, is niet bekend. Evenmin weten we hoeveel vernietiging het aanrichtte op weg naar Samaria in het hart van Israël. Vast staat wel dat de Syrische aanval uiteindelijk mislukte en dat Achab een grote overwinning behaalde.

Het volgende voorjaar keerde Benhadad echter terug. Ditmaal sneed Achab de Syriërs de pas af vóór ze de Jordaan konder oversteken. Het behoud van Afek (6) stond op het spel en dat betekende zeer veel voor Achab. Afek was het belangrijkste strategische punt ten oosten van het meer van Kinneret, aan de weg naar de hoogvlakte van Basan en Damascus. Zeven dagen lang bleven de twee legers in stelling tegenover elkaar en toen ging de veel kleinere strijdmacht van Israël tot de aanval over. Met succes! De Syriërs werden teruggeslagen tot in de stad, waar velen, waaronder Behadad, gedwongen werden zich over te geven.

Israël was in Transjordanië niet alleen geïnteresseerd in het gebied waarover met Damascus was gestreden. Achab wilde Gilead voor Israël behouden en Ammon en Moab blijven bezetten. Ammon raakte hij kwijt, maar koning Mesa van Moab bleef geruime tijd onder de heerschappij van Israël en de

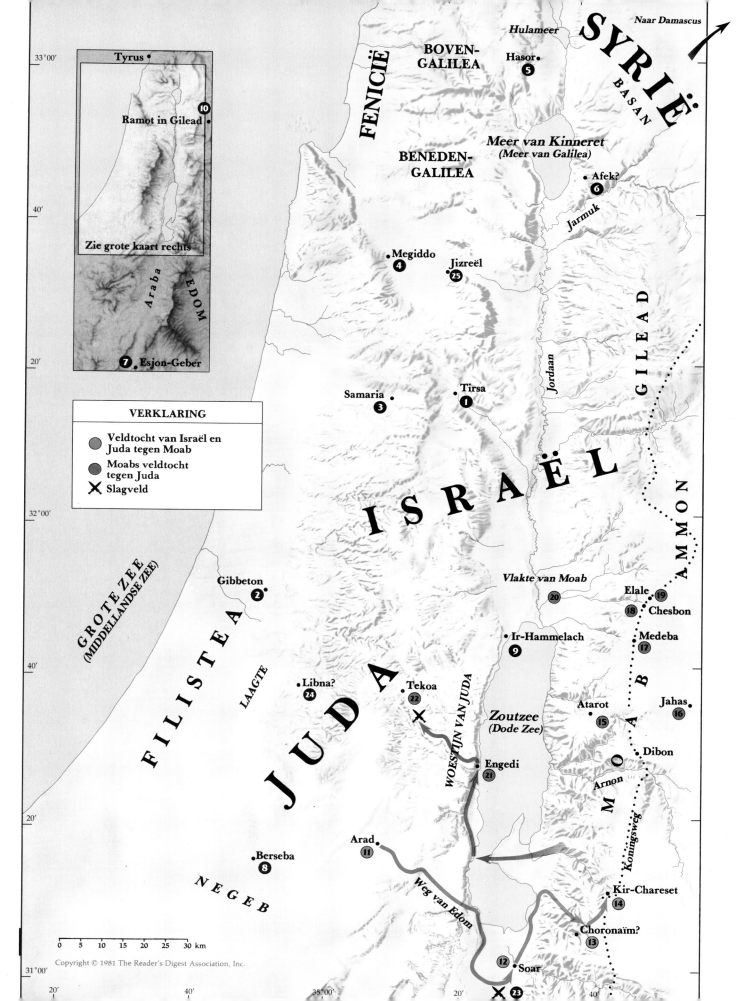

33°00'

Tyrus •

10

Ramot in Gilead •

Zie grote kaart rechts

40'

*Araba*  EDOM

20'

7  Esjon-Geber •

FENICIË

BOVEN-GALILEA

Hulameer

Hasor •
5

*Naar Damascus*

SYRIË

BASAN

BENEDEN-GALILEA

*Meer van Kinneret*
*(Meer van Galilea)*

Afek? •
6

*Jarmuk*

Megiddo •
4

Jizreël •
25

GILEAD

*Jordaan*

Samaria •
3

Tirsa •
1

VERKLARING

⬤ Veldtocht van Israël en Juda tegen Moab

⬤ Moabs veldtocht tegen Juda

✗ Slagveld

ISRAËL

AMMON

32°00'

GROTE ZEE
(MIDDELLANDSE ZEE)

Gibbeton •
2

*Vlakte van Moab*
20

Elale •
19
18  Chesbon •

40'

FILISTEA

LAAGTE

Libna? •
24

Tekoa •
22
✗

Ir-Hammelach •
9

*Zoutzee*
*(Dode Zee)*

Medeba •
17

Atarot •

Jahas •
16

15

Dibon •

Engedi •
21

Arnon

WOESTIJN VAN JUDA

M O A B

Koningsweg

20'

Arad •
11

Bérseba •
8

N E G E B

*Weg van Edom*

Kir-Chareset •
14

Choronaïm? •
13

12
Soar •

✗
23

31°00'

20'          40'          35°00'          20'          40'

0  5  10  15  20  25  30 km

Copyright © 1981 The Reader's Digest Association, Inc.

# Oorlogen van Israël en Juda *(vervolg)*

Israëlitische troepen hielden ook het gebied ten noorden van de Arnon bezet.

Juda kwam er weer bovenop onder Asa en diens zoon Josafat. Het zuidelijke koninkrijk herstelde zijn gezag over Edom en een groot deel van het overige gebied, dat het een halve eeuw eerder bij de inval van Sisak was kwijtgeraakt. Archeologische vondsten tonen aan dat Esjon-Geber (7, inzetkaartje) omstreeks deze tijd herbouwd moet zijn. Evenals ten tijde van Salomo werd in de haven aan de Golf van Akaba een koopvaardijvloot gestationeerd. In de Negeb schijnen ten westen van Berseba (8) nieuwe nederzettingen van Juda gebouwd te zijn, evenals in de woestijn van Juda. Ir-Hammelach (9) was zo'n nieuwe nederzetting. Er werd ook geprobeerd landbouw te ontwikkelen in het onherbergzame heuvelland even ten westen van Ir-Hammalach.

In 859 besteeg Salmanassar de troon van Assyrië. Met een enorme legermacht trok hij de Eufraat over en stootte in Noord-Syrië door tot aan de Grote Zee, waar hij volgens zijn zeggen zijn 'wapens waste'. De aanwezigheid van de supermogendheid in het noordoosten dwong Achab en Benhadad hun onderlinge twisten te vergeten. Met een aantal andere vorsten sloten zij een bondgenootschap om gezamenlijk de gevaarlijke dreiging het hoofd te bieden. De Bijbel spreekt niet over dit verbond en zegt alleen: 'Drie jaar lang bleef het rustig en was er geen oorlog tussen Aram en Israël' (1 K 22:1). Er wordt ook geen gewag gemaakt van de strijd die in 853 bij Karkar (zie kaart op blz. 130) tegen Assyrië werd gestreden. Maar uit de annalen van Salmanassar weten we, dat Achab bij die slag 2000 strijdwagens inzette - meer nog dan Benhadad. 'Ze kwamen op me af om de strijd definitief te beslechten', meldt de Assyriër in zijn verslag. En hij vervolgt met een beschrijving van een slagveld dat bezaaid lag met lijken van de vijand. Salmanassar eiste de overwinning op, maar in feite bleef de strijd onbeslist en waren er aan beide kanten verschrikkelijke verliezen. De verenigde strijdmachten hadden de Assyriërs alleen maar willen tegenhouden en dezen lieten zich dan ook vier jaar lang niet meer zien.

Gedurende de volgende rustperiode hervatte Achab de oorlogen tegen Syrië, met fatale gevolgen voor Israël. Gilead, met zijn goedbevloeide en bosrijke hooglanden, behoorde tot Israël; de basalt- en kalksteenvlakten van Basan waren Syrisch gebied. Het land dat ertussen lag, was altijd al inzet van onenigheid geweest en het strategisch gelegen kruispunt bij Ramot in Gilead (10, op inzet) werd nu de brandhaard van de strijd.

Josafat van Juda was een van de bondgenoten van Achab, en de twee koningen besloten samen hun toevlucht te nemen tot een list. Josafat nam deel aan de strijd in zijn koninklijk gewaad om als mikpunt voor het vijandelijke vuur te dienen. Achab vermomde zich voor hij zich op het strijdtoneel begaf. Nu had Benhadad de aanvoerders van zijn strijdwagens opdracht gegeven alleen achter Achab aan te gaan. En toen de Syriërs ontdekten, dat Josafat het vijandelijke leger aanvoerde en niet Achab, beëindigden zij de achtervolging. Maar Achab werd getroffen door een verdwaalde pijl die drong 'tussen de voegen van zijn pantser' (1 K 22:34). Uit vrees dat zijn troepen in paniek het slagveld zouden afrennen als zij zagen dat hun koning werd weggedragen, liet men Achab, gesteund in de rug, in zijn wagen op het strijdtoneel achter. Tegen de avond stierf hij. Toen de legers van Israël en Juda zich terugtrokken, werd Achabs lichaam naar Samaria gebracht om begraven te worden. Zijn met bloed besmeurde strijdwagen werd bij de

*Koning Achab van Israël herbouwde Salomo's stad Hasor waarschijnlijk in de eerste helft van de 9e eeuw v.C. Op het hoogste punt van de stad vormde een rechthoekige burcht de kroon op het indrukwekkende fort. Vlak daarbij stonden een aantal kantoorgebouwen dicht bij elkaar en een fraaie opslagruimte voor militaire goederen. De zuilen van dat laatste gebouw staan nog steeds overeind, zoals hierboven te zien is.*

*De pracht en praal van Achabs stad Hasor blijkt duidelijk uit deze uit grote stenen opgebouwde deurstijl van de toegang (zie foto links). Het bouwsel is nu te zien in het Israël Museum te Jeruzalem; eertijds prijkte het bij de ingang van het terrein rond de burcht.*

stadspoel gereinigd en 'waar de hoeren zich wasten, likten honden het bloed op' (1 K 22:38).

Achab werd als koning van Israël opgevolgd door Achazja, die slechts twee jaar regeerde. Bij een merkwaardig ongeval in het paleis in Samaria viel hij door het traliewerk van een raam op de tweede verdieping. Hij raakte ernstig gewond en stierf kort daarna. In 849 volgde Joram zijn onfortuinlijke broer op als koning van Israël. (Door een eigenaardig toeval zou ook Juda in die tijd een koning krijgen met de naam Joram. Hij was de zoon van Josafat en een zwager van Joram van Israël.)

Al vóór de gebeurtenissen van Ramot in Gilead had Mesa van Moab geweigerd zijn verplichte jaarlijkse bijdrage aan Israël - wol van rammen en lammeren - af te staan. Dat was een duidelijk bewijs van ongehoorzaamheid. Vervolgens maakte dezelfde Mesa misbruik van de opvolgingscrisis na de dood van Achab om in opstand te komen, zoals we in 2 Koningen 1:1 en 3:5 kunnen lezen. De Bijbel vertelt evenwel niet over de veldtocht van Mesa. De koning deed zelf verslag van zijn overwinningen in inscripties op een grafzuil die in Dibon is aangetroffen en die de geschiedenis is ingegaan als de beroemde stèle van Mesa.

Volgens 2 Koningen 3:4-27 trok Joram erop uit om de opstandige Moabieten weer onder zijn gezag te brengen. Zijn opmars ging van Samaria in zuidelijke richting en daar voegden Josafat en diens vazal, de koning van Edom, zich bij hem. De gezamenlijke legers trokken verder langs Arad (11) in zuidelijke richting via de weg van Edom. Hun mars ging dwars door een uitgestrekt gebied waar geen druppel water was te vinden, en na 7 lange dagen kwamen de uitgedroogde manschappen en hun dieren in Soar (12) aan. De profeet Elisa, die met het leger meetrok, voorspelde de overwinning op Moab. Hij zei ook dat de Heer omwille van de godvruchtige Josafat voor water zou zorgen. De volgende morgen waren de wadi's tot de rand toe gevuld met water, afkomstig van regenbuien in het gebergte van Edom.

De gezamenlijke legers van Israël en Juda trokken vervolgens in noordelijke richting langs de kust van de Zoutzee, waarna ze afsloegen naar de hoogvlakte. Ze maakten zo een omtrekkende beweging naar de verdedigingslinie van Mesa aan de zuidgrens van Moab. Bij Choronaïm (13) schijnt er een slag geleverd te zijn, waarna Mesa zich terugtrok in de vesting Kir-Chareset (14). Daar werd hij door de vijand belegerd. Pogingen van de Moabieten om het beleg te doorbreken mislukten. In wanhoop bracht Mesa daarop zijn zoon, de kroonprins, naar het hooggelegen bolwerk van de vesting en offerde hem voor de ogen van de vijandelijke troepen. Dit afschuwelijke schouwspel schijnt paniek gezaaid te hebben onder de Israëlieten en Judeeërs. Zij beëindigden het beleg en trokken zich terug.

De stèle van Mesa maakt geen melding van de veldtocht van Joram. Hij geeft vooral een opsomming van de steden die in handen van de Moabieten vielen, onder meer oude Israëlitische centra als Atarot (15) en Achabs vesting Jahas (16). Mesa beriep zich er trots op dat hij vele wegen en zelfs hele steden had aangelegd met behulp van Israëlitische krijgsgevangenen. Hij had in feite het hele gebied rond Medeba (17), Chesbon (18) en Elale (19) veroverd, evenals het rotsplateau in westelijke richting, dat afdaalt naar de vlakte van Moab (20).

Mesa viel ook Juda binnen. Samen met de Ammonieten en Edomieten staken de Moabieten op een ondiepe plaats de

*De kazematmuur was al populair vóór de tijd van koning Salomo. Op de foto hierboven een deel van zo'n kazematmuur rond de stad Samaria. De versterking bestond uit parallel lopende muren die door kortere dwarsmuren in segmenten waren verdeeld. Bij een belegering was zo'n kazematmuur beter bestand tegen de slagen van een stormram dan een enkele, massieve muur.*

Zoutzee over en bezetten de belangrijke oase Engedi (21). Het heuvelland intrekkend, zetten zij hun tocht voort door de woestijn van Juda en bereikten de woestijn van Tekoa (22). Daar stieten zij op Rechabeams oude vestinglinie. De legers van Juda vochten er verbeten aan de uiterste grens van hun dichtbevolkte, vruchtbare land en de strijd liep in hun voordeel af.

Juda was daarmee gered, maar er wachtte het gehavende land spoedig een nieuwe ramp. Edom was in opstand gekomen en in een slag ten zuiden van Soar (23) versloegen de Edomieten een legereenheid van Joram van Juda. En wat nog erger was voor Juda: de Edomieten wisten de kopermijnen van Araba te veroveren, evenals Esjon-Geber. Tot overmaat van ramp kwam Libna (24) in de Laagte in opstand . . .

Intussen heropende Joram van Israël de strijd met Syrië nabij Ramot in Gilead. Hij raakte gewond en reisde naar Jizreël (25), de zomerresidentie van de koningen van Israël, om daar te herstellen. Joram kreeg er bezoek van zijn neef Achazja, die net koning van Juda was geworden. En met deze ontmoeting van de twee koningen begon het laatste, bloedige hoofdstuk in de kronieken van het geslacht Omri. Want tijdens Achazja's afwezigheid werd de legeroverste Jehu tot koning gezalfd. Hij kreeg de opdracht het huis van Achab uit te roeien.

# De profeet Elia

Elia is een van de verheven figuren uit het Oude Testament, wiens naam in één adem genoemd kan worden met Abraham, Mozes en David. Toen hij er allang niet meer was, waren toegewijde gelovigen er nog van overtuigd dat Elia terug zou keren om de komst van de Messias aan te kondigen. Voor vroege christenen was Johannes de Doper een soort Elia, een voorloper van Jezus. Vandaag de dag wordt er bij de joodse Paasviering nog altijd een beker wijn op tafel gezet voor Elia en op een vast moment tijdens de plechtigheden opent men de deur om de profeet binnen te laten.

We kennen de historische achtergrond van Elia's loopbaan. In 869 v.C. besteeg Achab de troon van Israël en zette zijn vaders politiek van vreedzame betrekkingen met de buurlanden voort. Buitenlandse arbeiders, vooral Feniciërs, waren onder Achab van harte welkom in Israël.

Achabs echtgenote Izebel, dochter van een Fenicische koning, was een vurig aanhangster van haar eigen god, Baäl Melkart. Zij was niet tevreden met een tempel voor haar god in de hoofdstad, wat Salomo's buitenlandse vrouwen eertijds wèl geweest waren. Nee, Izebel benoemde 450 profeten van Baäl en 400 profeten van Asjera aan het koninklijk hof en slaagde er zelfs in ze een officiële status te laten geven. Het grootste deel van het volk had het moeilijk met dit 'op twee gedachten hinken' (1 K 18:21); een aantal mensen accepteerde het standpunt van de koningin, maar velen verwierpen het. Degenen die de koningin hierin tartten, konden rekenen op strenge maatregelen, soms zelfs de doodstraf. Toen er Israëlische tempels werden aangevallen en altaren voor de God van Israël ten prooi vielen aan verwoesting, vluchtten tal van Israëls profeten de bergen in.

De binnenlandse crisis werd nog eens aangewakkerd door de komst van de strenge, onbuigzame Elia - een voorvechter van de God van Israël - die vanuit Tisbe (1) de Jordaan overstak. Hij was vastbesloten de koning en zijn buitenlandse koningin de les te lezen. Toen de twee onverzoenlijke tegenstanders, Elia en Izebel - allebei met een fanatiek en onwrikbaar geloof in hun eigen God - tegenover elkaar kwamen te staan,

waren de gevolgen voor Israël rampzalig. In de nieuwe hoofdstad Samaria (2) voorspelde Elia dat God het volk zou straffen met een afschuwelijke hongersnood. 'Zowaar de Heer leeft, de God van Israël, in wiens dienst ik sta: er zal in de volgende jaren geen dauw of regen komen tenzij op mijn woord' (1 K 17:1). En op last van de Heer vluchtte Elia uit Samaria en verborg zich 'in het dal van de Kerit, die in de Jordaan uitmondt' (1 K 17:3). In een van de aardigste Elia-vertellingen wordt beschreven hoe de profeet bij de Kerit gevoed werd door raven en zijn dorst leste met het water uit de beek, tot ook die opdroogde.

Wederom op last van de Heer ging Elia op reis, ditmaal naar de Fenicische stad Sarefat. Volgens de verhalen verrichtte hij daar wonderen. Zo zorgde hij ervoor dat de voedselvoorraad van de weduwe, bij wie hij verbleef, niet opraakte. En hij bracht weer leven in haar zoon hoewel diens ziekte 'steeds erger werd, totdat alle leven uit hem geweken was' (1 K 17:17).

In het derde jaar van de droogte sprak de Heer tot Elia: 'Ga en verschijn voor Achab. Ik wil het op de aardbodem weer laten regenen' (1 K 18:1). Intussen had Achab het hele land laten afzoeken naar Elia. Hij vond hem met behulp van Obadja, het hoofd van Achabs huishouding, die 100 Israëlitische profeten schuilplaatsen had verschaft in holen. Toen de koning Elia tegemoet trad, zei hij: 'Bent u dat, u die Israël in het ongeluk stort?' (1 K 18:17). Zonder zich hiervan iets aan te trekken, sprak Elia tot de koning in dezelfde bewoordingen. Hij beschuldigde Achab ervan het land in moeilijkheden gebracht te hebben, 'want u hebt de geboden van de Heer overtreden en de Baäls nagelopen' (1 K 18:18). En hij daagde de koning uit de profeten van Baäl en Asjera, 'die van Izebels tafel eten' (1 K 18:19), bij zich te ontbieden om door een wedstrijd te laten vaststellen wiens God de echte was.

Achab deed wat hem gevraagd was en het volk van Israël verzamelde zich toen er op de berg Karmel twee altaren werden opgericht. Het ene was voor de profeten van Baäl, het andere voor Elia. Op elk altaar werd een brandstapel aangebracht en daarop een aan stukken gesneden stier. De hele morgen en tot ver in de middag dansten de vereerders van Baäl in vervoering om hun altaar heen. Ze schreeuwden luidkeels, brachten zichzelf verwondingen toe met hun zwaarden en lansen en smeekten hun god vuur omlaag te zenden om het offer tot ontbranding te brengen. Maar er kwam taal noch teken van Baäl, wel sarcasme van de kant van Elia. De profeet van Israël, die al die tijd alleen was gebleven, liet tenslotte zijn altaar drie maal achtereen kletsnat maken met water. En zodra hij tot de Heer bad, werd zijn altaar door een alles verzengend vuur getroffen. Waarna de profeten van Baäl op bevel van Elia gevangen genomen werden en naar de beek Kison (5) gebracht. Daar doodde men hen.

Terug op de berg boog Elia tot aan de grond en zond zijn dienaar zeven maal naar de zee. De laatste keer zag hij daar 'een kleine wolk uit zee opstijgen, zo groot als de palm van een hand' (1 K 18:44). De lucht werd vervolgens helemaal zwart van de wolken en Achab stapte in zijn wagen en reed naar Jizreël (6). Maar Elia 'snelde voor Achab uit tot Jizreël toe' (1 K 18:46).

*Op deze illustratie van een 15e-eeuws handschrift zien we Elia op een ezel aankomen voor de paasviering. Achter de profeet een gezin van vier personen.*

Izebel was woedend en dreigde Elia nog diezelfde dag te zullen vermoorden. De profeet vluchtte naar het zuiden. Wellicht koos hij de snelste en veiligste weg, de zeeweg (7), tot in Juda, naar Berseba (8) aan de rand van de Negeb. Daar liet hij zijn dienaar achter en trok de woestijn in. Elia was wanhopig. In de veronderstelling dat hij als enige in Israël God nog trouw was, vroeg hij de Heer hem te laten sterven. Maar terwijl hij onder een bremstruik lag te slapen, verscheen er een engel die hem troostte en tot tweemaal toe van eten en drinken voorzag.

Steeds dieper doordringend in de woestijn trok Elia 'veertig dagen en nachten, tot hij de berg van God, de Horeb, bereikte' (1 K 19:8). We kennen de juiste plaats van de Horeb niet, maar volgens de overlevering bevond hij zich op dezelfde plaats als de Djebel Musa (kaart, blz. 67).

Evenals Mozes gedaan had, sprak Elia met God. De profeet beklaagde zich over de trouweloosheid van Israël, maar de Heer liet zich niet horen. Wel trokken er storm, aardbeving en vuur voorbij. En in 'een zachte bries' (1 K 19:12) kreeg Elia de boodschap dat er een revolutie moest komen tegen het bestaande bewind. Jehu, de zoon van Nimsi, zou tot koning van Israël gezalfd moeten worden en zo zou er een eind komen aan de regering van Achab. Hazaël moest koning van Damascus worden en in dat land een nieuwe dynastie stichten. En tenslotte moest Elisa, de zoon van Safat, tot profeet gezalfd worden, de plaats innemen van Elia en diens taken overnemen. 'Wie dan ontkomt aan het zwaard van Hazaël zal gedood worden door Jehu en wie ontkomt aan het zwaard van Jehu zal gedood worden door Elisa' (1 K 19:17). Slechts de 7000 Israëlieten die zich niet in het stof gebogen hadden voor Baäl zouden gespaard blijven. Dit verhaal over Elia valt in dezelfde tijd als de oorlogen van Israël tegen Syrië en de strijd tussen Achab en Benhadad, die hiervoor beschreven is. In Jizreël, de zomerhoofdstad van Israël, wilde Achab een wijngaard kopen van Nabot, wiens land grensde aan de koninklijke tuinen. Maar Nabot voelde daar niets voor en hield zich aan de oude Israëlitische stelregel dat het land van de vader altijd het bezit blijft van zijn zoons. Beledigd keerde de koning terug naar zijn paleis. Maar Izebel gaf niets om Israëls geloof of tradities. Zij beschuldigde Nabot er ten onrechte van dat hij de koning en god vervloekt had en liet hem door steniging ter dood brengen. Achab nam vervolgens zijn wijngaard in beslag. Elia begaf zich naar Achab en voorspelde hem de val van zijn koningshuis. Hij zei dat honden zijn bloed zouden oplikken en 'Izebel verslinden bij de stadsmuur van Jizreël' (1 K 21:23). En bij het vernemen van deze woorden kreeg de koning spijt van zijn daden.

Toen Achabs zoon en opvolger Achazja van de tweede verdieping van zijn paleis in Samaria was gevallen en ziek lag, zond hij boodschappers naar Baäl-Zebub, de god van Ekron (9), om te vragen of hij zou herstellen. Elia onderschepte de boodschappers, wellicht op de weg van Samaria naar de kust en stuurde hen terug met een antwoord voor de ten dode opgeschreven jonge vorst. 'Gij zult niet meer opstaan van het bed waarop gij ligt; gij zult sterven' (2 K 1:4).

Ook voor Elia brak de tijd aan om heen te gaan. In Abel-Mechola (10) had hij Elisa als zijn opvolger aangesteld en samen met hem begon de profeet nu aan zijn laatste reis. Herhaalde malen probeerde Elia zijn jonge volgeling achter te laten. Maar de toegewijde Elisa week niet van zijn zijde, ter-

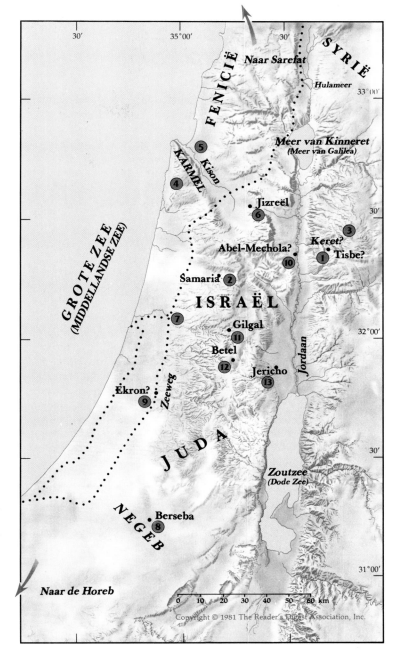

wijl ze van Gilgal (11) naar Betel (12) en vandaar naar Jericho (13) trokken. Bij de Jordaan aangekomen, rolde Elia zijn mantel op en sloeg er het water mee uiteen. Zo konden de twee mannen over de droge bedding naar de overkant lopen. Op de vraag om zijn gave dubbel over te dragen aan zijn opvolger beloofde Elia aan Elisa dat dit zou gebeuren 'als u mij ziet wanneer ik word opgenomen' (2 K 2:10). En terwijl zij stonden te praten, werden zij plotseling van elkaar gescheiden door een vlammende wagen die door vlammende paarden werd voortgetrokken en Elia in een wervelwind naar de hemel voerde.

Elisa verscheurde zijn kleren van verdriet, raapte Elia's mantel op en keerde terug naar de oevers van de Jordaan. Daar herhaalde hij het wonder van het uiteenslaan van het water en stak via de droge bedding over naar Jericho. Toen de zoons van de profeten, leden van het profetengilde, dit zagen bogen ze diep voor hem en zeiden: 'De geest van Elia rust op Elisa' (2 K 2:15).

123

# Elisa en de opstand van Jehu

Elisa was gezalfd om het werk van Elia voort te zetten. Hij vormde evenwel een groot contrast met zijn illustere voorganger. Ook Elisa zijn wonderen toegeschreven. Zo gaf hij het water van de bron bij Jericho een heilzame werking; hij wist 100 mannen te voeden van een zeer kleine hoeveelheid voedsel; hij liet een bijlblad op het water drijven en hij beademde een gestorven kind weer tot leven. Maar terwijl de oude profeet een afstand bewarende eenling was geweest, werkte Elisa nauw samen met de zoons van de profeten, die al van voor de tijd van Saul in het hele land optraden als leden van het profetengilde. Ook Elisa behoorde tot dat gilde. En van hem is een belangrijke en indrukwekkende voorspelling bekend: hij kondigde voor de samen oprukkende legers van Israël en Juda tijdens de barre tocht door de woestijn naar Moab overvloedige hoeveelheden water aan.

Elisa's aanwezigheid bij die veldtocht toont aan dat hij een rol speelde in Israëls openbare leven en betrokken was bij binnenlandse en buitenlandse aangelegenheden.

Terwijl Elia een uitgesproken tegenstander van Achab was, werd Elisa raadsheer van Joram, de zoon van Achab. Dat is merkwaardig, want Elia had zijn opvolger een grote afkeer voor het koningshuis Omri meegegeven. Maar Elisa schijnt de Omriden verschillende jaren gesteund te hebben voor hij de opdracht van Elia op zich nam.

Elia schijnt weliswaar een soort standplaats op de berg Karmel (1) gehad te hebben, maar hij verbleef dikwijls in of rond de hoofdstad Samaria (2). En blijkbaar was hij daar ook toen Joram van de Syrische koning Benhadad het verzoek kreeg zijn legeraanvoerder Naäman van melaatsheid te genezen. We moeten deze geschiedenis zien in samenhang met de hernieuwde oorlogen tussen Syrië en Israël. Dan is het duidelijk waarom dit bijzondere verzoek irritatie veroorzaakte. In de gespannen situatie verzocht Elisa aan Joram de krijgsman naar hem toe te sturen. Zonder zeker te weten wat hij aan Naäman had, gaf hij hem opdracht zich te wassen in de Jordaan.

Ondanks Elisa's wonderbaarlijke genezing van Naäman waren Israël en Syrië weldra weer in oorlog met elkaar. Door zijn profetische kennis van de Syrische plannen kon Elisa de koning van Israël waarschuwen voor een hinderlaag. De Syriërs beraamden later de profeet in Dotan (3) gevangen te nemen, maar Elisa bad dat ze verblind zouden raken en daardoor kwamen ze terecht in Samaria. Een andere keer dreigde Samaria onder het beleg van het Syrische leger uitgehongerd te worden en het volk verviel zelfs al tot kannibalisme. Elisa wist evenwel te voorspellen dat er binnen 24 uur voedsel in overvloed zou zijn. Bij zonsondergang troffen vier zwervende melaatsen het Syrische kamp verlaten aan. Joram hield het aanvankelijk voor een krijgslist die de bevolking uit de stad moest lokken. Hij stuurde er een aantal verkenners op af die tot de ontdekking kwamen dat de Syriërs gevlucht waren naar de overkant van de Jordaan. Zij vonden de weg bezaaid met kleding en uitrustingsstukken. En in het Syrische legerkamp waren grote hoeveelheden voedsel achtergelaten.

Sinds de dood van Achab had het geluk Israël verlaten, vooral door tot mislukken gedoemde krijgsavonturen in het gebied aan de andere kant van de Jordaan. Toen Joram opnieuw openlijk de strijd aanbond met Syrië bij Ramot in Gilead (4, op inzetkaartje) raakte hij gewond en trok zich terug naar Jizreël (5), zoals al eerder vermeld. Daar kreeg hij gezelschap van de koningin-moeder Izebel en zijn neef Achazja, die net koning van Juda was geworden.

We schrijven 842 v.C. In Ramot in Gilead bevond zich in die tijd het ontevreden strijdwagendetachement dat een tiental jaren eerder zo roemrucht uit de strijd bij Karkar was gekomen. De aanvoerder van het detachement heette Jehu. Zeer vertoornd door de politiek die het Huis Omri voerde, sloot een afgescheiden groep godsdienstleiders nu een samenzweringsverbond met het leger. En Elisa stuurde een zoon van een der profeten uit om Jehu tot koning te zalven en hem op te dragen het koningshuis Achab omver te werpen. Het geslacht Omri zou aldus uitgeroeid worden, zoals eerder was gebeurd met het Huis Jerobeam en het Huis Basa. Jehu en zijn mannen trokken de Jordaan af naar het Jizreëldal tot voorbij Bet-San (6).

Het zomerpaleis van de koningen van Israël was gelegen op de westelijke hellingen van het dal en keek uit over de Jordaan. Een uitkijkpost kreeg de mannen van Jehu in de gaten en waarschuwde de koning. Joram zond twee boodschappers uit om te informeren of Jehu met vredelievende bedoelingen kwam en men kon zien dat zij zich bij de naderende groep vervoegden. Waarop Joram en zijn neef Achazja in hun strijdwagens uitreden om Jehu te ontmoeten. In de wijngaard, die Achab met behulp van Izebel van Nabot had afgenomen, troffen zij hem. 'Jehu, is alles wel?' (2 K 9:22) vroeg de koning van Israël. 'Hoe kan alles wel zijn', antwoordde de opstandeling, 'zolang de hoererij van uw moeder Izebel en al haar toverkunsten voortduren?' (2 K 9:22). Toen Joram zijn wagen keerde om te vluchten, werd hij in het hart getroffen door een pijl van Jehu.

Jehu en zijn mannen achtervolgden de jonge koning van Juda, Achazja, tot voorbij Bet-Haggan (7) en op de helling van Gur bij Jibleam (8) verwondden zij hem. Achazja wist met zijn wagen Meggido te bereiken, maar daar stierf hij. Hij werd

*Het prachtige Jizreëldal vormt de scheiding tussen de heuvels van Galilea en Samaria. De stad Jizreël, aan de voet van de berg Gilboa, werd de plaats voor het zomerpaleis van de koningen van Israël.*

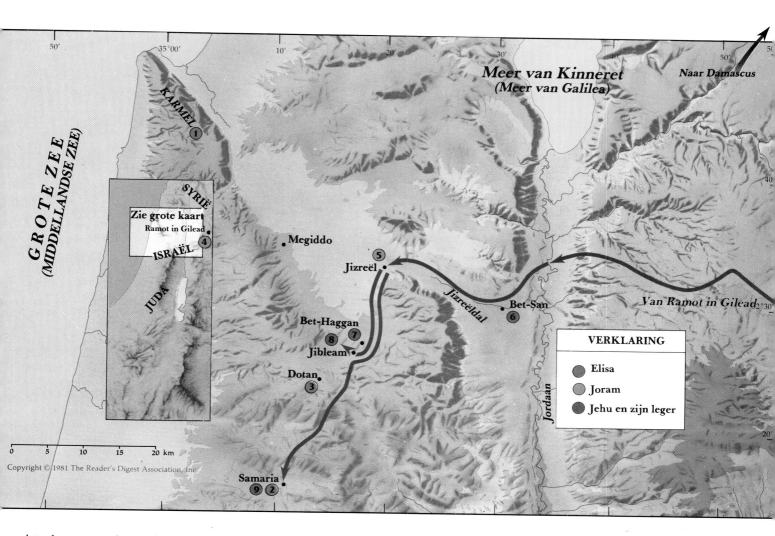

Meer van Kinneret
(Meer van Galilea)

GROTE ZEE
(MIDDELLANDSE ZEE)

KARMEL ①

Naar Damascus

Zie grote kaart
Ramot in Gilead ④
ISRAËL
SYRIË
JUDA

Megiddo

Jizreël ⑤

Jizreëldal

Van Ramot in Gilead

Bet-San ⑥

Bet-Haggan
⑧ ⑦
Jibleam

Dotan
③

Jordaan

VERKLARING

● Elisa
● Joram
● Jehu en zijn leger

0  5  10  15  20 km

Copyright © 1981 The Reader's Digest Association, Inc.

Samaria
⑨②

later begraven in het graf van zijn voorvaders in Jeruzalem.

Intussen had Izebel haar gezicht beschilderd en haar hoofd getooid en toen ze uit het raam van het paleis keek, zag ze Jehu Jizreël binnentrekken. 'Is alles wel, Zimri . . . ?' (2 K 9:31), vroeg ze, zinspelend op de dood van koning Ela. 'Werpt haar naar beneden', beval Jehu twee van Izebels paleisbedienden en dat deden zij, '. . . haar bloed spatte op tegen de muur en tegen de paarden die haar vertrapten' (2 K 9:33). Later, na gegeten en gedronken te hebben, gaf Jehu opdracht Izebel op gepaste wijze te begraven, want zij was tenslotte een koningsdochter. Zij vonden echter alleen nog haar schedel, voeten en handen. Honden hadden het lichaam van de koningin-moeder verscheurd, daarmee de gruwelijke voorspelling van Elia waarmakend.

De dood van Joram, Achazja van Juda, en Izebel vormde nog maar het begin van Jehu's grote zuiveringsactie. De nieuwe koning daagde de oudsten van Samaria uit een van de 70 overblijvende zoons van Achab tot hun leider te kiezen. Daarna zouden ze dan het strijdperk kunnen betreden om het met hem uit te vechten. In plaats daarvan brachten de oudsten hen alle 70 om het leven en lieten hun hoofden in manden doen, die buiten de stadspoort werden opgestapeld. Na 'allen die nog van Achabs huis in Jizreël overgebleven waren' (2 K 10:11) afgeslacht te hebben, trok Jehu naar Samaria (9), in gezelschap van leidende geloofsgenoten. Onderweg ontmoette

hij 42 familieleden van Achazja en liet die ook allemaal ombrengen.

In Samaria zette Jehu de slachting voort. Hij riep de gehele bevolking bijeen en zei: 'Achab heeft Baäl maar matig gediend; Jehu zal hem beter dienen' (2 K 10:18). Maar de ironie van de woorden van de koning was iedereen ontgaan en de priesters en volgelingen van Baäl verzamelden zich nietsvermoedend in de tempel van de godheid. Daar bracht Jehu de nodige offers en liet hen vervolgens met het zwaard ombrengen. En de tempel van Baäl werd in gebruik genomen als latrine.

In Jeruzalem eigende koningin-moeder Atalja, dochter van Achab, zich de lege troon toe en regeerde van 842 tot 837 wederrechtelijk over Juda. Maar Joas, een jonge zoon van Achazja, werd door familie in een slaapvertrek verborgen gehouden, zodat op een dag het Huis David weer over het zuidelijke koninkrijk zou kunnen regeren.

In Israël was de man die Elisa tot koning had gekozen een voortdurende plaag voor het land. Weldra zou Jehu het hoofd diep buigen voor Salmanassar III, koning van Assyrië.

Elisa overleefde het bloedige regime van Jehu, maar aan zijn loopbaan in dienst van het land was nagenoeg een einde gekomen. Tijdens de regering van Jehu's kleinzoon Joas (801-786) werd de profeet ziek en stierf, tot groot verdriet van de koning.

# Onder het juk van Assyrië

Aan het eind van de dynastie der Omri's, in 842 v.C., waren Israël en Juda hevig verzwakt. Godsdiensttwisten in het binnenland waren daarvan de oorzaak geweest, evenals de over tientallen jaren verspreide oorlogen met Syrië en de koninkrijken van Transjordanië. Edom, Moab en Ammon hadden hun onafhankelijkheid herwonnen en een groot deel van de Negeb was verloren geraakt. Bovendien was de opstand van Jehu in Israël het einde geweest van het bondgenootschap dat de Omriden zo zorgvuldig hadden opgebouwd met Fenicië en Juda.

Israël was zwaar getroffen door het hevige geweld dat de opstand van Jehu had opgeroepen. Archeologische vondsten op verschillende plaatsen in Israël laten zien dat de levensstandaard erdoor werd aangetast. De invloed van Damascus werd te zelfder tijd onder het bewind van Hazaël (842-806) versterkt. Hazaël maakte een dankbaar gebruik van de onlusten in Israël, onder meer door het Israëlitische Gilead steeds meer onder druk te zetten. Toen dit Jehu te bar werd, zocht hij steun bij de Assyrische koning Salmanassar III, hetgeen onverstandig zou blijken te zijn.

De slag bij Karkar in 853 had de kleine staten tussen Mesopotamië en Egypte de overtuiging gegeven dat zij een opmars van de Assyriërs naar het zuiden in elk geval konden verhinderen. Volgens de eigen annalen was Salmanassar III eerst de Eufraat overgestoken om in het gebied van Karkemis slag te leveren. Daarna trok hij in zuidelijke richting langs de handelsroute Aleppo-Hamat-Karkar (zie kaart blz. 130). Driemaal poogde Benhadad van Damascus met bondgenoten Assyrië nederlagen toe te brengen, in 849, 848 en 845. Van Israël is er bij die gevechten geen sprake. Benhadad en zijn bondgenoten werden telkens in Noord-Syrië teruggeslagen. Maar de Assyriërs kwamen toch niet verder opzetten naar het zuiden, omdat ze aan de noordgrens van hun uitgestrekte rijk voortdurend last hadden van andere vijanden. In 841 voerde Benhadads opvolger Hazaël een grote aanval uit op Gilead. En het was deze aanval die Jehu ertoe bracht een beroep te doen op Salmanassar III. De Assyrische heerser was onmiddellijk bereid in Damascus toe te slaan. Zijn leger trok er op uit, verwoestte de tuinen rond de stadsmuren, maar slaagde er niet in door de verdediging heen te breken.

In de annalen van Salmanassar vertelt hij wat er gebeurde toen hij zich met zijn leger terugtrok uit Damascus. 'Ik trok me terug tot aan de bergen van Bali-Rasi, het voorgebergte aan de kant van de zee ... In drie dagen kwamen de inwoners van Tyrus en Sidon, evenals Jehu, een zoon van Omri, me hun bijdragen brengen.' Op een monument, de zogenaamde Zwarte Obelisk van Salmanassar III, is dit gebeuren vastgelegd. Men ziet er een aantal koningen op afgebeeld terwijl ze hun bijdragen aan de Assyriër komen geven. Een van de afbeeldingen toont Jehu op handen en voeten en met het hoofd in het stof gebogen voor Salmanassar. De tekst eronder luidt: 'De bijdrage van Jehu, zoon van Omri. Zilver, goud, een gouden schaal, een gouden vaas, gouden bekers, gouden emmers, tin, een staf voor de vorstelijke hand (?), een houten *puashati*.' De afbeelding laat duidelijk zien dat het met de inkomsten van Israël lelijk bergafwaarts was gegaan sinds de roemruchte dagen van Achab, meer dan tien jaar daarvoor.

Waar speelde de onderwerping van Jehu aan Salmanassar zich af? Mogelijk trok het Assyrische leger van Damascus uit naar het zuidwesten om Israël bij Hasor (1) binnen te vallen. De schade die deze stad opliep, dateert in elk geval van deze tijd. Salmanassar zou dan dwars door het land getrokken zijn om Sichor-Libnat (2) aan te vallen. Archeologen hebben daar ook een verwoestingslaag uit die tijd aangetroffen. In dat geval is de berg Karmel, een in het oog springend voorgebergte aan zee, waarschijnlijk de plaats van het tafereel op de Zwarte Obelisk. Naar alle waarschijnlijkheid trokken de Assyriërs van de Karmel noordwaarts langs de kust naar Tyrus (3) en Sidon en kwamen weldra aan bij de Hondsrivier, ten noorden van het huidige Beiroet. Inscripties op een rots daar vermelden de namen van een aantal koningen en volgens sommige geleerden is dit de plaats waar Jehu zich aan Salmanassar kwam onderwerpen. In elk geval schijnt de bijdrage die Jehu overhandigde tijd te hebben gewonnen voor zijn in het nauw gebrachte koninkrijk.

Maar ook binnenlandse problemen in Assyrië brachten redding voor Israël, Damascus en andere kleine koninkrijken in het gebied. Eén van Salmanassars zonen kwam in opstand en er moest strijd geleverd worden tegen vroeger onderworpen volkeren in het bergland aan de bovenloop van de Tigris. Daardoor verminderde de Assyrische druk op het zuidwesten. Hazaël greep zijn kans en stuurde zijn legers niet alleen naar Geliad (4), maar ook helemaal omlaag langs de koningsweg naar Aroër (5). Volgens 2 Koningen behaalde Hazaël overwinningen '... ten oosten van de Jordaan: heel Gilead, het land van de Gadieten, de Rubenieten en de Manassieten, vanaf Aroër aan het dal van de Arnon, en niet alleen Gilead, maar ook Basan' (2 K 10:33).

Hazaël stak vervolgens de Jordaan over en trok in de richting van de zee. Er is geen duidelijk verslag van de gevechten die plaatsgehad schijnen te hebben. Het leger van Joachaz, de zoon en opvolger van Jehu, werd in elk geval teruggebracht tot 'vijftig ruiters, tien strijdwagens en tienduizend man voetvolk' (2 K 13:7). Hazaël had de rest vernietigd en 'tot stof vertrapt' (2 K 13:7). Joachaz hield niet veel meer over dan een binnenlandse politiemacht. Waarschijnlijk brachten de Syriërs verdere vernietigingen toe aan het eens zo fraaie Hasor (6). Deze vesting was Damascus allang een doorn in het oog. Hoe het ook zij, Hazaël trok met zijn leger langs de kust om Gat (7) in te nemen. Hij bevond zich daarbij in de ideale positie om Juda aan te vallen via de Sefala-pas naar het bergland.

Juda werd weer geregeerd door het koningshuis David. Achazja's zoon Joas was op zevenjarige leeftijd tot de troon geroepen na de dood van koningin Atalja. Toen de Syrische koning Hazaël terugkeerde van Gat en 'aanstalten maakte om op te rukken tegen Jeruzalem' (2 K 12:18) (8) zond Joas hem de belastingopbrengsten waartoe zijn vaderen zich verplicht hadden en bovendien 'al het goud dat in de schatkamers en de tempel van de Heer en van het koninklijk paleis bewaard werd ...' (2 K 12:19). Volgens 2 Kronieken 24:23-25 brak er evenwel een gevecht los, waarbij vorsten de dood vonden en de koning gewond werd. Terwijl Joas hiervan herstelde, werd hij door moordenaarshand omgebracht. De moordenaars van

Joas namen wraak voor het doodvonnis dat de koning had uitgesproken tegen Zekarja, de zoon van de priester Jojada. Hij had Joas ervan beschuldigd dat deze de dienst van de Heer in de steek had gelaten. In 800 volgde zijn zoon Amasja hem op. Amasja's leger raakte in de barre woestenij van het Zoutdal (9) slaags met de Edomieten en bracht ze een gevoelige nederlaag en zware verliezen toe. De koning van Juda greep snel zijn kans om in zuidoostelijke richting op te rukken naar de vuurrode heuvels van Edom om Sela (10) te bestormen.

In de overwinningsroes na zijn successen in Edom stuurde Amasja boodschappers naar de koning van Israël, Jehu's kleinzoon Joas. Hij wilde een persoonlijke ontmoeting arrangeren om daarbij voor te stellen dat de dochter van Joas ten huwelijk zou worden gegeven aan zijn zoon. Er waren evenwel geschilpunten tussen de twee vorsten. Zo had Amasja voor zijn avontuur in Edom Israëlitische huurlingen in dienst genomen maar ze naar huis gestuurd vóór de slag in het Zoutdal. Op de terugtocht naar Israël waren deze teleurgestelde krijgers een aantal steden van Juda binnengevallen en hadden er moordend en plunderend huisgehouden. Als Amasja deze kwestie in het reine wilde brengen en zo de vreedzame betrekkingen tussen Israël en Juda meende te kunnen herstellen, vergiste hij zich evenwel. Joas gaf een korzelige reactie op het naar zijn mening hooghartige voorstel van Amasja. Hij noemde Juda een distel en Israël een ceder en hij gaf Amasja de dringende raad tevreden te zijn met zijn overwinning in Edom. Amasja bleef echter aandringen en het kwam tot een oorlog.

Waarschijnlijk trokken de Israëlieten vanuit Samaria (11) naar het westen om Juda via zijn kwetsbare toegangswegen binnen te vallen. De twee legers botsten bij Bet-Semes (12), waar Amasja gevangen werd genomen. Jeruzalem (13) had geen leger of koning die het verdedigde en het viel. De Israëlieten haalden grote gedeelten van de noordelijke stadsmuur neer en plunderden de rest van de stad, evenals de tempel en het paleis. Toen de invallers zich later terugtrokken, namen ze krijgsgevangenen en buit mee naar Samaria. Amasja werd echter vrijgelaten.

Op aandringen van de bejaarde en stervende Elisa hervatte Joas de oorlog met Damascus door de Syrische legerplaats Afek (14) te verwoesten. Hij maakte daarmee een militaire bedreiging voor Israël ongedaan en verwierf zich een springplank die zijn zoon Jerobeam II zou gebruiken om Damascus uiteindelijk te overmeesteren.

Het fortuin leek Juda evenwel minder gunstig gestemd. Amasja regeerde nog vele jaren vanuit zijn verwoeste hoofdstad, maar herstelde zich nauwelijks van de voor hem rampzalige oorlog met Israël. In die weinig opwekkende atmosfeer nam de onrust toe. Toen het Amasja tenslotte ter ore kwam, dat er een samenzwering tegen hem op touw was gezet, vluchtte hij naar de vestingstad Lakis (15) bij de grens met Filistea. Hij slaagde er echter niet in te ontkomen aan de moordenaars die hem achtervolgd hadden. Amasja's lijk werd teruggebracht naar Jeruzalem om daar begraven te worden toen zijn 16-jarige zoon Uzzia in 783 de troon besteeg. Weinigen konden toen nog bevroeden dat deze knaap het fortuin terug zou brengen in Juda. Hij bracht zijn land zelfs ongekende macht en invloed en dat in dezelfde periode waarin Israël een wedergeboorte beleefde onder Jerobeam II.

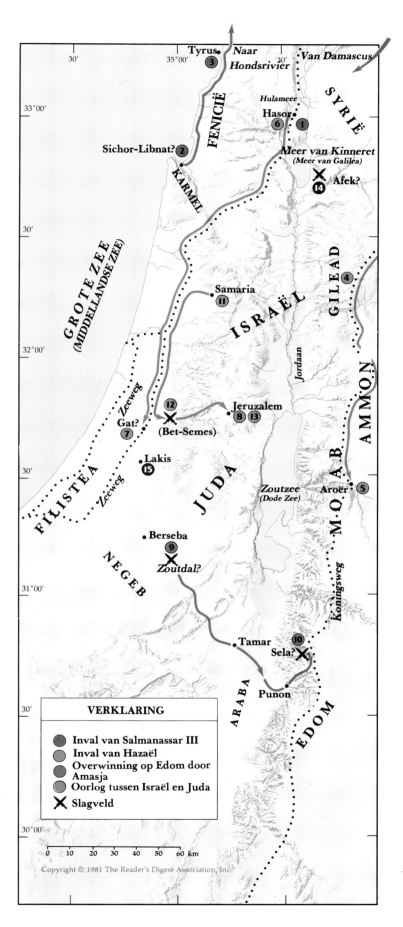

VERKLARING

⬤ Inval van Salmanassar III
⬤ Inval van Hazaël
⬤ Overwinning op Edom door Amasja
⬤ Oorlog tussen Israël en Juda
✕ Slagveld

0  10  20  30  40  50  60 km

Copyright © 1981 The Reader's Digest Association, Inc.

# De opleving van de twee koninkrijken

De situatie keerde zich voor Israël en Juda drastisch ten goede in het tweede decennium van de achtste eeuw v.C.

Syrië, kortgeleden nog een ernstige bedreiging voor Israël zowel als voor Juda, was de laatste bestorming van Assyrië niet te boven gekomen. Het had dit te danken aan Adad Nirari III die Damascus had veroverd en vervolgens enorme belastingen had geheven voor hij naar huis werd teruggeroepen om met een opstand in het noorden af te rekenen.

Na de dood van Adad Nirari in 784 verviel het Assyrische rijk tot onlusten die bijna een halve eeuw duurden en verdere avonturen in het westen onmogelijk maakten.

Egypte was geen factor van politiek of militair belang geweest in het gebied. Althans niet meer sinds de invasie van Sisak tegen het eind van de 10e eeuw. Uitgerekend in deze gunstige tijd kwamen er uitstekende koningen in Israël en Juda aan de macht en ieder van hen zou lange tijd regeren. Jerobeam II, de zoon van Joas van Israël, kwam in 786 op de troon in Samaria (1) en bleef gedurende 40 jaar aan de macht. Uzzia (Azarja) werd de opvolger van zijn ongelukkige vader Amasja van Juda. Hij werd in 783 in Jeruzalem (2) tot koning uitgeroepen en regeerde 41 jaar lang. Beide koninkrijken ondergingen in deze regeringsperiode ongekende uitbreidingen en grote welvaart.

De energieke en talentrijke Jerobeam II wist al heel gauw de vruchten te plukken van de overwinning die zijn vader bij Afek (3) op Damascus had behaald. Hij boekte indrukwekkende militaire successen, waarover echter weinig bekend is. De enige schriftelijke verwijzing naar de verovering van twee steden vinden we in Amos 6:13. We moeten het daarom hebben van onze geografische kennis van het gebied en de militaire tactiek in die tijd om een beeld te krijgen van Jerobeams krijgsverrichtingen. Het staat wel vast dat hij ten strijde trok tegen Lo-Debar (4), dat een strategisch uitermate belangrijke hoogvlakte beheerste, evenals een weg die naar het hart van het gebied Basan en Gilead leidde. Dit was een eerste stap naar een aanval op het lang betwiste Ramot in Gilead (5, inzet) zo'n kleine 40 kilometer naar het oosten. Het enige andere gebied dat bij Jerobeams aanval op Syrië wordt genoemd, is Karnaïm (6, inzet). Tegenwoordig is dit een ruïne aan de grote weg van Ramot in Gilead naar Damascus.

Toen Jerobeam Afek zowel als Ramot in Gilead in handen had, kon hij vanuit het westen en tegelijkertijd vanuit het zuiden naar Karnaïm oprukken. Zijn aanvalsgebied was evenwel veel groter en strekte zich zelfs uit tot voorbij Damascus. Toen het offensief eenmaal achter de rug was, hadden de Israëlieten hun macht uitgebreid tot aan Lebo-Hamat in het noordelijke gebied van het koninkrijk, waarover David en Salomo eens hadden geregeerd.

Voor het eerst waren de wouden en velden van Gilead weer in handen van Israël. Er was geen sprake van dreiging uit Syrië en de inkomsten uit de veroverde gebieden stroomden binnen. Dit alles bracht het land een welvaart die Israël als afzonderlijk koninkrijk nog nauwelijks had gekend. De bevolking nam toe en dijde uit tot buiten de muren van de steden, zoals archeologische vondsten laten zien. Uit opgravingen blijkt verder dat het vakmanschap van ambachtslieden op zeer hoog niveau stond. In Meggido (7), een belangrijk ad-

ministratief centrum van het koninkrijk, is bij opgravingen rond de laatste eeuwwisseling een prachtige zegelsteen gevonden. Deze steen toont de afbeelding van een brullende leeuw en de tekst: 'Sema, dienaar van Jerobeam'. Sema was waarschijnlijk gouverneur van de landstreek en dit kan zijn officiële zegel geweest zijn. Later hebben archeologen, die in Meggido werkten, aangetoond hoe welvarend deze prachtige stad met zijn vele openbare gebouwen en mooie stenen huizen in de tijd van Jerobeam II geweest moet zijn.

In Hasor (8) zijn restanten gevonden van de mooiste Israëlitische huizen uit de Oudheid. Ze dateren van de regeringsperiode van Jerobeam. Op de ruïnes aan Achabs opslagplaats verrezen in Israëls nieuwe bloeitijd van de 8e eeuw winkels, werkplaatsen en huizen. Ze waren van een hoog bouwkundig peil en moeten groot vakmanschap gevergd hebben. Er waren huizen bij met twee verdiepingen, waarvan de stevig gebouwde trappen zich na meer dan 2700 jaar nog op hun plaats bevonden. De huishoudelijke voorwerpen die in de huizen werden aangetroffen, getuigen ook van welstand en vakbekwaamheid. Er was een grote verscheidenheid aan fraai gevormd vaatwerk in gebruik, evenals kommen en molenstenen, die waren gemaakt van ter plaatse gevonden basaltsteen. De kostbaarste vondst vormt een ivoren lepeltje dat gebruikt werd voor schoonheidsverzorging. De handgreep is prachtig uitgesneden en de achterkant heeft de vorm van een vrouwekopje met twee duiven in het haar. Mooiere ivoren voorwerpen uit die tijd zijn alleen in koninklijke paleizen gevonden.

Ongeveer halverwege Jerobeams regeringsperiode, rond 760, werd het land getroffen door een aardbeving, die Hasor voor een aanzienlijk deel verwoestte. Er verrezen daarna nieuwe gebouwen op dezelfde plaats, die geen twijfel lieten over Israëls welvaart in de tweede helft van Jerobeams regeringsperiode. Na de aardbeving kwam het normale leven weer op gang, maar er werden aanzienlijke veranderingen aangebracht in de stadsversterkingen. De stadsmuren kregen uitstekende delen en inhammen om betere posities voor flankvuur tegen aanvallers te verschaffen. Het strategisch belangrijke punt op de noordwesthoek van de berg werd versterkt met een rechthoekige toren van 10 meter bij 7 meter. En ook de stadspoort werd versterkt. Men voelde zich kennelijk niet zo op zijn gemak in Israël toen de Assyrische reus zich weer begon te roeren.

Ook elders groeide de onrust in deze tijden van voorspoed. Twee jaar voor de grote aardbeving verkondigde een bijzonder man - hij kwam uit Juda naar de tempel van Betel (9) - de naderende ondergang van Israël. De man heette Amos en kwam uit Tekoa. Hij was de eerste van de grote 'moralistische profeten'. Amos wees op de sociale wantoestanden die de welvaart het land had gebracht: het uitbuiten van de armen door de rijken, omkoperij, het ontbreken van rechtvaardigheid in de rechtspraak, het morele verval, de problemen veroorzaakt door sterke drank en wijn en de halfslachtige vroomheid en eerbied in de heilige tempels. Het ging bergafwaarts met Israël, een overrijpe vrucht met het zaad van de verrotting in zich. En de veroordeling van de Heer was al uitgesproken: 'Voorwaar, mèt alle volkeren wordt op mijn bevel

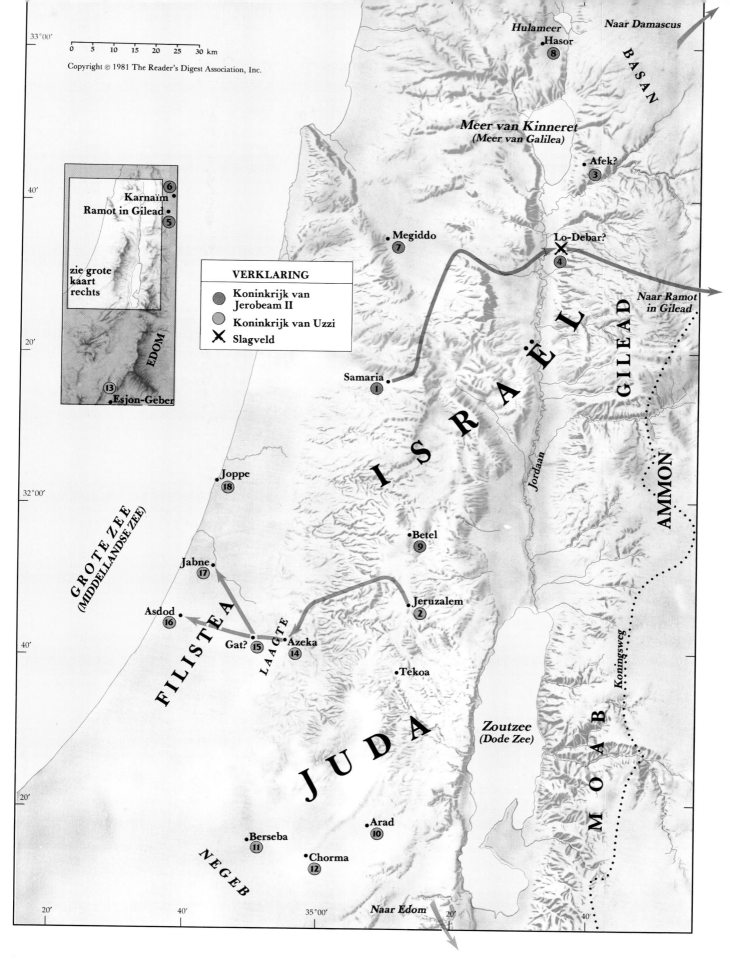

Copyright © 1981 The Reader's Digest Association, Inc.

0  5  10  15  20  25  30 km

33°00′

40′

20′

32°00′

40′

20′

**Naar Damascus**

Hulameer

Hasor
⑧

**BASAN**

**Meer van Kinneret**
**(Meer van Galilea)**

Afek?
③

Megiddo
⑦

Lo-Debar?
✕
④

**Naar Ramot**
**in Gilead**

**I S R A Ë L**

**G I L E A D**

Samaria
①

Jordaan

Karnaïm
⑥
Ramot in Gilead
⑤

zie grote
kaart
rechts

**EDOM**

⑬
Esjon-Geber

**VERKLARING**

⬤ Koninkrijk van
   Jerobeam II
⬤ Koninkrijk van Uzzi
✕ Slagveld

Joppe
⑱

Betel
⑨

**AMMON**

Jeruzalem
②

Jabne
⑰

**G R O T E  Z E E**
**(MIDDELLANDSE ZEE)**

Asdod
⑯

Gat?
⑮

Azeka
⑭

**L A A G T E**

**F I L I S T E A**

Tekoa

**Koningsweg**

**J U D A**

**Zoutzee**
**(Dode Zee)**

**M  O  A  B**

Arad
⑩

Berseba
⑪

Chorma
⑫

**N E G E B**

**Naar Edom**

35°00′

40′

20′

20′

40′

*Assurbanipal die op dit reliëffragment wordt getoond tijdens de jacht, regeerde Assyrië ten tijde van de grote veroveringen. Behalve een groot krijgsman was hij ook een geleerde, die veel kleitafels bijeenbracht.*

# De machtige Assyriërs

In de 8e eeuw v.C. stond het Assyrische Rijk - door de profeet Hosea 'd gier boven het huis van de Heer' (Hos 8:1) genoemd - al honderden jare bekend als de grote veroveraar en uitbuiter. Al in 1100 had de Assyrisch despoot Tiglatpileser I zich overmoedig de 'koning van de wereld' ge noemd. (Hij was heer en meester in een groot deel van Mesopotamië, z het tijdelijk.) De koningen die na hem kwamen, probeerden in zijn voet stappen te treden. Gedurende het grootste deel van de 9e eeuw kwan Assyrië tot bloei onder een opeenvolging van sterke regeerders, die hei haaldelijk naar het westen uitvielen en een groot aantal volkeren, waaron der Israël, belasting lieten betalen. Met de komst van de machtige Tigla pileser III brak er voor Assyrië een tijdperk aan van een nieuwe en to dan toe ongekende uitbreiding van het Assyrische rijk.

Vooral het trotse Assyrische leger was daarvoor verantwoordelijk. He was omvangrijk, goed georganiseerd en voorzien van kundige aanvoer ders. En het gold, mede door zijn wrede reputatie, als de sterkste krijgs macht van zijn tijd. Een belangrijk instrument dat het militaire succes va Assyrië bepaalde, was zijn heerschappij op het gebied van oorlogsmate rieel. Op het hiernaast afgebeelde reliëf van de verovering van Lakis i onder meer een belangrijk voorbeeld van dat materieel te zien: de bestor mingswagen. Deze gevechtstorens op wielen konden over houten vlon ders tot aan de muren van een belegerde stad gereden worden en ve voerden boogschutters en stormrammen.

Door een bijzondere krijgstactiek en door de bevolking van veroverd gebieden naar verre uithoeken van hun rijk te transporteren, slaagd Assyrië erin greep te krijgen op een territorium van ongeëvenaarde afme tingen. In de eerste helft van de 7e eeuw was het Assyrische rijk het om vangrijkst en het bereikte een hoogtepunt van 663 met de verovering va Thebe, de hoofdstad van Egypte. Maar het tij keerde spoedig daarn: Egypte heroverde zijn vrijheid en Assyrië's koning Assurbanipal (Asna par, 668-627) ondervond toenemende druk aan weerskanten van zijn rij Dit bracht Assyrië's bronnen van inkomsten steeds heviger in gevaar. E nog geen 15 jaar na de dood van Asnappar was de eens onoverwinnelijk reus op de knieën gebracht. De hegenomie van Assyrië werd overgen men door een ander rijk, waarvan de naam in de annalen van het bijbel leven zou voortklinken, Babylonië.

---

het huis Israël wel geschud, als in een zeef . . .' (Am 9:9).

Hosea, een jongere tijdgenoot van Amos, kwam uit Israël maar we weten niet uit welke stad. Hosea was minder streng dan de man van Juda die het volk zo uitdrukkelijk had ver oordeeld. Hij weende over het lot van zijn geboorteland en smeekte God medelijden te hebben met de mensen en hen te sparen. Maar Hosea zag duidelijk een donkere wolk verschij nen in het noordoosten en hij wist dat de straf van God en de verbanning niet zouden uitblijven. 'Een gier hangt boven het huis van de Heer! Zij hebben mijn verbond overtreden' (Hos 8:1), sprak hij. Daarmee doelde hij op Assyrië als de gier en op Israëls ontrouw aan God en de sociale wantoestanden in het land, die Amos ook al had opgemerkt.

In Juda had Uzzia intussen iets van de glorie uit Salomo's tijd in ere hersteld. Uzzia was een heel bijzonder bestuurder, die de bronnen van inkomsten in het koninkrijk systematisch begon te exploiteren. Hij liet nieuwe waterreservoirs graven om de grote kudden beter te kunnen onderhouden en stimu leerde landbouwprojecten, uitgaand van de beste bodemop

brengst per landstreek: graan in de dalen en op de laagvlak ten, en wijngaarden tegen de hellingen in het heuvelland.

Een van Uzzia's opmerkelijkste verdiensten was de voort zetting van het werk dat Josafat in navolging van Salomo was begonnen in de Negebwoestijn. Hij liet daar nederzettingen bouwen voor militaire doeleinden en landbouwprojecten om een greep te krijgen op de handelsroutes in dit even onher bergzame als tot de verbeelding sprekende gebied. Deze nieu we activiteiten in de Negeb werden zorgvuldig voorbereid en grondig uitgevoerd. Er werden grotere en kleinere vestingen gebouwd volgens een vast militair stramien, gesitueerd op de kruispunten van hoofdwegen en op andere strategische plaat sen. In heel wat van deze militaire vestingen werden land bouwdorpen ondergebracht. De terreinen werden echter steeds gekozen vanwege de uit militair oogpunt interessante ligging en niet om de verwachtingen op landbouwgebied. Plaatsen als Arad (10), Berseba (11) en Chorma (12) werden weer opgebouwd. Maar er waren nog veel meer van deze 'vestingen in de woestijn', zoals ze in 2 Kronieken 26:10 ge

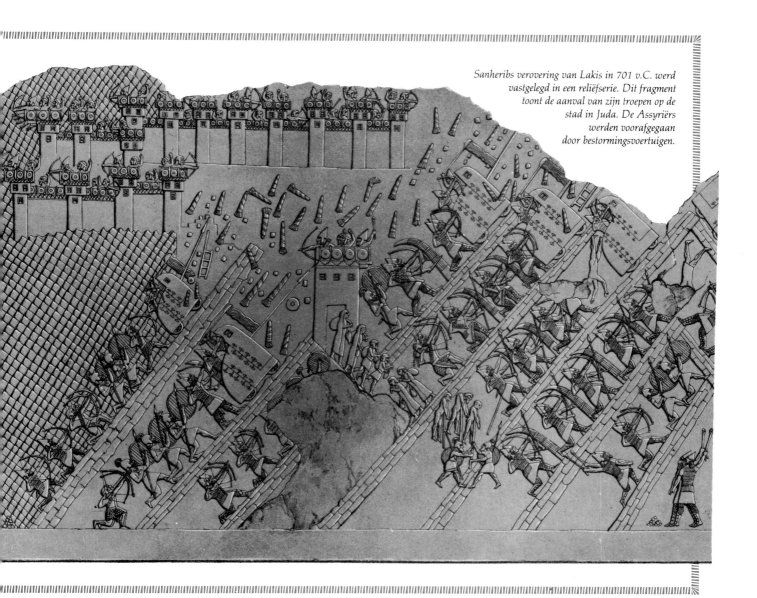

Sanheribs verovering van Lakis in 701 v.C. werd vastgelegd in een reliëfserie. Dit fragment toont de aanval van zijn troepen op de stad in Juda. De Assyriërs werden voorafgegaan door bestormingsvoertuigen.

noemd worden. Archeologen hebben er heel wat gevonden, maar zeker niet allemaal.

Uzzia versterkte ook de verdedigingsforten van Jeruzalem. Hij liet houten betimmeringen aanbrengen bovenop torens en kantelen om zijn mannen bescherming te bieden als zij pijlen afschoten en keien slingerden naar de vijand. Hij reorganiseerde en versterkte ook het leger van Juda en liet 'schilden, speren, helmen, pantsers, bogen en voor de slingers stenen aanschaffen' (2 Kr 26:14). In de voorste linie van deze goed functionerende strijdmacht bevonden zich de 'dappere krijgers' (2 Kr 26:12), een elitekorps dat was voortgekomen uit de persoonlijke lijfwacht van koning David.

Met dit vernieuwde leger beheerste Uzzia niet alleen de Negeb; hij trok er ook, net als zijn vader mee ten aanval tegen Edom en heroverde het hele gebied tot aan Esjon-Geber (13, inzet). Van deze stad maakte hij een nieuw en belangrijk middelpunt langs de Arabische karavaanroute. Uzzia's wens een haven te hebben aan de Grote Zee leidde tot een aanval op Filistea. Hij veroverde de Laagte en wierp een vesting op bij

Azeka (14). De vestingen Gat (15), Asdod (16) en Jabne (17) werden verwoest en Gat en Jabne ingelijfd bij Juda. Dat gebeurde ook met een deel van het gebied dat vroeger bij Asdod hoorde. Uzzia wist uiteindelijk zijn gezag uit te breiden tot aan de havenstad Joppe (18). Daarmee beveiligde hij de kwetsbare toegangen tot het belangrijke gebergte van Juda.

Er is ook sprake van krijgsgeweld tegen 'de Arabieren die in Gur-Baäl woonden, en tegen de Meünieten' (2 Kr 26:7). Gur-Baäl heeft men niet kunnen thuisbrengen. De Meünieten zijn wel aangezien voor de bewoners van de woestijn van Edom, die een bedreiging vormden voor Juda's greep op het zuidelijke eind van de koningsweg. Uzzia had het noordelijke deel van deze beroemde route niet in zijn macht, maar de Ammonieten die er wel de baas waren, betaalden hem belasting. Er is niets bekend over Moab in die tijd. Maar de Moabieten kunnen nauwelijks een bedreiging gevormd hebben voor deze koning van Juda, wiens faam 'zich verbreidde tot aan de Egyptische grens, want hij was immers zeer machtig geworden' (2 Kr 26:8).

# Gevangen in de maalstroom

Met de dood van Jerobeam II in 746 v.C. verviel Israël tot politieke chaos. In één jaar tijds kwamen er drie verschillende koningen in Samaria op de troon. Na een regeringsperiode van slechts zes maanden werd Zekarja, Jerobeams zoon, in Jibleam (1) om het leven gebracht. Zijn moordenaar Sallum volgde hem op. Maar hij bekleedde de macht nog geen maand en werd op zijn beurt om het leven gebracht door Menachem van Tirza. De gruwelijke plundering die Menachem uitvoerde in Tifsach (2), - hij liet 'alle zwangere vrouwen openrijten' (2 K 15:16) - geeft een kijkje op het karakter van deze wrede vorst en op de weerstand die hij ondervond. Door harde maatregelen slaagde hij erin zijn bewind te handhaven in Israël, dat nog zo kort geleden als een machtig land gold met groot gezag, maar dat nu ernstig verzwakt was.

In hetzelfde jaar 745 kwam in Assyrië Tiglatpileser III (in de Bijbel ook wel Pul genoemd) op de troon. Hij bracht een noodlottige verandering in de politiek van wereldverovering die de Assyriërs tot dan toe hadden gevolgd. De veldtochten die de Assyriërs hielden, hadden niet meer alleen ten doel buit, slaven, belasting en hegemonie op handelsgebied te verwerven. Vanaf nu werden veroverde gebieden ook geheel ingelijfd in het Assyrische rijk. De leiders van een veroverd volk werden onmiddellijk gedeporteerd en volkeren uit andere landen werden overgeplant naar de nieuw verworven gebieden.

In een wanhopige poging hun vrijheid te verdedigen, wierpen de kleine westelijke staatjes keer op keer een leger van bondgenoten in de strijd tegen de oprukkende Assyriërs. De annalen van Tiglatpileser III vermelden ene 'Azriau van Iuda' als aanvoerder van deze pogingen tot verzet - hetgeen niemand anders was dan Uzzia van Juda. Ondanks zijn melaatsheid en zijn zwakte op hoge leeftijd stelde de eens zo machtige Uzzia alles in het werk om de koningen van zijn buurlanden samen te brengen tegen de noodlottige dreiging vanuit het noordoosten. Het was een vruchteloze onderneming.

Assyrië beschikte over een onuitputtelijk arsenaal aan manschappen en materieel en was niet te stuiten in zijn opmarsen. Weldra betaalde nagenoeg elke vorst in het uitgestrekte gebied zijn tol aan Assyrië, tot en met Resin van Damascus, Chiram van Tyrus en zelfs Zabibe, de koningin van Arabië.

Ook Menachem van Israël behoorde tot degenen die een bijdrage leverden aan Tiglatpileser. Hij hoopte daarmee waarschijnlijk de Assyrische soldaten uit Israël te houden en tegelijkertijd zijn aanspraken op de troon te versterken. Maar de bijdrage die er van hem verlangd werd, was zo groot - duizend zilveren talenten - dat hij gedwongen werd van elk welvarende man in het land 50 zilveren sikkels te eisen. Menachem hield het zeven jaar vol op de troon. Maar de manier waarop hij aan de macht was gekomen, de belasting die hij zijn landheren liet betalen en zijn welwillende houding tegenover Assyrië zorgden ervoor dat hij bijzonder onpopulair bleef. Zijn zoon Pekachja had nog maar nauwelijks de troon bestegen of hij werd tijdens een militaire staatsgreep van Gileadieten vermoord door Pekach. Dit vormde een veelbetekenende en fatale ommekeer in Israëls buitenlandse politiek.

Israël en Syrië waren in het recente verleden veelvuldig doodsvijanden van elkaar geweest. Maar nu sloot Pekach een verbond met Resin om zich gezamenlijk te verdedigen tegen Assyrië. Jotam van Juda, de zoon van Uzzia, wilde daar evenwel niets mee te maken hebben. De Judeeërs hoopten dat de storm vanzelf zou overdrijven. Toen Jotam in 735 stierf, werd diens zoon Achaz onmiddellijk onder druk gezet door Pekach en Resin. Maar zodra het er naar uitzag dat ook Achaz er niets voor voelde zich aan te sluiten bij het bondgenootschap tegen Assyrië, besloten zij Juda binnen te vallen. Toen Achaz vernam dat Israël en Syrië een samenzwering tegen hem op touw hadden gezet, 'beefden het hart van de koning en het hart van het volk, zoals de bomen in het woud beven onder de wind' (Js. 7:2).

In deze tijd van onzekerheid en machtsverlies raakten Israël

*Gedurende ongeveer anderhalve eeuw - tot de val van Israël in 721 - fungeerde Samaria als de hoofdstad van het noordelijke koninkrijk. De top van de berg van Samaria die in de verte te zien is, was gemakkelijk te verdedigen. Waarschijnlijk heeft Omri daarom de stad daar gebouwd. Archeologische vondsten hebben aangetoond dat Samaria een van de welvarendste steden van Israël in die tijd geweest moet zijn. In de resten van het paleis zijn meer dan 500 voorwerpen van kostelijke ivoorsnijkunst aangetroffen.*

en Juda het gebied aan de overkant van de Jordaan kwijt aan Syrië. Resin liet zijn legers namelijk oprukken om zijn gezag uit te breiden tot in Esjon-Geber (3). Hij stuurde ook een strijdmacht naar Israël waarmee hij in samenwerking met Pekach Juda onder druk wilde zetten. Waarschijnlijk hebben ze de rechtstreekse route via Afek (4) en Lo-Debar (5) gekozen. Pekach en Resin wilden Juda de stuipen op het lijf jagen en afrekenen met Achaz. Daarom trok het gezamenlijke leger Juda vlak bij de noordgrens binnen en begon na een hevige strijd aan een beleg van Jeruzalem (6). Tijdens deze veldtocht werd er veel buitgemaakt en werden er grote aantallen mensen van Juda gevangen genomen. Deze krijgsgevangenen werden in de meest barre omstandigheden - hongerig, dorstig, naakt - overgebracht naar Samaria (7). Maar de profeet Oded klaagde Israël aan. Naar zijn zeggen had Israël al zonden genoeg op zijn geweten om deze wandaad er nog aan toe te voegen. Een aantal belangrijke mannen van het land stelden zich achter de aantijgingen van Oded, met het gevolg dat de krijgsgevangenen te eten en te drinken kregen en gekleed werden. Men verzorgde hun verwondingen en bracht hen vervolgens naar Jericho (8)..

In zijn wanhoop en op de rand van paniek overwoog Achaz om Tiglatpileser om hulp te vragen. Op dit cruciale moment kwam hij evenwel in contact met Jesaja, een der grootste profeten van het oude Israël. 'Bedwing u! Blijf rustig, vrees niet', sprak de profeet, 'laat u niet van streek brengen door die twee rokende houtstompen . . .' (Js 7:4). Juda's enige hoop op redding lag in zijn vertrouwen op de Heer. Het tot nu toe kinderloze koningshuis zou worden voortgezet, want de jonge koningin zou een zoon baren, wiens naam Immanuël ('God is met ons') zou zijn. Bovendien was Sion, de heilige berg van God in Jeruzalem, volgens Jesaja onschendbaar. En zelfs àls Jeruzalem zou vallen, was niet alles verloren. Een krachtsinspanning van de 'twee rokende houtstompen' Israël en Syrië, zou altijd een minder ernstige bedreiging vormen voor Juda dan de angstaanjagende Assyriërs met hun onbegrensde veroveringsdrift. Dat was de raad die Jesaja de koning gaf.

Maar de Israëlieten en de Syriërs maakten het Jeruzalem bijzonder moeilijk. Bovendien sloeg op dat kritieke moment een aantal van Juda's erfvijanden toe. Edom wist niet alleen zijn vrijheid te heroveren, maar nam het hele gebied van de Araba (9) met zijn rijke mijnen in beslag tot aan Esjon-Geber toe. De verdediging van Juda in het zuiden stortte ineen en de plundertochten van de Edomieten reikten tot diep in de Negebwoestijn. In het westen herwonnen de Filistijnen niet alleen wat ze aan Uzzia hadden moeten prijsgeven, maar veroverden ook nog Bet-Semes (11), Soko (12), Timna (13), Ajjalon (14) en Gimzo (15). Daarmee vielen de twee belangrijkste en meest kwetsbare toegangswegen naar Juda - de weg van Bet-Choron en de weg van Bet-Semes - in handen van Juda's vijanden en gingen daardoor voor Achaz verloren. Bovendien bezetten de Filistijnen Gederot (16) en ondernamen strooptochten in de Negeb (17), waarbij ze plunderend en verwoestend langs het netwerk van militaire landbouwnederzettingen in de woestijn trokken.

En nu de dreiging van alle kanten tegelijk kwam, sloeg Achaz, de koning van Juda, ten einde raad de eerdere adviezen van Jesaja in de wind en deed hij toch een beroep op Tiglatpileser van Assyrië. Een beroep dat weldra fataal zou blijken te zijn.

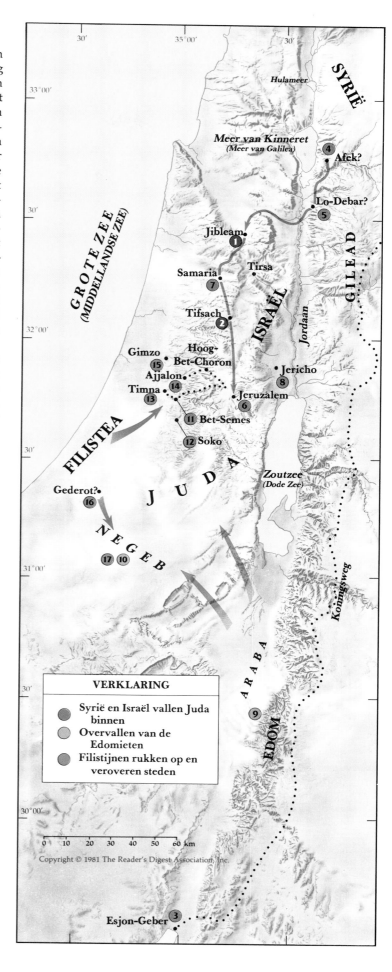

VERKLARING

Syrië en Israël vallen Juda binnen

Overvallen van de Edomieten

Filistijnen rukken op en veroveren steden

Copyright © 1981 The Reader's Digest Association, Inc.

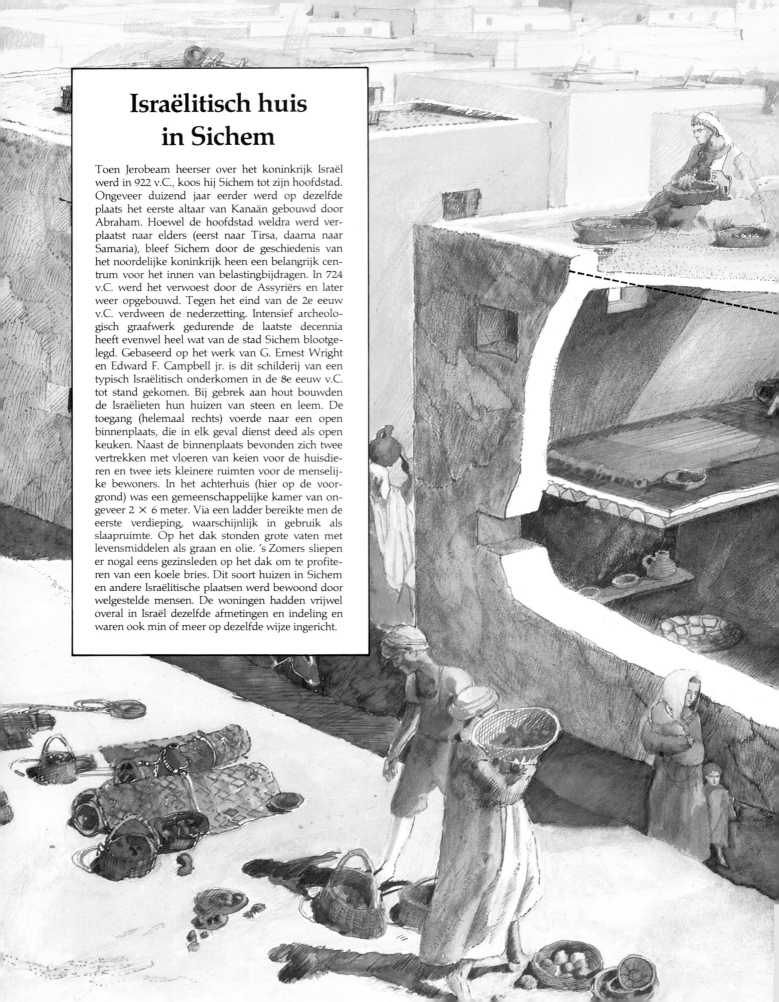

# Israëlitisch huis in Sichem

Toen Jerobeam heerser over het koninkrijk Israël werd in 922 v.C., koos hij Sichem tot zijn hoofdstad. Ongeveer duizend jaar eerder werd op dezelfde plaats het eerste altaar van Kanaän gebouwd door Abraham. Hoewel de hoofdstad weldra werd verplaatst naar elders (eerst naar Tirsa, daarna naar Samaria), bleef Sichem door de geschiedenis van het noordelijke koninkrijk heen een belangrijk centrum voor het innen van belastingbijdragen. In 724 v.C. werd het verwoest door de Assyriërs en later weer opgebouwd. Tegen het eind van de 2e eeuw v.C. verdween de nederzetting. Intensief archeologisch graafwerk gedurende de laatste decennia heeft evenwel heel wat van de stad Sichem blootgelegd. Gebaseerd op het werk van G. Ernest Wright en Edward F. Campbell jr. is dit schilderij van een typisch Israëlitisch onderkomen in de 8e eeuw v.C. tot stand gekomen. Bij gebrek aan hout bouwden de Israëlieten hun huizen van steen en leem. De toegang (helemaal rechts) voerde naar een open binnenplaats, die in elk geval dienst deed als open keuken. Naast de binnenplaats bevonden zich twee vertrekken met vloeren van keien voor de huisdieren en twee iets kleinere ruimten voor de menselijke bewoners. In het achterhuis (hier op de voorgrond) was een gemeenschappelijke kamer van ongeveer 2 × 6 meter. Via een ladder bereikte men de eerste verdieping, waarschijnlijk in gebruik als slaapruimte. Op het dak stonden grote vaten met levensmiddelen als graan en olie. 's Zomers sliepen er nogal eens gezinsleden op het dak om te profiteren van een koele bries. Dit soort huizen in Sichem en andere Israëlitische plaatsen werd bewoond door welgestelde mensen. De woningen hadden vrijwel overal in Israël dezelfde afmetingen en indeling en waren ook min of meer op dezelfde wijze ingericht.

# De val van Israël

Het beroep dat Koning Achaz van Juda deed op Tiglatpileser III had onmiddellijke, verstrekkende gevolgen. Zoals de profeet Jesaja al had voorspeld, was er niet veel nodig om de Assyrische vorst tot ingrijpen te brengen. Tiglatpileser was klaar om de macht van Syrië te breken en het land bij zijn rijk in te lijven. Hij besefte dat Egypte hem bij zijn plannen zou kunnen dwarsbomen en daarom besloot hij elke hinder die hij vanuit het zuiden ondervond meteen de kop in te drukken. Zijn plan de campagne vereiste drie militaire operaties: het buiten gevecht stellen van Egypte, het isoleren van Syrië en het vernietigen van de macht van Damascus.

Israël schijnt nauwelijks meegeteld te hebben in de plannen van Tiglatpileser. Hoogstens was van belang dat hij wel gedwongen was Israëlitisch grondgebied over te steken om Egypte af te grendelen.

In 734 trok het Assyrische leger langs de kust omlaag in de richting van de Beek van Egypte, de natuurlijke noordoost-grens van het land. Voorbij Tyrus (1) en Akko (2) doemde het probleem op, dat de troepen veilig de berg Karmel moesten zien te passeren. Op een bepaald punt ligt er een strook die niet breder is dan enkele honderden meters tussen het steile rotsgebergte en de zee. Voor een leger dat niet het hele omliggende gebied bezet hield, was het een onaanvaardbaar risico alle manschappen door zo'n nauwe doorgang te laten gaan. Daarom maakten de Assyriërs een omweg landinwaarts van ongeveer 15 kilometer naar de dichtstbijzijnde grotere pas in het Karmelgebergte. Ze trokken bij Jokneam (3) het bergland in, kwamen er ten oosten van Dor (4) weer uit en vervolgden hun tocht in zuidelijke richting langs de zee.

We weten dat Tiglatpileser tijdens deze veldtocht Gezer aanviel, al is het niet duidelijk waarom hij deze vesting met alle geweld moest vernietigen. Mogelijk beschouwde hij de ligging van de stad als een gevaar. Archeologen hebben in elk geval overtuigende bewijzen van de verwoesting aangetroffen. Delen van de reliëfvoorstellingen op een muur van Tiglatpilesers paleis in Nimrod zijn trouwens gewijd aan de belegering en de verovering van Gezer (5).

Na de val van Gaza (6) rukte Tiglatpileser op tot aan het moerasgebied van Egypte, waar hij zijn krachten weer verzamelde om klaar te staan als zijn rivaal uit het zuiden eventueel kwam opzetten. Het snelle succes dat Tiglatpileser wist te boeken, was waarschijnlijk evenzeer te danken aan de zwakke positie van Egypte als aan de kracht van Assyrië. Later begon Egypte het de opvolgers van Tiglatpileser toch nog lastig te maken. Men lokte plaatselijk rellen uit en probeerde het gebied rond Gaza weer in handen te krijgen.

Het jaar daarop, in 733, kwamen de Assyriërs opnieuw binnenvallen, ditmaal om Israël zelf een gevoelige slag toe te brengen. Ze hadden kennelijk de bedoeling Syrië van het westen en het zuiden af te snijden. Het bondgenootschap dat Pekach met Resin tegen Assyrië had gesloten, zou hem nu opbreken. Lange rijen soldaten kwamen te voorschijn via de pas tussen de gebergten van Libanon en Antilibanon en trokken langs de 2770 meter hoge berg Hermon. Ze begonnen aan de afdaling naar het diepe ravijn bij de Israëlitische versterkingen Ijjon en Abel-Bet-Maäka (7), die ze binnen de kortste tijd tot overgave wisten te dwingen. Vervolgens ging de opmars naar het strategisch gelegen Hasor (8), een bijna onneembare vesting op de top van een 40 meter hoge heuvel.

Opgravingen in Hasor hebben aangetoond, dat de Assyriërs de burcht bestormd moeten hebben aan de oostelijke, iets minder steile kant. De verwoesting is daar zo hevig geweest dat alleen de fundering onder de grond intact bleef. Overal elders op de berg was de aanval trouwens verpletterend. De vloeren van de militaire gebouwen en van de huizen lagen bezaaid met puin. In de ruïnes is alleen een handvol kunstwerken overeind gebleven, hetgeen wel demonstreert hoe grondig de Assyrische soldaten hebben huisgehouden tijdens hun strooptochten. Aan het eind van de verwoestingsactie werd Hasor tot aan de grond toe platgebrand. De nog altijd zwarte aslaag die de plaats van de ramp bedekt, ligt als een koek van een meter dik over de hele heuvel. Het is ongetwijfeld een van de meest dramatische bewijzen van totale verwoesting die waar dan ook in het land is aangetroffen.

We weten niet met zekerheid in welke richtingen het Assyrische leger zich verplaatst heeft. Naar het schijnt, splitste Tiglatpileser zijn strijdmacht bij Hasor in drie aanvalseenheden. De eerste zond hij naar Boven-Galilea langs de veelgebruikte route via Kedes (9) en dwars door Janoach (10). Beide steden werden vernietigd. Vervolgens ging het op de kust aan bij Akko (11), vanwaar de eenheid in zuidelijke richting afboog en de doorgang tussen de berg Karmel en de zee koos. Eenmaal voorbij Dor (12) raken we het spoor kwijt. Wellicht is de legereenheid verder afgezakt om het garnizoen bij het moerasgebied van Egypte te gaan versterken.

De tweede en derde aanvalseenheid trokken ten zuiden van Hasor naar Kinneret (13), waar ze uiteengingen. De ene rukte in zuidelijke en oostelijke richting op door Pehel (14) en Jabes. Een deel van de tweede groep nam de route langs Machanaïm (15) en verspreidde zich over het gebied van Gilead.

Het derde legerkorps volgde een aftakking van de zeeroute naar Beneden-Galilea, nadat het bij de vulkaan van Adama uit het ravijn omhoog was gekomen. Het vervolgde zijn tocht in westelijke richting door het centrale zijdal van Beneden-Galilea en vernietigde de steden Ruma, Kana, Jotba en Channaton (16). Van Channaton gaat een dal zuidwaarts naar de vlakte van Jizreël; aan de overkant daarvan bevond zich Meggido (17).

De vestingstad Meggido gold al geruime tijd als een belangrijk militair steunpunt, uitkijkend over de wadi Ara en over een brede en een nauwe pas in het Karmelgebergte. Het was in die dagen een van de belangrijkste steden in Israël, het regeringscentrum voor een groot deel van het noordelijke gebied. De stad werd nu aangevallen, naar alle waarschijnlijkheid door het legerkorps dat via Beneden-Galilea was getrokken, mogelijk gesteund door detachementen van de andere eenheid. Meggido was op een gegeven moment, waarschijnlijk onder het bewind van Achab, voorzien van een stadsmuur met uitspringende delen, vanwaar de vijand in de flank kon worden beschoten.

Er zijn minder gegevens bekend over de verwoesting van Meggido dan over de ramp in Hasor. Misschien komt dat omdat de Assyriërs het grootste deel van de stad hebben her-

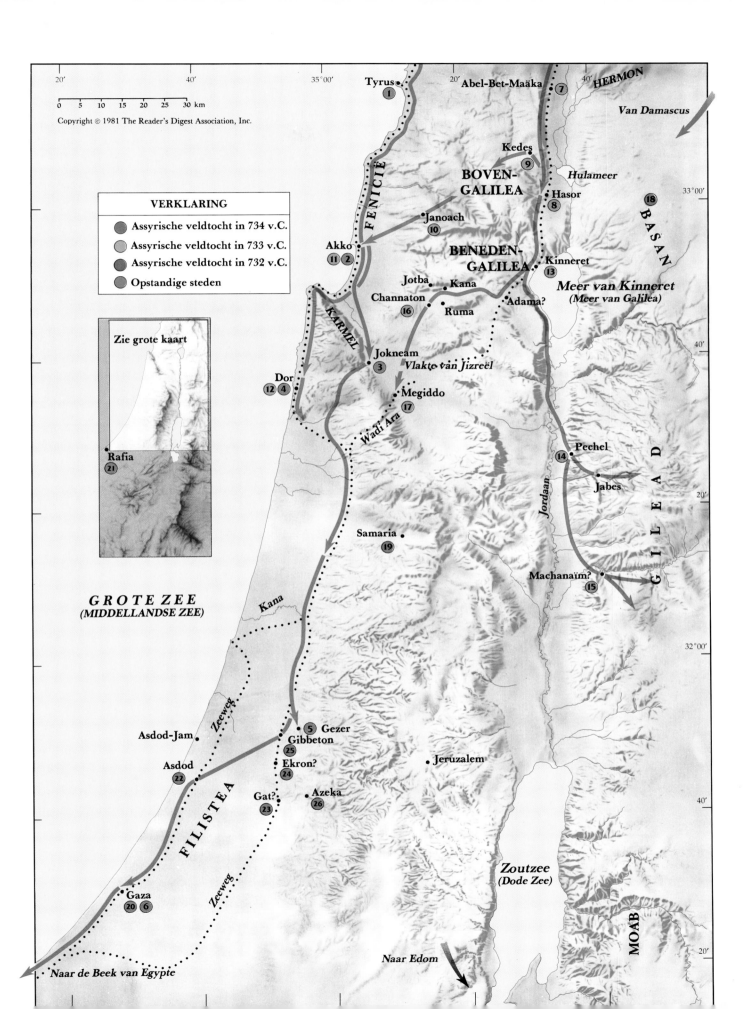

**VERKLARING**

- Assyrische veldtocht in 734 v.C.
- Assyrische veldtocht in 733 v.C.
- Assyrische veldtocht in 732 v.C.
- Opstandige steden

Zie grote kaart

Rafia
21

20′          40′          35°00′          20′          40′

Tyrus
1

Abel-Bet-Maäka
7          HERMON

Van Damascus

Kedes
9

BOVEN-
GALILEA

Hulameer

Hasor
8          33°00′

BASAN
18

Janoach
10

Akko
11  2

BENEDEN-
GALILEA

Kinneret
13

FENICIË

Jotba      Kana
Channaton                    Adama?
16          Ruma

Meer van Kinneret
(Meer van Galilea)

KARMEL

Jokneam
3          Vlakte van Jizreël          40′

Dor
12  4

Megiddo
17

Wadi Ara

Pechel
14

Jabes
20′

Jordaan

GILEAD

GROTE ZEE
(MIDDELLANDSE ZEE)

Kana

Samaria
19

Machanaïm?
15

32°00′

Asdod-Jam

Gezer
5
Gibbeton
25
Ekron?
24

Jeruzalem

Asdod
22

Azeka
26

Gat?
23

FILISTEA

Zeeweg

Zeeweg

Zoutzee
(Dode Zee)

40′

Gaza
20  6

MOAB

20′

Naar Edom

Naar de Beek van Egypte

# De val van Israël *(vervolg)*

bouwd en daarbij veel hebben weggelaten van wat er vroeger stond. Maar de Assyriërs maakten in feite een heel nieuw stadsplan en daaruit blijkt toch wel dat het leger van Tiglatpileser bij zijn aanval ook Meggido behoorlijk toegetakeld heeft. Onder het bewind van de Assyriërs werd Meggido het regeringscentrum van de nieuwe Assyrische provincie Maggidu. Jesaja noemde deze provincie Galil ha-Gojim (gebied van de vreemdelingen) en vandaag de dag kennen we de streek als Galilea. Het hele noordelijke deel van het koninkrijk Israël werd bij het Assyrische rijk ingelijfd. Het kustgebied ten zuiden van de berg Karmel tot aan de beek van Kana werd geannexeerd als de provincie Dor.

Intussen werd in Samaria Pekach tijdens een samenzwering door Hosea neergeslagen. Dezelfde Hosea zou de laatste koning van Israël worden. Volgens de annalen van Tiglatpileser kreeg Hosea bij zijn geslaagde komplot steun van de Assyriërs. De loop der gebeurtenissen zou evenwel uitwijzen dat Hosea en zijn aanhangers lang niet zo pro-Assyrisch waren als ze leken. Op dat bewuste moment hield het komplot nog iets van de onafhankelijkheid overeind voor het sterk in betekenis afgenomen Israël. Het was toen evenwel al duidelijk, dat de noordelijke staat niet zou overleven.

Israël kon totaal geen aanspraak meer maken op Gilead, en zijn grondgebied ten westen van de Jordaan was met meer dan de helft ingekrompen. Zijn bronnen van inkomsten stelden niet veel meer voor en wat er nog iets opbracht, ging voornamelijk naar de belasting die Assyrië opeiste. Het kleine beetje onafhankelijkheidsgevoel dat Israël nog kon koesteren, was dan ook niet veel meer dan pure illusie. Wat er nog van Israëls grondgebied over was, werd aan drie kanten ingesloten door Assyrië. De wegen die van het noorden naar Samaria leidden, waren voor iedereen vrij toegankelijk. Tussen de vlakte van Jizreël en de hoofdstad waren geen vestingen van betekenis meer intact gebleven. De kleinste misrekening was voldoende om het land helemaal ten dode op te schrijven en die misrekening zou door Hosea gemaakt worden bij de dood van Tiglatpileser.

In 732 hield Tiglatpileser zijn derde veldtocht naar het zuiden en daarbij bestormde en veroverde hij Damascus tenslotte. Syrië werd ingelijfd als provincie van Assyrië en de overwinnaar liet grote aantallen mensen uit het gebied deporteren. Van Damascus trok het Assyrische leger in zuidelijke richting en nam het Syrische Basan (18) in beslag.

Terzelfder tijd werd Achaz van Juda naar Damascus ontboden om een knieval te doen voor zijn 'bevrijder' Tiglatpileser. 'Maar in plaats van hem te helpen, rukte Tiglatpileser, de koning van Assur, tegen hem op' (2 Kr 28:20). Tijdens zijn verblijf in Damascus zag Achaz een altaar, waarvan hij een kopie liet maken. Al in eerdere crisissituaties had Achaz zijn toevlucht gezocht tot elke godheid, waarvan hij maar hulp meende te kunnen verwachten. En nu ging hij zelfs zover dat hij het altaar voor de Heer in de tempel van Jeruzalem van zijn belangrijkste plaats verwijderde om er het altaar voor een vreemde godheid neer te zetten. Voor Achaz en zijn raadslieden was zo'n uiting van de onderdanigheid de enige mogelijkheid voor overleving die zij nog zagen, maar al spoedig zou blijken dat ook dit gebaar van tegemoetkoming weinig zou helpen en dat Israël ten dode was opgeschreven.

Tiglatpileser III stierf in 727. Zoals vaker gebeurde in de Oudheid als een sterke koning was gestorven, kwamen bezet-te staten in de randgebieden van zijn rijk in opstand. Ook Israël deed dat. Hosea wekte de indruk trouw te blijven aan de nieuwe Assyrische vorst Salmanassar V; in werkelijkheid zocht hij steun bij de koning van Egypte. Hij kreeg toezeggingen los van de zwakke farao - waarschijnlijk Tefnakt uit de 24e dynastie - en besloot toen prompt geen belastingen meer af te dragen aan Salmanassar. Dit was een niet mis te verstaan blijk van opstand. Hosea zag zijn fout te laat in. Door zich tot Egypte te wenden, had hij een gevoelige snaar bij de Assyriërs geraakt. Salmanassar trok ten strijde tegen Israël en Hosea werd gevangen genomen. Duizenden mensen uit de steden en dorpen van Israël zochten hun toevlucht achter de stadsmuren van Samaria (19), toen de Assyriërs voor de poorten verschenen en aan de belegering van de stad begonnen.

De Assyrische soldaten hadden weinig of geen moeite gehad om Samaria te bereiken, maar de verovering van de op een eenzame heuveltop gelegen stad bleek bijzonder moeilijk. De belegering duurde maar liefst 3 jaar en was een van de langste die we uit de Oudheid kennen. Salmanassar stierf en werd opgevolgd door Sargon II, maar deze wisseling van de macht maakte voor Israël weinig uit.

Tijdens het beleg nam de ellende met de dag toe en de wanhoop groeide met het uur. Tot de Assyriërs uiteindelijk in het jaar 721 een bres wisten te slaan in de muren en de stad binnenvielen. Daarmee kwam er na twee eeuwen een eind aan het noordelijke koninkrijk van Israël. Sargon schept er in zijn annalen over op, dat hij 27 290 inwoners van Samaria als buit wegsleepte en deze mensen over Boven-Mesopotamië en Medië verspreidde. Andere verslagen volkeren bracht hij weer onder in Israël. Hij stelde een gouverneur over hen aan en liet hen de gebruikelijke belasting opbrengen. Het grondgebied dat van Israël over was, had hij samen met de provincie Dor bij zijn rijk ingelijfd als het district Samaria. In de loop der tijden vermengde de nieuwe bevolking zich met de achtergebleven Israëlieten en vormde op den duur het Samaritaanse volk uit het Nieuwe Testament.

Sargon vertelt in een voetnoot bij zijn trieste relaas over opstanden die in 720 uitbraken in Chammat, Damascus, Samaria en Gaza. Ze waren aangewakkerd door de koning van Chammat (een van de Syrische koninkrijken). En ook de Egyptenaren waren erbij betrokken. Sargon kwam snel in actie om deze opstanden de kop in te drukken en joeg bij Gaza (20) een te hulp komend Egyptisch leger op de vlucht. Hij nam Rafia (21, inzet) in, haalde de muren omver, brandde de stad plat en zond meer dan 9000 inwoners in ballingschap.

Toch lukte het de Egyptenaren er later - in 713 of 712 - opnieuw onrust te zaaien. Daarbij was Asdod (22) de voornaamste haard van de opstand. Ditmaal schijnen Juda (onder de nieuwe koning Hizkia), Edom en Moab aan de opstand deelgenomen te hebben. Jesaja was fel gekant tegen de deelname van Juda en het koninkrijk trok zich, samen met Edom en Moab, op tijd terug vóór er al te grote schade was toegebracht. Asdod en zijn haven Asdod-Jam vielen en het gebied werd de nieuwe Assyrische provincie Asdod. Verder vielen Gat (23), Ekron (24) en Gibbeton (25) ten prooi aan de wraakoefeningen van Assyrië, evenals Azeka (26), dat de weg naar Bet-Semes beheerste en daarmee de toegang tot Jeruzalem. De Assyriërs waren blijkbaar van mening dat er vroeg of laat iets aan Juda gedaan zou moeten worden. Het bleek spoedig dat het eerder vroeg dan laat zou zijn.

# Sanherib valt Juda aan

Kort nadat Sargon II Israël verwoestte, werd de Assyrische vorst geconfronteerd met een opstand aan de rand van zijn rijk. Een Chaldeese prins, Merodak-Baladan genaamd, was er in geslaagd Babylonië tot onafhankelijkheid te brengen. De strijd zou zich daar gedurende een periode van misschien wel twaalf jaar voortslepen.

Sargon trok troepen terug uit Samaria en de omliggende gebieden om ze bij de oplossing van zijn problemen in het oosten te kunnen inzetten. Hij riskeerde daarmee dat pas veroverde provincies langs de Grote Zee zouden proberen zich vrij te maken. En zoals we vastgesteld hebben, ontbrandden er inderdaad opstanden in 720 v.C. en in 713-712 v.C.

Uiteindelijk slaagde Sargon erin deze aantastingen van zijn gezag de kop in te drukken. Zijn zoon en opvolger Sanherib, die in 704 op de troon kwam, bleek een heel wat minder krachtig regeerder te zijn. De eerste jaren van zijn heerschappij besteedde hij bijna geheel aan de verfraaiing van zijn hoofdstad Ninevé. Ongeveer te zelfder tijd begon het al geruime tijd sluimerende Egypte te ontwaken en zich weer te laten gelden. Dat gebeurde onder de koningen van de 25e (Ethiopische) dynastie.

Hizkia profiteerde van de ontstane situatie en voldeed niet meer aan zijn verplichte belastingafdracht. Bovendien trof hij op grote schaal voorbereidingen voor een algehele opstand tegen Assyrië. De Bijbel vertelt ons hoe hij Jeruzalem (1, op de kaart van de volgende bladzijde) in gereedheid bracht voor de verwachte aanval. Een opzienbarend overblijfsel van deze voorbereidingen is de watertunnel onder de stad. De koning had deze laten graven vanaf de Gichon-bron in het Kidrondal om bij een eventuele belegering over voldoende water voor de stad te kunnen beschikken. De tunnel loopt ruim 500 meter door een keiharde rotslaag, die met behulp van ijzeren beitels stukje voor stukje weggehakt moest worden. De breedte varieert van één tot drie meter en de hoogte van anderhalve tot bijna vijf meter. De tunnel is nog steeds in gebruik om het heldere water naar de vijver van Siloam te voeren.

Helaas vermeldt de Bijbel niet waar en hoe Hizkia elders verdedigingen opwierp. Maar als we uitgaan van de geografische ligging en de loop der gebeurtenissen kunnen we ons een aardig beeld vormen van wat er aangepakt moest worden. Vroegere vijanden zouden misschien vanuit het oosten of het zuiden hebben kunnen aanvallen. Van die kant was een grote aanval van de Assyriërs evenwel niet te verwachten. De woestijn van Juda en de Negeb boden daar afdoende bescherming. Ten noorden van Jeruzalem lag de grens van de Assyrische provincie Samaria slechts vijftien kilometer verwijderd. Maar het zou lastig geweest zijn een groot leger over de heuvels van Samaria met hun ravijnen te brengen. Hetgeen niet wegneemt dat de hoogvlakte ten noorden van Jeruzalem onmiskenbaar een zwakke plek vormde en dat men dit niet mocht verwaarlozen.

In het westen vormde de Laagte, het gebied met tal van lage heuvelruggen, struikgewas en ondiepe dalen tussen de kustvlakte en de centrale hooglanden, een vooruitgeschoven verdedigingslinie. Een eventuele veroveraar die daar door de sterke keten van vestingen wist te breken, kreeg met nòg een natuurlijke verdedigingslinie te maken, de dichte bergketen die het binnenland van Juda bescherming biedt. Juda was zeker niet onneembaar te noemen, maar zijn geografische ligging bood de verdedigers van het land wel tal van natuurlijke voordelen.

Toch had Hizkia wel degelijk ernstige verdedigingsproblemen. Via een aantal passen in de Laagte was het vrij gemakkelijk door te dringen tot het binnenland van Juda. Vooral de weg van Bet-Semes (2), die breeduit naar Jeruzalem liep, was daarvan een berucht voorbeeld. Latere gebeurtenissen leveren het bewijs dat Hizkia hier een aantal versterkingen concentreerde en dat die heel wat moeilijkheden opleverden voor Sanherib. De oude verdedigingslinie die Rechabeam langs de noordgrens van Juda (zie kaart blz. 111) had laten aanbrengen, was zonder twijfel de basis voor Hizkia's militaire veiligheidsmaatregelen. Maar uit Sanheribs verklaring dat hij 46 steden en ommuurde forten in Juda verwoestte, kunnen we gevoeglijk opmaken dat Hizkia de georgrafische situatie ten volle heeft uitgebuit. Het is dus wel zeker dat hij van Juda een bolwerk van versterkingen op elk strategisch punt maakte, o.a. aan de grens met Edom (3, inzet).

Ook op andere manieren bereidde Hizkia zich voor op de oorlog. Hij deed overvallen op Edom om zijn zuidgrenzen veilig te stellen. Hij zorgde dat de legers van Juda met hetzelfde materieel werden uitgerust en zag er speciaal op toe dat er ruime voorraden pijlen en schilden voorhanden waren.

Hizkia zocht ook steun bij anderen met anti-Assyrische sympathieën. Zo ontving hij afgezanten van Merodak-Baladan, die zijn macht aan het herstellen was. Deze man was verantwoordelijk voor de hernieuwde opstand tegen Sanherib en vormde een bondgenootschap met koning Sidka van Askelon (4). Andere Filistijnse vorsten in Asdod en Gaza, die ook pijnlijke herinneringen hadden aan Assyrië's macht, aarzelden openlijk partij te kiezen. Padi, de koning van Ekron (5) bleef trouw aan Sanherib en moest daarvoor boeten. Hij werd door zijn onderdanen gevangen genomen en naar Hizkia gebracht, waardoor hij in de gevangenis van Jeruzalem belandde. Toen farao Sabako van Egypte Hizkia militaire steun toezegde, sloot de koning van Juda prompt een verdrag met hem. Hij trok zich daarbij niets aan van Jesaja's waarschuwing: '...de bescherming van Farao zal hen ontgoochelen en schuilen in Egyptes schaduw brengt schande' (Js 30:3). Ammon, Moab en Edom zijn wellicht betrokken geweest bij het verdrag dat Hizkia sloot. Als dat het geval was, moeten zij zich haastig teruggetrokken hebben toen de Assyrische legers kwamen opdagen.

Rond 702 was Merodak-Baladans opstand in Babylonië bedwongen en Sanherib maakte zich onmiddellijk gereed om af te rekenen met het bondgenootschap van weerspannige vazallen rond Hizkia. In 701 kwamen de Assyriërs met een enorme troepenmacht langs de kust afzakken en brachten de eerste slag toe aan de Feniciërs. Luli, de koning van Tyrus (6, inzet) vluchtte naar Cyprus, terwijl Tyrus en het landinwaarts gelegen Usu zo grondig verwoest werden dat de belangrijke haven na de wederopbouw zijn handelspositie voorgoed kwijt was.

Het Assyrische leger liet zich verder niet afleiden en trok snel langs de zeeweg naar Filistea en West-Juda.

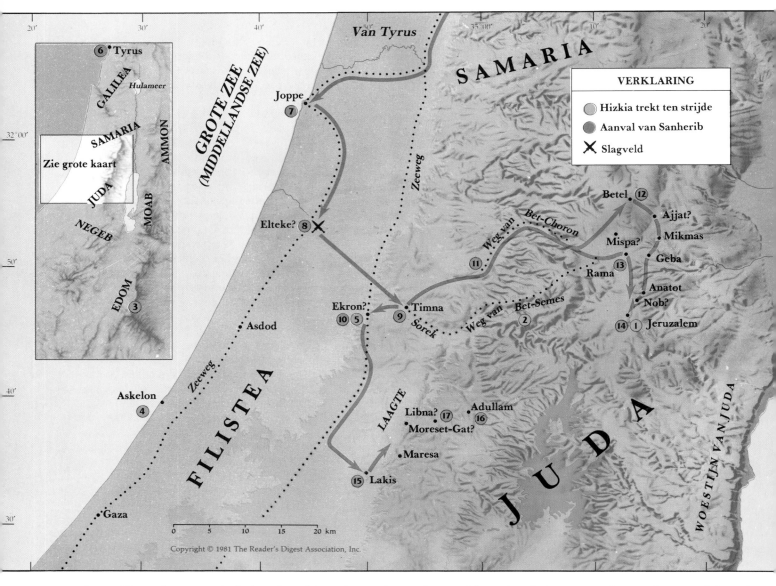

Joppe (7) was het eerste doelwit en het viel zonder moeite. Maar plotseling bevond Sanherib zich tegenover een Egyptisch leger dat versterkt was met boogschutters, strijdwagens en ruiters uit Ethiopië. De legers raakten slaags bij Elteke (8) en de Assyriërs behaalden een grote overwinning. Maar na de verovering en vernietiging van Elteke liet Sanherib de Egyptenaren ongemoeid terugtrekken. De Assyrische heerser vervolgde zijn tocht daarentegen naar Timna (9) en Ekron (10) om de steden die met Hizkia hadden samengespannen te straffen. Het Assyrische plan voor de totale onderwerping van Juda begon nu vorm te krijgen.

Een der legerkorpsen rukte via de weg van Bet-Choron (11) op om Jeruzalem vanuit het noorden aan te vallen. De troepenmacht baande zich vechtend een weg langs Betel (12) naar de hoogvlakte ten noorden van de hoofdstad. Een afgesplitste eenheid veroverde Rama (13), daarmee de weg naar Hizkia's noordelijke verdedigingscentrum Mispa afsnijdend. De Assyriërs wilden geen mankracht, materieel en tijd verliezen met een aanval op Mispa en daarom sloten ze de stad eenvoudigweg van zijn omgeving af. Sanherib liet aarden wallen optrek-

ken rond Jeruzalem (14) om te voorkomen dat iemand de stad kon verlaten. Hizkia zat volgens Sanherib 'als een vogel in een kooi' opgesloten in zijn hoofdstad.

De koning van Juda kon zich niet bemoeien met de verdediging van zijn grondgebied en intussen begon het andere Assyrische legerkorps, onder aanvoering van Sanherib zelf, aan de bestorming van de vestingen in de Laagte. Lakis (15), op de hoogste heuvel van het gebied en een van de zwaarst versterkte vestingen, had de sleutelpositie in deze westelijke verdedigingslinie. Als Lakis eenmaal was gevallen, kon Sanherib gestaag door de Laagte optrekken en stad na stad aanvallen. Hetgeen hij dan ook deed, al bleek Lakis niet gemakkelijk te overwinnen. Sanherib vertelt in zijn annalen dat hij bij zijn militaire operaties gebruik maakte van aarden wallen, tunnels, bressen en loopgraven. Opgravingen in Lakis laten zien hoe hevig de aanval van de Assyriërs geweest moet zijn. Brand was kennelijk een veelvuldig gebruikt aanvalswapen om de stad klein te krijgen. Er zijn door de archeologen ook grafkuilen gevonden. De Assyriërs wierpen daar na de val van de stad hun slachtoffers in. In één zo'n grafkuil lagen zo ongeveer 1500 lijken van omgekomen inwoners.

Terwijl de Assyriërs bezig waren met de bestorming van Lakis veroverden ze tussen de bedrijven door Adullam (16) en bleven een stroom van vernielingen aanrichten rond Jeruzalem. Het hele gebied werd systematisch verwoest - grote en kleine steden, dorpen en velden. Velen deserteerden uit het leger van Juda. Zelfs Jesaja, die zich aanvankelijk hevig verzet had tegen onderwerping aan Assyrië, spoorde Hizkia nu aan op te geven voor het te laat was. Er werden onderhandelingen geopend, maar Sanherib stelde zeer hoge voorwaarden. Hizkia bood de vijand zilver en goud - gedeeltelijk afkomstig uit de tempel - ten geschenke aan. Waarop Sanherib een van zijn maarschalken als afgezant naar Jeruzalem stuurde om over de overgave van de stad te onderhandelen. De maarschalk kreeg kennelijk ook de opdracht wat aan psychologische oorlogsvoering te doen. Toen hij voor de poorten van de stad stond, liet hij het Aramees - de gebruikelijke diplomatieke taal in die tijd - varen en sprak de verdedigers van de stad aan in het Hebreeuws. Hij schetste hoe hopeloos de toestand was en beschuldigde Hizkia ervan zowel politieke als godsdienstige moeilijkheden te hebben veroorzaakt. Namens de koning van Assyrië zei hij: 'Geef u over en kom naar buiten, mij tegemoet; dan kan ieder vruchten eten van zijn wijnstok en zijn vijgeboom en water drinken uit zijn eigen put...' (Js 36:16). Maar er viel een doodse stilte na zijn woorden en Jesaja drong er nu bij Hizkia op aan stand te houden. God zou Jeruzalem bevrijden.

Terwijl Jesaja God als een beschermende vogel boven het heilige Jeruzalem zag zweven, had Micha van Moreset-Gat er een heel andere kijk op. Deze vooraanstaande profeet vertolkte de gevoelens die in West-Juda heersten. De mensen daar hadden regelmatig zware klappen te incasseren gekregen door het beleid dat er in Jeruzalem werd gevoerd. Micha dreigde dat de verdorven hoofdstad steen voor steen verwoest zou worden, tot er gras in de straten zou groeien. 'En daarom... zal Sion worden omgeploegd, zal Jeruzalem een puinhoop worden (Mi 3:12).

Toen de maarschalk naar zijn koning terugkeerde, bevond Sanherib zich in Libna (17). Lakis was intussen gevallen, en

geheel volgens de plannen van Sanherib werd de Laagte langzaam maar zeker totaal verwoest.

De gebeurtenissen die volgden, zijn onduidelijk. Op een of andere mysterieuze wijze werd het Assyrische leger van het ene moment op het andere dramatisch uitgedund. 'Die nacht trok de engel van de Heer uit en hij doodde in de legerplaats van de koning van Assur honderdvijfentachtigduizend man: 's morgens vroeg lagen er niets dan lijken' (2 K 19:35).

Herodotus, de Griekse geschiedkundige uit de 5e eeuw v.C., wijt het terugtrekken van het Assyrische leger aan muizen die zich plotseling over het veld verspreidden. Deze verwijzing naar muizen doet sommigen vermoeden dat in het Assyrische kamp de pest - de meest gevreesde bedreiging van alle legers in de Oudheid - was uitgebroken.

Sanherib heerste na deze veldtocht nog 20 jaar over Assyrië. Er zijn geleerden die de bovenaangehaalde bijbeltekst uitleggen als een verwijzing naar een tweede aanval op het Juda van Hizkia, omtrent 689. Volgens hun theorie zou deze latere inval beëindigd zijn met de wonderbaarlijke bevrijding van Jeruzalem. De krijgsverslagen van de Assyriërs spreken niet over zo'n tweede veldtocht. Uit deze bron weten we wel dat Hizkia de buit die Sanherib opeiste naar Ninevé liet brengen. Volgens Sanherib bestond die buit uit '30 talenten goud, 800 talenten zilver, kostbare stenen, antimonium, grote stukken rood gesteente, ligbanken met ivoor (ingelegd), zetels met ivoor (ingelegd), olifantenhuiden, ebbehout, palmhout (en) allerlei waardevolle schatten, zijn (eigen) dochters, concubines, mannelijke en vrouwelijke musici. Om de bijdrage te bezorgen en slaafse gehoorzaamheid te betrachten zond hij zijn (persoonlijke) dienaar mee'.

Hizkia werd voor het verzet dat hij had geboden, gelukgewenst door Merodak-Baladan, die weer was opgestaan tegen Assyrië. Maar er was weinig reden voor vreugde. Sanherib ging er prat op 200 150 mensen - 'jong en oud, man en vrouw' - uit hun huizen gedreven te hebben. Niet alleen de vestingsteden en ommuurde forten van Juda waren gevallen, maar het hele gebied met alle kleine dorpen erin was verwoest. Het zou tientallen jaren vergen voor het zuidelijke koninkrijk zich kon herstellen van deze grondige ontwrichting.

# Het einde van Juda

De dood bespaarde Hizkia verdere vernederingen van de Assyriërs. Hizkia werd opgevolgd door zijn zoon Manasse, wiens 45-jarige regeerperiode (van 687-642 v.C.) de langste was uit de geschiedenis van Juda. Manasse voerde een politiek van kruiperige onderwerping aan Assyrië. Hij betaalde belasting aan Sanherib en zijn opvolgers, vereerde hun goden in Jeruzalem en leverde zelfs troepen voor hun geslaagde aanvallen op Egypte, dat uiteindelijk een Assyrische vazalstaat werd.

Geleidelijk groeide er onder de bevolking verzet tegen het bewind van Manasse. Bijbelse geschiedschrijvers noemen hem de slechtste koning die Juda ooit heeft gehad. Hij had evenwel weinig keus, evenals zijn zoon Amon die de politiek van zijn vader gedurende twee jaar voortzette. In 640 werd Amon door zijn 8-jarige zoon Josia opgevolgd.

Het Assyrische rijk was echter allengs te groot geworden

om als één geheel geregeerd te worden. In de tweede helft van de 7e eeuw bleek dat dan ook niet meer haalbaar. Egypte scheidde zich af en Babylonië - altijd al een probleem voor Assyrië - kwam weer in opstand, ditmaal gesteund door Medië. Om het gevaar in Babylonië het hoofd te bieden, werden er Assyrische troepen aan de provincies onttrokken. Daardoor ontstond er een machtsvacuüm in het gebied dat Afrika en Azië met elkaar verbindt.

Rond 628, toen Josia 20 jaar oud was, kon Juda als een politiek vrij land worden beschouwd. De overheerser had het te lang aan zijn lot overgelaten. Gedurende een korte periode beleefde Juda een uitbreiding en voorspoed die ongekend waren sinds de tijd van Uzzia. Bevrijd van het Assyrische juk begon Josia aan godsdienstige hervormingen. Hij werd daarbij krachtig gesteund door de profeet Sefanja die de religieuze praktijken onder Manasse veroordeelde en Juda tot zuiverin-

# Het einde van Juda *(vervolg)*

gen aanzette. En ook de jonge profeet Jeremia verhief zijn stem om de hervormingsplannen van de koning te steunen.

De godsdienstige hervormingen en de golven van patriottisme, die volgden op tientallen jaren van Assyrische onderdrukking, brachten weer eenheid in Juda. Josia wist het grondgebied van het land uit te breiden door de grenzen verder de Negebwoestijn in te leggen. We weten alleen niet tot hoe ver.

Volgens de Bijbel zorgde Josia ook voor landaanwinst in noordelijke richting en voegde daardoor Efraïm (2), Manasse (3) en Naftali (4) bij Juda. Dit wettigt de veronderstelling dat grote delen van de oude Assyrische provincies Samaria en Meggido door Juda werden ingelijfd. (Een van de vrouwen van Josia kwam uit Ruma, ten westen van het meer van Kinneret). De stad Meggido (5) werd door Josia herbouwd en moest dienen als hoofdkwartier voor het bestuur van zijn nieuwverworven gebieden in het noorden. We weten niet hoe het kwam dat het Assyrische Megiddo zo in verval raakte. Opgravingen hebben in elk geval een wederopbouw van de stad in de tijd van Josia laten zien, zij het een van bescheiden aanpak. De huizen waren klein en hoorden meer bij een dorp dan bij een stad en Megiddo had nauwelijks meer iets van het bolwerk dat het was geweest voor de verwoesting door Tiglatpileser.

Ninevé viel in 612 in handen van de Babyloniërs. Het boek van Nahum - een gedicht dat zich juichend uitlaat over de verwoesting van de Assyrische hoofdstad - illustreert de vreugde van de vijanden van Assyrië. De gebeurtenis leidde echter ook een ramp in voor Juda. De in het nauw gedreven Assyriërs vielen steeds meer terug in de richting van Noord-Syrië. Hun positie werd wanhopig toen de Babyloniërs omstreeks 609 samenstroomden om de genadeslag toe te brengen. Farao Neko zag zijn kans schoon om de aanspraken van zijn land op de heerschappij over Azië te bevestigen. Hij wilde niet dat er een sterk Babylonië zou komen in plaats van een verzwakt Assyrië en daarom trok hij snel naar het noorden om de Assyriërs te hulp te komen. Neko had Josia verzekerd dat hij geen kwade bedoelingen had ten opzichte van Juda. Hij wilde alleen zo snel mogelijk zijn land doortrekken.

De route die Neko koos, zou hem langs Meggido voeren, door Galilea en via het verwoeste Hasor (6). Om onduidelijke redenen weigerde Josia de Egyptenaren doortocht te verlenen en hij probeerde hen tegen te houden bij de pas in het Karmelgebergte die toegang verschaft tot Meggido. Zoals spoedig zou blijken, was Egypte iets van plan met de oude Assyrische provincies Samaria en Meggido. En wellicht was Josia daarvan op de hoogte.

Er is weinig bekend over de slag bij Meggido behalve de afloop en de gevolgen. De Egyptenaren hakten Juda's leger met groot gemak in de pan. Ze maakten het bescheiden fort Meggido met de grond gelijk en trokken vervolgens haastig in noordelijke richting. Josia bevond zich vermomd tegen herkenning op het slagveld, maar werd desondanks verwond. Men bracht hem naar Jeruzalem (7), waar hij stierf. En in feite stierf Juda met hem. Het volk was diep bedroefd en Jeremia wijdde een aantal klaagzangen aan de 39-jarige koning die het land godsdienstige en politieke eenheid had gebracht.

Ver naar het noordoosten bij Haran werden intussen Neko en zijn Assyrische bondgenoten door de Babyloniërs verslagen. Neko trok zich terug naar Robla in Syrië en ontbood

daar Joachaz bij zich. Nauwelijks drie maanden voordien was Joachaz zijn vader Josia opgevolgd. Neko zette de jonge koning af en verving hem door zijn broer Jojakim. We mogen aannemen dat Egypte zich tegelijkertijd meester maakte van de noordelijke gebieden die Juda in de regeringsperiode van Josia had bemachtigd.

Egyptes droom zijn oude Aziatische Rijk te herstellen, was maar een kort leven beschoren. In 605 bracht Nebukadnessar de Egyptenaar Neko bij Karkemis een verpletterende nederlaag toe. En in het jaar daarop trok hij in zuidelijke richting naar de kustvlakte van Filistea, waarbij hij het gebied in beslag nam waarop Egypte aanspraken maakte. In een brief die archeologen in Egypte hebben gevonden, smeekt de koning van Askelon (8) de farao om hulp. Hij schrijft erbij dat de Babyloniërs naderbij kwamen om hem aan te vallen en dat zij zich al in Afek (9) bevonden.

Jojakim werd tijdens deze veldtocht niet aangevallen, omdat hij zich uit zichzelf aanmeldde als vazal van Nebukadnessar. Maar toen de strijd tussen Neko van Egypte en Nebukadnessar van Babylonië in 601 onbeslist bleef, kwam Jojakim in opstand. Nebukadnessar was nog niet zo ver, dat hij zijn troepen in het centrale bergland kon samentrekken. Daarom droeg hij zijn vazalstaten Ammon, Moab en Edom op Juda aan te vallen.

Onder Jojakim stortten de godsdienstige hervormingen van Josia als een kaartenhuis ineen. De algemene moraal ging sterk bergafwaarts naarmate de corruptie in voorname kringen toenam. De koning had geen belangstelling voor zijn onderdanen, hetgeen wel blijkt uit het feit dat hij het koninklijk paleis in Ramat Rachel liet uitbreiden door dwangarbeiders. Jeremia veroordeelde de verslechterende situatie in het land. Hij liet zich ook laatdunkend uit over het 'met menie geverfde' (Jr 22:14) huis van de koning. (Archeologen hebben bij opgravingen in Ramat Rachel inderdaad roodgeverfde stenen aangetroffen.) Op zijn beurt scheurde de koning een van Jeremia's geschriften eigenhandig in stukken. Hij was bitter gestemd over deze profeet die weigerde zijn koning te steunen. Maar Jeremia liet zich niet vermurwen en bleef met verachting spreken over de valse profeten die in dergelijke tijden de mond vol hadden over vrede en welzijn.

Eind 598 stierf Jojakim, mogelijk ten gevolge van een moordaanslag. Jeremia had hem al eerder in niet mis te verstane bewoordingen veroordeeld: 'Als een ezel wordt hij begraven; men sleept hem weg en werpt hem buiten de poorten van Jeruzalem' (Jr 22:19). Jojakin, de 18-jarige zoon van Jojakim, besteeg de troon op een tijdstip van ernstige crisis. Nebukadnessar was namelijk met zijn troepen op weg naar het zuiden om wraak te nemen op Juda.

Ook ditmaal weten we weinig van de aanval zelf en kennen we wel de gevolgen. Jeruzalem (10) werd belegerd, weten we, en Nebukadnessar kwam speciaal over uit Babylon om bij de aanval aanwezig te zijn. Babylonische geschriften die bewaard zijn gebleven noch archeologische vondsten kunnen ons iets meer vertellen. Sommigen zijn van mening dat Lakis (11) en Debir (12) in dezelfde tijd bestormd werden, maar daarover bestaat geen zekerheid. In elk geval was de hele Babylonische veldtocht snel achter de rug. Na een regeringsperiode van drie maanden en 10 dagen moest Jojakin zijn hoofdstad in 597 overgeven aan Nebukadnessar. Hij werd met de leiding van de tegen Babylonië gekante regering gedeporteerd.

In Jeruzalem was de toestand verward. Volgens geschriften die in Babylon zijn gevonden, werd Jojakin tijdens zijn gevangenschap goed behandeld en heel wat mensen in Juda waren ervan overtuigd dat hij zou terugkeren om het land van de onderdrukkers te bevrijden en het volk te leiden op weg naar voorspoed.

Maar Nebukadnessar stelde Jojakins 21-jarige oom Sedekia (Sidkia) in zijn plaats aan als koning van het inmiddels ingekrompen Juda. Velen voelden dat Sedekia - die de laatste koning van Juda zou zijn - niet echt aanspraak op de troon kon laten gelden. Afgezanten van de koning bleven zich dan ook 'commissarissen van Jojakin' noemen. Anti-Babylonische gevoelens liepen steeds hoger op en de goedbedoelende maar zwakke Sedekia kon niet veel meer doen dan het volk zoveel mogelijk zijn zin geven. Toen er in 595-594 een korte opstand oplaaide in Babylonië werd Jeruzalem de haard van een samenzwering, waarbij ook Edom, Moab, Ammon en in het noorden Tyrus (13) en Sidon betrokken waren. Jeremia sprak zich in streng afkeurende bewoordingen uit tegen de gang van zaken en werd door de nationalisten als een verrader beschouwd.

In 589 kwam Sedekia, gesteund door Egyptische toezeggingen, openlijk in opstand tegen de koning van Babylon. Aan het begin van het daarop volgende jaar verschenen de Babyloniërs weer voor de poorten van Jeruzalem. Nebukadnessar grendelde de stad af met belegeringswerktuigen en begon vervolgens het hele land systematisch te verwoesten. De hiernaast afgedrukte kaart laat zien hoe wijdverbreid deze verwoesting was. Van Gibea (14) tot Arad (15) en van Eglon (16) tot Engedi (17) stond Juda in vuur en vlam.

Bij Lakis is door archeologen een poort opgegraven. Op potscherven die daar in de buurt werden gevonden zijn haastig ingekraste berichten aangetroffen, die een schrijnende herinnering vormen aan de niet te stuiten slachtpartij van Babylon. Er was daar een seinpost opgericht om berichten uit te wisselen tussen Lakis (18) en Azeka (19), de laatst overgebleven vestingen buiten de hoofdstad. De officier die de leiding had over de seinpost berichtte aan de bezorgde commandant van Lakis: 'Wij kijken uit naar de seinen van Lakis volgens de aanwijzingen die mijn meester heeft verstrekt, want wij kunnen (de seinen van) Azeka niet zien.' Lakis en Jeruzalem waren toen alleen nog over.

De ruïnes van Lakis tonen nog steeds de hevigheid van de Babylonische aanval. De branden die hoog oplaaiden tegen de muren waren zo fel, dat de mortel tussen de stenen wegsmolt en over de toegangsweg heenstroomde. Het stolsel hiervan is nog steeds te zien. Er werden grote, gapende gaten in de muren geslagen. Alleen Jeruzalem was toen nog over.

In de zomer van 588 wekte de nadering van een Egyptisch leger langs de kust ijdele hoop voor Juda. Waarschijnlijk verschenen de Egyptenaren als gevolg van een noodkreet die de bevelhebber van Juda's leger had uitgezonden.

Maar Nebukadnessar joeg het Egyptische bevrijdingsleger ergens ten zuiden van Gaza (20) terug, en de belegering van Jeruzalem sleepte zich voort tot in de lente van 587. Terwijl Juda op sterven na dood was, begon Edom een aanval in de Negebwoestijn.

De Klaagliederen roepen levendige beelden op van de verschrikkingen in Jeruzalem: 'Ach, hoe eenzaam is de volkrijke stad ...' (Kl 1:1), 'Het zwaard van de vijand velde de bewo-

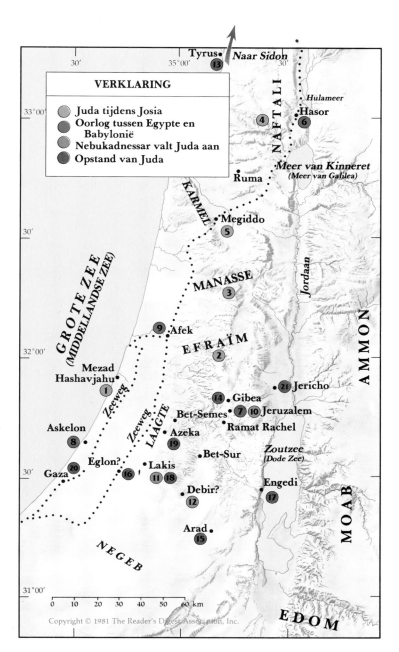

ners' (Kl 1:7), 'Hoe konden de moeders de kinderen eten, die ze beminden?' (Kl 2:20).

Jeremia drong er bij Sedekia op aan de stad over te geven. Maar de koning weigerde. Hij was bang dat hij in handen zou vallen van vijandig gezinde Judeeërs, die al overgelopen waren naar de Babyloniërs. In de zomer van 587 raakten de voedselvoorraden van de stad uitgeput. Ongeveer te zelfder tijd slaagden de Babyloniërs er eindelijk in de muren omver te halen. Gedurende de nacht vluchtte Sedekia met een groepje van zijn mannen via de zuidoostpoort in de richting van Jericho (21). Maar de ongelukkige koning werd op de vlakte bij Jericho gevangen genomen en naar Nebukadnessar gebracht in Ribla. Daar werden de zoons van Sedekia voor zijn ogen vermoord. Vervolgens stak men hem zelf de ogen uit, sloeg hem in ketens en bracht hem naar Babylon.

Ongeveer een maand later kwam Nebuzaradan, kapitein van Nebukadnessars lijfwacht, in Jeruzalem aan. Hij dreef duizenden bijeen om ze naar Babylonië te laten deporteren en stak de stad in brand. Het lot van Juda was bezegeld.

# Ballingschap in Babylonië

De Babylonische overwinning op Juda was compleet. Het eens zo prachtige Jeruzalem (1, inzet) lag volkomen onbewoonbaar in de as. Een handvol overlevenden uit de stad hadden onderdak kunnen vinden in grotten in de omgeving. Tal van plaatsen, zoals Debir (2), zijn nooit meer opnieuw bewoond. Naar het zuiden toe in de Negebwoestijn en in het noordelijke gebied bij Betel (3) en daarboven was het leven gewoon doorgegaan. Deze streken waren een tiental jaren eerder al door Babylon ingelijfd en daardoor aan de ramp van 588-587 ontkomen.

Bij de vergeefse pogingen om Juda te verdedigen vielen duizenden doden; anderen kwamen om van honger, uitputting of ziekte. Vele Judeeërs hielden zich schuil in woestijngebieden en een kleine groep vluchtte in oostelijke richting naar Ammon en Moab en zelfs naar het zuidelijke Edom. Sommigen vonden asiel in Egypte (4, grote kaart), de doodsvijand van Babylonië.

De Babyloniërs brachten na hun overwinning een aantal leidinggevende politieke, militaire en godsdienstige figuren om het leven. De meeste overgebleven leiders werden met hun familieleden gedeporteerd naar Babylonië (5). Hoeveel mensen er in totaal werden verbannen, is moeilijk vast te stellen. Het zullen ongeveer 4600 gezinnen geweest zijn of zo'n 18 000 mensen.

De verbanning naar Babylonië vormde slechts één fase in het definitieve uiteenvallen van het joodse volk. Velen ontvluchtten het land vrijwillig. De slachtingen, vluchten en verbanningen samen brachten de bevolking van Juda terug tot de helft van de ongeveer 250 000 mensen die er aan het begin van de eeuw leefden. De Babyloniërs brachten geen andere

bevolking naar Juda. Daardoor en door verdere uittochten ten gevolge van de slechte economische toestand van het land was de bevolking van Juda binnen een halve eeuw gereduceerd tot 20 000 zielen.

De Babyloniërs installeerden een plaatselijk bestuur in Mispa (6, inzet), aangezien Jeruzalem daarvoor niet meer in aanmerking kwam. Tot gouverneur van de staat benoemden ze Gedalja, een lid van een der meest vooraanstaande families van Jeruzalem. Gedalja probeerde de mensen ervan te doordringen dat ze niet bang hoefden te zijn van de Babyloniërs. Hij zei dat ze terug moesten keren naar het land en belasting betalen aan de buitenlandse vorst: 'U moet de wijn, de vijgen en de olie oogsten en in vaten doen; u kunt u vestigen in de steden die u verkiest' (Jr 40:10). En de vluchtelingen kwamen te voorschijn uit hun schuilplaatsen in de heuvels en uit de woestijn en ook uit Ammon, Moab en Edom.

De pogingen het geordend leven in het land te herstellen, werden voor Gedalja gunstig beïnvloed door vruchtbare oogsten.

In 582 werd Gedalja, net toen het er wat fortuinlijker begon uit te zien voor Juda, met een aantal joodse medestanders en enkele Babylonische bestuursfunctionarissen, om het leven gebracht. De moordenaar was Jismaël, aanvoerder van een troep nationalisten die een verbond hadden gesloten met de koning der Ammonieten. In de algemene consternatie die daarop ontstond, vluchtten er heel wat legerofficieren en anderen, die op aandringen van Gedalja waren teruggekeerd, naar Egypte. Zij vreesden het slachtoffer te worden van Babylonische wraakacties. De profeet Jeremia ontried de mensen te vluchten. Maar ze namen hem onder dwang mee naar Tachpanches (7, grote kaart) aan de grens van Egypte. Voor de derde keer in 15 jaar tijd moesten vele gezinnen de wijk nemen om zo aan het dreigende gevaar van een deportatie te ontkomen.

Er is niet veel bekend van de geschiedenis van Juda gedurende de volgende halve eeuw. Het middelpunt van het joodse leven was namelijk naar elders verplaatst. Ongetwijfeld bleef er een aantal van 'de rest van Juda' (Jr 40:15) - de Joden, zoals ze nu werden genoemd - achter in Ammon, Moab en Edom. Anderen waren waarschijnlijk te vinden in Samaria en Galilea. Maar de voornaamste centra van de vroege joodse diaspora - de verspreiding van de mensen uit Juda over het buitenland - lagen in Egypte en Babylonië.

De joodse gemeenschap in Egypte zou in aantal en invloed toenemen. Later vervulden de Joden er een belangrijke rol op handelsgebied en soms ook in politiek opzicht. Dat was onder de Ptolemeeën, die in Egypte aan de macht waren van de 4e tot de 1ste eeuw v.C. In de periode vlak na de val van Juda werden er voornamelijk in Beneden-Egypte joodse nederzettingen aangetroffen, bijvoorbeeld in de oostelijke delta, waar eeuwen daarvoor Jakob zich met zijn zoons had gevestigd om een andersoortige rampspoed te keren.

Zo'n 750 kilometer uit de kust van de Grote Zee, bij de eerste waterval in de Nijl, lag het eiland Jeb (8). Ook daar had zich een kolonie gevestigd, maar uit de documenten die op dat eiland te voorschijn zijn gekomen, blijkt dat de leden van die kolonie er wel een heel ongewoon geloof op nahielden

*Deze 14e-eeuwse miniatuur uit een Latijnse Bijbel toont Jeremia in een bedroefde houding bij de stad Jeruzalem. Hij klaagt over de vernietiging van de stad door de Babyloniërs en de deportatie van de bevolking.*

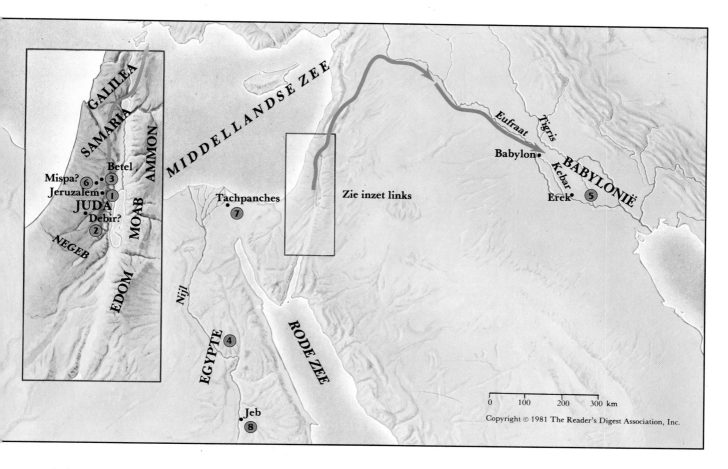

voor Joden - zoals de verering van een vrouwelijke godheid.

Babylonië werd het belangrijkste en invloedrijkste centrum van het joodse leven en denken gedurende de periode van de ballingschap. We weten er meer over dan over de vroege diasporagemeenschappen in Egypte. Na de val van Samaria in 721 brachten de Assyriërs heel wat Israëlieten tot ballingschap. Ze verspreidden het uit hun land verdreven volk over hun uitgebreide grondgebied en lieten ze daarmee verdwijnen uit de geschiedenis - de bekende 10 verloren geraakte stammen.

De Babyloniërs volgden de tactiek 'de rest van Juda' in Babylonië zelf te vestigen. En wel voornamelijk in dorpen en steden langs de rivier de Kebar - eigenlijk een bevloeiingskanaal. Dat betekende de overleving van het joodse volk. Het kanaal, de beroemde 'stromen van Babylon' (Ps 137:1), vloeide in het hart van Mesopotamië van Babylon naar Erek over een afstand van meer dan 150 kilometer.

De in ballingschap levende Joden kregen toestemming in eigen gemeenschappen bij elkaar te blijven. Bovendien mochten zij landbouw bedrijven en zich met andere nuttige werkzaamheden bezig houden. Het roept het beeld op van een betrekkelijk aangename ballingschap, waarin heel wat Joden een behoorlijke rijkdom wisten op te bouwen. Op tafels, gevonden bij de Isjtarpoort in Babylon, staat beschreven dat Jojakin zelfs in ballingschap koning van Juda werd genoemd.

Jeremia schreef de ballingen vanuit Jeruzalem en drukte hen op het hart volop van de situatie te profiteren. 'Gij moet huizen bouwen en daarin gaan wonen, tuinen aanleggen en er de opbrengst van eten; ge moet trouwen en kinderen krijgen, vrouwen kiezen voor uw zonen en uw dochters uithuwelijken, die op hun beurt weer kinderen krijgen. Zorgt dat ge groter wordt in aantal, niet kleiner' (Jr 29:5-6). In de ogen van Jeremia - en zijn mening werd gedeeld door de meeste godgeleerden en profeten van zijn tijd - was de ballingschap de straf waarmee God zijn weerspannig volk had gedreigd; niettemin moesten de bannelingen hoop blijven koesteren op de eens te verwachten dag van de verlossing. Maar velen werden verteerd door bitterheid en wanhoop:

'Aan de stromen van Babylon daar zaten wij neer,
en wij schreiden wanneer wij dachten aan Sion.
Aan de populieren rondom hadden wij onze harpen
gehangen. Want daar vroegen onze ontvoerers
van ons dat wij zouden zingen, vroegen zij die
ons kwelden muziek: "zingt ons een van die
liederen van Sion!" Hoe kunnen wij zingen het
lied van de Heer op vreemde grond?' (Ps 137:1-4).

De voornaamste bedreiging voor de joodse samenleving was het gemak waarmee haar mensen opgenomen werden in de Babylonische bevolking. Heel wat Joden lieten ongetwijfeld hun traditie varen en gingen op in de gemeenschap die hen omringde. Om dit te voorkomen en zoveel mogelijk de eigen identiteit te bewaren, hielden de Joden van Babylon trouw de sabbat in ere en besneden hun mannelijke nakomelingen. En door deze gebruiken onderscheidden ze zich van hun nieuwe buren.

Babylonië was de plaats van waaruit Ezra naar Jeruzalem kwam om de wet terug te brengen - ongetwijfeld een der belangrijkste gebeurtenissen in de geschiedenis van de Joden.

# Babylons kortstondige glorie

Tegen de achtergrond van de lange spanne tijds die de geschiedenis van het Nabije Oosten bestrijkt, kan men de opbloei van Babylonië in de 7e en 6e eeuw v.C. vergelijken met het verschijnen van een meteoor: met veel vertoon, glansrijk en kort van duur. Omstreeks 627, het jaar waarin de Assyrische koning Assurbanipal (Asnappar) stierf, telde de bevolking van Babylon grote aantallen Chaldeeën. Deze nomaden hadden zich in de loop der eeuwen in het land gevestigd en zich lange tijd geërgerd aan het Assyrische bewind. De onrust die volgde op de dood van Assurbanipal was voor hun eerzuchtige leider Nabopolassar - Babylons eerste Chaldeese vorst - aanleiding zijn volk in 626 onafhankelijk te verklaren. In de daaropvolgende jaren werd er met tussenpozen oorlog gevoerd. De Assyriërs verzwakten meer en meer, vooral toen de Babyloniërs en de Meden zich tegen hen verenigden. In 612 verwoestten de bondgenoten Ninevé, de vermaarde hoofdstad van Assyrië. Het is begrijpelijk dat dit feit door de profeet Nahum in jubelende bewoordingen werd beschreven.

De juichstemming bleek echter van kortzichtigheid te getuigen. De Babylonische overwinningen op de Assyriërs en hun nieuwverworven Egyptische bondgenoot volgden elkaar op. En weldra was er niemand meer over die de opmars van de Babyloniërs naar de kusten van de Middellandse Zee een halt kon toeroepen. In een opvallend korte tijd was Babylon in het bezit van een rijk dat bijna even groot was als dat wat de Assyriërs over een periode van eeuwen hadden opgebouwd. Nabopolassars zoon Nebukadnessar bleek zeer wel opgewassen tegen de taak zo'n omvangrijk gebied gedurende lange tijd te regeren (ca. 605-562). Hij kon zich net zo wreed opstellen als welke Assyrische veroveraar dan ook - getuige zijn verwoesting van Jeruzalem in 587 en de onverbiddelijke houding die hij aannam tegen de gevangen genomen koning Sedekia. Maar hij gedroeg zich anderzijds ook bijzonder verdraagzaam jegens de Joden die naar Babylonië gedeporteerd waren. De macht en roem van Nebukadnessars Babylonië zou na zijn dood geen lang leven meer beschoren zijn. Gedurende de zeven jaren die volgden op Nebukadnessars dood in 562 werd de troon door drie verschillende vorsten bezet, waarna Nabonidus aan de macht kwam. Zijn grillige bewind duurde om en nabij 17 jaren en deze zouden het laatste hoofdstuk vormen in de korte geschiedenis van het rijk. Babylonië bezat daarna niet meer de eensgezindheid en de kracht om zichzelf te verdedigen.

Er ontstond een grote nieuwe dreiging in de persoon van de Perzische koning Cyrus. Diens hevige strijd tegen zijn Medische overheersers had de hele machtsverhouding in het Nabije Oosten ondersteboven gegooid. Omtrent 550 was er volledig afgerekend met de Meden en slechts enkele jaren daarna reikte het gebied van Cyrus in het westen al tot voorbij Klein-Azië. Het kon niet uitblijven dat hij zijn aandacht binnen afzienbare tijd zou richten op Babylonië. In 539 was het zover. De Perzen ondervonden maar weinig tegenstand bij het binnendringen van hun land en konden zelfs zonder slag of stoot de poorten van de hoofdstad binnengaan. Het Babylonische tijdperk was ten einde. Gedurende de volgende twee eeuwen zou de wereld van de Bijbel toebehoren aan Perzië.

*(kaart)* LYDIË · Halys · RIJK VAN DE MEDEN · Vanmeer · Urmiameer · Karkemis · Haran · Tigris · Korsabad · Ninevé · GROTE ZEE · Hamat · SYRIË · ASSYRIË · Eufraat · KITTIËRS (CYPRUS) · Achmeta · Tyrus · Damascus · Opis · Babylon · Nippur · Susan · Lakis · Jeruzalem · Gaza · JUDA · Erek · BABYLONIË · Ur · ELAM · PERZIË · PERZISCHE GOLF · SINAÏ · ARABISCHE WOESTIJN · Tema

*Het nieuwe Babylonische rijk was bijna net zo groot als dat van Assyrië op het toppunt van zijn macht. Na de val van Assyrië hielden de Meden zich bezig met de uitbreiding van hun grondgebied in noordwestelijke richting. Babylonië kon daardoor net zoveel van de Vruchtbare Halvemaan beheersen als het wist te veroveren. Nebukadnessar greep zijn kans. Aan het begin van de 6e eeuw strekte zijn rijk zich uit van de Perzische Golf tot de Middellandse Zee.*

Nebukadnessar maakte van de stad Babylon het culturele, economische en politieke middelpunt van het rijk. De hierboven afgebeelde reconstructie toont op de voorgrond de zware Isjtarpoort. Deze bewaakte de noordelijke toegang tot de stad. De poort was versierd met reliëfs van stieren en draken in glazuursteen. De muren van de oprijlaan naar de poort waren versierd met een rij grommende leeuwen, waarvan er een hiernaast links te zien is. Direct rechts binnen de muren bevonden zich de vermaarde Hangende Tuinen, aangelegd op de dakterrassen van het koninklijke paleis. Daarachter verrijst de zeven verdiepingen hoge ziggurat, die wel wordt aangezien voor de bijbelse Toren van Babel.

# De terugkeer

Rond het midden van de 6e eeuw v.C. deden zich belangrijke gebeurtenissen voor in het Nabije Oosten. En in de loop van deze gebeurtenissen werd de hoop van de overlevenden en de afstammelingen van Juda naar Jeruzalem terug te keren, eindelijk vervuld.

De oude beschavingen van Egypte en Mesopotamië hadden hun hoge vlucht genomen en raakten nu snel in verval. De laatste koning van Babylon, Nabonidus, introduceerde godsdienstpraktijken die hem de toewijding van zijn onderdanen kostten. Hij bracht zijn koninklijke residentie over naar Tema, een oase die een eind naar het zuidwesten in de Arabische woestijn lag. De groeiende onenigheid met de priesters in Babylon was één van de redenen van deze verhuizing. Zijn zoon Belsassar - de man van het feestmaal waarvan in Daniël 5 sprake is - regeerde als zijn afgevaardigde in Babylon. Bovendien hielden zich Perzische troepen aan de grens van Babylonië op. In de nazomer van 539 sloegen de Perzen toe en leverden bij Opis aan de rivier de Tigris een beslissende slag met het Babylonische leger, dat volkomen verslagen werd. Binnen enkele weken viel Babylon zelf, zonder zich verweerd te hebben. Cyrus, de koning der Perzen, gaf zijn troepen opdracht de inwoners van de stad en hun bezittingen te ontzien. En toen Cyrus de stad 18 dagen later zelf binnentrok, stonden er rijen mensen langs de wegen om hem toe te juichen. Ze verwelkomden hem als de bevrijder die een eind maakte aan de onderdrukking en het zeer onpopulaire bewind van Nabonidus. In de ogen van een onbekend gebleven joodse profeet in ballingschap, was het de hand van de Heer die hier ingreep:

'Wie heeft de man doen opstaan in het oosten,
die zegepraal ontmoet waar hij zijn voeten zet? . . .
Ik alleen, de Heer . . .' (Js 41:2-4)

Deze zelfde profeet zag Cyrus (Kores) als degene die was gezonden om Gods uitverkoren volk te redden. En de Joden werden niet in hem teleurgesteld. Cyrus gedroeg zich ongetwijfeld als een der meest verlichte heersers van de Oudheid. Hij deed niet mee aan de wreedheid die de overheersingspolitiek van de Assyriërs en Babyloniërs kenmerkte en hij liet overwonnen volkeren niet naar verre streken deporteren. In 538 vaardigde hij het decreet uit, dat de Joden toestond terug te keren naar Jehud (zoals de Perzische provincie Juda genoemd werd) en de tempel in Jeruzalem te herbouwen. Zoals tweemaal in het boek Ezra vermeld staat (Ezra 1:2-4 en 6:3-5), bepaalde het decreet dat de tempel voor een deel met geld uit de koninklijke schatkist herbouwd moest worden. En de heilige vaten die door Nebukadnessar uit de tempel ontvreemd waren, moesten worden teruggegeven.

Voor de Joden in ballingschap was de verlossing gekomen. In hun onverdeelde vreugde spraken zij van het zingen der hemelen, gejuich vanuit de diepten der aarde, en bergen die losbarstten in gezang om wat de Heer had bewerkstelligd. De werkelijkheid van de terugkeer zou evenwel een ontnuchtering betekenen.

Het schriftelijke bewijsmateriaal voor de terugkeer naar Juda is onduidelijk. De 'kroniekschrijver', die verantwoordelijk is voor de inhoud van Kronieken 1 en 2, Ezra en Nehemia, heeft waarschijnlijk de eerste en de tweede terugtocht door elkaar gehaald. Hij heeft zich kennelijk ook weinig bekommerd om de chronologische volgorde, want hij stapte zonder commentaar over lange tijdsperioden heen - van 70 tot zelfs 120 jaar. Maar een kleine groep Joden schijnt, zodra dat kon, vol godsdienstig verlangen op weg te zijn gegaan van het Nippurgebied in Babylonië naar Jeruzalem. Zij werden waarschijnlijk aangevoerd door Sesbassar, de 'vorst van Juda', een zoon van Jojakin, de koning van Juda die in 597 naar Babylonië verbannen werd.

Toen de teruggekeerde ballingen eindelijk de heuvels van Juda hadden bereikt en Jeruzalem (1) onder zich zagen liggen, moet hun vreugde bij de afschuwelijke aanblik door bitterheid zijn getemperd. De stad lag nog steeds in puin. En de omvergehaalde muren en ingestorte gebouwen waren nog altijd stille getuigen van de gruwelijke Babylonische aanval een halve eeuw geleden. De kleine groep die was teruggekeerd, kon de wederopbouw onmogelijk tot stand brengen.

Er waren ook nog andere problemen. Zo eisten de Samaritanen het gezag over Jeruzalem op, terwijl zij niets voelden voor het opnieuw vestigen van de staat Juda. En de teruggekeerde Joden accepteerden niet dat de Samaritanen bij de wederopbouw hielpen. Zij beschouwden hen in godsdienstig opzicht als 'onrein'. (De Samaritanen waren nakomelingen van Israëls overlevenden. Zij hadden zich vermengd met de vreemdelingen die de Assyriërs twee eeuwen geleden naar het land hadden gebracht.) En ook de Joden uit Juda die niet verbannen waren geweest, boden tegenstand. Begrijpelijkerwijs beschouwden zij zichzelf als rechthebbenden van het land waarop zij woonden. Om alles nog moeilijker te maken, bracht een opeenvolging van slechte oogsten tal van mensen tot armoede. Nog vóór de fundamenten van de tempel waren gelegd, kwam er door de harde strijd voor het dagelijks bestaan al een eind aan de werkzaamheden. Van Sesbassar vernemen we hierna niet veel meer. Hij was al in de zestig en zal wellicht korte tijd later gestorven zijn.

Op een gegeven moment, niet later dan 522, kwam er een tweede groep Babylonische Joden naar Jeruzalem. Zij gingen 'ieder naar zijn plaats van afkomst' (Ezr 2:1). In Ezra 2:2-35 en Nehemia 7:6-38 staan lijsten van deze plaatsen. We kunnen daaruit opmaken dat de tweede groep teruggekeerde Joden zich vestigde in een gebied van ruwweg 60 km (oost-west) tot 45 km (noord-zuid) in het heuvelland van Juda. In het oosten waaierden zij uit tot in het dal van de Jordaan rond Jericho (2). In het westen drongen ze door tot de kustvlakte, waar ze zich vestigden in Lod en Ono (3). In het noorden trokken ze tot over de oude grens van Juda naar Betel (4). In het zuiden bezetten ze het strategisch gelegen gebied rond Bet-Sur (5), maar zonder Hebron dat in handen van de Edomieten was. Hoewel het gebied van de Joden klein was, beheersten zij de vitale toegangswegen tot de hooglanden. Maar ze zouden zich pas helemaal veilig kunnen voelen als Jeruzalem, de belangrijkste stad die de meeste bescherming te bieden had, weer helemaal versterkt was.

Rond deze tijd doken er twee andere belangrijke personen op: de profeten Haggai en Zacharia. Bijna 20 jaar na de eerste terugkeer was alleen de fundering van de tempel nog maar klaar. Haggai riep daarom verstoord uit: 'Is het voor u dan wel de tijd om zelf in uw goed betimmerde huizen te wonen, terwijl dit huis nog een ruïne is?' (Hag 1:4). Volgens hem waren de honger en de armoede een straf voor hun traagheid bij het herbouwen van het huis van de Heer.

Het Messiaanse vuur van Haggai en Zacharia kan te maken gehad hebben met de internationale gebeurtenissen. Toen Darius I in 522 op de Perzische troon kwam, waren er op tal van plaatsen in het enorme rijk nationalistische opstanden aan de gang. Het Perzische rijk strekte zich in het westen uit van Klein-Azië en Egypte tot de grens met India in het oosten. Darius nam snel maatregelen om het uitgestrekte gebied onder controle te brengen. Hij verdeelde het rijk opnieuw in 20 bestuurseenheden, elk onder toezicht van een vertegenwoordiger van de koning. De vijfde bestuurseenheid omvatte het hele land tussen Noord-Syrië en de grens van Egypte, evenals het eiland Cyprus. Het gebied werd Abar-nahara of 'aan de overkant van de rivier' genoemd en er werd mee bedoeld het land ten westen van de Eufraat. Damascus bestuurde het, en ook Jehud (Juda) behoorde tot deze vijfde bestuurseenheid.

Zodra het werk aan de tempel serieuze vormen begon aan te nemen, stak de tegenstand weer de kop op. Binnen afzienbare tijd vervoegde Tattenai, de gouverneur van Abar-nahara, zich in Jeruzalem om erachter te komen op wiens gezag de Joden hun tempel aan het herbouwen waren. Hij liet inlichtingen inwinnen aan het Perzische hof, maar had er geen bezwaar tegen dat het werk intussen werd voortgezet. In de koninklijke archieven werd een document gevonden dat het decreet van Cyrus bevatte. Darius bevestigde dit besluit. Tattenai kreeg opdracht zich niet te bemoeien met het herbouwen van 'de tempel op zijn vroegere plaats' (Ezr 6:7). Bovendien moest hij de bouwactiviteiten zelfs met rijksmiddelen steunen.

Met deze officiële hulp en krachtig aangemoedigd door de profeten zette Zerubbabel zich in voor de voltooiing van de tempel. In 515 werd de vrij armzalige maar eindelijk voltooide tempel onder grote vreugde ingewijd. Het had 72 jaar geduurd sinds de verwoesting door de Babyloniërs. In tegenstelling tot de tempel van Salomo vormde het nieuwe heiligdom niet het godsdienstige hart van een volk en het centrum van de natie. Er werd vooral gebeden voor de Perzische koning en zijn zoons, een dagelijkse herinnering aan het feit dat Jehud in alle opzichten een deel van een uitgestrekt rijk vormde. Dat de herstelde gemeenschap haar eerste crisis overleefd had, deed aan dat feit weinig af.

Toen Zerubbabel van het toneel verdween, kwam er een eind aan de hoop dat het koningshuis van Juda in ere zou worden hersteld. Van de volgende periode van omstreeks 70

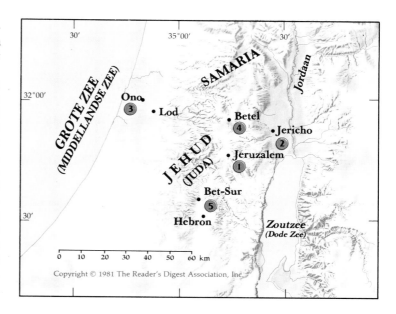

Copyright © 1981 The Reader's Digest Association, Inc.

jaar - tot de komst van Nehemia - is er weinig bekend over het doen en laten in de kleine joodse gemeenschap. De profeet Maleachi spoorde het volk aan trouw te blijven aan het verbond en hij veroordeelde de priesters die de godsdienst niet zuiver hielden. Maar het godsdienstige leven van de Joden ging toch al bergafwaarts door gemengde huwelijken en toenemende handelscontracten met niet-Joden. De mensen in de gemeenschap woonden vrij afgezonderd en weerloos op de heuveltoppen rond Jeruzalem. Ze leidden een armelijk en bedreigd bestaan onder de leiding van hogepriesters die zich ook plaatselijke politieke macht toeëigenden. Als de gemeenschap al overleefde, was dat toch maar op het nippertje. De aanvankelijk zo hoog gespannen verwachtingen waren door de wrede werkelijkheid wel getemperd. En toen de herbouw van de tempel eenmaal gereed was, leken de mensen weinig behoefte meer te hebben aan verdere samenwerking.

Na verloop van tijd hoorde Nehemia van de armelijke omstandigheden, waarin de Joden van Jehud zich bevonden. Nehemia verbleef in Susan, waar hij een hoge functie bekleedde als opperschenker van de koning van Perzië. Hij was een vrome Jood en vroeg prompt toestemming om naar Jehud te mogen afreizen en daar te gaan helpen bij de versterking van Jeruzalem. Nehemia kreeg niet alleen de gevraagde toestemming, hij werd zelfs tot gouverneur van de afgelegen provincie benoemd.

# Wederopbouw en hervorming

De Joden waren getuige van dramatische veranderingen die overal om hen heen plaatsvonden in de eeuw die volgde op hun terugkeer. Onder meer kwam het gebied open te staan voor een sterk uitgebreide internationale handel, vooral met Griekenland. De Feniciërs zwaaiden de scepter langs de kust, van Akko (1, kaart op blz. 151) tot Gaza (2). Maar de meeste havens werden ook bewoond door Griekse kooplieden. Dor (3) is een goed voorbeeld van deze groeiende volksvermen-

ging. Halverwege de 5e eeuw v.C. kwam het door de grote groep Grieken die er woonden blijkbaar in aanmerking voor het lidmaatschap van de Attische Zeebond. Er is veel Attisch aardewerk in Dor gevonden, net als in Akko, Gaza en Asdod (4). Gaza werd een Perzische koninklijke vesting - evenals Akko, Hasor (5) en Lakis (6) - en was een steunpunt voor Kambyses, de zoon en opvolger van Cyrus, toen deze Egypte in 525 binnenviel en veroverde.

# Wederopbouw *(vervolg)*

Er was nog een andere ontwikkeling gaande in Gaza, een die zich over verschillende eeuwen zou uitbreiden en welvaart in deze oude havenstad zou brengen. Naar het oosten, in het vroegere Edom, vestigden zich mensen uit Noordwest-Arabië. Dit volk, dat later bekend zou worden als de Nabateeërs, groeide geleidelijk uit tot een der grootste handelsnaties uit de Oudheid, met Gaza als belangrijke westelijke haven. De Babylonische invallen in de 6e eeuw hadden een eind gemaakt aan een doeltreffend bestuur in Edom en Moab. De woestijnnomaden uit Noordwest-Arabië konden het gebied makkelijk binnendringen en er uiteindelijk zelfs de dienst uitmaken van Zuid-Syrië tot Edom, evenals in een groot deel van de Negeb en zelfs de westelijke Sinaï. Vanuit Petra (7) beheersten de Nabateeërs tenslotte zowel de koningsweg als de karavaanroutes van Arabië via Esjon-Geber (8) naar Gaza en Egypte. De grote bloeiperiode kwam voor deze mensen later. Maar nu al wisten ze de Edomieten te verdrijven naar de Negebwoestijn en naar het gebied dat vroeger Zuid-Juda was geweest. In de woestijn ten zuiden van Berseba (9) vestigden de Edomieten zich in het betrekkelijk weelderige tafelland en in de heuvels rond Hebron (10), dat een van hun belangrijke steden werd.

In Transjordanië hadden de Tobiaden het voor het zeggen in een groot deel van het gebied ten noord-oosten van de Zoutzee. Voorbij Jeruzalem (11) waren de Samaritanen de baas. Samen zagen de Tobiaden en de Samaritanen zich als de beschermers van het oude Israëlitische geloof en zij onderhielden ook nauwe contacten met Joden in en om Jeruzalem. Omstreeks 445 v.C. kwam Nehemia in Jeruzalem aan als gouverneur van het Perzische Jehud. Hij trof er de kleine joodse gemeenschap omringd door volkeren die elkaar een plaats in het nieuwe ontwikkelingsgebied betwistten. En hij trof er ook ontmoedigde en verdeelde mensen aan.

Als hoge Perzische functionaris reisde Nehemia naar Jeruzalem met een militaire escorte en een nieuwe groep Babylonische Joden. Hij stelde onmiddellijk vast dat het dringend nodig was Jeruzalem te beveiligen. De derde nacht na zijn aankomst liep hij in het geheim om de stadsmuren heen om persoonlijk na te gaan wat er zoal verbouwd moest worden. Het werk aan de muren diende zonder uitstel ter hand genomen te worden, besloot hij. De volgende morgen riep hij de bewoners bijeen en zei: 'Gij ziet in wat voor een ellendige toestand wij verkeren; Jeruzalem ligt verwoest en de stadsmuren zijn door vuur verteerd. Kom, laat ons de muur van Jeruzalem weer optrekken, zodat wij die schande niet langer hoeven te dragen' (Neh 2:17). Om over voldoende arbeidskrachten te beschikken en de zwaar beproefde stad weer te bevolken, liet hij mensen werven in de vier bestuursdistricten die de Perzen van de Babyloniërs hadden overgenomen. Velen meldden zich om als vrijwilliger naar Jeruzalem te gaan en de stad te helpen herbouwen.

De muur werd in parten verdeeld en vrijwilligers uit een bepaald dorp of gebied kregen de verantwoordelijkheid voor een gedeelte. Binnen de opmerkelijke korte tijd van 52 dagen bood de muur weer voldoende veiligheid. Het versterken van de kantelen, steunmuren en de poorten nam overigens nog 28 maanden in beslag. Archeologen hebben stukken van Nehemia's muur teruggevonden en duidelijke tekenen van haastwerk aangetroffen. De nieuwe muur omsloot bovendien een veel kleiner Jeruzalem dan we kennen uit de periode van het koninkrijk, toen het volk een grotere welvaart genoot.

Al was Nehemia door de Perzische koning persoonlijk aangesteld, toch ondervond hij eensgezinde tegenstand bij de versterking van Jeruzalem. Tobia, de gouverneur van Ammon, had familiebanden met de Hogepriester in Jeruzalem; Sanballat, de bestuurder van Samaria, was een aangetrouwd familielid van dezelfde godsdienstige leider; Gesem de Arabier leidde de woestijnvolkeren van Noordwest-Arabië tot de west Sinaï, met inbegrip van de Negeb, een deel van zuidelijk Jehud en Edom. Samen met de bevolking van Asdod deden deze drie machtige heersers hun uiterste best om Nehemia ten val te brengen en zijn werk in Jeruzalem een halt toe te roepen. De versterking van Jeruzalem vormde een persoonlijke bedreiging voor de aanspraken die Sanballat maakte op de heerschappij over Jehud. Een sterk Jeruzalem zou een veilige basis kunnen bieden aan een mogelijke politieke tegenstander. Tobia maakte Nehemia en zijn medestanders belachelijk met de woorden: 'Laat ze maar bouwen; morgen komt er een jakhals en die springt zo een gat in die stenen muur van ze!' (Neh 3:35). Samen probeerden de twee mannen hun familie en vrienden in de stad op te ruien om Nehemia bang te maken. En er werd ook van alles gedaan om het moreel van de arbeiders te ondermijnen. De vastberaden Nehemia bood de pogingen om hem te dwarsbomen gemakkelijk het hoofd. Maar op een gegeven moment begonnen de Arabieren, Ammonieten en Asdodieten joodse dorpen rond de stad te terroriseren en zelfs overvallen te plegen in de buurt van Jeruzalem. En toen moest Nehemia wel in actie komen. Met de hem eigen vastberadenheid haalde hij joodse dorpelingen naar Jeruzalem en verdeelde zijn mannen in groepen. De ene groep, gewapend met 'speren, schilden en bogen' (Neh 4:10), hield de wacht, terwijl de andere aan het werk was. Elke arbeider droeg ook een zwaard aan zijn zij tijdens het werk. Met deze tactiek en onder zware druk van de vijand bouwden Nehemia en zijn volk de muren van Jeruzalem weer op.

Twaalf jaar na zijn komst naar Jeruzalem keerde Nehemia terug naar Susan. Het is mogelijk dat hij het niet voor elkaar had kunnen krijgen zijn aanstelling te verlengen. Hij had voor veiligheid gezorgd en bracht ook een aantal economische hervormingen tot stand, waardoor de armen niet meer uitgebuit werden door de rijken. Maar hij beschouwde zijn werk niet als voltooid. Binnen een jaar of wat had hij de koning dan ook overgehaald om hem voor de tweede maal tot gouverneur van Jehud te benoemen. Na zijn terugkeer ondernam hij vergaande, zij het enigszins onsamenhangende godsdienstige hervormingen. Hij zorgde voor de nodige gelden om de tempel en de bedienaren in stand te houden door een stelselmatig innen van belastingpenningen; hij dwong de sabbat in ere te houden door alle zakelijke activiteiten op die dag te verbieden; hij verzette zich tegen huwelijken van joodse onderdanen met vreemdelingen en ging daarbij zo ver dat hij overtreders te lijf liet gaan.

Hoewel Nehemia voor veiligheid zorgde en voor een zekere mate van politieke en economische rust in de gemeenschap, veranderde zijn magere poging tot godsdienstige hervormingen niets wezenlijks aan het leven van de mensen. Het zou de taak worden van de priester Ezra om het geestelijke leven een nieuwe impuls te geven; Nehemia was dat niet gelukt. Ook Ezra was een Jood uit Babylonië en hij had toestemming van de koning om de joodse godsdienstaangelegenheden in het district Abar-nahara te behartigen. In april - waarschijnlijk van het jaar 428 - begaf hij zich op weg naar Jeruzalem met bijdragen van de Babylonische Joden voor de tempel, zilver en goud van de koning, en de Wet. Ezra nam de kortste route dwars door de woestijn zonder militaire escorte. In vier maanden tijds legde hij de weg naar Jeruzalem af en hij arriveerde er in augustus. Twee maanden later, op de avond voor het Loofhuttenfeest, lazen hij en zijn assistenten op een openbaar plein in Jeruzalem de Wet voor vanaf een houten podium. De Feniciërs, Nabateeërs, Tobiaden en Samaritanen spraken allemaal verschillende dialecten van het Aramees, evenals de Joden uit Jehud. Van de vroege ochtend tot in de middag werden er vertalingen en verklaringen van de wetsteksten in het Aramees uitgesproken. En de volgende dag vierde men plechtig en verheugd feest.

Er bleven evenwel wetsovertredingen plaatsvinden, en in december legde Ezra, terwijl hij 'zich wenend neerwierp voor de tempel' (Ez 10:1) een openbare biecht af van de zonden van het volk. Het gemengde huwelijk was daarbij een der voornaamste zonden. Het volk gaf toe dat men het vertrouwen van de Heer had beschaamd. En een woordvoerder kwam met het plechtige voorstel dat de Joden hun buitenlandse vrouwen en de kinderen die uit die verbintenissen waren geboren, zouden verstoten. Per proclamatie werden de Joden in het land opgeroepen zich drie dagen later in Jeruzalem te verzamelen. 'Als iemand binnen drie dagen niet zou zijn gekomen zou hij volgens het besluit van de leiders en de oudsten heel zijn bezit verbeuren en uitgesloten worden van de gemeenschap der ballingen' (Ez 10:8).

Opnieuw verhief Ezra zich voor het volk en klaagde het aan. De menigte aanhoorde hem in een regenbui op het plein bij de tempel en antwoordde als uit één mond: 'Ja! Het is onze plicht te doen wat u gezegd hebt' (Ez 10:12). Ezra stelde een jury samen van oudsten die opdracht kregen de huwelijken te onderzoeken. En toen de jury drie maanden later verslag uitbracht, werden alle gemengde huwelijken ontbonden.

Ezra's werk was binnen een jaar na zijn komst naar Jeruzalem voltooid. De Wet die hij het volk had voorgehouden en waaraan men zich nu weer onderwierp, was de Thora of de kern van wat de Thora zou worden, de vijf boeken van de Wet van Mozes - Genesis, Exodus, Leviticus, Numeri en Deuteronomium. Geen wonder dat de rabbi's achting koesterden voor de priester die op een cruciaal moment ten tonele was verschenen en dat zij Ezra beschouwden als de man die de Wet in ere had hersteld.

Volgens de berichten was Nehemia de eerste die het verbond van Ezra bezegelde, waarna beide mannen uit het gezichtsveld verdwenen. Volgens de ene bron stierf Ezra en werd hij in Jeruzalem begraven. Anderen beweren dat zijn graf in Zuid-Irak is te vinden. Kan hij teruggekeerd zijn naar Babylonië? En wat is er van Nehemia geworden? Misschien keerde hij aan het eind van zijn tweede ambtsperiode terug naar Susan. In elk geval was de taak van de twee mannen volbracht: de gemeenschap in Jehud was voorlopig veilig gesteld en het Jodendom had zijn Wet, het monumentale document, waarmee het zich door de eeuwen heen zou handhaven.

Met de hervormingen van Ezra en Nehemia in de tweede helft van de 5e eeuw eindigt de historische vertelling van het Oude Testament.

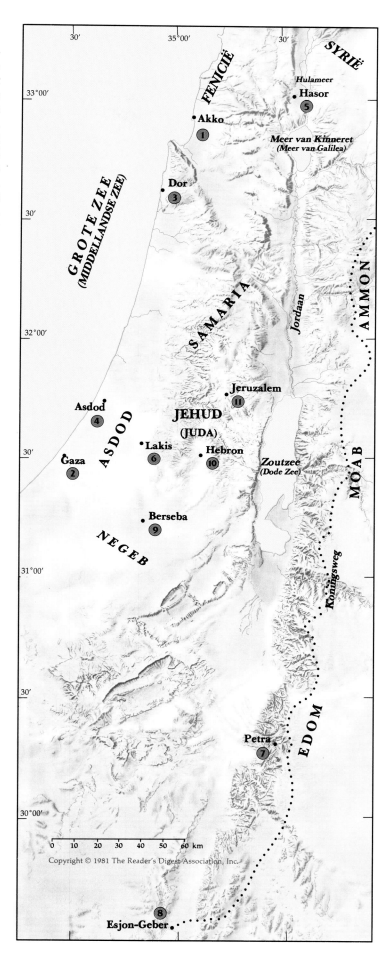

# Alexander de Grote

'Hij drong door tot aan de uiteinden der aarde en brandschatte vele volken: de aarde durfde zich tegen hem niet meer te verzetten. Hij werd overmoedig en in zijn trots bracht hij een buitengewoon sterk leger op de been; hij maakte zich meester van landen, volken en vorsten en zij werden hem schatplichtig' (1 Mak 1:3-4). Met deze tekst vat 1 Makkabeeën de korte en opmerkelijke carrière samen van Alexander de Grote.

Alexanders verovering van de macht begon in 336 v.C. Hij besteeg toen als 20-jarige de troon van Macedonië na de moord op zijn vader Filippus II. Hij spreidde onmiddellijk een groot militair talent ten toon door de opstandige Griekse staten onder Macedonische heerschappij te brengen. In 334 voerde hij zijn leger over de Hellespont (1, onderste kaart), vastbesloten de Perzen uit Klein-Azië te verdrijven. Bij Issus (2) behaalde hij een verrassende overwinning op het leger van Darius III, dat nota bene drie maal zo groot was als het zijne. In triomf stond hij daarmee op het kruispunt van de machten. 'Als je voortaan iemand naar me toestuurt,' zei hij tegen de verslagen Darius, 'stuur je iemand naar de koning van Azië.' Maar voor hij zijn Aziatische veldtocht kon voortzetten, moest hij eerst de zuidelijke flank van zijn rijk veiligstellen en zo liet hij zijn leger optrekken naar Egypte.

Om het Perzische overwicht in de Middellandse Zee te breken, besloot hij de belangrijkste vlootbasis van de vijand, Tyrus (3, bovenste kaart), te veroveren. De vesting Tyrus bestond in feite uit twee steden, een op het vasteland en de andere op een eiland dat een halve mijl van de kust verwijderd lag.

Alexander beschikte niet over het materieel om de vesting op het eiland te land en vanuit zee tegelijk aan te vallen. Daarom vatte hij het sterk tot de verbeelding sprekende plan op een enorme dam, een verhoogde weg, te bouwen om zijn belegeringstroepen van het vasteland naar de 750 meter verwijderde overkant te kunnen brengen (zie inzet bovenste kaart). Het eerste deel van zijn operatie bestond uit de verovering van het deel van Tyrus dat op het vasteland lag. Hij maakte dit stadsdeel vervolgens met de grond gelijk, zodat hij over voldoende puin beschikte voor het opbouwen van de dam. Hout werd gehaald uit de wouden van Libanon en er werden steengroeven aangeboord om extra hoeveelheden steen te bemachtigen. Toen de groeiende 60 meter brede dam binnen het schootsveld van de vesting op het eiland kwam, openden de verdedigers het vuur op de Macedoniërs met katapulten. Er daalde een regen van projectielen, gesmolten lood en roodgloeiend zand neer op de aanvallers. Alexander liet zich niet weerhouden door deze felle tegenstand en zette door.

De dam was tenslotte voltooid. Met daverend geweld bestormden de Macedoniërs de stevige muren, maar hun schiettuig en hun stormrammen hadden weinig effect. De belegering duurde inmiddels al ruim 6 maanden. Alexander had een eigen vloot samengesteld en hij besloot tot een enorme gecombineerde aanval over land en vanuit de zee. Tijdens een hevig gevecht werd er eindelijk een bres geslagen in de verdedigingsmuren. Met behulp van aanvoerbruggen die gebruikt werden als de hedendaagse landingsvaartuigen kwamen er versterkingstroepen aan land om de doorbraak voort te zetten. Felle gevechten woedden in de straten van Tyrus, maar de Macedoniërs waren weldra aan de winnende hand. Naar schatting sneuvelden er 8000 man van Tyrus' verdediging, waarbij Alexander nog eens 2000 krijgsgevangenen ter dood liet brengen. De rest van de bevolking werd als slaven verkocht. Van de vesting zelf bleef nauwelijks een steen overeind, waardoor Tyrus totaal onbruikbaar was geworden als vlootbasis voor de Perzen.

In 333 v.C. versloeg Alexander koning Darius III in de cruciale slag bij Issus. Op dit mozaïekfragment, dat gevonden is in Pompeii, staat de veldheer afgebeeld als jongeman van 23 jaar.

Alexander rukte verder op in zuidelijke richting langs de kust. Hij liep Akko (4) onder de voet en maakte bij Strato's Burcht (5) een bocht, dieper het binnenland in. Eenmaal weer terug langs de kust werden Azotus (6) en Askelon (7) veroverd. En bij Gaza (8), de historische toegang tot Egypte, werd de triomftocht tot stilstand gebracht.

Gaza vormde een even formidabele militaire hindernis als Tyrus. De vesting lag op de top van een steile helling en was omringd door hoge muren. De gebruikelijke belegeringstactiek, waarbij hoge torens tot vlakbij de muren werden gebracht, was voor deze stad niet geschikt. Alexander kwam op het idee voor zichzelf ook een hoog punt op te werpen om van daaraf aan te kunnen vallen. Zijn onvermoeibare troepen werden aan het werk gezet om een enorme dam te bouwen die het belegeringstuig op gelijke hoogte met het fort moest brengen. Stormrammen en katapulten beukten weldra op de muren in, terwijl aan de voet de fundamenten werden ondergraven. Tenslotte viel er een bres in de verdedigingsmuren en kon de Macedonische infanterie met behulp van stormladders over het puin heen de stad binnenvallen. De Perzische garnizoenscommandant Batis en zijn troepen gingen tot de laatste man ten onder in hevige straatgevechten en de stad werd totaal leeggeplunderd. Volgens de overlevering ging Alexander na de val van Gaza naar Jeruzalem om de hogepriester te ontmoeten. Of dit als een legende beschouwd moet worden of als waarheid, staat niet vast. Jeruzalem was in elk geval wel degelijk in handen van de machtige veroveraar.

Eind 332 trok Alexander met zijn onoverwinnelijke leger Egypte binnen. De Perzen gaven deze buitenpost van hun rijk zonder slag of stoot over en in Siwa (9, onderste kaart) riep Alexander zichzelf uit tot farao. Hij had persoonlijk al de plaats vastgesteld voor Alexandrië, voorbestemd om een der grootste centra van de Griekse of Hellenistische cultuur te worden, ja zelfs een der belangrijkste steden uit de Oudheid.

In de loop der tijd zou hij nog ongeveer een dozijn steden met dezelfde naam stichten in zijn streven een Grieks stempel te drukken op de uiteenlopende volken die hij veroverde.

Hij zette zijn veroveringstocht voort naar het oosten, waar Darius zijn Perzische troepenmacht opnieuw bijeenbracht in het dal van Tigris. In het voorjaar van 331 nam het Macedonische leger de route langs de oostelijke Middellandse-Zeekust terug. Tijdens de afwezigheid van de veroveraar in Egypte waren de Samaritanen in opstand gekomen tegen hun gouverneur. Uit wraak liet Alexander Samaria (10, bovenste kaart) verwoesten. Het is mogelijk dat in deze tijd een Macedonisch expeditieleger ook helemaal tot Jericho is doorgedrongen.

De weergaloze veroveringstocht die Alexander de Grote over een afstand van zo'n 25 000 kilometer maakte, bracht hem tot in India. Bij Gaugamela (12, onderste kaart) bracht hij Darius en zijn troepen een verpletterende nederlaag toe, waarmee hij voorgoed met het Perzische rijk en de Perzische macht afrekende. Om die overwinning nog uit te breiden, veroverde hij bovendien Darius' hoofdsteden Babylon (13), Susan (14) en Persepolis (15). In die laatste stad wist hij de hand te leggen op een enorme hoeveelheid ongeschonden Perzische schatten.

Alexander was nu helemaal bezeten van zijn veroveringsdrang en vervolgde zijn veldtocht naar het oosten. In 326 versloeg hij op de oevers van de Hydaspes (16) de wellicht bekwaamste tegenstander die hij ooit tegenover zich had gevonden, de koning van India, Porus.

Onder druk van zijn legers, die het strijden moe waren, beëindigde Alexander zijn odyssee en begon aan de terugtocht, na zich meester gemaakt te hebben van het grootste deel van Azië. (De omvang van Alexanders rijk is hieronder in geel aangegeven). Hij zou evenwel nooit zijn vaderland bereiken. In 323 werd hij in Babylon overvallen door een ziekte en stierf. Hij was toen pas 32 jaar oud. Met hem stierf zijn onverzadigbare ambitie de wereld te veroveren en een onoverwinnelijk Macedonisch rijk te vestigen.

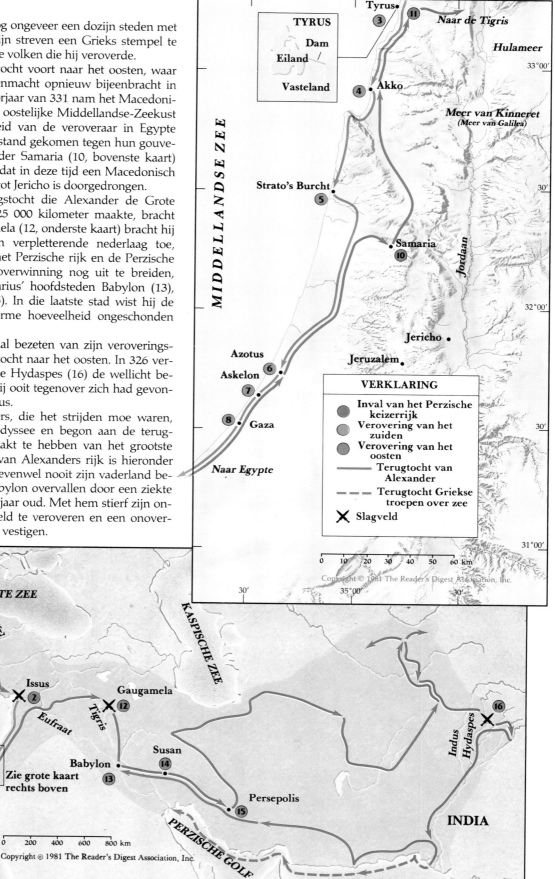

VERKLARING

- Inval van het Perzische keizerrijk
- Verovering van het zuiden
- Verovering van het oosten
- Terugtocht van Alexander
- Terugtocht Griekse troepen over zee
- ✕ Slagveld

# Ptolemeeën tegen Seleuciden

Na de dood van Alexander de Grote ontstond er onderlinge twist onder zijn generaals over de verdeling van zijn uitgestrekte rijk. Zij 'bonden zich de diadeem om het hoofd en hun zonen volgden hen op' (1 Mak 1:9). Tussen 320 en 301 v.C. wisselden Zuid-Syrië en het gebied daaronder tot aan de Egyptische grens vijfmaal van eigenaar. De eerste die zich van het gebied meester maakte was Ptolemeüs I, die zich in Egypte had gevestigd. Kort daarna werd hij tot een veldslag uitgedaagd door zijn vroegere wapenbroeder Antigonus, 'de Eenoog'. Antigonus trok vanuit Klein-Azië langs de kust naar Egypte en veroverde Tyrus (1), Joppe (2) en Gaza (3). In 312 versloeg Ptolemeüs de zoon van Antigonus, Demetrius, bij Gaza. Hij dreef hem via Syrië terug naar zijn basis in Klein-Azië. Antigonus reageerde hierop met het binnenvoeren van een groot leger in het omstreden gebied om de troepenmacht van Ptolemeüs te verdrijven. Tijdens hun terugtocht naar het zuiden verwoestten Ptolemeüs en zijn mannen Joppe en Gaza, evenals de vestingen Akko (4, later Ptolemaïs genoemd) en Samaria (5). De vijand kon daardoor deze steden niet meer als voorposten gebruiken. In 311 stuurde Antigonus zijn zoon Demetrius er op uit om de Nabateeërs in Petra (6) aan te vallen. Hij probeerde zich daardoor meester te maken van de winstgevende Arabische specerijenhandel en de groeiende opbrengsten van de zuidelijke Zoutzee (nu Asfaltmeer geheten). Maar de Arabieren, die heer en meester waren in de woestijn en zich veilig wisten in hun forten van rozerode rotssteen, sloegen de aanval af en brachten forse verliezen toe aan de Macedoniërs.

Intussen ging de strijd tussen Ptolemeüs en Antigonus op en neer. Ptolemeüs gooide het tenslotte evenwel op een akkoordje met vroegere wapenbroeders uit het leger van Alexander de Grote. Onder die wapenbroeders bevond zich Seleukus, die een westelijke basis in Syrië probeerde te bemachtigen. Zonder dat Ptolemeüs aan de strijd deelnam, wisten de twee nieuwe bondgenoten in 301 bij Ipsus in Klein-Azië grondig af te rekenen met Antigonus. Bij de verdeling van de buit die op de strijd volgde, verwierf Seleukus de provincie Syrië, waaronder ook Judea viel. (Judea was de naam die de Grieken gaven aan Juda.) Seleukus ontdekte echter spoedig dat Ptolemeüs zich zijn nieuwe provincie al had toegeëigend. Omdat hij niet wilde vechten tegen zijn vriend en bondgenoot liet Seleukus zijn aanspraken op de bufferzone varen. Zodoende bleef Judea onder het bewind van Ptolemeüs.

Gedurende bijna een eeuw heerste er welvaart in 'Syrië en Fenicië' (zoals het gebied toen werd genoemd), ondanks de conflicten die er tussen de opvolgers van Ptolemeüs en Seleukus ontstonden.

De tijden veranderden - met nieuwe Griekse namen voor oude steden, zoals Ptolemaïs (Akko), Skytopolis (Bet-San) en Filadelfia (Rabba). De kustvlakte, die voor de Ptolemeeën van groot belang was, werd in kleinere bestuurseenheden onderverdeeld. Militaire galeien bewaakten de zeeroutes die in steeds hoger tempo door handelsschepen werden bevaren. De vesting Samaria bleef het bestuurscentrum voor het centrale hoogland, zoals Jeruzalem het middelpunt van de provincie Judea bleef. De hogepriester daar had een zeker bur-

gerlijk gezag onder de Ptolomeese ambtenaren. Waarschijnlijk betaalde hij een jaarlijkse bijdrage voor dit voorrecht.

Toch werden er van Egyptische zijde geen intensieve pogingen gedaan de levenswijze van de Joden in Judea of de godsdienstgebruiken te veranderen. Zolang de belasting betaald werd (die overigens zeer hoog was) en de rust gehandhaafd bleef, waren de Ptolomeeën tevreden. In 219 werd die rust evenwel verstoord.

De opvolgers van Seleukus hadden zich niet zo gemakkelijk neergelegd bij het Ptolomeese gezag over Syrië en Fenicië. Vanaf 276 hadden zij drie hevige maar onbeslite oorlogen gevoerd over het bewuste gebied tegen de Macedonische heersers van Egypte. In een vierde oorlog baande Antiochus III ('de Grote') zich evenwel met geweld een weg naar de kust. Hij veroverde Tyrus (7) en Ptolemaïs (8) en begon een beleg van Dor (9). Voortgaand in oostelijke richting tot voorbij het meer van Galilea veroverde hij nog andere steden, terwijl er ook verschillende gewoon hun poorten voor hem openzetten. Samen met zijn bondgenoten de Nabateeërs nam hij bezit van Filadelfia (10) en stuurde vervolgens zijn ruitervolk terug naar de overkant van de Jordaan. Hij maakte Ptolemaïs tot zijn hoofdkwartier en bracht er de winter door met het versterken van zijn positie en het aanvullen van zijn troepenmacht. Zo bereidde hij zichzelf voor op de krachtmeting met de Egyptische hoofdmacht die ongetwijfeld zou komen.

In het voorjaar van 217 trok Antiochus III via de zeeweg naar Gaza (11) en vandaar naar Rafia (12). Ptolemeüs IV was door de woestijngebieden van Egypte in aantocht met zijn enorme leger, aangevuld met oorlogsolifanten. In de botsing die volgde, kregen de Egyptenaren de overhand en dreven Antiochus terug naar Syrië. Ptolemeüs IV maakte een triomftocht door het land tot aan de noordelijke grenzen van zijn rijk. Met deze koninklijke rondgang wilde hij duidelijk laten zien dat Judea en Fenicië weer veilig in handen van de Ptolemeeën waren.

In beslag genomen door bezigheden op andere plaatsen op zijn uitgestrekte grondgebied nam Antiochus III de strijd met de Ptolemeeën pas weer op in 203. Opnieuw stootte hij door tot aan de kust. Stad na stad gaf zich aan hem over en pas in Gaza (13) ondervond hij vastberaden tegenstand. Gaza moest het tenslotte afleggen tegen de belegering, maar het uitstel gaf de Ptolemeeën de kans hun troepen te verzamelen voor een tegenaanval. Onder opperbevel van Skopas (een Griekse generaal die in hoog aanzien stond) drongen de Ptolemeeën de Seleuciden in een felle strijd terug. Skopas stelde vervolgens Jeruzalem (14) veilig. Daarna trok hij in de winterse regen en kou noordwaarts langs de centrale bergweg om het Ptolomeese gezag in het hele gebied te herstellen. Antiochus trok zich terug in het waterrijke, vriendelijke heuvelland bij Paneas (15). Aan de voet van de berg Hermon maakte hij zich in 198 op voor een krachtmeting. Skopas viel met volle kracht aan maar werd prompt teruggeslagen. Met de overlevenden van zijn legerleiding vluchtte hij naar Sidon (16) aan de kust. Daar werden zij belegerd en uitgehongerd tot zij zich overgaven.

In een persoonlijke triomftocht legde Antiochus een groot deel van Skopas' route in tegengestelde richting af. De Seleuciden doopten de overwonnen provincie om in 'Cele-Syrië en

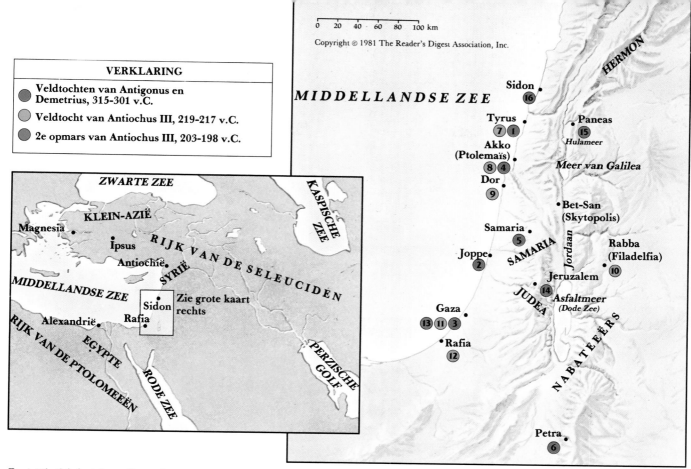

VERKLARING

● Veldtochten van Antigonus en Demetrius, 315-301 v.C.

● Veldtocht van Antiochus III, 219-217 v.C.

● 2e opmars van Antiochus III, 203-198 v.C.

Copyright © 1981 The Reader's Digest Association, Inc.

MIDDELLANDSE ZEE

ZWARTE ZEE

KLEIN-AZIË

Magnesia

Ipsus

Antiochië

RIJK VAN DE SELEUCIDEN

SYRIË

KASPISCHE ZEE

MIDDELLANDSE ZEE

Sidon

Rafia

Zie grote kaart rechts

Alexandrië

RIJK VAN DE PTOLEMEEËN

EGYPTE

RODE ZEE

PERZISCHE GOLF

Fenicië'. *Cele* betekent 'laagte' en verwees naar de grote vallei in Zuid-Syrië, die ligt tussen de berg Hermon en de kust.

We weten niet in detail wat het effect geweest is van de zware gevechten op het land en het volk. Wel staat vast dat zowel de dorpen als de steden eronder geleden hebben en dat de economie ontwricht werd. Jeruzalem en de tempel liepen forse schade op, want de Egyptenaren verdedigden de stad en er waren rellen in de straten tussen aanhangers van de Ptolemeeën en van de Seleuciden. Een aantal leden van de joodse Tobiad-groepering bleef de Ptolemeeën trouw. De laatste afstammeling van de Tobiad-tak, Hyrkanus, zou later onder de regering van Antiochus IV zelfmoord plegen.

Ondanks de eeuw van betrekkelijke welvaart onder de heerschappij der Ptolemeeën, leefden er nog sterke pro-Seleucidische gevoelens onder de Joden in Jeruzalem.

In 198 vaardigde Antiochus III het decreet uit dat er bouwmateriaal voor de tempel in Judea kon worden ingevoerd zonder dat er invoerrechten betaald hoefden te worden. Belastingen die de hogepriester en verschillende andere belangrijke functionarissen van de Seleuciden moesten betalen, werden uitgesteld. En de overige burgers kregen zelfs vrijstelling van belasting voor een periode van 3 jaar. Er waren nog meer voorrechten. Zo kregen de Joden toestemming een bestuursvorm te kiezen die 'in overeenstemming was met de wetten van hun land'. Voor de Seleuciden was dit niet meer dan een formaliteit. Zij waren gewend zulke vrijheden aan de volken in hun rijk toe te staan om daarmee hun trouw te winnen. Voor de Joden betekende het veel meer. Het was een bevestiging dat de hogepriester aan het hoofd stond van de gemeenschap en over een bepaalde - zij het pover omschreven - politieke macht beschikte. En het was in feite de hogepriester die opdracht gaf Jeruzalem en de tempel te herbouwen.

Dertig jaar lang ging het de Joden onder het bestuur van de Seleuciden voor de wind; er dreigden echter wel conflicten. De positie van de hogepriester was sterker geworden, maar over de politieke betekenis ervan liepen de meningen uiteen. Ook over de sympathie van de heersers voor het Hellenisme zou onenigheid ontstaan. De Seleuciden beschouwden zich als erfgenamen van Alexander de Grote en wilden net als hij alle volken in de Griekse cultuur opnemen. Over deze meningsverschillen zou een generatie later de strijd tussen Joden en Seleuciden ontbranden.

In 192, zes jaar na zijn succes in Cele-Syrië, stak Antiochus III over naar Griekenland. Hij had inmiddels grote delen van Klein-Azië onderworpen. Antiochus beging een fundamentele strategische blunder door een verbond te sluiten met Hannibal van Kartago, doodsvijand van het opkomende Rome met zijn angstaanjagende legioenen. Rome had zich na de Tweede Punische Oorlog met Kartago verzekerd van het westelijk deel van het Middellandse-Zeegebied. Het kon nu vrijelijk de blik richten op het oosten. De Romeinse Senaat verklaarde Antiochus de oorlog. Daarna verpletterde Publius Scipio Africanus, de gevierde overwinnaar van Hannibal, in 190 het leger der Seleuciden in de slag bij Magnesia in Klein-Azië. De Romeinen stelden bijzonder hoge vredesvoorwaarden. Zij dwongen Antiochus een groot deel van zijn overgebleven leger te ontwapenen, zijn gebied in Klein-Azië te ontruimen en een ontzettend hoge financiële bijdrage te betalen. Het uitgestrekte rijk der Seleuciden begon al tekenen van binnenlandse spanningen en verval te vertonen. De slag bij Magnesia versnelde dit proces alleen nog. Maar voor het eens zo schitterende rijk volledig in elkaar stortte, werd eerst nog een poging gedaan Egypte te veroveren en werd er vervolgens oorlog gevoerd met de Joden van Judea.

155

# De Makkabeeën

De 30-jarige periode van vrede die volgde op de slag bij Paneas werd in 167 v.C. ruw verstoord door een uitbarsting van hevige godsdienstvervolgingen in Jeruzalem (1). De nieuwe Seleucidische heerser Antiochus IV zette de eerzuchtige plannen van zijn vader in Egypte voort, maar werd door de Romeinen een halt toegeroepen. Hij koelde zijn woede hierover op de vazalstaat Judea. Eerder had hij zich al plunderend vergrepen aan de tempel en nu deed hij alles wat maar met de joodse leer te maken had in de ban. Joodse praktijken als het besnijden van mannen, het in acht nemen van de sabbat en het zich houden aan voedingsvoorschriften werden verboden. De verering van de God van Israël in de tempel moest plaats maken voor aanbidding van de Olympische god Zeus. Elke nederzetting in het land kreeg de opdracht Zeus en andere godheden te eren. In Jeruzalem werd een nieuwe vesting gebouwd, akra genaamd, die als bolwerk voor de Seleuciden moest dienen temidden van de stormachtige joodse rebellie in de volgende 25 jaar.

Joden die weigerden hun oorspronkelijke geloof af te zweren, werden gedood of tot slavernij gebracht. Velen vluchtten de heuvels of de woestijn in en degenen die bleven waar ze waren, werden het slachtoffer van bloedige vervolging. In Modeïn (2), nog geen 30 km van Jeruzalem, stond er evenwel een joodse priester op, genaamd Mattatias de Hasmoneeër, en hij veroorzaakte een incident dat tot een opstand leidde. Het dorp Modeïn werd bezocht door een afgezant van de koning om na te gaan of het dorp wel de vereiste eer betoonde aan vreemde goden. Mattatias ontstak in woede toen een joodse dorpsgenoot op het altaar een heidens offer wilde brengen en hij doodde de man. Bovendien sloeg hij ook de boodschapper van de koning neer. Mattatias vluchtte vervolgens met zijn vijf zoons (Johannes, Simon, Judas, Eleazar en Jonatan) de Gofnaheuvels (3) in en verborg zich in dit gebied van dichtbeboste bergruggen en dalen.

In het hele land schaarden zich Joden aan de kant van Mattatias, vooral de Chasideeën, de zogenaamde Vromen die blindelings voor de Wet kozen. Dorp na dorp kwam in opstand tegen het bewind van de koning. Mattatias wees Simon, een 'goed raadsman', (1 Mak 2:65) aan om de opstand te leiden. Maar de oude man was wel zo slim zijn derde zoon Judas tot militair aanvoerder te verkiezen, want deze was 'van jongs af een dapper krijger geweest' (1 Mak 2:66). Judas werd al 'de Makkabeeër' ('de hameraar') genoemd, een bijnaam waarmee weldra het groeiende verzet zou worden aangeduid.

Toen Mattatias in 166 stierf, had de opstand nog niet tot hevige gevechten geleid, maar in feite waren de opstandelingen de baas in heel Judea, behalve in de grote steden en de ommuurde vestingen.

Judas bereidde zijn aanhangers bekwaam voor op een partizanenstrijd. Zij kenden het land, zijn heuvels en dalen en rotsgebieden en ze wisten zich gesteund door de plaatselijke bevolking. Overdag mengden zij zich tussen de dorpelingen of hielden zich schuil in de heuvels en bossen. 's Nachts vielen ze pro-Syrische nederzettingen aan en zelfs vijandelijke patrouilles. De faam van Judas steeg met de dag. Steeds meer mensen sloten zich bij hem aan en zoals vroeger ter ere van David werden er nu lofliederen voor hem gezongen:

'Hij vocht als een leeuw, als een leeuwewelp
die zich brullend op zijn prooi stort' (1 Mak 3:4).

Judas' partizanen terroriseerden het verkeer op de wegen en dreigden de twee belangrijkste verbindingen naar Jeruzalem - de weg die van de kust naar Bet-Choron (4) loopt en de centrale bergroute (5) van Samaria - af te snijden. Toen deze bedreiging groter werd, deden de vergriekste Joden een beroep op Apollonius, de Seleucidische bestuurder van Samaria die het ook voor het vertellen had in Judea. Apollonius bracht een uit burgers bestaande strijdmacht op de been - waarschijnlijk Macedonische kolonisten - en trok via de bergweg in de richting van Jeruzalem. Bij Lebona (6) werden ze door Judas vanuit een hinderlaag aangevallen en op de vlucht gejaagd. Apollonius werd gedood en Judas eigende zich zijn zwaard toe en 'voortaan streed hij met dat zwaard' (Mak 3:12). Zijn partizanen wisten bij deze expeditie heel wat wapens te bemachtigen, waardoor ze flink in kracht toenamen.

Nog vier keer probeerden de Syriërs de verbindingen met Jeruzalem te herstellen. Een leger van gewone soldaten onder aanvoering van Seron, de commandant van Cele-Syrië, volgde een route door de kustvlakte en boog vervolgens het binnenland in naar Jeruzalem. Bij Hoog-Bet-Choron (7) zorgde Judas opnieuw voor een verrassing. Zijn ongeregelde troepen stortten zich onvervaard vanaf de heuvels op de langgerekte, zwaarbewapende vijandelijke colonne die zich moeizaam tegen de hellingen voortbewoog. De Syriërs vluchtten in wanorde met achterlating van de lichamen van Seron en 800 van zijn manschappen.

In de lente van 165 waagde Antiochus IV een nieuwe poging. Hij gaf zijn onderkoning Lysias opdracht een groot leger naar Judea te zenden om 'de weerstand van Israël te breken en … de herinnering aan hen in die stad uit te wissen' (Mak 3:35). Onder aanvoering van Nikanor en Gorgias trok de strijdmacht behoedzaam vanuit het noorden op en richtte een legerkamp op in Emmaüs (8). Toen Nikanor vernam dat Judas in Mispa (9) was, wilde hij zijn tegenstander een koekje van eigen deeg bezorgen door hem bij verrassing aan te vallen. Hij beval Gorgias 's nachts met 6000 man naar het joodse kamp op te trekken. Dank zij zijn voortreffelijke inlichtingendienst - afkomstig uit zijn nauwe banden met de bevolking - was Judas snel op de hoogte van de troepenverplaatsing. Hij maakte prompt een omtrekkende beweging en kwam ten zuiden van Emmaüs uit. Gorgias vond in Mispa een inderhaast verlaten kampement en kamde de heuvels uit, op zoek naar vluchtelingen. Toen hij er niet één vond, ondernam hij de terugtocht naar zijn basis. Maar zodra hij de top van de eerste heuvel had bereikt en Emmaüs onder hem lag, zag hij rook opstijgen uit de richting van zijn legerkamp. Dat was het werk geweest van Judas, die Nikanors strijdmacht had aangevallen en het in verschillende richtingen uiteen had geslagen. De Seleuciden van Gorgias zagen het joodse leger triomfantelijk in slagorde klaar staan en zij werden zo bang dat ze haastig de vlucht namen.

Onder de indruk van deze derde opeenvolgende nederlaag waagde Lysias onder zijn persoonlijk opperbevel een vierde poging om de wegen naar Jeruzalem open te breken. Hij verkoos een weg te volgen die door bevriend gebied liep en in

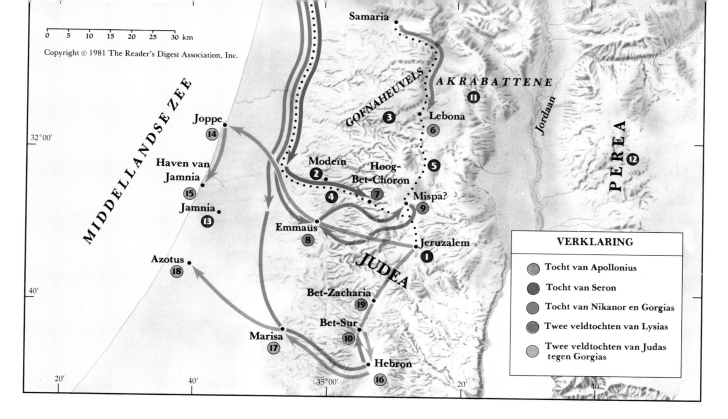

Copyright © 1981 The Reader's Digest Association, Inc.

**VERKLARING**

Tocht van Apollonius

Tocht van Seron

Tocht van Nikanor en Gorgias

Twee veldtochten van Lysias

Twee veldtochten van Judas
tegen Gorgias

een bocht vanuit het zuiden op Jeruzalem aanging. Bij Bet-Sur (10), zo'n 25 kilometer van Jeruzalem, liet Judas weer een staaltje van zijn kunnen zien. Hij koos voor de zoveelste maal een ideaal terrein om slag te leveren. De Syrische formaties wisten geen raad met het heuvelachtige gebied en de smalle ravijnen die de mannen van Judas zo goed kenden. De striemende aanvallen die het partizanenleger uitvoerde, hadden dan ook een dodelijk effect. Lysias werd op de vlucht gejaagd en verloor 5000 man in de strijd.

In Jeruzalem veroverden zijn mannen de berg Sion of Tempelberg en 'vervolgens wees Judas mannen aan, die de bezetting van de burcht in bedwang moesten houden zolang de reiniging van de tempel duurde' (1 Mak 4:41). In december 164 werd het Heilige Huis opnieuw ingewijd en de lampen van het eeuwige licht werden weer ontstoken ter ere van de God van Israël. Deze gebeurtenis wordt door de Joden nog altijd gevierd als het feest van de tempelwijding, Chanuka.

In het zuiden boekten Jozef en Azarja, twee legeraanvoerders van Judas, weinig successen. Tegen de orders in vielen ze de kustvlakte bij Jamnia (13) binnen. Gorgias was daar gouverneur. Zij waren geen partij voor de Syrische generaal en verloren zo'n 2000 man, bijna een tiende van het hele beschikbare geoefende leger. Judas kwam snel in beweging om verder onheil te voorkomen. Om te beginnen stak hij Joppe (14) en de haven van Jamnia (15) in brand. Bij een tweede reeks aanvallen verwoestte hij Hebron (16), joeg Gorgias op de vlucht bij Marisa (17) en rukte op tot Azotus (18).

In 163 verscheen Lysias weer ten tonele met de sterkste legermacht die tot nu was ingezet tegen de opstandelingen. Volgens 1 Makkabeeën bestond zijn leger uit 100 000 man infanterie, 20 000 man cavalerie en 32 oorlogsolifanten. De Joden hadden nog niet eerder in de strijd te maken gehad met deze kolossale beesten.

Lysias trok weer via de zuidelijke toegangswegen naar Jeruzalem. Hij had geleerd van zijn eerder gemaakte fouten en was niet van plan Judas de kans te geven het heft in handen te

nemen en zelf het terrein voor de strijd uit te kiezen. De Syrische generaal wilde de slag leveren op open terrein, waar hij het volle profijt had van zijn troepenovermacht, zijn krijgsolifanten en zijn bliksemsnelle cavalerie.

Judas had Bet-Sur zwaar versterkt, maar de krachtige Syrische belegeringswerktuigen braken vrij snel door de verdediging heen. Judas onttrok soldaten aan het beleg van de akra in Jeruzalem om positie te kiezen in Bet-Zacharia (19). De Syriërs marcheerden in angstaanjagende aantallen snel op en 'toen de zon op de gouden en bronzen schilden scheen, begonnen de bergen te schitteren en te glanzen als brandende fakkels' (1 Mak 6:39). De oorlogsolifanten vervoerden boogschutters in houten torens. De beesten bleken van beslissende betekenis te zijn in de strijd. Opgewonden door wijn en moerbeisap en voortgejaagd door hun Indische drijvers stortten de enorme beesten zich op de joodse linies. Eleazar, een broer van Judas, dook dapper onder een van de olifanten en dreef zijn zwaard in de edele delen van het dier. Hij werd onder het getroffen dier verpletterd. Dergelijke vergeefse joodse heldendaden kenmerkten de strijd. De formidabele infanterie en cavalerie van de Syriërs veegden het slagveld schoon. Judas werd gedwongen te redden wat er te redden viel van zijn leger en vluchtte de veilige Gofnaheuvels in.

Nog voor Lysias zijn overwinning in Bet-Zacharia kon omzetten in een totale verovering van Judea vernam hij dat zijn bewind in Syrië in gevaar was. Hij was wel gedwongen terug te keren naar Antiochië en daarom deed hij de Joden van Jeruzalem een compromis-vredesvoorstel. Hij zou hen godsdienstvrijheid toestaan als zij bereid waren zich terug te trekken van hun bolwerk op de Tempelberg. De overeenkomst werd gesloten. Voor de meeste Joden was het doel van de opstand - godsdienstvrijheid - bereikt. Maar Judas had het dieptepunt van zijn carrière bereikt en moest het zonder zijn aanhangers stellen. Hij was meer dan ooit vastbesloten de strijd voort te zetten, omdat hij maar één ideaal voor ogen had: de volledige politieke onafhankelijkheid van Judea.

# Opnieuw onafhankelijkheid

In 162 v.C. was Antiochië, de hoofdstad van Syrië getuige van het begin van een lange, bloedige twist om de troon van de Seleuciden. De strijd speelde zich af tussen erfgenamen en vermeende erfgenamen van Antiochus IV en zijn broer Seleukus IV. Seleukus' zoon, Demetrius I, stak de lont in het kruitvat door zijn neef Antiochus V en diens voogd Lysias af te zetten en om te brengen. In dit klimaat van dynastieke strijd grepen de joodse rebellen hun kans om hun politieke onafhankelijkheid terug te winnen.

Judas bleef vanuit zijn schuilplaats in de Gofnaheuvels (1, onderste kaart bladzijde hiernaast) proberen de wegen naar Jeruzalem te blokkeren. De hogepriester van Jeruzalem riep de hulp in van Demetrius tegen deze nieuwe bedreigingen van de Makkabeeër, waarop Nikanor weer naar Judea werd gestuurd. Met veel machtsvertoon begaf Nikanor zich met 3000 man van Jeruzalem (2) naar de weg van Bet-Choron. Bij Kafarsalama (3) liep dit leger in een hinderlaag die Judas er had gelegd. Nikanor moest zich terugtrekken naar Jeruzalem en Judas kreeg weer steun voor zijn partizanenstrijd.

Nikanor waagde spoedig een tweede poging om de belangrijke weg van Bet-Choron in handen te krijgen. Ditmaal trok hij van Jeruzalem naar Laag-Bet-Choron (4) en ontmoette daar versterkingstroepen die afkomstig waren uit Lydda (5). Aan het hoofd van beide legereenheden keerde Nikanor terug naar Jeruzalem, maar werd ditmaal bij Adasa (6) vanuit een hinderlaag aangevallen. De Joden sloegen toe vanuit het zuiden om de Syriërs de terugtocht naar Jeruzalem af te snijden. Nikanor zelf was het eerste slachtoffer dat bij de overval getroffen werd en toen zijn soldaten hem zagen sneuvelen, raakten ze volledig in paniek. Ontredderd vluchtten ze door bergachtig terrein over een afstand van 35 kilometer naar de vesting Gezer (7). De plaatselijke bevolking hoorde het trompetgeschal van Judas' mannen en liep uit om zich op de achterblijvende Syriërs te werpen. Er werden er velen gedood.

De Romeinen waren er altijd al op uit om het rijk van de Seleuciden een nederlaag toe te brengen. Daarom sloten ze nu een bondgenootschap met Judas. Maar voor Demetrius hiervan op de hoogte was, had hij Bakchides, zijn allerbeste legeraanvoerder, met een elitekorps naar Judea gestuurd. Bakchides trok dwars door het hart van het land naar Jeruzalem. Judas waagde zich niet aan een krachtmeting met zo'n gevreesde tegenstander. Heel wat van zijn mannen lieten zelfs de moed helemaal zakken en deserteerden.

In 161 sloeg Bakchides een kampement op bij Berea (8), vanwaar hij rechtstreeks aanvallen kon uitvoeren op het flink uitgedunde opstandelingenleger van Judas, dat zijn kamp had bij Elasa (9). De tactiek die Judas in de loop der tijd had ontwikkeld, zou hem normaal gesproken afgehouden hebben van een openlijke ontmoeting met de vijand. Maar in dit geval leek het hem kennelijk toch het beste zijn tegenstander met volle kracht aan te vallen. Zijn mannen drongen erop aan terug te trekken en het gevecht uit te stellen tot een andere dag. Maar Judas antwoordde: 'In geen geval ga ik voor hen op de vlucht. Als onze tijd gekomen is, moeten wij moedig de dood ingaan voor onze broers en geen smet werpen op onze naam' (1 Mak 9:10). Onversaagd voerde Judas met zijn

kleine leger een aanval uit in de flank van het Syrische legeronderdeel, dat door Bakchides zelf werd geleid. Hij slaagde er zelfs in de vijand enige tijd voor zich uit te drijven. Maar de overmacht was groot. De andere Syrische vleugel wierp zich op de achterhoede van Judas' troepen en zo werd het joodse leger in de tang genomen en verpletterd. Judas zelf sneuvelde. 'Heel Israël beweende hem en treurde in diepe rouw over zijn dood; dagen lang klaagden ze:

> Hoe kon de held vallen,
> de bevrijder van Israël!' (1 Mak 9:20-21).

De kleine groep overlevenden van de partizanen vluchtte naar het zuiden de woestijn Tekoa (10, bovenste kaart) in. De opstandelingenstrijd van de Makkabeeën bleef daar voortleven onder leiding van Jonatan, de jongste zoon van Mattatias. De eerste tijd moesten de opstandelingen zich wel als rovers gedragen om in leven te blijven. Maar geleidelijk kregen ze steun van de bevolking en werden ze ook talrijker. Rond 156 beschikte Jonatan over een goed geoefende strijdmacht, die gelegerd was in Bet-Bassi (11) aan de rand van de woestijn in de buurt van de bewoonde wereld en vlakbij de belangrijke noord-zuidroute naar Jeruzalem.

Het was inmiddels twee jaar lang rustig geweest in Judea. Het moet voor Bakchides daarom als een schok gekomen zijn toen de vergriekste Joden in Jeruzalem hem plotseling smeekten uit Antiochië terug te komen. Zij voelden zich weer bedreigd door de opstandelingen. Bakchides kwam met een sterk leger en begon met de belegering van Bet-Bassi (11). Jonatan trok van links naar rechts door het gebied en bestookte de bevoorradingswegen van Bakchides. Deze werd daardoor volledig in de war gebracht. Hij begreep niets van de klassieke guerrilla-tactiek die werd toegepast en verweet de vergriekste Joden in Jeruzalem nijdig dat ze zijn voortreffelijke leger doelbewust in de val hadden laten lopen. In zijn woede liet hij een aantal van de vergriekste Joden ter dood brengen en dreigde terug te keren naar Antiochië. Maar toen Jonatan aanbood vrede te sluiten, was Bakchides toch wel bereid te onderhandelen. De gevechten werden gestaakt, men wisselde krijgsgevangenen uit en Bakchides ging terug naar huis. Jonatan liet het zwaard verder rusten en ging in de politiek. In Mikmas (12) vestigde hij een tegenregering.

De loop der gebeurtenissen was hem gunstig gezind en ook de voortdurende machtsstrijd in Antiochië speelde hem in de kaart. In 153 kwam Alexander Balas (de 'Alexander Epifanes', van wie in 1 Makkabeeën 10:1 sprake is) aan in Zuid-Syrië en verkondigde dat hij de zoon van Antiochus IV was. Hoewel men wist dat hij een bedrieger moest zijn, kreeg hij steun van een aantal andere vorsten tegen Demetrius I. Zij hoopten daardoor het Seleucidische rijk te verzwakken. Intussen wist Jonatan zijn macht in het land van Judea flink uit te breiden. Demetrius had behoefte aan nieuwe vrienden en daarom gaf hij Jonatan koninklijke macht en stond hem toe 'troepen te werven en wapens te vervaardigen en verklaarde hem tot zijn bondgenoot' (1 Mak 10:6). Jonatan bracht zijn regering prompt over naar Jeruzalem.

De zogenaamde troonpretendent Alexander Balas liet zich niet van zijn stuk brengen. Hij bood Jonatan het ambt van hogepriester aan en Jonatan aanvaardde die benoeming. Heel wat politieke doelen van de opstanden der Makkabeeën waren nu bereikt. Als Judea niet helemaal vrij genoemd kon worden, was het in elk geval een deel van het Seleucidische rijk met een eigen bestuur.

Demetrius I stierf in de strijd tegen Alexander Balas. Zijn zoon Demetrius II nam het oude twistpunt van zijn vader over. Demetrius II besloot Jonatan te straffen voor zijn bondgenootschap met Alexander en stuurde een leger naar het zuiden onder leiding van Apollonius, de gouverneur van Cele-Syrië. De strafexpeditie werd een mislukking. Jonatan rukte zelfs op naar de kust en veroverde Joppe (13). Hij ontweek een Syrische hinderlaag ten zuiden van Jamnia (14) en versloeg het Syrische leger bij Azotus (15). De joodse held begon vervolgens aan het beleg van de akra in Jeruzalem, waarmee hij een definitieve afscheiding van het Seleucidische rijk wilde bewerkstelligen.

Demetrius II had intussen zoveel problemen elders op te lossen dat hij graag een eind maakte aan de kwestie in Judea. Er vond een ontmoeting plaats tussen Demetrius en Jonatan in Ptolemaïs (16). Demetrius stond een groot deel van Samaria af, maakte een eind aan de verplichte jaarlijkse bijdrage en bevestigde de benoeming van Jonatan in al zijn functies.

Rond 143 dook er een nieuwe figuur op in de strijd om het Seleucidische koningschap. Alexander Balas was inmiddels ter dood gebracht, maar zijn generaal Tryfon had Alexanders jongste zoon uitgeroepen tot koning Antiochus VI. Jonatan koos prompt de zijde van Tryfon en werd beloond met nieuwe concessies op de strategisch belangrijke kustvlakte. En nu dit gebied daarmee was veilig gesteld, kon hij zich gaan wijden aan een veldtocht om de steden van Boven-Galilea in bezit te krijgen. De operatie werd bijna een ramp. Op de vlakte van Hasor (17) liep het leger van Jonatan in een hinderlaag van troepen die Demetrius trouw waren gebleven. Jonatan herstelde zich net op tijd om aan een fatale nederlaag te ontkomen en hij slaagde er zelfs in de vijand op de vlucht te jagen.

Tryfon liep intussen rond met het plan zich te ontdoen van zijn marionettenkoning Antiochus VI. Hij nam daarbij zijn toevlucht tot verraderlijke praktijken in zijn betrekkingen met Jonatan. Onder de toezegging de stad Ptolemaïs aan hem over te willen dragen, lokte Tryfon zijn 'bondgenoot' Jonatan met een erewacht van 1000 man naar die stad toe. Eenmaal binnen de poort werd Jonatan gevangen genomen en zijn erewacht afgeslacht. Het invasieleger van Tryfon volgde de kustroute, met de bedoeling Judea vanuit het zuiden binnen te vallen. Maar bij Adora (18) werd de troepen de pas afgesneden door een hevige sneeuwstorm. Het leger moest de inval opgeven, stak de Jordaan over en trok in noordelijke richting weg. Bij Baskama (19) liet Tryfon Jonatan ter dood brengen.

De laatste episode van de opstand der Makkabeeën brak nu aan. Tryfon vermoordde Antiochus VI en eiste de troon voor zichzelf op. Simon nam het gedurfde spel van zijn broer weer op en begon de twistende koningen tegen elkaar uit te spelen. Zijn beloning was ditmaal volledige onafhankelijkheid. De positie van Simon was ijzersterk en Demetrius moest wel op zijn eis ingaan. In de lente van 142 kreeg Judea politieke onafhankelijkheid en het volk begon 'oorkonden en overeenkomsten te dateren met de formule: In het eerste jaar van Simon, hogepriester, veldheer en vorst der joden' (1 Mak 13:42).

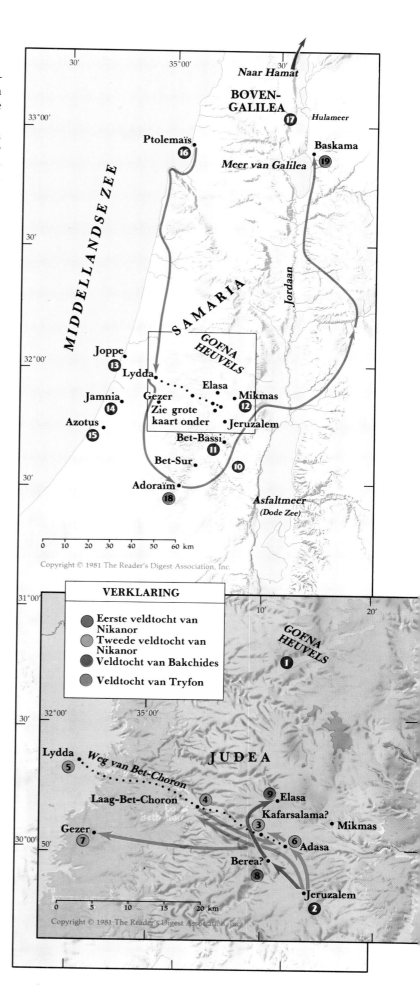

VERKLARING

Eerste veldtocht van Nikanor

Tweede veldtocht van Nikanor

Veldtocht van Bakchides

Veldtocht van Tryfon

Copyright © 1981 The Reader's Digest Association, Inc.

# Het Hasmoneese koningshuis

Judea was politiek onafhankelijk en het Seleucidische rijk bleef zwak. Simon moest zijn verovering daarom consolideren. Hij bezette Joppe (1) en zijn haven en opende zo de toegang 'tot het Middellandse-Zeegebied' (1 Mak 14:5). Gezer (2) bewaakte de toegangswegen tot de twee grote westelijke passen naar Jeruzalem (3). Ook deze plaats werd ingenomen en de niet-joodse bevolking werd verdreven. Het gebied werd in gebruik genomen als joodse militaire basis met Johannes Hyrkanus, de zoon van Simon, als bevelhebber. In 141 v.C. gaf het belegerde Syrische garnizoen in de akra in Jeruzalem zich eindelijk over en trokken de zeer verheugde Joden dit gehate bastion van buitenlandse overheersing binnen.

Het volk erkende Simon als hogepriester en bevestigde hem in het ambt. De Romeinse Senaat - altijd bereid de positie van de Seleuciden te verzwakken - garandeerde de Joden het onbeperkte eigendomsrecht op hun grondgebied. Een bepaalde groep Joden beschouwde het hogepriesterschap van Simon als een schending van het heilige ambt zowel als van de tempel. Zij trokken zich terug in Qumran (4) aan de noordwestoever van het Asfaltmeer. Ze bouwden er een klooster en leefden er een afgezonderd bestaan, waarin ze de Schrift bestudeerden en zich streng hielden aan de rituele voorschriften. Zo keken ze uit naar de komst van een messias. Van deze mensen zijn de befaamde Dode-Zeerollen afkomstig, waarin Simon (of een der andere Hasmoneeën) 'de boze hogepriester' werd genoemd. Het merendeel van de mensen in Judea leefde evenwel in voorspoed en 'ongestoord bebouwde ieder zijn akker' (1 Mak 14:8).

In 139 echter probeerde Antiochus VII, die de laatste sterke koning van de Seleuciden zou blijken te zijn, weer aanspraken te laten gelden op bepaalde steden in Judea. De bejaarde Simon stuurde zijn zoons Judas en Johannes Hyrkanus erop af om de dreiging af te weren. Hun leger versloeg de Syriërs bij Kedron (5). Maar waarschijnlijk in het jaar 134 werden Simon en twee van zijn zoons, Mattatias en Judas, op verraderlijke wijze om het leven gebracht in de vesting Dok (6) bij Jericho. De moordenaar was Simons schoonzoon, die mogelijk een bondgenootschap had gesloten met Antiochus. Simon was de laatste van de vijf Hasmoneese gebroeders die op gewelddadige wijze om het leven kwam.

Johannes Hyrkanus kreeg vooraf de waarschuwing dat ook hij gedoemd was vermoord te worden. Hij haastte zich daarom Jeruzalem veilig te stellen en hij werd er krachtens erfrecht benoemd tot hogepriester. Antiochus belegerde hem in

Jeruzalem gedurende een jaar. De stad wist stand te houden maar Hyrkanus werd gedwongen de Seleuciden belasting te betalen voor Joppe en Gezer. Deze terugslag bleek echter van tijdelijke aard. Toen Antiochus in 129 op het slagveld viel, begon het Seleucidische rijk aan zijn doodsstrijd. Gedurende het gezagsvacuüm dat volgde, breidde Hyrkanus het grondgebied van Judea aan alle grenzen uit en versnelde daarmee de opkomst van het Hasmoneese Koninkrijk.

Met de inname van Jamnia (7) en Azotus (8) werden er andere verbindingen met de zee gelegd. Ook werd de stad Medeba (9) in Transjordanië na een lange belegering onderworpen. Daardoor kwam een deel van de zogenaamde koningsweg, die Damascus met de Rode Zee verbond, in handen van Judea met alle economische voordelen vandien.

Tegen 125 v.C. had Hyrkanus een deel van Samaria en heel Idumea geannexeerd. Door de verovering van Idumea waren de gemakkelijke zuidelijke toegangswegen tot het bergland van Judea weer veilig gesteld. De bevolking in deze streken werd gedwongen tot het Jodendom over te gaan als blijk van hun loyaliteit. In 108 ondernam Hyrkanus een tweede veldtocht in Samaria. Sichem (10) werd ingenomen en met de grond gelijk gemaakt. Na een beleg van een jaar werd ook de stad Samaria (11) veroverd en verwoest.

Tegen het einde van Hyrkanus' dertigjarige bewind ontstond er evenwel ernstige binnenlandse verdeeldheid. Er groeide een conflict tussen de Sadduceeën en de Farizeeën. De Sadduceeën vormden de aristocratische priestergroepering die aan de kant van het koningshuis stonden. De Farizeeën waren priesters die zich geheel wijdden aan een strenge naleving van de Wet. Hyrkanus probeerde de Farizeeën te onderdrukken. Hij stierf evenwel voor de strijd in alle hevigheid over het land losbarstte. In zijn testament probeerde hij het geschil op te lossen door de hogepriesters de wereldlijke macht af te nemen. Zijn oudste zoon Aristobulus zou het heilige ambt moeten gaan bekleden en zijn weduwe werd in het testament aangewezen om de staat te besturen.

Aristobulus liet prompt zijn moeder in de gevangenis werpen en zij stierf er de hongerdood. Daarmee verzekerd van zijn macht, zette Aristobulus de uitbreidingspolitiek van zijn vader voort. Hij wist Galilea binnen zeer korte tijd aan zich te onderwerpen en verbreidde het Jodendom in de streek zoals Hyrkanus in Idumea had gedaan. Aristobulus stierf in 103 na slechts een jaar aan de macht geweest te zijn. Maar in die korte tijd was het hem gelukt het gehele berg- en heuvelland ten

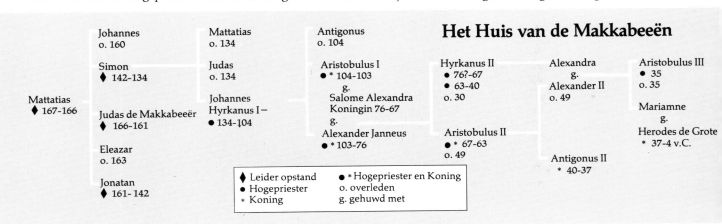

## Het Huis van de Makkabeeën

| Johannes o. 160 | Mattatias o. 134 | Antigonus o. 104 | | Hyrkanus II ● 76?-67 ● 63-40 o. 30 | Alexandra g. Alexander II o. 49 | Aristobulus III ● 35 o. 35 |
| Simon ♦ 142-134 | Judas o. 134 | Aristobulus I ●* 104-103 g. | | | | |
| | | Salome Alexandra Koningin 76-67 | | | | Mariamne g. Herodes de Grote * 37-4 v.C. |
| Judas de Makkabeeër ♦ 166-161 | Johannes Hyrkanus I – ● 134-104 | g. | | | | |
| | | Alexander Janneus ●* 103-76 | | Aristobulus II ●* 67-63 o. 49 | | |
| Eleazar o. 163 | | | | | Antigonus II * 40-37 | |
| Jonatan ♦ 161-142 | | | | | | |

Mattatias ♦ 167-166

♦ Leider opstand
● Hogepriester
* Koning

●* Hogepriester en Koning
o. overleden
g. gehuwd met

westen van de Jordaan weer in joodse handen te krijgen.

Aristobulus was de eerste die zich officieel koning noemde en zich ook als zodanig gedroeg. De Farizeeën hadden daar bezwaar tegen. Zij vonden dat alleen een afstammeling van David deze titel kon voeren, maar hij had zich daar niets van aangetrokken. Slechtere tijden zouden aanbreken onder Alexander Janneus, die zijn broer in 103 opvolgde.

Janneus voerde een aantal militaire veldtochten uit die aanzienlijke gebieden aan het koninkrijk zouden toevoegen. Uiteindelijk benaderden de afmetingen van het land zelfs die van koning Davids grondgebied. De resultaten die Janneus gedurende zijn 27-jarige regeringsperiode boekte, waren niet zozeer het gevolg van bekwaam veldheerschap. In feite won hij niet één belangrijke veldslag. Maar hij beschikte over groot doorzettingsvermogen en een koppige vastberadenheid.

De eerste veldtocht die Janneus hield, was gericht tegen de havenstad Ptolemaïs (12). Zijn leger werd verjaagd door een strijdmacht onder aanvoering van de Egyptenaar Ptolemeüs Lathyrus, koning van Cyprus, die langs de kust joeg en 'Judea ongestraft verwoestte'. Aan de grens van Egypte werd Ptolemeüs evenwel te land en vanuit de zee aangevallen door zijn moeder Kleopatra III. Zij versloeg haar zoon niet alleen maar maakte ook al zijn veroveringen ongedaan door een bondgenootschap te sluiten met Janneus. Vervolgens trok ze zich terug op Egyptisch grondgebied.

Janneus trok vervolgens eerst ten oosten van de Jordaan op en wierp zich daarna op de steden aan de zuidwestkust. Deze waren na de nederlaag van Ptolemeüs en de terugtocht van Kleopatra in feite onverdedigd achtergebleven. Alleen Gaza (13) bood koppig verzet, maar in 96 moest het zich na een lang en kostbaar beleg toch ook overgeven. De verovering van Gaza bracht de hele kuststreek, van de berg Karmel tot aan Rinocorura (aan de Egyptische grens) in handen van de Joden. Alleen Askelon en het gebied eromheen vielen erbuiten. In het zuidoosten breidde Janneus het land uit dat eerder door Hyrkanus was veroverd. Langs de oostelijke oever van het Asfaltmeer bezette hij steden die liepen van Libba (14) in het noorden tot Soar (15) in het zuiden. Het Asfaltmeer werd een joods meer.

In het jaar 90 kwamen de Farizeeën openlijk in opstand en weldra was Judea verwikkeld in een burgeroorlog. Janneus probeerde te bemiddelen, maar zijn poging mislukte, toen de Farizeeën zijn dood eisten als prijs voor de vrede. Zij riepen de hulp in van de Syrische troepen en er vonden heel wat gevechten plaats tussen de twee partijen. Na zes jaar verbitterde strijd moesten de Farizeeën eindelijk het onderspit delven. De joodse geschiedschrijver Flavius Josefus schatte dat de burgeroorlog aan 'niet minder dan vijftigduizend Joden' het leven had gekost.

Janneus had de burgeroorlog zowel als de daaropvolgende Syrische dreiging overleefd en hij hervatte onmiddellijk weer zijn oude plannen. Drie jaar lang trok hij op ten zuiden en ten oosten van het meer van Galilea. Pella (16) in Transjordanië werd met de grond gelijk gemaakt en de niet-joodse bevolking werd verjaagd. Hippos (17), Filoteria (18) en Gamala (19) vielen en ook het meer van Galilea met zijn belangrijke visserij viel in handen van de Joden. Er is merkwaardigerwijze zeer weinig bekend over de interne organisatie van Janneus' koninkrijk. De vijf deelstaten die hij erfde - Judea, Idumea, Samaria, Galilea en Perea - werden bestuurd door burgers,

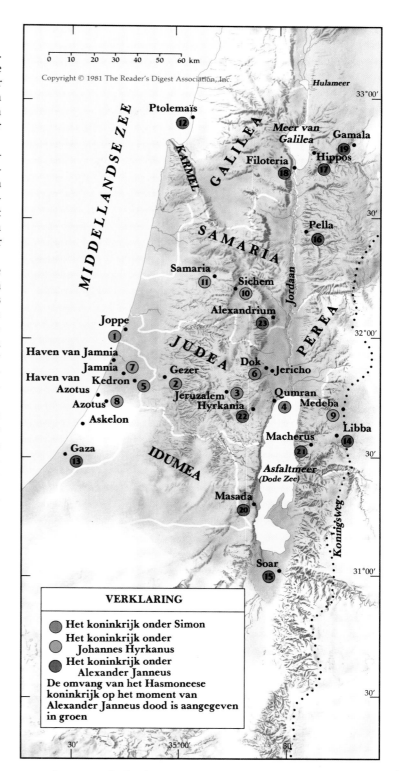

maar de veroverde Griekse steden kwamen onder militair bewind.

In 76 werd Alexander Janneus het slachtoffer van zijn overmatig drankgebruik. Hij stierf tijdens een belegering ten oosten van de Jordaan. Bij zijn dood had het Hasmoneese koninkrijk zijn grootste afmetingen (op de kaart in groen aangegeven). Intern was het land evenwel sterk verdeeld. Krachten die met wrede hand waren onderdrukt, zouden binnen een generatie weer opbloeien en een eind helpen maken aan de Hasmoneese heerschappij.

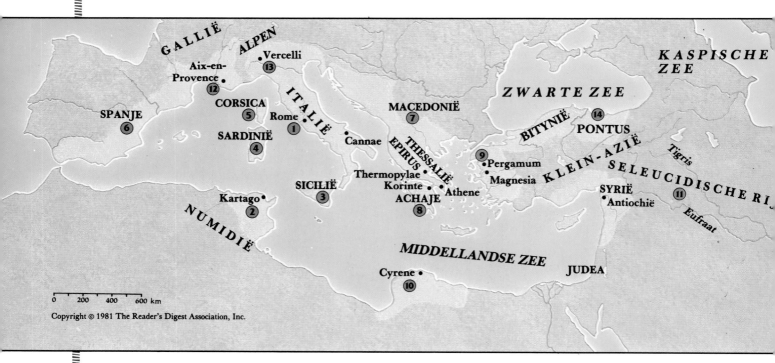

Copyright © 1981 The Reader's Digest Association, Inc.

# De opkomst van Rome

Rome begon in de 8e eeuw v.C. heel bescheiden als een stoffig dorpje aan de rivier de Tiber in Midden-Italië. Het groeide en groeide in een steeds hogere versnelling tot het uiteindelijk de reusachtige stad werd die de wereld in de Oudheid zou beheersen. Het Hasmoneese koninkrijk onder Alexander Janneus kreeg in de 1e eeuw v.C. met die expansiepolitiek te maken.

Rome had het geluk tijdens zijn opkomst stuk voor stuk met zijn vijanden te kunnen afrekenen en ze niet allemaal tegelijk tegenover zich te krijgen. De stad bleek steeds weer in staat de elkaar opvolgende vijanden te verslaan of op te slokken en met elke overwinning nam zijn kracht toe. Het begon allemaal aan de Tiber, maar al vrij spoedig begon Rome (1) vanuit zijn oorspronkelijke basis in noordelijke en zuidelijke richting uit te dijen en rond het jaar 270 v.C. beheerste de stad het hele Italiaanse schiereiland. Dit was het machtige uitgangspunt voor de verovering van nieuwe werelden.

De Romeinse legioenen namen gretig de meest succesrijke strategieën en bewapeningstechnieken van hun vijanden over. Daardoor waren ze in de 3e eeuw v.C. sterk genoeg geworden om de zwaarste proef af te leggen. De uitdaging kwam van Kartago (2) de sterke zeemacht aan de Afrikaanse kust in het huidige Tunesië. Romes hoofdprijs in de Eerste Punische Oorlog (264-241) werd gevormd door de eilanden Sicilië (3), Sardinië (4) en Corsica (5). Zij werden bestuurlijk ondergebracht in Romes eerste provincies. In de Tweede Punische Oorlog (218-201) tegen de Kartagers werden de Romeinse legers evenwel aan de rand van een totale nederlaag gebracht door het militaire genie Hannibal. Deze hield zijn beroemde veldtocht over de Alpen en leverde uiteindelijk zijn grote veldslag voor de muren van Rome. Bij Cannae bracht Hannibal in 216 de Romeinse troepen een vernietigende nederlaag toe, waarbij zo'n 25 000 soldaten werden gedood en 10 000 gevangen genomen.

Met inspanning van alle krachten kwam Rome er weer bovenop. De nieuwe Romeinse generaal Scipio Africanus bleek volledig opgewassen te zijn tegen Hannibal en toen de strijd gestreden was, had Rome zich de heerschappij verworven over het Kartaagse deel van Spanje (6) met al zijn natuurlijke rijkdommen. Met typisch Romeinse grondigheid beëindigde Rome de Derde Punische Oorlog (149-146) met de totale verwoesting van Kartago. Het gebied werd ingelijfd als de Romeinse provincie 'Africa'. Overigens had Rome al vóór de Kartaagse dreiging was afgelopen zijn belangstelling verlegd naar het oosten.

De strategie van gebiedsuitbreiding die Rome er op nahield, was gebaseerd op de vrucht afwerpende stelregel 'verdeel en heers'. Het eerste stadium van de meeste landveroveringen werd gekenmerkt door toezeggingen, dreigementen, pogingen de heerschappij van de tegenstander te ondermijnen en met de mond beleden 'bondgenootschappen'. In het tweede stadium was de vijand al enigszins murw gemaakt en kwam de 'ijzeren vuist' eraan te pas. Deze strategie werd onder meer toegepast tegen de twee grote machten in het oosten: Macedonië van Filippus en het Seleucidische Rijk van Antiochus III.

Rome was zo verstandig de twee landen één voor één aan te pakken. Het eerste doelwit was Macedonië (7). In 197 versloeg Rome de Macedoniërs in Thessalië, en daarmee was Griekenland van het Macedonische juk 'bevrijd', zoals de overwinnaars het stelden. In de loop der tijden werden de Griekse staatjes die samen de Egeïsche Zeebond vormden, min of meer uitgedaagd in opstand te komen tegen de Romeinse beschermheren. Er bleef niet veel van de staatjes overeind. Epirus werd verwoest en 150 000 burgers werden tot slavernij gebracht. Korinte werd leeggeplunderd en zijn schatten afgevoerd. Zuid-Griekenland werd de Romeinse provincie Achaje (8). De Romeinen gunden Klein-Azië als een gebaar van vrijgevigheid aan hun nieuwe bondgenoten, maar tegelijkertijd begonnen ze al pogingen te ondernemen de staatjes die eronder vielen omver te werpen. Met Pergamum (9) lukte dat zo goed dat de getergde vorst Attalus III in 133 zijn

*Pompejus, (rechts) wist zeer snel roem te vergaren in de wedloop met een andere opkomende krijgsman Julius Caesar (links). In 60 v.C. vormden deze twee mannen samen met Crassus het Eerste Triumviraat. Zij bleven echter rivalen en stortten Rome uiteindelijk in een burgeroorlog. Het reliëf in het midden is afkomstig van de Trajanuszuil uit de 2e eeuw n.C. Het geeft een beeld van de man-tegen-man gevechten die meestal uitliepen op overwinningen voor Rome.*

koninkrijk eenvoudigweg bij testament aan de Romeinen vermaakte. Hetzelfde lot wachtte Cyrene (10) in Noord-Afrika.

Weldra stond heel Klein-Azië sterk onder de invloed van de Romeinen. Waarna Rome de ineenstorting van het toch al verzwakte Seleucidische rijk (11) begon te bespoedigen door de onrustig geworden volkeren - ook de bewoners van Judea - tot opstand aan te zetten.

In Rome zelf leidde de imperialistische politiek veelal slechts tot bitterheid. De Romeinse Republiek was hoogstens in naam republikeins, want in de Senaat hadden voornamelijk vadsige aristocraten het voor het zeggen en de corruptie vierde er hoogtij. Er was een voortdurende machtsstrijd aan de gang tussen de Optimates - die de Senaat steunden - en de Populares - die hun aanhang zochten in de volksvergadering. De heersende tribuun Gajus Gracchus was gekozen op grond van zijn streven naar hervormingen. Hij kon zijn plannen evenwel niet verwezenlijken en werd in 121 door de Optimates ten val gebracht.

Op dit moment verscheen de militaire macht op het chaotische politieke toneel. Het leger, onder aanvoering van Gajus Marius, bestond volledig uit beroepsmilitairen. De soldaten - eerzuchtige vrijwilligers en niet langer haveloze boeren, die achter hun ploeg vandaan gehaald werden - waren goed getraind en uitstekend uitgerust; ze werden echter slecht betaald. Hun levensonderhoud hing af van de buit die ze veroverden en dikwijls was hun trouw minder gericht op de staat dan op generaals die voor die buit konden zorgen.

In 105 hield het leger van de veldheer Marius een succesvolle veldtocht in Noord-Afrika. De Numidische koning Jugurtha werd gevangen genomen en geboeid meegevoerd tijdens de triomftocht van Marius door Rome. Daarna werd hij ter dood gebracht. Na zijn overwinningen in Afrika wierp Marius zich vervolgens op de Germaanse barbaren, die hij gevoelige nederlagen toebracht bij Aix-en-Provence (12) in Gallië en bij het Italiaanse Vercelli (13).

Marius bleek evenwel een beter generaal dan politicus, want

hij slaagde er niet in de onlusten in Rome de kop in te drukken. Uit de legerleiding van Marius stond een rivaal op, Sulla genaamd. Hij trok aan het hoofd van een veteranenlegioen op naar Rome en wierp de regering omver, waarna hij de Optimates aan de macht bracht. Vervolgens maakte hij zich op om af te rekenen met de ernstigste opstand die de Romeinse provincies in het oosten ooit hadden meegemaakt. In 88 richtte koning Mithridates van Pontus een ware slachting aan onder de Romeinen die zich in de veroverde provincies hadden gevestigd. Op één dag werden er 80 000 mensen om het leven gebracht. Sulla trok er met zijn leger op af en sloeg de opstand van Mithridates in twee zeer hevige veldslagen meedogenloos neer. Ook vroegere trouwe bondgenoten ontkwamen niet aan Sulla's wraak. Tegen Atheners die tegen de plundering van hun stad en de slachtpartij onder de bevolking protesteerden, zei Sulla: 'Ik ben hier niet gekomen om oude geschiedenis te leren, maar om opstandelingen te straffen.' Hij keerde terug naar Rome en werd in 82 door de geïntimideerde Senaat tot dictator uitgeroepen. Vier jaar later trok hij zich terug en hij stierf in zijn bed.

In het jaar 70 kwamen de rijke zakenman Crassus en de generaal Pompejus als consuls aan de macht. De ster van Pompejus was wel heel snel gestegen. Hij was een geboren krijgsman en stond bekend als de 'baardeloze beul' vanwege de agressieve manier waarop hij de bevelen van zijn meerderen had uitgevoerd. In precies drie maanden tijd verloste hij het Middellandse-Zeegebied van piratenbenden die de Romeinse koopvaardij onafgebroken hadden lastig gevallen. Vervolgens begaf hij zich op pad om de zoveelste opstand van Mithridates neer te slaan.

Pompejus gaf zichzelf de bijnaam 'de Grote'. Hij breidde de macht van de Romeinen uit van de Kaspische Zee tot aan de Eufraat en voegde daarbij de provincies Bitynië en Pontus aan het Romeinse rijk toe. In 64 veroverde hij Antiochië in Syrië en beëindigde daarmee het laatste bedrijf van het reeds sterk verzwakte rijk der Seleuciden. Pompejus trok nu met zijn machtige leger naar het zuiden, in de richting van Judea.

# De komst van de Romeinen

Alexander Janneus werd na zijn dood in 76 v.C. opgevolgd door zijn weduwe Salome Alexandra. Hun oudste zoon Hyrkanus II werd benoemd tot hogepriester. Tijdens de 9 jaar durende heerschappij van Alexandra vonden er geen gebiedsveranderingen plaats in het Hasmoneese koninkrijk. Overvloedige oogsten brachten Judea welvaart en maakten royale export mogelijk van tarwe, olijfolie , balsem, vijgen en wijn. Alexandra volgde de raad op die haar man haar op zijn doodsbed had gegeven en sloot vrede met de Farizeeën. Zij liet het merendeel van de binnenlandse aangelegenheden aan hen over. De Sadduceeën verloren daardoor macht - er werden er heel wat door Farizeese rechters ter dood veroordeeld - maar er moest toch nog wel degelijk rekening met hen gehouden worden. De burgeroorlog die het land gedurende het bewind van Johannes had geteisterd, zou na de dood van Alexandra weer oplaaien. De onenigheid begon met de twist die de twee zoons van Alexandra tegen elkaar voerden om de troon.

Alexandra had het huurlingenleger uitgebreid, maar de legerleiding liet ze in handen van joodse officieren. Ze verzekerde zich daarmee van de trouw van het leger, althans dat dacht ze. Heel wat van de joodse officieren sympathiseerden evenwel met de Sadduceeën. Zij hoopten dat er weer een veroveringspolitiek ingevoerd zou worden, waarbij er uiteraard behoefte was aan een sterk leger. Daarom steunden zij Alexandra's tweede zoon Aristobulus II - die door de geschiedschrijver Flavius Josefus 'een actief en geestelijk sterk man' werd genoemd - tegen de zwakke, luie Hyrkanus.

Aristobulus beklaagde zich bij zijn moeder over het feit dat hij geen enkele rol in het koninkrijk vervulde, terwijl zijn broer hogepriester was. En hij vroeg haar hem het commando over de militaire versterkingen te geven. Alexandra besefte niet dat Aristobulus voorbereidselen trof om zich van de troon meester te maken en ze gaf hem een aantal kleinere vestingen. Toen zij ziek werd, riep Aristobulus met leden van het officierskorps een opstand uit; niet tegen haar, maar om te voorkomen dat de troon in handen van Hyrkanus zou vallen. Binnen twee weken gingen er 22 vestingen over naar Aristobulus.

Alexandra stierf kort daarna en zij liet de troon na aan Hyrkanus. Aristobulus rukte prompt met een leger op tegen zijn oudere broer, versloeg hem bij Jericho (1) en joeg hem op de vlucht naar Jeruzalem (2). Daar gaf Hyrkanus zich over en deed afstand van de troon ten gunste van Aristobulus. Hij verzocht alleen met rust gelaten te worden om van zijn inkomsten te kunnen blijven leven. Helaas kwam de opportunistische Antipater, heerser van Idumea, tussenbeide. Hij slaagde erin heel wat leidinggevende Joden ervan te overtuigen dat Aristobulus geen enkel wettig recht op de troon had. Hyrkanus bood hij een veilige verblijfplaats in Petra (3, kleine kaart), hoofdstad van de Nabateese koning Aretas.

Hyrkanus beloofde Aretas een aantal steden (onderstreept aangegeven) in ruil voor hulp tegen zijn broer. De Nabateese legers versloegen Aristobulus en dreven hem de versterkte Tempelberg in Jeruzalem op. Velen vielen hem af, alleen de priesters bleven hem trouw. Zijn positie op de Tempelberg was bijzonder sterk: aan de oostkant steile hellingen tot in het 120 m lager gelegen Kidrondal, in het westen het Tyropeondal, in het zuiden het Ofelgebergte. Hij leek onaantastbaar.

Zo was de situatie in Judea toen de Romeinse veldheer Pompejus de Grote er in 65 ten tonele verscheen. Scaurus, een van Pompejus' luitenants, kwam in Jeruzalem aan en werd er lastig gevallen door afgezanten van de twee om het koningschap twistende broers. De situatie in ogenschouw nemend, stelde Scaurus vast dat Aristobulus zich had verschanst in zijn fort op de Tempelberg en daar moeilijk uit te krijgen was. Aristobulus begon weldra naar de gunsten van Pompejus te dingen. Als huldeblijk stuurde hij hem een gouden wijnstok, die later een plaats zou krijgen in de tempel van Jupiter Capitolinus in Rome. Maar ook Antipater verscheen voor de Romeinse veldheer en hield een pleidooi voor Hyrkanus. Pompejus koos nog geen partij en ontbood de twee twistende broers naar Damascus (5, kleine kaart). Ze waren er nauwelijks aangekomen om voor hun zaak te pleiten toen er een derde joodse delegatie in Damascus verscheen. De leden van deze afvaardiging waren tegen beide gegadigden voor het koningschap gekant en verzochten de Romeinen de monarchie helemaal af te schaffen. Judea kon dan weer geregeeerd worden door hogepriesters. Pompejus stelde de beslissing over deze kwestie uit en trok naar het zuiden om de strijd aan te binden met de Nabateeërs.

Aristobulus verliet Pompejus snel en haastte zich naar de vesting Alexandrium (6), gelegen op een bergtop. Mogelijk was hij van plan van daaruit een opstand te ontketenen. Pompejus kon dat niet over zijn kant laten gaan. Hij verliet het strijdtoneel tegen de Nabateeërs en trok met zijn legioenen op naar Judea. Van de Transjordaanse hoogvlakten daalde hij af langs Pella, stak de Jordaan over bij Skytopolis (7) en bereikte Kore (8) vlak onder de bergvesting van Alexandrium. Na langdurige onderhandelingen gaf Aristobulus de vesting over en trok zich terug naar Jeruzalem. Pompejus volgde hem met zijn leger. In Jericho (9) zocht Aristobulus de Romeinse veldheer op en bood hem de overgave van Jeruzalem aan. Maar zijn aanhang in de hoofdstad vergrendelde de poorten. Pompejus nam Aristobulus gevangen en trok op naar Jeruzalem (10).

Vanaf hun veilige stadsmuren zag de bevolking van Jeruzalem de gepluimde helmen en de rode mantels van duizenden Romeinse soldaten tegen de bruine heuvelruggen. Het zonlicht weerkaatste in hun speren. De stad was prompt een en al onrust. De mannen van Aristobulus trokken zich terug in het bolwerk op de Tempelberg (11, op detailkaartje), vernielden de brug (12) naar de bovenstad en maakten zich gereed voor de strijd. Maar de aanhangers van Hyrkanus openden de stadspoorten (13) voor de Romeinen. De verdedigers van de Tempelberg weigerden te onderhandelen, waarop Pompejus belegeringswerktuigen uit Tyrus aan de kust liet komen en zich voorbereidde op een aanval.

De Romeinen gingen systematisch te werk. Soldaten verspreidden zich over het heuvelland om bomen te kappen. Er werden grote dammen gebouwd van hout en aarde voor een aanval van twee kanten. Het werk aan de dammen vorderde gestaag en intussen werden katapulten en stormrammen naar voren gebracht. Vanuit het fort werd hevige weerstand gebo-

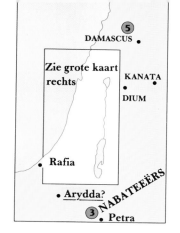

Zie grote kaart rechts

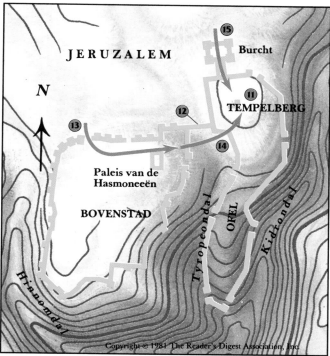

Copyright © 1981 The Reader's Digest Association, Inc.

den en de voorbereidingen voor de belegering moesten af en toe zelfs bijna gestaakt worden.

De Romeinen boekten nog het meeste succes op de sabbat, als de joodse verdedigers niet mochten vechten tenzij ze aangevallen werden. Na verloop van tijd waren de verdedigingswerktuigen in stelling gebracht en begon het gebeuk op de dikke kalkstenen muren. Het gevecht woedde voort. In de derde maand van de belegering - in september of oktober 63 - vielen er bressen (14 en 15) in de muren en stormden de legioenen de stad binnen, gevolgd door de mannen van Hyrkanus. Duizenden van de verdedigers vielen onder het zwaard van de Romeinen of de Joden. Velen wierpen zich in hun wanhoop van de muren en anderen kwamen liever om in de brandende huizen dan zich over te geven. Al met al vond zo'n 12 000 man van Aristobulus de dood. Aan de Romeinse kant waren slechts lichte verliezen. Pompejus begaf zich met een groepje van zijn mannen in het heilige der heiligen, waar alleen de hogepriester mocht komen. Zij kwamen echter niet aan de tempelschatten of aan onderdelen van de tempel zelf. Op de dag na de slachting liet Pompejus de tempel zelfs schoonmaken en gaf hij opdracht de gebruikelijke offers te hervatten.

Pompejus benoemde Hyrkanus tot hogepriester, maar gaf hem geen koninklijke titel. De sporen van de Seleucidische heerschappij werden verwijderd en de Hellenistische steden in het gebied werden bevrijd van hun oosterse heersers. Alle oorspronkelijk Griekse steden die de Hasmoneeërs hadden bezet, werden uitgeroepen tot vrije steden onder de Romeinse landvoogd van Syrië. Het hele kustgebied werd van Judea afgezonderd.

Pompejus erkende dat het gebied tussen Lydda en Gaza voornamelijk joods was en hij besloot dat niet los te maken van Judea. Hij ging ook akkoord met de verjoodsing van Galilea en Perea tot aan het zuidelijk gelegen Macherus. West-Idumea rond Marisa werd afgescheiden, maar Oost-Idumea met Adora als centrum bleef onderdeel van Judea.

Daarmee was het werk van de Hasmoneeërs ongedaan gemaakt. Het koninkrijk was niet alleen drastisch ingekrompen maar ook in tweeën verdeeld, waarbij Samaria als buffer fungeerde tussen Judea en Galilea. In het noordoosten bevond zich het door de Romeinen gestichte verbond van 10 steden (hierboven in KLEIN KAPITAAL aangegeven), het vermaarde Dekapolis. Deze 10 steden vielen, evenals Judea zelf, onder het beheer van een buitenlandse procurator.

# Gevechten om Judea

Pompejus had Aristobulus en zijn familie na de val van Jeruzalem in 63 v.C. als krijgsgevangenen naar Rome gestuurd. Daarmee voorkwam hij echter niet dat er toch voortdurend werd geprobeerd het regime van de marionetten Hyrkanus en Antipater omver te werpen. Alexander, de zoon van Aristobulus, wist aan zijn bewakers te ontkomen en gaf het startsein voor een opstand. In 57 keerde hij naar zijn land terug. Hij verzamelde 10 000 man voetvolk en 1500 man cavalerie om zich heen en wist daarmee de vestingen Alexandrium (1), Hyrkania (2) en Macherus (3) te veroveren. Hij probeerde ook Jeruzalem (4) opnieuw te versterken, maar daar staken de Romeinen die zich in de stad bevonden een stokje voor.

Gabinius, de Romeinse landvoogd van Syrië, verscheen ten tonele met de talentrijke jonge militair Marcus Antonius. Zij hadden de opdracht de opstand neer te slaan. In een slag bij Jeruzalem delfde Alexander het onderspit en hij leed daarbij gevoelige verliezen. Hij vluchtte vervolgens naar de vesting Alexandrium, maar Gabinius en Antonius begonnen een beleg van de vesting en zij dwongen Alexander zich over te geven. De Romeinen verwoestten vervolgens de drie bolwerken.

In 56 wist Aristobulus uit Rome te ontsnappen. Hij kwam in Judea aan en bracht onmiddellijk een nieuw leger op de been. De Romeinen joegen hem met zijn ongeoefende troepen op bloedige wijze naar de overkant van de Jordaan, waar zij zich verschansten in de ruïnes van de vesting Macherus. Aristobulus moest zich weldra overgeven en bevond zich binnen de kortste keren weer als gevangene op weg naar Rome. Alexander was niet in het minst uit het veld geslagen door de mislukking van zijn vader. Hij probeerde prompt weer een opstand te ontketenen, maar Gabinius ging voor de zoveelste maal tot de aanval over. Bij de berg Tabor (5) werd het opstandelingenleger in de pan gehakt. Tienduizend man vond daarbij de dood. De Romeinse militaire macht was te sterk om de strijd te verliezen en er werd een gedwongen vrede gesloten.

Judea werd nu een pion in de toenemende strijd om de heerschappij over het Romeinse rijk. In 60 hadden de drie rivalen Pompejus, Crassus en Julius Caesar een wat vreemd verbond gesloten dat bekend zou worden als het Eerste Triumviraat. Vijf jaar later kwam Crassus als landvoogd naar Syrië, vast van plan er in alle opzichten persoonlijk beter van te worden en roem te behalen in de oorlogen tegen de Parten. Hij waagde het de tempel in Jeruzalem te plunderen. Daarbij eigende hij zich niet alleen 2000 talenten uit de tempelschat toe, maar ook de heilige gouden vaten en andere kunstwerken uit het heiligdom, samen nog eens 8000 talenten waard. Voor zijn hebzucht Judea nog verder aan de grond kon brengen, stierf Crassus tijdens een veldslag tegen de

Parten. De twee overgebleven tegenstanders Pompejus en Caesar vlogen elkaar kort daarna in de haren. Hun strijd op leven en dood zou Judea niet onberoerd laten.

Aanvankelijk gaven Hyrkanus en Antipater hun steun aan Pompejus. Caesars aanhangers probeerden hen echter te dwarsbomen. Zij bevrijdden Aristobulus uit zijn gevangenschap in Rome en stuurden hem met twee legioenen naar Judea. Maar Pompejus' aanhangers smoorden dit plan in de kiem door Aristobulus te vergiftigen. Vervolgens werd zijn zoon Alexander op bevel van Pompejus in Antiochië onthoofd. Antipater was tot alles bereid om het de Romeinen naar de zin te maken en hij zag weldra zijn kans schoon van partij te wisselen. Pompejus werd in 48 bij de slag van Farsalis door Caesar een nederlaag toegebracht. Hij vluchtte vervolgens naar Egypte, waar hij ter dood werd gebracht. Toen Caesar daarna in Egypte in een moeilijke strijd werd gewikkeld, bracht Antipater hem een zeer welkome versterking van 3000 man. Het was een gebaar dat belangrijke gevolgen zou hebben voor de Joden in het hele rijk. Caesar herstelde uit dankbaarheid de rechten van de Joden in Judea en elders en gaf daarmee het voorbeeld, dat door latere keizers gevolgd zou worden. Antipater zelf werd beloond met het Romeinse burgerrecht, vrijstelling van belasting en een belangrijke politieke positie. Hyrkanus werd opnieuw benoemd tot hogepriester en kreeg de titel van etnarch, zonder overigens de daarbij behorende macht. Antipater trok door het land om aan te sporen tot onderwerping aan Rome en om zijn greep op de macht te verstevigen. Hij benoemde zijn oudste zoon Fasaël tot landvoogd van Jeruzalem en zijn tweede zoon Herodes tot landvoogd van Galilea. Het land leek een gouden toekomst tegemoet te gaan, maar de situatie die rust en stabiliteit moest brengen werd door een plotseling voorval bijzonder wankel.

*Als onderdeel van het bouwprogramma van Herodes de Grote werd deze berg omgetoverd tot de onneembare vesting Herodium. De top werd opgehoogd en voorzien van een kostbaar aquaduct.*

Caesar werd in 44 vermoord en een van zijn moordenaars, Cassius, kwam spoedig naar Syrië en voerde nieuwe zware belastingen in voor Judea. Steden die de vereiste belastingen niet konden opbrengen, zagen hun mannelijke inwoners als slaven weggevoerd worden. De toestand werd nog verslechterd toen Antipater tijdens een banket door vergiftiging om het leven werd gebracht. Een nieuwe generatie wierp zich in de strijd om de troon van Judea.

In het jaar 40 vielen de Parten Judea met geweld binnen. Zij liepen het land onder de voet en maakten het Antigonus, de jongste zoon van de vermoorde Aristobulus, mogelijk in triomf Jeruzalem binnen te trekken. Hij had de Parten daartoe omgekocht met de belofte 1000 talenten te betalen en 500 vrouwen beschikbaar te stellen. Onder het voorwendsel vredesonderhandelingen te openen, namen de Parten Fasaël en Hyrkanus aan de kust ten noorden van Ptolemaïs gevangen.

Herodes ontweek de valstrik echter en wist uit Jeruzalem te ontsnappen. Hij begon aan een lange odyssee die hem uiteindelijk zou terugbrengen naar Judea en hem weer aan de macht zou helpen.

De Nabateeërs weigerden hem de toegang en hij wees de gastvrijheid van de Egyptenaren van de hand. Hij verkoos een gevaarlijke reis in de winter via het Middellandse-Zeegebied naar Rome. Daar werd hij verwelkomd door Antonius, die de Senaat wist te bewegen Herodes te benoemen tot koning van Judea. Antigonus werd wegens zijn heulen met de Parten tot vijand van Rome verklaard. Maar eigenlijk was Herodes een koning zonder land. Antigonus had zich met steun van de Parten meester gemaakt van de troon van Judea. Fasaël was dood en Hyrkanus zo verminkt, dat hij nooit meer zijn functie van hogepriester zou kunnen uitoefenen.

Herodes ging per schip naar het oosten en landde in het begin van het jaar 39 in Ptolemaïs (6). De Romeinse bevelhebber in het gebied bood geen hulp. Hij was daartoe omgekocht door Antigonus. Herodes bracht daarom een huurlingenleger op de been en trok Galilea binnen. Verder naar het zuiden veroverde hij Joppe (7), waarna hij het binnenland introk via Idumea om Masada (8) veilig te stellen en het fort Oresa (9) in te nemen. In Masada was zijn familie achtergebleven.

Herodes voelde zich niet in staat een belegering van Jeruzalem vol te houden en daarom viel hij Jericho (10) aan en trok vervolgens via Samaria langs een onbekende weg Galilea binnen, waar hij zijn winterkwartier opsloeg. In Galilea veroverde hij tijdens een sneeuwjacht Sepforis (11) en doodde een troep joodse rovers die zich ophielden in grotten bij Arbela (12). Het ergerde hem zeer dat hij geen steun kreeg van Romeinse veldheren en hij begaf zich naar Samosata aan de Eufraat om zich hierover rechtstreeks tot Antonius te wenden. In het jaar 38 keerde Herodes terug naar Judea en zette de strijd voort. Ditmaal voerde zijn route hem door het Jordaandal naar Jericho (13).

Antigonus beging de fout Herodes met slechts de helft van zijn legermacht onder aanvoering van de Griekse generaal Pappos uit te dagen. Bij Jesana (14) werd Pappos op de vlucht gedreven. In het volgende voorjaar rukte Herodes op tot aan de poorten van Jeruzalem (15). Socius voegde zich er bij hem met een sterke legereenheid en de belegering kon een aanvang nemen. Het werd een bittere strijd van man tegen man. Na 40 dagen bezweken de buitenmuren onder het gecombineerde geweld van Herodes en Socius, en 15 dagen later begaven ook de binnenste versterkingen het. De tempel en de bovenstad werden stormenderhand veroverd, waarbij een vreselijke slachtpartij plaatsvond. Antigonus gaf zich over, wierp zich voor de voeten van Socius en smeekte zijn leven te redden. Socius lachte hem uit en noemde hem 'Antigone' - de vrouwelijke versie van zijn naam. Hij liet hem in de boeien slaan. De Romeinse soldaten begonnen te plunderen om zichzelf te belonen voor het werk dat ze gedaan hadden. Herodes slaagde er pas in de Romeinen uit de bloedende stad te krijgen nadat hij elke soldaat een bonus had gegeven en een enorm bedrag aan Socius had uitgekeerd. Antigonus namen zij mee bij hun vertrek. In Antiochië werd hij op aandringen van Herodes en op bevel van Antonius onthoofd.

Er waren 26 jaar verstreken sinds Pompejus Jeruzalem had ingenomen en de bressen die hij in de stadsmuren had geslagen, gaapten er opnieuw. Herodes zou ze weer opbouwen.

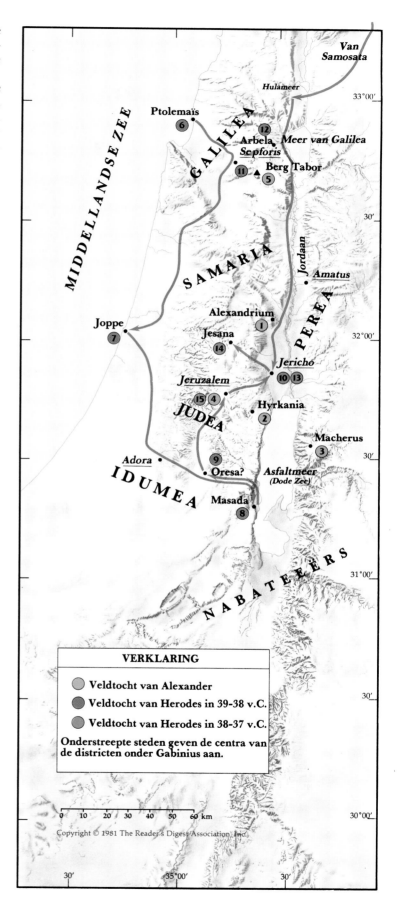

**VERKLARING**

● Veldtocht van Alexander

● Veldtocht van Herodes in 39-38 v.C.

● Veldtocht van Herodes in 38-37 v.C.

**Onderstreepte steden geven de centra van de districten onder Gabinius aan.**

0 10 20 30 40 50 60 km

# Herodes de Grote

Toen de Romeinen in 37 v.C. uit Jeruzalem (1) wegtrokken, lieten ze de 36-jarige Herodes achter als heer en meester van het koninkrijk. Dat bestond nu uit Judea, Galilea, Perea en het grootste deel van Idumea, plus de gebieden die de Romeinse Senaat het laatst aan hem had toevertrouwd: Samaria, de streek tussen Jamnia en Azotus en de rest van Idumea. Maar zijn beschermheer Marcus Antonius stond onder invloed van Kleopatra VII, de laatste en beroemdste Ptolemeese koningin van Egypte. Zij was vast van plan het Ptolomeese rijk in ere te herstellen en drong er daarom bij Antonius op aan Judea en het land van de Nabateeërs aan haar af te staan. Hij gaf haar het kustgebied en ontnam Herodes daarmee de toegang tot de zee. Later voegde Antonius ook nog Nabateese stukken grond en de uitgestrekte plantages van Herodes bij Jericho (2) aan haar bezittingen toe. Herodes moest daardoor pacht betalen voor zijn eigen plantages.

In 32 brak er een burgeroorlog uit tussen Antonius en Octavianus (de latere Caesar Augustus). Herodes bood Antonius zijn hulp aan, maar kreeg opdracht ten strijde te trekken tegen de Nabateeërs.

Herodes kreeg uiteindelijk het onvermijdelijke bevel voor Octavianus te verschijnen. Hij had toen net de oude Hyrkanus II - 'in alle opzichten mild en bescheiden' - ter dood laten brengen uit vrees dat Octavianus in de verleiding zou komen de Hasmoneese dynastie te herstellen. In dat geval zou Herodes' macht in het betrokken gebied waarschijnlijk van hem afgenomen worden.

Herodes nam maatregelen om zijn familie in veiligheid te brengen en begaf zich vervolgens zenuwachtig op pad naar Rodos, waar het onderhoud met de overwinnaar van Actium zou plaatsvinden. Zijn vrees voor Octavianus bleek ongegrond. Octavianus besefte dat Herodes een belangrijke vazal was en hij bevestigde zijn koninklijke status volledig. Voorts gaf hij Herodes - nadat Antonius en Kleopatra zelfmoord hadden gepleegd - de kustgebieden en de stad Jericho zowel als Gadara (4), Hippos (5) en Gaba (6) terug. Later beloonde Augustus Herodes nog met grote gebieden in Transjordanië. Het totale rijk van Herodes (in groen aangegeven) benaderde in afmetingen het land ten tijde van de Hasmoneese gouden eeuw. Maar een familietragedie begon de heerschappij van Herodes te bedreigen. In 29 liet hij zijn geliefde vrouw Mariamne - kleindochter van Hyrkanus - ter dood brengen omdat zij verdacht werd van overspel. Van verdriet raakte hij aan de drank, verviel tot losbandigheid en werd ernstig ziek. Alexandra, een Hasmoneese prinses en zijn schoonmoeder, probeerde de macht in handen te krijgen. Maar Herodes herstelde en liet haar ter dood brengen. Herodes had zijn greep op het koninkrijk nu weer hersteld en wijdde zich aan zijn enorme bouwprogramma. De verbazingwekkende overblijfselen van dat programma zijn nog steeds te zien. De voorspoedige tijden die het land doormaakte, zorgden dat er forse belastinginkomsten beschikbaar waren voor zijn plannen.

Herodes was al bezig met de militaire herstelwerkzaamheden aan Jeruzalem. De muren die bij de belegeringen zwaar beschadigd waren, had men herbouwd en er was een nieuwe burcht, de Antonia, verrezen. Herodes bouwde ook een theater en een paardenrenbaan in de stad en een amfitheater op een open vlakte in de buurt. Hier organiseerde de Hellenistische koning die een koninkrijk van Joden en niet-Joden regeerde, muziekevenementen en sportwedstrijden. Herodes' zwak voor sport zou duidelijk blijken toen hij zich in het jaar 12 opstelde als een vurig pleiter voor het houden van de Olympische Spelen in Griekenland en benoemd werd tot 'voorzitter voor het leven' van de Spelen.

In Jeruzalem verrees een prachtig nieuw koninklijk paleis. Het bevatte enorme eetzalen en luxueuze slaapvertrekken. Zeldzame steensoorten versierden de wanden en overal prijkten zilveren en gouden voorwerpen. Rondlopende gangen kwamen uit op lange wandelpaden door schitterende tuinen. Deze werden omzoomd door beken en vijvers waaraan een overvloed van bronzen beelden stond tentoongesteld.

30'    35°00'    30'

0  10  20  30  40  50  60 km

Copyright © 1981 The Reader's Digest Association, Inc.

Hulameer

33°00'

GALILEA

Meer van Galilea

Hippos (5)

Gaba? (6)

Gadara (4)

MIDDELLANDSE ZEE

Caesarea (8)

30'

Samaria (Sebaste) (7)

SAMARIA

Alexandrium (9)

Joppe (15)

Faselis (13)

PEREA

Filadelfia (3)

32°00'

Jeruzalem (1)

JUDEA

Jericho (2)

Jamnia

Herodium (12)

Hyrkania (10)

Azotus

Hebron (14)

30'

IDUMEA

Asfaltmeer (Dode Zee)

Masada (11)

31°00'

NABATEEËRS

In 27 begon Herodes aan de verbouwing en uitbreiding van Samaria (7), dat een dag lopen verwijderd was van Jeruzalem. Hij wilde er een bestuurscentrum voor het omliggende gebied van maken en een toevluchtsoord. De stad werd omgeven door een muur van drie kilometer lengte. Op de plaats waar zich de ruïnes van het paleis van Achab en van Omri bevonden verrees een enorme tempel in Korintische stijl. De veertien trappen die naar de ingang leidden, zijn er nog steeds te zien. Voor de trappen prijkte een standbeeld van de keizer, waarvan alleen de romp is overgebleven. Herodes gaf de stad de nieuwe naam Sebaste, het Griekse woord voor Augustus, aan wie de plaats was opgedragen. Sebaste was in de eerste plaats bestemd voor niet-Joden en volgens de geschiedschrijver Flavius Josefus was het 'een eerste klas vesting'.

Nog grootser van opzet was de bouw van een nieuwe havenstad die Herodes Caesarea (8) noemde, ook ter ere van de keizer. Deze haven verrees aan de zandkust van de Middellandse Zee op de plaats van Strato's Burcht. (Zie reconstructie op blz. 196-197.) Overal werden trouwens bouwprojecten uitgevoerd. Hij liet forten versterken in Alexandrium (9), Hyrkania (10) en Masada (11; zie ook reconstructie op blz. 170-171). Nieuwe forten werden er gebouwd in Herodium (12) en in Jericho. Ten noorden van Jericho bouwde hij de nieuwe stad Faselis (13), genoemd naar zijn gesneuvelde broer. In Hebron (14) liet hij een enorme tempel optrekken boven de grot van Makpela, de begraafplaats van de aartsvaders. Hij gebruikte er de massieve blokken steen voor, die in al zijn bouwprojecten zijn terug te vinden. En de bouwers brachten in de muren eigenaardige inhammen aan om de eentonigheid van de grote vlakken te breken zonder de stevigheid aan te tasten.

Het project dat men zich in de eerste plaats van Herodes herinnert, is evenwel de herbouw van de tempel in Jeruzalem. De tempel werd in het jaar 18 ingewijd, maar de totale voltooiing van zijn grootse plan vergde 84 jaar. Het platform voor het gebouw was een wonder, dat uitkeek over de omliggende dalen. De Koninklijke Zuilengang aan de zuidkant was een toonbeeld van grandioze architectuur. Hij had een lengte van 240 meter en het dak werd gedragen door 162 Korintische zuilen, waarvan de grootste 30 meter hoog waren. De tempel stond temidden van een aantal grote pleinen. Helaas vinden we in de oude geschriften geen exacte beschrijving, maar volgens Flavius Josefus waren de kosten die aan het bouwwerk waren besteed niet in bedragen uit te drukken en was 'de

*Zware muren uit de tijd van Herodes omsluiten de historische begraafplaats van de aartsvaders. De minaretten en de kantelen zijn van later datum.*

schoonheid weergaloos'. De enorme trappen die naar de ingang leidden, zijn onlangs bij opgravingen blootgelegd. Er zijn ook overblijfselen van de tuinen gevonden.

Familieperikelen beheersten de jaren die de ondergang van Herodes inluidden. Hij werd paranoïde en liet twee van zijn zoons om het leven brengen, omdat ze tegen hem samengespannen zouden hebben. Augustus moet in dit verband gezegd hebben: 'Ik zou liever Herodes' varken willen zijn dan zijn zoon'.

Omtrent het jaar 5 v.C. werd Herodes ernstig ziek en moest rondgedragen worden op een draagbaar bed. In zijn paleis te Jericho deed hij een vergeefse zelfmoordpoging. Toen zijn dood naderde, liet hij een derde zoon ombrengen op beschuldiging van verraad. In zijn testament bepaalde hij dat drie van zijn nog in leven zijnde zoons hem gezamenlijk moesten opvolgen.

Herodes stierf in het jaar 4 v.C. Archelaüs zorgde voor een prachtige begrafenis. Soldaten in gevechtstenue begeleidden de dode, die gehuld was in een purperen mantel en een gouden kroon op het hoofd droeg. De lijkstoet trok door het heuvelland en de woestijn van Judea naar Herodium, waar de begrafenis plaatsvond. Voor de dood van Herodes was er evenwel iets gebeurd - zonder dat het op dat moment werd opgetekend - dat ingrijpende gevolgen zou hebben: de geboorte van Jezus.

# Het geslacht Herodes

Antipater II de Idumeeër
vergiftigd 43 v.C. g. Cypros

| Fasaël<br>vermoord 40 v.C. | g. 1<br>Doris | | g. 2<br>*Mariamne* | g. 3<br>Mariamne | **Herodes de Grote**<br>koning van Judea<br>o. 4 v.C. | g. 4<br>Maltake | Jozef<br>vermoord 38 v.C. | g. 5<br>Kleopatra | g. met<br>5 andere<br>vrouwen | Feroras<br>vergiftigd<br>5 v.C. | Salome<br>o. 10 |
|---|---|---|---|---|---|---|---|---|---|---|---|

| Fasaël II | Antipater III<br>terechtgesteld<br>4 v.C.<br>g. *dochter van<br>Antigonus II* | Alexander | Aristobulus<br>beiden terechtgesteld 7 v.C. | Herodes Filippus I<br>onterfd<br>g. Herodias | **Archelaüs**<br>verbannen 6 | **Herodes Antipas**<br>verbannen 39<br>g. 1 dochter van<br>Aretas<br>2 Herodias | **Herodes<br>Filippus II**<br>g. Salome,<br>dochter van Herodias | Herodes |
|---|---|---|---|---|---|---|---|---|

Cyprus
g. Agrippa I

| | | Herodes II<br>o. 48 | **Agrippa I**<br>o. 44<br>g. Cypros | | Herodias<br>g. 1 Herodes<br>2 Herodes Antipas | |
|---|---|---|---|---|---|---|

De Hasmoneeën zijn *cursief* gedrukt
De erfgenamen van Herodes' koninkrijk zijn **vet** gedrukt
o. overleden
g. gehuwd

| | Aristobulus<br>g. Salome | **Agrippa II** | Drusilla<br>g. Felix<br>de landvoogd | Bernice | Salome<br>g. 1 Herodes Filippus<br>2 Aristobulus |
|---|---|---|---|---|---|

# MASADA: paleisvilla van Herodes

Masada rijst eenzaam boven de westkust van de Dode Zee uit. Het rotsgevaarte heeft de vorm van een schip en is zo'n 570 meter lang en bijna 200 meter breed. Herodes de Grote liet de afgelegen berg in de 1e eeuw v.C. ombouwen tot een enorme ommuurde vesting met daarbinnen de zeer bijzondere paleisvilla. Tussen 1963 en 1965 is de paleisvilla door de Israëlische archeoloog Yigael Yadin opgegraven en gedeeltelijk gereconstrueerd. Herodes bouwde zijn villa op drie terrassen die vanaf de smalle noordzijde van de rots uitstaken. De rotswanden liepen van de terrassen duizelingwekkend steil omlaag naar de kust die er ongeveer 400 meter onder lag. De bovenverdieping was van het paleis zelf en de personeelsgebouwen afgescheiden door een muur. Herodes kon zich daardoor onbespied terugtrekken. In de rots uitgehakte trappen voerden naar twee lager gelegen terrassen. De trappen waren voor het grootste deel met de hand gehakt en uitgerust met zware steunmuren. Enorme zuilengalerijen boden ruimte om te dineren en te verpozen bij een onvergelijkelijk fraai uitzicht op de hoogvlakte aan de overzijde van de Dode Zee.

N

# De geboorte van Jezus

De vier Evangeliën - van Matteüs, Marcus, Lucas en Johannes - zijn geen levensbeschrijvingen in moderne zin. De schrijvers tonen weinig belangstelling voor een gedetailleerde chronologie en de geografische aanduidingen van heel wat gebeurtenissen zijn vaag. Het vroegste Evangelie (mogelijk geschreven door Johannes Marcus omtrent het jaar 64 n.C.) en het laatste Evangelie (nogal eens toegeschreven aan een leerling van de apostel Johannes en gedateerd tussen 90 en 100) beginnen allebei met de doop van Jezus door zijn neef Johannes. De bekende verhalen over de geboorte en de jeugd van Jezus zijn alleen terug te vinden in de Evangeliën van Matteüs en Lucas.

Matteüs schrijft: 'Toen dan Jezus in Betlehem in Juda geboren was ten tijde van koning Herodes...' (Mt 2:1). Hij laat de geboorte van Jezus dus plaatsvinden voor de dood van Herodes in het jaar 4 v.C. Maar volgens Lucas was de geboorte in de tijd dat Augustus een volkstelling beval, 'toen Quirinius landvoogd van Syrië was' (Lc 2:2). De keizer stuurde Quirinius in het jaar 6 naar Syrië en in dezelfde tijd werd Coponius benoemd tot eerste landvoogd van Judea. Ze hielden allebei inderdaad een volkstelling. Maar rond die tijd moet Jezus dan al minstens 10 jaar oud geweest zijn. Sommige geleerden veronderstellen dat Quirinius eerder landvoogd in Syrië is geweest - van 7 tot 10 v.C. Misschien doelt Lucas in zijn Evangelie op deze periode.

Een derde aanwijzing voor het tijdstip van de geboorte is de ster van Betlehem. Chinese bronnen vermelden de verschijning van een komeet in 12 v.C. en een sterrenexplosie of nova (nieuwe ster) in 5 v.C. Ze zouden beide de hemelse gids geweest kunnen zijn voor de drie wijzen die op zoek waren naar Jezus. Een andere verklaring komt in dit verband van de Duitse sterrenkundige en wiskundige Johannes Kepler. Deze bestudeerde in het begin van de 17e eeuw de samenstand van de planeten Saturnus en Jupiter in het sterrenbeeld Vissen. Hij herinnerde zich daarbij dat volgens een oude Hebreeuwse overlevering de Messias zou verschijnen als deze twee planeten zo dicht bij elkaar kwamen dat ze samen leken te smelten tot één grote ster. Aan de hand van sterrenkundige tabellen kon Kepler vaststellen dat Saturnus en Jupiter in het jaar 7 v.C. driemaal zo'n ontmoeting in de ruimte gehad moeten hebben. En wel op 29 mei, 29 september en 4 december.

Zouden de 'Wijzen uit het oosten' (Mt 2:1) - wellicht Babylonische astrologen - de samenstand van de planeten op 29 mei gezien kunnen hebben als een teken van de komst van de Messias? Het is heel goed mogelijk dat ze gewacht hebben tot de zomer voorbij was en toen via de karavaanroute naar Judea zijn gereisd. In dat geval zouden ze half november in Betlehem aangekomen kunnen zijn, een tijd waarin herders, zoals Lucas schrijft 'in het open veld gedurende de nacht hun kudde bewaakten' (Lc 2:8).

De 25e december wordt pas sinds de 4e eeuw als de geboortedag van Jezus gevierd. De christelijke hoogtijdag kwam toen in de plaats van een Romeinse feestdag. En de gewoonte om de jaren te tellen vanaf de veronderstelde geboortedag van Jezus is pas in de 6e eeuw ingevoerd.

Lucas verweeft het geboorteverhaal van Jezus met dat van Jezus' neef Johannes de Doper. Volgens zijn verslag reisde de oude priester Zacharias met zijn onvruchtbare vrouw Elisabet naar Jeruzalem (1). Zacharias had daar de eervolle taak de offerplechtigheid in de tempel te leiden. In het heilige der heilige van deze gewijde plaats verscheen de engel Gabriël voor Zacharias en beloofde hem een zoon. 'Vele zonen van Israël zal hij terugbrengen tot de Heer, hun God' (Lc 1:16), sprak de engel'... om... zo voor de Heer een welbereid volk te vormen' (Lc 1:16,17).

Zes maanden later 'werd de engel Gabriël van Godswege gezonden naar een stad in Galilea, Nazaret' (2) (Lc 1:26). Daar kondigde hij de maagd Maria aan dat zij een kind zou baren en 'Hij zal groot zijn en Zoon van de Allerhoogste genoemd worden. God de Heer zal Hem de troon van zijn vader David schenken en Hij zal in eeuwigheid koning zijn over het huis van Jakob en aan zijn koningschap zal nooit een einde komen' (Lc 1:32-33).

De engel vertelde Maria dat Elisabet ook zwanger was. Daarop 'reisde Maria met spoed naar het bergland, naar een stad in Judea' (Lc 1:39) om haar bloedverwante op te zoeken. De plaats van het geboortehuis van Johannes de Doper wordt in geen van de Evangeliën aangeduid. Volgens de overlevering moet het gestaan hebben in Aïn-Karim (3), een dorp in een zeer lieflijk dal nog geen 10 kilometer ten westen van Jeruzalem. Op het moment dat Elisabet de begroeting van Maria hoorde, sprong het kind in haar schoot op van vreugde. En Elisabet riep uit: 'Gij zijt gezegend onder de vrouwen en gezegend is de vrucht van uw schoot. Waaraan heb ik het te danken, dat de moeder van mijn Heer naar mij toekomt?' (Lc 1:42-43). Maria antwoordde met een prachtig gedicht, waarvan de beginwoorden bij veel mensen bekend zijn: 'Mijn hart prijst hoog de Heer, van vreugde juicht mijn geest om God mijn redder' (Lc 1:46-47).

Toen Elisabets kind was geboren, werd hij Johannes genoemd, hetgeen wil zeggen 'de Heer is genadig geweest'. Van zijn verdere leven is niets bekend tot hij aan de oevers van de Jordaan verscheen om te dopen en de komst van het koninkrijk Gods te verkondigen.

Intussen begaven Maria en haar echtgenoot Jozef zich van Nazaret (4) naar Betlehem (5) in Judea. Ze moesten zich daar laten inschrijven voor de Romeinse volkstelling omdat Jozef een afstammeling was van het huis van David. Betlehem was een belangrijk dorp aan de bergweg tussen Jeruzalem en Hebron. De herbergen van Betlehem waren altijd vol reizigers naar of van Jeruzalem, dat ongeveer 8 kilometer noordelijker ligt. Tijdens de volkstelling moet het er nog

*Deze afbeelding op een middeleeuws gebrandschilderd raam toont drie wijzen uit het oosten. Ze worden tijdens hun slaap bezocht door een engel die hen waarschuwt niet terug te keren naar Jeruzalem.*

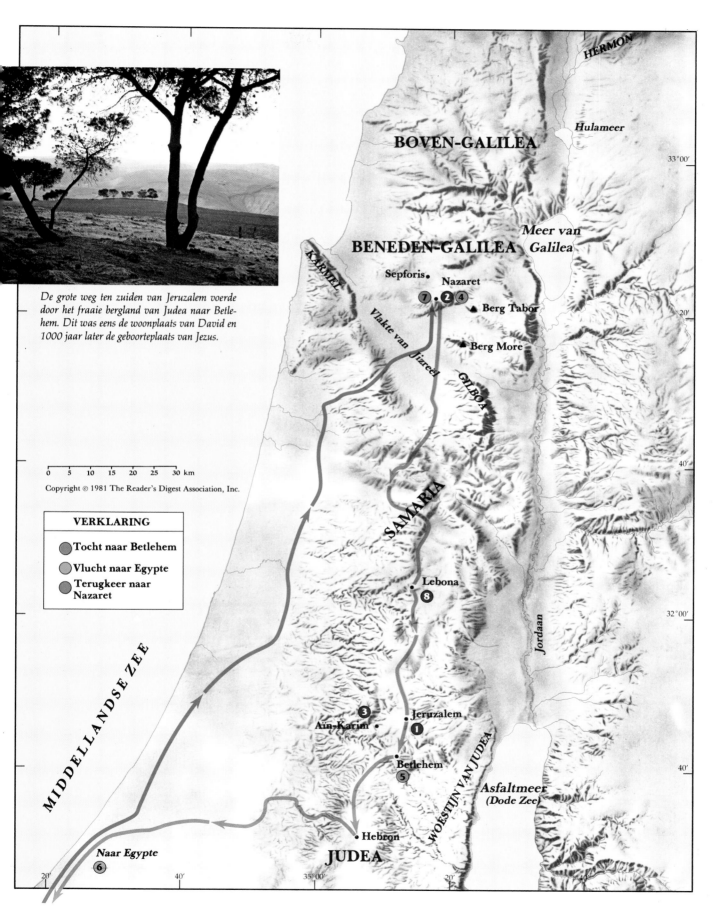

De grote weg ten zuiden van Jeruzalem voerde door het fraaie bergland van Judea naar Betlehem. Dit was eens de woonplaats van David en 1000 jaar later de geboorteplaats van Jezus.

0  5  10  15  20  25  30 km

Copyright © 1981 The Reader's Digest Association, Inc.

## VERKLARING

- Tocht naar Betlehem
- Vlucht naar Egypte
- Terugkeer naar Nazaret

HERMON

*Hulameer*

33°00'

BOVEN-GALILEA

20'

BENEDEN-GALILEA  *Meer van Galilea*

KARMEL

Sepforis

Nazaret

⑦ ② ④

▲ Berg Tabor

*Vlakte van Jizreël*

▲ Berg More

GILBOA

SAMARIA

Jordaan

40'

32°00'

Lebona
⑧

MIDDELLANDSE ZEE

③

Jeruzalem
①

Aïn-Karim

40'

Betlehem
⑤

WOESTIJN VAN JUDEA

Asfaltmeer
(Dode Zee)

Naar Egypte
⑥

• Hebron

JUDEA

20'          40'          35°00'          20'          40'

# De geboorte van Jezus *(vervolg)*

drukker geweest zijn. Vandaar dat Jezus werd geboren in een stal - waarschijnlijk een grot waarin dieren beschutting vonden - en in een kribbe werd gelegd. De plaats waar deze grot zich volgens de overlevering bevonden moet hebben, wordt al genoemd in christelijke geschriften van de 2e eeuw. In de 4e eeuw werd rond de plaats van de grot een kerk opgetrokken door Constantijn. Justinianus herbouwde de kerk twee eeuwen later en deze basiliek is een van de oudste kerken ter wereld.

Lucas verhaalt dat een engel de geboorte van Jezus verkondigde aan herders in nabijgelegen velden. Zij spoedden zich naar Betlehem om dit bijzondere kind te aanschouwen. Eveneens van Lucas weten we dat Jezus op de achtste dag besneden werd zoals de joodse wet voorschrijft. Zijn officiële naam luidde Jehosua (Jozua) de Hebreeuwse vorm van Jezus. De naam betekent 'de Heer redt'. Volgens voorschrift van de joodse wet voor de eerstgeborenen brachten Maria en Jozef Hem naar de tempel in Jeruzalem om Hem aan God op te dragen en uit dankbaarheid een offer te brengen. Twee vrome mensen Simeon en Hanna loofden God en dankten Hem voor het kind. Simeon sprak: 'Uw dienaar laat gij, Heer, nu naar uw woord in vrede gaan; mijn ogen hebben thans uw Heil aanschouwd' (Lc 2:29-30).

Matteüs vertelt niets van deze reis naar Jeruzalem, maar hij doet weer het verhaal van de 'Wijzen uit het oosten' (Mt 2:1). Zij hadden in Jeruzalem geïnformeerd naar de verblijfplaats van een nieuwe 'koning der Joden' (Mt 2:2). Herodes was daarvan geschrokken en hij probeerde listig van hen te weten te komen waar het kind gevonden zou kunnen worden. Doorreizend naar Betlehem vonden de wijzen het kind Jezus bij zijn moeder. Zij betuigden het kind eer, 'haalden hun schatten te voorschijn en boden het geschenken aan: goud, wierook en mirre' (Mt 2:11). Maar in een droom werden zij gewaarschuwd voor de ware beweegredenen van Herodes en op de terugkeer naar hun eigen land ontweken ze daarom Jeruzalem.

Ook Jozef werd op dezelfde manier gewaarschuwd en hij vluchtte met Maria en het kind Jezus naar Egypte (6), sinds de tijd van Abraham het vluchtelingenland bij uitstek. Zo ontkwam Jezus aan de woede van Herodes. Volgens Matteüs had de Romeinse koning besloten alle mannelijke kinderen in en rond Betlehem tot 2 jaar te doden om daarmee een mogelijke rivaal uit te schakelen. Volgens overlevering van christenen zowel als van moslims heeft de heilige familie 19 plaatsen bezocht in de Delta en in Noord-Egypte. In de Bijbel zijn daarvan geen bewijzen te vinden.

'Sta op, neem het Kind en zijn moeder', werd Jozef in een droom opgedragen, 'en trek naar het land Israël, want die het Kind naar het leven stonden zijn gestorven' (Mt 2:20). Zij trokken niettemin om Judea heen, waar Archelaüs zijn vader Herodes was opgevolgd, en gingen naar Galilea. Hier 'vestigde hij zich in een stad, Nazaret (7) geheten' (Mt 2:23). Nazaret ligt in een kom 400 meter boven de zeespiegel op een van de meest zuidelijke heuvelruggen van Beneden-Galilea. In het kalksteengebied van Nazaret bevindt zich een bron die vandaag de dag 'de bron van Maria' wordt genoemd. Jaarlijks valt er in dat gebied ongeveer 60 centimeter regen en dat is ruimschoots voldoende om de omringende heuvels met citrus- en olijfplantages te bevloeien. Het hoogteverschil en de prettige droge wind die er vaak waait, zorgen ervoor dat de temperatuur er 10 tot 20 graden koeler is dan op de kustvlakte. Het is

er dan ook veel aangenamer dan aan de warme, vochtige oevers van het meer van Galilea, ruim 25 kilometer verder naar het oosten toe.

Ten zuiden strekte zich de vlakte van Jizreël uit met het bedrijvige verkeer van talloze reizigers die naar het oosten trokken langs de berg Tabor, een eenzame, massieve rotsklomp die boven de vlakte uitstak. Ook de heuvels van Samaria waren goed te zien, evenals de berg More in het zuidoosten met erachter de ruige bergkam van de Gilboa. In het westen doemden het Karmelgebergte op en een glimp van de Middellandse Zee aan de horizon. Naar het noorden toe, op zes kilometer afstand, werd de heuvel in de dagen van Jezus beheerst door de stad Sepforis. Maar in het noordoosten, meer dan 80 kilometer verderop, staken de sneeuwbedekte toppen van de berg Hermon boven alles uit.

Nazaret was een kleine joodse plaats, zoals er vrij veel lagen in het overwegend niet-joodse Galilea. Er was een synagoge en daar zou Jezus, evenals de andere jongens van het dorp, de opwindende verhalen horen over de helden van Israëls geloof. Het is spijtig dat er weinig of niets is overgebleven van het Nazaret van Jezus. Moslimse fanaten verwoestten de plaats in de Vroege Middeleeuwen en de nieuwe stad die nu het berglandschap beheerst, heeft alle eventuele overblijfselen uit vroeger tijden onbereikbaar gemaakt voor de graafwerktuigen van de archeoloog. Maar de vrome overlevering weet er toch nog heel wat heilige plaatsen aan te wijzen. En onze geografische kennis is voldoende om een idee te krijgen van de aangename streek waarin Jezus zijn jeugd doorbracht. Lucas vertelt hoe het kind er opgroeide en toenam 'in krachten; het werd vervuld van wijsheid en de genade Gods rustte op Hem' (Lc 2:40). De latere uitspraken van Jezus geven een beeld van zijn heldere kijk op het land waarin Hij opgroeide. Hij maakte er kennis met de leliën des velds, met het zaaien en oogsten, met de zorg van de herders voor hun kudden en met de netten die werden uitgeworpen in het meer van Galilea en opgehaald met allerlei soorten vis.

Op twaalfjarige leeftijd werd Jezus door zijn ouders meegenomen naar Jeruzalem om daar het Paasfeest te vieren. Dat was gebruikelijk in die dagen voor joodse jongens van die streek. Lucas is weer onze zegsman over de gebeurtenissen van de bewuste tijd. Temidden van de bouwwerken die daar nog steeds verrezen om de spectaculaire plannen van Herodes te verwezenlijken, bezocht Jezus de tempel. En Hij heeft er ook het verheven, uit wit en goud opgetrokken heilige der heiligen bewonderd tussen de pelgrims die zich op de in wierook gehulde pleinen verdrongen.

Toen de plechtigheid voorbij was, vertrokken zijn ouders. Zij namen aan dat Jezus al met familie en kennissen op de terugweg was naar Galilea. Bij het vallen van de avond merkten Jozef en Maria evenwel dat hun Zoon er niet bij was. Zij keerden terug naar Jeruzalem en troffen Hem tussen de leraren in de tempel, 'naar wie Hij luisterde en aan wie Hij vragen stelde. Allen die Hem hoorden, waren verbaasd over zijn begrip en zijn antwoorden' (Lc 2:46-47). Zijn ouders berispten Hem omdat Hij hen bezorgd had gemaakt. En Jezus antwoordde: 'Wist ge dan niet dat Ik in het huis van mijn Vader moest zijn?' (Lc 2:49). Hij keerde met hen terug naar Nazaret, hetgeen een reis van drie dagen was. Waarna we niets meer van Hem horen tot Hij door Johannes in de Jordaan wordt gedoopt.

*Boven: een beroemd mozaïek uit de 13e eeuw van de geboorte van Jezus. Het is te zien in de kerk van Santa Maria Maggiore in Rome. Onder: de vlucht naar Egypte in mozaïek aangebracht op de koepel van het Baptisterium in Florence. Dit werk dateert van rond 1400.*

# Jezus' geboorte

Er zijn maar heel weinig onderwerpen die tot zoveel kunstwerken hebben geïnspireerd als de geboorte van Jezus. In de Bijbel kunnen we er alleen een korte, kernachtige beschrijving van vinden in het Evangelie van Lucas: 'Zij bracht haar zoon ter wereld, haar eerstgeborene, wikkelde Hem in doeken en legde Hem neer in een kribbe, omdat er voor hen geen plaats was in de herberg' (Lc 2:7). De overlevering voegde aan de plaats van handeling een os en een ezel toe, zoals in het mozaïek hierboven ook is afgebeeld. Heel wat kunstenaars hebben niet-bijbelse details verwerkt in hun uitbeelding van verhalen uit de evangeliën. Zo staat op de mozaïek-afbeelding hiernaast van de Heilige Familie op weg naar Egypte een vierde persoon, die nergens in het bijbelverhaal voorkomt.

# Het Heilige Land na Herodes

Het land waarin Jezus van Nazaret opgroeide, was in feite een afgelegen oostelijke uithoek van het Romeinse rijk rond de Middellandse Zee. Het werd geregeerd door de opvolgers van Herodes. Volgens het testament van Herodes was zijn koninkrijk na zijn dood in 4 v.C. opgesplitst in drie politieke eenheden. Archelaüs, de zoon van Herodes en een Samaritaanse, kreeg de heerschappij over Judea, Idumea en Samaria, met Jeruzalem als hoofdstad. Herodes Antipas, de jongere broer van Archelaüs, werd tetrarch van Galilea en Perea. En hun beider halfbroer Filippus kreeg als tetrarch de voornamelijk nog heidense gebieden ten noorden en oosten van het meer van Galilea. Deze opdeling in politieke eenheden zou kunnen doen denken dat er sprake was van een versplinterd koninkrijk, maar in werkelijkheid wilde het Romeinse gezag voor het hele rijk juist een zekere eenheid waarborgen en zo mogelijk ook rust. Dat was echter niet te verwezenlijken voor keizer Augustus zijn persoonlijke goedkeuring had gehecht aan het testament van Herodes.

Na de voorgeschreven zeven dagen van rouw na de dood van zijn vader reisde Archelaüs naar Jeruzalem. Daar protesteerde de bevolking heftig tegen de terechtstelling van twee rabbi's, die zijn vader nog had bevolen. Archelaüs' pogingen om rust en vrede te herstellen, mislukten en hij zag zich genoodzaakt troepen te hulp te roepen om de opstand neer te slaan. Drieduizend van zijn onderdanen werden gedood. Toen ook Archelaüs via Caesarea terugvoer naar Rome om het testament van zijn vader te laten goedkeuren, liet hij zijn halfbroer Filippus in het land achter om de nog zeer explosieve situatie in de hand te houden. Antipas kwam spoedig in Rome aan en maakte aanspraken op de alleenheerschappij over zijn vaders rijk, zoals in een eerder testament was vastgelegd. Later reisde ook Filippus naar Rome om zijn halfbroer te steunen en tegelijkertijd zijn eigen belangen veilig te stellen.

De onrust in Jeruzalem bleef zich niet alleen in de stad, maar ook op het omliggende platteland als een smeulend vuur verspreiden. De Romeinse gouverneur van Syrië, Varus, kwam in het geweer om de opstand te breken. Toen hij terugkeerde naar het noorden liet hij een legioen achter om de orde te handhaven. Zijn opperofficier voor financiën, Sabinus, maakte de toestand evenwel nog explosiever door een poging te wagen de schatten van Herodes te bemachtigen, zogenaamd om ze voor de keizer veilig te stellen. De achtergebleven soldaten van Archelaüs wisten deze actie van Sabinus te verijdelen, maar de situatie werd er uitermate gespannen door. Tijdens het Pinksterfeest kwamen er pelgrims uit Galilea, Idumea, Perea en vele andere gebieden naar Jeruzalem en er braken ernstige gevechten uit in de straten van de stad. Vele veteranen van Herodes liepen over naar de opstandelingen en een Romeinse strijdmacht, versterkt met 3000 man hulptroepen, die voornamelijk door Sebaste werden geleverd, poogde hen terug te drijven.

In het hele land braken er nu kleine en grote onlusten uit. In Judea joegen 2000 geharde krijgers van Herodes een loyaal gebleven legermacht van Achiab, een neef van Herodes, de heuvels in. Tegelijkertijd riep een schaapherder, Atronges genaamd, zichzelf tot koning uit en vormde een partizanenleger. In Galilea dook een zekere Judas op, die naar de woorden van

de geschiedschrijver Flavius Josefus 'een verschrikking werd voor eenieder'. Samen met een groot aantal andere bandieten veroverde hij Sepforis. De stad werd grondig geplunderd en ook het koninklijk paleis lieten de mannen van Judas niet ongemoeid. Weer een andere bende, onder leiding van Herodes' vroegere slaaf Simon, stak het prachtige paleis van Jericho in brand. Zij vergrepen zich ook nog aan de koninklijke verblijven in Bet-Ramata, die met de grond gelijk gemaakt werden. Tenslotte liep Simon in een val, werd gevangen genomen en onthoofd. Het geweld woedde echter voort in Perea, waar het paleis van Amatus in vlammen opging.

De reactie van Varus op deze hoogoplopende golven van terreur, banditisme en anarchie kwam snel: hij haastte zich met de twee legioenen die in Syrië gelegerd waren naar Ptolemaïs. Daar kreeg hij versterking van een groot leger infanterie uit Nabatea en van paardenvolk, dat hem ter beschikking werd gesteld door Herodes' aartsvijand Aretas IV.

Varus belastte zijn zoon met het verjagen van de rebellen uit westelijk Galilea. Zijn mannen veroverden Sepforis, verkochten de inwoners als slaven en brandden de stad plat. Varus zelf rukte op naar Sebaste met het merendeel van zijn leger. Aangezien de stad trouw was gebleven, wilde hij haar sparen; hij betrok een legerkamp op 17 kilometer naar het zuiden, in Arus, op aanvalsafstand van Jeruzalem. Varus trok op naar Jeruzalem, maar zijn Nabateese troepen verwoestten achter zijn rug Arus en verder naar het zuiden ook het dorp Sapfo. Varus zelf gaf bevel Emmaüs met de grond gelijk te maken.

Toen de overmacht voor de stadspoorten verscheen, sloeg de angst de verdedigers van Jeruzalem om het hart en Varus kon de stad vrijelijk binnendringen. De troepen verspreidden zich vervolgens door het hele land, op zoek naar opstandelingen. Heel wat gevangenen zijn later weer vrijgelaten, maar er werden er 2000 aan het kruis genageld. Een troepenmacht van 10 000 man gaf zich, op aandrang van Achiab, zonder slag of stoot aan Varus over. De meesten kregen gratie, maar de verantwoordelijke elementen werden op transport gesteld naar Rome. Daar liet keizer Augustus het merendeel vrij.

Augustus had lang geaarzeld met een beslissing over de toekomstige bestuursvorm van het oostelijke deel van zijn rijk. De aanspraken van Archelaüs en Antipas lagen ver uiteen, en daarnaast drong een joodse afvaardiging aan op direct bestuur vanuit Rome. Maar uiteindelijk kondigde hij zijn besluit toch aan. Hij eerbiedigde de laatste wilsbeschikking van Herodes, doch onthield Archelaüs de koningstitel tot hij die waardig zou zijn. Intussen mocht hij zich etnarch noemen, een hogere titel dan tetrarch, die zijn broers hadden verworven.

Archelaüs keerde hevig in eer en prestige gekwetst terug naar Jeruzalem. Hij regeerde daar iets minder dan tien jaar. In het jaar 6 beschuldigde een afvaardiging van Joden en Samaritanen Archelaüs van wreedheden jegens zijn onderdanen bij de uitvoering van de bevelen van Augustus. De keizer riep hem naar de hoofdstad terug en Archelaüs werd afgezet en verbannen naar Gallië. Samaria, Judea en Idumea werden samengevoegd tot de Romeinse provincie Judea.

Intussen bracht Antipas in Galilea en Perea vrede en welvaart. Hij regeerde daar bijna 43 jaar voor ook híj werd afgezet. Na de val van zijn oudere broer Archelaüs nam Antipas de naam Herodes aan en onder die naam komt hij 24 maal voor in het Nieuwe Testament.

Perea was geruime tijd een centrum van joodse cultuur geweest en Galilea, dat overwegend heidens was gebleven, telde toch nog een aanzienlijke groep joodse inwoners. Antipas bezocht Jeruzalem op grote joodse feestdagen en de munten, die hij liet slaan, vertoonden geen afbeeldingen die de Joden onwelgevallig konden zijn. Niet alleen de Farizeeën steunden zijn politiek, maar ook de nieuwe aristocratische kaste van Herodianen was hem welgezind. Deze Herodianen waren pro-Romeins, hoewel zij liever door een tussenpersoon uit eigen kring werden geregeerd dan rechtstreeks door Rome. De gevolgen van Romeins bewind hadden zij in Judea gezien na de regering van Archelaüs.

Antipas liet de belangrijkste steden van Galilea en Perea herbouwen op de puinhopen, die de opstanden en de veroveringsoorlogen van Varus hadden achtergelaten. Sepforis werd herdoopt in Autocratoris (naar het Griekse woord voor 'keizer'). Bet-Ramata in Perea kreeg eerst de naam Livias (naar de vrouw van Augustus) en later Julias. Het werd het bestuurscentrum voor Perea.

Als hoofdstad liet Antipas een prachtige nieuwe stad bouwen bij de warme bronnen aan de westoever van het meer van Galilea. Er moet ongeveer negen jaar aan zijn gebouwd en de nieuwe stad, die de naam Tiberias kreeg, werd in het jaar 18 toegewijd aan de nieuwe keizer Tiberius. Het enorme paleis van de stad droeg een gouden dak en bevatte een enorme kunstverzameling. Het sportstadion kon 10 000 mensen bevatten op een bevolking van ongeveer 30 000 tot 40 000 zielen.

Het was Antipas die bevel gaf voor de onthoofding van Johannes de Doper en die later Jezus ondervroeg aan de vooravond van zijn kruisiging. Zo'n tien jaar later, in 39, viel Antipas in ongenade bij de nieuwe keizer Caligula. Hij werd afgezet en verbannen naar Gallië.

Filippus was van Herodes' drie opvolgers de rustigste heerser. Hij erfde het ruige noorden met zijn hoge bergen, het woeste land van steppen en onafzienbare hoogvlakten. In de brede, malse delen van het stroomgebied van de Jordaan bouwde hij de plaats Paneas verder uit, maakte er zijn hoofdstad van en noemde haar Caesarea Filippi. Onder deze naam komt de stad voor in het Nieuwe Testament. Op de plaats waar de Jordaan in het meer van Galilea stroomt, lag het vissersdorpje Betsaïda, woonplaats van Jezus' discipelen Petrus, Andreas en Filippus. Hij maakte hier een stad van die hij Julias noemde, ter ere van de dochter van Augustus. Na een regeringsperiode van 37 jaar werd Filippus hier begraven.

In de tijd dat Antipas en Filippus in het Noorden regeerden, ontwikkelde Judea zich in volle vrede onder de eerste drie Romeinse landvoogden. Het regeringscentrum werd van Jeruzalem naar Caesarea verplaatst, met als duidelijk voordeel de directe zeeverbinding tussen Rome en de stad. Er lag slechts een legermacht van 3000 man hulptroepen, voornamelijk gerecruteerd uit de niet-joodse steden Sebaste en Caesarea. In het jaar 15 kwam Valerius Gratus als eerste landvoogd van keizer Tiberius naar Judea. Hij ontsloeg hogepriester Annas, die destijds als goedgunstig gebaar was aangesteld. Drie jaar later werd de schoonzoon van dezelfde Annas, een

man genaamd Jozef Kajafas, op deze post aangesteld.

In het jaar 26 veranderden de zaken in Judea in ongunstige zin. Pontius Pilatus werd er benoemd tot landvoogd. De ene uiting van geweld volgde op de andere; doodvonnissen en terechtstellingen werden weer gemeengoed. Kajafas betoonde zich een vurig medestander van Pilatus. Beide mannen wilden voorkomen dat het weer tot een uitbarsting zou komen, waarbij Rome zich opnieuw op de Joden moest werpen. Pilatus maakte zich gedurende de 10 jaren van zijn bewind in Caesarea in brede kring gehaat. Hij werd tenslotte ontslagen wegens wanbeleid. Pilatus was maar een ondergeschikte figuur in de Romeinse geschiedenis. Toch zou hij tot in lengte van dagen bekendheid genieten als de man die toestemming gaf voor de terechtstelling van Jezus van Nazaret.

# Jezus in Galilea

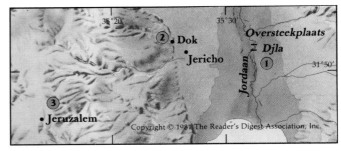

Marcus en Johannes beginnen hun evangelische vertellingen met Johannes de Doper, een bijzondere persoonlijkheid die optrad 'in de woestijn en doopte; hij preekte een doopsel van bekering tot vergiffenis van zonden' (Mc 1:4). Deze 'gezonde-ne van God' (Joh. 1:6) was volgens Johannes 'niet ... het Licht, maar hij moest getuigen van het Licht' (Joh. 1:8).

Johannes de Doper was geboortig uit het bergland van Judea, maar het gebied van zijn zendingswerk reikte langs de oostelijke oevers van de Jordaan tot in Perea, dat werd be-stuurd door Antipas.

Johannes' dringende oproepen aan de bevolking om zich voor te bereiden op de spoedige komst van het Koninkrijk Gods verontrustte niet alleen Antipas, maar ook de religieuze leiders in Jeruzalem. De exacte datum van de doop van Jezus door Johannes is niet bekend, hoewel vele onderzoekers deze gebeurtenis ergens in het jaar 26 plaatsen. Ook de plaats van de doop is niet bekend. Volgens Johannes was het 'te Betanië, aan de overkant van de Jordaan' (Joh. 1:28). De christelijke overlevering noemt de oversteekplaats Djla (1) als doopplaats.

Na zijn doop werd Jezus 'door de Geest naar de woestijn gevoerd om door de duivel op de proef gesteld te worden' (Mt 4:1). Dit 'woestijn' lijkt te slaan op de verlaten en woeste heuvels die boven Jericho uitrijzen. Daar is dan ook door de christelijke overlevering een heuveltop tot heilige plaats ver-klaard: de oude vesting Dok (2). Deze heuveltop geldt als de plaats, waar Jezus door de duivel de koninkrijken der aarde werden getoond. De duivel voerde Jezus eveneens mee naar Jeruzalem (3), 'plaatste Hem op de bovenbouw van een tem-pelpoort,' (Mt 4:5) en daagde Hem uit zich naar beneden te storten en zich door engelen te laten redden. Jezus liet de dui-vel evenwel achter en ging terug naar Galilea om zijn predi-king te hervatten.

Intussen had Johannes de Doper felle kritiek geuit op het huwelijk van Antipas met Herodias. Zij was immers eerder gehuwd geweest met een van Antipas' broers en had hem een

kind geschonken. Johannes werd voor deze brutaliteit - zo vertelt de geschiedschrijver Flavius Josefus - gearresteerd en opgesloten in de vesting Macherus (4, kaartje hierboven). Tij-dens een groots feestmaal dat Antipas aanrichtte, danste zijn jeugdige stiefdochter Salome voor hem en zijn gasten. Anti-pas was daar zo verrukt over dat hij haar alles toezegde, wat zij maar zou wensen. Herodias fluisterde haar iets in en Salo-me vroeg het hoofd van Johannes de Doper.

Na de gevangenneming van Johannes begaf Jezus zich in de velden van Galilea, en sprak: 'De tijd is vervuld en het Rijk Gods is nabij; bekeert u en gelooft in de Blijde Boodschap' (Mc 1:15). Lucas suggereert dat Jezus in vele synagogen on-derwees en hij haalt daarbij ook het voorval van Jezus' uitwij-zing uit de synagoge van zijn geboorteplaats Nazaret aan (5, op de grote kaart hiernaast). Daarna zou Hij zijn predikingen hebben voortgezet langs de oevers van het meer van Galilea.

Hier was het dat Jezus zijn eerste discipelen rondom zich verzamelde. Simon Petrus en diens broer Andreas, beiden vissers uit Betsaïda (6), werden geroepen terwijl zij hun netten uitwierpen in het meer. 'Komt, volgt mij,' sprak Jezus, 'Ik zal maken, dat gij vissers van mensen wordt' (Mc 1:17). Twee an-dere broers, Jakobus en Johannes, zoons van Zebedeüs, wer-den ook door Jezus aangesproken, terwijl zij hun netten boet-ten. En Jezus riep ook Filippus uit Betsaïda tot zich. Kana (7) was de woonplaats van Simon, ook een van Jezus' apostelen, evenals van Natanaël, die Filippus bij Jezus bracht. Later riep Jezus nog anderen tot zich, onder wie Matteüs, een tollenaar uit Kafarnaüm (8). Als men van Betsaïda kwam - een plaats

*Vele onderzoekers hebben zich afge-vraagd waar Jezus precies is gedoopt. De Bijbel spreekt er alleen over in het Evangelie van Johannes als 'Betanië, aan de overkant van de Jordaan' (Joh. 1:28). Volgens de overlevering zou dat geweest zijn ten zuidoosten van Jeri-cho, zoals aangegeven op de kaart van Medeba uit de 6e eeuw (zie blz. 30). Voor deze overlevering is geen histo-risch bewijs gevonden. Toch brengen pelgrims nog altijd graag een bezoek aan dit stille stukje Jordaanoever even benoorden de plaats waar de rivier in de Dode Zee uitmondt. De foto toont een mozaïek van de doop uit de 5e eeuw. Het mozaïek is aangebracht in de koepel van de doopkapel in de Orthodoxe Kerk in Ravenna.*

178

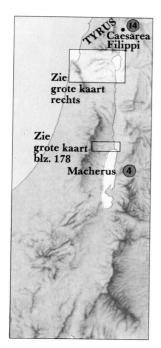

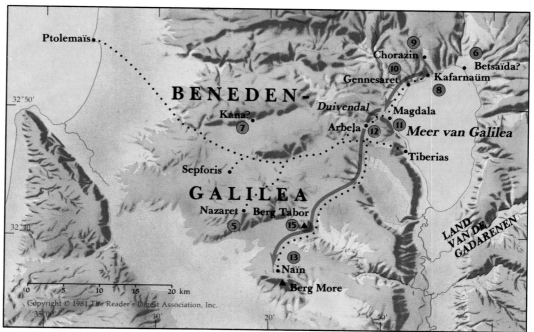

Copyright © 1981 The Reader's Digest Association, Inc.

die in het territorium van de tetrarch Filippus lag - was Kafarnäum de eerste stad op de oever van het meer binnen het gebied van Antipas. Matteüs kan daar heel goed belastingontvanger geweest zijn.

Jezus beperkte zijn predikingen en genezingen in die dagen voornamelijk tot een betrekkelijk klein gebied langs de oevers van het meer van Galilea en in het bijzonder tot de joodse dorpen aan de westkant en verderop in de heuvels van Beneden-Galilea. Kafarnäum ligt op 30 kilometer van Nazaret, waar Jezus opgroeide. Van Betsaïda, waar Jezus een blinde genas, naar het land van de Gadarenen, waar Hij bij twee mensen de duivel uitdreef, is het over de weg niet meer dan 22 kilometer. Matteüs, Marcus en Lucas vertellen verhalen die aardig parallel lopen, maar ze zijn het toch niet overal met elkaar eens over de verschillende plaatsen van handeling. Het evangelie naar Johannes lijkt een heel eigen tijdsvolgorde aan te houden en vermeldt voorvallen die in de drie andere niet voorkomen. Zodoende is het bijna onmogelijk een samenhangend verhaal op te bouwen van dit tijdperk uit het leven van Jezus, of een betrouwbaar reisschema van zijn tochten door Galilea en aangrenzende streken te volgen.

Op de weg van de tetrarchie van Filippus naar het rijk van Antipas was het kleine joodse vissersdorp Kafarnäum uitgegroeid tot een belangrijk knooppunt. Al lag de nederzetting slechts op een smalle kuststrook, waarachter de basaltheuvels op korte afstand steil oprezen, de rotsige stranden waren in die dagen het toneel van grote bedrijvigheid. Kafarnäum werd dan ook het centrum van Jezus' zendingswerk in Galilea. Marcus zegt ervan dat Jezus hier 'thuis' (Mc 2:1) was.

Hoewel Jezus zich van tijd tot tijd terugtrok voor gebed en overdenking, werd dit Hem weldra moeilijker gemaakt door zijn steeds groter wordende bekendheid en de daaruit voortvloeiende toeloop van bewonderaars. Bij één gelegenheid, toen Jezus een schare leerlingen onderwees in een huis te Kafarnäum, droegen vier mannen een verlamde binnen om door Jezus te worden genezen. Zij konden zich niet door de menigte heendringen en klommen daarom naar het dak, waar zij een stuk uit verwijderden om de draagbaar met hun ver-

lamde vriend vlakbij Jezus te kunnen neerlaten. Een andere keer, zo vertelt Marcus, 'stroomde heel de stad voor de deur samen' (Mc 1:33).

Beroemd geworden is het moment tijdens de predikingen van Jezus waarop Hij op een berg was geklommen en het volk begon te onderwijzen met de woorden: 'Zalig de armen van geest, want aan hen behoort het Rijk der hemelen' (Mt 5:3).

Het is niet te achterhalen, waar deze bergrede werd uitgesproken. De overlevering heeft er echter verschillende plaatsen voor 'geheiligd'. Nog altijd staat iets ten zuiden van Kafarnäum op een in het oog lopende heuveltop een Italiaans nonnenklooster op de plaats die 'Berg van de Zaligsprekingen' wordt genoemd.

De mensen kwamen niet alleen te voet, maar ook per boot uit Tiberias en uit vele andere dorpen om Jezus te horen. En Jezus ging ook dikwijls in omliggende synagogen prediken. Al kunnen we ook hier niet op nauwkeurige gegevens over deze of andere reizen door Galilea terugvallen, vast staat dat Jezus in Chorazin en Betsaïda is geweest.

Het dorpje Chorazin (9) ligt op ruim 3 km ten noorden van Kafarnäum aan een ruig pad langs diepe kloven. Het uitzicht over het meer van Galilea is prachtig vanaf de uitstekende rots. Een ander gedeelte moet in het ravijn verscholen hebben gelegen en het geheel werd beheerst door een synagoge. Er zijn nog altijd overblijfselen van een synagoge uit de 3e eeuw, gebouwd van het zwarte basalt dat in deze streek overvloedig voorkomt. De stenen van de synagoge zijn rijk versierd en getuigen van een zekere welvaart. Tussen deze overblijfselen is een 'leerstoel van Mozes' (Mt 23:2) gevonden met een inscriptie in het Aramees, de taal die Jezus sprak. Hierop zou de leraar van de Wet gezeten hebben. De leerstoel van Mozes in Chorazin is afkomstig uit een latere tijd dan die van Jezus. Toch roept hij zijn woorden in herinnering: 'Op de leerstoel van Mozes hebben de schriftgeleerden en de Farizeeën plaats genomen. Doet en onderhoudt daarom alles wat zij u zeggen, maar handelt niet naar hun werken; want zelf handelen zij niet naar hun woorden' (Mt 23:2-3).

179

# Vissen in het meer van Galilea

'Komt, volgt Mij; Ik zal maken, dat gij vissers van mensen wordt' (Mc 1:17). Dat zei Jezus tegen Simon Petrus en Andreas, zijn eerste twee discipelen. Een ontmoeting van Jezus met het tweetal is op bovenstaand mozaïek afgebeeld. Het meer van Galilea nam een belangrijke plaats in bij het predikingswerk van Jezus, maar het was ook van groot belang in het leven van alledag in het Heilige Land. Voor het overgrote deel van de bevolking was vis het voornaamste voedingsmiddel en het meer van Galilea zorgde voor die vis. Met zijn lengte van bijna 21 kilometer en een breedte tot ongeveer 13 kilometer leverde het meer voldoende verse vis op voor het omliggende gebied. Het zorgde ook voor de bevoorrading van een bloeiende conservenindustrie in Kafarnaüm en andere kustplaatsen, waar grote hoeveelheden vis werden gezouten en gedroogd voor verscheping door het hele Romeinse rijk.

*Er liggen nog altijd rijen vissersboten langs de kust van het meer van Galilea (onder). De vissers vertrekken bij het vallen van de avond en keren tegen zonsopgang terug met hun vangst. Een groot deel daarvan bestaat uit Petrusvis (links), die overvloedig voorkomt in het meer van Galilea.*

# Jezus in Galilea *(vervolg)*

Het vissersdorp Betsaïda was door Filippus vergroot, verfraaid en versterkt. De ligging is nooit precies vastgesteld; er zijn geen archeologische vondsten die ons kunnen helpen. Waarschijnlijk heeft het in de buurt gelegen van de plaats waar de Jordaan in het meer van Galilea uitmondt, op ongeveer vijf kilometer van Kafarnaüm.

Jezus begaf zich regelmatig van de oever van het meer naar de joodse nederzettingen in Beneden-Galilea. Onze geografische kennis van de situatie ter plaatse geeft enig inzicht omtrent de weg die Hij daarbij kan hebben genomen. Van Kafarnaüm volgde Hij de oever van het meer in zuidelijke richting via Gennesaret (10) naar Magdala (11), de woonplaats van Maria Magdalena. Sinds het ontstaan van Tiberias had Magdala aan belangrijkheid ingeboet, al bezat het nog steeds een bloeiende visserij. In westelijke richting ging de weg omhoog naar de rotskloof die 250 meter boven het meer naar het basaltplateau voerde. De dode vulkanen 'de Hoorns van Hattin' beheersten daar het landschap. De kloof heet Het Duivendal en is smal, steil en gevaarlijk. Aan weerskanten rijzen hoge pieken op, waaruit de holle ogen van talloze grotten staren. De noordwand reikt tot een hoogte van bijna 100 meter boven de waterspiegel, de zuidwand klimt tot ca. 180 meter, en dat is dan zo'n 400 meter boven het meer van Galilea.

Aan het eind van deze lange klim moet Jezus het dorpje Arbela (12) hebben kunnen zien. Waarschijnlijk heeft Hij er ook gepredikt, omgeven door de weidse graanvelden die van het dorpje uitvloeiden naar de hellingen van de Hattin. Van Arbela liep er een wat gemakkelijker weg door de velden tot aan de grote weg van Tiberias naar Ptolemaïs. En via deze drukke reisroute leidden paden naar Sepforis en Nazaret. Maar Jezus kan ook rechtstreeks naar Naïn (13) gegaan zijn. Hij moet daar zeker geweest zijn, een kleine nederzetting op een hoogvlakte, die tegen de lagere noordelijke hellingen van de berg More ligt. Hier immers heeft Hij de zoon van een weduwe uit de dood laten opstaan. Hij schijnt ook nogmaals in Kana te zijn geweest, het toneel van zijn eerste wonder van water dat Hij in wijn veranderde op een bruiloft. Alleen Johannes vertelt hierover. In Kana genas Hij ook de zoon van een hoge ambenaar van Antipas.

We weten dat Jezus niet altijd alleen werkte. Volgens Lucas 'wees de Heer (twee en) zeventig anderen aan en zond hen twee aan twee voor zich uit naar alle steden en plaatsen waarheen Hijzelf van plan was te gaan' (Lc 10:1).

Telkens kwamen Jezus en zijn discipelen echter terug naar de oever van het meer en naar Kafarnaüm. De mensen zochten Hem in drommen op. Ook Antipas zelf, die bij het vernemen van Jezus' wonderen vreesde, dat Johannes de Doper was opgestaan uit de dood om hem te ontmoeten. Jezus ging ondanks alle beroeringen rondom Hem door met zijn werk. Als zijn discipelen terugkeerden van hun tochten door Galilea nam Jezus hen mee naar een rustige plek, waar ze even konden uitrusten. Maar zodra de mensen hun bootje van wal zagen steken, liepen zij langs de oever mee om Jezus op te wachten. In een van de bekendste verhalen over zijn wonderen liet Hij 'hen tot zich komen en sprak hun over het Rijk Gods' (Lc 9:11), en tegen het einde van de dag, toen zijn discipelen Hem eraan herinnerden dat de mensen niet te eten hadden, voedde Jezus de menigte van 5000 mensen met vijf broden en twee vissen. Waarna Hij zijn discipelen met de boot heenzond, en na afscheid genomen te hebben van de mensen 'ging Hij de berg op om in afzondering te bidden' (Mt 14:23). Toen de avond viel, was de boot uit de kust gedreven en de discipelen kwamen door het ruwe weer in moeilijkheden 'want zij hadden tegenwind' (Mt 14:24).

Vlak voor zonsopgang kwam Jezus terug 'te voet over het meer' (Mt 14:25) naar de boot en zijn discipelen op hun gemak stellend, klom Hij bij hen aan boord.

En toen zij later in Gennesaret aan wal kwamen, werd Jezus door de mensen herkend en zij brachten Hem hun zieken, opdat Hij ze zou genezen.

Een andere keer voeren Jezus en zijn discipelen in een vissersbootje naar 'het land der Gadarenen' (Mt 8:28). De valwinden van de bergen die het meer van Galilea aan de westkant omzomen, kunnen heftige stormen op het meer veroorzaken. 'Toen een hevige stormbui op het meer losbarstte, maakte het schip water en ze verkeerden in nood' (Lc 8:23). Jezus die lag te slapen in de boot werd wakker gemaakt door de ervaren maar toch bang geworden vissers. Zij riepen, dat zij dreigden te vergaan. En Jezus 'richtte zich met een dwingend woord tot de wind en het woeste water; ze bedaarden en het werd stil' (Lc 8:24).

De werkzaamheden van Jezus beperkten zich niet uitsluitend tot Galilea. Hij bezocht Jeruzalem verscheidene malen (zie blz. 182) en ondernam eveneens een reis naar 'de streek van Tyrus en Sidon' (Mc 7:24) (zie inzet kaart blz. 179), vanwaar heel wat mensen naar hem waren komen luisteren. Een deel van het land van Tyrus reikte tot voorbij Boven-Galilea en het is mogelijk, dat Jezus ook daar heeft gepredikt. Zeker weten we dat niet. Marcus zegt, dat Hij terugkeerde 'midden in de streek van Dekapolis' (Mc 7:31), ten oosten van de Jordaan. Maar het is niet geheel te achterhalen, waarom Hij zo'n lange omweg naar huis zou hebben gekozen. Matteüs vertelt simpelweg, dat Jezus terugkwam naar Galilea uit het land van Tyrus en de bergen inging. 'Talrijke mensen stroomden naar Hem toe, die lammen, gebrekkigen, blinden, stommen en vele anderen met zich mee voerden om ze aan zijn voeten neer te leggen. Hij genas hen...' (Mt 15:30-31).

Na verloop van tijd begonnen de mensen Jezus de rug toe te keren. Hij bleek niet de verlangde messias, die de Romeinen zou kunnen verdrijven. Sommige Farizeeën van Galilea namen Hem in bescherming, maar anderen twistten met Hem en vroegen voortdurend waaraan Hij zijn gezag ontleende. Op een bepaald moment tijdens de preken in Galilea trok Jezus zich met zijn discipelen terug in het gebied rond Caesarea Filippi (14). Daar onderaan de hellingen van de berg Hermon vroeg Jezus dringend aan zijn volgelingen wat de mensen van Hem en zijn zending dachten. En zij antwoordden Hem dat sommigen Hem hielden voor Johannes de Doper die uit de dood was opgestaan; dat anderen dachten dat Hij Elia was en weer anderen Hem zagen als 'Jeremia of een van de profeten' (Mt 16:14). Maar Simon

*Er zijn slechts twee gedeeltelijk opgegraven ruïnes bewaard gebleven van Kafarnaüm: een eertijds prachtige synagoge uit de 4e eeuw (hierboven) en de fundering van een kerk uit de 5e eeuw. Op deze laatste plaats zou het geboortehuis van Petrus gestaan hebben.*

Petrus verklaarde: 'Gij zijt de Christus, de Zoon van de levende God' (Mt 16:16). En vanaf die tijd begon Jezus zijn leerlingen te vertellen hoe Hij zou moeten lijden, hoe Hij zou worden verworpen en gedood om vervolgens weer op te staan.

Zes dagen ging Jezus, slechts in gezelschap van Petrus, Jakobus en Johannes, naar een 'hoge berg, waar zij alleen waren' (Mt 17:1) en voor hun ogen nam Hij een andere gestalte aan. Elia en Mozes verschenen naast Hem en spraken met de in stralen gehulde Jezus. En er werd een stem uit de hemel gehoord, die zei 'Dit is mijn Zoon, de Welbeminde... luistert naar Hem' (Mt 17:5). In de Evangeliën wordt geen plaats genoemd voor deze bijzondere religieuze beleving. Pelgrims uit vroeger tijden hebben als die 'hoge berg, waar zij alleen waren' de berg Tabor (15) gezien en tegen de 6e eeuw stonden op de top van die eenzame heuvel drie kerken - één voor elke tent die de discipelen wilden opzetten voor Jezus, Elia en Mozes.

Steeds vaker onderrichtte Jezus zijn volgelingen afzonderlijk en vertelde hun dat Hij zou moeten sterven en na drie dagen weer zou opstaan. Maar zij begrepen het niet. Er is een moment geweest - we weten niet precies wanneer - waarop enige bevriende Farizeeën bij Jezus kwamen om Hem te waarschuwen: 'Vlucht, ga hier vandaan, want Herodes wil u vermoorden' (Lc 13:31). Jezus droeg hen op 'die vos' (Lc 13:32) mee te delen, dat Hij eerst zijn werk in Galilea moest voltooien. Er waren immers nog zoveel mensen te genezen, duivels uit te drijven en het volk moest onderwezen worden. Pas op de derde dag was Jezus gereed om naar Jeruzalem te gaan. 'Maar vandaag, morgen en overmorgen moet Ik voorttrekken, want het past niet, dat een profeet buiten Jeruzalem omkomt' (Lc 13:33).

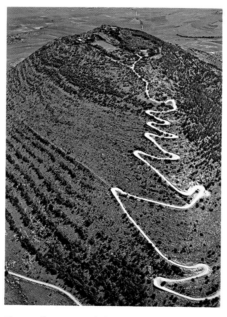

*Een smalle weg over de berg Tabor. Deze is lang beschouwd als de 'hoge berg, waar zij alleen waren' (Mt 17:1) en waar Petrus, Jacobus en Johannes getuige waren van de gedaanteverwisseling van Jezus.*

# De tochten van Jezus naar Jeruzalem

'Drie maal per jaar moet gij ter ere van Mij feestvieren' (Ex 23:14). Zo schreef de Wet van Mozes de drie belangrijke joodse feesten voor: Pasen, Pinksteren en het Loofhuttenfeest. Om deze feesten op de juiste wijze te vieren, moesten alle mannelijke Joden zich naar de tempel in Jeruzalem begeven. Het was voor vele Joden in alle uithoeken evenwel onmogelijk drie keer per jaar naar Jeruzalem te komen. De grote pelgrimstocht was voor menigeen dan ook de droom van zijn leven. In het land zelf hadden de Joden uiteraard meer gelegenheid de tocht naar Jeruzalem te ondernemen.

Handelsreizigers en bedevaartgangers waren lange tijd onderweg, maar de reis werd niet voor hun plezier ondernomen. De tochten te voet waren moeilijk, gevaarlijk en duurden lang. De reizigers moesten hun proviand meenemen of onderweg in de dorpen kopen en daar was lang niet altijd voldoende voorradig. Vooral water werd met grote zorg bewaakt. Overal en altijd loerde er evenwel gevaar, zeker als men alleen reisde en in handen kon vallen van rovers. We kennen het verhaal van de barmhartige Samaritaan: een man 'viel in handen van rovers. Ze plunderden en mishandelden hem en toen ze aftrokken, lieten ze hem halfdood liggen' (Lc 10:30) en de barmhartige Samaritaan die hem aantrof, bekommerde zich om hem. In heel de oude geschiedenis werd het Heilige Land geplaagd door struikrovers en ook in de tijd van Jezus probeerde de ene Romeinse landvoogd na de ande-

re tevergeefs voor veiligheid op de wegen te zorgen. Vandaar dat de Joden, die als pelgrims uit Babylonië naar Jeruzalem trokken, meestal in lange karavanen reisden. Zelfs mensen uit Judea verplaatsten zich in groepen, zoals we uit de Evangeliën weten.

'Rond de feestdagen plachten de Galileeërs door het Samaritaanse land te reizen, op weg naar de Heilige Stad', schrijft de historicus Flavius Josefus. Daarmee duidt hij op de directe weg die bij Ginaï (1) de heuvels van Samaria ingaat om in zuidelijke richting langs de berg Gerizzim te slingeren en dan in Jeruzalem (2) uit te komen via de oude noordzuidroute door de bergen. Het was weliswaar de kortste verbinding, maar de meeste Joden meden deze weg vanwege de vijandigheid van de kant van de Samaritanen. Nog enkele jaren na de tijd van Jezus hebben inwoners van Ginaï verwoed met joodse pelgrims uit Galilea gevochten, waarbij verscheidene doden vielen. Het was één van de uitbarstingen van felle haat, die ook lang daarvoor al voedsel gaf aan de voortdurende onveiligheid langs de wegen tussen Galilea en Jeruzalem.

Jezus moet volgens het Evangelie van Johannes minstens vijf keer bij verschillende gelegenheden in Jeruzalem zijn geweest in de periode van zijn prediking en kort na de uitverkiezing van zijn eerste discipelen en het wonder van Kana bezocht Hij de stad ter gelegenheid van het Paasfeest. Hij nam daarbij waarschijnlijk de weg over de heuvelrug. De terugtocht naar Galilea heeft Jezus vermoedelijk via het pad dwars door Samaria afgelegd. Terwijl Hij daar wandelde door het brede, warme dal ten noorden van de hellingen van Lebona (3) zag Hij op die mooie lentedag de glooiende hellingen van het oosten en de langzaam klimmende hoogten aan de westkant. Hij naderde de berg Gerizzim en aan de voet van het massief bereikte Hij Sichar (4) dicht bij de ruïnes van het oude Sichem. Waar twee belangrijke wegen samenkomen, bij de bron van Jakob, zette Hij zich neer, moe van de lange tocht. Een Samaritaanse vrouw kwam naar de bron om water uit de put te halen en Jezus sprak met haar. De vrouw wees naar de ruwe kammen van het Gerizzimgebergte die boven het dal uitrezen en zei: 'Onze vaderen aanbaden op die berg daar, en gij, Joden, zegt dat in Jeruzalem de plaats is waar men aanbidden moet' (Joh 4:20). Maar Jezus keek verder dan alleen naar de heilige berg Gerizzim van de Samaritanen en de gewijde tempel in Jeruzalem van de Joden en Hij antwoordde, 'dat de ware aanbidders de Vader zullen aanbidden in geest en waarheid' (Joh 4:23).

Weer terug in Galilea (5) hervatte Jezus zijn predikingen en genezingen, maar kort daarop ging Hij volgens Johannes terug naar Jeruzalem voor 'een feest van de Joden' (Joh. 5:1). Deze verder niet omschreven gelegenheid wordt door sommigen gezien als het Pinksterfeest, dat immers vijftig dagen na Pasen viel en het einde van de graanoogst inleidde. Johannes 7 verhaalt van een persoonlijk bezoek van Jezus aan Jeruzalem ter gelegenheid van het Loofhuttenfeest, het derde der grote pelgrimsfeesten. Dit viel in de herfst en vierde het plukken van het fruit en de olijven. Het herinnerde de Joden tevens aan de omzwervingen in de woestijn ten tijde van Mozes en aan Gods mildheid. Jezus kon zijn aanwezigheid in de stad niet stilhouden en weldra was Hij er aan het prediken.

Copyright © 1981 The Reader's Digest Association, Inc.

*Jezus trok tijdens zijn predikingen te voet door een groot deel van het Heilige Land. Hij raakte daardoor even vertrouwd met het landschap als met de bevolking. Evenals nu was het in die dagen een ruw land met heuvels en dalen. In de steden en boerendorpen woonden de meeste mensen; het platteland was maar zeer dun bevolkt. Vandaag de dag ziet het golvende landschap in de buurt van Jeruzalem er niet veel anders uit dan in de dagen dat Jezus 2000 jaar geleden tussen Galilea en de Heilige Stad reisde.*

Welke route Jezus die derde keer ook heeft genomen, het land zag er in de herfst wel heel anders uit dan in het vroege voorjaar toen Hij het Paasfeest in Jeruzalem had gevierd. Verdwenen waren de bloementapijten, de 'leliën van het veld' (Mt 6:28). Nu ruiste er een zachte bries door het verdorrende gras en langs de bomen, waardoor de witte onderkanten van de olijfbladeren af en toe zichtbaar werden. Doornen en distels, altijd pijnlijk, staken in de gelooide voeten van de reizigers die zich even van de gebaande paden af waagden.

Jezus was zeker in december in Jeruzalem voor het feest van de tempelwijding. Dit is het minder plechtige feest Chanuka, waarop herdacht wordt dat de tempel in 164 v.C. opnieuw werd ingewijd en de lampen door Judas de Makkabeeër weer werden aangestoken. Jeruzalem was dan een zee van licht, omdat niet alleen de tempel maar ook de huizen met lampen en fakkels tijdens dit acht dagen durende feest verlicht werden. Het was koud en het zou zelfs wel kunnen dat Jezus op de bergen van Judea sneeuw heeft zien liggen.

Het is mogelijk dat Jezus nimmer is teruggekeerd naar Galilea en een uitgebreid programma van predikingen afwerkte in Jeruzalem, Jericho en het gebied aan de overkant van de Jordaan ten noorden van het Asfaltmeer. Deze periode kan geduurd hebben van het Loofhuttenfeest in de herfst tot Pasen in het volgende voorjaar.

Sommige bijbelgeleerden zijn, wellicht ten onrechte, van mening dat Lucas 9:51-18:34, waarin ook de meeste bekende parabels te vinden zijn, helemaal op het zendingswerk in Perea slaat.

Wel schijnt Jezus in elk geval teruggegaan te zijn naar Perea, het werkterrein van Johannes de Doper aan de overkant van de Jordaan. Johannes vertelt over deze zendingstocht van Jezus: 'Hij ging terug naar de overkant van de Jordaan, naar de plaats waar Johannes aanvankelijk gedoopt had, en bleef daar' (Joh 10:40). Het is evenzeer mogelijk dat Jezus terugkeerde naar Galilea en er preekte tijdens Chanuka.

Lucas 9:51-56 wekt de veronderstelling dat Jezus door Samaria ging op zijn laatste tocht naar Jeruzalem. Deze veronderstelling kan echter rechtgezet worden in Marcus 10:1 en 46, Matteüs 19:1, 20:29 en Lucas 18:35, waarin Jezus voor de allerlaatste keer uit zijn Galilea wegtrekt en in Jericho aankomt na in 'het gebied van Judea en het Overjordaanse' (Mc 10:1) gepredikt te hebben. Wellicht afgeschrikt door de Samaritanen in de buurt van Ginaï is Hij naar het oosten afgebogen op de weg naar Skytopolis (6) en vervolgens naar het zuiden langs de Jordaan. Bij Faselis (7), zo'n 18 kilometer ten noorden van Jericho moet Jezus langs de eerste dadelplantages zijn gekomen tot Hij de oude oase van Jericho (8) bereikte. De reis ging dan verder door de woestijn van Judea naar Jeruzalem. Hij zette zijn prediking in Jeruzalem voort en meer omlaag in de Jordaanvallei. Na de opwekking van Lazarus in Betanië (9) en de tegenwerking van de religieuze machthebbers in Jeruzalem - vooral van de hogepriester Jozef Kajafas die de hand op Hem wilde leggen - trok Jezus zich terug. Hij begaf zich 'naar de streek bij de woestijn en wel naar de stad Efraïm, waar Hij met zijn leerlingen verbleef' (Joh 11:54).

Zes dagen voor het Paasfeest - afgaand op de tijdsvolgorde van Johannes - bezocht Jezus weer eens zijn goede vrienden Maria, Marta en Lazarus in Betanië. Daar werd Hij gezalfd met kostbare zalf, tot ongenoegen van Judas. Deze beklaagde zich erover dat de zalf verkocht had kunnen worden voor 300 denaries, het loon voor tien maanden werk en dat dit geld beter onder de armen verdeeld had kunnen worden. Jezus wierp het verwijt van zich af, zeggende: 'de armen houdt gij altijd bij u, Mij echter niet altijd' (Joh 12:8).

De volgende dag reed Jezus op een ezel van de Olijfberg op Jeruzalem af. De mensen spreidden hun gewaden over het pad en wuifden met palmtakken. 'Hosanna!' riepen zij, 'Gezegend de Komende in de naam des Heren' (Mc 11:9). En 's avonds keerde Hij naar Betanië terug.

*Een verrichting van Jezus die zeer tot de verbeelding van het publiek sprak - en tot die van kunstenaars in later tijden - was het tot leven wekken van Lazarus, die vier dagen in zijn graf had gelegen. De afbeelding hierboven is een mozaïek uit de 12e eeuw in de beroemde basiliek van St.-Marcus in Venetië.*

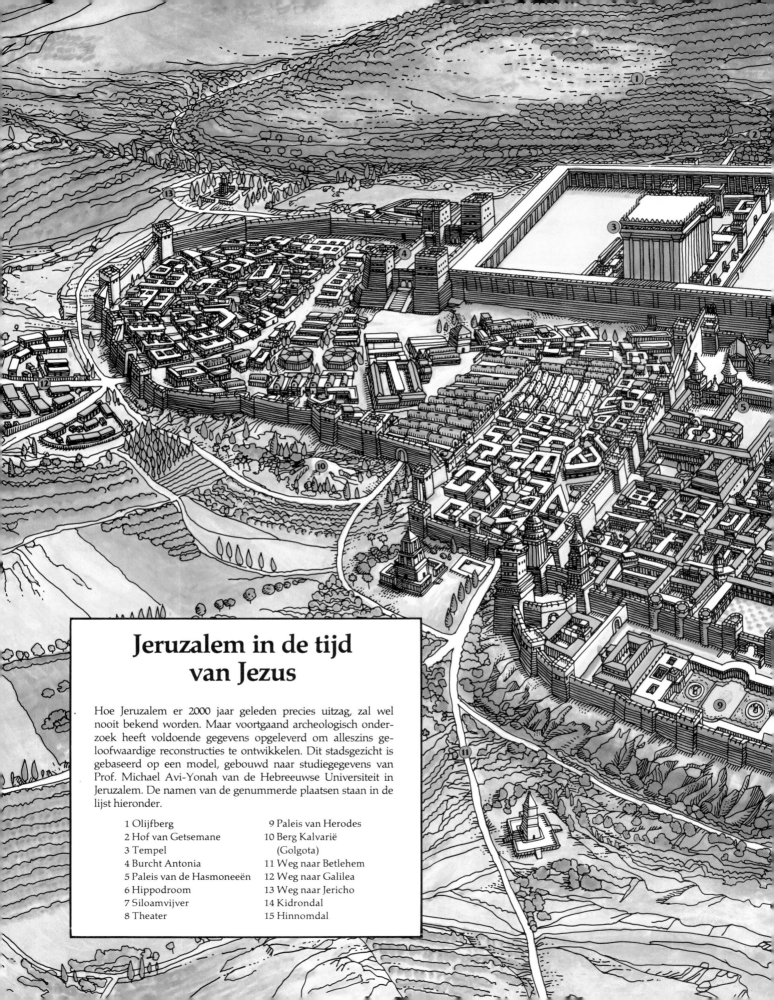

# Jeruzalem in de tijd van Jezus

Hoe Jeruzalem er 2000 jaar geleden precies uitzag, zal wel nooit bekend worden. Maar voortgaand archeologisch onderzoek heeft voldoende gegevens opgeleverd om alleszins geloofwaardige reconstructies te ontwikkelen. Dit stadsgezicht is gebaseerd op een model, gebouwd naar studiegegevens van Prof. Michael Avi-Yonah van de Hebreeuwse Universiteit in Jeruzalem. De namen van de genummerde plaatsen staan in de lijst hieronder.

| | |
|---|---|
| 1 Olijfberg | 9 Paleis van Herodes |
| 2 Hof van Getsemane | 10 Berg Kalvarië |
| 3 Tempel | (Golgota) |
| 4 Burcht Antonia | 11 Weg naar Betlehem |
| 5 Paleis van de Hasmoneeën | 12 Weg naar Galilea |
| 6 Hippodroom | 13 Weg naar Jericho |
| 7 Siloamvijver | 14 Kidrondal |
| 8 Theater | 15 Hinnomdal |

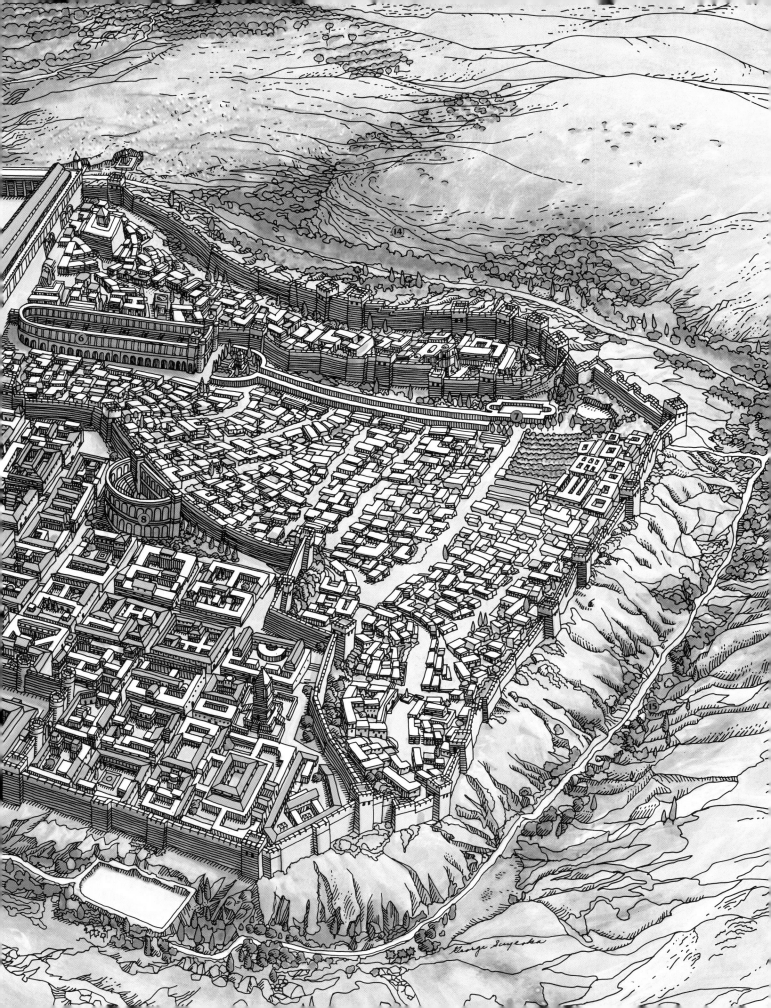

# De dood van Jezus

Toen Jezus op die eerste Palmzondag van de top van de Olijfberg afdaalde, verrees aan de overkant van het Kidrondal voor zijn ogen de glorieuze stad die daar was opgetrokken door Herodes de Grote. De weg ging eerst omlaag naar het dal en steeg daarna langzaam naar de Gouden Poort (1). Via deze toegang betrad Jezus de gewijde voorhoven van de tempel (2). Het hosanna-geroep klonk nog na in zijn oren, maar Hij zal toch geen hoge verwachtingen gekoesterd hebben over de ontvangst die Hem uiteindelijk te wachten stond. De dag was al ver heen en toen Hij alles 'in ogenschouw had genomen' (Mc 11:11) ging Hij met de twaalf apostelen terug naar Betanië.

De volgende dag was Jezus weer in de voorhof volgens de beschrijving van Marcus. Op het Tempelplein, het gedeelte dat bestemd was voor de ongelovigen, wierp hij 'de tafels van de geldwisselaars en de stoeltjes van de duivenverkopers omver' (Mc 11:15). Hij hield de lieden tegen die de voorhof misbruikten om hun handelswaar van het ene deel van Jeruzalem naar het andere te transporteren. 'Staat er niet geschreven,' schreeuwde Jezus, 'Mijn huis zal een huis van gebed worden genoemd voor alle volkeren? Maar gij hebt er een rovershol van gemaakt' (Mc 11:17). Dit viel bijzonder slecht bij de autoriteiten en zij zochten een middel om Jezus uit te schakelen omdat Hij steeds meer invloed op het volk kreeg, dat in Hem de nieuwe koning zag.

De dinsdag daarna was Jezus weer in de tempelhof en beantwoordde vragen en preekte er. De opperpriesters, schriftgeleerden en oudsten spraken hem aan. Zij tartten zijn gezag, maar Jezus kaatste hun opmerkingen terug, door hen te ondervragen waar volgens hen het gezag van Johannes de Doper dan vandaan kwam. Zij weigerden te antwoorden en Jezus zei: 'Dan zeg Ik u evenmin krachtens welke bevoegdheid Ik zo handel' (Mc 11:33). Tegen de Farizeeën en de Herodianen die hem in de val wilden laten lopen met een strikvraag over de politiek beladen kwestie van de belastingen der Romeinen zei hij: 'Geeft dan aan de keizer wat de keizer toekomt en aan God wat God toekomt' (Mc 12:17). En een schriftgeleerde die vroeg wat het belangrijkste gebod was antwoordde Jezus dat het eerste en belangrijkste gebod was God lief te hebben en het tweede 'uw naaste beminnen als uzelf' (Mc 12:31).

Op woensdag was Jezus in Betanië, waar Hij door een vrouw in het huis van Simon de melaatse werd gezalfd met kostelijke oliën. Dit was kennelijk de dag waarop Judas zich opmaakte om zijn meester te verraden. Hij ging 'naar de hogepriester en zei: "Wat wilt ge mij geven als ik Hem u in handen speel"' (Mt 26:14-15).

De donderdag werd doorgebracht met de toebereidselen tot het Paasfeest. 's Avonds ging Jezus andermaal met zijn discipelen naar de stad om het traditionele paasmaal met hen te nuttigen. We weten niet waar dat Laatste Avondmaal is gehouden, maar sinds de Middeleeuwen heeft men altijd al aangenomen, dat een van de bovenvertrekken van een gebouw op de berg Sion de plek is geweest. Dat gebouw (4) is er overigens pas neergezet in de tijd dat de kruisvaarders in Jeruzalem verbleven.

Na de maaltijd stak Jezus 'volgens zijn gewoonte' (Lc 22:39) met zijn discipelen het Kidrondal over op weg naar de Olijfberg. In de kilte van de avond trok hij zich terug in de Hof van Getsemane om kracht te putten uit gebed en zich over te geven aan de wil van God. Het was overigens geen wonder dat Jezus zich goed thuis voelde in deze streek. Het Kidrondal en de hellingen van de Olijfberg werden tijdens de grote joodse feesten altijd overstroomd door arme pelgrims, die er hun kampementen opsloegen. Judas kende dit gebied in elk geval zeer goed, de Judas die op dat moment met een groep tempelbewaarders naderbij kwam. Jezus was in gebed verzonken en zijn discipelen sliepen. Judas groette zijn vriend en meester op de manier, die toendertijd in het hele oosten onder goede bekenden gebruikelijk was, met een kus. Hij wees Hem daarmee volgens afspraak aan als de man die gepakt moest worden.

*Het Jeruzalem dat Jezus kende, was een dichtbevolkte stad met vele kronkelige straatjes en nauwe doorgangen. Het oude centrum van het hedendaagse Jeruzalem lijkt er nog sterk op. Een wandeling door deze oude kern van de stad is een bijzondere belevenis.*

Jezus werd meegevoerd naar het huis van Jozef Kajafas, de hogepriester. Daar werd hij ondervraagd door een aantal godsdienstige hoogwaardigheidsbekleders onder leiding van Annas, de schoonvader van Kajafas. Het is zo goed als zeker, dat deze ondervraging heeft plaatsgehad in een voorname wijk van de bovenstad. Recente opgravingen hebben daar grote, fraai gebouwde huizen blootgelegd, die in Romeinse stijl moeten zijn opgetrokken voor de rijken. We weten dat de hogepriester Ananias tussen de jaren 48 en 58 in die bovenstad heeft gewoond en men mag aannemen, dat ook Kajafas er zijn residentie had. Maar waar precies? In het jaar 808 heeft een bezoeker aan Jeruzalem de kerk van *St.-Petrus' Tranen* beschreven, die op de berg Sion stond. In onze dagen is een fraaie kerk tegen de helling van de berg bekend als *St.-Petrus in Gallicantu*, herinnerend aan het kraaien van de haan in de hof van Kajafas' huis, volgend op de drie keren dat Petrus Jezus verloochende. Er is overigens nog een andere overlevering, die teruggaat tot de Pelgrim van Bordeaux (333). Volgens dat verhaal stond het huis van Kajafas (5) hogerop, tegen de helling van de berg Sion. Israëlische opgravingen in 1971-1972 hebben aan het licht gebracht, dat ook daar luxueuze huizen hebben gestaan in Jezus' tijd. De onderzoekers kwamen tot de slotsom, dat de plaatsbepaling uit de vierde eeuw waarschijnlijk dicht bij de waarheid komt.

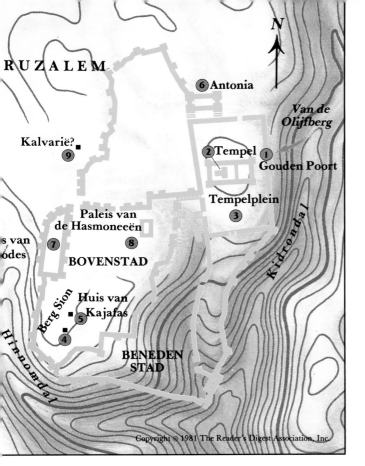

RUZALEM

⑥ Antonia

Van de
Olijfberg

Kalvarië?
⑨

②Tempel ①
Gouden Poort

Tempelplein
③

Paleis van
de Hasmoneeën

s van
odes
⑦                    ⑧

BOVENSTAD

Berg Sion   Huis van
⑤  Kajafas
④

Hinnomdal

Kidrondal

BENEDEN
STAD

Copyright © 1981 The Reader's Digest Association, Inc.

Kort na zonsopgang begaven de opperpriesters zich naar het hoofdkwartier om een politieke aanklacht tegen Jezus op te stellen. Sinds de vierde eeuw is men er praktisch ononderbroken vanuit gegaan, dat Jezus voor Pontius Pilatus werd gebracht in de burcht Antonia (6). Maar er zijn ook geleerden die beweren dat Pilatus Jezus in het paleis van Herodes (7) voor zich liet verschijnen.

Lucas vertelt ons dat Pilatus, na de aanklacht tegen Jezus gehoord te hebben, vroeg of de beschuldigde een Galileeër

was. In dat geval zou hij immers onder de jurisdictie van Herodes Antipas vallen. Antipas was toevallig voor een vakantieverblijf in de stad en Pilatus stuurde Jezus naar hem toe. Waarschijnlijk verbleef hij in het Paleis van de Hasmoneeën (8). Antipas wilde al geruime tijd kennismaken met deze beroemde onderdaan en deed nu dapper met zijn soldaten mee bij het bespotten van de gevangene. 'Hij hing Hem een schitterend gewaad om en zond Hem terug naar Pilatus' (Lc 23:11). De Romeinse landvoogd gaf toen tenslotte toe aan de aandrang van de kant van 'de hogepriesters, de overheidspersonen en het volk' (Lc 23:13) en veroordeelde Jezus tot de dood aan het kruis.

Er bestaat ook verschil van mening over de juiste plaats van Kalvarië - Golgota. Sedert 355 stond er al een kerk op dezelfde plaats waar zich nu de H. Grafkerk bevindt en men nam algemeen aan dat dit Kalvarië (9) was. Nu ligt de heuvel binnen de muren van Jeruzalems oude stadscentrum, maar in de dagen van Jezus was het een betrekkelijk kleine heuvel van zo'n 4 meter hoog, net even buiten de westelijke stadsmuren. Engelse opgravingen in het midden van de jaren zestig wezen uit, dat het terrein niet buiten de muren van de stad lag in de tijd van Jezus en dat er ook helemaal geen gebouwen op stonden. Het zou dus best een tuin geweest kunnen zijn, zoals Johannes ook zegt.

Op de zondag na de kruisiging verspreidde het schokkende nieuws zich onder Jezus' volgelingen; het graf zou niet alleen leeg zijn, maar Hij was bovendien uit de dood verrezen en verschenen aan Maria Magdalena en anderen. Dezelfde avond verscheen Hij aan zijn discipelen toen zij angstig bijeen waren achter gesloten deuren. 'Vrede zij u' (Lc 24:36), sprak Hij en Hij toonde hun zijn doorboorde handen en voeten. Er werden meer verschijningen gemeld. Uit Jeruzalem, het nabijgelegen Emmaüs en Galilea. En tenslotte vernam men dat Hij in het bijzijn van zijn discipelen ten hemel was opgenomen. Vandaag de dag staat er op de Olijfberg nog altijd een kleine kapel ter nagedachtenis aan de hemelvaart van Jezus.

*Twee beelden van het Laatste Avondmaal. Links liggen Jezus en zijn discipelen op de traditionele wijze aan tafel, terwijl Judas juist zijn hand in de schaal doopt. Rechts wast Jezus zijn leerlingen de voeten. De illustratie maakt deel uit van de Codex Rossanensis, een perkamenten manuscript van de Evangeliën dat wordt bewaard in het Italiaanse Rossano. Volgens geleerden is het van Syrische of Byzantijnse herkomst, daterend van de 6e eeuw.*

# Eerste verspreiding van het Evangelie

Vijftig dagen na het Paasfeest dat eindigde met de kruisiging van Jezus, kwamen zijn volgelingen in Jeruzalem bijeen, ter viering van het Pinksterfeest. 'Plotseling kwam uit de hemel een gedruis alsof er een hevige wind opstak en heel het huis waar zij gezeten waren, was er vol van... Zij werden allen vervuld van de heilige Geest' (Hnd 2:2-4). De ongeletterde Galileeërs begaven zich prompt naar buiten om in de straten van de stad het blijde nieuws over Jezus bekend te maken. Als gevolg van een prediking van Petrus werden er tijdens die pinksterdagen zo'n 3000 mensen gedoopt. Dit was het begin van de verspreiding van het Christendom, zoals in de Handelingen der Apostelen is vastgelegd.

Het aantal gedoopten groeide met de dag, maar dat gold ook voor het verzet tegen de nieuwe godsdienst. Op een middag begaven Petrus en Johannes zich naar de tempel om er te bidden en voor zij naar binnen gingen, genazen zij een kreupele, die aan de Gouden Poort zat te bedelen. Er verzamelde zich een grote menigte en het tweetal begon te preken, waarop zij onmiddellijk werden gearresteerd. Na een nacht in de cel te hebben doorgebracht, werden de twee mannen de volgende dag voor de rechters gebracht en zij kregen het verbod verder te prediken of te onderwijzen in de naam van Jezus. Maar Petrus en Johannes zeiden vrijmoedig: 'Oordeelt zelf, of het voor God te rechtvaardigen zou zijn als wij meer naar u luisterden dan naar God. Het is voor ons onmogelijk niet te spreken over hetgeen wij gezien en gehoord hebben' (Hnd 4:19-20). Het tweetal kreeg nog meer bedreigingen te horen, maar werd toch vrijgelaten. Enige tijd later werden zij weer gearresteerd en onmiddellijk voor de rechtbank gesleurd. Hun moed en hun uitdagende houding wekten de woede op van sommige rechters. Maar de geleerde Farizeeër Gamaliël maande zijn collega's tot kalmte: '...laat ze hun gang gaan. Gaat deze opzet of dit werk van mensen uit, dan zal het op niets uitlopen. Gaat het echter van God uit, dan zult gij hen niet uiteen kunnen slaan' (Hnd 5:38-39).

Niet iedereen was het eens met deze wijze raad en de gevoelens van afkeer jegens de volgelingen van Jezus begonnen hoog op te lopen. Stefanus, een van de zeven pas gekozen diakens van de kerk van Jeruzalem, verkondigde dat hij tot het nieuwe geloof was overgegaan. Zijn keuze wekte echter de woede van velen op. Het volk sleepte hem de stad uit en bracht hem daar door steniging om het leven. Daarmee was de eerste martelaar van het Christendom gevallen. De dood van deze Stefanus werd het sein tot een algemene vervolging van de aanhangers van Jezus in Jeruzalem en velen hunner vluchtten. Zij namen hun nieuwe geloof mee naar Cyprus, Antiochië, Damascus en naar vele plaatsen ver buiten Judea.

Filippus, ook een van de zeven diakens, ging van Jeruzalem (1) naar 'de stad van Samaria' (Hnd 8:5) (2) en predikte daar met overweldigend succes de nieuwe leer. Petrus en Johannes kwamen Filippus helpen en het drietal verbreidde het evangelie in vele dorpen van Samaria voor ze terugkeerden naar Jeruzalem.

Filippus is niet lang meer in Jeruzalem gebleven. Een Ethiopische eunuch, een hooggeplaatste aan het hof van koningin Kandake van Ethiopië, was naar de hoofdstad gekomen voor een pelgrimstocht en keerde nu weer naar zijn land terug. Filippus werd door een engel gewaarschuwd, dat hij deze Ethiopiër moest opzoeken en Filippus ging en volgde het bevel van de engel op: '...ga de weg op die van Jeruzalem naar Gaza loopt' (Hnd 8:26). De snelste verbinding van Jeruzalem (3) leidde via Bet Ter (4) en dan door het Ela-dal, waar David tegen Goliat streed; vervolgens langs de voet van de berg, waarop ooit de stad Azeka had gelegen, om tenslotte zuidwaarts de Laagte te doorkruisen en bij Betogabris (5) uit te komen. Deze plaats was Marisa opgevolgd als de belangrijkste nederzetting in westelijk Idumea. Bij dit belangrijke kruispunt van wegen konden reizigers naar het zuiden trekken via de heuvel van Lakis, om vervolgens naar het zuidwesten de vlakten van Gaza (6) te bereiken. Wellicht heeft Filippus ergens op deze vlakte de wagen van de Ethiopiër ingehaald en hem horen lezen uit Jesaja: 'Als een schaap werd Hij ter slachtbank geleid' (Hnd 8:32). Toen Filippus hem uitlegde dat deze passage op Jezus sloeg, werd de hoveling tot het nieuwe geloof bekeerd. Hij liet zich dopen in een stroompje langs de weg en zette vol vreugde zijn reis door Egypte naar Ethiopië voort. Filippus ging naar Azotus (7). 'Daar trok hij rond en predikte de blijde boodschap in alle steden totdat hij in Caesarea (8) kwam' (Hnd 8:40).

Oorspronkelijk voorbehouden aan Joden en aanhangers van het Judaïsme begon het Christendom nu ook aanhang te krijgen onder de heidenen. Toen Petrus bij de oude heerbanen van Lydda (9) aankwam, genas hij daar de kreupele Eneas. De discipelen in Joppe (10) vernamen dat Petrus in de buurt was - zo'n 15 kilometer van hen vandaan - en zij stuurden iemand naar hem toe om te vragen of hij te hulp wilde komen. Dorkas, een bekende inwoonster 'onuitputtelijk in het doen van goede werken en het geven van aalmoezen' (Hnd 9:36) was gestorven. Petrus ging erop af, sloot zich op in een kamer met de dode vrouw, bad en wekte haar weer tot leven. Hij bleef verscheidene dagen in Joppe en woonde daar in het huis van een leerlooier, Simon.

In Caesarea leefde een vrome Romeinse soldaat, genaamd Cornelius, die zich bij de synagoge had aangesloten als 'god-

*Dit ivoren paneel uit de 5e eeuw toont drie rouwende vrouwen. Bij het lege graf ontmoeten zij een engel. Bovendien zien we hoe Jezus aan Gods hand over de wolken heen ten hemel vaart.*

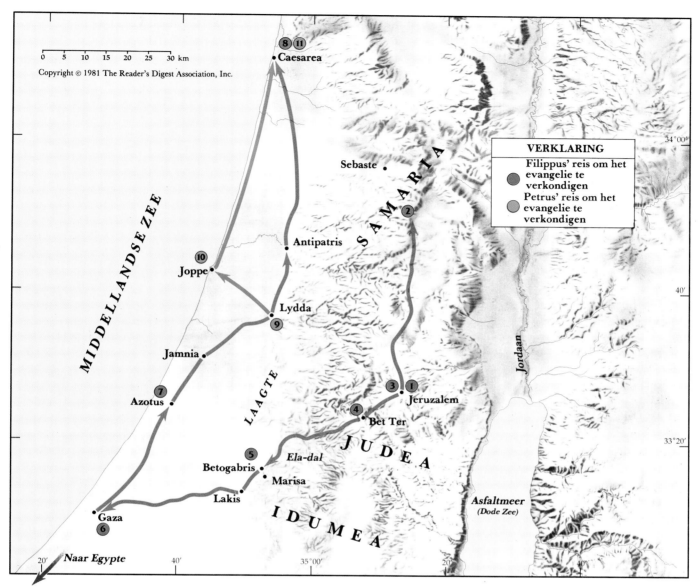

MIDDELLANDSE ZEE

SAMARIA

Sebaste •

• Antipatris

⑩
Joppe •

Lydda •
⑨

Jamnia •

⑦
Azotus •

LAAGTE

③ ①
Jeruzalem •
④
• Bet Ter

JUDEA

⑤
Betogabris •
Ela-dal
• Marisa

Lakis •

Gaza •
⑥

IDUMEA

Jordaan

Asfaltmeer
(Dode Zee)

⑧⑪
• Caesarea

*Naar Egypte*

VERKLARING

Filippus' reis om het evangelie te verkondigen

Petrus' reis om het evangelie te verkondigen

vrezende'. Hij had de Wet bestudeerd, doch was niet besneden en gehoorzaamde evenmin aan de Joodse voedselwetten. In een visioen kreeg hij de opdracht iemand naar Joppe te sturen om Petrus te halen. Ook Petrus had terzelfder tijd een visioen. Midden op de dag was hij naar het dak van Simons huis gegaan om zich af te zonderen voor het gebed. Hij zag iets neerdalen 'in de vorm van een groot laken, dat aan de vier punten op aarde neergelaten werd' (Hnd 10:11). Er waren allerlei dieren in verborgen, waaronder reptielen en vogels. Een stem beval hem ze te doden en te nuttigen, maar Petrus wierp tegen dat dit verboden werd door de joodse wetten; ze waren immers onrein. 'Beschouw niet als onheilig wat God rein heeft verklaard' (Hnd 10:15), zei de stem.

Terwijl Petrus nadacht over de betekenis van dit visioen, traden de boodschappers van Cornelius binnen. De volgende dag ging Petrus met enkele metgezellen naar Caesarea (11), waar Cornelius hem vroeg 'om alles te vernemen wat u door de Heer is opgedragen' (Hnd 10:33). En nu wist Petrus wat het visioen op het dak in Joppe beduidde en hij sprak: 'Nu besef ik pas goed, dat er bij God geen aanzien des persoons bestaat,

maar dat uit welk volk ook ieder die Hem vreest en het goede doet, Hem welgevallig is' (Hnd 10:34-35). Petrus vertelde Cornelius en diens vrienden alles over Jezus, zodat 'ook over de heidenen de gave van de heilige Geest was uitgestort' (Hnd 10:45). De berichten over deze verbazingwekkende gebeurtenis hadden Jeruzalem al bereikt, voor Petrus er zelf aankwam. In de stad kreeg hij ernstige kritiek te verduren over het feit, dat hij het had aangedurfd Cornelius te bezoeken en met hem te eten. Velen in Jeruzalem waren van mening dat Jezus' boodschap alleen bestemd was voor Joden en Petrus probeerde hun uit te leggen dat zij het bij het verkeerde eind hadden.

Er kwamen vreemde berichten uit Antiochië. Lieden die waren gevlucht voor de vervolgingen na de dood van Stefanus, hadden niet-Joden in Antiochië bekeerd. De kerk van Jeruzalem zocht Jozef Barnabas, een leviet uit Cyprus aan, om de kwestie ter plaatse te gaan onderzoeken. Deze stemde echter in met wat hij aantrof en 'wekte allen op met hart en ziel de Heer trouw te blijven' (Hnd 11:23). Om hem bij het kersteningswerk in Antiochië te helpen, koos Barnabas een van de opmerkelijkste nieuwe bekeerlingen uit, Saulus van Tarsus.

# De bekering van Saulus

De vurige jonge Farizeeër Saulus uit Tarsus had de steniging van Stefanus bijgewoond en was het er ook volledig mee eens. Hij had zich met grote geestdrift bij de vervolgers van Jezus' aanhangers geschaard. Vrome lieden zorgden luid wenend voor de begrafenis van Stefanus en tegelijkertijd trok Saulus van leer tegen de kerk, 'waarbij hij het ene huis na het andere binnendrong, mannen en vrouwen wegsleepte en overleverde om gevangen gezet te worden' (Hnd 8:3).

De Jood Saulus, wiens Griekse naam Paulus was, werd evenals zijn vader Farizeeër en trok naar Jeruzalem. 'Gij hebt toch gehoord,' schrijft hij in de brief aan de Galaten, '...hoe ver ik het bracht in de joodse godsdienst, vele leeftijdgenoten onder mijn volk overtreffend in mijn grenzeloze ijver voor de overleveringen van mijn voorouders' (Gal 1:13,14). Het was dit fanatisme en de vrees dat de boodschap van Jezus zijn oude geloof zou kunnen ondermijnen, die Saulus tot zijn heftige verzet tegen het Evangelie brachten.

In Jeruzalem (1) kreeg Saulus 'wiens ziedende woede nog steeds de leerlingen van de Heer met de dood bedreigde..' (Hnd 9:1), toestemming van de hogepriester om naar Damascus te reizen en alle volgelingen van Jezus die hij daar in de synagogen aantrof, uit te roeien. Hij haastte zich naar het noorden - langs welke weg is niet bekend. Maar hoe hij ook is gereisd - mogelijk bij Sichar afslaand naar Skytopolis (2) en via Hippos - hij kwam uiteindelijk aan op de hoogvlakten ten oosten van het meer van Galilea en stak het grote rotsplateau voor Damascus (3) over. Toen hij bij de oude stad aankwam, werd hij getroffen door een verblindend visioen. 'Saul, Saul, waarom vervolgt gij Mij?' (Hnd 9:4) riep een stem uit. Saulus vroeg wie er tot hem sprak en hij vernam het gedenkwaardige antwoord: 'Ik ben Jezus, die gij vervolgt. Maar sta op en ga de stad in; daar zal iemand u zeggen wat ge doen moet' (Hnd 9:5-6). Zijn metgezellen brachten de met blindheid getroffen Saulus de stad binnen en hij bleef daar drie dagen en al die tijd 'kon hij niet zien en at of dronk hij niet' (Hnd 9:9). In een visioen gaf de Heer Ananias opdracht Saulus de handen op te leggen om hem het gezichtsvermogen terug te geven. Daarbij 'vielen hem als het ware de schellen van de ogen' (Hnd 9:18) en Saulus stond op en liet zich dopen.

Er ontstond grote verwarring onder de Joden van Damascus, toen Saulus in de synagogen begon te prediken dat Jezus de zoon van God was. Zij waren zijn meedogenloze vervol-

Copyright © 1981 The Reader's Digest Association, Inc.

gingen van vroeger nog niet vergeten. En toen Saulus bij zijn nieuwe opvattingen bleef, groeide bij de Joden het besluit hem te doden. Hij wist evenwel aan zijn dreigende moordenaars te ontkomen door zich in een rieten mand over de stadsmuur te laten zakken. Volgens de Brief aan de Galaten vluchtte hij naar het zuiden, 'naar Arabië' (Gal 1:17), hetgeen wil zeggen dat hij zijn heil zocht in het door koning Aretas van de Nabateeërs (4) beheerste gebied. Drie jaar later keerde hij naar Jeruzalem (5) terug.

De discipelen voelden er aanvankelijk niets voor Saulus als een van de hunnen te aanvaarden, hoewel hij weldra 'onverschrokken optrad in de naam van de Heer' (Hnd 9:28), waarmee hij zich de vijandschap van de Hellenisten in Jeruzalem op de hals haalde. Hij vluchtte naar Caesarea (6) om zich in te schepen voor de thuisreis naar Tarsus (7). Hij bleef er tot Barnabas hem meenam naar Antiochië (8). De twee mannen werkten een jaar lang samen, de kerk groeide en 'het was in Antiochië dat de leerlingen voor het eerst christenen werden genoemd' (Hnd 11:26).

Later, toen er in Judea een hongersnood uitbrak, zond de kerk van Antiochië Barnabas en Paulus (zoals we hem nu wel kunnen noemen) naar Jeruzalem om de nood van de broeders te helpen lenigen. Er braken ernstige vervolgingen uit onder Herodus Agrippa I, de kleinzoon van Herodus de Grote. Agrippa was ondanks zijn Romeinse opvoeding sterk pro-joods, wat hem er waarschijnlijk toe heeft gebracht de groeiende christengemeenschap in Jeruzalem uit te roeien. Tijdens het Paasfeest werd de apostel Jakobus 'met het zwaard' (Hnd 12:2) gedood en Petrus werd gevangen genomen en onder zware bewaking gesteld. Maar tijdens de nacht voor zijn berechting 'lag Petrus met twee kettingen vastgebonden te slapen tussen twee soldaten' (Hnd 12:6) en werd hij op miraculeuze wijze uit zijn gevangenschap bevrijd. Hij vluchtte naar het huis van Maria, de moeder van Johannes Marcus, waar hij zich verborg tot hij veilig de stad kon uitkomen om op een geheime plaats te kunnen onderduiken. De soldaten van Agrippa zochten Petrus tevergeefs en Agrippa keerde terug naar Caesarea. Volgens de beschrijving van Flavius Josefus werd de koning in het jaar 44 tijdens een openbaar feest in het amfitheater in die plaats door een plotselinge felle pijn overvallen. Zijn ziekte duurde niet lang en hij stierf kort daarna. De christenen zagen in deze voortijdige dood de wrekende hand van God voor Agrippa's wrede vervolging van de kerk.

# De zendingsreizen van Paulus

Barnabas en Paulus werden onder de leiders van de kerk van Antiochië uitverkoren om het evangelie naar het westen te verbreiden. Volgens de Handelingen der Apostelen zeilden de twee samen met Johannes Marcus van Seleucië (1, kleine kaart, blz. 193) over de Middellandse Zee - in die tijd een Romeinse binnenzee - naar Cyprus.

De Joden waren, op de vlucht voor de niet aflatende rampen in het eigen land, over het hele Romeinse keizerrijk verspreid en maakten waarschijnlijk wel 20 procent van de bevolking uit. Sinds de tweede helft van de vierde eeuw v.C. al was er op Cyprus een joodse gemeenschap geweest en de christenen hadden zich zelfs reeds voor de komst van Paulus op het eiland gevestigd. Over de activiteiten van Paulus in Salamis (2), de grootste stad van het eiland en een belangrijke haven in die dagen, is alleen bekend dat hij en zijn metgezellen er 'het woord Gods' (Hnd 13:5) predikten.

Zij trokken vervolgens over 'het hele eiland tot Pafos' (Hnd 13:6), waar aan de zuidoostelijke kust het Romeinse bestuurscentrum was gevestigd (3).

In Pafos beval de Romeinse gezaghebber, Sergius Paulus, de zendelingen hem te laten horen wat zij predikten. Hij kwam samen met 'een valse profeet, een zekere Barjezus' (Hnd 13:6), die volgens een profetie van Paulus met blindheid zou worden geslagen. 'Terstond viel er een dikke duisternis over hem en rondtastend zocht hij iemand om hem bij de hand te leiden' (Hnd 13:11). Toen Sergius Paulus dit zag, was hij bekeerd.

Van Pafos voer 'het gezelschap van Paulus' (Hnd 13:13) naar de kust van Klein-Azië. Blijkbaar predikten de zendelingen niet in Perge (4), hoewel dit hun eerste aanlegplaats was. Paulus werd namelijk door een plotselinge 'ziekte' (Gal 4:13) gedwongen zo snel mogelijk het ongezonde klimaat te verlaten. Ze trokken verder naar de koelere hooglanden in de buurt van Pisidië. In de stad Perge verliet Johannes Marcus hen en keerde terug naar Jeruzalem. Te Antiochië in Pisidië (5) begaf Paulus zich op de sabbat naar de synagoge. Daar werd hem gevraagd of hij 'een opwekkend woord tot het volk' (Hnd 13:15) zou willen spreken. Hij herinnerde aan de grootse werken van God in de geschiedenis van de mensheid en sprak daarbij over de opstanding van Jezus ter vervulling van oude beloften aan Israël. Enkelen van de toehoorders vroegen Paulus en Barnabas de volgende sabbat toch vooral terug te komen en anderen, zowel Joden als bekeerden, gingen met hen mee om meer van hem te vernemen.

Ten aanhore van een grote menigte scholden de Joden de volgende sabbat Paulus evenwel uit en spraken hem tegen. Er gebeurde toen iets opmerkelijks. Paulus wendde zich tot de heidenen van Antiochië en hij haalde de woorden van Jesaja aan: 'Ik heb u geplaatst als een licht voor de heidenen' (Hnd

*Op dit 12e-eeuwse mozaïek maakt de apostel Paulus een zegenend gebaar naar de heidenen. De afbeelding is te zien in de kathedraal van Monreale op Sicilië. Paulus bezocht het eiland tijdens zijn reis naar Italië.*

13:47). Vele ongelovigen haalden hem verheugd binnen. Zijn joodse tegenstanders echter 'veroorzaakten een vervolging tegen Paulus en Barnabas' (Hnd 13:50) en zij joegen de beide mannen de stad uit.

Na het gebergte te hebben doorkruist en via de lagere heuvels te zijn afgedaald naar de kust kwamen Paulus en Barnabas in Ikonium (6). In dit belangrijke handelscentrum op de weg tussen Syrië en Azië troffen zij een aanzienlijke joodse gemeenschap aan. Indachtig zijn beginsel: 'allereerst de jood' (Rom 1:16) begaf Paulus zich naar de synagoge van Ikonium, waar de gebeurtenissen van Antiochië zich herhaalden. De meningen onder de toehoorders waren verdeeld en er waren zowel Joden als heidenen voor en tegen Paulus. Toch konden Paulus en Barnabas hier 'geruime tijd' (Hnd 14:3) blijven tot zij vernamen dat er een samenzwering tegen hen bestond om 'hen te mishandelen en te stenigen' (Hnd 14:5). Weer moesten zij vluchten, nu naar het zuiden, waar ongeveer 40 kilometer verderop Lystra (7) lag. Evenals Antiochië en Ikonium behoorde Lystra tot de Romeinse provincie Galatië. De plaats lag ingeklemd tussen lage heuvels aan de voet van het Taurusmassief.

De genezing door Paulus van een kreupele veroorzaakte in Lystra een geweldige opschudding. Men riep uit: 'De goden zijn in mensengedaante tot ons neergedaald' (Hnd 14:11). De zendelingen konden de menigte er nauwelijks van weerhouden hen allerlei offeranden te brengen, maar de stemming sloeg plotseling om toen fanatieke Joden uit Antiochië en Ikonium zich onder de menigte mengden. Paulus werd gestenigd en de stad uitgesleurd, waar men hem meer dood dan levend achterliet. Dank zij behulpzame vrienden kon hij de nacht nog in de stad doorbrengen voor hij met Barnabas naar Derbe (8) vluchtte.

In deze grensplaats, die zo'n 75 km van de Romeinse invloedssfeer verwijderd lag, konden de mannen in vrede prediken. Zij maakten er vele bekeerlingen.

Het tweetal keerde later terug naar Lystra, Ikonium en Antiochië om de christenen daar aan te moedigen 'in het geloof te volharden' (Hnd 14:22).

Toen Paulus aan het eind van zijn leven terugblikte op zijn werk herinnerde hij zich 'de vervolgingen en het lijden' (2 Tim 3:11) en hij doelde daarmee op zijn ontberingen tijdens zijn eerste zendingstocht door Klein-Azië.

Ze keerden terug naar de vlakte van Pamfylië 'omdat zij door de heilige Geest ervan weerhouden waren het woord te verkondigen in Asia' (Hnd 16:6). Zij begaven zich naar Attalia (9), al twee eeuwen lang een belangrijke haven, die voor de doorvoer van goederen uit de omgeving naar Syrië en Egypte zorgde. Hier vonden zij een schip met bestemming Seleucië Pieria. Later schreef Paulus: 'Drie maal heb ik schipbreuk ge-

191

# De zendingsreizen van Paulus (vervolg)

leden' (2 Kor 11:25). We weten maar van één schipbreuk en die vond plaats tijdens zijn reis naar Rome.

Paulus en Barnabas keerden na ongeveer 2 jaar lang weggebleven te zijn terug naar de kerk van Antiochië (10) in Syrië en 'vertelden alles wat God met hun medewerking tot stand had gebracht en hoe Hij voor de heidenen de poort van het geloof had geopend' (Hnd 14:27). De berichten hierover bereikten kennelijk de kerk van Jeruzalem (11) en daar maakte menigeen bezwaar tegen het feit dat de bekeerden niet waren besneden en dat ze zich niet hadden onderworpen aan de wetten van Mozes. Er werden afgevaardigden uit Jeruzalem naar Antiochië gestuurd om deze kwestie nog eens te onderstrepen. Daaruit vloeide een twistgesprek voort met Paulus en Barnabas en er bleek een duidelijke crisissituatie te zijn ontstaan in het nog zo jonge leven van de kerk. Paulus, Barnabas en een aantal anderen kregen de opdracht naar Jeruzalem te gaan om de zaak voor te leggen aan de apostelen en de oudsten. In Jeruzalem bleken sommige christenen 'afkomstig uit de partij der Farizeeën' (Hnd 15:5) van mening dat niemand zich christen mocht noemen als hij niet besneden was en zich voegde naar de joodse wetten. Petrus en Jakobus, voorgangers in de kerk van Jeruzalem, steunden Paulus en Barnabas. Maar om de vrede te bewaren, drongen zij er op aan, dat heidense bekeerlingen zich dienden 'te onthouden van spijzen die aan afgoden geofferd zijn, van bloed, van wat verstikt is en van ontucht' (Hnd 15:29). Judas Barsabbas en Silas werden aangewezen om Paulus en Barnabas te vergezellen op hun terugreis naar Antiochië (12) en de kerk daar op de hoogte te brengen van de genomen besluiten. Er werd niets vermeld over andere rituele wetten of de besnijdenis of anderszins 'de leerlingen een juk op de hals te leggen' (Hnd 15:10), zoals Petrus het uitdrukte.

Na verschillende omzwervingen kwamen zij uiteindelijk aan in Derbe, Lystra en Ikonium (14). In deze vertrouwde steden vertelde Paulus het nieuws over de besluiten die in Jeruzalem waren genomen aan de gelovigen. In Lystra voegde Timoteüs, een zoon van een joods-christelijke moeder en een Griekse vader, zich bij de zendelingen. Hij zou een trouwe metgezel van Paulus blijven gedurende bijna het gehele verdere leven van de apostel.

Paulus heeft vanaf dit punt blijkbaar het plan opgevat de hoofdweg naar het westen toe te vervolgen, in de richting van de Romeinse provincie Asia, waarvan het geweldige Efeze de hoofdstad was. Maar 'omdat zij door de heilige Geest ervan weerhouden waren het woord te verkondigen in Asia' (Hnd 16:6) gingen zij daarentegen van Antiochië in Pisidië naar het noorden door westelijk Galatië en Frygië (de exacte route is niet bekend) in de richting van Bitynië. Maar 'de Geest van Jezus stond hun dit niet toe' (Hnd 16:7). Na een reis van meer dan 150 kilometer naar het noorden bogen de zendelingen westwaarts in de richting Troas (15). Dit was bepaald niet zomaar een uitstapje, want later heeft Paulus hier enkele streken opnieuw bezocht om 'alle leerlingen te sterken' (Hnd 18:23), die hij er eerder had gemaakt.

De levendige havenstad Troas stond bekend als de toegang tot Macedonië. Dat bleek het ook voor Paulus te zijn. In Troas kreeg hij een visioen, waarin een manspersoon hem smeekte: 'Steek over naar Macedonië en kom ons te hulp' (Hnd 16:9). Het was kennelijk ook in Troas dat de heiden Lucas zich aansloot bij Paulus, Silas en Timoteüs. Op dit punt gaat de schrij-

ver van de Handelingen der Apostelen - Lucas dus - namelijk over op de 'wij'-vorm. Het gaat hier over dezelfde Lucas die later een van de vier Evangeliën zou schrijven.

De zendelingen voeren van Troas in noordwestelijke richting naar het bergachtige eiland Samotrake, waar hun schip voor de nacht voor anker ging. De volgende dag zette Paulus voet aan land in Europa, en wel in Neapolis, de haven van de stad Filippi (16). De plaats was genoemd naar Filippus, de zoon van Alexander.

Paulus trof geen synagoge aan in Filippi, maar op de eerstvolgende sabbat begaf hij zich naar een bede-oord bij de rivier buiten de stad. Daar sprak hij een groep vrouwen toe en onder hen bevond zich Lydia, de eerste bekeerling die hij in Europa maakte.

Onderweg naar de bedeplaats dreef Paulus de duivel uit bij een jonge slavin, 'die een waarzeggende geest had en met haar waarzeggerij haar meesters veel opbracht' (Hnd 16:16). De eigenaars van het slavinnetje beseften dat het kind niets meer zou opbrengen en zij daagden Paulus en Silas voor het gerecht. Onder druk van de toegestroomde menigte lieten de rechters het tweetal de kleren van het lijf scheuren en gaven zij opdracht hun stokslagen toe te dienen en hen in de gevangenis te werpen.

Die nacht zongen Paulus en Silas 'Gods lof, terwijl de gevangenen naar hen luisterden' (Hnd 16:25). En plotseling beefde de aarde en werd de gevangenis zo getroffen, dat de deuren uit hun voegen werden gerukt en iedereen kon ontsnappen. De gevangenbewaarder begreep dat hij aansprakelijk gesteld zou worden voor het vluchten van zijn gevangenen en hij wilde zich van kant maken. Maar Paulus riep dat zij niet gevlucht waren. De dankbare gevangenbewaarder en zijn gezin bekeerden zich en werden nog diezelfde nacht gedoopt.

De volgende dag gaven de rechters opdracht de gevangenen vrij te laten. Paulus weigerde echter te gaan. Hij zei dat hij Romeins burger was en zich vernederd voelde. Bevreesd kwamen de rechters hun verontschuldigingen aanbieden, maar tegelijkertijd drongen ze erop aan, dat zij toch de stad zouden verlaten.

Lucas bleef in Filippi (de schrijver van de Handelingen gaat hier weer over op de derde persoon enkelvoud!), maar Paulus, Silas en Timoteüs vertrokken naar het zuidwesten. Zij reisden door Amfipolis en Apollonia en bereikten de belangrijkste stad van Macedonië, Tessalonica (17).

Drie weken lang was Paulus 'als naar gewoonte' (Hnd 17:2) te vinden in de synagoge. Daar debatteerde hij over de Schrift en probeerde hij uit te leggen dat Jezus de ware Christus was. Menigeen raakte overtuigd, maar anderen stookten het gepeupel op en verstoorden de rust in het huis van Jason, waar Paulus en zijn vrienden hadden verbleven. Toen zij hen er niet vonden, brachten zij Jason en zijn huisgenoten naar de autoriteiten. De beschuldiging luidde dat zij tegen de voorschriften van Caesar een ander tot koning hadden uitgeroepen, Jezus. Hoewel Jason en zijn vrienden vrij snel weer werden vrijgelaten, verlieten Paulus, Silas en Timoteüs toch met stille trom de stad.

In Berea (18) vonden ze een synagoge. De Joden daar 'luisterden met alle bereidwilligheid naar het woord en bestudeerden dag aan dag de Schriften of het inderdaad zo was' (Hnd 17:11). Toen de vijanden van Paulus uit Tessalonica hem tot

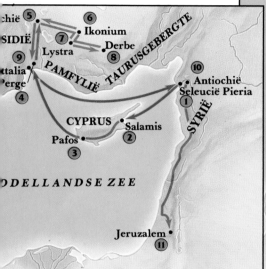

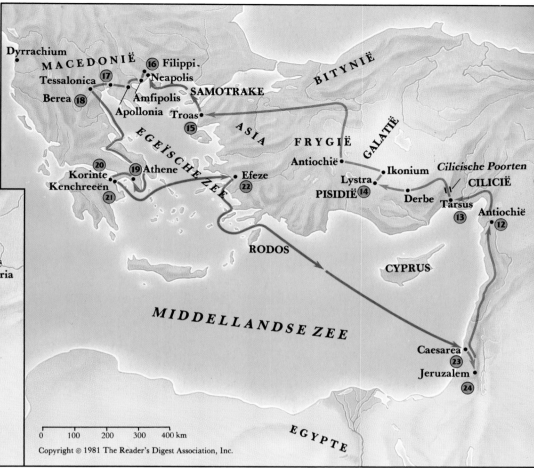

Paulus eerste zendingsreis bracht hem van Syrië naar het prachtige eiland Cyprus. Hierboven de rotsachtige kust van het eiland.

Copyright © 1981 The Reader's Digest Association, Inc.

in Berea achtervolgden, begaf hij zich aan boord van een schip naar Athene (19) en liet Silas en Timoteüs achter.

In het aloude hart van de Griekse cultuur wachtte Paulus op zijn metgezellen en ergerde zich intussen gruwelijk aan de afgoderij die hij overal om zich heen waarnam. Hij voerde felle discussies in de synagoge en verscheen dagelijks op de agora, het fraaie marktplein, om er iedereen die hij ontmoette aan te spreken. Maar als hij de opstanding uit de dood ter sprake bracht, werd hij door verschillende mensen gehoond, al waren er ook wel die zeiden daar een andere keer iets meer over te willen horen.

Paulus maakte een handvol bekeringen in Athene maar slaagde er niet in een kerkgemeenschap te stichten. Hij vertrok voor zijn vrienden aankwamen uit Berea en trok naar het westen, naar Korinte (20), een der belangrijkste handelscentra van het land. Elke sabbat was Paulus ook hier in de synagoge te vinden. Hij wist er zeer veel mensen voor zijn geloof te winnen, ook Crispus, de overste van de synagoge. Toen Silas en Timoteüs zich bij hem voegden, preekte hij nog alleen voor Joden maar weldra richtte hij zich ook tot de heidenen van de stad. Paulus bleef 18 maanden in Korinte en boekte er veel succes. Hij begon hier ook aan een nieuw onderdeel van zijn zendingswerk, het schrijven van brieven aan christelijke kerkgemeenschappen in andere plaatsen. Vanuit Korinte schreef hij tweemaal aan de Tessalonicenzen en deze brieven zijn de vroegste epistels van Paulus die bewaard zijn gebleven.

Tenslotte verliet Paulus Korinte met twee vrienden die hij er gemaakt had, Aquila en zijn vrouw Priscilla. Samen gingen ze op weg naar Syrië. In Kenchreeën (21), de Korintische haven aan de oostkant van de landtong, ging Paulus aan boord van een schip dat via een aantal lieflijke Griekse eilanden door de Egeïsche Zee naar Efeze (22) voer.

Paulus liet zijn twee vrienden daar achter maar bracht eerst een bezoek aan de plaatselijke synagoge. De Joden van Efeze vroegen hem langer bij hen te blijven. Hij ging daar niet op in maar bij het afscheid beloofde hij hun terug te zullen komen 'als God het wil' (Hnd 18:21).

Hij scheepte zich in voor een reis van meer dan 900 kilometer naar Caesarea (23). Zodra hij weer vaste grond onder de voeten had, trok hij door naar Jeruzalem (24) om de kerkgemeenschap daar te begroeten. Vervolgens keerde hij terug naar Antiochië in Syrië.

Het verhaal van Paulus' derde zendingsreis begint vrij plotseling in de Handelingen. 'Hij verbleef daar (in Antiochië - 1, kaart blz. 198) enige tijd, vertrok toen weer en maakte een rondreis achtereenvolgens door de landstreek Galatië en door Frygië om er alle leerlingen te sterken' (Hnd 18:23).

Maar de ernstige meningsverschillen waarvan gewag wordt gemaakt in de brief van Paulus aan de Galaten, kunnen deze reis bekort hebben. De wetsgetrouwe christenen van de kerk van Jeruzalem hadden zich weer laten gelden. Paulus had zich openlijk gekeerd tegen de wankelmoedige Petrus en hem er-

# De wereld van Paulus

De brede en snelle verspreiding van het Christendom in de Romeinse wereld was in veel opzichten opmerkelijk. Niet in de laatste plaats omdat het Christendom was ontstaan in het stamland van de Joden en hechte wortels had in het oude joodse geloof. Een man die bij uitstek geschikt was om de kloof te overbruggen tussen de tradities van Judea en die van de veel grotere buitenwereld der heidenen was Paulus. Hij had daarbij het voordeel van zijn opvoeding tot Farizeeër en profiteerd tevens van de Hellenistische invloeden die waren doorgedrongen in zijn geboortestad Tarsus. Het is niet verwonderlijk dat veel van het zendingswerk van Paulus zich concentreerde op plaatsen als Efeze, Korinte en andere handelscentra. De verscheidenheid van de bevolking daar maakte dat men er eerder openstond voor nieuwe ideeën en geloofsovertuigingen. Het is eveneens begrijpelijk dat Paulus zijn zendingswerk niet beperkte tot de joodse gemeenschappen. Hij werkte zelfs met extra inzet aan bekeringen onder de heidenen die zeer ontvankelijk bleken voor een geloof dat hoge morele eisen stelde aan zijn aanhangers. Zulke morele normen waren maar al te vaak afwezig in de Romeinse samenleving.

Het halfronde openluchttheater van Efeze tegen een heuvel keek uit over de haven. Het bood plaats aan 24 000 toeschouwers. In dit theater verzamelden zich oproerkraaiers die het niet eens waren met het zendingswerk van Paulus. Hun aanvoerder was de zilversmid Demetrius.

van beschuldigd dat hij niet zuiver was in de leer en dat zijn opvattingen niet 'strookten met de waarheid van het evangelie' (Gal 2:14). Voor Paulus was het theologische dogma duidelijk. Hij zei onomwonden: ik leef 'in het geloof in de Zoon van God, ...als de wet ons kon rechtvaardigen, dan was Christus voor niets gestorven' (Gal 2:20-21). Zijn tegenstanders konden het daar echter niet mee eens zijn en zij verspreidden hun opvattingen over Klein-Azië. Ze probeerden het gezag van Paulus daar aan te tasten en er de kerkdiensten te veranderen. Paulus haastte zich daarom naar het noorden. De strijd om de vrijheid van het evangelie zoals hij het zag, zou plaatsvinden in de heuvels en dalen, op de vlakten en langs de kusten van Klein-Azië.

Paulus keerde terug van zijn tweede zendingsreis via de Cilicische Poorten en vervolgde zijn weg naar het binnenland van Klein-Azië tot aan Efeze (2). Hij maakte van de zeewegen gebruik om zijn brieven te verzenden en stuurde af en toe ook helpers per schip naar de kerkgemeenschappen rond de Egeische Zee.

Meer dan twee jaar bleef Paulus in Efeze om er te prediken. Hij zei daarvan: 'de deur staat hier wijd open voor mijn werk' (1 Kor 16:9). Maar er waren ook tegenstanders in Efeze, 'wilde beesten' (1 Kor 15:32), zoals hij ze noemde. Hij stelde ook vast: 'dag in dag uit drukt mij de zorg voor al de gemeenten' (2 Kor 11:28). Op deze derde reis vormden de tegenwerking van de wetsgetrouwe groepering in de kerkgemeenschap van Jeruzalem en de uitwerking daarvan op de gelovigen in Klein-Azië en Griekenland een voortdurende zorg voor Paulus.

Intussen leek een aantal van de christenen in Korinte tot een ander uiterste te zijn gegaan en 'het evangelie van de bevrijding' te hebben vertaald als een vrijbrief voor morele wetteloosheid. De toestand was zo ernstig geworden dat Paulus er Timoteüs op afstuurde en vervolgens een tweede vertrouweling Titus. En uiteindelijk begaf hij zich zelf naar Korinte

*Deze zeven enorme pilaren zijn ruim zeven meter hoog en hebben een diameter van bijna twee meter. Oorspronkelijk hebben 38 van deze pilaren de geweldige tempel van Apollo gedragen. De tempel stond in Korinte en was al zes eeuwen oud toen Paulus er zijn predikingen hield.*

*De laatste reis van Paulus bracht hem naar Rome, waar hij terecht moest staan. De reis begon in de havenstad Caesarea, de provinciehoofdstad van Judea. Herodes de Grote bouwde Caesarea. Het werd voorzien van drinkwater vanuit heuvels in het noordoosten met behulp van een 20 kilometer lang aquaduct (links), dat voor de helft bestond uit een ondergrondse tunnel en voor de andere helft bovengronds op zware stenen bogen rustte. De zeereis eindigde voor Paulus in Puteoli, de belangrijkste zeehaven van Italië. De muurschildering rechts is een weergave van het beeld dat Paulus daar waarschijnlijk heeft aangetroffen: een grote, drukke haven met pieren die door typisch Romeinse bogen werden gedragen.*

om in te grijpen en hier opnieuw orde op zaken te stellen.

Door een vreemde samenloop van omstandigheden was het succes dat Paulus in Efeze had de oorzaak van zijn vertrek. Eeuwenlang was de stad een pelgrimsoord geweest en waren er mensen in drommen naar de prachtige tempel van de vruchtbaarheidsgodin Artemis gekomen. Die tempel gold als een van de zeven wereldwonderen in de Oudheid. De bedevaartgangers kochten er zilveren, marmeren of aardewerken replica's van de tempel en beeldjes van de godin met de vele borsten. Maar de bekeerlingen van Paulus zwoeren hun vroegere verering af, met het gevolg dat ook de handel eromheen terugliep. De zilversmeden en andere ambachtslieden kwamen erover bij elkaar en een zekere Demetrius verkondigde dat de bedreiging van hun bestaan veroorzaakt werd door Paulus. Demetrius' beschuldiging veroorzaakte een compleet volksoproer en kreten als 'Groot is de Artemis van de Efeziërs!' (Hnd 19:28) weergalmden door de stad.

Twee Macedonische helpers van Paulus, Gajus en Aristarchus, werden door woedende mensen het enorme openluchttheater met zijn 24 000 zitplaatsen binnengesleurd. Vrienden weerhielden Paulus ervan zich in de menigte te wagen en het volk kwam pas enigszins tot bedaren toen de stadsschrijver, een man van gezag, zich met de zaak bemoeide. Hij legde het volk uit dat de oproerkraaiers de kans liepen voor het Romeinse gerecht gedaagd te worden. De christenen hadden helemaal geen heiligschennis gepleegd, zei hij, en al evenmin Artemis bespot. En als de ambachtslieden genoegdoening wensten voor hun inkomstenverlies moesten ze zich maar tot de rechters wenden.

Paulus had al het besluit genomen de kerkgemeenschappen van Macedonië en Achaje te gaan bezoeken en dan terug te keren naar Jeruzalem. Het oproer in Efeze zette hem aan tot versnelde uitvoering van dat plan. Toen Paulus zich op weg begaf naar Troas (3) was hij vermoeid naar lichaam en geest.

# Caesarea, voorpost van een rijk

Caesarea, waar Paulus zeker drie keer geweest moet zijn, behoorde tot de meest indrukwekkende bouwaanwinsten die Herodes de Grote het Heilige Land heeft nagelaten. Het was een volledig nieuwe stad, een nog groter bouwproject dan de ambitieuze werken in Samaria en Jeruzalem al waren. Het werd de eerste echte zeehaven van het koninkrijk. Aangezien er aan de zandkust geen enkele natuurlijke haven lag, bouwde Herodes een zestig meter brede golfbreker (rechtsonder) om schepen die wilden aanleggen bescherming te bieden tegen de aanwezige sterke zeestroming uit het zuidwesten. De lading kon worden opgeslagen in 100 overdekte magazijnen. Ten noorden van de golfbreker bevond zich een ommuurde halfronde jacht-

haven. De ingang hiervan werd geflankeerd door kolossale standbeelden. Bij het ontwerpen van Caesarea ging Herodes uit van een modern netwerkstelsel. Op het kruispunt van twee hoofdwegen verrees een typisch Romeins forum met tal van monumentale gebouwen zoals een tempel voor keizer Augustus, de vorst naar wie Herodes de spectaculaire havenplaats wijselijk liet noemen. Tussen zuilenrijen liep een lange weg in zuidelijke richting naar een amfitheater dat vandaag de dag nog steeds in gebruik is. Een aquaduct (linksboven) bracht drinkwater van bronnen aan de voet van het 20 kilometer verder liggende Karmelgebergte. Onder de stad lag een ingenieus gebouwd rioleringssysteem om het water van het getij en de wassende stroming op te vangen. Caesarea werd in 9 v.C. na een bouwtijd van 10 jaar voltooid en werd in de 2e eeuw n.C. door 40 000 mensen bewoond. Van het oude Caesarea Maritima zijn onder leiding van Robert J. Bull ca. 12 000 m² blootgelegd.

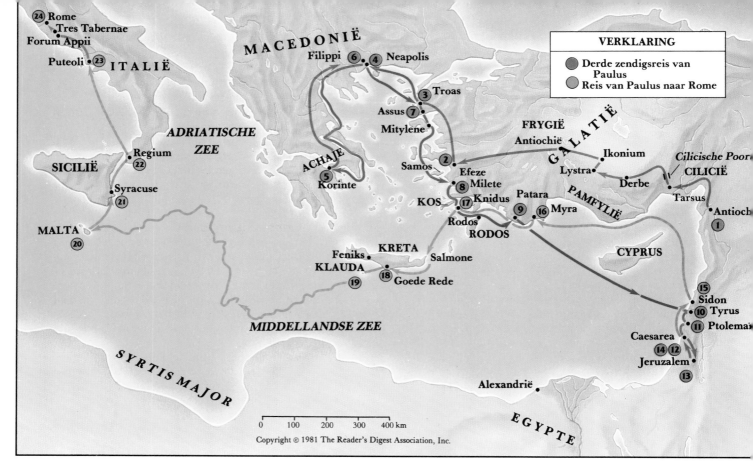

Van Troas is hij mogelijk per schip naar Neapolis (4) gereisd. 'Toen wij dan in Macedonië kwamen,' schrijft hij, 'hadden wij rust noch duur; narigheid overal, ruzies om ons heen, angsten in ons hart (2 Kor 7:5). Paulus' sombere stemming sloeg onmiddellijk om toen Titus met het nieuws kwam dat de Korintiërs zich nu aan de voorschriften hielden. Toch trok hij snel door naar Korinte (5). Hij wilde persoonlijk maatregelen treffen tegen de invloed van de mensen uit Jeruzalem, die waren gekomen om zijn gezag te ondermijnen.

Met de komst van de lente was de ergste dreiging van storm op zee weer achter de rug en Paulus begaf zich aan boord van een schip met bestemming Syrië. Maar er werd een komplot tegen zijn leven ontdekt en daardoor ging de zeereis niet door. In plaats daarvan trok Paulus over land door Macedonië. Hij vierde het Paasfeest in Filippi (6), waarna hij per schip naar Troas reisde. Hij bleef een week in Troas en die zondag hield hij een preek die tot middernacht duurde. De bijeenkomst vond plaats in een vertrek op de derde verdieping van een gebouw waar de christenen waren samengekomen. Een jongeman die in het venster van een raam zat, viel in slaap. Hij stortte omlaag en 'werd dood opgenomen' (Hnd 20:9). Maar Paulus begaf zich naar beneden en stelde de omstanders gerust met de woorden: 'weest niet ongerust, want er is leven in hem' (Hnd 20:10).

Paulus vertrok vervolgens over land naar Assus (7), terwijl zijn vrienden er per schip heengingen. In Assus stapte hij ook aan boord en voer mee naar Milete (8). Paulus had opzettelijk Efeze niet aangedaan, omdat hij zo snel mogelijk in Jeruzalem wilde zijn. Hij vroeg de oudsten van de kerkgemeenschap in Efeze naar Milete te komen en nam daar roerend afscheid van hen voor hij naar Kos vertrok en vandaar naar Rodos en Patara (9). In deze plaats stapte het gezelschap van Paulus over

op een vrachtschip dat naar de Fenicische kust voer. Ze passeerden Cyprus en kwamen tenslotte aan in Tyrus (10).

Het gezelschap bleef 7 dagen in Tyrus en na nog een dag doorgebracht te hebben temidden van de christenen van Ptolemaïs (11) ging het naar Caesarea (12). Daar vond men onderdak in het huis van Filippus, een van de zeven diakens van de kerk in Jeruzalem. Paulus kreeg de dringende raad niet naar Jeruzalem te gaan, maar hij wilde niet luisteren. 'Ik ben immers bereid mij te Jeruzalem niet alleen te laten boeien', zei hij, 'maar er zelfs te sterven voor de naam van de Heer Jezus' (Hnd 21:13). En hij ging dus toch naar Jeruzalem (13).

Paulus vertelde de oudsten van de kerkgemeenschap in Jeruzalem wat 'God door zijn dienstwerk onder de heidenen had tot stand gebracht' (Hnd 21:19). De oudsten vroegen Paulus de joodse christenen te tonen dat hij de joodse tradities nog steeds eerbiedigde. En de volgende dag begaf Paulus zich naar de tempel voor de reinigingsplechtigheden. Maar er waren Joden uit de streek rond Efeze die tegen hem begonnen te schreeuwen. Ze beschuldigden hem er ten onrechte van de tempel te ontwijden door een heiden uit de stad mee naar binnen te nemen. Er ontstond een complete rel, waarbij de Romeinse soldaten maar tenauwernood konden voorkomen dat de menigte Paulus doodsloeg. De soldaten ontzetten de apostel en brachten hem naar de burcht Antonia.

Toen de Romeinse bevelhebber vernam dat er plannen werden beraamd zijn gevangene ter dood te brengen, liet hij Paulus in de nachtelijke uren met een groot detachement infanterie en cavalerie naar Caesarea (14) brengen. Daar bleef Paulus gedurende twee jaar in verzekerde bewaring.

In de zomer van het jaar 60 kwam Porcius Festus in Caesarea aan als de nieuwe landvoogd. Hij kreeg prompt het verzoek van de godsdienstige autoriteiten in Jeruzalem de gevan-

198

gene Paulus aan hen uit te leveren. Maar Paulus deed een beroep op zijn recht als Romeins burger in Rome berecht te worden. 'Ik beroep mij op de keizer,' zei de apostel. En de landvoogd antwoordde: 'Op de keizer hebt ge u beroepen, naar de keizer zult ge gaan' (Hnd 25:11-12).

De reis van meer dan 3000 kilometer naar Rome begon heel rustig. Julius, een honderdman van de cohort Augusta, kreeg de taak de gevangene naar de hoofdstad van het rijk te brengen. Samen met Aristarchus - ook een van de overlevenden van het oproer in Efeze - en waarschijnlijk ook Lucas, werd Paulus aan boord van een schip gebracht voor transport naar Klein-Azië. In Sidon (15), de eerste haven die werd aangedaan, kreeg Paulus van Julius toestemming zijn vrienden op te zoeken.

Het schip meed de open zee en voer onder de beschutting van het eiland Cyprus langs de kust. Julius wilde evenwel niet zo dicht onder de kust blijven varen en hij stapte met zijn gevangenen over op een Egyptische vrachtboot die beladen met graan van Myra (16) onderweg was naar Italië. Met zijn zware vracht en 276 mensen aan boord had het schip de grootste moeite vooruit te komen. Tot Knidus (17) bleef het angstvallig langs de kust varen. Maar daar aangekomen, moest de kapitein besluiten of hij de stormen tussen de Griekse eilanden zou proberen te trotseren dan wel over open zee om Kreta heen zou varen. Hij koos voor het laatste. Het bleek moeilijk te zijn de haven Goede Rede (18) aan de zuidkust te bereiken.

Het was inmiddels laat in het jaar met kans op flinke stormen en Paulus stelde voor dat zij daar zouden overwinteren. Maar Goede Rede leek niet zo'n geschikte plaats om voor anker te gaan. De kapitein en de honderdman gaven er de voorkeur aan door te varen naar Feniks, een gunstig gelegen haven zo'n 75 kilometer naar het westen toe. Ze begonnen bij zachte zuidenwind aan de tocht en bleven voorzichtig in de buurt van de kust. 'Het duurde echter niet lang of er sloeg van het eiland een stormwind neer, de zogenaamde Eurakylon. Daar het schip werd meegesleurd en de kop niet op de wind kon houden, moesten we het opgeven en lieten ons meedrijven' (Hnd 27:14-15). Koersend naar het zuiden van Feniks, maar zeker 50 km afgedreven, wisten de zeelui het schip weer in hun macht te krijgen toen ze langs het eiland Klauda (19) voeren. Maar weldra stak er een hevige storm op, die dagen achtereen voortwoedde. De mensen aan boord zagen geen spoor van de zon of van de sterren en ze koesterden geen enkele hoop meer op redding. Maar Paulus drong erop aan moed te houden want een engel had hem de verzekering gegeven dat hij voor Caesar zou verschijnen.

Na 14 dagen zwalkte het murw gebeukte schip tussen Achaje en Sicilië en daar 'meenden de matrozen tegen middernacht dat er land in de buurt kwam' (Hnd 27:27). Peilingen toonden aan dat zij in steeds ondieper water terechtkwamen. De ankers werden uitgeworpen en de wanhopige zeelui baden vurig dat de dag spoedig zou aanbreken.

Bij het ochtendgloren zagen ze inderdaad land, maar niemand wist waar ze zich bevonden. Het was het eiland Malta (20) ten zuiden van Sicilië.

Drie maanden lang bleven de schipbreukelingen op Malta, en toen het weer omsloeg gingen Julius en zijn gevangenen aan boord van een ander Egyptisch graanschip naar Italië. Na een reis van om en nabij 160 km legde het schip voor drie dagen aan in Syracuse (21). Eens was dit een schitterende Griekse haven op het eiland Sicilië geweest, maar nu was het de wat ingekrompen hoofdstad van het eiland. Bij gunstige wind voer het schip naar het noorden en kwam bij Regium (22) in Italië aan. Drie dagen later ging het voor anker in Puteoli (23), de belangrijke handelshaven van Italië.

Paulus werd in Puteoli hartelijk verwelkomd door de plaatselijke christenen en hij bleef een week bij hen voor hij naar Rome vertrok. Ongeveer 65 kilometer ten zuiden van de hoofdstad, bij de bekende stopplaats aan de Via Appia, Forum Appii, stonden christenen uit Rome Paulus op te wachten. Vijftien kilometer noordwaarts, bij de volgende stopplaats Tres Tabernae, waren ook Romeinse christenen ter verwelkoming bijeen. 'Toen Paulus hen zag, dankte hij God en schepte nieuwe moed' (Hnd 28:15).

In Rome (24) stond Paulus voortdurend onder bewaking maar hij genoot toch veel bewegingsvrijheid. Hij vertoefde er 'in een eigen huurwoning en ontving allen die bij hem kwamen. Hij predikte het Rijk Gods, en gaf onderricht in de leer over de Heer Jezus Christus in alle vrijmoedigheid, zonder enige belemmering' (Hnd 28:29-31).

De Handelingen der Apostelen eindigen met het tweejarig verblijf van Paulus in Rome. Volgens sommigen werd hij veroordeeld en vrijgelaten, waarna hij zijn oude wensdroom tot uitvoering gebracht zou hebben en het evangelie ging prediken in Spanje. Volgens deze lezing keerde hij later terug naar Rome, werd opnieuw voor de rechter gedaagd, schuldig bevonden en onthoofd. Anderen zijn van mening dat hij Rome nooit meer heeft verlaten en tijdens de christenvervolging van Nero in het jaar 64 ter dood is gebracht. Volgens de overlevering hebben christenen Paulus begraven op het landgoed van de Romeinse matrone Lucina. Op deze heidense begraafplaats werd de basiliek van St-Paulus gebouwd.

*Volgens oude overleveringen zijn Petrus en Paulus allebei als martelaar ter dood gebracht in Rome; Petrus aan een omgekeerd kruis en Paulus door onthoofding. De illustraties hierboven zijn ontleend aan een psalmboek uit de 10e eeuw.*

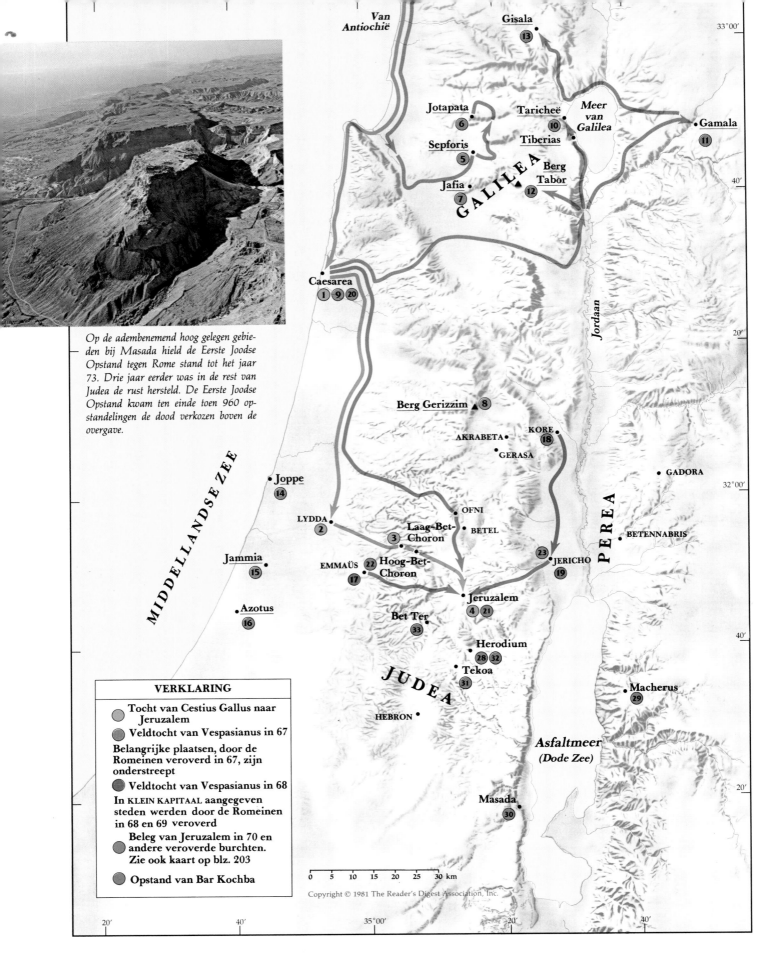

Van
Antiochië

Gisala
13

Jotapata          Tarichee          Meer
6                 10                van
Galilea                            Gamala
Sepforis          Tiberias                              11
5
Jafia                             Berg
7        GALILEA        Tabor
12

Caesarea
1  9  20

Jordaan

Op de adembenemend hoog gelegen gebieden bij Masada hield de Eerste Joodse
Opstand tegen Rome stand tot het jaar
73. Drie jaar eerder was in de rest van
Judea de rust hersteld. De Eerste Joodse
Opstand kwam ten einde toen 960 opstandelingen de dood verkozen boven de
overgave.

Berg Gerizzim  8

KORE
AKRABETA        18

GERASA                           GADORA

Joppe                                          32°00'
14
LYDDA                    OFNI
2                                    PEREA
Laag-Bet-              BETEL              BETENNABRIS
Choron
Jammia        EMMAÜS  22  Hoog-Bet-
15        17        Choron        23  JERICHO
19
Azotus                    Jeruzalem
16                    4  21

Bet Ter
33

Herodium
28  32
J U D E A        Tekoa
31

HEBRON        Macherus
29

MIDDELLANDSE ZEE

Asfaltmeer
(Dode Zee)

VERKLARING

○ Tocht van Cestius Gallus naar
   Jeruzalem
○ Veldtocht van Vespasianus in 67
Belangrijke plaatsen, door de
Romeinen veroverd in 67, zijn
onderstreept
○ Veldtocht van Vespasianus in 68
In KLEIN KAPITAAL aangegeven
steden werden door de Romeinen
in 68 en 69 veroverd
○ Beleg van Jeruzalem in 70 en
   andere veroverde burchten.
   Zie ook kaart op blz. 203
○ Opstand van Bar Kochba

Masada
30

0  5  10  15  20  25  30 km

33°00'

40'

20'

32°00'

40'

20'

20'        40'        35°00'        20'        40'

# Opstanden tegen Rome

Geen enkel deel van het keizerrijk bezorgde de Romeinen zoveel last als Judea. Zelfs in tijden dat alles volkomen rustig leek, broeiden er ondergrondse joodse oproeractiviteiten die elk moment tot een uitbarsting konden leiden en een voortdurende bedreiging vormden voor de Romeinse bezetters.

Na de dood van koning Herodes Agrippa I, de kleinzoon van Herodes de Grote, groeiden de spanningen in het land met de dag. De Zeloten, een zeer extreme groepering, riepen steeds feller en openlijker om een heilige oorlog tegen de Romeinse bezetters. Benden *Sicariërs*, de gevreesde dolkvechters, maakten Jeruzalem onveilig. Ze ontvoerden of vermoordden Romeinen en Joden die ervan verdacht werden met de vijand te heulen. Judea bevond zich op de rand van een vernietigende revolutie.

De fatale vonk die het kruitvat tot ontbranding bracht, was een nieuwe maatregel van de wrede landvoogd Cessius Floris. In het voorjaar van 66 eiste hij plotseling een aanzienlijk deel van het goud van de tempelschatten op. Het volk liep te hoop om te protesteren tegen deze heiligschennis en Floris liet onmiddellijk zijn troepen los op de mensen van Jeruzalem. Er werden er minstens 3600 om het leven gebracht. De stad was niet meer te houden. Een leger van opstandelingen golfde door de straten en bezette het gebied rond de tempel. Andere rebellen bestormden de wapenopslagplaats van de Romeinen bij Masada aan het Asfaltmeer. Ze namen alle wapens die er lagen in beslag en voerden ze af naar Jeruzalem. Floris vluchtte uit de stad. Het Romeinse garnizoen werd bestormd en afgeslacht. Tegen augustus bevond heel Jeruzalem zich in handen van de opstandelingen en had de revolutie zich over het hele land uitgebreid.

Judea viel onder de militaire verantwoordelijkheid van de Syrische opperbevelhebber Cestius Gallus, die met een veteranenlegioen uit Antiochië oprukte om de opstand te onderdrukken. De Romeinen trokken langs de kust omlaag langs Caesarea (1) en gingen vandaar landinwaarts via Lydda (2) en Bet-Choron (3). Na grote verliezen geleden te hebben bij aanvallen van guerrillatroepen bereikte Cestius Jeruzalem (4). De betrekkelijk kleine groep die de stad moest verdedigen, leek weinig kans te maken het lang vol te houden tegen zo'n zware overmacht. Maar wonder boven wonder brak Cestius het beleg van Jeruzalem al zeer snel van het ene moment op het andere af en trok zich terug via dezelfde weg die hij gekomen was. Voor de Joden was het een verbijsterende overwinning. Ze verdeelden het land onmiddellijk in zeven militaire districten en begonnen zich voor te bereiden op een nieuwe Romeinse aanval, die ongetwijfeld zou komen.

Toen de berichten over de joodse opstand Rome bereikten, beval keizer Nero zijn hoogste legeraanvoerder Vespasianus zich op te maken voor een veldtocht. Vespasianus was een groot strateeg en hij koos weloverwogen en zorgvuldig zijn eerste doel uit, Galilea. In het voorjaar van 67 begon Vespasianus aan zijn opmars met drie infanteriebataljons, een belegeringseenheid, cavalerie en een korps genietroepen. De eerste stad die hij innam - zonder slag of stoot - was Sepforis (5).

De militaire commandant van Galilea was Flavius Josefus, de latere geschiedschrijver. Josefus durfde geen open gevecht aan te gaan met de sterke Romeinse legermacht en hij trok zich terug in de vesting Jotapata (6). Daar wisten de joodse verdedigers 47 dagen stand te houden voor ze onder de voet werden gelopen. Josefus zelf was een van de weinige overlevenden.

Vespasianus sloeg vervolgens de opstand neer in Jafia (7) en de zuidelijke bergplaats Gerizzim (8). Hij vestigde zijn militaire hoofdkwartier in Caesarea (9) en trok van daaruit op naar Tarichëe (10) om ook daar het oproer te breken. Er bleven tenslotte nog drie rebellenhaarden in het noorden over, Gamala (11), de berg Tabor (12) en Gisala (13). Toen ook deze drie waren veroverd, was Galilea stevig in Romeinse handen. Vespasianus veegde ook de kuststrook schoon en nam achtereenvolgens de plaatsen Joppe (14), Jamnia (15) en Azotus (16) in.

In 68 begon de Romeinse veldheer aan een systematische operatie om Jeruzalem te isoleren. Ten oosten van de Jordaan was de landstreek Perea veroverd. In het westen viel Emmaüs (17), waar hij een bataljon onderbracht. De Romeinse kolonnes trokken vervolgens vanuit het noorden het Jordaandal binnen via Kore (18), en veroverden Jericho (19) waar een tweede bataljon werd gelegd.

De val en de zelfmoord van keizer Nero onderbraken de krijgsverrichtingen in Judea tijdelijk. Uiteindelijk werd Vespasianus zelf tot keizer uitgeroepen. In het voorjaar van 70 vertrok hij naar Rome en liet de leiding van de beslissende veldtocht tegen Jeruzalem in de bekwame handen van zijn zoon Titus. Met twee legioenen trok Titus snel op van Caesarea (20) in zuidoostelijke richting en sloeg zijn kamp op voor de muren van Jeruzalem (21). Daar kreeg hij versterking van de bataljons die in Emmaüs (22) en in Jericho (23) waren gelegerd. Samen met de cavalerie en de huurlingentroepen beschikte hij mogelijk over een leger van zo'n 80 000 man.

Titus stond voor een zeer moeilijke opgave, want Jeruzalem was zonder twijfel de zwaarst bewapende stad van die tijd. De verschillende muren en torens zorgden voor drie opeenvolgende verdedigingsgordels. Het was bovendien al heel gauw duidelijk dat de Joden niet van plan waren zich zonder slag of stoot aan Titus over te geven of een afwachtende houding aan te nemen. Toen de Romeinse belegeringstorens vanuit het westen de buitenmuur naderden (24, kaart op blz. 203), hakten joodse aanvalseenheden fel op de Romeinen in. In beide kampen vielen veel slachtoffers.

Op 25 mei slaagden de aanvallers er uiteindelijk in de buitenmuur te breken. De Romeinse infanterie drong door de opening naar binnen en bezette het noorderkwartier Beseta (Nieuwe Stad).

Vijf dagen later werd er ook in de tweede muur (25) een bres geslagen. En weer rukten de Romeinse soldaten op, maar ditmaal kwamen ze terecht in een doolhof van smalle straatjes en stegen. Ze werden van alle kanten belaagd door de Joden en ze moesten zich haastig in veiligheid brengen door zich terug te trekken achter de muur.

De overwinning van de verdedigers was evenwel van korte duur; begin juni viel er weer een gat in de tweede muur en ditmaal waren de Romeinen niet meer te stuiten. De muren die de tempel en de boven- en benedenstad omsloten, vormden de zwaarste hindernis voor de Romeinen. Titus stelde de

# Opstanden tegen Rome *(vervolg)*

grote, definitieve aanval uit en ging over op de tactiek van uit-hongeren. Gedurende de belegering van de stad was er bijna elke nacht wel wat voedsel naar binnen gesmokkeld. Maar nu sloten de Romeinen Jeruzalem volledig af met een eigen aarden wal van 8 kilometer omtrek. Vanaf het begin van de belegering waren mensen die probeerden door de aanvalslinies heen te breken in grote aantallen gevangen genomen en gekruisigd. Er waren dagen dat er wel 500 terechtstellingen plaatsvonden. In het hart van de stad liep het aantal slachtoffers van honger en ziekte snel op. De lijken vulden de straten en werden met duizenden van de muren omlaaggeworpen in het dal.

Titus concentreerde al zijn aandacht nu op de Antonia (26), de machtige burcht die Herodes naast de tempel had laten bouwen. De stormrammen beukten voort en op 24 juli wisten de Romeinse troepen een doorbraak tot stand te brengen. In felle man-tegen-man gevechten joegen ze hun vijanden voor zich uit. Toen de zware houten poorten van de tempel tegen de stormrammen bestand bleken, werden ze in brand gestoken. En weldra woedden de strijd en het vuur overal in de tempelgebouwen. De prachtige tempel van Jeruzalem, een van de indrukwekkendste gebouwen van het Romeinse rijk, verviel tot een smeulende ruïne.

De overlevenden trokken zich terug in hun laatste bolwerk, het paleis van Herodes (27). Toen de Romeinen tenslotte de vertrekken binnendrongen, vonden ze er slechts lijken. Het paleis en de rest van de bovenstad werden in de as gelegd. Jeruzalem was veranderd in een dode stad.

Spoedig daarna veroverden de Romeinen ook de joodse bolwerken Herodium (28, kaart blz. 200) en Macherus (29). Er moest toen alleen nog afgerekend worden met het laatste groepje verzetsstrijders dat nog een rol van enig belang speelde in de opstand van de Joden tegen de Romeinen. Een aantal van de beruchte Zeloten had zich teruggetrokken in Masada (30), de vroegere vesting en paleisvilla van Herodes op een hoge bergtop die uitkeek over het Asfaltmeer. Flavius Silva, de nieuwe landvoogd van Judea, rukte met een leger op om deze laatste smeulende rest van verzet te vertrappen.

De verovering van Masada vereiste een zeer ingenieuze militaire aanpak. Vóór alles liet Silva een muur optrekken rond de voet van het gebergte. Hij voorkwam daarmee dat de Zeloten konden ontsnappen of hulptroepen binnenhaalden. Vervolgens wierp hij een enorme aarden wal op om zijn belegeringsmaterieel op de hoogte van de vestingmuren te kunnen tillen. De wal groeide van maand tot maand tot hij op 90 meter hoogte gelijk kwam met de bovenkant van de rots. Op de wal werden een platform en een belegeringstoren gebouwd om een ijzeren stormram in stelling te kunnen brengen. In mei van het jaar 73 brak de stormram door de buitenmuur, waarop de verdedigers van de vesting zich terugtrokken achter de tweede barricade van hout en aarde. De Romeinse troepen staken deze barricade in brand en wisten toen snel door te dringen tot in het laatste bolwerk van de Zeloten. Zij moesten vaststellen dat bijna elke bewoner van Masada - omtrent duizend mannen, vrouwen en kinderen - liever zelfmoord had gepleegd dan zich te onderwerpen aan het Romeinse juk. Slechts twee vrouwen en vijf kinderen waren niet in de dood gevlucht. Na zeven bloedige jaren was de oorlog ten einde, een oorlog die een ware slachting had aangericht onder de bevolking van Judea en die tot de vernieti-

ging van de tempel had geleid. De zevenjarige oorlog werd gevolgd door een merkwaardig soort vrede. De militaire macht van de opstandelingen was gebroken, maar hun godsdienst bleef een zeer sterke bron van eenheid. Het geloofsonderricht en de uitoefening van het oude joodse geloof werden onverminderd voortgezet. En zoals ook voor de opstanden tegen de Romeinen het geval was geweest, bloeide het joodse ondergrondse verzet. Zeer veel Joden bleven geloven dat er een messiaanse leider zou opstaan om weer greep op het land te krijgen en zij troffen voorbereidingen om klaar te zijn als de tijd van de bevrijding aangebroken zou zijn.

Het Romeinse rijk bereikte intussen zijn grootste omvang onder keizer Trajanus (98-117). En halverwege de regeringsperiode van diens opvolger Hadrianus (117-138) groeide er onder de Joden weer hoop op betere tijden. Hadrianus bracht in de jaren 130 en 131 een bezoek aan Judea, waarbij hij de indruk wekte dat hij voornemens was Jeruzalem en de tempel te laten herbouwen. De hoop van de joodse bevolking werd echter spoedig de grond ingeboord. De keizer was helemaal niet van plan een nieuw Jeruzalem en een nieuwe tempel te bouwen ter ere van de God der Joden; hij wilde de stad weer tot leven wekken als een Romeinse nederzetting die de naam Aelia Capitolina moest krijgen. In het hart van de nieuwe stad zou een tempel verrijzen ter ere van de Romeinse god Jupiter en niets zou meer herinneren aan de God van Israël.

Toen de betekenis van het plan van Hadrianus bekend werd, kwamen de gelovige Joden opnieuw in opstand tegen Rome. Hun aanvoerder was Simon Bar-Kochba (of Simon Ben Kosba), een man die door velen beschouwd werd als een messias die de Joden de onafhankelijkheid zou teruggeven. Geschiedkundigen betwijfelen echter of Bar-Kochba zichzelf wel in die rol zag. Hij bleek in elk geval wel een toegewijd en zeer inspirerend leider te zijn en hij gaf zijn naam aan een revolutie die het Romeinse rijk op zijn grondvesten zou doen schudden.

De opstandelingen van Bar-Kochba waren beter voorbereid om strijd te leveren tegen de grootste legermacht ter wereld dan de vorige generatie die was opgestaan tegen Rome. De Joden hadden ditmaal grote hoeveelheden wapens verzameld. Ze sloegen deze op tal van strategische punten over het land verspreid op en ontwikkelden ook op andere gebieden tactieken voor een ondergrondse strijd. Ze waren zo verstandig zich niet te verschansen in vestingen. De Romeinse genie zou met haar geraffineerde methoden en belegeringsstrategie deze na verloop van tijd altijd weten te veroveren. In plaats daarvan zorgden ze voor een groot aantal nauwelijks te vinden schuilplaatsen, waarin ze zich zodra de nood aan de man kwam, konden terugtrekken om op een beter moment weer toe te slaan.

De Romeinse opperbevelhebber Tinejus Rufus besefte dat de opstandelingenlegers te sterk waren en te goed georganiseerd om ze klein te krijgen. Daarom trok hij zijn garnizoen uit Jeruzalem terug en verplaatste het naar Caesarea. De opstandelingen vestigden prompt hun eigen bestuur in Jeruzalem en lieten eigen munten slaan waarop het jaar 131 werd uitgeroepen tot 'Jaar Een van het Bevrijde Israël'.

De Romeinen reageerden op dezelfde manier als na de Eerste Joodse Opstand. De landvoogd van Syrië, Publicius Marcellus, kwam als eerste in actie. Hij verzamelde zijn troepen, liet helemaal uit Egypte versterkingen aanrukken en trachtte

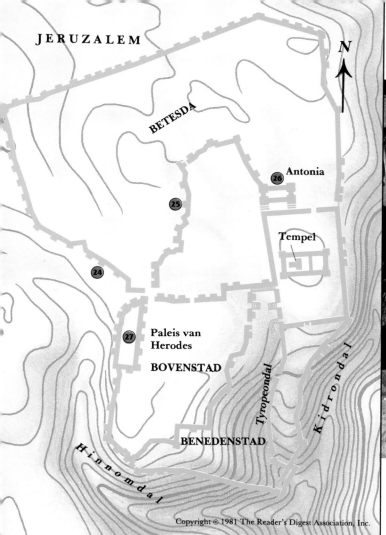

JERUZALEM

BETESDA

26 Antonia

25

Tempel

24

27 Paleis van
Herodes

BOVENSTAD

Tyropeondal

Kidrondal

BENEDENSTAD

Hinnomdal

Copyright © 1981 The Reader's Digest Association, Inc.

*Gedurende de regering van Domitianus (81-96) werd in Rome de Ark van Titus gebouwd. Dit was een monument ter herinnering aan het neerslaan van de opstand in Judea door Domitianus' vader Vespasianus en zijn broer Titus. Deze wandversiering toont een groep trotse krijgers met een menora en andere voorwerpen uit de tempel van Jeruzalem.*

de opstand de kop in te drukken voor deze zich goed en wel over het land kon verspreiden. De afloop was op overweldigende wijze in het voordeel van Bar-Kochba. Weldra was heel Judea in handen van de opstandelingen. Doch evenals in de vorige oorlog werd Rome door deze ernstige inbreuk op zijn macht en prestige pas goed aangezet tot ferme tegenactie. Hadrianus riep zijn bekwaamste veldheer, Julius Severus, terug uit Brittannië en droeg hem op de strijd tegen Judea aan te voeren.

Severus had ervaring met de tactiek van ondergrondse oorlogvoering van de Britten en hij bereidde zijn veldtocht tegen Judea dan ook zeer grondig voor. Hij bracht een bijzonder sterke legermacht op de been, bestaande uit zes legioenen plus detachementen uit een groot aantal andere legerkorpsen en een ontelbare hoeveelheid hulptroepen.
In het jaar 134 opende hij een massale vernietigingsaanval op de Joden. Bar-Kochba zag geen heil in een open confrontatie met het enorme leger van Severus. In plaats daarvan voerde hij felle guerrilla-aanvallen uit vanuit zijn versterkingen bij Tekoa (31, op de kaart van bladzijde 200). Herodium (32) en Bet Ter (33). In dit woeste en ondoordringbare landschap met zijn nauwe rotsdoorgangen en verborgen grotten werd de strijd gevoerd vanuit tal van hinderlagen. De Romeinse soldaten konden de opstandelingen alleen af en toe met grote moeite achtervolgen, maar zij gaven hun pogingen niet op. Aan beide kanten werden zware verliezen geleden.

Uiteindelijk won de onaantastbare overmacht van de Romeinen het. In 134 viel Jeruzalem weer in hun handen. De slechte toestand van de stadsmuren en de torens maakte het ondoenlijk de verdediging nog langer met succes te voeren. Bar-Kochba en de aanhang die hij nog overhad, trokken zich terug in Bet Ter, waar - misschien tè uitgeput om de inspannende guerillastrijd nog langer vol te houden - het joodse leger zijn laatste stelling had. In augustus van het jaar 135 braken de Romeinen ook door de muren van dit joodse bolwerk en slachtten de overgebleven guerrillastrijders af. Simon Bar-Kochba bevond zich onder de gesneuvelden.

Hadrianus besloot ditmaal geen enkele mogelijkheid meer over te laten voor het uitbreken van een nieuwe opstand in Judea. De Joden die geen kans zagen op tijd het land te ontvluchten, werden vermoord of tot slavernij gebracht. Jeruzalem werd een onvervalste Romeinse stad waarin alleen nog heidenen woonden. In de tempel van Jupiter verrees op de plaats van het vroegere heilige der heiligen een standbeeld van Hadrianus. De naam Judea werd bij keizerlijk decreet veranderd in Syrië-Palestina.

In andere landen en steden en ook in Rome zelf groeiden de joodse nederzettingen en gemeenschappen door de toevloed van vluchtelingen uit Judea. Maar tegelijkertijd werden de Joden een volk zonder vaderland. Dat zouden ze gedurende vele eeuwen blijven, tot de vestiging van de moderne staat Israël in 1948.

# De verspreiding van het Christendom

Gaat uit over de hele wereld,' zei Jezus tot de apostelen, 'en verkondigt het evangelie aan heel de schepping' (Mc 16:15). De uitvoering van deze heilige opdracht nam een aanvang op het Pinksterfeest, zeven weken na de kruisiging. Petrus begon toen met zijn prediking tot de 'vrome mannen, die afkomstig waren uit alle volkeren onder de hemel' (Hnd 2:5). In het perspectief van de geschiedenis zou de viering van dit Pinksterfeest in Jeruzalem (1) een zeer belangrijke functie vervullen. Het zou de aanzet zijn tot een reeks gebeurtenissen die de verovering van het uitgestrekte Romeinse rijk inluidden, maar ook de toekomst van de westerse beschaving zouden bepalen.

De eerste generatie van christelijke zendelingen lijkt aangevoerd te worden door de onvermoeibare Paulus en zijn metgezellen. In de tijd van Paulus' bekering bestond er overigens al een aantal christelijke gemeenschappen, niet alleen in het Heilige Land maar ook in Fenicië, Syrië en delen van Klein-Azië. En toen Paulus later op reis ging naar Rome (2) werd hij onderweg op verschillende plaatsen verwelkomd door leden van christelijke kerkgemeenschappen. Helaas is er weinig bekend over het tot stand komen van deze christengemeenschappen of van andere die in deze beginperiode elders zijn ontstaan, in Noord-Afrika misschien of in Mesopotamië. We weten in elk geval met zekerheid dat het nieuwe geloof tegen het einde van Paulus' leven tot in de verste uithoeken bloeide: van het Heilige Land naar het noorden tot aan Syrië en over de noordgrens van het Middellandse-Zeegebied dwars door Klein-Azië en Griekenland tot aan Rome.

De verspreiding van het Christendom naar het westen werd beïnvloed door een combinatie van historische en culturele factoren. De belangrijkste daarvan was waarschijnlijk het Romeinse rijk zelf. Met uitzondering van de opstanden in Judea heerste er generaties lang een betrekkelijk ongestoorde rust in alle landen die zich binnen de grenzen van het Romeinse Rijk bevonden.

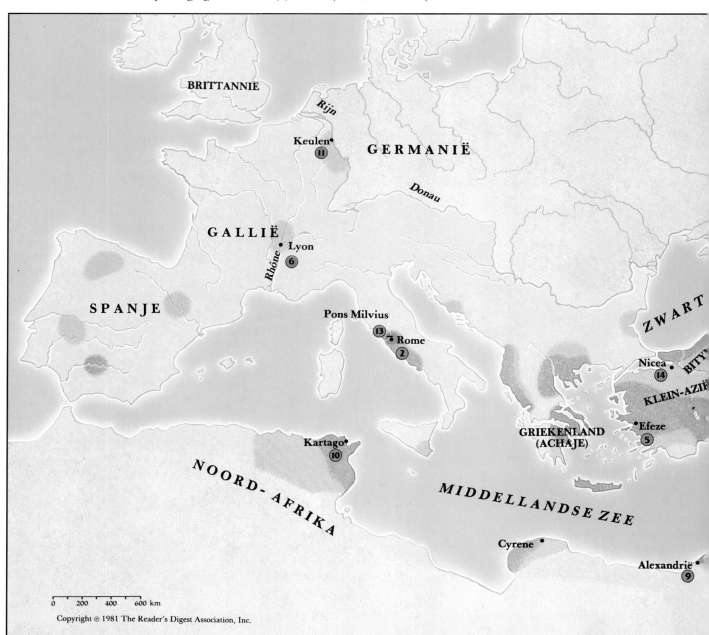

De handel bloeide, onder meer doordat koopvaardijschepen de Middellandse Zee konden bevaren zonder lastig gevallen te worden door piraten. Op het land beschikte het goederenvervoer per karavaan over een goed beveiligd wegennet van ca. 100 000 kilometer lengte. Het reizen was daardoor gemakkelijker dan ooit tevoren, voor handelslieden zowel als voor zendelingen. En de algemene stijging van de welvaart maakte het mogelijk de brengers van het evangelie en hun groeiende kerkgemeenschappen financieel te steunen.

Het was ook belangrijk dat er in praktisch alle grotere bevolkingscentra in het hele rijk joodse synagogen stonden. Het Jodendom was al eeuwenlang over de wereld verspreid en er woonden waarschijnlijk meer Joden buiten het Heilige Land dan erin. Hun synagogen waren de plaatsen die Paulus het eerst bezocht als hij in een nieuwe stad aankwam. En in de synagogen maakte hij meestal ook de eerste bekeringen, voordat hij het evangelie op straat verkondigde.

Een andere factor die een belangrijke rol speelde in de snelle verbreiding van het Christendom was de Griekse taal die in het hele rijk door zowel Joden als niet-Joden werd gehan-

teerd. Problemen met de taal waren er dus niet en daardoor ontstond er een uitgebreid netwerk van christelijke kerken, waarin tot Gallië in het verre westen toe het Grieks gedurende de 1e en 2e eeuw de voertaal bleef.

Natuurlijk zouden deze factoren nauwelijks een rol hebben gespeeld zonder het heilige vuur van de eerste zendelingen die het geloof uitdroegen. Zoals ook de uitstraling van het geloof zelf onmisbaar was bij de snelle verspreiding. Dat geloof hield immers voor ieder die het goede wilde, ongeacht ras, nationaliteit of welstand, de belofte op redding in.

De geschiedenis van de kerk in de tientallen jaren die volgden op de christenvervolging van Nero in 64 is niet goed vastgelegd. Het is wel bekend dat de orthodoxe kerk van Jeruzalem snel in betekenis afnam onder de druk van de joodse gezagdragers in de stad. Er ontstond een vijandige sfeer, die nog werd aangewakkerd door de bittere twistgesprekken over het naleven van de joodse wet. Heel wat leden van de kerkgemeenschap verlieten om die reden Jeruzalem en trokken naar Antiochië in Syrië (3), dat uitgroeide tot het belangrijkste centrum van het niet-joodse Christendom. Bij het uitbreken van de joodse opstand in 66 vluchtten de overgebleven leden van de kerkgemeenschap in Jeruzalem naar het veiliger Pella (4) ten oosten van de Jordaan. Daarmee kwam er een eind aan de belangrijke plaats die Jeruzalem in de beginperiode van de kerk innam.

Klein-Azië bleef evenwel een vruchtbare voedingsbodem voor de groei van de kerk. Het was een van de meest welvarende gebieden van het rijk, waarin de handel tot grote bloei kwam dank zij drukke havensteden als Efeze (5). Met de handelslieden en hun karavanen trok ook het christelijke geloof de wereld in. Rond het jaar 100 waren er naar schatting in het keizerrijk meer dan 300 000 gelovigen en daarvan woonden er maar liefst 80 000 in Klein-Azië. Plinius de Jongere, legaat van Bithynië, schreef omtrent 112 in een brief aan keizer Trajanus dat 'dit aanstekelijke bijgeloof' zich over de hele provincie had verspreid en dat de oude tempels nagenoeg leeg bleven. Dit illustreert de delicate positie waarin de kerk zich in die dagen bevond en de problemen die de voortdurende groei van de kerk voor het Romeinse bewind opriep, hoewel Trajanus Plinius aanried zich wat terughoudend op te stellen, als hij zich met de christenen bemoeide.

Die groei bezorgde de kerk zelf trouwens ook problemen. De bisschoppenlijst die in het jaar 185 werd opgemaakt door Ireneus, bisschop van Lyon (6) in Gallië, toont overduidelijk aan hoezeer het geloof was verbreid sinds het eind van Paulus' zendingsreizen. In het oosten was het geloof doorgedrongen tot in Mesopotamië, met kerken in Edessa (7) - waarschijnlijk de eerste plaats waar het Christendom als een officieel geloof werd erkend - en Melitene (8). In Noord-Afrika waren er twee belangrijke centra, één in Alexandrië (9) en het andere in Kartago (10), die allebei een belangrijke rol vervulden in de ontwikkeling van de christelijke wetenschap en theologie. En in Europa reikte de invloed van de kerk naar het westen tot in Spanje en in noordelijke richting tot in Keulen (11) in het Rijndal. 'We bestaan pas sinds gisteren,' schreef de invloedrijke theoloog Terfullianus aan het eind van de 2e eeuw, 'maar we hebben ons verspreid over uw rijk; uw steden, eilanden, vestingen, volksvertegenwoordigingen, kampementen, paleis, senaat en forum wemelen allemaal van de christenen.'

## VERKLARING

Christelijke samenlevingen vóór Paulus' zendingsreizen (ca. 45)

Streken waar het Christendom verspreid was in 100

ca. 185

ca. 325

KASPISCHE ZEE

ZEE

Melitene

Edessa

Tarsus

MESOPOTAMIË

Tigris

Eufraat

Dura Europos

PARTIË (PERZIË)

SYRIË

Antiochië

FENICIË

Pella

Jeruzalem

# De verspreiding van het Christendom *(vervolg)*

Het is onvermijdelijk dat deze voortdurende geografische uitbreiding van het geloof, gepaard gaand met de betrekkelijke zelfstandigheid van de aparte kerkgemeenschappen, zou leiden tot tegenstrijdigheden en conflicten.

Iedereen was het weliswaar eens over dezelfde geloofsbeginselen, maar toch ontwikkelde er zich een zorgwekkende verscheidenheid aan plaatselijke godsdienstbelevingen en leerstellingen. Het werd steeds duidelijker dat er een meer formele band of constructie nodig was om de uiteengroeiende kerkgemeenschappen onder één noemer te brengen. Zoals er ook behoefte bestond aan erkende gezagskanalen die bindende uitspraken konden aandragen voor de bestaande meningsverschillen. Het werd bovendien ook duidelijk - hoewel slechts geleidelijk aan en niet zonder slag of stoot - dat Rome het natuurlijke middelpunt van het wereldomvattende geloof moest zijn, waarvan een sterk gezag uit zou kunnen gaan en dat het het centrum van de jonge kerk zou moeten worden.

Er waren in de 2e eeuw verschillende christencentra die in aanmerking konden komen als zetel voor het kerkgezag: Antiochië, Efeze, Alexandrië, Kartago... Maar geen van deze steden had op dat gebied het formaat van Rome. Aan het eind van de 1e eeuw had Clemens, de bisschop van Rome, met onmiskenbaar gezag zijn bezorgdheid uitgesproken over de situatie in andere kerkgemeenschappen. De wijze waarop hij zijn mening kenbaar maakte, deed sterk denken aan de brieven van Paulus. Aan het begin van de 2e eeuw stond bisschop Ignatius van Antiochië voor zijn dramatische martelaarschap in Rome. Hij verzocht toen de kerk van Rome nadrukkelijk zich niet om zijnentwille in de kwestie te mengen. We kunnen daaruit opmaken dat de kerkelijke leiders in Rome in die dagen al invloed konden laten gelden op beslissingen van het burgerlijk bestuur. In elk geval werd de rol die Rome vervulde in de zich sterk uitbreidende christelijke wereld steeds belangrijker. Dat bleek ook later in de 2e eeuw toen Ireneus van Lyon bepaalde, dat iedere kerkgemeenschap in politieke aangelegenheden de opvattingen van de kerk van Rome moest delen. Dat de kerk een sterke positie had veroverd blijkt uit het grote aantal geschriften tegen de kerk dat in de loop van de 2e eeuw verscheen. Maar deze inspireerden op hun beurt christelijke geleerden tot scherp en krachtig verweer waarmee ze niet alleen hun eigen geloof verdedigden, maar zich tevens keerden tegen de holle leegte van de heidense godsdienst en de zedeloosheid van de Romeinse samenleving.

Intussen ontwikkelde zich ook de christelijke wetenschap. Tertullianus van Kartago was de man die tegen het eind van de 2e eeuw op gezaghebbende wijze het christelijke denken verwoordde. Hij was ook de eerste belangrijke kerkgeleerde die gebruik maakte van wat de voornaamste taal van het westelijke Christendom zou worden, het Latijn.

Wellicht is de bekendste literaire aanval op het Christendom uit die tijd van de hand van de bekende Romeinse politieke theoreticus Celsus. Hij beschuldigde het Christendom ervan vooral gehoor te zoeken onder mensen van het laagste allooi, onder 'ongeletterden en boerenpummels'. Als Jezus tijdens zijn leven niemand voor zich kon winnen, beweerde Celsus, was het absurd dat zijn volgelingen na zijn dood vele duizenden hoopten te kunnen overtuigen.

Celsus werd uitvoerig en zeer kundig van repliek gediend door Origenes. De waarlijk scherpe denker, zei Origenes, zoekt de verborgen waarheden achter de wet, de woorden van de profeten en de evangeliën. Celsus had deze volgens Origenes luchthartig weggewuifd 'alsof ze niets van belang bevatten'. Maar dat kwam alleen omdat hij 'de betekenis niet onderzocht of niet had geprobeerd door te dringen tot de bedoeling van de schrijvers'. Wie is er dan echt de dwaas, vroeg Origenes, degene die onderzoekt en dan tot een meningsvorming komt of degene die eenvoudigweg weigert naar het bewijsmateriaal te kijken?

Het behoeft geen betoog dat de wrijving tussen christelijke en heidense waarden zich niet beperkte tot literaire disputen. Regelmatig nam het conflict veel heviger vormen aan. Geruchten deden de ronde dat de christelijke geloofsbeleving zich bezondigde aan praktijken als kannibalisme (verwijzend naar de Eucharistie), incest (zij droegen liefde uit voor hun 'broers' en 'zusters') en tovenarij (zij getuigden van wonderbaarlijke genezingen). Door dit soort kwalijke verhalen laaide de vijandigheid onder het volk soms op tot bloedige antichristelijke rellen, waartegen de plaatselijke overheid weinig of niets ondernam.

De politiek die Rome voerde ten opzichte van het Christendom werd gedurende de eerste 300 jaren van het bestaan van de kerk gekenmerkt door golven van zeer uiteenlopend karakter. In de eerste eeuw werden er tweemaal officieel georganiseerde christenvervolgingen gehouden. Onder Nero in 64 en onder Domitianus in 95. Of deze vervolgingen ook tot ver buiten de grenzen van Rome doordrongen, is niet bekend. De regering maakte zich ernstig zorgen over de geografische verspreiding van het nieuwe geloof. Maar misschien werd het als een nog grotere bedreiging gevoeld, dat het Christendom dwars door het klassenstelsel heen voortwoekerde, van de lagere groeperingen en middenniveaus in de Romeinse samenleving tot in de meest elegante en bevoorrechte kringen. Mogelijk drong Domitianus met zijn actie tegen de christenen zelfs door tot in hofkringen. Flavius Clemens, een neef van de keizer, werd ter dood gebracht en zijn vrouw verbannen op beschuldiging van 'atheïsme', waarmee waarschijnlijk het aanhangen van het christelijke geloof werd bedoeld.

In de eerste helft van de 2e eeuw overheerste er een wat meer gematigde politiek. Het Christendom werd echter nog steeds niet officieel toegestaan. Aanhangers konden zelfs te allen tijde worden gearresteerd en stonden voortdurend bloot aan martelingen, gevangenschap, verbeurdverklaring van eigendommen, verbanning naar de galeien of naar de mijnen en zelfs terdoodveroordeling.

Gedurende de laatste helft van de 2e eeuw werd de officiële houding tegenover het Christendom weer harder. In die tijd kreeg het geloof werkelijk een zeer grote aanhang, onder meer door de idealen van de christenen die zelfs bij de felste vervolging weigerden afstand te doen van hun geloof. En terwijl het aantal van dit soort vastberaden gelovigen in het hele keizerrijk toenam, werd de vijandige houding van de overheid alleen maar erger. De filosoof en keizer Marcus Aurelius (161-180) stond bekend om zijn hartgrondige afkeer van christenen en gedurende de regeringsperiode van deze overigens gematigde man verhevigden de aanvallen, die zij te verduren hadden, sterk.

Desondanks slaagde deze nieuwe golf van christenvervolging er evenmin in het Christendom uit te bannen als eerdere pogingen. Het geloof bleef zich alleen maar uitbreiden. De meeste christengemeenschappen kwamen samen in woon-

Het Romeinse Colosseum is bekend gebleven als symbool van de christenvervolgingen. Het vormde het toneel voor bloedige spektakels en waarschijnlijk is Ignatius van Antiochië de eerste christenmartelaar geweest die er de dood vond (zie inzet boven).

# Het bloed van de martelaren

De verspreiding van het Christendom ontmoette van het begin af aan argwaan en vijandigheid, die regelmatig tot uitbarstingen van geweld leidden. Soms werden die veroorzaakt door het gepeupel, maar bij andere gelegenheden werden ze officieel georganiseerd door de Romeinse overheid. Dergelijke incidenten vonden in praktisch elke uithoek van het rijk plaats, maar ze ontmoetten nergens zoveel weerklank als in Rome zelf.

De eerste echte christenvervolging was de campagne die Nero in het jaar 64 voerde tegen de volgelingen van Jezus. Volgens de Romeinse historicus Tacitus viel er tijdens die zuiveringscampagne een 'groot aantal' slachtoffers onder de christenen. De Kerk van Rome kan in die dagen nog niet zo'n indrukwekkende hoeveelheid leden gehad hebben en het is onmogelijk te achterhalen hoeveel een 'groot aantal' toen precies was. Maar er wordt wel aangenomen dat onder de eerste slachtoffers van het Christendom twee vooraanstaande figuren waren, Petrus en Paulus. En wat misschien nog belangrijker is: de christenvervolgingen die Nero in het leven riep, vormden een precedent dat in de daarop volgende jaren

De catacombe van St.-Callistus was een van de ontelbare ondergrondse grafkamers, die in de periode tussen de 2e en de 4e eeuw rond Rome werden aangelegd. Sommige waren heel groot.

veelvuldig en op grote schaal zou worden gevolgd.

Onder de bekendste slachtoffers van latere vervolgingen bevond zich Ignatius van Antiochië, die in een Romeinse arena door wilde dieren werd verscheurd. Een ander beroemd slachtoffer was de briljante Justinus de Martelaar, die omstreeks 165 ter dood werd gebracht. De officiële christenvervolgingen bereikten een toppunt van wreedheid gedurende de regeringsperiode van Diocletianus (284-305). Hij was de man die de aanzet gaf tot de laatste en tevens bloedigste golf van terreur tegen de christenen.

Helaas zijn de beschikbare historische gegevens zo vaag dat men zelfs geen enigszins betrouwbare schatting kan maken van het aantal mensen dat tijdens de vervolgingen is gedood. De moderne wetenschap heeft evenwel twijfel opgeroepen over de grote aantallen - er is zelfs sprake van miljoenen martelaren - die er volgens de overlevering gevallen zouden zijn. De zin van het martelaarschap onder de eerste christenen wordt in elk geval niet uitgemaakt door het aantal slachtoffers, maar door de invloed die hun moed op de mensheid heeft gehad.

# De verspreiding van het Christendom *(vervolg)*

huizen - de zogenaamde 'huiskerken'. Op zondagen vierde men er samen de wederopstanding van Jezus met gebeden, gezang en bestudering van de Schrift. De vroegst bekende christenkerk, daterend van 232, was ook zo'n 'huiskerk'. Bij opgravingen in Dura Europos (12) aan de Eufraat zijn er overblijfselen van gevonden.

De 3e eeuw bleef af en toe uitbarstingen van christenhaat voortbrengen, zij het minder ernstig van aard. Maar halverwege de eeuw zakte het keizerrijk steeds dieper weg in politieke en economische chaos. De grensgebieden in het westen werden regelmatig geplunderd door troepen Germanen; en aan de oostgrens dreigde de veroveringsdrift van het weer opkomende Perzische rijk.

De Romeinse legers werden bovendien getroffen door een epidemie van gezagsondermijning en muiterij. Een van de stappen die werden gezet om het dreigende verval een halt toe te roepen en het volk weer voor de keizer te winnen, was het herstel van de eredienst aan de vroegere goden. Grote groepen christenen weigerden evenwel hieraan mee te doen. Keizer Decius (249-251) zette onmiddellijk een wrede actie in om de christenen uit te roeien. Zijn opvolgers Gallus en Valerianus volgden zijn voorbeeld.

Er kwam een eind aan het bloedvergieten toen er in 261 een edict werd uitgevaardigd, waarbij alle godsdiensten een gelijke behandeling kregen. In de daaropvolgende veertig jaar verspreidden de christengemeenschappen in het noordwesten zich tot in Brittannië en over de oostgrens van het Romeinse rijk in Mesopotamië. Deze periode van rust werd evenwel plotseling verstoord in het jaar 303. Keizer Diocletianus ondernam toen de laatste en tevens meest gewelddadige poging om de heerschappij van het Christendom voor eens en voor altijd te breken. Diocletianus was vroeger legerofficier geweest en toen hij in 284 aan de macht kwam, begon hij aan een succesrijke poging de orde in het land te herstellen. Zo verdeelde hij het uit zijn krachten gegroeide keizerrijk in tweeën en droeg het bewind over het westelijke deel op aan medekeizer Maximianus. De gematigde houding die Diocletianus aanvankelijk tegenover het Christendom had ingenomen, veranderde naarmate hij er meer bedreiging van zijn macht in ging zien. In het jaar 303 vaardigde Diocletianus het decreet uit dat alle christelijke kerken vernietigd moesten worden. En wie weigerde de goden van het Romeinse keizerrijk te aanbidden werd zwaar gestraft.

Diocletianus en Maximianus traden allebei in 305 af en lieten het keizerrijk in complete wanorde achter. In 306 werd de jonge legerofficier Constantinus (Constantijn) in het westelijk gebied door zijn troepen uitgeroepen tot keizer. Het zou evenwel nog zes jaren duren voor hij deze titel zonder tegenspraak kon verwerven door Italië binnen te vallen en zijn belangrijkste rivaal Maxentius in de historische slag bij de Pons Milvius (13) te verslaan. Volgens de overlevering was het daar op het slagveld dat Constantijn een vurig kruis in de lucht zag - een overwinningsteken dat hem overtuigde van de waarheid en de macht van het Christendom. Hoewel hij zich nog niet bekeerde, stelde hij zich vanaf dat moment op als een daadwerkelijk en welgezind beschermer van de kerk. In 313 kondigden hij en zijn medekeizer uit het oostelijk deel van het land Licinius vrijheid voor alle godsdiensten af. Hij schonk alle bezittingen die van de christenen waren afgenomen weer terug. Hij kondigde ook een aantal andere maatregelen af — bij voorbeeld dat de zondag een rustdag moest zijn — en dit alles droeg ertoe bij dat de positie van de kerk steeds sterker werd.

Het was dezelfde Constantijn I de Grote die een jaar later in de stad Nicea (14) in Bitynië een historische kerkraad bijeenriep. Zo'n 300 bisschoppen bogen zich bij die gelegenheid over het fel betwiste geschilpunt rond de goddelijkheid van Christus, waardoor de kerk uiteengedreven dreigde te worden. Na verschillende weken van discussiëren kwam de raad tot een uitspraak die tot de kern van de christelijke leer zou blijven behoren, de tot in latere eeuwen bekende *geloofsbelijdenis van Nicea*.

De lange strijd om het bestaan was voorbij. Het christelijke geloof had wijd en zijd diep wortel geschoten en zou het keizerrijk, dat getracht had haar ondergang te bewerkstelligen, royaal overleven. Het Christendom was nog een minderheidsgeloof dat zich voornamelijk manifesteerde in de steden van het Romeinse rijk. Maar het werd niet meer bedreigd en zou in de jaren die volgden omhelsd worden door een indrukwekkende meerderheid van de bevolking. De apostelen en degenen die hun taak hadden overgenomen, hadden er lang en hard voor gewerkt. Zij waren erop uitgetrokken om het evangelie van hun meester 'over de hele wereld' (Mc 16:15) te prediken. De triomf die de kerk onder Constantinus eindelijk vierde, was de stralende vervulling van de zendingsopdracht die drie eeuwen geleden in Jeruzalem was begonnen.

*Deze prent uit de 9e eeuw toont hoe Constantijn I de Grote in 312 n.C. het teken kreeg van de definitieve overwinning op zijn rivaal Maxentius. Het bewijs bestond uit het verschijnen van een vurig kruis boven het slagveld bij de Pons Milvius. Volgens een beroemd verhaal uit de Oudheid zag Constantijn het kruis in een visioen en was het voorzien van de Latijnse woorden In hoc signo vinces - 'In dit teken zult gij overwinnen'.*

# Encyclopedie van bijbelse plaatsen

In de nu volgende lijst zijn de namen van steden en dorpen opgenomen die voorkomen in de bijbelvertaling van het Nederlands Bijbelgenootschap (vert. NBG) en van de Katholieke Bijbelstichting (vert. KBS), met inbegrip van de plaatsnamen in de deuterocanonieke boeken. Ook zijn er wel plaatsen opgenomen die niet in de Bijbel voorkomen, maar die een belangrijke rol spelen in de geschiedenis van het joodse volk en het ontstaan van het Christendom.

De spelling van de plaatsnamen is ontleend aan de 'Lijst van bijbelse persoons- en plaatsnamen', opgesteld in opdracht van de Katholieke Bijbelstichting en het Nederlands Bijbelgenootschap.

Afwijkende schrijfwijzen die in bijbelsteksten zijn gebruikt krijgen een vet gedrukte verwijzing naar de naam waaronder de betreffende plaats is beschreven.

Is de ligging van een oude plaats bekend, dan wordt tevens de tegenwoordige naam cursief vermeld. De Arabische woorden *Tell* en *Khirbet* (afgekort als *T.* en *Kh.*) die voor de huidige naam staan, betekenen resp. 'heuvel' en 'ruïne'. Een vraagteken achter de naam geeft aan dat er over de juiste ligging enige onzekerheid bestaat. Soms zijn de oude en de tegenwoordige naam dezelfde of lijken zozeer op elkaar dat nadere aanduidingen niet nodig zijn.

De klemtoon wordt aangegeven door middel van een apostrof. In de naam (tussen haakjes) volgt deze ná de lettergreep die de klemtoon krijgt.

De letters en cijfers die achter de huidige schrijfwijze van de plaats staan, verwijzen naar de vierkante vakken op de kaarten van blz. 44-45 en 46-47. De letters A t/m J hebben betrekking op het noordelijke gedeelte van het Heilige Land (kaarten blz. 44-45), de letters K t/m T op het zuidelijke gedeelte (kaarten blz. 46-47). De inzet op blz. 44 laat zien waar enkele belangrijke plaatsen liggen, die niet op de kaarten van blz. 44 t/m 47 konden worden aangegeven. Natuurlijk staat niet elke plaats uit de lijst op de kaarten. Soms moest er gekozen worden en zijn alleen de belangrijkste plaatsen of die waarover voldoende zekerheid bestaat in kaart gebracht.

Waar mogelijk staat bij ieder trefwoord de ligging van de plaats vermeld. Verder wordt in het kort de geschiedenis geschetst voor zover die verband houdt met de Bijbel; zo nodig wordt verwezen naar de Bijbel en naar andere literaire bronnen, zoals de Amarna-brieven uit de 14e eeuw v.C. of de stèle van Moab. Minder belangrijke bijbelse gegevens worden aan het einde van de beschrijving vermeld.

De plaatsnamenlijst bevat de belangrijkste geografische en bijbelse informatie over de voorkomende plaatsen. Door het systeem van referenties wordt het de lezer mogelijk gemaakt om eventuele betrekkingen tussen de oude plaatsen na te gaan. De oorspronkelijke tekst van de plaatsnamenlijst is geschreven door prof. Harry Thomas Frank, redactioneel hoofdadviseur van dit boek, die voor de samenstelling ervan veel wetenschappelijk onderzoek heeft verricht.

*Arabieren leiden hun kamelen over een begroeid viaduct naar een poort in de oude verweerde muren van Caesarea Filippi. Deze gravure en alle volgende op één na zijn overgenomen uit* Picturesque Palestine, *een uitgave uit 1880.*

# A

**ABARIM** (a'barim) *el-Medeiyina?* (M7). Plaats aan de rand van de woestijn, ten oosten van Moab bij de Zered. Hier waren de Joden gelegerd tijdens hun omzweringen door de woestijn na de uittocht; in Numeri heet het **Ijje-Haäbarim** (Nu 21:11; 33:44).

**ABDON** (ab'don). *Kh. Abda* (B4). Levietenstad in Aser. Toegedeeld aan Gerson of Gersom, zoon van Levi (Joz 19:28, waar het Ebron heet; 21:30; 1 Kr 6:74).

**ABEL** (a'bel). Andere naam voor **Abel-Bet-Maäka** (2 S 20:18).

**ABEL-BET-MAÄKA** (a'bel bet ma'aka). *Abil el-Qamh* (A6). De meest noordelijke stad in Israël. Seba zocht hier zijn toevlucht (2 S 20:14, 15, 18) en werd er gedood. Veroverd door Benhadad (1 K 15:20; 2 Kr 16:4) en door Tiglatpileser III in 733 v.C. (2 K 15:29). Wordt Abel genoemd in 2 S 20:18; Abel-Maïm in 2 Kr 16:4.

**ABEL-HASSITTIM** (a'bel hassit'tim). Andere naam voor **Sittim** (Nu 33:49).

**ABEL-KERAMIM**(a'bel ke'ramim). *Naur?* (H7). Stad in Ammon. Verste punt van het gebied dat Jefta op de Ammonieten veroverde (Ri 11:33).

**ABEL-MAÏM (a'bel ma'im).** Andere naam voor **Abel-Bet-Maäka** (2 K 16:4).

**ABEL-MECHOLA** (a'bel mecho'la). *T.Abu Sus?* (E6). Stad in het Jordaandal. Midjanieten vluchtten erheen, toen ze door Gideon waren verslagen (Ri 7:22). In Salomo's vijfde belastingdistrict (1 K 4:12). Woonplaats van Elisa (1 K 19:16). Hier sloeg Elia zijn opvolger zijn mantel om.

**ABRONA** (abro'na) *Umm Rashrash?* (T4). Drinkplaats in de Araba. Hebreeërs waren hier gelegerd tussen Jotbata en Esjon-Geber (Nu 33:34-35).

**ACHLAB** (a'chlab). Stad bij Tyrus, toegedeeld aan Aser, die de Kanaänieten niet kon verdrijven (Ri 1:31). Soms vereenzelvigd met **Chelba** (Joz 19:29).

**ACHMETA** (achme'ta) *Hamadan.* Hoofdstad van Medië. Veroverd door Kores (Cyrus II de Grote) die er zijn zomerresidentie van maakte. Hier werd een rol gevonden waarin Kores toestaat de tempel te Jeruzalem te herbouwen (Ezr 6:2). Antiochus IV week naar deze stad uit, toen hij in 165 v.C. was verslagen (2 Mak 9:3). Woonplaats van Tobit (Tob 3:7; 6:6; 7:1; 14:12, 14). Ook vermeld in Jdt 1:1, 14).

**ADADA** (a'dada). Stad in de Negeb. Ligging onzeker, mogelijk dezelfde als van **Aroër 3**.

**ADAM** (a'dam). *T.ed-Damiya* (G6). Stad aan een grote doorwaadbare plaats in de Jordaan ten noorden van Jericho. Hier werd het water van de Jordaan tegengehouden, zodat de Hebreeërs over het droge Kanaän konden binnentrekken (Joz 3:16). Ook vermeld in Hos 6:7.

**ADAMA** (a'dama). *Quarn Hattin?* (C5). Versterkte stad in Naftali (Joz 19:36).

**ADAMI-NEKEB** (a'dami ne'keb). Grensstad in Naftali (Joz 19:33). Ligging onzeker.

**ADAR** (a'dar). *Ein Qedeis?* (O1). Plaats aan de grens van Juda (Joz 15:3). Soms vereenzelvigd met Chasar-Addar uit Nu 34:4, dat waarschijnlijk hetzelfde is als **Chesron** uit Joz 15:3.

**ADASA** (a'dasa). *Kh.Addasa* (H4). Stad bij Bet-Choron, waar Judas de Makkabeeër Nikanor I versloeg (1 Mak 7:40, 45).

**ADDON** (ad'don). Onbekende plaats in Babel, van waaruit ballingen terugkeerden (Ezr 2:59; Neh 7:61).

**ADITAÏM** (adita'im) Stad in de Laagte (Joz 15:36). Ligging onzeker.

**ADMA** (ad'ma). Een van de vijf steden in de vlakte ten zuiden van de Dode Zee. Ligging onzeker. Aangevallen door de koningen van het noorden (Gn 14:1-12). Verwoest samen met Sodom, Gomorra, Seboïm en Bela (Soar) (Gn 19:24-29; Dt 29:23). Ook vermeld in Gn 10:19; Hos 11:8.

**ADORAÏM** (adora'im). *Dura* (J3). Stad in Juda, later een van de voornaamste steden in het oosten van Idumea. Versterkt door Rechabeam (2 Kr 11:9). Hier hield een sneeuwstorm in 142 v.C. de oprukkende Tryfon tegen (1 Mak 13:20-22). Ingenomen door Johannes Hyrkanus in 129 v.C. In 59 v.C. door Gabinius herbouwd en tot bestuurscentrum gemaakt.

**ADRAMYTTIUM** (adramyt'tium). Haven in Mysië in de Romeinse provincie Asia. Paulus begon zijn reis van Caesarea naar Rome per schip vanuit deze plaats (Hnd 27:2).

**ADULLAM** (adul'lam). *T.esh-Sheikh Madhkur* (I3). Stad van de Kanaänitische koning in de Laagte. Hier speelde de ontmoeting tussen Juda en Tamar zich af (Gn 38:1, 12-20). Veroverd door Jozua (Joz 12:15). Toegedeeld aan Juda (Joz 15:35). Waarschijnlijk lag daar de grot waarin David voor Saul vluchtte (1 S 22:1; 2 S 23:13; 1 Kr 11:15). Versterkt door Rechabeam (2 Kr 11:7). Joodse nederzetting na de terugkeer uit de ballingschap (Neh 11:30). Hier trok Judas de Makkabeeër zich terug, nadat hij in 164 v.C. Gorgias verslagen had (2 Mak 12:38).

**AFEK** (a'fek) 1. *Ras el-Ain* (G3). Stad in de kustvlakte aan de bron van de Jarkon, waar belangrijke wegen samenkomen. Kanaäni-sche stad, waarvan de koning door Jozua verslagen werd (Joz 12:18). De Filistijnen verzamelden hier hun legers voor de slag van Eben-Haëzer (1 S 4:1) en voor de slag bij de berg Gilboa (1 S 29:1). Herbouwd door Herodes de Grote en ter ere van zijn vader Antipatris genoemd. Hier werd Paulus 's nachts als gevangene heengebracht (Hnd 23:31, waar het Antipatris genoemd wordt) op zijn reis van Jeruzalem naar Caesarea. 2. Stad aan de grens van de Amorieten, door Israël als een deel van zijn erfgoed beschouwd (Joz 13:4). Ligging onzeker, maar mogelijk dezelfde als van Afka ten oosten van Gebal. 3. *T.Kurdana* (C3). Stad in het westen van Galilea. Toegedeeld aan Aser (Joz 19:30) die de Kanaänieten niet kon verdrijven (Ri 1:31). 4. *Kh. Asheq?* (C6). Stad in Basan aan de weg tussen Bet-Sean en Damascus. Hier versloeg Achab van Israël de Syriërs (1 K 20:26). Elisa voorspelde de overwinning van Joas op de Syriërs in Afek (2 K 13:17).

**AFEKA** (afe'ka). *Kh.el-Hadab?* (J3). Stad in Juda, toegedeeld aan Juda (Joz 15:53).

**AFRA** (a'fra). (Vert. NBG; Bet-le-Afra, vert. KBS) Stad vermeld in Mi 1:10. Ligging onzeker. **AI** 1. *Kh.et-Tell* (H4). Kanaänitische stad in het gebergte van Benjamin. Hier sloeg Abraham tweemaal zijn tenten op (Gn 12:8; 13:3). De eerste poging van Jozua om het te veroveren mislukte (Joz 7:2-5), maar de tweede aanval slaagde (Joz 8:1-29; 9:3; 10:1). Joodse nederzetting na de terugkeer uit de ballingschap (Ezr 2:28; Neh 7:32). Soms vereenzelvigd met Ajjat uit Js 10:28 en Ajja uit Neh 11:31. 2. Stad van de Ammonieten, vermeld in Jr 49:3. Ligging onzeker.

**AIN** 1. Stad aan de grens van Kanaän (Nu 34:11). De ligging ervan is onzeker. 2. Een andere naam voor de plaats **Rimmon** (Joz 15:32; 19:7; 1 Kr 4:32). 3. Een andere naam voor **Asan** (Joz 21:16).

**AJJA** (aj'ja) 1. Stad in Efraïm (1 Kr 7:28). Ligging onzeker. 2. Wellicht hetzelfde als **Ai** (Neh 11:31).

**AJJALON** (aj'jalon) 1. *Yalo* (H3). Amorietenstad in het westelijke heuvelgebied, die een belangrijke weg naar het bergland van Juda beheerste. Tijdens de slag bij Gibeon beval Jozua de maan stil te blijven staan in het dal van Ajjalon (Jos 10:12). Toegewezen aan Dan (Joz 19:42). Toen Dan niet in staat bleek de Amorieten te verdrijven nam Efraïm Ajjalon in (Ri 1:35). Levietenstad (Joz 21:24) en vrijstad (1 Kr 6:69). In Salomo's tweede belastingdistrict (1 K 4:9, waar het Elon-Bet-Chanan wordt genoemd). Versterkt door Rechabeam (2 Kr 11:10). Tevens vermeld in 1 S 14:31; 2 Kr 28:18. Soms vereenzelvigd met **Elon** uit Joz 19:43. 2. Plaats in Zebulon, waar de rechter Elon werd begraven (Ri 12:12). Ligging onzeker.

**AJJAT** (aj'jat). Wellicht hetzelfde als **Ai** (Js 10:28).

**AKKO** (ak'ko). *T.el-Fukhkhar* (B3). Kustplaats ten noorden van de berg Karmel. Toegedeeld aan Aser, die de Kanaänieten niet kon verdrijven (Ri 1:31). Ingenomen door Alexander de Grote ca. 332 v.C. De naam veranderde in Ptolemaïs tijdens het bewind van Ptolemeüs II Filadelfos (284-246 v.C.). Ingelijfd door de Syrische Seleuciden ca. 198 v.C. Bij deze plaats bevrijdde Simon in 164 v.C. de Joden uit Galilea (1 Mak 5:15,22). Jonatan werd hier in 143 v.C. verraderlijk door Tryfon in de val gelokt (1 Mak 12:48). Ingenomen door Pompejus in 64-63 v.C. Door Julius Caesar in 47 v.C. bezocht. Herodes de Grote ging er in 39 v.C. aan land om met de verovering van zijn koninkrijk te beginnen. Paulus bracht hier op de terugtocht van zijn derde reis een dag door (Hnd 21:7).

**AKSAF** (ak'saf). *Kh.el-Harbaj?* (C3). Kanaänitische stad in de vlakte van Akko. De koning sloot zich aan bij het verbond tegen de Israëlieten (Joz 11:1) en werd door Jozua verslagen bij de wateren van Merom (Joz 12:20). Toegedeeld aan Aser (Joz 19:25).

**AKZIB** (ak'zib). 1. *T.el-Beida?* (I3). Stad in de Laagte, toegedeeld aan Juda (Joz 15:44). Wordt ook vermeld in Gn 38:5, waar het Kezib genoemd wordt; Mi 1:14. 2. *ez-Zib* (B4.) Stad aan de kust van Fenicië, toegedeeld aan Aser (Joz 19:29), die de Kanaänieten niet kon verdrijven (Ri 1:31). Veroverd door Sanherib in 701 v.C. Hier werden de broer van Herodes de Grote, Fasaël, en Hyrkanus II, hogepriester van de Hasmoneeën, door de Parten gevangen genomen.

**ALEMA** (a'lema). Stad in Gilead (1 Mak 5:26,35). Mogelijk hetzelfde als **Chelam** uit 2 S 10:16-17.

**ALEMET** (a'lemet). *Kh.Almit.* Levietenstad in Benjamin (1 Kr 6:60); Joz 21:18, waar het Almon genoemd wordt).

**ALEXANDRIË** (alexan'drië). Hoofdstad van Egypte en voornaamste stad in de Hellenistische en Romeinse tijd. Gesticht door Alexander de Grote in 331 v.C. Na zijn vertrek uit Myra in Lycië leed Paulus schipbreuk met een schip uit Alexandrië (Hnd 27:6). Paulus voer ook van Malta naar Puteoli op een Alexandrijns schip (Hnd 28:11).

**ALLAMMELEK** (allam'melek). Stad in Aser (Joz 19:26). Ligging onzeker.

**ALMON** (al'mon). Andere naam voor **Alemet** (Joz 21:18).

**ALMON-DIBLATAÏM** (al'mon dib'lata'im). *Kh.Deleilat esh-Serqiya* (I7). Stad in Moab. Hier waren de Israëlieten gelegerd tussen Dibon-Gad en het Abarimgebergte (Nu 33:46-47). Misschien hetzelfde als Bet-Diblataïm uit Jr 48:22.

**ALOT** (a'lot). Stad in Aser. In Salomo's negende belastingdistrict (1 K 4:16).

**ALUS** (a'lus). Plaats waar de Hebreeërs na de uittocht in de Sinaï tussen Dofka en Refidim gelegerd waren (Nu 33:13). Ligging onzeker.

**AMAD** (a'mad). Stad in Aser (Joz 19:26). Ligging onzeker.

**AMAM** (a'mam). Stad in Juda (Joz 15:26). Ligging onzeker.

**AMFIPOLIS** (amfi'polis). Stad in Macedonië. Paulus trok hier op zijn tweede reis door (Hnd 17:1).

**AMON VAN NO** (a'mon van no). Andere naam voor **No-Amon** (Jr 46:25).

**ANAB** (a'nab) *Kh.Anab es-Saghira* (K3). Stad in het bergland van Juda. Hier verdreef Jozua de Enakieten (Joz 11:21). Toegedeeld aan Juda (Joz 15:50).

**ANACHARAT** (ana'charat). *T.el-Mukharkhash* (D5). Stad in Beneden-Galilea, toegedeeld aan Issakar (Joz 19:19).

**ANANJA** (anan'ja). Andere naam voor **Betanië 1** (Neh 11:32).

**ANATOT** (a'natot). *Ras el-Kharruba* (H4). Levietenstad in Benjamin (Joz 21:18; 1 Kr 6:60). Woonplaats van Jeremia (Jr 1:1; 11:21,23; 29:27; 32:7-9). Joodse nederzetting na de terugkeer uit de ballingschap (Ezr 2:23; Neh 7:27; 11:32). Ook vermeld in 2 S 23:27; 1 K 2:26; 1 Kr 11:28; 12:3; 27:12; Js 10:30.

**ANEM** (a'nem). Levietenstad in Issakar (1 Kr 6:73). Ligging onzeker, maar misschien dezelfde als van **En-Gannim 2.**

**ANIM** (a'nim). *Kh.Ghuwein et-Tahta* (K4). Stad in het bergland van Juda, toegedeeld aan Juda (Joz 15:50).

**ANTIOCHIË** (antiochi'e) 1. *Antakiya*. Hoofdstad en voornaamste plaats van het Grieks-Romeinse Syrië. Gesticht door Seleukus I Nikator (305-280 v.C.) en genoemd naar diens vader Antiochus. Vroegste grote centrum van het niet-joodse Christendom, waar de volgelingen van Jezus voor het eerst christenen genoemd werden (Hnd 11:26). Barnabas bracht Paulus vanuit Tarsus hierheen (Hnd 11:25-26). Vertrekpunt van de reizen van Paulus (Hnd 13:1 e.v.). Hier kwam Paulus in verzet tegen Petrus (Kefas) (Gal 2:11). Ook vermeld in Hnd 6:5; 11:19-22,27; 15:22-23,30,35; 18:22. 2. Stad in Pisidië in Klein-Azië op de grens met Frygië. Bezocht door Paulus op zijn eerste reis (Hnd 13:14; 14:19,21; 2 Tim 3:11).

**ANTIPATRIS** (anti'patris). Stad, herbouwd door Herodes de Grote en naar zijn vader genoemd. Romeinse naam voor **Afek 1** (Hnd 23:31).

**APOLLONIA** (apollo'nia). Stad in Macedonië. Paulus kwam hier op zijn tweede reis.

**AR** *el-Misna* (K7). Moabitische stad op de zuidelijke oever van de beek Arnon. Veroverd door de Israëlieten (Nu 21:28). Aan de zonen van Lot geschonken (Dt 2:9). Ook vermeld in Nu 21:15; Dt 2:18,29; Js 15:1.

**ARAB** (a'rab). *Kh.er-Rabiya.* Dorp in het bergland van Juda, toegedeeld aan Juda (Joz 15:52).

**ARAD** (a'rad) 1. *T.el-Milh* (K4). Kanaänitische stad in de Negeb. De koning viel de Hebreeërs aan (Nu 21:1; 33:40) en werd door Jozua verslagen (Joz 12:14). 2. *T.Arad* (K4). Kenitische nederzetting, vermeld in Ri 1:16.

**ARADUS** (a'radus). Grieks-Romeinse naam voor **Arwad** (1 Mak 15:23).

**ARBATTA** (arbat'ta). Joden uit deze stad werden door Simon naar Judea gebracht (1 Mak 5:23). Ligging onzeker.

**ARIËL** (a'riël). Andere naam voor **Jeruzalem** (Js 29:1,2,7, vert. KBS).

**ARIMATEA** (arimate'a). Woonplaats van Jozef die aan Pilatus het lichaam van Jezus vroeg en het in zijn eigen graf begroef (Mt 27:57; Mc 15:43; Lc 23:50; Joh 19:38). Andere naam voor **Rama 4.**

**AROËR** (aro'er) 1. *Kh.Arair?* (J7). Stad op de noordelijke rand van de engte van de beek Arnon in Moab. Door de Hebreeërs in bezit genomen, nadat koning Sichon verslagen was (Joz 12:2; Dt 2:36; 4:48). Toegedeeld aan Ruben (Joz 13:9,16; Dt 3:12; 1 Kr 5:8) en aan Gad (Nu 32:34). Ook vermeld in Ri 11:26; 2 S 24:5; 2 K 10:33; Jr 48:19. 2. Stad in Gilead, toegedeeld aan Gad (Joz 13:25), maar betwist door de Ammonieten (Ri 11:33). Ligging onzeker. 3. *Kh.Arara* (L4). Stad in de Negeb. Een van de plaatsen waarheen David een deel van de buit zond die hij op de Amalekieten had veroverd (1 S 30:28). Mogelijk hetzelfde als **Adada** uit Joz 15:22.

**ARPAD** (ar'pad). *T.er-Refad.* Stad in het noorden van Syrië, verwoest door de Assyriërs (2 K 18:34; 19:13; Js 10:9; 36:19; 37:13; Jr 49:23).

**ARUBBOT** (arub'bot). Stad in Salomo's derde belastingdistrict (1 K 4:10). Ligging onzeker.

**ARUMA** (aru'ma). *Kh.el-Orma* (G5). Stad in het oostelijke bergland van Samaria. Hier verbleef Abimelek, nadat hij uit Sichem was verdreven (Ri 9:31,41).

**ARWAD** (ar'wad). *Ruwad.* Stad op een eiland voor de kust van Syrië. Huurlingen uit deze stad dienden Tyrus (Ez 27:8,11). Arwad werd op de hoogte gebracht van de vriendschap van Rome jegens de Joden (1 Mak 15:23, waar het Aradus genoemd wordt). Ook vermeld in de volkenlijsten van Gn 10:18 en 1 Kr 1:16.

**ASAN** (a'san). Stad in de Laagte. Ligging onzeker. Toegedeeld aan Simeon (Joz 19:7; 1 Kr 4:32) en aan Juda (Joz 15:42). Levietenstad (1 Kr 6:59; Joz 21:16, waar het Aïn wordt genoemd). Stad waarheen David een deel van de buit zond die hij in Siklag had veroverd (1 S 30:30, waar het Bor-Asan wordt genoemd).

**ASDOD** (as'dod). *Isdud* (I1). Stad op de zuidelijke kustvlakte. Toegedeeld aan Juda (Joz 15:46,47). Bewoond door de Enakieten (Joz 11:22). In bezit genomen door de Filistijnen (Joz 13:3). Een van de vijf koningssteden van de Filistijnen. Hier werd de buitgemaakte ark heengebracht (1 S 5:1; 6:17). De muren werden verwoest door Uzzia van Juda (2 Kr 26:6). Rampspoed voorspeld door profeten (Jr 25:20; Am 1:8; Sef 2:4; Zach 9:6). In conflict met Nehemia (Neh 4:7; 13:23,24). Veroverd door Sargon II (Js 20:1) ca. 712 v.C. Hellenistische hoofdstad van de provincie Azotus en eveneens Azotus genoemd. Syrisch-Griekse versterking tegen de Hasmoneeën (1 Mak 4:15; 5:68; 10:84; 11:4). Veroverd door Johannes Hyrkanus (1 Mak 16:10). Deel van het koninkrijk van Alexander Janneus. Ingenomen door Pompejus in 63 v.C. en ingelijfd bij Syrië. Herbouwd door Gabinius ca. 57 v.C. Deel van het koninkrijk van Herodes de Grote. Door deze stad trok de diaken Filippus tijdens zijn evangelieprediking, nadat hij de Ethiopische kamerling had gedoopt (Hnd 8:40).

**ASKELON** (as'kelon). *T.Asqalan* (I1). Zeehaven aan de zuidkust. Heroverd door Ramses II ca. 1280 v.C. na zijn opstand tegen Egypte. Nederzetting van de Filistijnen in de 12e eeuw v.C. Een van de vijf koningssteden van de Filistijnen. (1 S 6:17; 2 S 1:20). Niet ingenomen door de Hebreeërs tijdens hun verovering (Joz 13:3). In bezit genomen door Juda (Ri 1:18). Simson doodde dertig mannen uit deze plaats (Ri 14:19). Verwoest door Nebukadnessar (Jr 25:20; 47:5-7). Vijandig jegens de Joden (Zach 9:5). Vriendschappelijk met de Makkabeeën (1 Mak 10:86; 11:60; 12:33). Vrije stad in de tijd van Herodes de Grote. Ook vermeld in Jdt 2:28; Am 1:8; Sef 2:4,7).

**ASMON** (as'mon). *Ein Muweilih?* Stad aan de zuidgrens van Juda bij de Beek van Egypte (Nu 34:4,5; Joz 15:4).

**ASNA** (as'na). Stad in de Laagte; er zijn twee verschillende bekend (Joz 15:33 en Joz 15:43), beide toegedeeld aan Juda. Ligging onzeker.

**ASSUS** (as'sus). Haven in Mysië in de Romeinse provincie Asia. Hier ging Paulus, terugkerend van zijn derde reis, aan boord van het schip dat hem naar Jeruzalem zou brengen (Hnd 20:13,14).

**ASTAROT** (as'tarot). *T.Ashtarah.* Stad in Gilead, toegedeeld aan de halve stam Manasse (Joz 13:31). Levietenstad (1 Kr 6:71; Joz 21:27, waar het Beëstera genoemd wordt). Ook vermeld in Joz 9:10; 12:4; 13:12; Dt 1:4.

*Het water van een zijrivier van de Jordaan stroomt onder een stenen boogbrug door in Noord-Galilea.*

**ASTEROT-KARNAÏM** (as'terot karna'ïm). Waarschijnlijk andere naam voor **Karnaïm** (Gn 14:5).

**ATAK** (a'tak). Stad in Juda. Een van de steden waarheen David een deel van de buit zond die hij op de Amalekieten had veroverd (1 S 30:30). Ligging onzeker, maar misschien dezelfde als van **Eter 2** uit Joz 19:7.

**ATAROT** (a'tarot) **1.** *Kh.Attarus* (J6). Stad in Moab. Vermeld op de stèle van Moab. Begeerd door Gad en Ruben (Nu 32:3), maar de bebouwing werd toegedeeld aan Gad (Nu 32:34). **2.** *T.el-Mazar?* Stad aan de grens van Efraïm (Joz 16:7). **3.** Stad aan de grens van Efraïm en Benjamin (Joz 16:2). Misschien hetzelfde als **Atrot-Addar.**

**ATHENE** (athe'ne). Voornaamste stad van Attika en cultuurcentrum van Griekenland. Door Paulus bezocht op zijn tweede reis (Hnd 17:15,16,22; 18:1). Ook vermeld in 1 Tes 3:1.

**ATROT-ADDAR** (a'trot-ad'dar). *Radana?* Stad op de grens van Efraïm en Benjamin (Joz 16:5; 18:13). Mogelijk hetzelfde als **Atarot 3.**

**ATROT-BET-JOAB** (a'trot bet jo'ab). Dorp bij Betlehem 1 (1 Kr 2:54). De ligging van deze plaats is onzeker.

**ATROT-SOFAN** (a'trot so'fan). Stad in Gilead, toegedeeld aan Gad (Nu 32:35). Ligging onzeker.

**ATTALIA** (at'tali'a). Haven aan de kust van Pamfylië. Van hieruit zeilde Paulus naar Antiochië aan het einde van zijn eerste reis (Hnd 14:25).

**AWEN** (a'wen). Andere naam voor **On** (Ez 30:17).

**AWIT** (a'wit). Stad in Edom; woonplaats van Hadad, koning van Edom (Gn 36:35; 1 Kr 1:46). Ligging onzeker.

**AWWA** (aw'wa). Stad, waarschijnlijk in het noorden van Syrië of Babylonië, van waaruit Assyriërs mensen naar Samaria brachten na de val van Israël (2 K 17:24). Ligging onzeker. Wordt **Iwwa** genoemd in 2 K 18:34; 19:13; Js 37:13.

**AWWIM** (aw'wim). *Kh. Haiyan?* Stad in Benjamin (Joz 18:23).

**AZEKA** (aze'ka). *T.ez-Zakariya* (I3). Stad in de Laagte, die belangrijke wegen naar het hoogland beheerste. Na de slag bij Gibeon achtervolgde Jozua de Kanaänieten tot aan Azeka (Joz 10:10). Toegedeeld aan Juda (Joz 15:35). Door Rechabeam versterkt (2 Kr 11:9). Aangevallen door Nebukadnessar in 588 v.C. (Jr 34:7). Joodse nederzetting na de terugkeer uit de ballingschap (Neh 11:30). Ook vermeld in 1 S 17:1.

**AZMAWET** (az'mawet). *Ras Khukeir* (H4). Stad in Benjamin. Mannen uit deze stad keerden terug uit de ballingschap (Ezr 2:24). Zangers uit Azmawet namen deel aan de feestelijke inwijding van de muur van Jeruzalem (Neh 12:27-29). Wordt Bet-Azmawet genoemd in Neh 7:28.

**AZNOT-TABOR** (as'not ta'bor). *Kh.Umm Jubeil?* (D5). Stad, mogelijk aan de zuidgrens van Naftali (Joz 19:34). De stad wordt hier genoemd in verband met de toebedeling van het land aan de geslachten van Naftali.

# B

**BAÄL** (ba'al). Andere naam voor **Baälat-Beër** (1Kr 4:33).

**BAÄLA** (ba'ala) **1.** Ander naam voor **Kirjat-Jearim** (Joz 15:9-10; 1 Kr 13:6). **2.** Andere naam voor **Bala** (Joz 15:29).

**BAÄLAT** (ba'alat). Nederzetting van de Danieten in de Laagte (Joz 19:44). Ligging onzeker. Misschien het Baälat, gebouwd door Salomo (1 Kr 9:18; 2 Kr 8:6).

**BAÄLAT-BEËR** (ba'alat be'er). Stad in Simeon. In Joz 15:24 Bealot genoemd; in 1 Kr 4:33 Baäl. Soms vereenzelvigd met **Rama van het Zuiden** uit Joz 19:8.

**BAÄL-CHASOR** (ba'al cha'sor). *Jebel el-Asur?* (G4). Plaats in het gebergte van Efraïm, waar schapen werden geschoren. Hier werd Amnon door Absalom ter dood gebracht (2 S 13:23).

**BAÄLE-JEHUDA** (ba'ale jehu'da). Andere naam voor **Kirjat-Jearim** (2 S 6:2).

**BAÄL-GAD** (ba'al gad). Stad in het westelijke dal van de berg Hermon. Ligging onzeker. Meest noordelijke grens van de veroveringen van Jozua (Joz 11:17; 12:7; 13:5). Ook vermeld in Ri 3:3.

**BAÄL-HAMON** (ba'al ha'mon). Onbekende plaats waar de wijngaard van koning Salomo lag (Hl 8:11).

**BAÄL-HERMON** (Chiwwitische stad aan de grens van Manasse, gespaard bij de verovering door Jozua Ri 3:3; 1 Kr 5:23). Ligging onzeker.

**BAÄL-MEON** (ba'al me'on). *Main?* (I7). Stad in Moab, toegedeeld aan Ruben (Nu 32:38; Joz 13:17) en door de Rubenieten bewoond (1 Kr 5:8). Ook vermeld in Ez 25:9. In Joz 13:17 Bet-Baäl-Meon genoemd en in Jr 48:23 Bet-Meon. Waarschijnlijk hetzelfde als Beon uit Nu 32:3.

**BAÄL-PEOR** (ba'al pe'or). *Kh.esh-Sheikh Jayil* (H6). Plaats in Moab, waar de Israëlieten gestraft werden voor hun eredienst aan Baäl-Peor (Nu 25:3,5; Dt 4:3; Ps 106:28; Hos 9:10). Waarschijnlijk hetzelfde als **Bet-Peor.**

**BAÄL-PERASIM** (ba'al pera'sim). Plaats bij Jeruzalem, waar David de Filistijnen versloeg (2 S 5:20; 1 Kr 14:11). Ligging onzeker.

**BAÄL-SEFON** (ba'al se'fon). Plaats in Egypte bij de plek waar de Hebreeërs door de zee trokken (Ex 14:2,9; Nu 33:7). Ligging onzeker.

**BAÄL-TAMAR** (ba'al-ta'mar). Dorp, waarschijnlijk in Benjamin, waar de Hebreeërs zich verzamelden voor een succesvolle aanval op Gibea (Ri 20:33). Ligging onzeker.

**BABEL** (ba'bel). Oude stad op de oostelijke oever van de Eufraat. Het ligt op ruim 30 km van Bagdad. Hoofdstad van het Babylonische Rijk. Babyloniërs veroverden Jeruzalem in 587 v.C. en voerden veel Judeeërs in ballingschap (2 K 24:12-16; 25:7,11,21; 2 Kr 36:6,7,10,18,20; Mt 1:11,12,17). Jeremia voorspelde de val van de stad (Jr 50:1-46; 51:1-64). In 539 v.C. ingenomen door de Perzische koning Cyrus die de Hebreeërs toestond naar Juda terug te keren. In het Nieuwe Testament werd Babel het symbool voor Rome en zijn ondeugden (Op 14:8; 16:19; 17:5; 18:2,10, 21; 1 Pe 5:13). Vooral in 2 K, Js, Jr, Ez en Da wordt herhaaldelijk melding gemaakt van Babel.

**BABYLON** (ba'bylon). Andere naam voor **Babel.**

**BACHARUM** (bacha'rum). Andere naam voor **Bachurim** (1 Kr 11:33).

**BACHURIM** (bachu'rim). *Ras et-Tmin* (I4). Een dorp ten oosten van Jeruzalem. Hier nam Mikal afscheid van Paltiël, toen zij naar David terugging (2 S 3:16) en vervloekte Simi David, toen deze voor Absalom vluchtte (2 S 16:5; 19:16; 1 K 2:8). Jonatan en Achimaäs verborgen zich in de buurt van deze plaats in een heel diepe put, toen ze voor David spionneerden (2 S 17:18). Ook vermeld in 2 S 23:31; 1 Kr 11:33, waar het Bacharum genoemd wordt.

**BALA** (ba'la). Stad in de Negeb, toegedeeld aan Simeon (Joz 19:3), maar door de Judeeërs geërfd (Joz 15:29, waar het Baäla genoemd wordt). Ligging onzeker. In 1 Kr 4:29 Bilha genoemd.

**BALAMON** (ba'lamon). Plaats bij Dotan in Samaria. Ligging onzeker. De man van Judit werd in de buurt van deze plaats begraven (Jdt 8:3). Waarschijnlijk hetzelfde als Belbaïm uit Jdt 7:3, **Bebe** uit Jdt 15:4 en Belmaïn uit Jdt 4:4.

**BAMOT** (ba'mot). Andere naam voor **Bamot-Baäl** (Nu 21: 19-20).

**BAMOT-BAÄL** (ba'mot ba'al). Stad in Moab. De ligging ervan is onzeker. Hier brachten Balak en Bileam een offer (Nu 22:41). Toegedeeld aan Ruben (Joz 13:17). De Israëlieten trokken door de stad tijdens hun omzwervingen (Nu 21:19-20, waar het Bamot genoemd wordt).

**BASKAMA** (bas'kama). *el-Jummeiza* (C6). Stad ten noordoosten van het meer van Galilea. Hier doodde Tryfon in 143 v.C. Jonatan (1 Mak 13:23).

**BATANE** (bata'ne). Stad bij Jeruzalem die weigerde zich aan te sluiten bij Nebukadnessar in de oorlog tegen Arfaxad (Jdt 1:9). Mogelijk hetzelfde als **Bet-Anot** uit Joz 15:59.

**BEALOT** (be'alot). Andere naam voor **Baälat-Beër** (Joz 15:24).

**BEBE** (be'be). Stad waarvan de bevolking de vluchtende Assyrische troepen hielp vernietigen (Jdt 15:4). Waarschijnlijk hetzelfde als **Balamon.**

**BEËR** (be'er) **1.** Plaats in Moab waar de Hebreeërs tijdens hun omzwervingen een bron groeven (Nu 21:16). Ligging onzeker. Misschien hetzelfde als **Beër-Elim** uit Js 15:8. **2.** Plaats waar Jotam heen vluchtte (Ri 9:21). Ligging onzeker.

**BEËR-ELIM** (be'er e'lim). Deze plaats wordt genoemd in de profetie van Jesaja over Moab (Js 15:8). De ligging ervan is onzeker, maar zal waarschijnlijk dezelfde zijn als die van **Beër 1** uit Nu 21:16.

**BEËR-LACHAI-ROÏ** (beër lachai' roi). Oase in de woestijn bij Kades-Barnea. Ligging onzeker. Hier troostte de engel Hagar en sprak haar moed in toen deze op de vlucht was voor Sara (Gn 16:14). Woonplaats van Isaak, waar Rebekka hem toe kwam (Gn 24:62) en waar hij woonde na de dood van Abraham (Gn 25:11).

**BEËROT** (be'erot). **1.** *Nebi Samwil?* (H4). Chiwwitische stad op de hoogvlakte ten noordwesten van Jeruzalem. Sloot een verbond met Jozua en werd bij de verovering gespaard (Joz 9:17). Toegedeeld aan Benjamin (Joz 18:25). Baäna en Rekab, de moordenaars van Isboset, kwamen hier vandaan (2 S 4:2,3,5,9,). Ook vermeld in 2 S 23:37; 1 Kr 11:39; Ezr 2:25; Neh 7:29. Ligging onzeker, maar mogelijk dezelfde als van **Berea** uit 1 Mak 9:4. **2.** Andere naam voor **Beërot Bene-Jaäkan..**

**BEËROT BENE-JAÄKAN** (be'erot be'ne ja'akan). Plaats aan de grens van Edom waar de Hebreeërs gelegerd waren en in de buurt waarvan Aäron stierf (Dt 10:6). Ligging onzeker. In Nu 33:31,32 Bene-Jaäkaan genoemd en in 1 Kr 1:42 Jaäkan.

*Terwijl onweerswolken zich boven het meer van Galilea samenpakken, wijzen herders naar een kleine karavaan.*

**BEËSTERA** (bees'tera). Andere naam voor **Astarot** (Joz 21:27).

**BELA** (be'la). Andere naam voor **Soar** (Gn 14:2,8).

**BELBAÏM** (belba'im). Waarschijnlijk hetzelfde als **Balamon** (Jdt 7:3).

**BELMAÏN** (bel'maïn). Waarschijnlijk hetzelfde als **Balamon** (Jdt 4:4).

**BENE-BERAK** (be'ne be'rak). *el-Kheiriya*. Stad in de kustvlakte, toegedeeld aan Dan (Joz 19:45).

**BENE-JAÄKAN** (be'ne ja'akan). Andere naam voor **Beërot Bene-Jaäkan** (Nu 33:31,32).

**BEON** (be'on). Waarschijnlijk hetzelfde als **Baäl-Meon** (Nu 32:3).

**BEREA** (bere'a) **1.** Plaats in Judea, waar Bakchides gelegerd was voor de slag bij Elasa in 161 v.C. (1 Mak 9:4). De ligging ervan is onzeker, maar zou mogelijk dezelfde kunnen zijn als die van **Beërot. 2.** *Verroia.* Stad in Macedonië, waar Paulus en Silas kwamen op hun tweede reis (Hnd 17:10) en van waaruit Paulus naar Athene ging (Hnd 17:15). Ook vermeld in Hnd 20:4. **3.** Hellenistische naam voor Aleppo. Een van de voornaamste steden van Syrië. Hier liet koning Antiochus V Eupator de hogepriester Menelaüs ter dood brengen (2 Mak 13:4).

**BERED** (be'red). Mogelijk een oase bij Kades-Barnea (Gn 16:14). Ligging onzeker.

**BEROTA** (bero'ta). Stad in Syrië aan de noordelijke grenzen van het erfdeel van Israël (Ez 47:16). Het is een andere naam voor **Berotai.**

**BEROTAI** (bero'tai). Stad in Syrië van waaruit David veel koper als buit meenam (2 S 8:8). Wordt Kun genoemd in 1 Kr 18:8 en Berota in Ez 47:16.

**BERSEBA** (berse'ba). *T. es-Saba* (K3). Voornaamste oasestad in de Negeb. Beschouwd als de meest zuidelijke grens van Israël, zoals blijkt uit uitdrukkingen als 'van Berseba tot Dan' (1 Kr 21:2; 2 Kr 30:5) 'van Dan tot Berseba' (Ri 20:1; 2 S 17:11; 24:15; 24:2; 1 K 4:25). Tijdens het verdeelde rijk liepen Juda's grenzen 'van Geba tot Berseba' (2 K 23:8). Hier groeven Abraham en Isaak putten en sloten verbonden met Abimelek van Gerar (Gn 21:31-33; 26:23,33). Abraham keerde hier terug, nadat hij Isaak bijna had geofferd (Gn 22:19). Jakob vluchtte van Berseba naar Haran om aan de woede van Esau te ontkomen (Gn 28:10). Jakob bracht er offers op weg naar Egypte (Gn 46:1,5). Toegedeeld aan Juda (Joz 15:28), maar geschonken aan Simeon (Joz 19:2). Zonen van Samuël waren rechters in Berseba (1 S 8:2). Ook vermeld in Gn 21:14; 2 S 3:10; 17:11; 24:2,7,15; 1 K 19:3; 2 K 12:1; 1 Kr 4:28; 2 Kr 19:4; 24:1; Neh 11:27,30; Am 5:5; 8:14.

**BESER** (be'ser). *Umm el-Amad?* (H7). Stad in het noorden van Moab. Op de stèle van Moab wordt vermeld dat de stad werd veroverd en herbouwd door Mesa van Moab. Levietenstad en vrijstad in Ruben (Dt 4:43; Joz 20:8; 21:36; 1 Kr 6:78). Waarschijnlijk hetzelfde als **Bosra 3** uit Jr 48:24.

**BETACH** (be'tach). Stad in Syrië van waaruit David veel koper als buit wegvoerde (2 S 8:8). Ligging onzeker. Wordt in 1 Kr 18:8 Tibchat genoemd.

**BET-ANAT** (bet a'nat). *Safed el-Battikh?* (A5). Kanaänitische stad in Boven-Galilea. Toegedeeld aan Naftali (Joz 19:38), die er echter niet in geslaagd is de inwoners te verdrijven (Ri 1:33).

**BETANIË** (beta'nië) **1.** *el-Azariya* (I4). Dorp in Benjamin tegen de oostelijke helling van de Olijfberg. Joodse nederzetting na de terugkeer uit de ballingschap (Neh 11:32, waar het Ananja genoemd wordt). Woonplaats van Maria, Marta en Lazarus (Lc 10:38; Joh 11:1,18), waar Jezus Lazarus uit de doden had opgewekt, waar hij logeerde op zijn laatste reis naar Jeruzalem om het Paasfeest te vieren (Joh 12:1) en waar hij zich terugtrok, toen hij de kooplieden uit de tempel had verdreven (Mt 21:17). Jezus werd er gezalfd in het huis van Simon de melaatse (Mt 26:6; Mc 14:3). Plaats van de hemelvaart (Lc 24:50-51). Betanië wordt ook vermeld in Mc 11:1,11,12 en Lc 19:29. **2.** Plaats ten oosten van de Jordaan waar Johannes de Doper doopte (Joh 1:28). De ligging ervan is onzeker.

**BET-ANOT** (bet a'not). *Kh.Beit Einum* (J4). Dorp in het zuidelijke heuvelland van Juda. Toegedeeld aan Juda (Joz 15:59). Mogelijk hetzelfde als **Batane** uit Jdt 1:9.

**BET-ARABA** (bet a'raba). *Ein el-Gharaba* (H5). Vestiging in de woestijn van Juda aan de noordgrens van Juda (Joz 15:6) en de zuidgrens van Benjamin (Joz 18:18). Ook vermeld in Joz 15:61; 18:22.

**BET-ARBEL** (bet ar'bel). *Irbid?* (D7). Stad in Gilead. Verwoest door Salman (Hos 10:14), gewoonlijk vereenzelvigd met Salmanassar V, koning van Assyrië (726-722 v.C.).

**BET-ASBEA** (bet as'bea). Stad in Juda waar een geslacht van linnenwevers vandaan kwam (1 Kr 4:21). Ligging onzeker.

**BET-AWEN** (bet a'wen) **1.** *T.Maryam?* Stad in het gebergte van Benjamin. Hier versloeg Saul de Filistijnen (1 S 13:5; 14:23). Ook vermeld in Joz 7:2; 18:12. **2.** Andere naam voor **Betel 1** (Hos 4:15; 5:8; 10:5).

**BET-AZMAWET** (bet az'mewet). Andere naam voor **Azmawet** (Neh 7:28).

**BET-BAÄL-MEON** (bet ba'al me'on). Andere naam voor **Baäl-Meon** (Joz 13:17).

**BET-BARA.** Stad in het Jordaandal, ingenomen door de Efraïmieten tijdens Gideons achtervolging van de Midjanieten (Ri 7:24). Ligging onzeker.

**BET-BASSI** (bet bas'si). *Kh.Beit Bassa* (I4). Dorp in de woestijn van Juda ten noorden van Tekoa. Versterkt door Jonatan en Simon en zonder succes belegerd door Bakchides in 158 v.C. (1 Mak 9:62,64).

**BET-BIRI** (bet bi'ri). Andere naam voor **Bet-Lebaot** (1 Kr 4:31).

**BET-CHOGLA** (bet chog'la). *Deir Hajla* (H5). Stad ten zuidoosten van Jericho, aan de grens met Juda (Joz 15:6). Toegedeeld aan Benjamin (Joz 18:19,21).

**BET-CHORON** (bet cho'ron). Naam van twee aaneengrenzende steden, Laag-Bet-Choron *(Beit Ur et-Tahta)* (H3) en Hoog-Bet-Choron *(Beit Ur el-Foqa)* (H4). Dwars op de weg van Bet-Choron, een heuvelkamweg en een van de belangrijkste toegangswegen van de kustvlakte naar het centrale bergland en Jeruzalem. Bij de grens van Jozef, Efraïm en Benjamin (Joz 16:3,5; 18:13,14). Levietenstad (Joz 21:22; 1 Kr 6:68). Jozua achtervolgde de vijf koningen der Amorieten 'de berghelling op naar Bet-Choron' (Joz 10:10-11). Versterkt door Salomo (1 K 9:17; 2 Kr 8:5). Hier versloeg Judas de Makkabeeër Seron (1 Mak 3:16,24) en zette Nikanor zijn kamp op voor de slag van Adasa (1 Mak 7:39). Versterkt door Bakchides in 160 v.C. (1 Mak 9:50). Ook vermeld in 1 S 13:18; 1 Kr 7:24; 2 Kr 25:13; Jdt 4:4.

**BET-DAGON** (bet da'gon). **1.** Dorp in de Laagte, toegedeeld aan Juda (Joz 15:41). Ligging onzeker. **2.** Dorp aan de grens van Aser (Joz 19:27). Ligging onzeker.

*Hoog-Bet-Choron beheerste een belangrijke weg van Jeruzalem en het bergland naar de kustvlakte.*

*In Betanië, bij Jeruzalem, wekte Jezus Lazarus uit de dood op en werd hij gezalfd voor zijn eigen begrafenis.*

**BET-DIBLATAÏM** (bet diblata'im). Misschien hetzelfde als **Almon-Diblataïm** (Jr 48:22).

**BET-EDEN** (bet e'den). Aramees koninkrijk tussen de Eufraat en de Balik. Amos kondigde de ballingschap van de bevolking aan (Am 1:5). Wordt Eden genoemd in 2 K 19:12; Js 37:12; Ez 27:23.

**BET-EKED** (bet e'ked). *Beit Qad* (E5). Plaats tussen Jizreël en Samaria in het voorgebergte ten zuiden van de vlakte van Jizreël. Hier liet Jehu de verwanten van Achazja van Juda doden (2 K 10:12,14).

**BETEL** (be'tel) 1. *Beitin* (H4). Oud Kanaänitisch heiligdom Luz in het gebergte van Benjamin; later een van de belangrijkste Israëlitische heilige plaatsen. Abraham sloeg in de buurt zijn tent op (Gn 12:8; 13:3). Hier zag Jakob in een droom engelen een ladder op en af gaan (Gn 28:19). De Heer noemde zichzelf 'de God van Betel' (Gn 31:13). Hebreeërs onder Jozua lieten de mannen van Ai tussen deze stad en Betel in een hinderlaag lopen (Joz 8:9,12,17). Veroverd door Jozua (Joz 12:16) en toegedeeld aan Benjamin (Joz 18:13,32); aan de grens met Jozef (Joz 16:1). Debora hield bij Betel rechtszitting (Ri 4:5). Het lag op de jaarlijkse rondreis van Samuël (1 S 7:16). Plaats van een van Jerobeams gouden kalveren (1 K 12:29-33; 13:1,4,32). Hier profeteerde Amos (Am 7:10,13). Versterkt door Bakchides in 160 v.C. (1 Mak 9:50). Ook vermeld in Gn 35:1,3,6,8,15,16; Joz 7:2; 12:9; Ri 1:22-23; 20:18,26,31; 21:2,19; 1 S 10:3; 13:2;30:27 (vert. NBG); 1 K 13:10,11; 16:34; 2 K 2:2,3,23; 10:29; 17:28; 23:4,15,17,19; 1 Kr 7:28; 2 Kr 13:19; Ezr 2:28; Neh 7:32; 11:31; Jr 48:13; Hos 12:5; Am 3:14; 4:4; 5:5,6; Zach 7:2. Ook Luz genoemd in Gn 28:19; 35:6; 48:3; Joz 16:2 (daar bij Betel); 18:13; Ri 1:23. In Hos 4:15; 5:8; 10:5 Bet-Awen genoemd. 2. Andere naam voor **Betuël** (1 S 30:27, vert. KBS).

**BETEN** (be'ten). *Kh.Ibtin* (C3). Stad in het westen van Galilea, toegedeeld aan Aser (Joz 19:25).

**BETFAGE** (bet'fage). *Kafr et-Tur?* Dorp op de Olijfberg ten oosten van Jeruzalem. Van hieruit zond Jezus twee leerlingen om voor hem een veulen te halen voor zijn intocht in Jeruzalem (Mt 21:1; Mc 11:1; Lc 19:29).

**BET-GADER** (bet ga'der). Dorp in Juda, vermeld in 1 Kr 2:51. Ligging onzeker.

**BET-GAMUL** (bet ga'mul). Kh.el-Jumeil (J7). Stad op de hoogvlakte van Moab. Jeremia sprak er een godsoordeel over uit (Jr 48:23).

**BET-HAÄMEK** (bet haä'mek). *T.Mimas* (B4). Dorp aan de grens van Aser (Joz 19:27).

**BET-HAÄSEL** (bet haä'sel). Dorp in Zuid-Juda, vermeld in Mi 1:11. Ligging onzeker.

**BET-HAGGAN** (bet hag'gan). Plaats waarheen Achazja van Juda vluchtte, achtervolgd door Jehu, de moordenaar van Joram van Israël (2 K 9: 27). Soms vereenzelvigd met **En-Gannim 2** uit Joz 19:21; 21:29.

**BET-HAGGILGAL** (bet haggil'gal). Plaats, genoemd in Neh 12:29. Ligging onzeker.

**BET-HAJJESIMOT** (bet hajje'simot). *T.el-Azeima* (I6). Stad in de valkte van Moab. De Hebreeërs waren hier gelegerd (Nu 33:49). In bezit genomen door de Hebreeërs (Joz 12:3). Toegedeeld aan Ruben (Joz 13:20). Ook vermeld in Ez 25:9.

**BET-HAKKEREM** (bet hakke'rem). *Kh. Salih?* Dorp bij Jeruzalem in het bergland van Juda. Als plaats voor rooksignaal vermeld in Jr 6:1. Een van Nehemia's bestuurscentra (Neh 3:14). Wordt Bet-Kerem genoemd in Neh 3:14 (vert. NBG).

**BET-HAMMARKABOT** (bet hammar'kabot). Stad in de Negeb, toegedeeld aan Simeon (Joz 19:5; 1 Kr 4:31). Ligging onzeker. Wordt Madmanna genoemd in Joz 15:31 en 1 Kr 2:49.

**BET-HARAM** (bet ha'ram). *T. Iktanu* (H6). Bolwerk in de vlakte van Moab. Deel van het koninkrijk van Sichon van Chesbon, toegedeeld aan Gad (Joz 13:27). Wordt Bet-Haran genoemd in Nu 32:36.

**BET-HASSITTA** (bet hassit'ta). Plaats, waarschijnlijk in Transjordanië, waarheen de Midjanieten voor Gideon vluchtten (Ri 7:22). Ligging onzeker.

**BET-KAR.** Onbekende plaats, tot waarbeneden de Hebreeërs de Filistijnen verdreven, nadat zij hen bij Mispa hadden verslag (1 S 7:11).

**BET-LEBAOT** (bet leba'ot). Stad in het zuiden van Juda. De ligging ervan is onzeker. Toegedeeld aan Simeon (Joz 19:6). De plaats wordt in 1 Kr 4:31 Bet-Biri genoemd en in Joz 15:32 Lebaot.

**BETLEHEM** (bet'lehem) 1. *Beit Lahm* (I4). Stad in de heuvels van Juda ten zuiden van Jeruzalem aan de heuvelkamweg naar Hebron. Plaats waar Rachel stierf (Gn 35:19; 48:7, waar het vereenzelvigd wordt met Efrat; zie ook 1 S 10:2, waar het graf van Rachel te Selsach in Benjamin ligt). In de omgeving van Betlehem speelde de geschiedenis van Ruth zich af. (Rt 1:1,2,19,22; 2:4; 4:11). Woonplaats van David, waar hij door Samuël werd gezalfd (1 S 16:4; 17:12,15; 20:6,28). Versterkt door Rechabeam (2 Kr 11:6). Joodse nederzetting na de terugkeer uit de ballingschap (Ezr 2:21; Neh 7:26). Door Micha aangeduid als de plaats vanwaar de Messias zou komen (Mi 5:2, waar het vereenzelvigd wordt met Efrata). Geboorteplaats van Jezus (Mt 2:1,5,6,8,16; Lc 2:4, 15; Joh 7:42). Ook vermeld in Ri 17:7,8,9; 19:1,2,18; 2 S 2:32; 23:14,15,16,24; 1 Kr 2:51,54; 4:4; 11:16,17,18,26; Jr 41:17. 2. *Beit Lahm* (C4). Stad in Beneden-Galilea. Toegedeeld aan Zebulon (Joz 19:15, waar het Betlechem wordt genoemd). Geboortestad van Ibsan, een van de rechters (Ri 12:8,10).

**BET-MEON** (bet me'on). Andere naam voor **Baäl-Meon** (Jr 48:23).

**BET-NIMRA** (bet nim'ra). *T.el-Bleibil* (H6). Stad in de vlakte van Moab bij de Jordaan. Toegedeeld aan Gad (Nu 32:36; Joz 13:27). Wordt Nimra genoemd in Nu 32:3.

**BETOMESTAÏM** (betomes'taïm). Plaats, vermeld in Jdt 4:6; 15:4. Ligging onzeker.

**BETONIM** (bet'onim). *Kh.Batna* (G6). Stad in Moab, toegedeeld aan Gad (Joz 13:26).

**BET-PASSES** (bet pas'ses). Stad uit het erfdeel van Issakar (Joz 19:21). Ligging onzeker.

**BET-PELET** (bet pe'let). *T.es-Saqati?* (K3). Stad in de Negeb, toegedeeld aan Juda (Joz 15:27). Joodse nederzetting na de terugkeer uit de ballingschap (Neh 11:26).

**BET-PEOR** (bet pe'or). Stad in Moab bij de berg Nebo, waar Mozes begraven werd (Dt 34:6). Toegedeeld aan Ruben (Joz 13:20). Ook vermeld in Dt 3:29; 4:46. Waarschijnlijk hetzelfde als **Baäl-Peor.**

**BET-RECHOB** (bet re'chob). Plaats bij Dan (Ri 18:28-29) aan de meest noordelijke grens van Kanaän (Nu 13:21 en 2 S 10:8, waar het Rechob wordt genoemd). Ligging onzeker.

**BETSAÏDA** (betsa'ida). *el-Araj?* (C6). Vissersdorp op de noordelijke oever van het meer van Galilea, waar de Jordaan in het meer uitmondt. Woonplaats van de apostelen Filippus, Andreas en Petrus (Joh 1:45; 12:21). Bezocht door Jezus (Mc 6:45), die er een blinde genas (Mc 8:22). Is een van de steden waarover Jezus zijn weeklachten uitsprak (Mt 11:21; Lc 10:13). De spijziging van de vijfduizend vond bij deze stad plaats (Lc 9:10).

**BET-SAN** (bet san'). Andere naam voor **Bet-Sean** (vert. KBS; 1 S 31:10,12; 2 S 21:12).

**BET-SEAN** (bet se'an). *T.el-Husn* (E5). Kanaanitische stad, strategisch gelegen op de plaats waar het Jizreëldal en het Jordaandal samenkomen. Toegedeeld aan Manasse die er niet in slaagde de Kanaänieten te verdrijven (Joz 17:11,16; Ri 1:27). Basis van de Filistijnen, waar het lijk van Saul aan de muur werd gehangen (1 S 31:10,12; 2 S 21:12, waar het Bet-San wordt genoemd). In Salomo's vijfde belastingdistrict (1 K 4:12). Hier vond een treffen plaats tussen Tryfon en Jonatan (1 Mak 12:40-41). In 63 v.C. door Pompejus veroverd en tot een vrije stad gemaakt, wat het gedurende de Romeinse tijd bleef. Een van de grootste steden van de Dekapolis. Wordt Scythopolis genoemd in Jdt 3:10 en Skytopolis in 2 Mak 12:29,30.

**BET-SEMES** (bet se'mes). **1.** *T.er-Rumeila* (I3). Versterkte stad in het Sorekdal, die de weg van Bet-Semes beheerste, een van de belangrijkste wegen van de kustvlakte naar het bergland van Juda en Jeruzalem. Toegedeeld aan Dan (Joz 19:41, waar het Ir-Semes wordt genoemd), die de Kanaänieten niet kon verdrijven (Ri 1:35, waar het Har-Cheres wordt genoemd). Later een Levietenstad in Juda (Joz 21:16; 1 Kr 6:59). Filistijnen brachten de ark naar Bet-Semes terug (1 S 6:9-20). In Salomo's tweede belastingdistrict (1 K 4:9). Amasja van Juda werd hier door Joas, koning van Israël gevangen genomen (2 K 14:11,13; 2 Kr 25:21,23). Filistijnen veroverden het op Achaz, koning van Juda, in 734 v.C. (2 Kr 28:18). Ook vermeld in Joz 15:10. **2.** *Kh.er-Ruweisi?* (B5). Kanaänitische stad in Boven-Galilea. Toegedeeld aan Naftali, die de Kanaänieten niet kon verdrijven (Joz 19:38; Ri 1:33). **3.** *Kh.Sheikh esh-Shamsawi?* Stad aan de grens van Issakar bij de Jordaan (Joz 19:22).

**BET-SUR** (bet sur'). *Kh.et-Tubeiqa* (J3). Stad in het zuiden van Juda, strategisch gelegen aan de centrale heuvelkamweg ten noorden van Hebron. Toegedeeld aan Juda (Joz 15:58). Versterkt door Rechabeam (2 Kr 11:7). Joodse nederzetting na de terugkeer uit de ballingschap (Neh 3:16). Judas de Makkabeeër streed hier tegen Lysias (1 Mak 4:29) en versterkte het in 162 v.C. (1 Mak 4:61; 6:7,26; 2 Mak 11:5). Door de Seleuciden na een lange belegering heroverd (1 Mak 6:31,49; 2 Mak 13:19,22). Versterkt door Bakchides in 160 v.C. (1 Mak 9:52). Toevluchtsoord voor het afvallige joodse garnizoen, toen Bakchides zijn andere bolwerken had opgegeven (1 Mak 10:12-14). Ook vermeld in 1 Kr 2:45; 1 Mak 11:65-66; 14:7,33).

**BET-TAPPUACH** (bet tap'puach). *Taffuh* (J3). Stad in het bergland van Juda bij Hebron. Toegedeeld aan Juda (Joz 15:53).

**BETUËL** (betu'el). Stad in het zuiden van Juda. Ligging onzeker. Toegedeeld aan Simeon (1 Kr 4:30). David zond een deel van wat hij op de Amalekieten had buitgemaakt naar de oudsten van deze stad ( 1 S 30:27, waar het Betel wordt genoemd). Andere naam voor Betul in Joz 19:4.

**BETULIA** (betu'lia). Stad in Samaria, vermeld in Jdt 4:6; 6:10,11,14; 7:1,3,6,13,20; 8:3,11; 10:6; 11:9; 12:7; 13:10; 15:3,6; 16:21,23. Ligging onzeker, maar mogelijk dezelfde als van **Sichem.**

**BET-ZACHARIA** (bet zachari'a). *T.Beit Sikariya* (I4). Plaats in het zuiden van Juda aan de weg van Hebron naar Jeruzalem. Hier leed Judas de Makkabeeër tegen de Seleuciden een grote nederlaag (1 Mak 6:32,33) en werd Eleazer door een oorlogsolifant gedood.

**BET-ZAIT** (bet zait'). *Kh.Beit Zeita.* Stad in het zuiden van Judea ten noorden van Hebron. Bakchides kwam vanuit Jeruzalem hier aan, nadat hij zestig mannen die om vrede verzochten, in 162 v.C. had laten ombrengen (1 Mak 7:19).

**BEZEK** (be'zek). **1.** *Kh.Ibziq* (E5). Stad aan de oostelijke rand van de heuvels van Samaria die uitkeek over het Jordaandal. Hier monsterde Saul de Israëlieten om Jabes in Gilead te ontzetten (1 S 11:8). **2.** Stad, waarschijnlijk in het westen van Juda, waar de stammen Juda en Simeon de Kanaänieten en Perizzieten versloegen (Ri 1:4,5). Ligging onzeker.

**BILEAM** (bi'leam). Levietenstad in Manasse (1 Kr 6:70). Ligging onzeker, maar misschien dezelfde als van **Jibleam.**

**BILHA** (bil'ha). Andere naam voor **Bala.**

**BIZJOTEJA** (vert. KBS) (bizjote'ja). Dorp in de Negeb, toegedeeld aan Juda (Joz 15:28).

**BOKIM** (bo'kim). Plaats in het gebergte van Benjamin, waar de engel de Hebreeërs terechtwees (Ri 2:1,5). Ligging onzeker.

**BOR-ASAN** (bor a'san). Andere naam voor **Asan** (1 S 30:30).

**BOSKAT** (bos'kat). Dorp in de Laagte, toegedeeld aan Juda (Joz 15:39). Ligging onzeker.

**BOSORA** (bo'sora). *Busra eski-Sham.* Stad in Basan aan de belangrijke verbindingsweg ten zuiden van het Haurangebergte. Judas de Makkabeeër en Jonatan, die de Joden te hulp waren gekomen, verbrandden in 163 v.C. de stad en joegen de mannelijke inwoners over de kling (1 Mak 5:26,28).

*De ruïnes van Caesarea, de schitterende havenstad van Herodes de Grote, bewaken in stilte de kust.*

**BOSRA** (bos'ra). *Buseirah* (N7). Machtige vestingstad in het noorden van Edom die de toegangswegen naar de kopermijnen van de Araba bewaakte. Het was de hoofdstad van Jobab, de koning van Edom (Gn 36:33; 1 Kr 1:44). Symbool van het wraakgericht van de profeten over Edom (Js 34:6; 63:1; Jr 49:13,22; Am 1:12).

**BOZOR** (bo'zor). Stad in Gilead waar Judas de Makkabeeër en Jonatan de Joden bevrijdden (1 Mak 5:26, 36). Ligging onzeker.

**BUZ** Plaats, genoemd in Jr 25:23. Ligging onzeker.

# C

**CAESAREA** (caesare'a). *Qaisariya* (E2). De belangrijkste haven in Judea in de tijd van het Nieuwe Testament. Veroverd door Pompejus in 63 v.C. Door Marcus Antonius aan Kleopatra geschonken. Uitgebreid door Herodes de Grote die het in 9 v.C. de naam Caesarea gaf ter ere van Ceasar Augustus. Wordt Caesarea Maritima genoemd om het te onderscheiden van de andere steden met de naam Caesarea. Onder de Romeinen hoofdstad van Judea en residentie van de Romeinse landvoogden vanaf het jaar 6. De evangelist Filippus leefde en preekte er (Hnd 8:40; 21:8). De hoofdman van Caesarea werd door Petrus bekeerd (Hnd 10:1,24; 11:11). Herodes Agrippa I stierf hier (Hnd 12:19). Paulus voer van hieruit naar Tarsus (Hnd 9:30) en ging er na zijn tweede reis aan land (Hnd 18:22). Hij verbleef er met Filippus op weg naar Jeruzalem na zijn derde reis (Hnd 21:8,16). Onder zware bewaking werd Paulus vanuit Jeruzalem hierheen gebracht (Hnd 23:23,33) en gevangen gehouden tot hij voor de Romeinse landvoogden Felix, Festus en Herodes Agrippa II moest verschijnen (Hnd 25:1,4,6,13). Van hieruit scheepte hij zich op weg naar Rome.

**CAESAREA FILIPPI** (caesare'a filip'pi). *Banias* (A6). Oude offerplaats voor de god Pan aan de zuidwestelijke voet van de berg Hermon. Daar versloeg Antiochus III Ptolemeüs V en bracht hij Judea onder de heerschappij van de Seleuciden ca. 200 v.C. De stad werd herbouwd door de viervorst Filippus en herdoopt in Caesarea Filippi, ter onderscheiding van Caesarea Maritima. Jezus en zijn apostelen trokken hierheen (Mt 16:13; Mc 8:27).

**CHADASA** (chada'sa). Dorp in het zuiden van de Laagte, toegedeeld aan Juda (Joz 15:37). Ligging onzeker.

**CHADID** (cha'did). *el-Haditha* (H3). Stad in het noorden van de Laagte. Joodse nederzetting na de terugkeer uit de ballingschap (Ezr 2:33; Neh 7:37; 11:34). Versterkt door Simon die hier in 143 v.C. ook zijn tenten had opgeslagen (1 Mak 12:38 en 13:13, waar het Hadida wordt genoemd).

**CHAFARAÏM** (chafara'im). *et-Taiyiba*. Stad in het zuidoosten van Beneden-Galilea. Toegedeeld aan Issakar (Joz 19:19). Veroverd door Sisak ca. 918 v.C.

**CHAFENATA** (chafe'nata). Plaats bij Jeruzalem, door Jonatan versterkt (1 Mak 12:37). Ligging onzeker.

**CHALACH** cha'lach. Stad in Assyrië waarheen de Israëlieten na de val van Samaria werden gedeporteerd (2 K 17:6; 18:11; 1 Kr 5:26). Ligging onzeker, maar mogelijk aan de rivier Chabor.

**CHALCHUL** (chal'chul). *Halhul* (J3). Stad ten noorden van Hebron, in het bergland van Juda. Toegedeeld aan Juda (Joz 15:58).

**CHAMMAT** (cham'mat) 1. *Hamman Tabariya* (C6). Versterkte stad op de westelijke oever van het meer van Galilea. Levietenstad in Naftali (Joz 19:35; 21:32, waar het Chammot-Dor wordt genoemd). Mogelijk hetzelfde als Chammon 2 (1 Kr 6:76). 2. Stad van de Kenieten (1 Kr 2:55). Ligging onzeker.

**CHAMMON** (cham'mon) 1. *Umm el-Awamid* (A4). Stad aan de kust van Boven-Galilea, ten noorden van Akzib. Toegedeeld aan Aser (Joz 19:28). 2. Levietenstad in Naftali (1 Kr 6:76). Ligging onzeker, maar mogelijk dezelfde als van **Chammat 1.**

**CHAMMOT-DOR** (cham'mot dor'). Andere naam voor **Chammat 1** (Joz 21:32).

**CHANES** (cha'nes). Stad in Boven-Egypte, vermeld in Js 30:4. Ligging onzeker.

**CHANNATON** (chan'naton). *T.-el-Bedeiwiya* (C4). Stad in Beneden-Galilea. Vermeld in de Amarna-brieven (14e eeuw v.C.). Toegedeeld aan Zebulon (Joz 19:14).

**CHARAKA** (Charax, vert. KBS) (cha'raka). Stad in Gilead met een joodse gemeenschap ten tijde van Judas de Makkabeeër (2 Mak 12:17). Ligging onzeker.

**CHAROD** (cha'rod). *Ein Jalud* (D5). Bron bij de heuvel More, waar Gideon gelegerd was (Ri 7:1). Ook vermeld in 2 S 23:25; 1 Kr 11:27, waar het Haror (vert. NBG) of Harar (vert. KBS) heet.

**CHAROSET-HAGGOJIM** (charo'set haggo'jim). *T.el-Amr?* (C3). Kanaänitische stad in Beneden-Galilea. Woonplaats van Sisera, bevelhebber van het leger van koning Jabin (Ri 4:2,13), dat door Barak werd verslagen (Ri 4:16).

**CHASAR-ADDAR** (cha'sar ad'dar). Stad, vermeld in Nu 34:4. Waarschijnlijk andere naam voor **Chesron** uit Joz 15:3.

**CHASAR-ENAN** (cha'sar e'nan). Stad aan de noordoostelijke grens met Kanaän onder de berg Hermon (Nu 34:9). Ligging onzeker. Wordt Chasar-Enon (vert. NBG) of Chaser-Enon (vert. KBS) genoemd in Ez 47:17; 48:1.

**CHASAR-ENON** (cha'sar e'non). Andere naam voor **Chasar-Enan** (Ez 47:17; 48:1).

**CHASAR-GADDA** (cha'sar gad'da). Stad in het zuiden van Juda, toegedeeld aan Juda (Joz 15:27). Ligging onzeker.

**CHASARMAWET** (chasarma'wet). Onbekende plaats of streek in het zuiden van Arabië (Gn 10:26; 1 Kr 1:20).

**CHASAR-SUAL** (cha'sar su'al). Stad in de Negeb. Ligging onzeker. Toegedeeld aan Juda (Joz 15:28) en aan Simeon (Joz 19:3; 1 Kr 4:28). Joodse nederzetting na de terugkeer uit de ballingschap (Neh 11:27).

**CHASAR-SUSA** (cha'sar su'sa). Stad in de Negeb, toegedeeld aan Simeon (Joz 19:5). Ligging onzeker. Andere naam voor Chasar-Susim uit 1 Kr 4:31.

**CHASAR-SUSIM** (cha'sar su'sim). Andere naam voor **Chasar-Susa** (1 Kr 4:31).

**CHASER, MIDDELSTE** (middelste cha'ser). Plaats, vermeld in Ez 47:16. Ligging onzeker.

**CHASEROT** (chase'rot). Plaats in het oosten van de Sinaï, waar de Hebreeërs gelegerd waren tijdens de uittocht (Nu 11:35; 33:17,18) en waar Miriam en Aäron tegen Mozes in opstand kwamen vanwege zijn Ethiopische vrouw. Ligging onzeker.

**CHASESON-TAMAR** (cha'seson ta'mar). Mogelijk een stad in de Araba ten zuiden van de Dode Zee. Stad van de Amorieten, onderworpen door Kedorlaomer (Gn 14:7). In 2 Kr 20:2 ook Engedi genoemd.

**CHASFO** (chas'fo). Andere naam voor **Kaspin** (1 Mak 5:26,36).

**CHASMONA** (chasmo'na). Plaats in de Sinaï, waar de Hebreeërs gelegerd waren tijdens hun omzwervingen na de uittocht (Nu 33:29-30). Ligging onzeker.

**CHASOR-CHADATTA** (cha'sor chadat'ta). Dorp bij Berseba in de Negeb, toegedeeld aan Juda (Joz 15:25). Ligging onzeker.

**CHEBEL** (che'bel) (Mechebel, vert. KBS). *Kh.el-Mahalib?* Stad bij Tyrus, toegedeeld aan Aser (Joz 19:29). In 701 v.C. door Sanherib veroverd. Andere naam voor Achlab. Waarschijnlijk hetzelfde als **Chelba** uit Ri 1:31.

**CHEFER** (che'fer). *T.el-Ifshar?* (E3). Stad in de Saronvlakte. De koning werd door Jozua verslagen (Joz 12:17). In Salomo's derde belastingdistrict (1 K 4:10).

**CHELAM** (che'lam). Stad in het noorden van Gilead, waar David tegen de Syriërs vocht (2 S 10:16-17).

**CHELBA** (chel'ba). Stad bij Tyrus, toegedeeld aan Aser, die de Kanieten er niet uit kon verdrijven (Ri 1:31). Soms vereenzelvigd met Achlab uit Ri 1:31. Waarschijnlijk hetzelfde als **Chebel** (vert. NBG, Mechebel, vert. KBS) uit Joz 19:29.

**CHELBON** (chel'bon). *Halbun?* Stad in het Libanongebergte, vermeld in Ez 27:18.

**CHELEF** (che'lef). Stad in Beneden-Galilea, toegedeeld aan Naftali (Joz 19:33). Ligging onzeker.

**CHELKAT** (chel'kat). *T.el-Qassis?* (D4). Stad aan het westelijke uiteinde van de vlakte van Jizreël, ten noorden van de berg Karmel. Levietenstad in Aser (Joz 19:25; 21:31; 1 Kr 6:75, waar het Chukok wordt genoemd).

**CHELUS** (che'lus). Stad in het zuiden van Juda, vermeld in Jdt 1:9. Ligging onzeker.

**CHESBON** (ches'bon). *Hisban* (H7). Belangrijke stad aan de koningsweg in het noorden van Moab. Stad van Sichon, koning van de Amorieten, door Mozes en de Israëlieten verslagen (Nu 21:25-34; Dt 1:4; 2:24,26,30; 3:2,6; 4:46; 29:7; Joz 9:10; 12:2,5; 13:10,21; Ri 11:19,26; Neh 9:22). Toegedeeld aan Ruben (Nu 32:3,37; Joz 13:17,21) en aan Gad (Joz 13:26). Levietenstad (Joz 21:39; 1 Kr 6:81). Heroverd door Moab (Js 15:4; 16:8,9; Jr 48:2,34, 45). Ook vermeld in Hl 7:4; Jr 49:3.

**CHESMON** (ches'mon). Stad in het zuidwesten van Juda, toegedeeld aan Juda (Joz 15:27). Ligging onzeker.

**CHESRON** (ches'ron). Stad in de woestijn van Sin aan de meest zuidelijke grens van Juda. Toegedeeld aan Juda (Joz 15:3). Waarschijnlijk hetzelfde als **Adar** uit Joz 15:3. Soms vereenzelvigd met Chasar-Addar uit Nu 34:4.

**CHILEN** (chi'len). Andere naam voor **Cholon** (1 Kr 6:58).

**CHOBE** (cho'be). *el-Marmala?* Dorp in het Jordaandal. Versterkt tegen Holofernes (Jdt 4:4). Ook vermeld in Jdt 15:4, waar het Choba wordt genoemd.

**CHOLON** (cho'lon). **1.** Dorp in het zuidelijke bergland van Juda. De ligging ervan is onzeker. Levietenstad in Juda (Joz 15:51; 21:15; 1 Kr 6:58, waar het Chilen genoemd wordt). **2.** Stad in Moab, vermeld in Jr 48:21. Ligging onzeker.

**CHORAZIN** (chora'zin). *Kh.Keraza* (C6). Dorp tegen een rotswand ten noorden van het meer van Galilea. Een van de steden waartegen Jezus een weeklacht uitsprak (Mt 11:21; Lc 10:13).

**CHOREM** (cho'rem). Stad in Boven-Galilea, toegedeeld aan Naftali (Joz 19:38). Ligging onzeker.

**CHORESA** (cho'resa). *Kh.Khureisa?* Plaats in de woestijn van Zif in het zuidoosten van Juda, waarheen David voor Saul vluchtte (1 S 23:15-19).

**CHOR-HAGGIDGAD** (chor haggid'gad). Plaats waar de Hebreeërs hun tenten opsloegen tijdens hun omzwervingen door de woestijn na de uittocht (Nu 33:32, 33). Ligging onzeker, maar misschien ten noorden van Esjon-Geber in het zuiden van de Araba. Wordt Gudgod genoemd in Dt 10:7.

**CHORMA** (chor'ma). *Kh.el-Mishash* (K3). Stad in de Negeb, toegedeeld aan Juda (Joz 15:30) en aan Simeon (Joz 19:4; 1 Kr 4:30). Wordt Sefat genoemd in Ri 1:17. Ook vermeld in Nu 14:45; 21:3; Dt 1:44; Joz 12:14.

**CHORONAÏM** (chorona'im). *el-Iraq?* (L7). Stad in het zuiden van Moab aan de belangrijke weg die de zuidoostelijke oever van de Dode Zee met de koningsweg verbindt. Verdoemd door de profeten (Js 15:5; Jr 48:3,5,34). Volgens de stèle van Moab werd het ingenomen door koning Mesa van Moab. Veroverd door Alexander Janneus en ingelijfd bij het Hasmoneese koninkrijk ca. 88 v.C. Door Hyrkanus II aan de Nabateese koning Aretas beloofd.

**CHOSA** (cho'sa). Stad in Aser (Joz 19:29). Ligging onzeker, maar wellicht in het westen van Boven-Galilea.

**CHUKOK** (chu'kok) **1.** Stad in Naftali (Joz 19:34). Ligging onzeker, maar wellicht in Beneden-Galilea bij Kinneret. **2.** Andere naam voor **Chelkat** (1 Kr 6:75).

**CHUMTA** (chum'ta). Dorp, toegedeeld aan Juda (Joz 15:54). Ligging onzeker.

**CHUS** *Kh.Quza?* (G4). Dorp in Samaria, vermeld in Jdt 7:18.

**CYRENE** (cyre'ne). *Cirene.* Belangrijk Grieks handelscentrum in Noord-Afrika. Hoofdstad van de Romeinse provincie Cyrenaica. Een man uit Cyrene, Simon, werd gedwongen Jezus' kruis te dragen (Mt 27:32; Mc 15:21; Lc 23:26). Mannen uit deze plaats luisterden naar de pinkstertoespraak van Petrus in Jeruzalem (Hnd 2:10) en preekten tot de Grieken in Antiochië (Hnd 11:10). Ook vermeld in Hnd 13:1; 1 Mak 15:23.

---

# D

**DABBESET** (dab'beset). *T.esh-Shammam?* (D4). Stad in het westen van de vlakte van Jizreël. Op de grens tussen Issakar en Zebulon (Joz 19:11).

**DABERAT** (da'berat). *Daburiya* (D5). Stad aan de noordwestelijke voet van de berg Tabor. Levietenstad in Issakar aan de grens met Zebulon (Joz 19:12; 21:28; 1 Kr 6:72). Wordt Rabbit genoemd in Joz 19:20.

**DAFNE** (daf'ne). Plaats bij Antiochië in Syrië, waar de tempel van Apollo ligt. De hogepriester Onias had zich hier teruggetrokken (2 Mak 4:33).

**DAMASCUS** (damas'cus). Voornaamste handelscentrum aan de hoofdwegen tussen Mesopotamië, Egypte en Arabië. Belangrijkste stad van Syrië. Geboorteplaats van Abrahams opperdienaar (Gn 15:2). Hoofdstad van een van de koninkrijken van Aram (1 K 19:15; 2 K 8:7,9; 2 Kr 16:2; 24:23; 28:5,23; Js 7:8; 17:3). Hier versloeg David de Syriërs (2 S 8:5,6; 1 Kr 18:5,6). Verbond met Juda tegen Israël (1 K 15:18). Onderworpen door Tiglatpileser III in 732 v.C. (2 K 16:9-12; Js 8:4). Veroverd door de legers van Babylonië in de 7e eeuw v.C., door de Perzen in de 6e eeuw v.C. en door Alexander de Grote in 332 v.C. Onder de heerschappij van de Nabateeërs na 85 v.C. In de joodse gemeenschap hier waren al spoedig christenen (Hnd 9:2,10,19,22,27; 22:5; 26:12, 20). Paulus werd bij Damascus bekeerd en blind naar de stad gebracht (Hnd 9:3, 8; 22:6-11). Ook vermeld in Gn 14:15; 1 K 11:24; 20:34; 2 K 5:12; 14:28; Hl 7:4; Js 10:9; 17:1; Jr 49:23-27; Ez 27:18; 47:16, 17,18; 48:1; Am 1:3,5; 5:27; Zach 9:1; 2 Kor 11:32.

**DAN** *T.el-Qadi* (A6). Kanaänitische stad Laïs (Ri 18:7, 14,27,29) in het Huladal bij een van de bronnen van de Jordaan. Hier legde Abraham een hinderlaag voor de koningen van het noorden (Gn 14:14). Veroverd door de Danieten die het de naam Dan gaven (Joz 19:47, waar het Lesem genoemd wordt; Ri 18:29). Hier stond een van Jerobeams gouden kalveren (1 K 12:29-30; 2 K 10:29). Veroverd door Benhadad (1 K 15:20; 2 Kr 16:4). Beschouwd als de noordgrens van Israël, zoals blijkt uit uitdrukkingen als 'van Dan tot Berseba' (Ri 20:1; 2 S 3:10; 17:11; 24:2,15; 1 K 4:25) en 'van Berseba tot Dan' (1 Kr 21:2; 2 Kr 30:5). Ook vermeld in Dt 34:1; 2 S 24:6; 2 Kr 2:14; Jr 4:15; 8:16.

**DANNA** (dan'na). Dorp in het zuidelijke bergland van Juda, toegedeeld aan Juda (Joz 15:49). Ligging onzeker.

**DATEMA** (da'tema). Vesting in Gilead waarheen de Joden vluchtten ten tijde van Judas de Makkabeeër (1 Mak 5:9).

**DEBIR** (de'bir) **1.** *T.Rabud?* (J3). Kanaänitische koningsstad in de heuvels van het zuiden van Juda. Door de Joden tijdens de oorlog verwoest (Joz 11:21; 15:15-16; Ri 1:11, waar het ook Kirjat-Sefer wordt genoemd). Levietenstad (Joz 21:15; 1 Kr 6:58). Ook vermeld in Joz 10:38, 39; 12:13; 15:49, waar het ook Kirjat-Sanna wordt genoemd). **2.** Plaats aan de noordelijke grens van Juda (Joz 15:7). Ligging onzeker.

**DERBE** (der'be). *Kerti Huyuk.* Stad op de hoogvlakte van Lykaonië in Klein-Azië. Paulus onderbrak hier zijn eerste en tweede reis (Hnd 14:6,20; 16:1). Ook vermeld in Hnd 20:4.

*Alles, zelfs de krokodil aan de daksparren, is op deze markt in Damascus te koop.*

# E

**DESSAÜ** (des'saü). Dorp in Judea, waar de Joden onder aanvoering van Simon tegen de legers van Nikanor vochten in 161 v.C. (2 Mak 14:16). Ligging onzeker.

**DIBON** (di'bon) **1.** *Dhiban* (J7). Stad aan de koningsweg ten noorden van de Arnon in Moab. Een van de belangrijkste steden van de Moabieten. Door de Hebreeërs op koning Sichon veroverd (Nu 21:30). Gewenst door Gad en Ruben (Nu 32:3), maar gebouwd door Gad (Nu 32:34). Toegedeeld aan Ruben (Joz 13:17). Voor de profeten symbool van de macht van Moab (Js 15:2,9, waar het Dimon genoemd wordt; Jr 48:18,22). Daar werd in 1868 de stèle van Moab van koning Mesa gevonden. Ook vermeld in Joz 13:9. Wordt in Nu 33:45,46 Dibon-Gad genoemd. **2.** Stad in de Negeb. Ligging onzeker. Joodse nederzetting na de ballingschap (Neh 11:25).

**DIBON-GAD** (di'bon gad'). Andere naam voor **Dibon 1** (Nu 33:45,46).

**DILAN** (di'lan). Dorp in de Laagte, toegedeeld aan Juda (Joz 15:38). Ligging onzeker.

**DIMNA** (dim'na). Andere naam voor **Rimmon** (Joz 21:35).

**DIMONA** (dimo'na). Stad in de Negeb, toegedeeld aan Juda (Joz 15:22). Ligging onzeker.

**DINHABA** (din'haba). Stad in Edom. Hoofdstad van koning Bela, zoon van Beor (Gn 36:32; 1 Kr 1:43). Ligging onzeker.

**DI-ZAHAB** (di' zahab). Plaats in de woestijn ten oosten van de Araba. Ligging onzeker. In verband gebracht met de laatste woorden van Mozes (Dt 1:1). Wordt Me-Zahab genoemd in Gn 36:39; 1 Kr 1:50.

**DOFKA** (dof'ka). *Serabit el-Khadim?* Plaats in de Sinaï in de buurt van de woestijn van Sin. Het was een van de pleisterplaatsen van de Hebreeërs tijdens hun uittocht uit Egypte (Nu 33:12,13).

**DOK** *Jebel Quruntul* (H5). Vesting op een bergtop ten noordwesten van Jericho. Hier werden in 134 v.C. Simon en twee van zijn schoonzonen door Ptolomeüs gedood (1 Mak 16:15).

**DOR** *Kh.el-Burj* (D3). Een kanaänitische stad op de vlakte van Dor ten zuiden van de berg Karmel. In Grieks-Romeinse tijden was het een haven. Dor sloot zich aan bij Hasor en werd door Jozua verslagen (Joz 12:23). Toegedeeld aan Manasse, die er niet in slaagde de Kanaänieten te verdrijven (Joz 17:11; Ri 1:27). Deze plaats wordt beschouwd als een deel van Efraïm aan de grens met Manasse (1 Kr 7:29). Het is belegerd door Antiochus VII in ca. 138 v.C. (1 Mak 15:11,13,25). Door Pompejus werd Dor in 63 tot vrije stad gemaakt. De plaats wordt ook vermeld in Joz 11:2 en in 1 K 4:11.

**DOTAN** (do'tan). *T.Duthan* (E4). Deze stad ligt op de vlakte van Dotan in het noorden van Samaria. Hier werd Jozef in een put geworpen en later door zijn broers verkocht aan karavaandrijvers op weg naar Egypte (Gn 37:17). Syriërs belegerden de stad tegen het einde van de 9e eeuw om Elisa gevangen te nemen (2 K 6:13). Holofernes had bij Dotan zijn legerplaats (Jdt 3:9; 4:6; 7:3). Ook vermeld in Jdt 7:18; 8:3.

**DUMA** (du'ma) **1.** *Kh.Doma ed-Deir* (J3). Stad in de zuidelijke heuvels van Juda, toegedeeld aan Juda (Joz 15:52). **2.** Plaats vermeld in Js 21:11. Ligging onzeker.

**EBEN-HAËZER** (e'ben haë'zer). *Majdel Yaba?* (G3). Plaats bij Afek aan de oostkant van de kustvlakte. Hier hadden de Israëlieten hun kamp voor hun gevecht met de Filistijnen, waarin de ark werd buitgemaakt (1 S 4:1; 5:1).

**EBES** (e'bes). Stad in Issakar, vermeld in Joz 19:20. Ligging onzeker.

**EBRON** (e'bron). Andere naam voor **Abdon** (Joz 19:28).

**EDEN** (e'den). Andere naam voor **Bet-Eden** (Ez 27:23).

**EDER** (e'der). Dorp in de Negeb, toegedeeld aan Juda (Joz 15:21). Ligging onzeker.

**EDREÏ** (e'dreï) **1.** *Dera*. Stad in Basan. Woonplaats van koning Og (Dt 1:4). **2.** Stad in Boven-Galilea, toegedeeld aan Naftali (Joz 19:37). Ligging onzeker.

**EFES-DAMMIM** (e'fes dam'mim). Plaats in de Laagte bij Azeka en Soko. Ligging onzeker. Hier verzamelden de Filistijnen zich voor het treffen met het leger van Saul. In deze strijd werd Goliat door David gedood (1 S 17:1; 1 Kr 11:13, waar het Pas-Dammim wordt genoemd).

**EFEZE** (e'feze). Belangrijke haven aan de westkust van Klein-Azië. Het was de hoofdstad van de Romeinse provincie Asia. Beroemd om de tempel van Artemis, een van de wereldwonderen van de Oudheid. Deze plaats was het centrum van Paulus' zendingswerk in westelijk Klein-Azië, waar hij meer dan twee jaar (Hnd 19:1) of drie jaar (Hnd 20:31) onderrichtte. Paulus werd gedwongen te vertrekken na een oproer, veroorzaakt door de zilversmeden van de stad, die hun handel zagen verminderen door toedoen van Paulus' prediking (Hnd 19:26; 20:1; 1 Kor 15:32). Hij schreef een brief aan de kerk van Efeze. Een van de zeven kerken van de Openbaring (Op 1:11; 2:1). Ook vermeld in Hnd 18:19,21,24; 19:17,26,28,34,35; 20:16, 17; 1 Kor 16:8; 1 Tim 1:3; 2 Tim 1:18; 4:12.

**EFRAÏM** (e'fraïm). Andere naam voor **Ofra 1** (2 S 13:23; 1 Mak 11:34; Joh 11:54).

**EFRAT** (e'frat). Stad, vereenzelvigd met **Betlehem 1** (Gn 35:16,19; 48:7).

**EFRATA** (e'frata). Stad, vereenzelvigd met **Betlehem 1** (Rt 4:11; Mi 5:1).

**EFRON** (e'fron) **1.** Sterke stad aan de weg van Karnaïm naar Bet-Sean. Ligging onzeker. In 163 v.C. veroverd door Judas de Makkabeeër, die alle mannelijke inwoners liet doden en de stad met de grond gelijk liet maken (1 Mak 5:46; 2 Mak 12:27). **2.** Andere naam voor **Ofra 1** (2 Kr 13:19).

**EGLAÏM** (eg'laïm). Stad in Moab, vermeld in Js 15:8. Ligging onzeker.

**EGLAT-SELISIA** (eg'lat seli'sia). Stad in Moab, vermeld in Js 15:5; Jr 48:34. Ligging onzeker.

**EGLON** (eg'lon). *T.el-Hesi?* (J2). Kanaänitische koningsstad in het noordwesten van de Negeb aan de rand van de kustvlakte. Aan een zijtak van de zeeweg. Maakte deel uit van het verbond der Amorieten tegen de Gibeonieten (Joz 10:3). De koning werd gedood door Jozua (Joz 10:23,37; 12:12), die ook de stad verwoestte (Joz 10:34). Toegedeeld aan Juda (Joz 15:39).

**EGREBEL** (e'grebel). *Akrabeh* (G5). Dorp in Samaria, vermeld in Jdt 7:18.

**EKBATANA** (ekba'tana). In vert. KBS andere naam voor **Achmeta**.

**EKRON** (ek'ron). *Kh.el-Muqanna?* (I2). Stad op de zuidelijke kustvlakte. Een van de vijf koningssteden van de Filistijnen (Joz 13:3). Toegedeeld aan Juda (Joz 15:11, 45-46) en aan Dan (Joz 19:43). De buitgemaakte ark werd van hieruit naar de Israëlieten teruggebracht. (1 S 5:10; 6:16-17). Veroverd door Sisak ca. 918 v.C. Achazja van Israël raadpleegde Baäl-Zebub, de god van Ekron (2 K 1:2,3,6,16). Veroordeeld door de profeten (Jr 25:20; Am 1:8; Sef 2:4; Zach 9:5,7). Door Alexander Balas in ca. 147 v.C. aan Jonatan geschonken (1 Mak 10:89, waar het Akkaron genoemd wordt). Ook vermeld in Ri 1:18; 1 S 7:14.

**ELALE** (ela'le). *el-Al* (H7). Stad in Moab ten noordoosten van Chesbon. Toegedeeld aan Ruben die het herbouwde (Nu 32:3,37). Later heroverd door de Moabieten (Js 15:4; 16:9; Jr 48:34).

**ELAM** (e'lam). Stad in Juda, ten westen van Bet-Sur (Ezr 2:31; Neh 7:34). Ligging onzeker.

**ELASA** (el'asa). *Kh.el-Ashshi* (H4). Dorp op de noordelijke hoogvlakte van Rama. Hier lag in 161 v.C. het kamp van Judas de Makkabeeër voor zijn strijd tegen de legers van Bakchides (1 Mak 9:5); in deze strijd sneuvelde Judas.

**ELAT** (e'lat). Stad, soms vereenzelvigd met **Esjon-Geber** (Dt 2:8; 2 K 14:22; 16:6).

**ELEF** (e'lef). Stad ten noorden van Jeruzalem, toegedeeld aan Benjamin (Joz 18:28). Ligging onzeker.

**ELIM** (e'lim). *Wadi Gharandel?* Oase in de Sinaï. Eerste plek waar de Hebreeërs tijdens de uittocht fris water vonden (Ex 15:27; 16:1; Nu 33:9-10).

**ELKOS** (el'kos). Woonplaats van de profeet Nahum (Nah 1:1). Ligging onzeker.

**ELON** (e'lon). Dorp in het Sorekdal, toegedeeld aan Dan (Joz 19:43). Ligging onzeker,

*Heetwaterbronnen bij de oase Engedi hebben sinds de tijd van de Bijbel bezoekers getrokken.*

maar misschien dezelfde als van **Elon-Bet-Chanan** uit 1 K 4:9. Soms vereenzelvigd met **Ajjalon 1**.

**ELON-BET-CHANAN** (e'lon bet cha'nan). Dorp in Salomo's tweede belastingdistrict (1 K 4:9). Ligging onzeker, maar misschien dezelfde als van **Elon** uit Joz 19:43.

**ELOT** (e'lot). Andere naam voor **Elat** (1 K 9:26; 2 Kr 8:17; 26:2).

**EL-PARAN** (el pa'ran). Plaats aan de Golf van Akaba. Ligging onzeker. Meest zuidelijke punt van een krijgstocht van Kedorlaomer, waarbij Lot gevangen werd genomen (Gn 14:6).

**ELTEKE** (el'teke). *T.esh-Shalaf?* (H2). Stad in de kustvlakte. Toegedeeld aan Dan (Joz 19:44), die de Filistijnen niet kon verdrijven. Levietenstad in Dan (Joz 21:23). Hier versloeg Sanherib in 701 v.C. het Egyptisch-Ethiopische leger.

**ELTEKON** (el'tekon). Dorp in het bergland van Juda, toegedeeld aan Juda (Joz 15:59). Ligging onzeker.

**ELTOLAD** (el'tolad). Stad in het zuiden van Juda, toegedeeld aan Juda (Joz 15:30) en aan Simeon (Joz 19:4). Ligging onzeker. In 1 Kr 4:29 Tolad genoemd.

**EMEK-KESIS** (e'mek ke'sis). Stad in buurt van Jericho, toegedeeld aan Benjamin (Joz 18:21). Ligging onzeker.

**EMMAÜS** (emma'us) **1**. *Imwas* (H3). Stad die een vitale verbindingsweg aan de oostkant van het dal van Ajjalon beheerste. Hier ver-

sloeg Judas de Makkabeeër Gorgias (1 Mak 3:40, 57; 4:3). Versterkt door Bakchides in 160 v.C. (1 Mak 9:50). In 4 v.C. verwoest door Varus, de Romeinse landvoogd van Syrië. **2**. *el-Qubeiba?* (H4). Dorp ten noordwesten van Jeruzalem. De verrezen Jezus verscheen aan twee mannen op weg naar Emmaüs (Lc 24:13). **3**. Romeinse naam voor **Mosa**.

**ENAÏM** (ena'im). Andere naam voor **Enam** (Gn 38:14, 21).

**ENAM** (e'nam). Dorp bij Azeka in de Laagte. Ligging onzeker. Toegewezen aan Juda (Joz 15:34). Wordt Enaïm genoemd in Gn 38:14,21.

**EN-CHADDA** (en chad'da). *el-Hadatha* (D5). Stad in Beneden-Galilea, toegedeeld aan Issakar (Joz 19:21).

**EN-CHAZOR** (en cha'zor). Versterkte stad in Boven-Galilea, toegedeeld aan Naftali (Joz 19:37). Ligging onzeker.

**ENDOR** (en'dor). *Kh.Safsafa* (D5). Dorp onderaan de noordelijke helling van de berg More. In het gebied van Issakar, maar in het bezit van Manasse (Joz 17:11). Saul raadpleegde hier een medium in de nacht voor de slag bij de berg Gilboa (1 S 28:7). Ook vermeld in Ps 83:11.

**EN-EGLAÏM** (en eg'laïm). Plaats op de oever van de Dode Zee, vermeld in Ez 47:10. Ligging onzeker.

**EN-GANNIM** (en gan'nim) **1**. Dorp bij Bet-Semes in de Laagte. Toegedeeld aan Juda (Joz 15:34). Ligging onzeker. **2**. *Jenin* (E4). Stad ten zuiden van het Jizreëldal op een belangrijke pas naar de heuvels van Samaria. Levietenstad in Issakar (Joz 19:21; 21:29). Misschien hetzelfde als Anem uit 1 Kr 6:73 en **Bet-Haggan** uit 2 K 9:27).

**ENGEDI** (enge'di). *Ein Jidi* (J5). Oase, ontstaan bij een heetwaterbron op de westelijke oever van de Dode Zee. Een van de woestijnsteden, toegedeeld aan Juda (Joz 15:62). In de buurt verborg David zich voor Saul (1 S 23:28; 24:1). Beroemd om zijn plantengroei en schoonheid (Hl 1:14; Sir 24:14). Ook vermeld in Ez 47:10. Wordt Chaseson-Tamar genoemd in Gn 14:7; 2 Kr 20:2 en En-Gedi in Sir 24:14; Ez 47:10.

**EN-MISPAT** (en mis'pat). Andere naam voor **Kades 2** (Gn 14:7).

**ENON** (e'non). Plaats bij Salim, waar Johannes doopte (Joh 3:23). Ligging onzeker.

**EN-RIMMON** (en rim'mon). *Kh.Umm er-Ramamin* (K3). Dorp in het zuiden van Juda. Toegedeeld aan Simeon (Joz 19:7; 1 Kr 4:32) en aan Juda (Joz 15:32). Joodse nederzetting na de terugkeer uit de ballingschap (Neh 11:29). Wordt in de vert. NBG Rimmon genoemd in Joz 15:32; 19:7; 1 Kr 4:32.

**EN-ROGEL** (en ro'gel). Andere naam voor **Rogel** (Joz 15:7 en vert. KBS).

**EN-SEMES** (en se'mes). *Ein Hod.* Bron op de rand van de woestijn van Juda, ten oosten van Jeruzalem. Op de grens tussen Benjamin en Juda (Joz 15:7; 18:17).

**EN-TAPPUACH** (en tap'puach). Andere naam voor **Tappuach 1** (Joz 17:7).

**EREK** (e'rek). *Warka.* Een van de oudste en belangrijkste steden van Sumer in het zuiden van Mesopotamië. In het koninkrijk Nimrod (Gn 10:10). Mannen uit Erek bevonden zich onder de vreemdelingen die zich in Samaria en Judea of 'aan de overzijde van de Rivier' vestigden (Ezr 4:9).

**ESAN** (e'san). Dorp in de zuidelijke heuvels van Juda, toegedeeld aan Juda (Joz 15:52). Ligging onzeker.

**ESEK** (e'sek). Put, door herders van Isaak bij Gerar gegraven (Gn 26:20). Ligging onzeker.

**ESEM** (e'sem). Stad in de Negeb, toegedeeld aan Juda (Joz 15:29) en aan Simeon (Joz 19:3; 1 Kr 4:29). Ligging onzeker.

**ESJON-GEBER** (es'jon ge'ber). *T.el-Kheleifa* (T4). Haven bovenin de Golf van Akaba. Plaats op de tocht van de Hebreeërs door de woestijn (Nu 33:35,36; Dt 2:8). Hier rustte Salomo zijn handelsvloot voor de Rode Zee uit (1 K 9:26; 2 Kr 8:17). Ook de handelsvloot van Josafat werd hier gebouwd (2 Kr 20:36). Soms vereenzelvigd met **Elat**.

**ESTAOL** (es'taol). *Ishwa* (H3). Stad in de Laagte, toegedeeld aan Dan (Joz 19:41) en aan Juda (Joz 15:33). Simson werd bij deze stad begraven (Ri 16:31). Ook vermeld in Ri 13:25; 18:2,8,11.

**ESTEMO** (es'temo). Andere naam voor **Estemoa** (Joz 15:50).

**ESTEMOA** (este'moa). *es-Samu* (K4). Stad in het bergland van Juda. Levietenstad en vrijstad (Joz 15:50, waar het Estemo wordt genoemd; 21:14; 1 Kr 6:57). Plaats waarheen David een deel van de buit zond die hij op de Amalekieten had veroverd (1 S 30:28).

**ETAM** (e'tam). **1.** *Kh.el-Khokh?* (I4). Stad bij Betlehem in het midden van Juda. Versterkt door Rechabeam (2 Kr 11:6). **2.** Dorp in het zuiden van Juda, toegedeeld aan Simeon (1 Kr 4:32). Ligging onzeker. **3.** Plaats aan de rand van de woestijn in het oosten van Egypte. Ligging onzeker. De eerste plaats die de Hebreeërs tijdens hun uittocht na Sukkot bereikten (Ex 13:20; Nu 33:6-8).

**ETAM, ROTSKLOOF BIJ** (rotskloof bij e'tam). Plaats waar Simson heenging, nadat hij de akkers van de Filistijnen in het Sorekdal had platgebrand (Ri 15:8, 11). Ligging onzeker.

**ETER** (e'ter) **1.** Stad, toegedeeld aan Juda (Joz 15:42). Ligging onzeker. **2.** Stad, toegedeeld aan Simeon (Joz 19:7). Ligging onzeker, maar wellicht dezelfde als van **Atak** uit 1 S 30:30.

**ET-KASIN** (et ka'sin). Stad in Zebulon (Joz 19:13). Ligging onzeker.

# F

**FARATON** (fa'reton). Hellenistische naam voor **Piraton** (1 Mak 9:50).

**FASELIS** (fase'lis) **1.** *Kh.Fasayil* (G5). Stad in het Jordaandal ten noorden van Jericho. Gesticht door Herodes de Grote die het noemde naar zijn gestorven oudere broer. **2.** Haven in Lycië in het zuidwesten van Klein-Azië, waarheen de Romeinse consul Lucius in 138 v.C. namens de Joden een brief stuurde (1 Mak 15:23).

**FENIKS** (fe'niks). *Loutro?* Haven in het zuiden van Midden-Kreta. Paulus' schip was op weg hierheen, toen het door de wind de zee in werd gedreven (Hnd 27:12).

**FILADELFIA** (filadel'fia). *Alashehir.* Stad in Lydië in het westen van Klein-Azië. Hier bevond zich een van de zeven kerken van de Openbaring (Op 1:11; 3:7).

**FILIPPI** (fi'lippi). *Filibedjik.* Toonaangevende stad in Macedonië, gelegen aan de Via Egnatia. Hier versloegen Octavianus en Marcus Antonius in 42 v.C. Brutus en Cassius. Romeinse kolonie. Door Paulus bezocht op zijn tweede en derde reis (Hnd 16:12; 20:6). Paulus schreef aan de kerk van Filippi een brief (Fil 1:1). Ook vermeld in 1 Tes 2:2.

**FILOTERIA** (filote'ria). *Kh.el-Kerak* (D6). Stad op de zuidwestelijke oever van het meer van Galilea, waar de Jordaan verder naar het zuiden stroomt. Gesticht door Ptolemeüs II (283-245 v.C.). Ingenomen door Antiochus III in 198 v.C. Veroverd door Alexander Janneus.

**FORUM APPII** (fo'rum ap'pii). Pleisterplaats aan de Via Appia, ca. 70 km ten zuiden van Rome. Christenen van Rome kwamen hier Paulus tegemoet om hem te begroeten (Hnd 28:15).

# G

**GABA** (ga'ba). *Kh.el-Harathiya?* (D3). Grieks-Romeinse stad in de westelijke toegang tot de vlakte van Jizreël. Door Augustus aan Herodes de Grote geschonken, die er ca. 23 v.C. een garnizoensplaats van maakte.

**GADARA** (ga'dara). *Umm Qeis* (D6). Stad in Gilead. In 198 v.C. veroverd door Antiochus III, die er een Hellenistische stad van maakte. Een van de steden van de Dekapolis. Ingenomen in 84 v.C. door Alexander Janneus.

Door Pompejus tot een vrije stad gemaakt in 63 v.C. Later maakte het echter deel uit van het koninkrijk van Herodes de Grote. Bij deze stad genas Jezus twee bezetenen (Mt 8:28), maar volgens Mc 5:1 en Lc 8:26,37 speelde een dergelijke gebeurtenis zich af bij **Gerasa**.

**GALLIM** (gal'lim). Stad in Benjamin. Ligging onzeker. Woonplaats van Palti, aan wie Saul Mikal, de vrouw van David geschonken had (1 S 25:44). Het Assyrische leger, op weg naar Jeruzalem, trok door deze plaats (Js 10:30).

**GAMAD** (ga'mad). Plaats vermeld in Ez 27:11. Ligging onzeker.

**GAMALA** (ga'mala). *es-Salam* (C7). Vesting ten oosten van het meer van Galilea. Veroverd door Alexander Janneus in 84 v.C. Ingenomen door Vespasianus in 67.

**GAT** *T.es-Safi?* (I2). Stad in de zuidelijke kustvlakte. Kanaänitische stad die in de opmars niet veroverd werd (Joz 11:22). Bewoond door mannen van zeer groot postuur (2 S 21:20,22; 1 Kr 20:6,8). Een van de vijf koningssteden van de Filistijnen (Joz 13:3; 1 S 6:17). De Filistijnen brachten de ark hierheen (1 S 5:8). Woonplaats van Goliat (1 S 17:4,23). David zocht hier zijn toevlucht (1 S 21:10,12; 27:2-4). Verwoest door Hazaël van Aram (2 K 12:17). Veroverd door Uzzia van Juda (2 Kr 26:6). Ook vermeld in 1 S 7:14; 17:52; 27:11; 2 S 1:20; 15:18; 1 K 2:39-41; 1 Kr 7:21; 8:13; 18:1; 2 Kr 11:8; Am 6:2; Mi 1:10.

**GAT-HACHEFER** (gat hache'fer). *Kh.ez-Zurra* (D5). Dorp in de heuvels van Beneden-Galilea, toegedeeld aan Zebulon (Joz 19:13). Woonplaats van de profeet Jona (2 K 14:25).

**GAT-RIMMON** (gat rim'mon) **1.** *T.Jerisha?* (G2). Stad in de centrale kustvlakte. Levietenstad in Dan (Joz 19:45; 21:24; 1 Kr 6:69). **2.** Levietenstad in Manasse (Joz 21:25). Soms vereenzelvigd met **Bileam**.

**GAZA** (ga'za). *el-Ghazza* (zie inzet). Belangrijke Kanaänitische handelsstad in de zuidelijke kustvlakte langs de zeeweg. Toegedeeld aan Juda (Joz 15:47; Ri 1:18), die de inwoners niet kon verdrijven. In de 12e eeuw v.C. verwoest door de zeevolken (Dt 2:23). Een van de vijf koningssteden van de Filistijnen (Joz 13:3; 1 S 6:17). Hier bezocht Simson een publieke vrouw (Ri 16:1) en werden hem later de ogen uitgestoken (Ri 16:21). Veroverd door Tiglatpileser III in 734 v.C., door Sargon in 720 v.C. en door Nebukadnessar in ca. 600 v.C. Veroordeeld door de profeten (Jr 25:20; 47:1,5; Am 1:6,7; Sef 2:4; Zach 9:5). Maakte in 525 v.C. deel uit van het Perzische rijk. Belegerd en ingenomen door Alexander de Grote in 332 v.C. In handen gevallen van Jonatan (1 Mak 11:61,62) en verwoest door Alexander Janneus in 96 v.C. In 57 v.C. door Gabinius herbouwd. De evangelist Filippus ontmoette op weg naar Gaza de kamerling uit Ethiopië (Hnd 8:26). Ook vermeld in Gn 10:19; Joz 10:41; 11:22; Ri 6:4; 1 K 4:24; 2 K 18:8.

**GEBA** (ge'ba). **1.** *Jeba* (H4). Strategische stad bij de wadi Suweinit die de Mikmaspas in het gebergte van Benjamin beheerste. Levietenstad in Benjamin (Joz 18:24; 21:17; 1 Kr 6:60; 8:6). Saul en Jonatan bevochten hier met succes de Filistijnen (1 S 13:3,16; 14:5). Aan de noordelijke grens van het koninkrijk Juda (2 K 23:8; Zach 14:10). Versterkt door Asa van Juda (1 K 15:22; 2 Kr 16:6). Joodse nederzetting na de terugkeer uit de ballingschap (Ezr 2:26; Neh 7:30; 11:31; 12:29). Ook vermeld in Js 10:29. Wordt Gibea Gods genoemd in 1 S 10:5. **2.** Plaats bij Dotan, waar Holofernes streed (Jdt 3:10). Ligging onzeker. **3.** Ander naam voor **Gibea 1** (Ri 20:43, vert. KBS).

**GEBAL** (ge'bal). *Jebeil*. Belangrijke Fenicische haven. Beroemd om de schepen van cederhout uit de Libanon. Mannen uit deze plaats sneden hout voor de schepen van Salomo en hakten stenen voor de tempel (1 K 5:18). Ook vermeld in Joz 13:5; Ez 27:9.

**GEBIM** (ge'bim). Plaats in het gebergte van Benjamin aan de weg waarover het Assyrische leger naar Jeruzalem oprukte (Js 10:31). Ligging onzeker.

**GEDER** (ge'der). Stad in de Laagte, die door Josua veroverd werd (Jos 12:13). Ligging onzeker.

**GEDERA** (gede'ra). **1.** Stad in de Laagte, toegedeeld aan Juda (Joz 15:36). De ligging ervan is onzeker. Ook vermeld in 1 Kr 4:23; 12:4. **2.** Dorp in het gebied van Benjamin. Ligging onzeker. Woonplaats van Jozabad, een van de dertig helden die zich in Siklag bij David voegden (1 Kr 12:4).

**GEDEROT** (gede'rot). Stad in de Laagte, misschien bij het Sorekdal. Ligging onzeker. Toegedeeld aan Juda (Joz 15:41). Veroverd door de Filistijnen (2 Kr 28:18).

**GEDEROTAÏM** (gede'rotaïm). Dorp in de Laagte, toegedeeld aan Juda (Joz 15:36). Ligging onzeker.

**GEDOR** (ge'dor). **1.** *Kh.Jedur* (I3). Stad in het bergland van Juda, toegedeeld aan Juda (Joz 15:58). Ook vermeld in 1 Kr 4:39. **2.** Plaats in Benjamin, vermeld in 1 Kr 12:7. Ligging onzeker.

**GELILOT** (geli'lot). Plaats in Juda, vermeld in Joz 18:17 (vert. KBS). Ligging onzeker, maar misschien dezelfde als van Gilgal 4 uit Joz 15:7.

**GENNESARET** (genne'saret). Romeinse naam voor **Kinneret** (Mt 14:34; Mc 6:53).

**GERAR** (ge'rar). *T.Abu Hureira* (K1). Kanaänitische stad in het noorden van de Negeb. Abraham en Isaak verbleven hier en sloten verdragen met koning Abimelek (Gn 20:1; 26:1,17,20,26). Ook vermeld in Gn 10:19; 2 Kr 14:13,14.

**GERASA** (ge'rasa). *Jerash* (F7). Griekse stad in het gebied van Gilead, gesticht door Antiochus IV. Veroverd door Alexander Janneus in ca. 82 v.C. Ingenomen door Pompejus in 63 v.C. Het was een van de steden van de Dekapolis. Bij deze stad genas Jezus een bezetene (Mc 5:1; Lc 8:26), maar volgens Mt 8:28 vond een dergelijke gebeurtenis daarentegen plaats in **Gadara.**

**GEZER** (ge'zer). *T.Jazer* (H3). Strategisch gelegen Kanaänitische stad in het noorden van de Laagte die controle uitoefende op de belangrijkste toegangswegen tot het heuvelland ten noorden van Jeruzalem. Vermeld in de inschriften van Thutmosis III (15e eeuw v.C.), in de Amarna-brieven (14e eeuw v.C.) en op de stèle van Merempta (ca. 1230 v.C.). De koning van Gezer werd door de binnenrukkende Israëlieten gedood (Joz 10:33; 12:12; Ri 1:29). Levietenstad van Efraïm (Joz 16:3; 21:21), die de Kanaänieten niet kon verdrijven (Ri 1:29). Daar versloeg David de Filistijnen (2 S 5:25; 1 Kr 14:16; 20:4). Door de farao van Egypte als een deel van de bruidsschat van zijn dochter aan Salomo geschonken, die het herbouwde (1 K 9:15,16,17). Ingenomen door Tiglatpileser III in 734 v.C. Versterkt door Bakchides (1 Mak 4:15; 7:45; 9:52). In 142 v.C. veroverd door Simon die er Joden zich liet vestigen (1 Mak 13:43,53; 14:34). Johannes was hier bevelhebber (1 Mak 13:53), toen Simon in 134 v.C. te Dok werd vermoord.

**GIACH** (gi'ach). Dorp, waarschijnlijk in het oosten van Benjamin aan de weg waarlangs Abner wegvluchtte uit Gibeon (2 S 2:24). Ligging onzeker.

**GIBBETON** (gib'beton). *T.el-Melat* (H2). Stad aan de zeeweg, gelegen aan de rand van de heuvels in het noorden van de Laagte. Levietenstad van Dan (Joz 19:44; 21:23). Het werd een Filistijnse stad (1 K 15:27), waar koning Nadab van Israël in 900 v.C. door Basa gedood werd (1 K 15:27, 28). Omri belegerde de stad toen Zimri koning Ela, de zoon van Basa, om het leven had gebracht (1 K 16:15,17).

**GIBEA** (gi'bea). **1.** *T.el-Ful* (H4). Stad aan de heuvelkamweg in het centrale bergland van Benjamin, ten noorden van Jeruzalem. Toegedeeld aan Benjamin (Joz 18:28). Toneel van een hebreeuwse stammenoorlog (Ri 19:12-16; 20:4-43). Woonplaats van Saul, de eerste koning van Israël (1 S 10:26; 11:4; 15:34; 22:6; 23:19; 26:1; Js 10:29). Bovendien woonplaats van een van Davids helden (2 S 23:29) en van de moeder van koning Abia van Juda (2 Kr 13:2). Ook vermeld in Ri 20:33, waar het heuvel van Pinechas wordt genoemd; 1 S 10:10; 13:2,15; 14:2,16; Hos 5:8; 9:9; 10:9. **2.** Een dorp in het bergland van Juda, dat toegedeeld was aan Juda (Joz 15:57). De ligging ervan is onzeker.

**GIBEA GODS** (gi'bea gods). Andere naam voor **Geba 1** (1 S 10:5).

**GIBEON** (gi'beon). *el-Jib* (H4). Stad ten noordwesten van Jeruzalem. Maakte deel uit van het verbond van de Chiwwieten dat met Jozua door list een verdrag sloot en gespaard werd (Joz 9:3,17; 10:1; 11:19). Hier stond de zon stil, terwijl Jozua de slag won (Joz 10:2-12,41). Levietenstad in Benjamin (Joz 18:25; 21:17; 1 Kr 8:29; 9:35). De strijdkrachten van Joab ontmoetten er het leger van Abner (2 S 2:12,13,16,24; 3:30). Hier versloeg David de Filistijnen (2 S 5:25), waar het Geba genoemd wordt; 1 Kr 14:16) en werd Amasa door Joab gedood (2 S 20:8). Zonen en kleinzonen van Saul werden hier opgehangen (2 S 21:1-9). Op de hoogte te Gibeon bracht Salomo offers en had hij zijn beroemde droom (1 K 3:4-5; 9:2). Plaats van het tabernakel en offeraltaar (1 Kr 16:39; 21:29; 2 Kr 1:3,13). Mannen uit Gibeon hielpen Nehemia de muren van Jeruzalem weer op te trekken (Neh 3:7; 7:25). Plaats van de grote vijver van Gibeon (Jr 41:12). Ook vermeld in 1 Kr 12:4; Js 28:21; Jr 28:1; 41:16.

**GIDOM** (gi'dom). Onbekende plaats in Benjamin, vermeld in Ri 20:45.

**GILGAL** (gil'gal). **1.** *Kh.el-Mafjar?* (H5). Oude offerplaats bij Jericho in het zuidelijke deel van het Jordaandal. Hier waren de Hebreeërs gelegerd, nadat ze over de Jordaan Kanaän waren binnengetrokken (Joz 4:19; Mi 6:5) en plaatsten ze twaalf gedenkstenen die ze van de droge rivierbedding hadden opgeraapt (Joz 4:20; Ri 3:19). De Hebreeërs werden tijdens hun kampement besneden in de buurt van Gilgal (Joz 5:9). Jozua had er zijn hoofdkwartier (Joz 9:6; 10:6,7,9,15,43; 14:6). Stad op Samuëls jaarlijkse rondreis (1 S 7:16), waar hij ook brandoffers bracht (1 S 10:8). Saul werd hier tot koning gezalfd (1 S 11:14-15) en later door Samuël berispt (1 S 13:8,12,15; 15:12,21). Agag werd er gedood (1 S 15:33). Ook vermeld in Joz 5:10; Ri 2:1; 1 S 13:4,7; 15:12,21; 2 S 19:15,40; Hos 4:15; 9:15; 12:11; Am 4:4; 5:5. **2.** *Jiljuliah* (G4). Dorp in het bergland van Juda, ten noorden van Betel. Van hieruit gingen Elia en Elisa naar het Jordaandal, waar Elia in de hemel werd opgenomen (2 K 2:1; 4:38). **3.** Plaats bij de berg Gerizzim, vermeld in Dt 11:30. Ligging onzeker. **4.** Plaats, vermeld in Joz 15:7. Ligging onzeker, maar mogelijk die van de steenbergen in Joz 18:17.

**GILO** (gi'lo). Dorp in het zuiden van Juda, toegedeeld aan Juda (Joz 15:51). Ligging onzeker. Ook vermeld in 2 S 15:12; 23:34.

**GIMZO** (gim'zo). *Jimzu* (H3). Stad in de Laagte bij Lod. Veroverd door de Filistijnen tijdens de regering van Achaz van Juda, 735-715 v.C. (2 Kr 28:18).

**GITTAÏM** (git'taïm). Dorp in de kustvlakte, mogelijk in de buurt van Lod. De ligging ervan is onzeker. Hier zochten mannen van Beërot hun toevlucht (2 S 4:3). Joodse nederzetting na de terugkeer uit de ballingschap (Neh 11:33).

*David zou de moordenaars van Isboset bij deze plas bij Hebron hebben opgehangen. Rechts: het heiligdom dat de graven van de aartsvaders markeert.*

**GOEDE REDE.** Haven aan de zuidkust van Kreta, ongeschikt voor Paulus om er op zijn reis naar Rome aan land te gaan en te overwinteren (Hnd 27:8).

**GOLAN** (go'lan). *Sahm el-Jaulan?* (zie inzet). Stad in Basan. Levietenstad in Manasse en vrijstad (Dt 4:43; Joz 20:8; 21:27; 1 Kr 6:71).

**GOMORRA** (gomor'ra). Stad in het dal van Siddim, mogelijk in het zuidelijke Dode-Zee-gebied. Ligging onzeker. Aangevallen door Kedorlaomer (Gn 14:2,8,10,11). Verwoest om zijn verdorvenheid (Gn 13:10; 18:20; 19:24, 28; Dt 29:23; Js 1:9,10; 13:19; Jr 23:14; 49:18; 50:40; Am 4:11). Symbool van het kwaad (Dt 32:32; Jr 23:14; 49:18; 50:40; Am 4:11; Sef 2:9; Mt 10:15; Rom 9:29; 2 Pe 2:6; Jud: 7). Ook vermeld in Gn 10:19.

**GORTYNA** (gorty'na). Stad in het midden van Kreta, waarheen de Romeinse consul Lucius in 138 v.C. namens de Joden een brief zond (1 Mak 15:23).

**GOSEN** (go'sen). Stad in het bergland in het zuiden van Juda, toegedeeld aan Juda (Joz 15:51). Ligging onzeker.

**GOZAN** (go'zan). Plaats in Assyrië waarheen Israëlieten werden gedeporteerd (2 K 17:6; 18:11; 1 Kr 5:26; op deze plaatsen wordt het vereenzelvigd met 'rivier van Gozan'). Verwoest door de Assyriërs (2 K 19:12; Js 37:12).

**GUDGOD** (gud'god). Plaats waar de tocht van de Hebreeërs door de woestijn eindigde (Dt 10:7). Ligging onzeker. Wordt in Nu 33:32,33 **Chor-Haggidgad** genoemd.

**GUR-BAÄL** (gur'baäl). Uzzia vocht hier tegen de Arabieren (2 Kr 26:7). Ligging onzeker. Mogelijk hetzelfde als **Jagur** uit Joz 15:21.

# H

**HADIDA** (ha'dida). Andere naam voor **Chadid** (1 Mak 12:38; 13:13).

**HALIKARNASSUS** (halikarnas'sus). Griekse stad in Karië in het zuidwesten van Klein-Azië. De Romeinse consul Lucius zond hier in 138 v.C. namens de Joden een brief heen (1 Mak 15:23).

**HAMAT** (ha'mat). *Hama.* Stad aan de Orontes in Syrië. Hoofdstad van het Arameese koninkrijk Hamat. Koning Toï van Hamat wenste David geluk met zijn overwinningen (2 S 8:9; 1 Kr 18:9). Mannen van Hamat vestigden zich in Samaria na de val van Israël in 721 v.C. (2 K 17:24). Ook vermeld in 2 K 14:28; 17:30; 18:34; 19:13; 1 Kr 18:3; Js 11:11; 36:19; 37:13; Jr 49:23; Am 6:2; Zach 9:2.

**HARAN** (ha'ran). *Harran.* Belangrijke handelsstad en karavaancentrum in het noordwesten van Mesopotamië. Hier vestigde Terach, de vader van Abraham, zich met zijn familie en stierf hij later (Gn 11:31,32). Abraham vertrok van hier naar Kanaän (Gn 12:4). Jakob vluchtte hierheen om aan Esau's woede te ontkomen (Gn 27:43; 28:10). Ook vermeld in Gn 12:5; 29:4; 2 K 19:12; Js 37:12; Ez 27:23; Hnd 7:2,4.

**HAR-CHERES** (har che'res). Andere naam voor **Bet-Semes 1** (Ri 1:35).

**HASOR** (ha'sor). **1.** *T.el-Qedah* (B6). Kanaänitische koningsstad die de zeeweg beheerste ten noorden van het meer van Galilea. Vermeld in de Egyptische Vermaningen (19e-18e eeuw v.C.), de Mesopotamische Mari-brieven (18e eeuw v.C.), de Amarna-brieven (14e eeuw v.C.), evenals in de inschriften van de farao's Thutmosis III en Amenhotep II (15e eeuw v.C.) en Seti I (14e-13e eeuw v.C.). Koning Jabin van Hasor werd verslagen door Jozua die de stad platbrandde (Joz 11:1,10-13; 12:19). Toegedeeld aan Naftali (Joz 19:36). Barak versloeg Sisera, bevelhebber van het leger van Naftali (Ri 4:2,17). Versterkt door Salomo (1 K 9:15). Herbouwd door Achab die hier de watertunnel had laten graven. Verwoest door Tiglatpileser III in 733 v.C. (2 K 15:29). Ook vermeld in 1 S 12:9. **2.** *Kh.Hazzur?* Dorp ten noorden van Jeruzalem. Joodse nederzetting na de terugkeer uit de ballingschap (Neh 11:33). **3.** Stad in de Negeb, toegedeeld aan Juda (Joz 15:23). Ligging onzeker. **4.** Plaats of streek in het noorden van Arabië. Ligging onzeker. Aangevallen door Nebukadnessar in 598 v.C. (Jr 49:28, 30, 33). **5.** Andere naam voor **Keriot-Chesron** (Joz 15:25).

**HEBRON** (he'bron). *el-Khalil* (J3). Kanaänitische koningsstad in het bergland van Juda. Voornaamste plaats van de streek. Hier woonde Abraham (Gn 13:18) en begroef hij Sara in de grot van Makpela (Gn 23:9,19). Verkenners van Mozes bespiedden de Enakieten, die later door Jozua werden uitgeroeid (Nu 13:22; Joz 11:21). Zeven jaar eerder gebouwd dan Soan in Egypte. Sloot een verbond tegen Jozua, maar werd later door hem verwoest (Joz 10:3,5,23,36,39; 12:10). Geschonken aan Kaleb (Joz 14:13,14; Ri 1:20). Levietenstad en vrijstad (Joz 21:13; 1 Kr 6:55,57). Plaats waarheen Simson de stadspoort van Gaza bracht (Ri 16:3). David zond een deel van de buit van de Amalekieten naar de oudsten van Hebron (1 S 30:31). Hier werd David tot koning van Juda gezalfd; hij regeerde er zeven jaar (2 S 2:1,3,11; 1 Kr 11:1,3; 29:27). Middelpunt van de samenzwering van Absalom (2 S 15:7,9,10). Versterkt door Rechabeam (2 Kr 11:10). Idumeese stad, in 163 v.C. veroverd en platgebrand door Judas de Makkabeeër (1 Mak 5:65). Herodes de Grote herstelde de grot van Makpela. Verwoest door de Romeinen tijdens de Eerste

Joodse Opstand (66-70). Ook vermeld in Gn 37:14; 2 S 2:32. Wordt Kirjat-Arba genoemd in Gn 23:2; 35:27; Joz 14:15; 15:13,54; 20:7; 21:11; Ri 1:10; Neh 11:25.

**HERODIUM** (hero'dium). *Kh.el-Fureidis* (I4). Vesting op een bergtop in de woestijn van Juda, vlak bij Tekoa. Werd gebouwd door Herodes de Grote, die in de buurt opstandige Joden op de vlucht naar Masada en Egypte versloeg. Herodes werd er begraven. Een van de laatste plaatsen die de Romeinen na de val van Jeruzalem veroverden tegen het einde van de Eerste Joodse Opstand (66-70). In bezit gehouden door de joodse rebellen in de Tweede Joodse Opstand (132-135). Later een Romeinse voorpost; daarna een Byzantijns klooster.

**HEUVEL DER VOORHUIDEN**. Plaats in het zuidelijk deel van het Jordaandal bij Gilgal. Ligging onzeker. Hier werden de Hebreeërs besneden, nadat ze Kanaän waren binnengetrokken (Joz 5:3).

**HIËRAPOLIS** (hiëra'polis). Belangrijke stad in het Lykusdal in het zuidwesten van Klein-Azië, waar Epafras evangelist was (Kol 4:13).

**HIPPOS** (hip'pos). *Qalaat el-Husn* (C6). Stad van de Dekapolis ten oosten van het meer van Galilea.

**HYRKANIA** (hyrka'nia). *Kh.Mird* (I5). Vesting in de woestijn van Juda ten oosten van Betlehem. Gebouwd door Johannes Hyrkanus (134-104 v.C.). Verwoest door Gabinius ca. 57 v.C. en herbouwd door Herodes de Grote als staatsgevangenis.

# I

**IJJE-HAÄBARIM** (ij'je haä'barim). Andere naam voor **Abarim** (vert.KBS Nu 21:11; 33:44,45).

**IJJIM** (ij'jim). Dorp in het zuiden van Juda (Joz 15:29). Ligging onzeker.

**IJJON** (ij'jon). Stad aan de noordelijke grens van Israël, ten westen van de berg Hermon. Ligging onzeker. Veroverd door Benhadad van Syrië ca. 878 v.C. als onderdeel van zijn verbond met Asa van Juda (1 K 15:20; 2 Kr 16:4). Ingenomen door Tiglatpileser III in 733 v.C. (2 K 15:29).

**IKONIUM** (iko'nium). *Konya*. Stad in Galatië in het midden van Klein-Azië. Paulus en Barnabas onderrichtten hier in de synagoge tijdens Paulus' eerste reis, maar ze ontvluchtten de stad om niet gestenigd te worden (Hnd 13:51; 14:1, 19; 2 Tim 3:11). Later keerden ze terug en vonden er een kerkgemeenschap (Hnd 14:21; 16:2).

**IMMER** (im'mer). Onbekende plaats in Babylonië, van waaruit Joden terugkeerden uit de ballingschap (Ezr 2:59; Neh 7:61).

**IR-HAMMELACH** (ir hamme'lach). *Kh. Qumran* (I5). Nederzetting in de woestijn van Juda op de noordwestelijke oever van de Dode Zee. Toegedeeld aan Juda (Joz 15:62). Aan het einde van de 2e eeuw v.C. herbouwd door een joodse sekte, dikwijls vereenzelvigd met de Essenen. Hier werden de Dode-Zeerollen gevonden. Verwoest door de Romeinen in de Eerste Joodse Opstand (66-70). In bezit gehouden door joodse rebellen in de Tweede Joodse Opstand (132-135).

**IR-NACHAS** (ir na'chas). *Deir Nakhkhas?* (13). Stad in het zuiden van de Laagte, vermeld in 1 Kr 4:12.

**IR-SEMES** (ir se'mes). Andere naam voor **Bet-Semes 1** (Joz 19:41).

**IWWA** (iw'wa). Stad, waarschijnlijk in het noorden van Syrië of Babylonië. Verwoest door Sanherib, 704-681 v.C. (2 K 18:34; 19:13; Js 37:13). Ligging onzeker. Wordt Awwa genoemd in 2 K 17:24.

# J

**JAÄKAN** (ja'akan). Andere naam voor **Beërot Bene-Jaäkan** (1 Kr 1:42).

**JABES** (ja'bes) **1.** *T.el-Maqlub* (E6). Stad in de wadi Yabis in Gilead. De inwoners werden door de Hebreeërs vermoord, behalve vierhonderd maagden, bestemd voor de Benjaminieten (Ri 21:8-14). Door Saul bevrijd van de Ammonieten (1 S 11:1-10). Mannen uit deze stad haalden de lichamen van Saul en zijn zonen uit Bet-Sean en begroeven ze in Jabes (1 S 31:11-13; 2 S 2:4; 1 Kr 10:12). David zegende de mannen van Jabes hierom (2 S 2:5); hij nam later de beenderen van Saul en Jonatan van hieruit mee en begroef ze in Sela (2 S 21:12). **2.** Dorp in het bergland van Juda (1 Kr 2:55). Ligging onzeker.

**JABNE** (jab'ne). Andere naam voor **Jabneël 1** (2 Kr 26:6).

**JABNEËL** (jab'neël **1.** *Yibna* (H2). Stad in de kustvlakte, toegedeeld aan Juda (Joz 15:11). Door Uzzia op de Filistijnen veroverd in het midden van de 8e eeuw v.C. (2 Kr 26:6, waar het Jabne genoemd wordt). Naam is veranderd in Jamnia in de deuterocanonieke en apocriefe boeken. Basis van de legers der Seleuciden in de Makkabeese Oorlogen (1 Mak 4:15; 5:58). Platgebrand, samen met de haven, door Judas de Makkabeeër in 164 v.C. (2 Mak 12:8-9). Veroverd door Hyrkanus. Deel van het rijk van Alexander Janneus. In 63 v.C. door Pompejus ingenomen en door Gabinius ca. 57 v.C. herbouwd. Deel van het rijk van Herodes de Grote en tenslotte in het bezit van keizer Tiberius. Bezet door Vespasianus in de Eerste Joodse Opstand (66-70). Werd centrum van de Hoge Raad na de val van Jeruzalem in 70. De canon van het Oude Testament werd hier in 90 bediscussieerd. Ook vermeld in Jdt 2:28; 2 Mak 12:40. **2.** *T.en-Naam* (D5). Dorp, toegedeeld aan Naftali (Joz 19:33).

**JAFIA** (jafi'a). *Yafa* (D4). Dorp bij Nazaret in Beneden-Galilea, toegedeeld aan Zebulon (Joz 19:12). Versterkt door Josefus in de Eerste Joodse Opstand (66-70).

**JAFO** (ja'fo). Andere naam voor **Joppe** (Joz 19:46; 2 Kr 2:16; Jon 1:3; Ezr 3:7; 1 Mak 15:28).

**JAGUR** (ja'gur). *T.Ghurr?* (K4). Dorp in het zuiden van Juda, toegedeeld aan Juda (Joz 15:21). Mogelijk hetzelfde als **Gur-Baäl** uit 2 Kr 26:7.

**JAHAS** (ja'has). *Kh.el-Medeiyina* (J7). Stad in het oosten van Moab. De Hebreeërs versloegen hier Sichon, koning van de Amorieten (Nu 21:23; Dt 2:32; Ri 11:20). Toegedeeld aan Ruben (Joz 13:18, waar het Jahasa, vert. NBG,

*De historische rivier de Jordaan slingert zich in bochten door het hete dal onder de zeespiegel, voordat ze in de Dode Zee uitmondt.*

wordt genoemd). Levietenstad (Joz 21:36; 1 Kr 6:78). Veroverd door de Moabieten (Js 15:4; Jr 48:21, 34). Vermeld op de stèle van Moab als Israëlitische basis tegen koning Mesa van Moab.

**JAÏR, DORPEN VAN** (dorpen van ja'ïr). Aantal dorpen (mogelijk 30 of 60) in Gilead en Basan. Ligging onzeker. Wellicht ingenomen door Manasse (Nu 32:41; Dt 3:14). Ook vermeld in Joz 13:30; Ri 10:4; 1 K 4:13; 1 Kr 2:23.

**JAMNIA** (jam'nia). Andere naam voor **Jabneël 1** (Jdt 2:28; 1 Mak 4:15; 5:58; 2 Mak 12:8-9,40).

**JAMNIA, HAVEN VAN** (haven van jam'nia). *Minet Rubin* (H1). Haven aan de kust van de Middellandse Zee, waar Judas de Makkabeeër schepen liet verbranden (1 Mak 12:8-9).

**JANUM** (ja'num) (vert. KBS Janim). Dorp in de buurt van Hebron in het bergland van Juda. Toegedeeld aan Juda (Joz 15:53). Ligging onzeker.

**JANOACH** (jano'ach) **1.** *Yanuh* (B4). Stad in Boven-Galilea, verwoest door Tiglatpileser III in 733 v.C. (2 K 15:29). **2.** *Kh.Yanun* (G5). Stad in Samaria op de grens van Efraïm (Joz 16:6,7).

**JARMUT** (jar'mut) **1.** *Kh.Yarmuk* (I3). Kanaänitische koningsstad in de Laagte. De koning en de aangesloten koningen werden door Jozua verslagen (Joz 10:3,5,23; 12:11). Toegedeeld aan Juda (Joz 15:35). Joodse nederzetting na de terugkeer uit de ballingschap (Neh 11:29). **2.** Levietenstad in Issakar (Joz 21:29). Ligging onzeker, maar mogelijk dezelfde als van Ramot uit 1 Kr 6:73 en Remet uit Joz 19:21.

**JASUBI-LECHEM** (jasu'bi le'chem). Plaats, waarschijnlijk in Juda (1 Kr 4:22). Ligging onzeker.

**JATTIR** (jat'tir). *Kh.Attir* (K4). Levietenstad en vrijstad in het zuidelijke bergland van Juda (Joz 15:48, 21:14; 1 Kr 6:57). David zond een deel van de buit die hij op de Amalekieten had veroverd naar de oudsten van Jattir (1 S 30:27).

**JAZER** (ja'zer) *Kh.es-Sar?* (H7). Stad van de Amorieten in Gilead, veroverd door de Israëlieten (Nu 21:32). Levietenstad in Gad (Nu 32:1,3,35; Joz 13:25; 21:39; 1 Kr 6:81). Veroverd door de Moabieten (Js 16:8-9; Jr 48:32). Ingenomen door Judas de Makkabeeër in 163 v.C. (1 Mak 5:8). Ook vermeld in 2 S 24:5; 1 Kr 26:31.

**JEBUS** (je'bus). Kanaänitische naam voor **Jeruzalem** (Joz 18:28; Ri 19:10; 1 Kr 11:4,5).

**JEHUD** (je'hud). Plaats in Dan (Joz 19:45). Ligging onzeker.

**JEKABSEËL** (jekab'seël) (vert. KBS Jekabsel). Andere naam voor **Kabseël** (Neh 11:25).

**JERICHO** (je'richo) **1.** *T.es-Sultan* (H5). Oude oasestad aan de voornaamste bron in het onderste deel van het Jordaandal. Eerste stad in Kanaän die door Jozua in de strijd verwoest werd (Joz 2:1-3; 3:16; 4:13,19; 6:1,2,26). Hier doodde Ehud koning Eglon (Ri 3:13, waar het Palmstad wordt genoemd) en wachtten de te schande gemaakte dienaren van David tot hun baard weer was aangegroeid (2 S 10:5; 1 Kr 19:5). Herbouwd door Chiël van Betel in de 9e eeuw v.C. (1 K 16:34). Toneel van het optreden van Elia en Elisa (2 K 2:4-5,15,18). Mensen uit Juda, gevangen genomen in de oorlog met Israël, keerden ca. 735 v.C. naar Jericho terug (2 Kr 28:15). Sedekia werd bij Jericho door Nebukadnessar gevangen genomen 2 K 25:5; Jr 39:5; 52:8). Verwoest door de Babyloniërs in 587 v.C. Joodse nederzetting na de terugkeer uit de ballingschap (Ezr 2:34; Neh 7:36). Mannen van Jericho hielpen om de muren van Jeruzalem weer op te trekken (Neh 3:2). Deel van de Perzische provincie Jehud. Oudtestamentische plek, in de Hellenistische periode verlaten. Ook vermeld in Nu 22:1; 26:3,63; 31:12; 33:48,50; 34:15; 35:1; 36:13; Dt 32:49; 34:1,3; Joz 5:10,13; 7:2; 8:2; 9:3; 10:1,28,30; 12:9; 13:32; 16:1,7; 18:12,21; 20:8; 24:11; 1 Kr 6:78; Heb 11:30; 2 Mak 12:15. Wordt Palmstad genoemd in Dt 34:3; Ri 1:16; 2 Kr 28:15. **2.** *T.Abu el-Alayiq* (H5). Stad aan de wadi Qilt, die de weg naar Jeruzalem bewaakte. De Syrische bevelhebber Bakchides bouwde in 160 v.C. hier een vesting (1 Mak 9:50). Simon werd in de buurt gedood (1 Mak 16:11,14). Pompejus verwoestte hier in 63 v.C. twee versterkingen. In 57-55 v.C. een van de bestuurscentra van Gabinius. Herodes de Grote stierf in het paleis dat hij hier bouwde. Tijdens oproer na Herodes' dood schade opgelopen. Hersteld door Archelaüs (4 v.C.-6 n.C.). Jezus genas er een blinde (Mt 20:29; Mc 10:46; Lc 18:35) en riep Zacheüs uit de vijgeboom naar beneden (Lc 19:1). Een barmhartige Samaritaan hielp een reiziger op weg naar Jericho (Lc 10:30). Verwoest tijdens de Eerste Joodse Opstand (66-70).

**JERUZALEM** (jeru'zalem). *el-Quds* (I4). Versterkte stad in het bergland op de grens tussen Benjamin en Juda. Belangrijkste stad uit de Bijbel. Vermeld in de Egyptische Vermaningen (19e-18e eeuw v.C.), Amarna-brieven (14e eeuw v.C.) en Assyrische Annalen van Sanherib (6e eeuw v.C.). Verbond van koningen der Amorieten, onder aanvoering van de koning van Jeruzalem, werd door Jozua bij Gibeon verslagen (Joz 10:1,3,5,23; 12:10). Toegedeeld aan Benjamin, die de Jebusieten niet kon verdrijven (Joz 15:8; Ri 1:21; 19:10). Ingenomen door David die er de hoofdstad van zijn rijk van maakte (2 S 5:5-6; 1 Kr 11:4, 5,7, waar het ook Jebus en Stad van David wordt genoemd). Hij bracht de ark van het verbond hierheen om de stad tot het religieuze middelpunt van het land te maken (2 S 6:10,12,16 en 1 Kr 15:1,3,29, waar het op-

nieuw Stad van David genoemd wordt). Salomo bouwde hier een tempel op het land dat door David gekocht was (2 S 24:16; 1 K 8:1, waar het ook Sion wordt genoemd; 1 Kr 6:10; 2 Kr 3:1; 5:2, waar het eveneens Stad van David en Sion wordt genoemd). Hoofdstad van Juda na de scheuring van de monarchie na de dood van Salomo. Sisak nam ca. 918 v.C.de schatten van de stad mee (1 K 14:25; 2 Kr 12:2-9). Geplunderd door Joas van Israël (2 K 14:13; 2 Kr 25:23). Jechizkia bracht versterkingen aan (2 Kr 32:2). Belegerd door Sanherib in 701 v.C. (2 K 19:10; 2 Kr 32:2,22; Js 36:2,7,20; 37:10,22,32). In 597 v.C. geplunderd (2 Kr 36:10) en in 587 v.C. verwoest (2 K 24:10; 25:9-10; 2 Kr 36:19) door de Babyloniërs. De tweede tempel werd in 515 v.C. ingewijd (Ezr 6:18). Muren herbouwd door Nehemia in 445 v.C. (Neh 2:11-13,17,20; 3:8,9,12; 4:7-8). Hoofdstad van de Perzische provincie Jehud. Veroverd door Ptolomeüs I van Egypte in 301 v.C. Ingenomen door Antiochus III van Syrië in 198 v.C. Tempel heroverd en opnieuw ingewijd door Judas de Makkabeeër in 164 v.C. (1 Mak 4:37 en 60, waar het berg Sion wordt genoemd). Hoofdstad van het koninkrijk der Hasmoneeën (141-63 v.C.). Veroverd door Pompejus in 63 v.C. Ingelijfd door de Parten in 40 v.C. Veroverd door het gezamenlijke Romeinse en joodse leger onder Sosius en Herodes de Grote in 37 v.C. Stad en tempel door Herodes schitterend herbouwd. Jezus van Nazaret werd hier ca. 29 gekruisigd (Mt 16:21; Mc 10:33; Lc 18:31). In 70 door Titus verwoest en na 134 herbouwd door Hadrianus, die het Aelia Capitolina noemde. Waarschijnlijk hetzelfde als Salem uit Gn 14:18; Ps 76:3; Heb 7:1,2. Wordt Jebus genoemd in Joz 18:28; Ri 19:10; 1 Kr 11:4,5 en Vuurhaard (vert. NBG) of Ariël (vert. KBS) in Js 29:1,2,7. Wordt ook met Stad van David, Sion of berg Sion aangeduid. Jeruzalem is de meest vermelde stad in het Oude en Nieuwe Testament en in de deuterocanonieke en apocrieve boeken. Na de eerste vermelding in Joz verschijnt de naam in alle volgende boeken van het Oude Testament, behalve in Rt, Job, Spr, Hos, Jon, Nah, Hab en Hag. Jeruzalem staat in de vier evangeliën van het Nieuwe Testament en in Hnd, Rom, 1 Kor, Gal, Heb en Op. Het wordt vermeld in de deuterocanonieke boeken Tob, Jdt, Est (toevoegingen), Sir, Bar, 1 en 2 Mak.

**JESANA** (je'sana). *Burj el-Isana* (G4). Stad in de heuvels van Samaria aan de centrale heuvelkamweg. In de 10e eeuw v.C. door Abia van Juda op Jerobeam van Israël veroverd (2 Kr 13:19). Hier versloeg Herodes de Grote in 37 v.C. Pappos, generaal van Antigonus.

**JESUA** (je'sua). *T.es-Sawa?* (K4). Dorp bij Berseba in Negeb, waar Joden na de terugkeer uit de ballingschap zich vestigden (Neh 11:26).

**JIBLEAM** (ji'bleam). *Kh.Balama* (E4). Stad ten zuiden van vlakte van Jizreël tegen de helling naar Gur. Veroverd door Thutmosis III in de

15e eeuw v.C. In het gebied van Issakar, maar geschonken aan Manasse die de Kanaänieten niet kon verdrijven (Joz 17:11; Ri 1:27). Bij deze plaats werd Achazja van Juda in 842 v.C. door de soldaten van Jehu dodelijk getroffen (2 K 9:27). Wellicht hetzelfde als Bileam uit 1 Kr 6:70 en Gat-Rimmon uit Joz 21:25.

**JIDALA** (ji'dala). Dorp in Beneden-Galilea, toegedeeld aan Zebulon (Joz 19:15). Ligging onzeker, maar mogelijk ten zuidoosten van Nazaret.

**JIFTACH** (jif'tach). Dorp in het zuiden van de Laagte, toegedeeld aan Juda (Joz 15:43). Ligging onzeker.

**JIRON** (ji'ron). *Yarun* (B5). Versterkte stad in Boven-Galilea, toegedeeld aan Naftali (Joz 19:38).

**JIRPEËL** (jir'peël). Stad ten noorden van Jeruzalem, toegedeeld aan Benjamin (Joz 18:27). Ligging onzeker.

**JITLA** (jit'la). Dorp in het Sorekdal, toegedeeld aan Dan (Joz 19:42). Ligging onzeker.

**JITNAN** (jit'nan). Dorp bij Zif in het oosten van Juda (Joz 15:23). Ligging onzeker.

**JIZREËL** (jiz'reël) **1.** *Zirin* (D5). Stad in de vlakte ten noorden van de berg Gilboa op het punt waar het dal scherp naar het oosten afbuigt en een schitterend uitzicht biedt. Toegedeeld aan Issakar (Joz 19:18). Hier bevond zich het kamp van het leger van Saul voor de slag bij Gilboa (1 S 29:1). Deel van Salomo's tiende belastingdistrict (1 K 4:12). Hier lag ook het winterpaleis van de koningen van de Omri-dynastie vanaf de tijd van Achab (1 K 18:45,46) en de wijngaard van Nabot (1 K 21:1). Joram van Israël kwam naar Jizreël om van zijn verwondingen te genezen en werd door Achazja van Juda bezocht (2 K 8:29; 9:15; 2 Kr 22:6). Izebel en andere leden van het geslacht Omri werden er vermoord (2 K 9:30,36; 10:11). De hoofden van 70 prinsen van Israël werden naar Jehu in Jizreël gezonden (2 K 10:6-7). Ook vermeld in 1 S 29:11; 2 S 2:9; 4:4; 1 K 21:23; Hos 1:4. **2.** Stad, toegedeeld aan Juda (Joz 15:56). Ligging onzeker. Achinoam, een van Davids vrouwen kwam uit deze plaats (1 S 25:43; 27:3; 2 S 2:2; 3:2).

**JOGBEHA** (jog'beha). *Kh.el-Jubeihat* (G7). Stad in Ammon bij de koningsweg. Toegedeeld aan Gad (Nu 32:35). In de buurt viel Gideon de vluchtende Midjanieten aan (Ri 8:11).

**JOKDEAM** (jok'deam). Dorp in het bergland van Juda, ten zuiden van Hebron. Toegedeeld aan Juda (Joz 15:56). Ligging onzeker.

**JOKMEAM** (jok'meam) **1.** *T.es-Simadi?* (G5). Stad in de wadi Fara bij de samenvloeiing met de Jordaan. Levietenstad in Efraïm (1 Kr 6:68). **2.** Andere naam voor **Jokneam** (1 K 4:12).

*De Dom van de Rots rijst op boven Jeruzalem en is duidelijk zichtbaar vanaf de hellingen van de Olijfberg.*

**JOKNEAM** (jok'neam). *T.Qeimun* (D4). Kanaänitische koningsstad ten noordwesten van Megiddo, die de voornaamste pas door de bergrug Karmel beheerste. Veroverd door Thutmosis III in de 15e eeuw v.C. Ingenomen door Jozua (Joz 12:22). Levietenstad op de grens met Zebulon (Joz 19:11; 21:34). In Salomo's vijfde belastingdistrict (1 K 4:12, waar het Jokmeam wordt genoemd).

**JOKTEËL** (jok'teël) **1.** Dorp in het zuiden van de Laagte, toegedeeld aan Juda (Joz 15:38). Ligging onzeker. **2.** Naam die door Amasja van Juda aan **Sela** gegeven werd (2 K 14:7).

**JOPPE** (jop'pe). *Yafa* (G2). Wordt Jafo genoemd in Joz 19:46; 2 Kr 2:16; Jon 1:3; Ezr 3:7; 1 Mak 15:28. Rotshaven in het midden van de kust. Voornaamste haven van Juda ten tijde van het Oude Testament. Veroverd door Thutmosis III in de 15e eeuw v.C. Vermeld in de Amarna-brieven (14e eeuw v.C.). Toegedeeld aan Dan (Joz 19:46) die de Filistijnen niet kon verdrijven. Hout voor het paleis van Salomo en de tempel werd in vlotten van de Libanon naar Joppe vervoerd (2 Kr 2:16). Door Sanherib in 701 v.C. ingenomen. Hier ging Jona aan boord van een schip voor Tarsis (Jon 1:3). Ook het hout voor de wederopbouw van de tempel werd in vlotten van de Libanon naar Joppe gebracht (Ezr 3:7). In 332 v.C. door Alexander de Grote veroverd. Verwoest tijdens de gevechten na zijn dood. Deel van het Egyptisch-Ptolemeïsche koninkrijk ca. 301-198 v.C. en van het Syrisch-Seleucidische rijk, 198-143 v.C. Judas de Makkabeeër verbrandde hier schepen in 164 v.C. (2 Mak 12:3,4,7). In 147 v.C. veroverd door Jonatan (1 Mak 10:75-76) die hier Ptolemeüs VI ontmoette (1 Mak 11:6). Bezet door Simon in 143 v.C. en ingelijfd in het rijk van de Hasmoneeën (1 Mak 12:33; 13:11; 14:5,34; 15:28, 35). In 63 v.C. onder Pompejus onafhankelijk geworden. Door Julius Caesar in 47 v.C. aan de Joden teruggegeven. In 37 v.C.

veroverd door Herodes de Grote. Door Antonius aan Kleopatra geschonken in 30 v.C. door Augustus aan Herodes teruggegeven. Hier wekte Paulus Tabita uit de doden op, verbleef hij in het huis van Simon de leerlooier (Hnd 9:36,38,42,43; 10:5) en had hij een visioen (Hnd 11:5,13), voordat hij door Cornelius gevraagd werd naar Caesarea te komen (Hnd 10:23,32). In 67 door Vespasianus tijdens de Eerste Joodse Opstand verwoest. Ook vermeld in 2 Mak 4:21.

**JORKEAM** (jor'keam). Plaats in Juda, vermeld in 1 Kr 2:44. Ligging onzeker.

**JOTBA** (jot'ba). *Kh.Jefat* (C4). Stad in de heuvels van Beneden-Galilea. Werd veroverd door Tiglatpileser III in 733 v.C. De woonplaats van Mesullemet, moeder van koning Amon van Juda (2 K 21:19). De plaats werd versterkt door Josefus, die een beleg van 47 dagen weerstond, voordat hij zich in 67 aan Vespasianus overgaf.

**JOTBATA** (jot'bata). *Bir Taba* (S4). Oase in de Araba, waar de Hebreeërs gelegerd waren tijdens hun omzwervingen door de woestijn na de uittocht (Nu 33:33-34; Dt 10:7).

**JUTTA** (jut'ta). *Yatta* (J3). Stad in het bergland van Juda, toegedeeld aan Juda (Joz 15:55). Levietenstad (Joz 21:16).

# K

**KABBON** (kab'bon). Dorp in de Laagte, toegedeeld aan Juda (Joz 15:40). Ligging onzeker.

**KABSEËL** (kab'seël). *Kh.Gharra?* (K4). Stad in het oosten van de Negeb. Deze plaats werd toegedeeld aan Juda (Joz 15:21). Joodse nederzetting na de terugkeer uit de ballingschap (Neh 11:25, waar het Jekabseël genoemd wordt). Het is de geboorteplaats van Benaja (2 S 23:20; 1 Kr 11:22).

**KABUL** (ka'bul). *Kabul* (C4). Dorp in het westen van Galilea, toegedeeld aan Aser (Joz 19:27). Misschien het bestuurscentrum van het land Kabul dat Salomo aan Chiram schonk, zoals vermeld in 1 K 9:13.

**KADES** (ka'des). Andere naam voor **Kades-Barnea** (Gn 14:7, waar het ook En-Mispat wordt genoemd; 16:14; 20:1; Nu 13:26; 20:1,14,16,22; 27:14, waar het Meribat-Kades heet; 33:36,37; Dt 1:46; Ri 11:16,17; Ps 29:8).

**KADES-BARNEA** (ka'des bar'nea). *Ein el-Qudeirat* (O1). Voornaamste oase in het zuidwesten van de Negeb aan de zuidgrens van Kanaän (Nu 34:4; Joz 15:3). Hier verbleven de Hebreeërs tijdens hun omzwervingen door de woestijn na de uittocht (Dt 1:19,46, waar het Kades wordt genoemd) en van waaruit verkenners naar Kanaän werden gezonden. Plaats vanwaar de Hebreeërs op weg gingen naar de vlakte van Moab (Nu 20:14,16; 33:36, Ri 11:16,17. Op al deze plaatsen wordt het Kades genoemd). Ook vermeld in Dt 1:2; 2:14; 9:23; Joz 10:41; 14:6,7. Wordt Massa genoemd in Dt 6:16; 9:22. Wordt Kades genoemd in Gn 14:7, waar het ook En-Mispat heet; 16:14; 20:1; Nu 13:26; 20:1,14,16,22; 33:36,37; Ps 29:8. Wordt Massa en Meriba genoemd in Ex 17:7; Meriba in Nu 20:13,24; Ps 81:8; 106:32; Meribat-Kades in Nu 27:14; Dt 32:51; Ez 47:19; 48:28. Wordt samen met Massa vermeld in Dt 33:8 en Ps 95:8.

**KAFARNAÜM** (kafar'naüm). *T.Hum* (C6). Vissersdorp op de noordwestelijke oever van het meer van Galilea. Hier begon Jezus zijn prediking in Galilea (Mt 4:13), deed hij veel wonderen (Mc 2:1; Mt 8:5 en Lc 7:1; Mt 17:24; Mc 1:21 en Lc 4:31; Joh 4:46; 6:17) en onderrichtte hij in de synagoge (Joh 6:59). Jezus weeklaagde over Kafarnaüm (Mt 11:23; Lc 10:15). Ook vermeld in Mc 9:33; Lc 4:23; Joh 2:12; 6:24.

**KAFARSALAMA** (kafarsa'lama). *Kh.Salama?* (H4). Dorp ten noordwesten van Jeruzalem aan de weg van Bet-Choron. Hier versloeg Judas de Makkabeeër de legers van Nikanor in 162 v.C. (1 Mak 7:31).

**KAÏN** (ka'in). *Kh.Yaqin*. Dorp bij Hebron in het zuidelijke bergland van Juda. Toegedeeld aan Juda (Joz 15:57).

**KALACH** (ka'lach). *Nimrud*. Stad in Mesopotamië bij de samenvloeiing van de Tigris en de Grote Zab. Een van de steden van Assyrië (Gn 10:11,12).

**KALNE** (kal'ne). Stad in Mesopotamië, vermeld in Am 6:2. Ligging onzeker. Heet Kalno in Js 10:9 en Kanne in Ez 27:23.

**KALNO** (kal'no). Andere naam voor **Kalne** (Js 10:9).

**KAMON** (ka'mon). *Qamm?* (D6). Stad in Gilead. Jaïr, een van de rechters, werd hier begraven (Ri 10:15).

**KANA** (ka'na) **1.** *Kh.Qana?* (C5). Dorp in Beneden-Galilea. Hier deed Jezus zijn eerste wonder door op een bruilofsfeest water in wijn te veranderen (Joh 2:1,11). Geboorteplaats van Natanaël (Joh 21:2). Ook vermeld in Joh 4:46. **2.** *Qana* (A4). Stad in Boven-Galilea, toegedeeld aan Aser (Joz 19:28).

**KANNE** (Kan'ne). Andere naam voor **Kalne** (Ez 27:23).

**KARKA** (kar'ka). *Ein el-Qeseima?* (N1). Plaats in de buurt van Kades-Barnea in het zuidwesten van de Negeb. Aan de zuidgrens van Juda (Joz 15:3).

**KARKEMIS** (kar'kemis). *Jerablus*. Belangrijke stad in het noorden van Syrië op de westelijke oever van de Eufraat. Hier versloeg Nebukadnessar van Babylon in 605 v.C. farao Neko II van Egypte, toen deze de Assyriërs te hulp was gekomen (2 Kr 35:20; Jr 46:2). Ook vermeld in Js 10:9.

**KARKOR** (kar'kor). Plaats, mogelijk in het oosten van Gilead, waar Gideon de Midjanieten versloeg (Ri 8:10). Ligging onzeker.

**KARMEL** (kar'mel). *Kh.el-Kirmil* (J4). Dorp in de bergen van Juda, ten zuidoosten van Hebron. Toegedeeld aan Juda (Joz 15:55). Saul richtte er een gedenkteken op, toen hij de Amalekieten had verslagen (1 S 15:12). Hier troffen de dienaren van David Nabal en gingen ze later Nabals weduwe Abigaïl halen (1 S 25:2,5,7,40; 27:3; 30:5; 2 S 2:2; 3:3). Ook vermeld in 2 S 23:35; 1 Kr 11:37.

**KARNAÏM** (karna'im). Waarschijnlijk andere naam voor **Karnaïn** (Am 6:13).

**KARNAÏN** (karna'in). *Sheikh Sa'd*. Stad in Gilead. Met verdedigers en al in brand gesto-

ken door Judas de Makkabeeër en Jonatan, die de Joden in deze plaats te hulp kwamen (1 Mak 5:26,43-44; 2 Mak 12:21,26. Waarschijnlijk een andere naam voor Karnaïm uit Am 6:13 en Asterot-Karnaïm uit Gn 14:5. Mogelijk hetzelfde als **Astarot**.

**KARTA** (kar'ta). Levietenstad in Zebulon (Joz 21:34). Ligging onzeker.

**KARTAN** (kar'tan). Levietenstad in Naftali (Joz 21:32). Waarschijnlijk hetzelfde als Kirjataïm uit 1 Kr 6:76.

**KASIFJA** (kasif'ja). Onbekende · plaats in Babylonië, vermeld in Ezr 8:17.

**KASPIN** (kas'pin). *Khisfin* (C7). Versterkte stad ten oosten van het meer van Galilea. Ingenomen door Judas de Makkabeeër die de inwoners over de kling joeg in ca. 163 v.C. (2 Mak 12:13). Wordt Chasfo genoemd in 1 Mak 5:26,36.

**KATTAT** (kat'tat). Stad, toegedeeld aan Zebulon (Joz 19:15). Ligging onzeker, maar waarschijnlijk dezelfde als van **Kitron** uit Ri 1:30.

**KEDEMOT** (ke'demot). *Qasr ez-Zaferan?* Stad in het oosten van Moab. Levietenstad in Ruben (Joz 13:18; 21:37; 1 Kr 6:79). Ook vermeld in Dt 2:26.

**KEDES** (ke'des) **1.** *T. Kedesh* (A6). Kanaänitische stad in Boven-Galilea aan de hoofdweg van het Huladal naar de kust. Jozua versloeg de koning van Kedes (Joz 12:22). Toegedeeld aan Naftali (Joz 19:37). Levietenstad en vrijstad (Joz 20:7; 21:32). Woonplaats van Barak, waar de Hebreeërs zich verzamelden voor het gevecht met Sisera (Ri 4:6,9,10). In 733 v.C. veroverd door Tiglatpileser III, die de in-

*Golven slaan tegen de kust bij Jaffa (het oude Joppe), de voornaamste haven van Juda ten tijde van de Bijbel.*

woners naar Assyrië verbande (2 K 15:29). Jonatan versloeg er Demetrius II (1 Mak 11:63,73). Ook vermeld in Joz 12:22. **2.** Levietenstad in Issakar (1 Kr 6:72). Ligging onzeker, maar waarschijnlijk dezelfde als van **Kisjon** uit Joz 19:20; 21:28. **3.** Stad aan de zuidgrens van Juda (Joz 15:23). Misschien hetzelfde als **Kades-Barnea**.

**KEDES IN NAFTALI** (ke'des in naf'tali). *T. Qedosh* (C6). Stad op de westelijke oever van het meer van Galilea (Ri 4:6).

**KEDRON** (ke'dron). *Qatra* (H2). Stad in de kustvlakte. Versterkt door Antiochus VII als uitvalsbasis tegen Judea (1 Mak 15:39,41; 6:9).

**KEFAR-HAÄMMONI** (ke'far haäm'moni). *Kafr Ana?* Dorp in het gebergte van Benjamin. Toegedeeld aan Benjamin (Joz 18:24).

**KEFIRA** (kefi'ra). *Kh.el-Kefira* (H3). Stad van de Chiwwieten op de hoogvlakte ten noordoosten van Jeruzalem. Sloot een verbond met Jozua en werd zo voor verwoesting gespaard (Joz 9:17). Toegedeeld aan Benjamin (Joz 18:26). Joodse nederzetting na de terugkeer uit de ballingschap (Ezr 2:25; Neh 7:29).

**KEHELATA** (kehela'ta). Plaats in de Sinaï waar de Hebreeërs gelegerd waren tijdens hun omzwervingen door de woestijn na de uittocht uit Egypte (Nu 33:22-23). De ligging ervan is onzeker.

**KEÏLA** (keï'la). *Kh.Qeila* (I3). Ommuurde stad in de Laagte. Vermeld in de Amarnabrieven (14e eeuw v.C.). Toegedeeld aan Juda (Joz 15:44). Door David bevrijd van de aanval van de Filistijnen, maar de inwoners bleven Saul trouw (1 S 23:1-13). Joodse nederzetting na de terugkeer uit de ballingschap (Neh 3:17,18).

**KENAT** (ke'nat). *Qanawat*. Stad ten oosten van de Jordaan, ingenomen door Nobach van de stam Manasse; hij noemde de stad Nobach (Nu 32:42). Heroverd door de Arameeërs (1 Kr 2:23). Stad van de Dekapolis, gesticht door Pompejus in 64 v.C. Als Kanatha, plaats waar Herodes de Grote door de Nabateeërs werd verslagen.

**KENCHREEËN** (ken'chreeën). *Kechriais*. Zeehaven van Korinte aan de oostkant van de Landengte van Korinte. Hier liet Paulus, die als Nazareeër onder gelofte stond, zijn haar knippen, voordat hij op zijn tweede reis naar Syrië voer (Hnd 18:18). Ook vermeld in Rom 16:1.

**KERIOT** (ke'riot). *el-Qereiyat* (J6). Vesting op de hoogvlakte van Moab. De plaats wordt vermeld in Jr 48:24; Am 2:2 en op de stèle van Moab.

**KERIOT-CHESRON** (ke'riot ches'ron). *Kh.el-Qaryatein?* (K4). Stad in de Negeb, toegedeeld aan Juda (Joz 15:25, waar het ook **Hasor** wordt genoemd).

**KERUB** (ke'rub). Onbekende plaats in Babylonië vanwaar ballingen terugkeerden (Ezr 2:59; Neh 7:61).

**KESALON** (ke'salon). *Kesla*. Stad op de westelijke bergrand van Juda bij de weg van Bet-Semes. Toegedeeld aan Juda (Joz 15:10).

**KESIL** (ke'sil). Stad in de Negeb, toegedeeld aan Juda (Joz 15:30). Ligging onzeker.

**KESULLOT** (kesul'lot). *Iksal* (D5). Stad in het Kesullotdal in Beneden-Galilea. Toegedeeld aan Issakar (Joz 19:18); aan de grens met Zebulon (Joz 19:12, waar het Kislot-Tabor genoemd wordt).

**KEZIB** (ke'zib). Andere naam voor **Akzib** (Gn 38:5).

**KILMAD** (kil'mad). Stad in Mesopotamië, vermeld in Ez 27:23. Ligging onzeker.

**KINA** (ki'na). Stad in het zuidoosten van Juda, toegedeeld aan Juda (Joz 15:22). Ligging onzeker.

**KINAROT** (kin'arot). Andere naam voor **Kinneret** (Joz 11:2).

**KINNERET** (kin'neret). *Kh.el-Ureima* (C6). Versterkte stad aan de weg langs de noordwestelijke oever van het meer van Galilea. Sloot zich aan bij Jabin van Hasor tegen Jozua (Joz 11:2). Toegedeeld aan Naftali (Joz 19:35). Ingenomen door Benhadad (1 K 15:20). Ook vermeld in Dt 3:17. Heet Kinarot in Joz 11:2 en Gennesaret in Mt 14:34; Mc 6:53.

**KIR 1.** Plaats in Mesopotamië, vermeld in 2 K 16:9; Js 22:6; Am 9:7. Ligging onzeker. **2.** Andere naam voor **Kir-Chareset** (Js 15:1, vert. KBS).

**KIR-CHARESET** (kir cha'reset). *el-Kerak* (L7). Vestingstad op een hoog plateau ten oosten van de Dode Zee, in het westen van Moab. Hoofdstad van Moab. Tevergeefs belegerd door de gezamenlijke strijdkrachten van Israël, Juda en Edom met desastreuze gevolgen voor deze legers (2 K 3:25). Vermeld op de stèle van Moab. Veroordeeld door de profeten (Js 15:1, waar het Kir-Moab, vert. NBG, of Kir, vert. KBS, genoemd wordt; 16:7; 16:11 en Jr 48:31, 36, waar het Kir-Cheres heet). Misschien hetzelfde als **Mispe 2** uit 1 S 22:3.

**KIR-CHERES** (kir che'res). Andere naam voor **Kir-Chareset** (Js 16:11; Jr 48:31,36).

**KIRJAT** (kir'jat). Andere naam voor **Kirjat-Jearim** (Joz 15:28).

**KIRJATAÏM** (kirjata'im). Levietenstad in Naftali (1 Kr 6:76). Waarschijnlijk hetzelfde als Kartan uit Joz 21:32).

**KIRJAT-ARBA** (kir'jat ar'ba). Oude naam voor **Hebron** (Gn 23:2; 35:27; Joz 14:15; 15:13, 54; 20:7; 21:11; Ri 1:10; Neh 11:25).

**KIRJAT-ARIM** (kir'jat a'rim). Andere naam voor **Kirjat-Jearim** (Ezr 2:25).

**KIRJAT-BAÄL** (kir'jat ba'al). Andere naam voor **Kirjat-Jearim** (Joz 15:60; 18:14).

**KIRJAT-CHUSOT** (kir'jat chu'sot). Stad in Moab (Nu 22:39). Ligging onzeker.

**KIRJAT-JEARIM** (kir'jat je'arim). *Deir el-Azar* (H3). Stad aan de weg van Bet-Semes ten westen van Jeruzalem in het bergland van Juda. Chiwwietenstad in het verbond der Gibeonieten (Joz 9:17). Op de grens van Juda en Benjamin (Joz 15,9-10, waar het Baäla genoemd wordt; 15:60 en 18:14, waar het Kirjat-Baäl heet; 18:15; 18:28, waar het Kirjat genoemd wordt). Hier werd de ark van het verbond die door de Filistijnen teruggezonden was, neergezet (1 S 6:21; 7:1-2) en van hieruit naar Jeruzalem gebracht (2 S 6:2, waar het Baäle-Jehuda genoemd wordt; 1 Kr 13:5-6, waar het Baäla heet; 2 Kr 1:4; Ps 132:6, waar het Jaär heet). Joodse nederzetting na de terugkeer uit de ballingschap (Ezr 2:25, waar het Kirjat-Arim genoemd wordt; Neh 7:29). Ook vermeld in Ri 18:12; Jr 26:20.

**KIRJAT-SANNA** (kir'jat san'na). Andere naam voor **Debir 1** (Joz 15:49).

**KIRJAT-SEFER** (kir'jat se'fer). Oude naam voor **Debir 1** (Joz 15:15; Ri 1:11).

**KIR-MOAB** (kir mo'ab). Andere naam voor **Kir-Chareset** (Js 15:1, vert. NBG).

**KISJON** (kis'jon). *el-Khirba?* Stad tussen de bergen More en Tabor. Levietenstad in Issakar (Joz 19:20; 21:28). Waarschijnlijk hetzelfde als **Kedes 2** uit 1 Kr 6:72.

**KISLOT-TABOR** (kis'lot ta'bor). Andere naam voor **Kesullot** (Joz 19:12).

**KITLIS** (kit'lis). Stad in de Laagte, toegedeeld aan Juda (Joz 15:40). Ligging onzeker.

**KITRON** (kit'ron). Stad, toegedeeld aan Zebulon, die de Kanaänieten niet kon verdrijven (Ri 1:30). Ligging onzeker, maar waarschijnlijk dezelfde als van Kattat uit Joz 19:15.

**KLAUDA** (klau'da). Eilandje ten zuiden van Kreta waarlangs Paulus zeilde op weg naar Rome (Hnd 27:16).

**KNIDUS** (kni'dus). Stad in de streek Karië aan de zuidwestkust van Klein-Azië. Harde wind uit Knidus dwong Paulus' schip onder Kreta door te varen op zijn reis naar Rome (Hnd 27:7). Ook vermeld in 1 Mak 15:23.

**KOLOSSE** (kolos'se). Stad in het Lykusdal in Frygië in Klein-Azië. Paulus schreef een brief aan de kerk van Kolosse (Kol 1:2).

**KORINTE** (korin'te). Groot handelscentrum op de Landengte van Korinte. Het was een toonaangevende stad in Griekenland ten tijde van het Nieuwe Testament. Korinte was de hoofdstad van de Romeinse provincie Achaje. Bovendien was het een plaats waar Paulus op zijn tweede reis lange tijd werkte (Hnd 18:1) en waar hij de beide brieven aan de Tessalonicenzen schreef. Paulus schreef ook brieven aan de kerk van Korinte (1 Kor 1:2; 2 Kor 1:1, 23). De plaats wordt ook vermeld in Hnd 19:1; 2 Tim 4:20.

**KOS.** Stad en eiland in de Egeïsche Zee aan de zuidwestkust van Klein-Azië. Paulus voer erlangs op weg naar Judea aan het einde van zijn derde reis (Hnd 21:1). Ook vermeld in 1 Mak 15:23.

**KOZEBA** (koze'ba). Dorp in Juda, dat vermeld wordt in 1 Kr 4:22. De ligging van deze plaats is onzeker.

**KUN.** Een andere naam voor **Berotai**, dat vermeld wordt in 1 Kr 18:8.

**KUTA** (ku'ta). *T.Ibrahim.* Stad in Babylonië. Onder de vreemdelingen die door de koning van Assyrië naar Samaria gebracht werden na de val van Israël in 721 v.C. bevonden zich mannen uit Kuta (2 K 17:24,30). Zij moesten daar wonen in plaats van de Israëlieten.

**KYAMON** (ky'amon). Plaats, vermeld in Jdt 7:3. Ligging onzeker.

# L

**LABAN** (la'ban). Plaats in de Sinaï, vermeld in Dt 1:1. Ligging onzeker.

**LACHMAS** (lach'mas). *Kh.el-Lahm?* (J2). Dorp in de Laagte, toegedeeld aan Juda (Joz 15:40).

**LAÏS** (la'is) **1.** Kanaänitische naam voor **Dan** (Ri 18:7,14,27,29). **2.** *el-Issawiya?* Dorp in Benjamin, vermeld in Js 10:30.

**LAKIS** (la'kis). *T.ed-Duweir* (J2). Belangrijke vestingstad in de Laagte. Vermeld in de Amarna-brieven (14e eeuw v.C.). De koning van Lakis, lid van het verbond van de Amorieten, werd hier door Jozua verslagen (Joz 10:3,5,23,31-35; 12:11). Toegedeeld aan Juda (Joz 15:39). Versterkt door David en Salomo. Opnieuw versterkt door Rechabeam (2 Kr 11:9) en waarschijnlijk door Asa van Juda als vesting uitgebouwd. Koning Amasja van Juda werd hier in 783 v.C. vermoord (2 K 14:19; 2 Kr 25:27). De verdedigingswerken werden door Hizkia versterkt, maar de stad viel in 701 v.C. in handen van Sanherib van Assyrië. De belegering is afgebeeld op een reliëf dat in Ninevé gevonden is. Opnieuw versterkt (waarschijnlijk door Manasse), maar door Nebukadnessar verwoest in 588 v.C. Joodse nederzetting na de terugkeer uit de ballingschap (Neh 11:30). Ook vermeld in 2 K 18:14,17; 19:8; 2 Kr 32:9; Js 36:2; 37:8; Jr 34:7; Mi 1:13.

*Djebel Musa, 'berg van Mozes', waarvan wordt aangenomen dat het de berg Sinaï is, torent hoog uit boven een oase in de woestijn.*

**LAKKUM** (lak'kum). *Kh.el-Mansurah* (D6). Stad ten zuidwesten van het meer van Galilea in de heuvels van Beneden-Galilea. Toegedeeld aan Naftali (Joz 19:33).

**LAODICEA** (laodice'a). *Eskihisar.* Stad in het Lykusdal in het zuidwesten van Klein-Azië. De kerk van deze plaats wordt vermeld in Kol 2:1; 4:13,15,16. Een van de zeven kerken van de Openbaring (Op 1:11; 3:14).

**LASARON** (lasa'ron). Stad waarvan de koning door Jozua werd verslagen (Joz 12:18). Ligging onzeker.

**LASEA** (lase'a). Stad aan de zuidkust van Kreta bij Goede Rede (Hnd 27:8).

**LEBAOT** (leba'ot). Andere naam voor **Bet-Lebaot** (Joz 15:32).

**LEBONA** (lebo'na). *el-Lubban* (G4). Dorp bij de helling van Lebona op de centrale heuvelkamweg in het heuvelland van Efraïm (Ri 21:19).

**LECHI** (le'chi). Dorp in het bergland van Juda. Ligging onzeker. Geplunderd door de Filistijnen (Ri 15:9). Hier sloeg Simson met het kaakbeen van een ezel op de Filistijnen in (Ri 15:14,17, waar het Ramat-Lechi genoemd wordt). Hier gaf God een waterbron aan Simson (Ri 15:19). Ook vermeld in 2 S 23:11.

**LEKA** (le'ka). Dorp, waarschijnlijk in Juda (1 Kr 4:21). Ligging onzeker.

**LESA** (le'sa). Plaats aan de grens van Kanaän (Gn 10:19). Ligging onzeker.

**LESEM** (le'sem). Andere naam voor **Laïs** (Joz 19:47). Kanaänitisch voor **Dan**.

**LIBNA** (lib'na) **1.** *T.el-Beida?* (I3). Kanaänitische koningsstad in de Laagte, toegedeeld

aan Juda (Joz 15:42). Door Jozua verwoest (Joz 10:29,31-32,39; 12:15). Levietenstad in Juda (Joz 21:13; 1 Kr 6:57). Kwam in opstand tegen Juda (2 K 8:22; 2 Kr 21:10). In 701 v.C. door Sanherib aangevallen (2 K 19:8; Js 37:8). Ook vermeld in Jr 52:1. **2.** Plaats in de Sinaï, waar de Hebreeërs gelegerd waren tijdens hun omzwervingen door de woestijn na de uittocht (Nu 33:20-21). Ligging onzeker.

**LIBDIR** (lib'dir). Andere naam voor **Lo-Debar** (Joz 13:26).

**LOD.** *el-Ludd* (H2). Belangrijke stad en verbindingsplaats op de kustvlakte langs de zeeweg. Als Kanaänitische stad vermeld door Thutmosis III (15e eeuw v.C.). Gebouwd door de Benjaminieten (1 Kr 8:12). Joodse nederzetting na de terugkeer uit de ballingschap (Ezr 2:33; Neh 7:37; 11:35). Door Demetrius II in 145 v.C. aan Jonatan geschonken (1 Mak 11:34, waar het Lydda wordt genoemd). In 47 v.C. werden de Joden van Lod door Julius Caesar in hun rechten hersteld. Inwoners werden als slaven door Cassius verkocht in 45 v.C. Hier genas Petrus een lamme (Hnd 9:32,35, waar het Lydda wordt genoemd). De stad werd platgebrand door Cestius Gallus in 66 en bezet door Vespasianus in 68.

**LO-DEBAR** (lo de'bar). *Umm ed-Dabar?* (D6). Stad in het noordwesten van Gilead, toegedeeld aan Gad (Joz 13:26, waar het Lidbir wordt genoemd). Hier leefde Mefiboset na de dood van Saul tot David hem naar Jeruzalem bracht (2 S 9:4,5). Makir uit Lo-Debar voorzag David van mondvoorraad tijdens de opstand van Absalom (2 S 17:27). Ook vermeld in Am 6:13.

**LUZ 1.** Kanaänitische naam voor **Betel 1** (Gn 28:19; 36:6; 48:3; Joz 18:13; Ri 1:23) of voor een plaats in de buurt (Joz 16:2). **2.** Stad, gebouwd in het land van de Hethieten (Ri 1:26). Ligging onzeker.

**LYDDA** (lyd'da). Hellenistische naam voor **Lod** (1 Mak 11:34; Hnd 9:32,35,38).

# M

**MAÄRAT** (ma'arat). Dorp in het bergland van Juda, toegedeeld aan Juda (Joz 15:59). Soms vereenzelvigd met Marot uit Mi 1:12.

**MACHANAÏM** (machana'im). *T.edh-Dhahab el-Garbi?* (F6). Stad aan de Jabbok in Gilead. Vermeld als toegewezen aan zowel Gad als Manasse (Joz 13:26,30). Levietenstad in Gad (Joz 21:38; 1 Kr 6:80). Bij deze plaats worstelde Jakob met een goddelijk wezen (Gn 32:2). Isboset vestigde hier zijn rijk na de dood van Saul (2 S 2:8,12,29) en werd er vermoord. David vluchtte vanuit Jeruzalem hierheen tijdens de opstand van Absolom (2 S 17:24) en hoorde er dat zijn legers zijn zoon overwonnen hadden. Hoofdstad van Salomo's zevende belastingdistrict (1 K 4:14).

**MACHANE-DAN** (ma'chane dan'). Plaats bij Kirjat-Jearim, waar de Danieten gelegerd waren (Ri 18:12). Ligging onzeker.

**MACHERUS** (mache'rus). *Kh.el-Mukawer* (J6). Vesting op een bergtop ten oosten van de Dode Zee. Gebouwd door Alexander Janneus in 57 v.C. In 56 v.C. door Gabinius verwoest. Herbouwd door Herodes de Grote. Hier liet Herodes Antipas Johannes de Doper ter dood brengen ca. 26. Behouden door de joodse rebellen tijdens de Eerste Joodse Opstand tot het in 73 in handen van de Romeinen viel.

**MADMANNA** (mad'manna). Andere naam voor **Bet-Hammarkabot** (Joz 15:31; 1 Kr 2:49).

**MADMEN** (mad'men). *Kh.Dimna* (K7). Stad in Moab, vermeld in Jr 48:2.

**MADMENA** (madme'na). Dorp ten noorden van Jeruzalem in de Assyrische aanvalslinie tegen de stad in 701 v.C. (Js 10:31).

**MADON** (ma'don). *T.el-Khirbeh?* (B5). Kanaänitische stad in Galilea. Voegde zich bij Jabin van Hasor in een verbond tegen Jozua dat niet succesvol was (Joz 11:1; 12:19).

**MAGBIS** (mag'bis). *Kh.el-Makhbiya?* Stad in Juda. Joodse nederzetting na de terugkeer uit de ballingschap (Ezr 2:30).

**MAGDALA** (mag'dala). *Majdal* (C5). Visserijstad op de westelijke oever van het meer van Galilea. Woonplaats van Maria Magdalena (Mt 27:56,61; 28:1; Mc 15:40,47; 16:1,9; Lc 8:2; 24:10; Joh 19:25; 20:1,18). In bezit gebleven van joodse rebellen tijdens de Eerste Joodse Opstand tot het in 67 door de Romeinen veroverd werd.

**MAKAS** (ma'kas). *Kh.el-Mukheizin?* Dorp bij Ekron aan de rand van de zuidelijke kustvlakte. In Salomo's tweede belastingdistrict (1 K 4:9).

**MAKBENA** (makbe'na). Dorp in Juda, vermeld in 1 Kr 2:49. Ligging onzeker.

**MAKHELOT** (makhe'lot). Plaats in de Sinaï waar de Hebreeërs hun tenten opsloegen tijdens hun omzwervingen door de woestijn na de uittocht (Nu 33:25-26). Ligging onzeker.

**MAKKEDA** (makke'da). Kanaänitische stad in de Laagte. Ligging onzeker. De vijf koningen van het verbond der Amorieten, die zich in een spelonk verborgen hadden, werden hier gevonden en door Jozua ter dood gebracht (Joz 10:16,17,21). De stad werd ingenomen en alle inwoners werden gedood (Joz 10:28,29). Toegedeeld aan Juda (Joz 15:41). Ook vermeld in Joz 10:10; 12:16.

**MALLUS** (mal'lus). Stad aan de Pyramus in Cilicië in het zuidoosten van Klein-Azië. Kwam in 170 v.C. samen met Tarsus in opstand tegen Antiochus IV (2 Mak 4:30).

**MAMRE** (mam're). *Ramat el-Khalil*. Plaats bij Hebron. Abraham bouwde er een altaar en verbleef er enige tijd (Gn 13:18; 14:13; 18:1). Isaak woonde hier (Gn 35:27). Ook vermeld in Gn 23:17,19; 25:9; 49:30; 50:13.

**MANACHAT** (ma'nachat). *el-Malhah*. Dorp in het bergland ten zuidwesten van Jeruzalem. Benjaminieten van Geba werden hierheen verbannen (1 Kr 8:6).

**MAON** (ma'on). *Kh.Main* (J4). Stad in bergland van Juda, toegedeeld aan Juda (Joz 15:55). Bij de woestijn Maon werd David bijna door Saul gegrepen (1 S 23:24, 25). Woonplaats van Nabal en zijn vrouw Abigaïl (1 S 25:2), met wie David later trouwde.

**MARA** (ma'ra). Oase in de woestijn van Sur in het noordwesten van de Sinaï. Ligging onzeker. De Hebreeërs vonden er bitter water bij hun eerste legerplaats na de uittocht (Ex 15:23; Nu 33:8,9, waar de woestijn van Sur vereenzelvigd wordt met de woestijn van Etam).

**MARALA** (ma'rala). *T.el-Ghalta?* Dorp in de vlakte van Jizreël ten noorden van Megiddo. Toegedeeld aan Zebulon (Joz 19:11).

**MARESA** (mare'sa). *T.Sandahannah* (J2). Kanaänitische stad in de Laagte. Vermeld in de Amarna-brieven (14e eeuw v.C.). Toegedeeld aan Juda (Joz 15:44). Versterkt door Rechabeam (2 Kr 11:8). Hier versloeg koning Asa van Juda de Kusietenkoning Zerach (2 Kr 14:9-10). Woonplaats van de profeet Elië-

*Gebouwen, uit rots gekapt, maakten de Nabateese hoofdstad Petra tot een wonder van de oude wereld.*

zer (2 Kr 20:37). Toonaangevende stad in West-Idumea ten tijde van de ballingschap. Sidonische nederzetting ca. 250 v.C. Aangevallen door Judas de Makkabeeër in 163 v.C. (1 Mak 5:66, waar het Marisa wordt genoemd; 2 Mak 12:35) en veroverd door Johannes Hyrkanus ca. 126 v.C. In 63 v.C. door Pompejus ingenomen. Verwoest door de Parten in 40 v.C. Ook vermeld in 1 Kr 2:42; 4:21; Mi 1:15.

**MARISA** (ma'risa). Grieks-Romeinse naam voor **Maresa** (1 Mak 5:66).

**MAROT** (ma'rot). Dorp in Juda, vermeld in Mi 1:12. Soms vereenzelvigd met Maärat uit Joz 15:59.

**MASADA** (masa'da). *es-Sebba* (K5). Rotsvesting boven de westelijke oever van de Dode Zee ten zuiden van Engedi en recht tegenover het schiereiland Lisan. Volgens Josefus oorspronkelijk versterkt door de 'hogepriester Jonatan', vereenzelvigd met de broer van Judas de Makkabeeër (helft 2e eeuw v.C.) of met Alexander Janneus (103-76 v.C.). Hier liet Herodes de Grote zijn gezin achter, toen hij in 40 v.C. naar Rome vluchtte. Herbouwd door Herodes die er een paleis aan toevoegde. Laatste bolwerk van de joodse rebellen in de Eerste Joodse Opstand tot het in 73 definitief door de Romeinen werd ingenomen.

**MASAL** (ma'sal). Andere naam voor **Misal** (1 Kr 6:74).

**MASREKA** (mas'reka). Stad in Edom, vermeld in Gn 36:36; 1 Kr 1:47. Ligging onzeker.

**MASSA** (mas'sa). Andere naam voor **Kades-Barnea** (Ex 17:7; Dt 6:16; 9:22; 33:8; Ps 95:8).

**MATTANA** (mat'tana). Plaats in Moab, waar de Hebreeërs gelegerd waren tijdens hun omzwervingen door de woestijn na de uittocht (Nu 21:18-19). Ligging onzeker.

**MEARA** (mea'ra). Plaats, waarschijnlijk bij Sidon; niet veroverd door de Hebreeërs (Joz 13:4). Ligging onzeker.

**MEDEBA** (me'deba). *Madeba* (I7). Stad aan de koningsweg op de hoogvlakte in het noorden van Moab. Door de Hebreeërs op Sichon veroverd (Nu 21:30) en aan Ruben toegedeeld (Joz 13:9,16). Ammonitisch centrum in de oorlog met Joab van Israël (1 Kr 19:7). Vermeld op de stèle van Moab. Veroordeeld door Jesaja (Js 15:2). In ca. 128 v.C. door Johannes Hyrkanus belegerd en ingenomen. Ook vermeld in 1 Mak 9:36.

**MEFAÄT** (me'faät). *T.Jawah?* Stad in Ammon, toegedeeld aan Ruben (Joz 13:18). Levietenstad in Ruben (Joz 21:37; 1 Kr 6:79). In handen van de Moabieten in 7e-6e eeuw v.C. (Jr 48:21).

**MEGIDDO** (megid'do). *T.el-Mutesellim* (D4). Kanaänitische koningsstad, strategisch gelegen aan de zeeweg aan de noordkant van de wadi Ara, waar deze op de vlakte van Jizreël uitkomt. Belangrijkste stad van de streek. Vermeld in de Amarna-brieven (14e eeuw v.C.) en de inschriften van Thutmosis III (15e eeuw v.C.), Seti I (14e-13e eeuw v.C.) en Sisak 10e eeuw v.C.). Na verovering door Thutmosis III werd het een belangrijke Egyptische basis. De koning werd door Jozua verslagen (Joz 12:21). De stad werd toegedeeld aan Manasse, maar niet veroverd (Joz 17:11; Ri 1:27; 1 Kr 7:29). In de buurt versloeg Barak Sisera (Ri 5:19). Hoofdstad van Salomo's vijfde belastingdistrict (1 K 4:12). Versterkt door Salomo (1 K 9:15). Ingenomen door Sisak ca. 918 v.C. Achab van Israël bouwde hier in de 9e eeuw v.C. een stallencomplex voor zijn wagenmenners. Achazja stierf hier, nadat hij door de manschappen van Jehu gewond was (2 K 9:27). Verwoest door Tiglatpileser III in 733 v.C. Hoofdstad van de Assyrische provincie Magiddu. Koning Josia raakte hier dodelijk gewond in de strijd tegen farao Neko in 609 v.C. (2 K 23:29-30; 2 Kr 35:22). Mogelijk het Harmagedon ('heuvel van Megiddo') uit Op 16:16. Ook vermeld in Zach 12:11.

**MEKONA** (me'kona). Joodse nederzetting in het zuiden van Juda na de terugkeer uit de ballingschap (Neh 11:28). Ligging onzeker.

**MERIBA** (me'riba). Andere naam voor **Kades-Barnea** (Ex 17:7; Nu 20:13,24; Dt 33:8; Ps 81:8; 95:8; 106:32).

**MERIBAT-KADES** (me'ribat ka'des). Andere naam voor **Kades-Barnea** (Nu 27:14; Dt 32:51; Ez 47:19; 48:28).

**MEROZ** (me'roz). Stad, vervloekt in Ri 5:23, omdat ze Debora en Barak niet geholpen had tegen Sisera. Ligging onzeker.

**MESALOT** (me'salot). Dorp in Galilea, ingenomen door Bakchides in 161 v.C. (1 Mak 9:2). Ligging onzeker.

**MEZAD-HASHAVYAHU** (me'zad hashavya'hu). (H2). Vesting aan de zuidkust ten westen van Jabneël. Waarschijnlijk door Josia in de 7e eeuw v.C. gebouwd. Oude naam onbekend.

**ME-ZAHAB** (me' zahab). Andere naam voor **Di-Zahab** (Gn 36:39; 1 Kr 1:50).

**MIDDIN** (mid'din). *Kh.Abu Tabaq?* (I5). Dorp in de woestijn van Juda, toegedeeld aan Juda (Joz 15:61).

**MIGDAL-EDER** (mig'dal e'der). Plaats aan de centrale heuvelkamweg tussen Betlehem en Hebron, waar Jacob zijn tent opsloeg na de dood van Rachel (Gn 35:21). Ligging onzeker.

**MIGDAL-EL** (mig'dal el'). Dorp in Boven-Galilea, toegedeeld aan Naftali (Joz 19:38). Ligging onzeker.

**MIGDAL-GAD** (mig'dal gad'). *Kh.el-Majdala?* (J2). Dorp in het zuiden van de Laagte, toegedeeld aan Juda (Joz 15:37).

**MIGDOL** (mig'dol). Stad in het noorden van Egypte ten oosten van de Nijldelta. De Hebreeërs kwamen er na de uittocht uit Egypte langs (Ex 14:2; Nu 33:7). Joden leefden hier in ballingschap (Jr 44:1; 46:14). Ook vermeld in Ez 29:10; 30:6.

**MIGRON** (mig'ron). Dorp in Benjamin, waar Saul de bewegingen van het Filistijnse leger gadesloeg (1 S 14:2). Ingenomen door de Assyriërs op weg naar Jeruzalem (Js 10:28). Ligging onzeker.

**MIKMAS** (mik'mas). *Mukhmas* (H4). Strategische stad in het gebergte van Benjamin aan het westelijke uiteinde van de wadi Suweinit. Hier bracht Saul een leger bijeen (1 S 13:2). Filistijnen waren in deze plaats gelegerd om de strijd met de Hebreeërs voor te bereiden (1 S 13:5,11,16,23). Sauls zoon Jonatan zocht er de Filistijnen op (1 S 14:5) en doodde er verscheidenen van. Saul voegde zich met zijn leger bij Jonatan en versloeg de Filistijnen (1 S 14:31). Ingenomen in 701 v.C. door de Assyriërs op weg naar Jeruzalem (Js 10:28). Joodse nederzetting na de terugkeer uit de ballingschap (Ezr 2:27; Neh 7:31). Hier stichtte Jonatan een oppositieregering van Hasmoneeën, alvorens hij Jeruzalem overnam (1 Mak 9:73). Ook vermeld in Neh 11:31.

**MIKMETAT** (mik'metat). *Kh.Makhna el-Foqa* (F4). Dorp in Samaria aan de centrale heuvelkamweg ten zuiden van Sichem. Op de grens tussen Efraïm en Manasse (Joz 16:6; 17:7).

**MILETE** (mile'te). Belangrijke haven aan de westkust van Klein-Azië. Hier ontmoette Paulus de oudsten van Efeze op zijn derde reis (Hnd 20:15,17). Ook vermeld in 2 Tim 4:20.

**MINNIT** (min'nit). Stad in Ammon in de buurt waarvan Jefta de Ammonieten versloeg (Ri 11:33). Ligging onzeker.

**MISAL** (mi'sal). Stad in Beneden-Galilea. Veroverd door Thutmosis III in de 15e eeuw v.C. Levietenstad in Aser (Joz 19:26; 21:30; 1 Kr 6:74, waar het Masal wordt genoemd). Ligging onzeker.

**MISPA** (mis'pa) 1. *T.en-Nasba?* (H4). Vestingstad aan de centrale heuvelkamweg ten noorden van Jeruzalem. Toegedeeld aan Benjamin (Joz 18:26). Benjaminieten werden hier gestraft voor de aanranding in Gibea (Ri 20:1, 3; 21:1,5,8). Versterkt door Asa van Juda als grensvesting tegen Israël (1 K 15:22; 2 Kr 16:6). Bestuurscentrum van Juda na de val van Jeruzalem in 587 v.C. Gedalja werd hier vermoord (2 K 25:23, 25; Jr 40-41). Judas de Makkabeeër verzamelde er zijn leger voor de slag van Emmaüs in 166 v.C. (1 Mak 3:46). Ook vermeld in 1 S 7:5-7,11,12,16; 10:17; Neh 3:7,15,19. 2. *Kh. Jalad?* (G7). Stad in

Gilead. Hier haalde Laban de vluchtende Jakob in een sloot bij een verbond met hem (Gn 31:49). De Israëlieten verzamelden zich in Mispa en riepen Jefta uit tot hun leider (Ri 10:17; 11:11). Hierna deed Jefta een gelofte voor God; zijn dochter ontmoette hem in Mispa en dwong hem haar te doden om zijn gelofte te houden (Ri 11:29,34). Toegedeeld aan Gad (Joz 13:26, waar het Ramat-Hammispe heet). Hos 5:1 verwijst waarschijnlijk naar deze plaats.

**MISPE** (mis'pe). 1. *T.es-Safieh?* Dorp in de Laagte, toegedeeld aan Juda (Joz 15:38). 2. Plaats in Moab waar David zijn ouders bij de koning van Moab voor hun veiligheid onderbracht (1 S 22:3). Misschien hetzelfde als **Kir-Chareset**.

**MISREFOT-MAÏM** (mis'refot ma'im). Plaats bij Sidon, tot waar Jozua na de slag bij de wateren van Meron de vluchtende Kanaänieten achtervolgde (Joz 11:8; 13:6). Ligging onzeker.

**MITKA** (mit'ka). Plaats in de Sinaï, waar de Hebreeërs na de uittocht hun tenten opsloegen (Nu 33:28-29). Ligging onzeker.

**MITYLENE** (mityle'ne). Haven en voornaamste plaats van het eiland Lesbos in de Egeïsche Zee. Op de terugtocht van zijn derde reis deed Paulus deze plaats aan (Hnd 20:14).

**MODEÏN** (mo'deïn). *el-Arbain* (H3). Dorp bij Lod in het zuidwestelijke voorgebergte van Samaria. Het was de woonplaats van Mattatias de Hasmoneeër, waar in 167 v.C. de Makkabeese opstand begon (1 Mak 2:1, 15, 23). Hier viel Judas de Makkabeeër Antiochus V Eupator en Lysias aan (2 Mak 13:14) en waren Johannes Hyrkanus en Judas gelegerd voor de slag bij Kedron in 137 v.C. (1 Mak 16:4). Dit is de plaats van het familiegraf van de Hasmoneeën (1 Mak 2:70; 9:19; 13:25, 30).

**MOF**. Andere naam voor **Nof** (Hos 9:6).

**MOLADA** (mo'lada). *Kh.el-Waten?* (K3). Stad bij Berseba in de Negeb, toegedeeld aan Juda (Joz 15:26) en aan Simeon (Joz 19:2; 1 Kr 4:28). Joodse nederzetting na de terugkeer uit de ballingschap (Neh 11:26).

**MORE** (mo're). Plaats bij Sichem in Kanaän. Hier bevond zich de 'eik van More', waar God zijn belofte aan Abraham herhaalde en waar deze een altaar oprichtte (Gn 12:6). Ook vermeld in Dt 11:30. Ligging onzeker.

**MORESET** (mo'reset). Andere naam voor **Moreset-Gat** (Jr 26:18; Mi 1:1).

**MORESET-GAT** (mo'reset gat'). *T.el-Judeida?* (I3). Stad in de Laagte. Woonplaats van de profeet Micha (Jr 26:18 en Mi 1:1, waar het Moreset genoemd wordt). Ook vermeld in Micha 1:14.

**MOSA** (mo'sa). *Kh.Beit Mizza?* Dorp in de westelijke heuvels van Jeruzalem. Toegedeeld aan Benjamin (Joz 18:26). Werd na de Eerste Joodse Opstand (66-70) een militaire kolonie; omgedoopt in Emmaüs (niet te verwarren met **Emmaüs 1** en **Emmaüs 2**).

**MOSERA** (mo'sera). Plaats in de Sinaï, waar Aäron gestorven zou zijn (Dt 10:6; zie echter Nu 33:38). Ligging onzeker. Wordt Moserot genoemd in Nu 33:30-31.

**MOSEROT** (mo'serot). Andere naam voor **Mosera** (Nu 33:30-31).

**MYNDUS** (myn'dus). *Gumushli.* Stad in het zuidwesten van Klein-Azië. De Romeinse consul Lucius zond hier in 138 v.C. namens de Joden een brief heen (1 Mak 15:23).

**MYRA** (my'ra). Belangrijke stad in Lycië bij de zuidwestkust van Klein-Azië. In de haven van Myra vond de hoofdman die Paulus en enige andere gevangenen naar Rome moest brengen, een schip uit Alexandrië met bestemming Italië (Hnd 27:5).

# N

**NAÄMA** (na'ama) **1.** *Kh.Fered?* (H2). Dorp in de Laagte, toegedeeld aan Juda (Joz 15:41). **2.** Woonplaats van de Naämatiet Sofar (Job 2:11; 11:1; 20:1; 42:9). Ligging onzeker, maar waarschijnlijk ten oosten van de Jordaan.

**NAÄRAN** (na'aran) (Naära, vert.KBS). *T.el-Jisr* (H5). Dorp in het Jordaandal ten noordwesten van Jericho. In de buurt ligt de rijke bron Aïn Duq. In Efraïm, aan de grens met Benjamin (Joz 16:7, waar het Naärat heet, vert.NBG; 1 Kr 7:28). Archelaüs (4 v.C.-6 n.C.), zoon van Herodes de Grote, gebruikte water uit deze bron om dadelpalmbossen over de vlakte van Jericho aan te planten.

**NAÄRAT** (na'arat). Andere naam voor Naäran (Joz 16:7).

**NACHALIËL** (nacha'liël). Plaats in Moab, waar de Hebreeërs gelegerd waren tijdens hun omzwervingen door de woestijn na de uittocht (Nu 21:19). Ligging onzeker.

**NACHOR** (na'chor). Stad in Mesopotamië, misschien de geboorteplaats van aartsvader Abraham (Gn 14:10; 29:5). Ligging onzeker.

**NADABAT** (na'dabat). *Kh.et-Teim?* (I7). Plaats bij Medeba ten oosten van de Jordaan. Hier namen Jonatan en Simon in 160 v.C. wraak voor de moord op hun broer Johannes (1 Mak 9:37).

**NAHALAL** (na'halal). *T.en-Nahl?* (C3). Stad in het zuidwesten van Beneden-Galilea, toegedeeld aan Zebulon (Joz 19:15) die de Kanaänieten niet kon verdrijven (Ri 1:30, waar het Nahalol genoemd wordt). Levietenstad (Joz 21:35).

*Vrouwen met kruiken op het hoofd, trekken door het dal van Nazaret, waar Jezus zijn jeugd doorbracht.*

**NAHALOL** (na'halol). Andere naam voor **Nahalal** (Ri 1:30).

**NAÏN** (na'in). *Nein* (D5). Dorp tegen de noordwestelijke helling van de More in Beneden-Galilea. Jezus trok hier met zijn leerlingen heen en wekte bij de stadspoort de zoon van een weduwe uit de dood op (Lc 7:11).

**NAJOT** (na'jot). Verblijfplaats van profeten in of bij Rama in Samaria. Hier vluchtte David naar Samuël en raakte Saul in geestvervoering (1 S 19:18,19,22,23; 20:1).

**NAZARET** (na'zaret). *en-Nasira* (D4). Dorp in een kom in de heuvels van Beneden-Galilea. Woonplaats van Jozef en Maria, waar een engel de geboorte van Jezus aankondigde (Lc 1:26; 2:4). Jezus groeide er op (Mt 2:23; Mc 1:9; Lc 2:39, 51; 4:16). Van hieruit vertrok hij om door Johannes gedoopt te worden (Mc 1:9) en vestigde hij zich in Kafarnaüm aan de zee (Mt 4:13). Hij sprak er in de synagoge en men probeerde hem te doden (Lc 4:16). Ook vermeld in Joh 1:46. Jezus wordt Jezus van Nazaret of Jezus de Nazoreeër genoemd in Mt 21:11; 26:71; Mc 1:24; 10:47; 16:6; Lc 4:34; 18:37; 24:19; Joh 1:45; 18:5,7; 19:19; Hnd 2:22; 3:6; 4:10; 6:14; 10:38; 22:8; 26:9.

**NEA** (ne'a). Plaats aan de grens van Zebulon (Joz 19:13). Ligging onzeker.

**NEAPOLIS** (nea'polis). Belangrijke zeehaven in het oosten van Macedonië ten dienste van de stad Filippi. Hier ging Paulus op zijn tweede reis in Europa aan land (Hnd 16:11).

**NEBALLAT** (nebal'lat). *Beit Nabala* (G3). Dorp in de heuvels ten noordoosten van Lod; het kijkt uit over de centrale kustvlakte. Joodse nederzetting na de terugkeer uit de ballingschap (Neh 11:34).

**NEBO** (ne'bo). **1.** *Kh.el-Mekhaiyet* (I6). Stad in het noordwesten van Moab; in de buurt ervan waren de Hebreeërs gelegerd (Nu 33:47). Toegedeeld aan Ruben (Nu 32:3,38; 1 Kr 5:8). Vervloekt door profeten (Js 15:2; Jr 48:1,22). Vermeld op de stèle van Moab als veroverd door Mesa. **2.** *Nuba?* (J3). Dorp in Juda. Joodse nederzetting na de terugkeer uit de ballingschap (Ezr 2:29; Neh 7:33). Een aantal mannen uit Nebo huwden vreemde vrouwen (Ezr 10:43).

**NEFTOACH** (nefto'ach). *Lifta.* Dorp aan een bron ten noordwesten van Jeruzalem. Wordt Water van Neftoach genoemd in Joz 15:9; 18:15.

**NEÏEL** (neï'el). *Kh.Yanin* (C4). Dorp in het voorgebergte in het noordwesten van Beneden-Galilea. Het werd toegedeeld aan Aser (Joz 19:27).

**NESIB** (ne'sib). *Kh.Beit Nasib.* Dorp in het oosten van de Laagte. Toegedeeld aan Juda (Joz 15:43).

**NETAÏM** (neta'im). Plaats in Juda, waar de pottenbakkers van de koning woonden (1 Kr 4:23). Ligging onzeker.

**NETOFA** (neto'fa). *Kh.Bedd Faluh?* (I4). Dorp aan de rand van de woestijn van Juda ten zuidoosten van Betlehem 1. Woonplaats van drie van Davids helden (2 S 23:28, 29; 1 Kr 11:30; 27:13,15) en van anderen (2 K 25:23; 1 Kr 2:54; 9:16; Neh 12:28; Jr 40:8). Joodse nederzetting na de terugkeer uit de ballingschap (Ezr 2:22; Neh 7:26).

**NIBSAN** (nib'san). *Kh.el-Maqari?* (I5). Dorp in de woestijn van Juda, ten noordwesten van de Dode Zee. Toegedeeld aan Juda (Joz 15:62).

**NIKOPOLIS** (niko'polis). Stad op Epirus in het westen van Griekenland. Gesticht door Augustus ter gedachtenis aan de overwinning bij Actium (31 v.C.), dat er vlak bij ligt. Vermeld in Tit 3:12.

**NIMRA** (nim'ra). Andere naam voor **Bet-Nimra** (Nu 32:3).

**NINEVÉ** (ni'nevé). *T.Nebi Yunus* en *T.Quyunjiq.* Stad aan de Tigris in het centrum van Mesopotamië. Een van de steden gesticht door Nimrod (Gn 10:11). Aan het einde van de 8e eeuw v.C. door Sanherib tot hoofdstad van Assyrië gemaakt. Sanherib kwam hier in 701 v.C. na zijn vruchteloze veldtocht tegen Juda (2 K 19:36; Js 37:37) en werd er door zijn zonen vermoord. Vervloekt door profeten (Nah 1:1; 2:8; 3:7; Sef 2:13). Stad waarheen Jona werd gezonden (Jon 1:2; 3:2,3-7; 4:11; Mt 12:41; Lc 11:30,32). Israëlieten verbleven hier in ballingschap (Tob 1:3,10,17,19,22; 11:1,16; 14:4,8,9,15). In 612 v.C. verwoest door Meden, Skythen en Babyloniërs. Ook vermeld in Jdt 1:1; 2:21.

**NO.** Andere naam voor **No-Amon** (Ez 30:14-16).

**NO-AMON** (no a'mon). Belangrijkste stad en voornaamste religieus centrum van Boven-Egypte. Bekend als Thebe. Hoofdstad van Egypte gedurende het grootste deel van de periode ca. 2134-663 v.C. Vermeld door profeten, gewoonlijk als symbool van verwoesting (Jr 46:25, waar het Amon van No heet; Ez 30:14-16, waar het No genoemd wordt; Nah 3:8).

**NOB.** *el-Isawiya?* (H4). Dorp op de oostelijke helling van de Skopus ten noordoosten van Jeruzalem. 'Priesterstad' (1 S 22:19) na het verlies van de ark en de verwoesting van Silo. Hier vluchtte David voor Saul en kreeg hij het zwaard van Goliat en de toonbroden (1 S 21:1; 22:9,11). Saul nam wraak op de priesters van Nob (1 S 22:19). Joodse nederzetting na de terugkeer uit de ballingschap (Neh 11:32). Ook vermeld in Js 10:32.

**NOBACH** (no'bach). **1.** Andere naam voor **Kenat** (Nu 32:42). **2.** Stad bij Jogbeha in het oosten van Gilead. Gideon trok over de karavaanweg ten oosten van Nobach om de Midjanieten aan te vallen (Ri 8:11). Ligging onzeker.

**NOF.** Bekend als Memfis. Belangrijke stad en religieus centrum in Egypte bij de punt van de Nijldelta. Hoofdstad van Egypte (3e-10e dynastie, ca.2664-2134 v.C.). Ook vermeld in Js 19:13; Jr 2:16; 44:1; 46:14,19; Ez 30:13; Hos 9:6, waar het Mof genoemd wordt.

# O

**OBOT** (o'bot). Plaats in Moab, waar de Hebreeërs gelegerd waren tijdens hun omzwervingen door de woestijn na de uittocht (Nu 21:10-11; 33:43-44). Ligging onzeker.

**OFNI** (of'ni). *Jifna* (H4). Dorp in de heuvels van Samaria, toegedeeld aan Benjamin (Joz 18:24).

**OFRA** (of'ra) **1.** *et-Taiyiba* (H4). Stad in het bergland ten noordoosten van Jeruzalem. Toegedeeld aan Benjamin (Joz 18:23). Filistijnen plunderden de streek (1 S 13:17). Hier werd Amnon door Absalom vermoord (2 S 13:23, waar het Efraïm wordt genoemd). Veroverd op Jerobeam van Israël door Abia van Juda (2 Kr 13:19, waar het Efron heet). Door Demetrius I aan Jonatan geschonken; later bekrachtigd door Demetrius II (1 Mak 11:34, waar het Efraïm wordt genoemd). Om aan de vijandigheid in Jeruzalem te ontkomen trok Jezus zich hier terug (Joh 11:54, waar het Efraïm heet) **2.** *et-Taiyiba?* (D5). Stad in Beneden-Galilea. Woonplaats van Gideon (Ri 6:11,24; 8:27), die hier werd begraven (Ri 8:32). Woonplaats van Abimelek (Ri 9:5).

**OKINA** (oki'na). Stad aan de kust van Fenicië ten zuiden van Tyrus. Vermeld in Jdt 2:28. Ligging onzeker.

**ON.** *T.Husn.* Een van de belangrijkste centra in Egypte van de eredienst aan de zon, ten noorden van het huidige Caïro. Vermeld in Gn 41:45,50; 46:20; Ez 30:17, waar het Awen genoemd wordt (vert.NBG).

**ONO** (o'no). *Kafr Ana* (G2). Stad in de centrale kustvlakte. Vermeld op de lijst van Kanaänitische steden die door Thutmosis III veroverd werden (15e eeuw v.C.). Gebouwd en versterkt door de Benjaminieten (1 Kr 8:12). Joodse nederzetting na de terugkeer uit de ballingschap (Ezr 2:33; Neh 7:37; 11:35). Sanballat nodigde Nehemia uit samen te komen in een dorp in de buurt van Ono (Neh 6:2).

**ORTOSIA** (orto'sia). Stad ten noorden van Tripolis aan de Syrische kust. Ligging onzeker. Na zijn nederlaag tegen Antiochus VII in 137 v.C. vluchtte Tryfon hierheen (1 Mak 15:37).

# P

**PAFOS** (pa'fos). *Baffo.* Stad aan de zuidwestkust van Cyprus. Zetel van het Romeinse bestuur in het midden van de 1e eeuw. Hier trof Paulus op zijn eerste reis Barjezus bij de Romeinse landvoogd (Hnd 13:6). Van hieruit zeilde Paulus naar Perge (Hnd 13:13).

**PAÏ**(pa'i). Andere naam voor Paü (1 Kr 1:50).

**PALMSTAD.** Andere naam voor **Jericho** (Dt 34:3; Ri 1:16; 3:13; 2 Kr 28:15).

**PAPYRON** (papy'ron). *Ein Hajle?* (H5). Dorp of moerasgebied aan de monding van de Jordaan, ten noorden van de Dode Zee. Hier versloeg Aristobulus II in 64 v.C. Hyrkanus II en zijn Nabateese bondgenoten.

**PARA** (pa'ra). *Kh.el-Farah* (H4). Dorp bij de rijke bron Ein Farah in de heuvels ten noordoosten van Jeruzalem. Toegedeeld aan Benjamin (Joz 18:23).

**PAS-DAMMIM** (pas dam'mim). Andere naam voor **Efes-Dammim** (1 Kr 11:13).

**PATARA** (pa'tara). Belangrijke haven in Lycië in het zuidwesten van Klein-Azië. Op zijn derde reis ging Paulus hier aan boord van een schip naar Tyrus (Hnd 21:1).

**PAÜ** (pa'u). Stad in Edom (Gn 36:39). Ligging onzeker. Wordt Paï genoemd in 1 Kr 1:50.

**PELLA** (pel'la). *Kh.Fahil* (E6). Stad in het Jordaandal ten zuidoosten van Bet-Sean. Vermeld in de Egyptische Vermaningen (19e eeuw v.C.), de inschriften van Thutmosis III (15e eeuw v.C.), de Amarna-brieven (14e eeuw v.C.) en de inschriften van Seti I en Ramses II (14e-13e eeuw v.C.). Ten tijde van de Kanaänieten verwoest. Weer opgebouwd na de overwinningen van Alexander de Grote in 332 v.C. en genoemd naar zijn geboorteplaats in Macedonië. In het begin van de 1e eeuw v.C. door Alexander Janneus verwoest. Door Pompejus in 63 v.C. herbouwd. Stad van de Dekapolis. Bij het uitbreken van de Eerste Joodse Opstand (66-70) vluchtten de christenen van Jeruzalem hierheen.

**PENIËL** (pe'niël) (vert. KBS). Andere naam voor **Penuël** (Gn 32:30,31).

**PENUËL** (pe'nuël). *Tulul edh-Dhahab* (F6). Stad aan de Jabbok in Gilead. Hier worstelde Jakob met een goddelijk wezen en kreeg hij de naam 'Israël' (Gn 32:30, waar het Pniël of Peniël heet; 32:31). Aangevallen door Gideon, toen de inwoners hem voedsel weigerden tijdens zijn achtervolging van de Midjanieten (Ri 8:8,9,17). Versterkt door Jerobeam I (1 K 12:25).

**PERES-UZZA** (pe'res uz'za). Plaats tussen Kirjat-Jearim en Jeruzalem, waar Uzza stierf toen hij de ark van het verbond aanraakte (2 S 6:8; 1 Kr 13:11). Ligging onzeker.

**PERGAMUM** (per'gamum). *Bergama.* Grieks-Romeinse stad in Mysië in het westen van Klein-Azië. Hier bevond zich een van de zeven kerken van de Openbaring (Op 1:11; 2:12).

**PERGE** (per'ge). *Murtana.* Toonaangevende stad in Pamfylië in Klein-Azië. Op zijn eerste reis door Paulus tweemaal bezocht (Hnd 13:13-14; 14:25).

**PERSEPOLIS** (perse'polis). *Takht-i Jamshid.* Oude stad in Perzië, gebouwd door Darius de Grote (521-485 v.C.) en zijn zoon Xerxes (485-465 v.C.). Geplunderd en platgebrand door Alexander de Grote in 330 v.C. Antiochus IV slaagde er niet in in 164 v.C. de tempels van deze stad te beroven (2 Mak 9:2).

**PETOR** (pe'tor). Stad bij de uitmonding van de Sajur in de Eufraat. Woonplaats van Bileam, die de Israëlieten in Moab vervloekte (Nu 22:5; Dt 23:4).

**PETRA** (pe'tra). *Rekem* (P6). Dit was de hoofdstad van de Nabateeërs op de hoogvlakte van Edom ten zuidoosten van de Dode Zee. Het was een handelscentrum dat de karavaanroute controleerde. Aangevallen door Antigonus in 312 v.C. Koning Aretas voerde hier een leger aan dat in 65 v.C. Hyrkanus te hulp kwam. De stad werd in 106 bij Rome ingelijfd.

**PI-BESET** (pi be'set). *T.Bastah.* Stad aan de Nijl in Egypte. Vervloekt door Ezechiël (Ez 30:17).

**PI-HACHIROT** (pi hachi'rot). Plaats in de deltavlakte in Egypte. Ligging onzeker. De Hebreeërs waren hier na de uittocht gelegerd (Ex 14:2,9; Nu 33:7-8).

**PINON** (pi'non). Andere naam voor **Punon** (Gn 36:41; 1 Kr 1:52).

**PIRATON** (pi'raton). *Farata* (F4). Stad in de heuvels van Samaria. Woonplaats van rechter Abdon in Efraïm (Ri 12:15). Woonplaats van Benaja, een van Davids helden (2 S 23:30; 1 Kr 11:31; 27:14). Versterkt door Bakchides in 160 v.C. (1 Mak 9:50, waar het Faraton genoemd wordt).

**PITOM** (pi'tom). *T.er-Retabeh?* Een Egyptische koninklijke voorraadstad in het oosten van de Nijldelta, gebouwd door Hebreeuwse slaven (Ex. 1:11).

**PNIËL** (pni'el) (vert. NBG). Andere naam **Penuël** (Gn 32:30).

**PTOLEMAÏS** (ptolema'is). Grieks-Romeinse naam voor **Akko** (1 Mak 5:15,22; 12:48; Hnd 21:7).

*Een stenen boog geeft de smalle toegang aan tot de besloten vallei, waar de Nabateeërs de stad Petra bouwden.*

**PUNON** (pu'non). *Feinan* (O6). Stad in het gebied van de kopermijnen van Edom. Welvarend ca. 2200-1800 v.C., maar raakte in verval. Verlaten tot de 13e eeuw v.C. De Hebreeërs waren hier gelegerd tijdens hun omzwervingen door de woestijn na de uittocht (Nu 33:42-43). Verlaten in de 7e eeuw v.C. De mijnen, heropend door de Nabateeërs en ontgonnen door de Romeinen, bleven tot de middeleeuwen in bedrijf. Wordt Pinon genoemd in Gn 36:41; 1 Kr 1:52.

**PUTEOLI** (pute'oli). *Pozzuoli.* Haven aan de Golf van Napels, waar Paulus in Italië aan land ging (Hnd 28:13).

# Q

**QUMRAN** (qum'ran). Plaats aan de noordoostelijke oever van de Dode Zee ten zuiden van Jericho. Hier werden handschriften uit het begin van de christelijke jaartelling gevonden.

# R

**RABBA** (rab'ba) **1.** **Amman** (zie inzet). Stad in Ammon aan de koningsweg aan de rand van de woestijn. Belangrijkste plaats en hoofdstad van Ammon. Aan de grens van Gad (Joz 13:25), maar niet veroverd door de Hebreeërs onder Jozua. Door Joab belegerd en door David ingenomen (2 S 11:1; 12:26-29; 1 Kr 20:1). Sobi uit Rabba hielp David tijdens de opstand van Absalom (2 S 17:27). Veroordeeld door profeten (Jr 49:2,3; Ez 21:20; 25:5; Am 1:14). Werd door Ptolemeüs II Filadelfus (284-246 v.C.) in Filadelfia herdoopt. Weerstond met succes de belegering door Alexander Janneus. Stad van de Dekapolis. Ook vermeld in Dt 3:11; 2 S 17:27. **2.** *Kh.Bir e-Hilu?* Dorp in het westelijke bergland van Juda, toegedeeld aan Juda (Joz 15:60).

**RABBIT** (rab'bit). Andere naam voor **Daberat** (Joz 19:20).

**RAFIA** (raf'a). *T.Rafah.* Stad op de zuidelijke kustvlakte langs de zeeweg bij de grens met Egypte. In 720 v.C. versloeg Sargon II de Egyptenaren. Ptolemeüs IV versloeg hier in 217 v.C. Antiochus III. Ingenomen door Alexander Janneus in 97 v.C., maar Gabinius maakte er in ca. 55 v.C. op zijn beurt een Griekse stad van.

**RAFON** (ra'fon). *er-Rafeh.* Stad oostelijk van het meer van Galilea. Soms vermeld als een stad van de Dekapolis. Judas de Makkabeeër versloeg hier Timoteüs (1 Mak 5:37).

**RAGES** (ra'ges). *Rey.* Stad in Perzië, vermeld in Tob 1:14; 4:1,20; 5:5; 6:12; 9:2.

**RAKKAT** (rak'kat). *Kh.el-Quneitira* (C6). Versterkte stad op de westelijke oever van het meer van Galilea. Toegedeeld aan Naftali (Joz 19:35).

**RAKKON** (rak'kon). Dorp in Dan (Joz 19:46). Ligging onzeker.

**RAMA** (ra'ma) **1.** *er-Ram* (H4). Stad aan de centrale heuvelkamweg op de hoogvlakte ten noorden van Jeruzalem. Toegedeeld aan Benjamin (Joz 18:25). Versterkt door Basa, koning van Israël, maar ontmanteld door Asa, koning van Juda, die de materialen gebruikte om Geba en Mispa te versterken (1 K 15:17,22; 2 Kr 16:1,5-6). Gevangenen uit het gevallen Jeruzalem werden hier door de Babyloniërs bijeengebracht om in ballingschap gevoerd te worden (Jr 40:1). Rachel werd hier begraven (Jr 31:15; Mt 2:18; zie echter Gn 35:19). Joodse nederzetting na de terugkeer uit de ballingschap (Ezr 2:26; Neh 7:30; 11:33). Ook vermeld in Ri 19:13; Js 10:29; Hos 5:8. **2.** Stad bij Tyrus aan de noordgrens van Aser (Joz 19.29). Ligging onzeker. **3.** *Kh.Zeitun er-Rama* (B5). Versterkte stad in de heuvels van Beneden-Galilea. Toegedeeld aan Naftali (Joz 19:36). **4.** *Rentis* (G3). Stad in het zuidwesten van Samaria. Woonplaats van Samuël (1 S 1:1, waar het Ramataïm-Sofim wordt genoemd; 1:19; 2:11; 7:17; 8:4), waar hij ook begraven werd (1 S 25:1; 28:3). Hier trad Debora als rechter op (Ri 4:5). Ook vermeld in 1 S 16:13; 19:18; 20:1. Wordt **Ramataïm** genoemd in 1 Mak 11:34. **5.** Andere naam voor **Ramot in Gilead** (2 K 8:29; 2 Kr 22:6).

**RAMATAÏM** (ramata'im). In het gebied dat in 145 v.C. door Demetrius II aan Jonatan geschonken werd (1 Mak 11:34). Andere naam voor **Rama 4** .

**RAMATAÏM-SOFIM** (ramata'im so'fim). Andere naam voor **Rama 4** (1 S 1:1).

**RAMAT-HAMMISPE** (ra'mat hammis'pe). Andere naam voor **Mispa 2** (Joz 13:26).

**RAMAT-MATRED** (ra'mat ma'tred). (N2). Landbouwkolonie in de Negeb uit de tijd van Salomo. Ca. 918 v.C. door Sisak verwoest. Oude naam onbekend.

**RAMAT-NEGEB** (ra'mat ne'geb) (vert. KBS). Andere naam voor **Rama van het Zuiden**.

**RAMAT-RACHEL** (ra'mat ra'chel). Plaats ten zuiden van Jeruzalem in het bergland van Juda. Militaire vesting en paleis van Jojakim (609-598 v.C.). Oude naam onbekend; sommigen menen **Bet-Hakkerem**.

**RAMA VAN HET ZUIDEN** (ra'ma v.h.z.). Stad in Juda. Ligging onzeker. Toegedeeld aan Simeon (Joz 19:8, waar het vereenzelvigd wordt met Baälat-Beër). Een van de steden waarheen David een deel van de buit zond die hij op de Amalekieten veroverd had (1 S 30:27, waar het Ramot in het Zuiderland heet).

**RAMESES** (ra'meses). *San el-Hagar.* Een van de Egyptische koningssteden op de oostelijke oever van de Nijldelta. Hier begonnen de

*De oude Fenicische haven Sidon, hier gezien vanaf de overkant van de inham, leverde werklieden voor Salomo's bouwprojecten. Paulus verbleef hier op weg naar Rome.*

Hebreeërs hun uittocht uit Egypte (Ex 12:37; Nu 33:3,5). Wordt Soan genoemd in Nu 13:22; Ps 78:12,43; Js 19:11,13; Ez 30:14 en Zoan in Js 30:4 (vert. NBG). Ook bekend als Raämses en Ramses. Vereenzelvigd met Avaris, de hoofdstad van de Hyksos.

**RAMOT** (ra'mot). Levietenstad in Issakar (1 Kr 6:73). Wordt Remet genoemd in Joz 19:21. Soms vereenzelvigd met **Jarmut 2** uit Joz 21:29.

**RAMOT IN GILEAD** (ra'mot in gi'lead). *T.Ramith.* Stad in het noorden van Gilead, strategisch gelegen aan de grens met Basan. Levietenstad en vrijstad in Gad (Dt 4:43; Joz 20:8; 21:38; 1 Kr 6:80). Hoofdstad van Salomo's zesde belastingdistrict (1 K 4:13). Veroverd door Syrië in de 9e eeuw v.C. Koning Achab werd hier tijdens de oorlog met Syrië om het bezit van de stad gedood (1 K 22:3,4,6,12,15,20,29; 2 Kr 18:2,3,5,11,14,19, 28). Hier werd koning Joram in het gevecht met de Syriërs gewond (2 K 8:28-29; 2 Kr 22:5). In 842 v.C. werd Jehu door Elisa in deze stad gezalfd en van hieruit begon Jehu zijn opstand (2 K 9:1,4,14). Wordt Rama genoemd in 2 K 8:29; 2 Kr 22:6.

**RECHOB** (re'chob) **1.** *Bir el-Gharbi* (C4). Stad op de vlakte van Akko, toegedeeld aan Aser (Joz 19:30) die de Kanaänieten niet kon verdrijven (Ri 1:31). Levietenstad (Joz 21:31; 1 Kr 6:75). **2.** *T.el-Balat?* Stad in Boven-Galilea, toegedeeld aan Aser (Joz 19:28). **3.** Andere naam voor **Bet-Rechob** (Nu 13:21; 2 S 10:8). **4.** *T.es-Sarem* (E5). Kanaänitische koningsstad aan de voet van de berg Gilboa, waar het Jizreëldal bij de Jordaan uitkomt. Door Sisak in 918 v.C. veroverd.

**RECHOBOT** (recho'bot) **1.** *Kh.Ruheibe?* (M1). Plaats in het dal van Gerar. Hier sloeg Isaak een put (Gn 26:22). **2.** Woonplaats van de Edomietenkoning Saul (Gn 36:37; 1 Kr 1:48). Ligging onzeker.

**RECHOBOT-IR** (recho'bot ir'). Stad in Assyrië, vermeld in Gn 10:11.

**REFIDIM** (re'fidim). Plaats in het zuiden van de Sinaï, waar de Hebreeërs na de uittocht gelegerd waren (Ex 17:1; 19:2; Nu 33:14,15). Hier versloeg Jozua de Amalekieten (Ex 17:8).

**REGIUM** (re'gium). *Reggio.* Haven op de zuidwestpunt van Italië aan de Straat van Messina. Paulus' schip legde hier aan (Hnd 28:13), toen hij onderweg was naar Rome.

**REKEM** (re'kem). Stad, toegedeeld aan Benjamin (Joz 18:27). Ligging onzeker.

**REMET** (re'met). Andere naam voor **Ramot** (Joz 19:21).

**RESEF** (re'sef). *Resafa?* Stad ten zuidoosten van Aleppo. Verwoest door de Assyriërs (2 K 19:12; Js 37:12).

**RESEN** (re'sen). Stad in Assyrië, vermeld in Gn 10:12. Ligging onzeker.

**RIBLA** (rib'la) **1.** *Ribla.* Stad in Syrië ten zuiden van Kades. Belangrijke militaire basis voor Egypte en Babylonië. Farao Neko zette er in 609 v.C. koning Joachaz van Juda af en verving hem door Jojakim (2 K 23:33). Hier liet Nebukadnessar de laatste koning van Juda, Sedekia, de ogen uitsteken, nadat deze zijn zonen voor zijn ogen had zien doden (2 K 25:6; Jr 39:5,6; 52:9,10). De hogepriester van de tempel en andere hooggeplaatsten van Juda werden hier na de val van Jeruzalem in 587 v.C. ter dood gebracht (2 K 25:20,21; Jr 52:26,27). Ook vermeld in Ez 6:14. **2.** Niet nader te bepalen plaats bij de noordoostgrens van Kanaän (Nu 34:11).

**RIMMON** (rim'mon) **1.** *Rummana* (C5). Stad in Beneden-Galilea, toegedeeld aan Zebulon (Joz 19:13). Levietenstad (1 Kr 6:77, waar het Rimmono genoemd wordt; Joz 21:35, waar het Dimna heet). **2.** Andere naam voor **En-Rimmon** (vert. NBG Joz 15:32; 19:7; 1 Kr 4:32; Zach 14:10).

**RIMMONO** (rimmo'no). Andere naam voor **Rimmon 1** (1 Kr 6:77).

**RIMMON-PERES** (rim'mon pe'res). Plaats in de Sinaï, waar de Hebreeërs na de uittocht gelegerd waren (Nu 33:19-20). Ligging onzeker.

**RISSA** (ris'sa). Plaats in de Sinaï, waar de Hebreeërs na de uittocht gelegerd waren (Nu 33:21-22). Ligging onzeker.

**RITMA** (rit'ma). Plaats in de Sinaï, waar de Hebreeërs na de uittocht gelegerd waren (Nu 33:18-19). Ligging onzeker.

**RODOS** (ro'dos). Haven aan de noordoostkust van het eiland Rodos. Op de terugweg van zijn derde reis legde Paulus hier aan (Hnd 21:1). Ook vermeld in 1 Mak 15:23.

**ROGEL** (ro'gel) (vert. KBS En-Rogel). *Bir Ayyub.* Bron in het Kidrondal, ten zuidoosten van Jeruzalem. Op de grens tussen Benjamin en Juda (Joz 15:7, waar het En-Rogel genoemd wordt; 18:16). Twee van Davids verkenners stonden hier met de opdracht Absalom gade te slaan (2 S 17:17). In Rogel bracht Adonia offers zonder dat koning David het wist (1 K 1:9).

**ROGELIM** (ro'gelim). *Bersinya?* (E7). Stad in het noorden van Gilead. Woonplaats van Barzillai, die David hielp in Machanaïm, toen hij vluchtte voor Absalom (2 S 17:27; 19:31).

**ROME** (ro'me). Stad aan de Tiber in het westen van Midden-Italië. Hoofdstad van het Romeinse Rijk. Antiochus IV (175-164 v.C.) was hier gijzelaar (1 Mak 1:10) na de nederlaag van zijn vader tegen de Romeinen in de slag van Magnesia in 190 v.C. Zijn neef, Demetrius I (162-150 v.C.) ging hier scheep (1 Mak 7:1) en landde in Syrië, waar hij koning van de Seleuciden werd. In de helft van de 2e eeuw v.C. zonden Judas de Makkabeeër en zijn broer Jonatan onderhandelaars naar Rome om vriendschap met de

Romeinen te sluiten (1 Mak 8:17,19,24,25,28; 12:1,3,16). Aristobulus werd naar Rome verbannen na de val van Jeruzalem in 63 v.C. en opnieuw in 56 v.C., nadat hij naar Judea ontsnapt was en een nieuwe opstand had geleid. Herodes de Grote kwam er in 40 v.C. om naar de gunst van Antonius te dingen en werd tot koning van Judea uitgeroepen. De zonen van Herodes, Archelaüs, Antipas en Filippus, reisden in 4 v.C. hierheen om zijn testament door Augustus te laten bekrachtigen. Herodes Agrippa I, Herodes' kleinzoon, was hier opgevoed en werd beschermeling van de keizers Caligula (37-41) en Claudius (41-54), die hem koning maakte over heel het gebied waarover eens Herodes de Grote regeerde. Tussen 54 en 58 zond Paulus een brief aan de kerk van Rome (Rom 1:7,15). Paulus werd er onder huisarrest gehouden (Hnd 28:14,16). Vroeg centrum van het christendom en toneel van vervolging en marteling van de christenen vanaf 64 onder de Romeinse keizer Nero. Volgens traditie is dit de plek waar Petrus en Paulus de marteldood stierven. Ignatius van Antiochië, Justinus de Martelaar en andere vooraanstaande christenen werden hier in de 2e eeuw gemarteld. Rome wordt ook vermeld in 1 Mak 14:16,24; 15:15; Hnd 2:10; 18:2; 19:21; 23:11; 2 Tim 1:17.

**RUMA** (ru'ma). *Kh.er-Ruma* (C4). Stad in Beneden-Galilea. Woonplaats van Zebudda, moeder van Jojakim, koning van Juda (2 K 23:36).

# S

**SAÄLABBIN** (saälab'bin). Andere naam voor **Saälbim** (Joz 19:42).

**SAÄLBIM** (saäl'bim). *Selbit.* Stad in het noorden van de Laagte, toegedeeld aan Dan (Joz 19:42, waar het Saälabbin wordt genoemd). Deze zag geen kans de Amorieten te verdrijven (Ri 1:35). In Salomo's tweede belastingdistrict (1 K 4:9). Mogelijk hetzelfde als Saälbon uit 2 S 23:32; 1 Kr 11:33.

**SAÄLBON** (saäl'bon). Dit is mogelijk een andere naam voor **Saälbim** (2 S 23:32; 1 Kr 11:33).

**SAÄNAN** (sa'anan). Waarschijnlijk andere naam voor **Senan** (Mi 1:11).

**SAÄNAMNIM** (saänan'nim). *Shajaret el-Kalb?* Plaats in het oosten van Beneden-Galilea. Grens van Naftali (Joz 19:33). Hier werd Sisera gedood door Jaël, de vrouw van de Keniet Cheber (Ri 4:11, waar het Saännaïm heet in vert. NBG).

**SAÄRAÏM** (saära'im). 1. *Kh.esh-Sharia?* Stad in de Laagte, toegedeeld aan Juda (Joz 15:36). Israëlieten achtervolgden langs deze plaats de Filistijnen na de overwinning van David op Goliat (1 S 17:52). 2. Andere naam voor **Saruchen** (1 Kr 4:31).

**SACHASIMA** (sa'chasi'ma). Stad in Beneden-Galilea aan de grens van Issakar (Joz 19:22). Ligging onzeker.

**SAFIR** (sa'fir). Onbekende plaats, vermeld in Mi 1:11.

**SAFON** (sa'fon). *Kh.Buwaby* (F6). Stad in het midden van het Jordaandal, toegedeeld aan Gad (Joz 13:27). Vermeld in de Amarna-brieven (14e eeuw v.C.). Hier stelden de Efraïmieten zich op tegenover Jefta, na diens overwinning op de Ammonieten (Ri 12:1).

**SAÏR** (sa'ir). Plaats ten zuiden of zuidwesten van de Dode Zee, waar koning Joram van Juda in een nachtelijke strijd de Edomieten bevocht in een vruchteloze poging een opstand van de Edomieten te onderdrukken in het midden van de 8e eeuw v.C. (2 K 8:21). Ligging onzeker.

**SALAMIS** (sa'lamis). Haven aan de oostkust van Cyprus en voornaamste stad van het eiland voor de Romeinse heerschappij. Paulus verbleef hier op zijn eerste reis (Hnd 13:5).

**SALEM** (sa'lem). Waarschijnlijk andere naam voor **Jeruzalem** (Gn 14:18; Ps 76:3; Heb 7:1,2).

**SALIM** (sa'lim). *Salim?* (F5). Stad in het oosten van Midden-Samaria. Hier doopte Johannes de Doper (Joh 3:23).

**SALKA** (sal'ka). *Salkhad.* Stad in het oosten van Basan, toebehorend aan koning Og (Dt 3:10; Joz 12:5). Toegedeeld aan Gad (1 Kr 5:11). Ook vermeld in Joz 13:11.

**SALMONA** (salmo'na). *es-Salmana?* (N6). Plaats waar de Hebreeërs tijdens hun omzwervingen na de uittocht gelegerd waren aan de weg naar de Araba, nadat ze de berg Hor achter zich gelaten hadden (Nu 33:41,42).

**SAMARIA** (samari'a). *Sebastiya* (F4). Belangrijkste stad in Samaria. Gebouwd door koning Omri in de 9e eeuw v.C. als hoofdstad van Israël (1 K 16:24). Belegerd door Benhadad van Syrië ca. 855 v.C. (1 K 20:1,10,17; 2 K 6:24). Koning Achab bouwde het 'ivoren huis' vermeld in 1 K 22:39 en Am 3:15, en werd er begraven (1 K 22:37). Zeventig zonen van Achab werden hier onthoofd tijdens de opstand van Jehu in 842 v.C. (2 K 10:1). Veroordeeld door de profeten (Js 10:9-11; Hos 7:1; 8:5,6; 10:5; 14:1; Am 3:9; 4:1; 6:1; 8:14; Mi 1:1,5,6). In 721 v.C. na een driejarig beleg verwoest door Sargon II van Assyrië (2 K 17:5,6; 18:9,10); zijn inwoners werden in ballingschap naar Assyrië en Medië gevoerd (2 K 17:6). Evenals in andere steden van Samaria vestigden zich hier vreemdelingen (2 K 17:24,26). Waarschijnlijk hoofdstad van Samaria na de ballingschap. Kwam in opstand tegen Alexander de Grote. Ingenomen door 6000 Macedonische huurlingen die er zich vestigden ca. 331 v.C. Veroverd door Johannes Hyrkanus in 107 v.C. In 63 v.C.

door Pompejus tot Griekse stad gemaakt. Uitgebreid en volledig herbouwd door Herodes de Grote, die het Sebaste noemde. Dikwijls vermeld in 1 K 16:28 - 22:51; 2 K 1:2 - 21:13; 2 Kr 18:2 - 28:15; ook vermeld in Js 7:9; 8:4; 9:8; 36:19; Jr 23:13; 31:5; 41:5; Am 3:12.

**SAMIR** (sa'mir). 1. *el-Birah?* Dorp in het zuidelijke bergland van Juda. Toegedeeld aan Juda (Joz 15:48). 2. Dorp in het gebergte van Efraïm. Ligging onzeker.

**SAMPSANE** (samp'sane). Mogelijk de haven van Samsun aan de kust van de Zwarte Zee in Klein-Azië. De Romeinse consul Lucius zond hier namens de Joden in 138 v.C. een brief heen (1 Mak 15:23).

**SANSANNA** (sansan'na). *Kh.esh-Shamsaniyat* (K3). Stad in Negeb, toegedeeld aan Juda (Joz 15:31). Mogelijk hetzelfde als **Chasar-Susa** of **Chasar-Susim** in de corresponderende vermeldingen van Joz 19:5 en 1 Kr 4:31.

**SARDES** (sar'des). Voornaamste stad in Lydië in het westen van Klein-Azië. Hier bevond zich een van de zeven kerken van de Openbaring (Op 1:11; 3:1, 4). Misschien hetzelfde als **Sefarad** uit Ob 20.

**SAREFAT** (sa'refat). *Sarafand.* Fenicische stad aan kust tussen Tyrus en Sidon. Elia verbleef hier bij een weduwe, wier zoon hij weer tot leven wekte (1 K 17:9, 10; Lc 4:26, waar het Sarepta heet). Ook vermeld in Ob 20.

**SAREPTA** (sarep'ta). Andere naam voor **Sarefat** (Lc 4:26).

**SARETAN** (sa'retan). *T.es-Saidiya?* (F6). Stad in het midden van het Jordaandal. Plaats bij Adam waar de Jordaan bleef staan, zodat de Hebreeërs over het droge de rivier over konden steken (Joz 3:16). In Salomo's vijfde belastingdistrict (1 K 4:12). Tussen Saretan en Sukkot goot Chiram van Tyrus de bronzen vaten voor de tempel van Salomo (1 K 7:46; 2 Kr 4:17, waar het Seredata heet). Misschien hetzelfde als **Serera** uit Ri 7:22.

**SARID** (sa'rid). **T.Shadud** (D4). Stad in de vlakte van Jizreël, toegedeeld aan Zebulon (Joz 19:10, 12).

**SARUCHEN** (saru'chen). *T.el-Farah* (K1). Stad op de zuidelijke kustvlakte. Versterkt door de Hyksos na hun verdrijving uit Egypte ca. 1550 v.C. Toegedeeld aan Simeon (Joz 19:6). Ingenomen door Sisak ca. 918 v.C. Wordt Silchim genoemd in Joz 15:32, Saäraïm in 1 Kr 4:31.

**SCYTHOPOLIS** (scytho'polis). Grieks-Romeinse naam voor **Bet-Sean** (Jdt 3:10).

**SEBAM** (se'bam). Andere naam voor **Sibma** (Nu 32:3).

**SEBASTE** (sebas'te). Naam van Herodes de Grote voor **Samaria**.

**SEBOÏM** (sebo'im **1.** Stad in het dal Siddim in het zuidelijke Dode-Zeegebied. Ligging onzeker. Aangevallen door de koningen van het noorden (Gn 14:2,8). Ook vermeld in Gn 10:19; Hos 11:8. **2.** Stad in of bij de centrale kustvlakte. Joodse nederzetting na de terugkeer uit de ballingschap (Neh 11:34). Ligging onzeker. **3.** *Wadi Abu Daba.* Plaats in Benjamin ten noordoosten van Jeruzalem. Gelegen aan de weg die een van de drie afdelingen Filistijnse plunderaars namen (1 S 13:18).

**SEDAD** (se'dad). *Sadad.* Plaats tussen Ribla en Tadmor. Aan de noordgrens van Kanaän (Nu 34:8; Ez 47:15).

**SEFAM** (se'fam). Onbekende plaats aan de noordoostgrens van Kanaän (Nu 34:10,11).

**SEFAR** (se'far). Plaats, vermeld in Gn 10:30. Ligging onzeker, maar wellicht in het zuiden van Arabië.

**SEFARAD** (se'farad). Plaats waar ballingen uit Jeruzalem leefden na de verovering van Juda door de Babyloniërs (Ob 20). Ligging onzeker, maar wellicht dezelfde als van **Sardes**.

**SEFARWAÏM** (sefarwa'im). Stad in het noorden van Syrië of Assyrië. Ligging onzeker. Inwoners werden na de val van Israël in 721 v.C. naar Samaria gebracht (2 K 17:24,31; 18:34; 19:13; Js 36:19; 37:13). Misschien andere naam voor **Sibraïm** uit Ez 47:16.

**SEFAT** (se'fat). Kanaänitische naam voor Chorma (Ri 1:17).

**SEKAKA** (seka'ka). *Kh.es-Samra?* (I5). Nederzetting in de woestijn van Juda ten zuidwesten van Qumran. Toegedeeld aan Juda (Joz 15:61).

**SELA** (se'la) **1.** *es-Sela?* (N7). Vestingstad en hoofdstad van Edom. Ingenomen door Amasja van Juda, die het Jokteël noemde (2 K 14:7). Ook vermeld in Ri 1:36; Js 16:1 en 42:11, vert. KBS. **2.** Dorp ten noorden en waarschijnlijk ten westen van Jeruzalem. Ligging onzeker. Toegedeeld aan Benjamin (Joz 18:28). Hier werd het gebeente van Saul en Jonatan uiteindelijk begraven (2 S 21:14).

**SELEUCIË** (seleu'cië). *Saluqiya.* Haven van het Syrische Antiochië. Paulus begon hier zijn eerste reis (Hnd 13:4). Ook vermeld in 1 Mak 11:8, waar het Seleukië heet.

**SELSACH** (sel'sach). Plaats in Benjamin ten noorden van Jeruzalem. Ligging onzeker. Hier lag het graf van Rachel, waarheen Saul na zijn zalving door Samuël gezonden werd (1 S 10:2). Zie voor het graf van Rachel echter ook Gn 35:19 en 48:7.

**SEMA** (se'ma). Dorp in de Negeb, toegedeeld aan Juda (Joz 15:26). Ligging onzeker.

**SEMARAÏM** (semara'im). *Ras et-Tahuna?* (H4). Stad in de zuidoostelijke heuvels van Samaria. Toegedeeld aan Benjamin.

**SEMER** (se'mer). *Sumra.* Stad in het noordwesten van Syrië, vermeld in Ez 27:8.

**SENAN** (se'nan). *Araq el-Kharba* (J2). Stad in de Laagte, toegedeeld aan Juda (Joz 15:37). Misschien hetzelfde als Saänan uit Mi 1:11.

**SEPFORIS** (sep'foris). *Saffuriya* (C4). Stad in het westen van Beneden-Galilea. Bestuurscentrum van Galilea ten tijde van Alexander Janneus in de 1e eeuw v.C. Een van de vijf bestuurscentra van Gabinius, 57-55 v.C. Cestius Gallus legerde er in 66 een garnizoen. Eerste stad die Vespasianus tijdens de Eerste Joodse Opstand (66-70) in handen viel.

**SER** Versterkte stad in Beneden-Galilea, toegedeeld aan Naftali (Joz 19:35). Ligging onzeker.

**SEREDA** (se'reda). *Deir Ghassana* (G3). Stad in Efraïm. Woonplaats van Jerobeam, 922-901 v.C. (1 K 11:26).

**SEREDATA** (sere'data). Andere naam voor **Saretan** (2 Kr 4:17).

**SERERA** (se'rera). Plaats in Gilead aan de weg waarover de Midjanieten voor Gideon vluchtten (Ri 7:22). Ligging onzeker, maar misschien dezelfde als van **Saretan**.

**SERET-HASSACHAR** (se'ret hassa'char). *ez-Zarat?* (J6). Moabitische stad bij natuurlijke warme bronnen op de oostelijke oever van de Dode Zee. Toegedeeld aan Ruben (Joz 13:19). Herodes de Grote onderging hier op zijn oude dag een kuur.

**SIBMA** (sib'ma). Stad op de hoogvlakte ten oosten van de vlakte van Moab, waarschijnlijk tussen Chesbon en Nebo. Door de Israëlieten op koning Sichon veroverd en aan Ruben toegedeeld (Nu 32:3, waar het Sebam genoemd wordt; 32:38; Joz 13:19). Vermeld in de godsspraken over Moab (Js 16:8-9; Jr 48:32).

**SIBRAÏM** (sibra'im). Stad aan de noordgrens van Israël tussen Damascus en Hamat (Ez 47:16). Andere naam voor **Sefarwaïm**.

**SICHAR** (si'char). *Askar* (F4). Stad in Samaria, waar Jezus met de Samaritaanse vrouw sprak (Joh 4:5).

**SICHEM** (si'chem). *T.Balata* (F4). Belangrijke Kanaänitische stad en religieus centrum aan het oosteinde van de pas tussen de Ebal en de Gerizzim in het midden van Samaria. Vermeld in de Egyptische Vermaningen (19e eeuw v.C.) en de Amarna-brieven (14e eeuw v.C.). Belangrijke nederzetting van de Hyksos ca. 1750-1550 v.C. Eerste stad waar Abraham in Kanaän kwam (Gn 12:6). Jakob kwam hier bij zijn terugkeer uit Paddan-Aram (Gn 33:18). Aangevallen door Simeon en Levi (Gn 34:26). In deze plaats begroef Jakob de godenbeeldjes (Gn 35:4) en zocht Jozef zijn broers op (Gn 37:12-14). Het gebeente van Jozef, dat uit Egypte was meegebracht, werd hier begraven (Joz 24:32; Hnd 7:16). Toegedeeld aan Manasse (Nu 26:31 en Joz 17:2,7, waar het Sekem wordt genoemd) en aan Efraïm (1 Kr 7:28). Vrijstad (Joz 20:7; 21:21; 1 Kr 6:67; 7:28). Plaats van Jozua's stammenvergadering (Joz 24:1,25). Geboorteplaats van Abimelek die zichzelf hier niet tot koning kon maken en daarom de stad platbrandde (Ri 8:31; 9:1-41,46,47,49, waar het Sichem-Toren heet; 9:57). De oudsten van de noordelijke stammen slaagden er niet in in Sichem Rechabeam tot koning te zalven en namen in plaats van hem Jerobeam als heerser over het onafhankelijke noordelijke koninkrijk Israël (1 K 12:1, 25; 2 Kr 10:1). Jerobeam maakte de stad tot de eerste hoofdstad van Israël (1 K 12:25), maar de heersers verhuisden spoedig naar Tirsa. Verwoest door de Assyriërs onder Salmanassar ca. 724 v.C. Samaritaans centrum na de ballingschap. Ook vermeld in Ri 9:46,47 en 49, waar het Sichem-Toren heet, 57; 21:19; Ps 60:8; 108:8; Jr 41:5; Hos 6:9. Door sommigen vereenzelvigd met **Betulia**.

*Het Arabische Nablus ligt dicht bij Sichem, een oud religieus centrum tussen de Ebal en de Gerizzim.*

**SICHEM-TOREN** (si'chem toren). Andere naam voor **Sichem** (Ri 9:46,47,49).

**SICHOR-LIBNAT** (si'chor lib'nat). Plaats aan de grens van Aser (Joz 19:26). Ligging onzeker, maar mogelijk op de vlakte van Dor.

**SIDDIM** (sid'dim). Versterkte stad in Beneden-Galilea, toegedeeld aan Naftali (Joz 19:35). Ligging onzeker.

**SIDE** (si'de). Haven in Pamfylië in het zuiden van Klein-Azië. De Romeinse consul Lucius zond er in 138 v.C. namens de Joden een brief heen (1 Mak 15:23).

**SIDON** (si'don). *Saida*. Belangrijke Fenicische haven ten noorden van Tyrus. Vermeld in de Ugaritische teksten (15e-14e eeuw v.C.), in de Amarna-brieven (14e eeuw v.C.), de geschriften van de Egyptenaar Wen Amon (11e eeuw v.C.) en de Odyssee van Homerus. Betaalde belasting aan Tiglatpileser I (ca. 1116-1078 v.C.), Assurnasirpal II (884-860 v.C.), Salmanassar III (859-825 v.C.), Tiglatpileser III (745-727 v.C.) en Salmanassar V (726-722 v.C.). David, Salomo en ballingen, terug uit Babylonië, huurden timmerlieden uit Sidon voor hun bouwwerken. Veroordeeld door profeten (Js 23:2, 4, 12; Jr 25:22; 27:3; 47:4; Ez 28:21-22; Jl 3:4). Veroverd door Sanherib in 701 v.C. en verwoest door Esarhaddon in 677 v.C. Sidon leverde schepen en bemanning aan de Perzische koning Xerxes I voor de slag bij Salamis tegen de Grieken in 480 v.C. In 351 v.C. door Artaxerxes platgebrand en in 333 v.C. door Alexander de Grote ingenomen. Veroverd door Antiochus III in 198 v.C. Joden uit Galilea werden in 163 v.C. door Simon, broer van Judas de Makkabeeër, bevrijd van onderdrukkers uit Sidon (1 Mak 5:15). Onafhankelijkheid in 64 v.C. door Pompejus erkend. Julius Caesar begunstigde de Joden van Sidon in 47 v.C. Een van de vele steden buiten Judea die door Herodes de Grote werden verfraaid. Paulus onderbrak hier zijn reis naar Rome (Hnd 27:3). Ook vermeld in Gn 10:15, 19; 49:13; Joz 11:8 en 19:28, waar het Groot-Sidon wordt genoemd; Ri 1:31; 10:6; 18:28; 2 S 24:6; 1 K 17:9; Ez 27:8; Zach 9:2; Mt 11:21,22; 15:21; Mc 3:8; 7:31; Lc 4:26; 6:17; 10:13, 14.

**SIFMOT** (sif'mot). Stad in het zuiden van Juda, waarheen David een deel van de buit zond die hij op de Amalekieten had veroverd (1 S 30:28). Ligging onzeker.

**SIKKARON** (sik'karon). *T.el-Ful* (H2). Dorp in de kustvlakte bij het Sorekdal. Aan de grens van Juda (Joz 15:11).

**SIKLAG** (sik'lag). *T.esh-Sharia?* (K2). Stad in de Negeb, toegedeeld aan Simeon (Joz 19:5; 1 Kr 4:30), maar door de Filistijnen in bezit gehouden. Later toegedeeld aan Juda (Joz 15:31). Door Akis van Gat aan David geschonken (1 S 27:6). Davids basis voor invallen in de Negeb (1 Kr 12:1,20). Amalekieten brandden en plunderden hier (1 S 30:1,14). David versloeg

*Tiberias, op de oever van het meer van Galilea, werd in 18 n.C. als hoofdstad aangewezen.*

de Amalekieten en zond de buit van hieruit naar verschillende steden in Juda (1 S 30:26). Hier weeklaagde David over de dood van Saul en Jonatan (2 S 1:1; 4:10). Joodse nederzetting na de terugkeer uit de ballingschap (Neh 11:28).

**SIKYON** (si'kyon). Stad ten noordwesten van Korinte. De Romeinse consul Lucius zond er in 138 v.C. namens de Joden een brief heen (1 Mak 15:23).

**SILCHIM** (sil'chim). Andere naam voor **Saruchen** (Joz 15:32).

**SILO** (si'lo). *Kh.Seilun* (G4). Stad in het midden van Samaria, ten oosten van de centrale heuvelkamweg (Ri 21:19). Het belangrijkste religieuze centrum van de Hebreeërs vanaf Jozua tot Samuël (ca. 1250-1050 v.C.), omdat hier de ark van het verbond stond (Joz 18:1; Ri 18:31; 1 S 4:3,4). Hier deelde Jozua het gebied aan de stammen van Israël toe (Joz 18:8,9,10) en bepaalde hij de levietensteden (Joz 21:2). Plaats voor de samenkomst van de stammen (Joz 22:9,12) en voor een jaarlijks religieus feest, waar Benjaminieten eens meisjes hadden ontvoerd toen ze in de wijngaarden dansten (Ri 21:19,21). In Silo werd Samuël aan God toegewijd (1 S 1:24) en diende hij onder Eli aan het altaar. God verscheen hem hier (1 S 3:21). De ark werd van uit Silo naar Eben-Haëzer gebracht (1 S 4:3,4), waar ze tijdens de gevechten door de Filistijnen werd buitgemaakt. Ook vermeld in Joz 19:51; Ri 21:12; 1 S 1:9; 2:14; 4:12; 14:3; 1 K 2:27; 14:2,4; Ps 78:60; Jr 7:12,14; 26:6,9; 41:5.

**SIMRON** (sim'ron). *Kh.Sammuniya* (D4). Kanaänitische koningsstad in Beneden-Galilea aan de noordkant van de vlakte van Jizreël. De koning sloot zich aan bij Jabin van Hasor tegen Jozua (Joz 11:1). Toegedeeld aan Zebulon (Joz 19:15). Wordt Simron-Meroön genoemd in Joz 12:20.

**SIMRON-MEROÖN** (sim'ron me'roön). Andere naam voor **Simron** (Joz 12:20).

**SIN**. *T.Farama*. Belangrijke grensvesting in Egypte aan de noordoostelijke rand van de Nijldelta. Vervloekt door Ezechiël (Ez 30:15,16).

**SINIM** (si'nim). Waarschijnlijk andere naam voor **Syene** (Js 49:12).

**SION** (si'on) **1.** Dorp in Beneden-Galilea, toegedeeld aan Issakar (Joz 19:19). Ligging onzeker. **2.** Andere naam voor **Jeruzalem**.

**SIOR** (si'or). Dorp bij Hebron in het bergland van Juda. Toegedeeld aan Juda (Joz 15:54). Ligging onzeker.

**SIRA** (si'ra). Put ten noorden van Hebron, waarheen Joab Abner liet komen om hem te doden (2 S 3:26). Ligging onzeker.

**SITTIM** (sit'tim). *T.el-Hammam* (H6). Stad op de vlakte van Moab tegenover Jericho aan de andere kant van de Jordaan. Hier waren de Israëlieten gelegerd voordat ze Kanaän binnenvielen (Nu 25:1; 33:49, waar het Abel-Hassittim heet; Joz 3:1). Van hieruit zond Jozua verkenners naar Jericho (Joz 2:1). Ook vermeld in Hos 5:2; Jl 3:18; Mi 6:5.

**SKYTOPOLIS** (skyto'polis). Grieks-Romeinse naam voor **Bet-Sean** (2 Mak 12:29,30).

**SMYRNA** (smyr'na). *Izmir*. Een van de belangrijkste handelscentra in het westen van Klein-Azië in de Grieks-Romeinse tijd. Hier bevond zich een van de zeven kerken van de Openbaring (Op 1:11; 2:8).

**SOAN** (so'an). Andere naam voor Raämses of **Rameses** (Nu 13:22; Ps 78:12,43; Js 19:11,13; 30:4; Ez 30:14).

**SOAR** (so'ar). *es-Safi* (M6). Een van de vijf steden in de vlakte ten zuiden van de Dode Zee. Aangevallen door de koningen van het noorden (Gn 14:2 en 8, waar het Bela wordt genoemd). Lot vluchtte hierheen om te ontkomen aan de verwoesting van Sodom en Gomorra (Gn 19:23). Moabitische vluchtelingen zochten een onderkomen in Soar (Js 15:5; Jr 48:4, vert. KBS, 34). Veroverd door Alexander Janneus tijdens de Makkabeese Oorlogen, maar door Hyrkanus II aan koning Aretas IV van de Nabateeërs beloofd. Het is een plaats van uitgestrekte dadel-, palm- en balsemplantages. Ook vermeld in Gn 13:10; 19:30; Dt 34:3.

**SODOM** (so'dom). Stad in het dal van Siddim, mogelijk ten oosten of zuiden van de Dode Zee. Ligging onzeker. Lot trok naar Sodom (Gn 13:10,12). Aangevallen door een verbond van koningen uit het noorden; ze werden door Abraham die Lot te hulp kwam, achtervolgd en verslagen (Gn 14:2,8-14). Verwoest vanwege zijn verdorvenheid (Gn 19:24,28). Veelvuldig aangehaald in Gn 10:19 - 19:4. Ook vermeld in Dt 29:23; 32:32; Js 1:9-10; 3:9; 13:19; Jr 23:14; 49:18; 50:40; Kl 4:6; Ez 16:46,48,49,53,55,56; Am 4:11; Sef 2:9; Mt 10:15; 11:23-24; Lc 10:12; 17:29; Rom 9:29; 2 Pe 2:6; Op 11:8.

**SOKO** (so'ko) **1.** *Kh.Abbad* (I3). Stad in de Laagte aan de westkant van het Ela-dal, tussen Adullam en Azeka. Toegedeeld aan Juda (Joz 15:35). Filistijnen waren in de buurt gelegerd vóór Davids gevecht met Goliat (1 S 17:1). Versterkt door Rechabeam, maar opnieuw ingenomen door de Filistijnen (2 Kr 11:7; 28:18). **2.** *Kh.Shuweika* (J3). Stad bij Debir in het zuidelijke bergland van Juda. Toegedeeld aan Juda (Joz 15:48). **3.** *T.er-Ras Shuweika* (F3). Kanaänitische stad aan de rand van de Saronvlakte bij de belangrijke verbinding met de zeeweg. Veroverd door Thutmosis III en Amenhotep II in de 15e eeuw v.C. en door Sisak ca. 918 v.C. In Salomo's derde belastingdistrict (1 K 4:10).

**SORA** (so'ra). *Sara* (I3). Stad in de Laagte op de bergkam ten noorden van het Sorekdal. Toegedeeld aan Dan (Joz 19:41; Ri 18:2,8,11), maar later deel van Juda (Joz 15:33). Geboorteplaats van Simson (Ri 13:2, 25) die in de buurt werd begraven (Ri 16:31). Versterkt door Rechabeam (2 Kr 11:10). Joodse nederzetting na de terugkeer uit de ballingschap (Neh 11:29).

**SPARTA** (spar'ta). Hoofdstad van Lakonia in de Peloponnesos. Stadstaat van soldaten in het oude Griekenland. Lid van de Egeïsche Zeebond, maar kreeg als enige Griekse stad onafhankelijkheid van de Romeinen. Jonatan zond een brief naar de Spartanen om vriendschap en bondgenootschap (1 Mak 12:2,5,6,20,21). Sparta was bedroefd om de dood van Jonatan (1 Mak 14:16,20). De Romeinse consul Lucius zond er in 138 v.C. namens de Joden een brief heen (1 Mak 15:23).

**STAD VAN DAVID.** Andere naam voor **Jeruzalem**.

**STAD VAN MOAB.** Stad in Moab waar Balak heenging om Bileam te ontmoeten (Nu 22:36). Ligging onzeker.

**STRATO'S BURCHT.** Fenicische rede bij **Caesarea**.

**SUKKOT** (suk'kot) **1.** *T.Deir Alla?* (F6). Stad in het Jordaandal bij de monding van de Jabbok. Vóór de komst van de Hebreeërs werden hier geregeld feesten gevierd. Jakob bouwde er hutten na zijn terugkeer uit Paddan-Aram (Gn 33:17). Ingenomen door koning Sichon en toegedeeld aan Gad (Joz 13:27). Gestraft door Gideon voor de weigering om hem bij de achtervolging van de Midjanieten te helpen (Ri 8:5-6,8,14-16). Tussen Sukkot en Saretan goot Chiram bronzen vaten voor de tempel van Salomo (1 K 7:46; 2 Kr 4:17). Ook vermeld in Ps 60:8 en 108:8, waar het 'dal van Sukkot' genoemd wordt. **2.** *T.el-Maskhutah?* Stad ten oosten van de Nijldelta, mogelijk een grensvesting. Eerste plaats waar de Hebreeërs na de uittocht kwamen, nadat ze Rameses of Raämses hadden verlaten (Ex 12:37; 13:20; Nu 33:5-6).

**SUNEM** (su'nem). *Sulam* (D5). Stad aan de westelijke voet van de More. In de 15e eeuw v.C. door Thutmosis III veroverd. Vermeld in de Amarna-brieven (14e eeuw v.C.). Toegedeeld aan Issakar (Joz 19:18). Hier waren de Filistijnen gelegerd voor de slag bij de berg Gilboa, waarin Saul gedood werd (1 S 28:4). Veroverd door Sisak ca. 918 v.C. Woonplaats van een rijke vrouw (2 K 4:8) wier zoon door Elisa weer tot leven werd gewekt.

**SUR.** Kustplaats, vermeld in Jdt 2:28. Ligging onzeker.

**SUSAN** (su'san). *Shush.* Stad in Elam, in het oosten van Mesopotamië. Koningsstad van Perzië onder Darius I (522-486 v.C.) en zijn opvolgers (Neh 1:1; Est 1:2,5; 2:3,5,8; 3:15; 8:14; 9:6,11,12; Da 8:2). Alexander de Grote liet hier in 324 v.C. meer dan 10000 van zijn soldaten met inheemse vrouwen huwen. Ook vermeld in Ezr 4:9; Est 4:8,16; 8:15; 9:13,14,15,18.

**SYENE** (sye'ne). *Aswan.* Stad in Boven-Egypte bij de eerste waterval van de Nijl. In de tijd van de Bijbel aangeduid als de zuidgrens van Egypte (Ez 29:10; 30:6). Ook vermeld in Js 49:12, waar het Sinim heet.

**SYRACUSE** (syracu'se). Grieks-Romeinse havenplaats en voornaamste stad van Sicilië. Het schip van Paulus bleef hier drie dagen tijdens zijn reis naar Rome (Hnd 28:12).

# T

**TAÄNAK** (ta'anak). *T.Tinnik* (E4). Kanaänitische koningsstad aan de zuidrand van de vlakte van Jizreël. Vermeld in de stedenlijsten van Thutmosis III en andere Egyptische en Kanaänitische documenten uit de 15e en 14e eeuw v.C. De koning van Taänak wordt genoemd bij de koningen die door Jozua verslagen werden (Joz 12:21). Stad in het gebied van Issakar, toegedeeld aan Manasse (Joz 17:11; 1 Kr 7:29), die de inwoners niet kon verdrijven (Ri 1:27). Levietenstad (Joz 21:25). Plaats van gevecht tussen Sisera en Barak (Ri 5:19). In Salomo's vijfde belastingdistrict (1 K 4:12). Verwoest door Sisak ca. 918 v.C.

**TAÄNAT-SILO** (ta'anat si'lo). *Kh.Tana el-Foqa* (F5). Dorp in de heuvels van oostelijk Samaria, toegedeeld aan Efraïm (Joz 16:6).

**TABBAT** (tab'bat). *Ras Abu Tabat?* (F6). Plaats in de bergen van westelijk Gilead. Hier achtervolgde Gideon de Midjanieten (Ri 7:22).

**TABERA** (ta'bera). Plaats in de Sinaï, waar de Hebreeërs na de uittocht gelegerd waren. Ligging onzeker. Hier tartten zij God met hun geklaag, zodat hij een deel van het kamp te vuur verwoestte (Nu 11:3; Dt 9:22).

**TABOR** (ta'bor). Levietenstad in Zebulon, vermeld in 1 Kr 6:77. Ligging onzeker, maar waarschijnlijk bij de berg Tabor.

**TACHAT** (ta'chat). Plaats in de Sinaï, waar de Hebreeërs gelegerd waren na de uittocht (Nu 33:26,27). Ligging onzeker.

**TACHPANCHES** (tach'panches). *T.Dafanna.* Stad in Egypte aan de oostkant van de Nijldelta. Hier werd Jeremia, op de vlucht voor de Babyloniërs, door de Judeeërs opgenomen (Jr 43:7-9; 44:1; 46:14). Ook vermeld in Jr 2:16; Jdt 1:9, waar het Tafnas genoemd wordt.

**TADMOR** (tad'mor) **1.** Stad in de woestijn, door Salomo gebouwd (2 Kr 8:4). Mogelijk hetzelfde als **Tamar**. **2.** *Palmyra.* Oase en belangrijk handelscentrum in het noorden van de Syrische woestijn.

**TAFNAS** (taf'nas). Andere naam voor **Tachpanches** (Jdt 1:9).

**TAMAR** (ta'mar). *Ein Husb* (N5). Stad in de Araba ten zuiden van de Dode Zee. Op de grens van Juda en Edom (Ez 47:18,19; 48:28). Gebouwd door Salomo (1 K 9:18). Wellicht hetzelfde als **Tadmor 1** uit 2 Kr 8:4. Door sommigen vereenzelvigd met **Chaseson-Tamar** uit Gn 14:7.

**TAPPUACH** (tap'puach) **1.** *Sheikh Abu Zarad* (G4). Stad in het midden van Samaria. De koning van Tappuach staat op de lijst van koningen die door Jozua verslagen werden (Joz 12:17). Toegedeeld aan Efraïm (Joz 16:8; 17:8), maar het grondgebied van Tappuach was toegedeeld aan Manasse (Joz 17:7, waar het En-Tappuach wordt genoemd; 17:8). Wreed aangevallen door Menachem van

Israël (2 K 15:16, waar het Tifsach heet). In 160 v.C. door Bakchides versterkt (als Tefon uit 1 Mak 9:50 hetzelfde is als Tappuach). **2.** Stad in de Laagte, toegedeeld aan Juda (Joz 15:34). Ligging onzeker.

**TARALA** (ta'rala). *Kh.Irha?* Dorp ten noorden van Jeruzalem in het bergland van Benjamin. Toegedeeld aan Benjamin (Joz 18:27).

**TARSIS** (tar'sis). Beroemde haven, waarschijnlijk in het gebied van de Middellandse Zee (Gn 10:4; Js 23:1) of misschien aan de Rode Zee of Indische Oceaan (1 K 10:22; 22:49; 2 Kr 9:21; 20:36; Ps 72:10). Jona was op weg hierheen, toen hij door een vis verslonden werd (Jon 1:3; 4:2). Ook vermeld in 1 Kr 1:7; Ps 48:8; Js 2:16; 23:6,10,14; 60:9; 66:19.

**TARSUS** (tar'sus). Hoofdstad van Cilicië in het zuidoosten van Klein-Azië aan een belangrijke weg vanuit Mesopotamië en Syrië. Verwoest door de zeevolken in de 13e-12e eeuw v.C. Veroverd door Salmanassar III in 832 v.C., zoals vermeld op de Zwarte Obelisk, en door Sanherib in 698 v.C. Cyrus de Jongere van Perzië trok in 404 v.C. door deze plaats. In bezit gehouden door Alexander de Grote in 333 v.C. en door Antiochus IV in 170 v.C. (2 Mak 4:30). Hoofdstad van de Romeinse provincie Cilicia na 67 v.C. Hier bezocht Kleopatra in haar beroemde gouden schip in 41 v.C. Antonius. Geboorteplaats en woonplaats van Paulus (Hnd 9:11,30; 11:25; 21:39; 22:3).

**TEBES** (te'bes). *Tubas* (F5). Stad ten noorden van Sichem, waar wegen uit het binnenland samenkwamen. Hier werd Abimelek gedood (Ri 9:50; 2 S 11:21).

*Een smalle weg, 'Ladder van Tyrus genaamd', klimt langs de steile hellingen van het geweldige kustgebergte.*

**TEFON** (te'fon). Andere naam voor **Tappuach** of **Tekoa** (1 Mak 9:50).

**TEKOA** (teko'a). *Kh.et-Tequ* (I4). Stad ten zuiden van Betlehem 1 aan de rand van de woestijn van Juda tegen de westelijke flank van de heuvel Sis. Joab liet daar een wijze vrouw ophalen die David overreedde Absalom naar Jeruzalem terug te laten komen (2 S 14:2, 4, 9). Versterkt door Rechabeam (2 Kr 11:6). In de buurt versloeg Josafat een verbond van Ammonieten, Moabieten en Meünieten (2 Kr 20:20). Woonplaats van de profeet Amos (Am 1:1). Misschien versterkt door Bakchides in 160 v.C. (als Tefon uit 1 Mak 9:50 hetzelfde is als Tekoa). Diende eerst als joodse, later als Romeinse basis in de Eerste Joodse Opstand (66-70). Ook vermeld in 2 S 23:26; 1 Kr 11:28; 27:9; Jr 6:1.

**TEL-ABIB** (tel' abib'). Stad in Babylonië, waar in het begin van de 6e eeuw v.C. ballingen uit Juda woonden (Ez 3:15). Ligging onzeker.

**TELAÏM** (tela'im). Stad bij Zif in het oosten van Juda. Ligging onzeker. Toegedeeld aan Juda (Joz 15:24, waar het Telem heet). Hier verzamelde Saul zijn legers voor de strijd tegen de Amalekieten (1 S 15:4).

**TELASSAR** (telas'sar). Stad, door Assyrië veroverd (2 K 19:12; Js 37:12). Ligging onzeker, maar misschien in het noorden van Mesopotamië.

**TEL-CHARSA** (tel char'sa). Onbekende stad in Babylonië, van waaruit ballingen terugkeerden (Ezr 2:59; Neh 7:61).

**TELEM** (te'lem). Andere naam voor **Telaïm** (Joz 15:24).

**TEL-MELACH** (tel me'lach). Onbekende stad in Babylonië, van waaruit ballingen terugkeerden (Ezr 2:59; Neh 7:61).

**TERACH** (te'rach). Plaats in de Sinaï, waar de Israëlieten na de uittocht gelegerd waren (Nu 33:27,28). Ligging onzeker.

**TESSALONICA** (tessalo'nica). *Saloniki.* Stad in Macedonië aan de via Egnatia. In de Hellenistische periode gesticht als haven en handelscentrum. Hoofdstad van de Romeinse provincie Macedonia. Tijdens zijn tweede reis onderrichtte Paulus hier drie weken (Hnd 17:1,11,13); later schreef hij brieven aan de kerk van deze plaats (1 en 2 Tes). Ook vermeld in Hnd 27:2; Fil 4:16; 2 Tim 4:10.

**TIBCHAT** (tib'chat). Andere naam voor **Betach** (1 Kr 18:8).

**TIBERIAS** (tibe'rias). *Tabariya* (C6). Stad op de westelijke oever van het meer van Galilea. Een van de belangrijkste steden van Galilea in de Romeinse tijd. Gebouwd bij natuurlijke warme bronnen en in 18 door Herodes Antipas aangewezen als hoofdstad in de plaats

van Sepforis. Genoemd naar keizer Tiberius. Het meer van Galilea werd bekend als zee of meer van Tiberias (Joh 6:1; 21:1). Ook vermeld in Joh 6:23.

**TIFSACH** (tif'sach) **1.** *Dibse.* Stad aan de rivier de Eufraat in Mesopotamië. Noordoostgrens van het koninkrijk van Salomo (1 K 4:24). **2.** Het is een andere naam voor **Tappuach 1** (2 K 15:16).

**TIMNA** (tim'na) **1.** *T.el-Batashi* (I3). Stad in het Sorekdal in de Laagte, op de grens met Juda. Toegedeeld aan Dan (Joz 15:10; 19:43). De Danieten konden de Amorieten niet verdrijven. Hier dong Simson naar de hand van een Filistijnse vrouw (Ri 14:1,2,5). Ingenomen door de Filistijnen ten tijde van koning Achaz van Juda, 735-715 v.C. (2 Kr 28:18). Veroverd door Sanherib in 701 v.C. **2.** *Kh.Tibnah* (I3). Dorp ten zuidwesten van Jeruzalem in het bergland van Juda. Toegedeeld aan Juda (Joz 15:57). Mogelijk hetzelfde als Timna uit Gn 38:12,13,14.

**TIMNATA** (tim'nata). Andere naam voor **Timnat-Serach** (1 Mak 9:50).

**TIMNAT-CHERES** (tim'nat che'res). Andere naam voor **Timnat-Serach** (Ri 2:3).

**TIMNAT-SERACH** (tim'nat se'rach). *Kh.Tibneh* (G3). Dorp in het bergland van Efraïm in het zuidwesten van Samaria aan een belangrijke weg van de kust naar Jeruzalem. Geschonken aan Jozua, die hier werd begraven (Joz 19:50; 24:30; Ri 2:9, waar het Timnat-Cheres heet). In 160 v.C. door Bakchides versterkt (1 Mak 9:50, waar het Timnata genoemd wordt). De plaats werd veroverd door Vespasianus in de Eerste Joodse Opstand (66-70).

**TIRSA** (tir'sa). *T.el-Farah* (F5). Kanaänitische koningsstad aan de westkant van de wadi Farah. De koning van Tirsa werd door Jozua verslagen (Joz 12:24). Hier stierf de zoon van Jerobeam (1 K 14:17). Waarschijnlijk door Sisak aangevallen ca. 918 v.C. Koning Basa verbleef er (1 K 15:21,33) en werd er begraven (1 K 16:6). Koning Ela werd hier vermoord door Zimri (1 K 16:8, 9), die zeven dagen regeerde tot hij in 876 v.C. door Omri ten val werd gebracht (1 K 16:15,17). Omri maakte na zes regeringsjaren Samaria tot hoofdstad in plaats van Tirsa (1 K 16:23). Menachem trok vanuit deze plaats ten strijde tegen koning Sallum van Israël (2 K 15:14,16). In 721 v.C. door de Assyriërs verwoest. Ook vermeld in Hl 6:4.

**TISBE** (tis'be). *Listib?* (E6). Dorp in de wadi Yabis in het westen van Gilead bij het Jordaandal. Woonplaats van Elia (1 K 17:1), die bekend was als Elia de Tisbiet (1 K 17:1; 21:17, 28; 2 K 1:3,8; 9:36).

**TOKEN** (to'ken). Dorp in de Negeb, toegedeeld aan Simeon (1 Kr 4:32). Ligging onzeker.

**TOLAD** (to'lad). Andere naam voor **Eltolad** (1 Kr 4:29).

**TRES TABERNAE** (tres taber'nae). Pleisterplaats aan de via Appia ten zuiden van Rome, waar christenen van Rome Paulus kwamen begroeten (Hnd 28:15).

**TRIPOLIS** (tri'polis). *Tarabulus.* Haven aan de Syrische kust. Belangrijke stad in Hellenistische tijden. Griekse huurlingen, in dienst van het Perzische leger, roofden hier boten na de slag bij Issus in 333 v.C. In 161 v.C. doodde Demetrius I hier Antiochus V en Lysias (2 Mak 14:1). Door Pompejus ca. 63 tot vrije stad gemaakt. Verfraaid door Herodes de Grote.

**TROAS** (tro'as). Grieks-Romeinse haven in Mysië aan de noordwestkust van Klein-Azië. In de Hellenistische periode door een van de

**TYRUS** (ty'rus). *es-Sur* (A4). Fenicische stad op een eiland voor de Syrische kust. Een van de belangrijkste handelscentra voor de Middellandse Zee vanaf ca. 13e eeuw v.C. tot de tijd van de Romeinen. Vermeld in de Amarna-brieven (ca. 14e eeuw v.C.). Koning Chiram van Tyrus zond werklieden en materialen naar Jeruzalem voor het paleis van David (2 S 5:11; 1 Kr 14:1) en voorzag Salomo van werklui en materialen voor zijn grootse bouwwerken (1 K 5:1; 9:11; 2 Kr 2:3,11,14). Chiram van Tyrus maakte de koperen voorwerpen voor de tempel van Salomo (1 K 7:13,14). Zeelieden uit deze plaats bemanden de Rode-Zeevloot van Salomo. Psalmisten en profeten deden godsspraken over Tyrus (Ps 45:13; 83:8; Js 23:1-17; Jr 25:22; 27:3; 47:4; Ez 26:2-7,15; 27:2,3,32; 28:2,12; 29:18; Jl 3:4; Am 1:9,10; Zach 9:2,3). Betaalde belasting aan de Assyrische koningen Assurnasirpal II ca. 875 v.C. en Salmanassar II in 841 v.C. Weerstond

**UR**. *el-Muqeiyar.* Stad in Sumer in het zuiden van Mesopotamië. Een van de oudste steden ter wereld. Ur der Chaldeeën was de woonplaats van Abraham (Gn 11:28, 31; 15:7; Neh 9:7). Ook vermeld in 1 Kr 11:35.

**UZZEN-SEËRA**. Dorp bij Bet-Choron. Ligging onzeker. Gebouwd door Seëra, dochter van Efraïm (1 Kr 7:24).

**ZANOACH** (zano'ach) 1. *Kh.Zanu* (I3). Dorp in het midden van de Laagte, toegedeeld aan Juda (Joz 15:34). Joodse nederzetting na de terugkeer uit de ballingschap (Neh 3:13; 11:30). 2. *Kh.Zanuta?* (K4). Dorp in het zuidelijke bergland van Juda, toegedeeld aan Juda (Joz 15:56).

*De besneeuwde top van de Hermon, met zijn 2814 m het hoogste punt van het Heilige Land, rijst hoog op boven een dorp.*

generaals van Alexander de Grote gesticht. Voornaamste stad van de streek ten tijde van de Romeinen. Paulus had hier een visioen dat hem naar Macedonië deed oversteken tijdens zijn tweede reis (Hnd 16:8, 11). Paulus bezocht het op zijn derde reis (Hnd 20:5, 6). Sommigen denken dat in 2 Kor 2:12 wordt gezinspeeld op nog een bezoek aan Troas tijdens de derde reis van Paulus.

**TYATIRA** (ty'ati'ra). *Akhisar.* Stad in het oude Lydië in de Lykusvallei in westelijk Klein-Azië. Opnieuw als Griekse stad gesticht onder de Seleuciden in de 3e eeuw v.C. Het werd een belangrijk industriecentrum. Paulus' eerste bekeerling in Europa, Lydia, kwam uit deze plaats (Hnd 16:14).

met succes Assyrische belegeringen door Tiglatpileser III en Salmanassar V in de 8e eeuw v.C. en een dertienjarige belegering door Nebukadnessar in de 6e eeuw v.C. Alexander de Grote bouwde een dam naar het eiland om de verovering van de stad in 332 v.C. te vergemakkelijken. Vrije stad onder Pompejus ca. 63 v.C. Joodse atleten, die hier een wedkamp hielden, schonken geld om galeien te bouwen in plaats van het aan Herakles te offeren (2 Mak 4:18). Paulus verbleef er zeven dagen op zijn terugweg naar Jeruzalem tijdens zijn derde reis (Hnd 21:3,7). Ook vermeld in Joz 19:29; 2 S 24:7; 1 K 9:12; Neh 13:16; Ps 87:4; 1 Mak 5:15, waar het Tyris heet; 2 Mak 4:32,44; Mt 11:21,22; 15:21. Mc 3:8; 7:24, 31; Lc 6:17; 10:13,14; Hnd 12:20.

**ZIF** 1. *Kh.ez-Zeifa* (L5). Dorp in de Negeb, toegedeeld aan Juda (Joz 15:24). 2. *T.Zif* (J4). Stad in Juda ten zuidoosten van Hebron. Toegedeeld aan Juda (Joz 15:55). Inwoners vertelden Saul dat David zich in de nabijgelegen woestijn verborgen hield (1 S 23:14,24; 26:2; Ps 54:2). De plaats is op een gegeven moment versterkt door Rechabeam.

**ZIFRON** (zif'ron). Onbekende plaats aan de noordgrens van Kanaän (Nu 34:9).

**ZOAN** (zo'an). Andere naam voor Raämses of **Rameses** (Js 30:4).

**ZOUTSTAD**. Andere naam voor **Ir-Hammelach**.

# Historisch overzicht van de bijbelse tijd

| (jaar) | EGYPTE | HEILIGE LAND | ZUID-MESOPOTAMIË |
|---|---|---|---|
| 3000 | Narmer verenigt Boven- en Beneden-Egypte. | | Opkomst van Sumerische stadstaten: Sumer, Akkad, Ur. |
| | Oude Rijk, ca. 2664-2180; bouw van de piramiden van Gizeh tijdens de 4e dynastie, ca. 2614-2502. | Byblos, Fenicische stadstaat, drijft handel met Egypte. | Vroege Sumerische dynastieën, ca. 2850-2360. |
| 2500 | | | Sargon maakt Mesopotamië tot een eenheid; sticht het rijk van Akkad, ca. 2360-2180. |
| 2000 | Middenrijk ca. 2052-1786. _Piramiden van Gizeh_ | Abraham komt in het land van Kanaän aan; Isaak, Jakob, Jozef. | Guteeërs vallen Mesopotamië binnen. Derde dynastie van Ur, ca. 2060-1950; bouw van de ziggurat van Ur. Binnentrekkende Amorieten vestigen dynastie in Babylon, 1830. |
| 1800 | Heerschappij van de Hyksos, ca. 1700-1550. | | Hammurabi herenigt Mesopotamië, uitvaardiging van een Babylonisch wetboek. |
| 1600 | Nieuwe Rijk, ca. 1554-1075. Thutmosis III, ca. 1490-1436; wint de slag bij Megiddo, ca. 1469; verovert het noorden van Syrië op Mitanni. | | Kassieten heersen over Babylonië. |
| 1400 | Achnaton, ca. 1366-1349, aanbidt één god; wordt opgevolgd door Toetanchamon, ca. 1348-1339. Seti I, ca. 1305-1290, Ramses II, ca. 1290-1224, breiden Egypte naar het noorden uit. | Mozes leidt de uittocht van de Joden uit Egypte. Jozua valt Kanaän binnen. Opkomst van Fenicische stadstaten, ca. 1200. | Opkomst van Assyrië. _Hammurabi ontvangt de wet_ |
| 1200 | Ramses III, 1183-1152, verslaat de zeevolken. | Filistijnen vestigen zich in de kustvlakte. Tijdperk van de Rechters. Saul uitgeroepen tot de eerste koning van Israël, ca. 1020. | Tiglatpileser I vestigt het Assyrische Rijk. |
| 1000 | _Assyrische strijdwagen_ | David heerst over Juda, ca. 1000-993; verovert Jeruzalem en regeert over het verenigd koninkrijk Israël, ca. 993-961. Salomo, ca. 961-922. Scheuring van het rijk, ca. 922. | Periode zonder machtsvertoon van Assyrië. |
| 900 | Libische dynastie, ca. 935-725. Sisak, ca. 935-914. | Het geslacht Omri heerst over Israël, 876-842. Opstand van Jehu, 842. Salmanassar III valt Syrië en Israël binnen. Bloeiperiode van Israël onder Jerobeam II, 786-746, en van Juda onder Uzzia, 783-742. | Salmanassar III, ca. 859-825, tracht het rijk uit te breiden; zijn heerschappij eindigt in een opstand. |
| 800 | | Assyriërs veroveren Samaria; einde van het koninkrijk Israël, 721. Sanherib valt Juda aan, 701. | Tiglatpileser III herstelt de macht van Assyrië, 745. |
| 700 | Assyrië verovert Egypte, ca. 664; Saïsdynastie, ca. 664-525. | | |
| 600 | Cambyses van Perzië verovert Egypte, Eerste Perzische Overheersing, 525-404. | Babyloniërs nemen Jeruzalem in; einde van het koninkrijk Juda, 587. Edict van Cyrus, 538; Joden keren terug naar het Heilige Land, Nehemia bouwt de tempel, Ezra vaardigt de wet uit. | Dynastie der Chaldeeën in Babylon, 626-539. Babyloniërs veroveren Ninevé, 612; einde van het Assyrische rijk. Perzen overwinnen de Babyloniërs, 539. |
| 500 | | | |
| 400 | Tweede Perzische Overheersing, 341-332. Alexander verovert Egypte, sticht Alexandrië, 332. Begin van de heerschappij van de Ptolemeeën. | Alexander verovert Tyrus op zijn tocht naar Egypte, 332. | Alexander de Grote verslaat de Perzen bij Issus, 333, en bij Gaugamela, 331; einde van het Perzische rijk. Op zijn terugtocht uit Indië, sterft Alexander in Babylon, 323. Generaals van Alexander verdelen het rijk, heerschappij van de Seleuciden over Mesopotamië. |
| 300 | | Vier Syrische oorlogen, 276-217; machtsstrijd tussen de Seleuciden en Ptolemeeën om de heerschappij over Syrië en Fenicië. Slag bij Paneas, 198; Seleuciden regeren het H. Land. Begin van de opstand der Makkabeeën, 167. | |
| 200 | Antiochus IV valt Egypte binnen, 168; wordt door de Romeinen tot staan gebracht. | Johannes Hyrkanus II, hogepriester, 134-104. Heerschappij van de Hasmoneeën over Judea, 104-37. Pompejus verovert Jeruzalem, vestigt de heerschappij van de Romeinen over het Heilige Land, 63. Inval van de Parten; zetten Antigonus II op de troon 40-37. Herodes de Grote, 37 v.C.-4 n.C. Leven van Jezus, ca. 7 v.C.-29 n.C. | |
| 100 | | | _Alexander de Grote_ |
| 0 | Julius Caesar stelt de troon veilig voor Kleopatra, 48. | | |
| 100 | _Kleopatra_ | Pontius Pilatus, landvoogd van Judea, 26-36. Begin van de reizen van Paulus, ca. 44; naar Rome gevoerd, 60, waar hij de martelddood sterft. Eerste Joodse Opstand tegen Rome, 66-73. Tweede Joodse Opstand (Bar Kochba) tegen Rome, 132-135; eindigt in een algehele Romeinse overwinning; verspreiding van de Joden. | |

| NOORD-MESOPOTAMIË EN KLEIN-AZIË | GRIEKENLAND EN DE EGEÏSCHE EILANDEN | ROME EN HET WESTEN VAN DE MIDDELLANDSE ZEE | |
|---|---|---|---|
| | | | 3000 |
| Stichting van Troje. | | | |
| | | | 2500 |
| Hittieten vestigen zich in Anatolië. | Opkomst van het Minoïsche zeerijk op Kreta. | | |
| | | | 2000 |
| *Hittitische strijdwagen* | *Kretensische slangengodin* | | 1800 |
| Hurrieten stichten het koninkrijk Mitanni. | Vulkaanuitbarsting vernietigt beschaving op Kreta, ca. 1470; mogelijk bron van de Atlantis-legende. | | 1600 |
| | | | 1400 |
| Slag bij Kades, ca. 1286. Hittieten en Egypte verdelen Syrië. Val van Troje, ca. 1250. | Zeevolken verwoesten Mykeense beschaving. | | |
| | | | 1200 |
| | | *Romulus en Remus, legendarische stichters van Rome* | 1000 |
| | *Gouden masker uit Mykene* | | 900 |
| Slag bij Qarqar, 853; verbond van koningen belet Assyriërs naar het zuidwesten op te rukken. | | Feniciërs stichten Karthago op de kust van Noord-Afrika, 814. | |
| | Eerste Olympische spelen, 776. | Legendarische stichting van Rome, 753. | 800 |
| | *Griekse discuswerper* | | 700 |
| Meden heersen over Noord-Mesopotamië, 625-550. | | Etruskische koningen heersen over Rome. | |
| | | | 600 |
| Lydische rijk op zijn hoogtepunt. Cyrus van Perzië verslaat de Meden, 550; Lydiërs, 547; Perzische heerschappij over Klein-Azië. | | Stichting van de Romeinse republiek, 509. | |
| | | | 500 |
| | Grieken verslaan de Perzen bij Marathon, 490; Thermopylae, Salamis, 480. Griekse gouden eeuw. | | |
| | | | 400 |
| Heerschappij van de Antigoniden over Klein-Azië, Macedonië. | | | |
| | | | 300 |
| | | Eerste Punische Oorlog tussen Rome en Karthago, 264-241. Hannibal trekt over de Alpen aan het begin van de Tweede Punische Oorlog, 218-201. | |
| | | | 200 |
| Rome verslaat Antiochus III de Grote bij Magnesia, 190. | Rome verovert Macedonië, 168. | Karthago door Rome verwoest aan het einde van de Derde Punische Oorlog, 149-146. | |
| | | Julius Caesar verovert Gallië en Brittanië, 58-51. | 100 |
| | Octavianus verslaat Antonius en Kleopatra in de zeeslag bij Actium, 31. | Caesar, Crassus, Pompejus vormen het eerste triumviraat, 60. Caesar vermoord, 44. Tweede triumviraat, 43. Regering van Octavianus als Augustus, 27 v.C.-14 n.C. Regeringen van Tiberias, 14-37; Caligula, 37-41; Claudius, 41-54. | 0 |
| *Romeins oorlogsschip voor Actium* | | Regering van Nero, 54-68; vervolging van de christenen na de brand van Rome, 64. Regeringen van Vespasianus, 69-79; Titus, 79-81. Vervolging van de christenen bereikt een hoogtepunt onder de regering van Diocletianus, 284-305. | 100 |
| | | Constantinus wint de slag bij de Pons Milvius, 312; afkondiging van het Edict van Milaan, 313. | |

# De boeken van de Bijbel,

## met de apocriefe of deuterocanonieke boeken

De oorspronkelijke Hebreeuwse Bijbel bestaat uit 24 boeken: Thora of Wet (5 boeken), Profeten (8 boeken) en Geschriften (11 boeken). Dezelfde boeken vormen in een andere rangschikking en verdeeld over 39 boeken het protestantse Oude Testament. Het katholieke Oude Testament bevat, in een andere volgorde, eveneens deze 39 boeken, maar bovendien de 7 boeken die in de lijst cursief zijn gedrukt. Het Grieks-orthodoxe Oude Testament volgt de katholieke versie met nog enkele aanvullingen. Deze werken worden deuterocanoniek genoemd, omdat ze later aan de canon van de Heilige Schrift zijn toegevoegd. In de protestantse Bijbel worden deze boeken gewoonlijk niet opgenomen; soms vormen ze een apart gedeelte, apocriefen, dat dan meestal tussen het Oude en het Nieuwe Testament wordt geplaatst.

Het Nieuwe Testament in katholieke, protestantse en orthodoxe Bijbels bestaat uit 27 boeken. Het laatste boek wordt in katholieke uitgaven Apokalyps, in protestantse versies Openbaring van Johannes genoemd. De afkortingen van de bijbelboeken die in deze uitgave worden gehanteerd, zijn ontleend aan de Lijst van bijbelse persoons- en plaatsnamen, opgesteld in opdracht van de Katholieke Bijbelstichting en het Nederlands Bijbelgenootschap.

| | | | | | |
|---|---|---|---|---|---|
| Am | Amos | Job | Job | Nah | Nahum |
| *Az* | *Gebed van Azarja en Lofzang van de drie Jonge Mannen (toevoegingen bij Daniël).* | Joh | Evangelie van Johannes | Neh | Nehemia |
| | | 1 Joh | 1e Brief van Johannes | Nu | Numeri |
| | | 2 Joh | 2e Brief van Johannes | Ob | Obadja |
| *Bar* | *Baruch* | 3 Joh | 3e Brief van Johannes | Op | Openbaring/Apokalyps |
| *Bel* | *Bel en Slang (toevoeging bij Daniël)* | Jon | Jona | 1 Pe | 1e Brief van Petrus |
| Da | Daniël | Joz | Jozua | 2 Pe | 2e Brief van Petrus |
| Dt | Deuteronomium | Jr | Jeremia | Pr | Prediker |
| Ef | Brief aan de Efeziërs | Js | Jesaja | Ps | Psalmen |
| Est | Ester *(met toevoegingen)* | Jud | Brief van Judas | Ri | Richteren/Rechters |
| Ex | Exodus | 1 K | 1 Koningen | Rom | Brief aan de Romeinen |
| Ez | Ezechiël | 2 K | 2 Koningen | Rt | Ruth |
| Ezr | Ezra | Kl | Klaagliederen van Jeremia | 1 S | 1 Samuël |
| Fil | Brief aan de Filippenzen | Kol | Brief aan de Kolossenzen | 2 S | 2 Samuël |
| Film | Brief aan Filemon | 1 Kor | 1e Brief aan de Korintiërs | Sef | Sefanja |
| Gal | Brief aan de Galaten | 2 Kor | 2e Brief aan de Korintiërs | *Sir* | *De wijsheid van Jezus Sirach* |
| Gn | Genesis | 1 Kr | 1 Kronieken | Spr | Spreuken |
| Hab | Habakuk | 2 Kr | 2 Kronieken | *Sus* | *Susanna (toevoeging bij Daniël)* |
| Hag | Haggai | Lc | Evangelie van Lucas | 1 Tes | 1e Brief aan de Tessalonicenzen |
| Heb | Brief aan de Hebreeën | Lv | Leviticus | 2 Tes | 2e Brief aan de Tessalonicenzen |
| Hl | Hooglied | *1 Mak* | *1 Makkabeeën* | 1 Tim | 1e Brief aan Timoteüs |
| Hnd | Handelingen van de Apostelen | *2 Mak* | *2 Makkabeeën* | 2 Tim | 2e Brief aan Timoteüs |
| Hos | Hosea | Mal | Maleachi | Tit | Brief aan Titus |
| Jak | Brief van Jakobus | Mc | Evangelie van Marcus | *Tob* | *Tobit* |
| *Jdt* | *Judit* | Mi | Micha | *W* | *De wijsheid van Salomo* |
| Jl | Joël | Mt | Evangelie van Matteüs | Zach | Zacharia |

# Op reis in Israël

Eeuwen voor er ook maar sprake was van het moderne toerisme, met zijn cruises en chartervluchten, zijn uit alle delen van de wereld mensen te voet, te paard en met schepen naar het land van de Bijbel getrokken. De eerste Jeruzalemvaarders waren joden, die na de Babylonische gevangenschap (587-538 v.C.) als diasporagemeenschap in Mesopotamië waren achtergebleven. Ook uit de joodse gemeenschappen die in de Griekse gebieden en later in het gehele Romeinse Rijk ontstonden, kwamen op de jaarlijks terugkerende feestdagen pelgrims naar de tempel in Jeruzalem. Het krioelde er niet voor niets van geldwisselaars die het iedere bedevaartganger mogelijk maakten zijn halve sikkel tempelbelasting te betalen. De psalmen 120-134 behelzen waarschijnlijk een gezangboek voor zulke bedevaarten. Jeruzalem en het Beloofde Land bleven ook na de verwoesting van de tempel en de verstrooiing van het volk in de harten van de joden leven. Eenlingen en groepen getroostten zich de grootste ontberingen om tenminste één keer in hun leven biddend bij de westelijke muur te staan, te treuren om het verlies van de tempel en te smeken om de terugkeer naar het land van de vaderen. Velen namen een zakje aarde mee om het bij hun begrafenis in vreemde grond onder hun hoofd te laten leggen.

Na de reis van keizerin-moeder Helena naar Jeruzalem in 326 werden de plaatsen uit het leven van Jezus, en Jeruzalem als de plek waar Hij stierf en uit de dood opstond, ook het doel van christelijke bedevaarten. Talloze reis- en dagboeken maken er melding van. De lange rij begint met de kroniek van de Pelgrim van Bordeaux, die in 333 naar het Heilige Land trok. Met de aantekeningen van Mark Twain, die in 1867 van de Verenigde Staten uit deelnam aan de eerste 'groepsreis naar Europa en het Heilige Land', belanden we in het tijdperk van het moderne toerisme.

Met de verovering van Jeruzalem door kalief Omar in 638 werd de stad ook een bedevaartsoord voor moslims. Kalief Harun ar-Rasjid (786-809) gaf keizer Karel de Grote toestemming een pelgrimsherberg te bouwen en stuurde hem de sleutel van de Heilig-Grafkerk. Pas de wandaden van de geestelijk gestoorde Fatimiedenkalief al-Hakim die in 1009 de Heilig-Grafkerk liet verwoesten, en de heerschappij van de

Seltsjoeken die vanaf 1071 christelijke bedevaarten verboden, waren aanleiding tot de eerste kruistocht en tot de bijna 200-jarige heerschappij van Europese ridders.

Bij de niet aflatende stroom van joodse, christelijke en mohammedaanse pelgrims voegden zich in de 19e eeuw steeds meer joodse immigranten. Talloze christelijke kerken en sekten stichtten in het Heilige Land godsdienstige instituten. Deze ontwikkelingen zetten zich voort onder het Britse bestuur van 1917 tot 1948. Na de stichting van de staat Israël in 1948 werden de natuurgebieden, de kunstschatten en de historische plaatsen van het land eerst goed voor het moderne toeristenverkeer ontsloten.

De huidige toerist komt meestal aan op de luchthaven Ben Goerion te Lod of in de haven van Haifa. Ook is het tegenwoordig mogelijk vanuit Egypte over land naar Israël te reizen. Wie niet tot een reisgezelschap behoort, kan van een eigen auto of van een huurauto gebruik maken. Het land heeft uitstekende busverbindingen, en vanuit Tel Aviv is het mogelijk per trein naar Jeruzalem te reizen en langs de kust tot aan Nahariyya. Logeren kan men, behalve in hotels van alle categorieën, ook in de goed geleide gastenverblijven van vele kibbuzim en in christelijke hospitia. Bovendien telt het land talrijke campings. In joodse hotels en herbergen wordt koosjer gekookt (volgens de bijbelse spijswetten). De sabbat is een rustdag die ook in het openbaar vervoer in acht wordt genomen. Met het oog op de grote klimaatverschillen tussen de verschillende delen van het land en de diverse seizoenen, zijn lente en herfst de beste tijden voor een bezoek. De officiële talen in Israël en de bezette gebieden zijn Hebreeuws (Ivriet) en Arabisch. Bovendien spreekt men allerwegen Engels en vaak ook Duits. Toeristische informatie is verkrijgbaar bij het Israel Government Tourist Office (IGTO), Rehov Hamelekh George 24, Jeruzalem, en in eigen land bij het Israëlisch Nationaal Verkeersbureau, Wijde Kapelsteeg 2 in Amsterdam.

De hierna beschreven reis begint in Tel Aviv en eindigt te Eilat aan de Rode Zee. Ze voert langs de meeste bijbelse en andere historische plaatsen in het tegenwoordige Israël en de bezette gebieden. Op deze reis maakt de lezer kennis met het land van de Bijbel zoals het er heden ten dage uitziet.

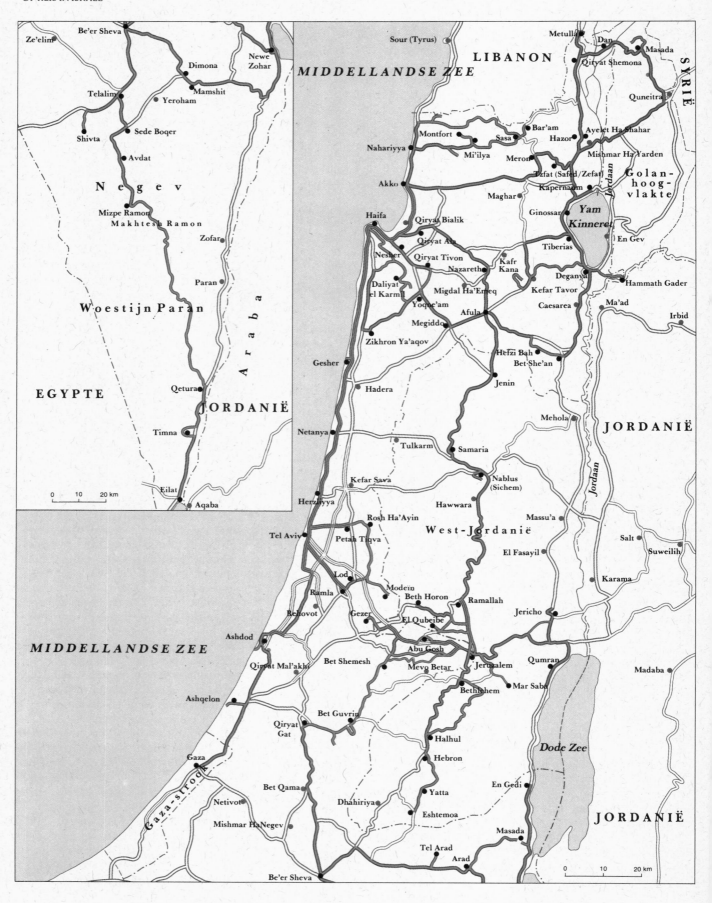

# Tel Aviv - Yafo

Wie per vliegtuig naar Israël reist, ziet kort voor de landing de kustlijn verschijnen en vervolgens de straten, de huizen en de pleinen van een grote, moderne stad. 's Nachts scheert het toestel over een zee van flonkerend licht. Dat is **Tel Aviv**.

In 1909 stichtte een groep joodse inwoners van Jaffa op de zandduinen ten noorden van de oude stad een nieuwe woonwijk, die ze Tel Aviv noemde, 'heuvel van de lente'. Dat was de titel van de Hebreeuwse uitgave van de utopische roman *Altneuland* van Theodor Herzl. Overigens was het ook de naam van een van de plaatsen waar tijdens de Babylonische gevangenschap joden hadden gewoond (→ Tel-Abib*).

Tel Aviv ontwikkelde zich snel tot het belangrijkste geestelijke, economische en politieke centrum van het joodse leven in het Heilige Land; momenteel tellen de stad en haar buitenwijken bijna een miljoen inwoners.

Op het oude JOODSE KERKHOF[1] bevinden zich de graven van de zionistenleiders Max Nordau, Achad Ha'am en Chaim Arlossoroff en van de dichters Chaim Nachman Bialik en Sjaoel Tsjernichowsky. In hetzelfde stadsgedeelte kan een bezoek worden gebracht aan het HISTORISCH MUSEUM van Tel Aviv en aan het BIALIKHUIS[2]. In BET DIZENGOFF[3] las David Ben Goerion op 14 mei 1948 de Israëlische onaf-

hankelijkheidsverklaring voor. Tegenwoordig heet het huis *Bet Tannach* en herbergt het een bijbelmuseum. Het exposeert artistieke uitbeeldingen van bijbelse onderwerpen, zeldzame bijbeluitgaven en -vertalingen en modellen van de tweede tempel. In de tegenwoordige OPERA[4] aan de strandboulevard vonden eens de eerste zittingen plaats van een onafhankelijk Israëlisch gerechtshof en van het Israëlische parlement, de Knesset. Het HAGANAH-MUSEUM[5] houdt de herinnering levend aan de militaire verzetsorganisatie van de joodse bewoners van Palestina tijdens het Britse mandaatsbestuur.

Dit oudste deel van Tel Aviv wordt doorsneden door de Allenby- en de Herzlstraat. Deze laatste, de vroegere hoofdstraat, loopt van MIGDAL SHALOM (Vredestoren), de eerste wolkenkrabber van de stad[6] naar het zuiden, in de richting van Jaffa. De Migdal Shalom staat op het hoogste punt van de toenmalige stad. Vanaf het uitzichtplatform heeft men een schitterend gezicht op de omgeving. Van 1909 tot 1959 stond hier het Herzliyagymnasium, de eerste profane onderwijsinstelling van het land waar alle vakken in het Hebreeuws werden gegeven.

Tot het moderne centrum van Tel Aviv ten noorden van de Migdal Shalom behoren de chique Dizengoffstraat en de Ibn-Gvirolstraat. Op het punt waar ze bijeenkomen, verrees de HEIKHAL HATARBUT[7], een cultureel centrum waarvan onder andere deel uitma-

ken het HELENA-RUBINSTEINPAVILJOEN voor moderne kunst, het FREDERIC-MANN AUDITORIUM (een feestelijke concerthal) en de rotonde van het Israëlische Nationale Theater HABIMAH, dat in 1928 werd gesticht door een joodse toneelgroep uit Moskou, die tijdens een toernee besloot zich in Tel Aviv te vestigen. Ten oosten van de Ibn-Gvirolstraat zijn veel huizen bewaard gebleven van de Duitse agrarische nederzetting Sarona, die meer dan honderd jaar geleden werd gesticht door leden van de protestantse Tempeliersorde uit Württemberg. De boulevard en het strand van Tel Aviv zijn van de stad afgeschermd door een lange reeks hoteltorens.

De zee in het westen, de hoogte van het oude centrum van Jaffa in het zuiden en de loop van de Yarkon in het noorden vormden tot in de jaren vijftig de natuurlijke grenzen van Tel Aviv. In bijbelse tijden was de Yarkon (*Jarkon*) de grensrivier tussen het land van de Filistijnen en het gebied van de stam Efraïm. Tegenwoordig liggen in het dal van de Yarkon een groot stadspark, een tentoonstellingsterrein en een sportcentrum.

Bij opgravingen op TEL QASILE, ten noorden van de Yarkon langs de weg naar Haifa, zijn twaalf nederzettingslagen blootgelegd. Daarbij trof men resten aan van een Filistijnentempel en sporen van een havenstad uit de tijd van koning Salomo. Op de tell (= heuvel) verheft zich tegenwoordig het gebouwencomplex van het HA'ARETZMUSEUM[8], met

*Dit straattoneeltje zou zich ook ergens in het westen kunnen afspelen. Alleen aan het Hebreeuwse opschrift is te zien dat we in Israël zijn, in Tel Aviv.*

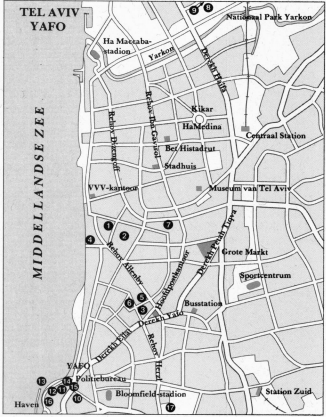

onder andere afdelingen voor glas (bijzonder de moeite waard), keramiek, koper en een bijzonder rijke verzameling munten en een bijzonder rijke documentatie over het ontstaan van het alfabet.

Nog verder naar het noorden ligt de UNI-VERSITEIT van Tel Aviv, met het museum BETH-HATEFUTZOTH (Huis van de Diaspora), dat gewijd is aan de geschiedenis van het joodse volk in de verstrooiing[9].

In het zuiden wordt Tel Aviv begrensd door het schilderachtige silhouet van **Jaffa** (Yafo), dat gebouwd is op een in zee uitstekende heuvel. Jaffa, het bijbelse *Jafo** of *Joppe*, is tegenwoordig een voorstad van Tel Aviv en een populair doel van uitstapjes. De Turkse huizen met hun steeds weer verrassende binnenhoven, gelegen in een wirwar van smalle straatjes, zijn tegenwoordig voor het merendeel in gebruik als galerie, atelier, café, restaurant en nachtclub. Evenals de grote VLOOIENMARKT trekt dit modern-romantische kunstenaarskwartier vrijwel dag en nacht toeristen en stadsbewoners aan[10]. Een geheel andere wereld opent zich voor de reiziger die in de buurt van de haven een bezoek brengt aan het ARCHEOLOGISCH MUSEUM[11] of naar de top van de heuvel klimt, waar op de fundamenten van een kruisvaardersburcht het FRANCISCANENKLOOSTER [12] en de ST.-PETRUSKERK (1654) werden gebouwd. Van hier kijkt men neer op de haven, die tot de oudste ter wereld wordt gerekend. Zowel Grieken als joden geloofden dat ze in een mythische oertijd tot stand kwam en dat bij de grondvesting ervan, kort na het einde van de zondvloed, òf Iapho, de dochter van de windgod Aeolus, òf Jafet, de zoon van Noach een rol zou hebben gespeeld. Een deel van de natuurlijke rotswand, die de haven beschut, draagt de naam ANDRO-MEDAROTSEN[13]. Op die plaats werd volgens de Griekse sage op bevel van het orakel van Hammon de maagd Andromeda vastgebonden als offer voor een zeemonster.

Jaffa was tot in deze eeuw voor joodse en christelijke pelgrims een mijlpaal op de weg naar Jeruzalem. De kruisvaarders lieten de stad opnieuw versterken, de Mamelukken verwoestten haar weer. Pas in de 17e eeuw kregen de franciscanen als eerste christelijke gemeenschap toestemming er zich opnieuw te vestigen. In 1799 werd de stad ingenomen door Napoleon. De meeste bewaard gebleven Turkse stadsdelen stammen uit het begin van de 19e eeuw. In die tijd haalden de bewoners van Jaffa hun bouwmateriaal uit het antieke Askelon. Op de binnenplaats van de GROTE MOSKEE[14] zijn nog zuilen te zien die, nadat ze waren ingekort, omgekeerd werden opgesteld. De KLOKKETOREN[15] bij de moskee werd in 1906 gebouwd.

De grote bloei van Jaffa in deze eeuw werd in niet geringe mate bevorderd door de agrarische nederzetting van de Tempeliers, de belangstelling van de grote mogendheden en de activiteiten van de door hen aangemoedigde kerken en de beginnende zionistische immigratie. De stad exporteerde katoen en de Jaffa-sinaasappels kregen in geheel Europa spoedig een goede naam. De christelijke pelgrim vindt in Jaffa de herinnering aan een van de oudste joods-christelijke gemeenten en aan de apostel Petrus. In een kleine moskee naast het Franciscanenklooster wordt hem de plaats getoond van het HUIS VAN SIMON DE LEERLOOIER[16] waar Petrus enige tijd gewoond zou hebben. Bij het RUSSISCHE KLOOS-TER[17], ten oosten van Jaffa, bevindt zich een oud JOODS KERKHOF (1e tot 4e eeuw); in een van de holengraven zou zich het stoffelijk overschot bevinden van Tabita, die zoals in het bijbelverhaal staat beschreven door de apostel Petrus uit de dood zou zijn opgewekt.

## Excursie naar Ramla en Lod

Een uitstekende, maar drukke weg voert van Tel Aviv naar Ramla (19 km). Het vlakke land is dichtbevolkt en sterk geïndustrialiseerd. Desondanks komt men onder de indruk van de weelderige sinaasappelplantages aan weerszijden van de weg; in het voorjaar overheerst de geur van de bloesem alle uitlaatgassen. **Ramla** (Ramle) werd in 711 als hoofdstad van de provincie Falastin (= Palestina) gesticht nadat het nabijgelegen Lod tijdens interne Arabische gevechten was verwoest. Het is de enige stad in het huidige Israël, die door de Arabieren nieuw gesticht is. Eens bewaakte Ramla de weg die van Bagdad en het oostelijke gedeelte van het kaliefenrijk via Egypte naar Noord-Afrika en Spanje leidde. Door de eeuwen heen was de stad het belangrijkste steunpunt voor pelgrims die uit Jaffa kwamen en zich in Ramla voorbereidden op de gevaarlijke reis door de bergen naar Jeruzalem. Thans is Ramla een plaats met een overwegend joodse bevolking.

Kalief Süleiman (715-717) resideerde in Ramla en bouwde er een paleis, een moskee en een grote kazerne. Resten ervan zijn nog

te zien op het plein aan de voet van de WITTE TOREN, een Mamelukkenminaret uit de 14e eeuw. De minaret wordt ook wel Toren van de Veertig Martelaren genoemd naar de veertig volgelingen van Mohammed. Het meest indrukwekkende bewijs van de oorspronkelijke betekenis en de vroegere omvang van de stad is de WATERVOORZIENING. In reusachtige onderaardse gewelven werd water verzameld dat was aangevoerd uit bronnen in het 10 km verderop gelegen Gezer. Het grootste bekken heeft een inhoud van 500 m$^3$ en is 9 m diep. De toerist die per roeiboot onder eerbiedwaardige stenen bogen door over het inktzwarte wateropper-

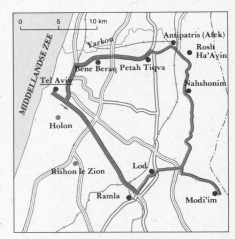

vlak glijdt, waant zich in een sprookje uit Duizend-en-een-Nacht - en niet ten onrechte, want de waterreservoirs dateren van de tijd van Harun ar-Rasjid. De kruisvaarders verbonden ze met de naam van Helena, de moeder van keizer Constantijn.

Toen het kaliefenrijk in verval raakte, kwam Ramla te liggen in het frontgebied tussen de Fatimieden in Egypte en de Abbasieden in Bagdad en verloor het zijn invloedrijke positie. In de 11e eeuw werd de stad ver-

## Schrijfwijze van de namen

Zoals ook elders in dit boek is de spelling van de bijbelse namen ontleend aan de 'Lijst van bijbelse persoons- en plaatsnamen', opgesteld in opdracht van de Katholieke Bijbelstichting en het Nederlands Bijbelgenootschap. Voor niet-bijbelse Hebreeuwse namen is de Engelse transcriptie gevolgd, die in het huidige Israël gebruikelijk is en die ook in andere reisgidsen gehanteerd wordt. Daardoor komen er voor een aantal plaatsen verschillende schrijfwijzen in dit boek voor (Betlehem - Bethlehem, Gennesaret - Genezareth, Sepforis - Zippori, Jarkon - Yarkon, enz.).

Plaats- of gebiedsnamen aan het begin van de beschrijving van een plaats zijn **vet** gedrukt (bij voorbeeld **Akko**). Bezienswaardigheden staan in KLEIN KAPITAAL vermeld (bij voorbeeld ROCKEFELLER MUSEUM). Andere belangrijke namen en aanduidingen zijn *cursief* gedrukt (bij voorbeeld *Ptolemaïs*).

Een sterretje achter een plaatsnaam verwijst naar het overeenkomstige trefwoord in de Encyclopedie op blz. 209-241, waar in het kort de bijbelse achtergronden en geschiedenis van de plaats gegeven worden met opgave van de bijbelteksten waarin de plaats voorkomt.

woest door twee aardbevingen. De kruisvaarders, die Ramla in 1099 hadden veroverd, geloofden dat de stad de geboorteplaats was van Jozef van Arimatea. Aan die legende herinnert nog het HOSPITIUM van de heilige Nikodemus en Jozef van Arimatea aan de Herzl Avenue, waar Napoleon in 1799 heeft overnacht. Hij had er zijn hoofdkwartier gevestigd, van waaruit hij probeerde Palestina op de Turken te veroveren.

De GROTE MOSKEE aan de markt is een goed geconserveerd bouwwerk uit de tijd van de kruistochten; oorspronkelijk een drieschepige zuilenbasiliek die was toegewijd aan de heilige Johannes.

Ramla heeft tegenwoordig zo'n 38 000 inwoners, onder wie 5000 Arabieren en 3000 Karaïeten. De laatsten zijn leden van een joodse sekte die in de 8e eeuw in Babylon ontstond. De Karaïeten erkennen alleen de goddelijke autoriteit van de Bijbel en wijzen de mondelinge overlevering van de Talmud af. De steden Ramla en Lod liggen 3 km uit elkaar, maar zijn tegenwoordig stevig met elkaar vergroeid. Evenals Jaffa is **Lod** (Lydda) een van de oudste steden van het land. Beide waren sinds de tijd van de Makkabeeën sterk joods en antihellenistisch ingesteld. Vanuit Lod steunde rabbi Akiba de opstand van Bar Kochba tegen Rome.

In de Romeinse tijd ontwikkelde Lod zich tot een belangrijk station tussen Caesarea, de toenmalige hoofdstad van het land, en Jeruzalem. Tot op heden is de stad een belangrijk verkeersknooppunt gebleven; het ligt op het punt waar de door de Turken aangelegde eerste spoorlijn van Jaffa naar Jeruzalem en de door de Britten gebouwde lijn uit het zuidelijk gelegen Haifa elkaar kruisen. In de Onafhankelijkheidsoorlog van 1948 versperden Ramla en Lod de Israëli's de weg naar Jeruzalem.

Lod zou de geboorteplaats zijn van de drakendoder St. Joris, die er zowel door christenen als door moslims wordt vereerd, aanvankelijk in een Byzantijnse kerk, later in een kruisvaarderskerk. Op de uitgestrekte ruïnes van beide godshuizen staan tegenwoordig de Grieks-orthodoxe ST.-JORISKERK (1872) en de MOSKEE EL-BHADER DE GROTE (= St. Joris), die gebouwd werd onder de Mamelukkensultan Baybars. Aan deze Baybars herinnert ook een door leeuwen geflankeerde inscriptie uit 1278 op de BRUG VAN LOD, op de weg naar LUCHTHAVEN BEN GOERION in het noorden van de stad. De Romeinen die Lod in het jaar 70 verwoestten, gaven het bij de wederopbouw de naam Lydda.

Op de terugweg van Lod naar Tel Aviv (28 km), via Rosh HaAyin en Petah Tiqva, voert de route over de autosnelweg Tel Aviv-Jeruzalem en grenst hij ter rechterzijde aan het BEN-SHEMENWOUD, dat vanaf 1921 door verscheidene zionistische groeperingen is aangelegd. Een uitstekende weg leidt naar de zogenaamde MAKKABEEËNGRAVEN (6 km): vijf reus-

*Ook in het huidige, moderne Israël ziet de toerist telkens weer taferelen die aan bijbelse tijden doen denken, zoals deze netten boetende visser in Yafo.*

achtige, in de rotsen uitgehouwen stenen zerken. Ze beheersen een lage heuvel met uitzicht op het bergland van Judea. Ertegenover ligt het Arabische dorp El-Midye, het *Modeïn** van de Makkabeeën. Aan de vooravond van het Chanukafeest, als de joden de Makkabeeën herdenken, ontsteekt een hardloper op deze heuvel een fakkel en brengt die vervolgens naar Jeruzalem.

De straatweg naar **Rosh HaAyin** voerde tot 1967 door het grensgebied. Even voor de nederzetting Nahshonin staat rechts van de weg, in de vorm van een tempel met twee Korintische zuilen, een ROMEINS MAUSOLEUM van twee verdiepingen uit de 2e eeuw. Rondom het intrigerende bouwwerk liggen verscheidene schachtgraven uit de tijd van de Makkabeeën.

Tussen Rosh HaAyin en Petah Tiqva zijn al vanuit de verte de hooggelegen torens en muren zichtbaar van **Antipatris*** het bijbelse *Afek**. Het lag aan de oude zeeweg (*Via Maris*) en beheerste de enige doorwaadbare plaats in de Jarkon. Op de tell, met overblijfselen van Kanaänitische en Filistijnse bouwwerken, stichtte Herodes de Grote de naar zijn vader genoemde burcht Antipatris. De thans zichtbare, grote vierkante ruïne is voornamelijk afkomstig van een in 1948 verwoeste Turkse vesting. De kruisvaarders bouwden aan beide zijden van de doorwaadbare plaats sterke vestingwerken. Goed bewaard gebleven overblijfselen van hun burcht *Mirabel* zijn te vinden in het hooggelegen **Migdal Afeq** aan de overzijde van de ondiepe en modderige Yarkon.

Over **Petah Tiqva**, de oudste agrarische nederzetting van Israël, en langs **Bene Beraq**, waar het stadsbeeld wordt beheerst door streng orthodoxe joden in zwarte kaftans, voert de weg terug naar Tel Aviv.

## Excursie in de Vlakte der Filistijnen

De tocht naar Gaza (77 km) voert in zuidelijke richting over **Rishon le Zion**, een van de eerste zionistische nederzettingen. De Russische joden die zich daar vestigden, werden gesteund door baron Benjamin Edmond de Rothschild, die in 1887 de grote wijnkelders liet aanleggen. Deze zijn op bepaalde tijden te bezichtigen.

**Yavne** (Jabne*), ook wel *Jabneël* of *Jamnia* genoemd, is al bewoond sinds de tijd der Kanaänieten. Kort voor de verwoesting van Jeruzalem kreeg de joodse geleerde Jochanan ben Zakkai van Vespasianus toestemming zich met zijn leerlingen in Jabne te vestigen. De stad groeide uit tot het geestelijke centrum van joden over de gehele wereld, maar ook tot het middelpunt van de tweede joodse opstand. In 135 werd het door de Romeinen verwoest.

In de 12e eeuw bouwden de kruisvaarders de door hen *Yabneel Ybelin* genoemde plaats uit tot een steunpunt voor hun aanvallen op

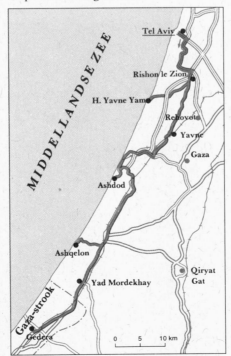

Map labels:
MIDDELLANDSE ZEE
Tel Aviv
Rishon le Zion
H. Yavne Yam
Rehovot
Yavne
Gaza
Ashdod
Ashqelon
Gaza-strook
Yad Mordekhay
Qiryat Gat
Gedera
0 5 10 km

249

het mohammedaanse Ashqelon. Tegenwoordig ligt hier het Israëlische centrum voor kernonderzoek, compleet met kernreactor (1960). Het bijbelse *Jabne* ligt aan de voet van een heuvel ten oosten van de hoofdstraat; boven op die heuvel bevindt zich een moskee die ingebouwd is in een KRUISVAARDERSKERK. Op tamelijk grote afstand van de stad had Jabne vroeger de beschikking over een haven (de HAVEN VAN JAMNIA*); de resten ervan (Yavne Yam) zijn te vinden in de omgeving van de kibbuz Palmahin.

**Ashdod** (Asdod*) is een moderne industriestad met een grote elektriciteitscentrale en met de enige diepwaterhaven in het zuiden van het land. Ongeveer 3 km ten zuiden van de stad waakt een kruisvaarderstoren over ASHDOD YAM, de haven van het historische Asdod. De tell van de oude stad zelf ligt 5 km ten oosten daarvan, tussen de spoorlijn en de straatweg naar Ashqelon (→ afbeelding blz. 86).

**Ashqelon** (Askelon*) was van alle kuststeden de rijkste en de belangrijkste. Zijn geschiedenis als versterkte stad strekt zich uit van de 17e eeuw v.C. tot de 13e eeuw. Een oase, door een brede wadi bevloeid, doorbreekt hier de eentonigheid van de zandgordel in de kustvlakte. Door zijn ligging kon Askelon zich niet alleen bezighouden met zeevaart en met handel over de *Via Maris*, maar ook met landbouw en groenteteelt. De sjalot, een kleine uiensoort, heeft haar naam aan de stad te danken.

In de 12e eeuw v.C. bezetten de Filistijnen van zee uit de kustvlakte en ook de Kanaänitische stad Askelon. Ze werd opgenomen in de Filistijnse vijfstedenbond waarmee de Israëlieten heel wat te stellen hadden. In 604 v.C. werd de stad door Nebukadnessar ver-

woest en de bevolking gedeporteerd. Later kwam ze in de Fenicische invloedssfeer en werd ze herbouwd. In de hellenistische tijd ontwikkelde Askelon zich tot een geestelijk en economisch centrum van de antieke wereld, tot het Athene van Palestina. Herodes, die in Askelon werd geboren, liet de stad schitterend uitbreiden; ook onder Romeinse, Byzantijnse en Arabische heerschappij behield ze haar betekenis. In de tijd van de kruistochten werd er hevig om de stad gestreden. Saladin liet in 1191 haar muren slechten voor hij haar uitleverde aan Richard Leeuwenhart, die nieuwe vestingwerken liet aanleggen. Nadat de Mamelukken onder sultan Baybars de kruisvaarders hadden verdreven, werd Askelon in 1270 definitief verwoest en verdween de stad onder het zand. De ruïnes ervan leverden bouwmateriaal voor plaatsen tot in de verre omgeving; zuilen uit Askelon zijn zelfs gebruikt voor de moskeeën van Jaffa en Akko.

Het oostelijke gedeelte van de tegenwoordige stad, **Migdal**, is het oudst; vroeger was het een Arabisch dorp. In 1948 gebruikten de Egyptenaren dit dorp als steunpunt; toen de Israëli's het veroverden was het door de bewoners verlaten. In 1949 vestigden zich hier de eerste immigranten. Een groep Zuidafrikaanse joden stichtte in 1951 het moderne Ashqelon, een handels- en tuinstad aan de zee. Straten en plantsoenen zijn versierd met zuilen uit de antieke stad. Het door arcaden omzoomde plein in het centrum van de stad wordt beheerst door een slanke KLOKKETOREN. Het kleine ARCHEOLOGISCHE MUSEUM bevat onder andere Hellenistisch beeldhouwwerk en twee imposante Romeinse praalzerken.

Het moderne gedeelte van Ashqelon heet Afridar. Het is genoemd naar de stichters;

Afridar is de afkorting van Africa Dromiet, de Hebreeuwse naam voor Zuid-Afrika.

Ashqelon heeft een zeer geliefd en uitgestrekt BADSTRAND. Dicht bij de boulevard, in de buurt van het Dagon Hotel, bevindt zich een ROMEINS GRAF; het tongewelf ervan is beschilderd met levenslustige motieven uit de natuur en uit de Griekse mythologie.

De RUÏNES VAN HET ANTIEKE ASHQELON, gelegen in een park binnen muren uit de kruisvaarderstijd, zijn te bereiken via een weg die van de klokketoren over een afstand van ongeveer 2 km langs het strand naar het zuiden voert. Tussen de plantsoenen van het park vindt de bezoeker rijkversierde kapitelen en resten van de zuilengang van Herodes de Grote, Byzantijnse en middeleeuwse fundamenten en talrijke putten. In de OUDE HAVEN heeft de zee de vestingwerken uit de kruisvaarderstijd danig aangetast; de loodrecht ingebouwde antieke zuilen steken als kanonnen de lucht in. Grote delen van de oude stad zijn nog niet blootgelegd; belangrijke vondsten uit de reeds opgegraven gedeelten zijn te zien in het Rockefeller Museum in Jeruzalem.

De kibbuz **Yad Mordekhay,** halverwege de weg naar Gaza, houdt in een museum en in oude loopgraven de herinnering levend aan de strijd van zijn inwoners tegen het Egyptische leger dat in 1948, na de Israëlische onafhankelijkheidsverklaring, via de Gazastrook het land binnenviel.

Ten zuiden van Yad Mordekhay begint de **Gazastrook,** een 40 km lang en 5 tot 10 km breed vruchtbaar en bronrijk gebied dat ingeklemd ligt tussen de zandduinen in het westen en de uitlopers van het bergland van Judea in het oosten. In 1948 en 1949 stroomden hier 190 000 vluchtelingen binnen. Tot 1967 leefden zij en hun nakomelingen onder Egyptisch militair bestuur in acht grote vluchtelingenkampen. Ze werden door de vluchtelingenorganisatie van de Verenigde Naties onderhouden, maar waren arm en werkloos en hadden geen Egyptisch paspoort. Van de Gazastrook uit zijn in het verleden talrijke Palestijnse aanslagen op Israëlisch gebied uitgevoerd.

Sinds de Zesdaagse Oorlog staat de Gazastrook onder Israëlisch bestuur. Hoewel de werkloosheid intussen aanzienlijk is afgenomen, blijft de Gazastrook een gebied van politieke spanningen; het verdient aanbeveling deze streek uitsluitend onder betrouwbare geleide te bezoeken.

**Gaza*,** de hoofdstad van de Gazastrook, was in het verre verleden de zuidelijkste van de vijf Filistijnse koningssteden. Reeds lang voor de tijd van de Filistijnen, en in alle eeuwen daarna, was het een belangrijke en veelomstreden Middellandse-Zeevesting aan de grens van Egypte. Ook in de post-bijbelse tijd, onder Romeinse en Byzantijnse heer-

*In het archeologische park van Ashqelom treft men overblijfselen aan die voornamelijk uit de tijd van Herodes bewaard zijn gebleven.*

schappij, bleef Gaza een bloeiende stad. Na de Tweede Joodse Opstand, in 135, verdiende ze goudgeld aan de slavenmarkt waarop de Romeinen hun joodse krijgsgevangenen verkochten. Karavanen uit het oosten voerden goud, ivoor, zijde en specerijen aan; joodse en christelijke pelgrims uit Noord-Afrika en Egypte deden de stad aan. Bij de inval van de Arabieren werd Gaza in 636, na een belegering van twee jaar, volledig verwoest, maar spoedig ook weer opgebouwd. Tijdens het rijk van de kaliefen, dat immers ook Egypte omvatte, verloor Gaza zijn strategische betekenis en ontwikkelde de stad zich tot een centrum van handelaars en handwerkslieden.

De kruisvaarders veroverden Gaza in 1118 en werden in 1187 door Saladin weer uit de stad verdreven. In 1239 behaalde de uit Egypte afkomstige Mamelukkenleider Baybars bij Gaza zijn eerste grote overwinning op de strijdkrachten van de kruisvaarders, en in 1260 slaagde hij erin de Mongolen hier een halt toe te roepen op hun weg naar Egypte. Aan zijn inspanningen was het te danken dat Gaza tot nieuwe bloei kwam, terwijl Ashdod en Ashqelon in verval raakten. Ook in de Turkse tijd was Gaza een versterkte stad; de Britten leden in 1917 zware verliezen toen ze zich door de uiteindelijke verovering van Gaza een doorgang baanden in de richting van Jeruzalem.

De GROTE MOSKEE van Gaza bevat nog delen van een kruisvaardersbasiliek, die destijds gebouwd werd op een Byzantijnse kerk. Een van de zuilen in de moskee is afkomstig van een synagoge uit de 3e eeuw. Deze zuil bevat een Hebreeuwse en een Griekse inscriptie en bovendien de afbeelding van een door lauriertakken omkranste zevenarmige kande-

laar. Vlakbij de zee is de mozaïekvloer van een synagoge bewaard gebleven waarop koning David, op de manier van Orpheus, in een kring van dieren de luit bespeelt.

# Van Tel Aviv naar Haifa

De weg naar Haifa (97 km) loopt door de **Sharonvlakte,** die zich van de Yarkon bij Tel Aviv uitstrekt tot aan de voet van het Karmelgebergte. Ze wordt in het oosten begrensd door de heuvels van Samaria en in het westen door de zee. De vlakte wordt doorkruist door een paar riviertjes die in het westen doodlopen op een rotswand van versteende zandduinen. De op bizarre wijze doorsneden zandsteenwanden zijn op de reis van Tel Aviv naar Haifa voortdurend te zien aan de linkerzijde van de weg. Wie de vlakte agrarisch wil benutten, zal aanvoerkanalen voor het water moeten graven. In bijbelse tijden, en in feite tot de tijd van de kruistochten, was de Sharonvlakte vruchtbaar; in de periode daarna verzandde de watertoevoer en veranderde de vlakte in een moeras. In de 19e eeuw was ze vrijwel onbewoond en zat het er vol malariamuggen; dat was een van de redenen waarom joden er al zo vroeg in de recente geschiedenis problemloos land konden kopen. Velen van de eerste bewoners van de nederzettingen in Petah Tiqva (1878) en Herzliyya (1924) werden het slachtoffer van de ongezonde omgeving. Tegenwoordig is de Sharonvlakte het centrum van de Israëlische citrus- en groenteteelt.

In **Herzliyya** heeft men vanaf de autosnelweg uitzicht op de zee door een van de vroe-

*In Caesarea zijn nog belangrijke restanten van de kruisvaardersstad bewaard gebleven, zoals dit gotische poortgebouw.*

gere ontwateringskanalen, die in het zandsteen is uitgehouwen. Aan de strandzijde heeft de stad aantrekkelijke villawijken en comfortabele hotels. Ten noorden van de stad is op de plaats van de vroegere haven van de kruisvaardersburcht ARSUR (Arsuf) een bijzonder fraai badstrand ontstaan. Bij Arsur sloeg Richard Leeuwenhart in 1191 het beleg om de vesting van sultan Saladin. De ruïnes van Saladins burcht liggen boven die van de Fenicische kustnederzetting ARSCHAR (Tel Arshall) die toegewijd was aan de Kanaänitische pest- en onderwereldgod Reshev. Toen de Grieken de kustvlakte na de veroveringstochten van Alexander de Grote waren gaan beheersen, doopten ze de stad om in *Apollonia,* naar Apollo die onder meer de beschermgod was tegen besmettelijke ziekten. In Herzliyya zijn de resten blootgelegd van een paar gebouwen en van een Grieks THEATER.

**Netanya** ligt halverwege de weg van Tel Aviv naar Haifa, op het smalste stuk van de Sharonvlakte. Van hier naar Tulkarm, dat tot 1967 bij Jordanië hoorde, is het 16 km. Neta-

nya is een goed onderhouden vakantiestad en een internationaal centrum van diamantnijverheid. Verscheidene diamantslijperijen kunnen bezocht worden.

**Caesarea*** werd door Herodes de Grote in twaalf jaar als een luxueuze, hellenistische stad gebouwd op de plaats van de kleine Fenicische havenstad *Strato's Burcht**; hij noemde ze naar de echtgenote van zijn beschermer Caesar Augustus. Na de dood van Herodes ontwikkelde de stad zich tot het centrum van de Romeinse macht in Judea. Ze was de residentie van een Romeinse stadhouder, en economisch en politiek overtrof ze Jeruzalem in betekenis (→ reconstructie blz. 196-197). Als gevolg van conflicten tussen joodse en niet-joodse inwoners vond er in 66 in de stad een pogrom plaats waarbij volgens Flavius Josefus 20 000 joden werden gedood of verdreven. De gebeurtenis leidde tot de Eerste Joodse Opstand, die in 70 de verwoesting van Jeruzalem tot gevolg had. Van dat moment af was Caesarea de onbetwiste hoofdstad van het land. De christelijke gemeenschap kwam tot bloei, en de stad werd zetel van een bisschop. In Caesarea werd in 195 op een concilie besloten, dat Pasen voortaan altijd op een zondag zou vallen. De grote christelijke theoloog Origines stichtte in de stad een school en Eusebius schreef er de eerste kerkgeschiedenis. Ook nadat het Christendom staatsgodsdienst was geworden, ressorteerde de bisschop van Jeruzalem nog geruime tijd onder de aartsbisschop van Caesarea. Ook in de Byzantijnse tijd bleef de stad bestuurscentrum; bij de inval van de Arabieren was Caesarea de laatste stad die in 639 na een beleg van een paar jaar uiteindelijk toch werd ingenomen.

De kruisvaarders veroverden de stad in 1101. Vele bewoners hadden met vrouwen en kinderen hun toevlucht gezocht in de moskee maar werden daar niet gespaard. Een bijzonder fraaie glazen schaal die zij bij de plundering van de stad aantroffen, werd door de kruisvaarders voor de Heilige Graal aangezien. Ze werd overgebracht naar Genua en daar jarenlang vereerd in de kerk van San Lorenzo.

De kleine ommuurde vestingstad van de kruisvaarders aan de haven omvatte slechts een zesde van het oude Caesarea. De belangrijkste haven in die tijd was Akko. Na de tijd van de kruistochten verdween Caesarea voorgoed onder het woestijnzand. Zuilen en steenblokken werden in de 18e eeuw weggehaald om te dienen bij de bouw van het Turkse Akko. In 1945 begonnen de archeologische opgravingen.

Sinds de ommuurde kruisvaardersstad op vele plaatsen is gerestaureerd en (tegen betaling) bezocht kan worden, is Caesarea een van de belangrijkste toeristische trekpleisters van Israël geworden. De torens en poorten van de STADSMUUR, een POORTWONING in de belangrijkste toegangspoort, een door goti-

*Vanaf de Panoramaweg heeft men het mooiste uitzicht op Haifa. Achter de Perzische tuinen doemt de koepel van de Bahai-tempel op.*

sche bogen overwelfde straat en de drie absissen van de KRUISVAARDERSKERK zijn gerestaureerd. In de haven vormen de reusachtige RUÏNES VAN DE CITADEL, die door een aardbeving in zee zijn geschoven, een schilderachtige klip, waarin antieke zuilen en middeleeuws metselwerk elkaar afwisselen. Een klein MUSEUM toont archeologische vondsten en plattegronden van de vroegere stad.

Het grootste gedeelte van het Romeinse en Byzantijnse Caesarea ligt buiten de kruisvaardersstad en is nog niet uitgegraven. Op de velden van de nederzettingen in de buurt zijn tot ver in de omgeving de resten van kapitelen, zuilen en standbeelden te vinden.

Van de weg die de autosnelweg met de kruisvaardersstad verbindt, buigt een zijweg naar het noorden af. Hij leidt naar de opgravingen van een laat-romeinse SYNAGOGE en naar twee reusachtige AQUADUCTEN, waarvan de bogen half in het zand begraven liggen. Ze voerden water vanuit de Karmel naar de antieke stad en werden ook door de kruisvaarders nog gebruikt.

Links van de toegangsweg tot de stad is, even vóór de kruisvaardersstad, het grote plein te zien van het HIPPODROOM, dat plaats bood aan 20 000 toeschouwers; even verderop liggen een vroegere PRAALWEG en een met marmer geplaveid plein uit de Byzantijnse tijd. De twee reusachtige STANDBEELDEN uit marmer en rode porfier zijn laat-romeins. Rijk bewerkte Korintische kapitelen en talrijke zuilenresten getuigen van de vroegere welvaart van de stad.

Aan de kust, zo'n kilometer ten zuiden van de kruisvaardersmuren, ligt het ROMEINSE THEATER uit de 2e eeuw. Het is gerestaureerd, en tegenwoordig worden er, met de Middellandse Zee als decor, theater- en concertuitvoeringen gegeven. Op het plein voor het theater staat een replica van een steen, die een eerbewijs van Pontius Pilatus aan keizer Tiberius bevat.

Ten noorden van Caesarea, waar zich rechts van de autoweg de eerste uitlopers van het Karmelgebergte verheffen, voert de weg over het beekje Nahal Tanninim dat van de Karmel komt en de kuststrook doorsnijdt. In deze *Krokodillenrivier*, de antieke *Krokodilon*, zou Herodes de Grote ten behoeve van strijdspelen een krokodillenfokkerij hebben gesticht. Nog in 1902 werd hier een 3 m lange krokodil geschoten.

Na de afslag naar Zikhron Ya'aqov, dat men rechts op de hellingen ziet liggen, voert de weg aan de zeezijde langs **Dor***. De moderne nederzetting met deze oude naam heeft een van de mooiste stranden van het land. De vroegere haven van de Filistijnen, nu verzand, werd tegen de zee beschut door kleine eilandjes die thans natuurreservaat zijn. Om Dor is lange tijd gevochten tussen

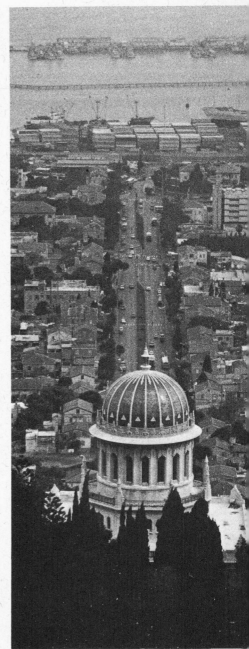

Filistijnen en Feniciërs; uiteindelijk behielden de Filistijnen de stad als hun noordelijkste voorpost. Het was een bron van inkomsten, omdat de begeerde purperslak er veel voorkwam. Salomo verhief Dor tot de hoofdstad van een der twaalf belastingdistricten van zijn rijk (1 K 4:11). Tot het einde van de kruisvaarderstijd bleef de stad bewoond.

In **Habonim**, een nederzetting van Zuidafrikaanse joden op een van de versteende kustduinen links van de weg, liggen de ruïnes van het kruisvaardersdorp CAFARTET (Kafr Lam) en van de gelijknamige burcht. Ze werden in 1213 gebouwd ter verdediging van de weg van Atlit naar Caesarea en in 1291 verwoest tijdens de belegering van Atlit.

**Atlit**, gebouwd op een in zee uitspringen-

# Het Heilige Land in de post-bijbelse tijd

| | |
|---|---|
| 135 | Einde van de Bar-Kochba-opstand; keizer Hadrianus laat de provincie *Judea* omdopen in *Syria Palestina*; Jeruzalem verandert in de Romeinse soldatenkolonie *Aelia Capitolina*, die voor de joden verboden gebied is. |
| ca. 200 | In Tiberias wordt de Mishna voltooid, de opschriftstelling van de mondeling overgeleverde joodse godsdienstwetten. Galilea is het nieuwe centrum van het Jodendom. |
| 326 | Bezoek van keizerin-moeder Helena aan Jeruzalem en aan andere plaatsen uit het leven van Jezus; bouw van de Heilig-Grafkerk en de Geboortekerk. |
| 391 | Het Christendom wordt staatsgodsdienst in het Romeinse Rijk. |
| 395 | Deling van het Romeinse Rijk; Palestina komt onder het Oostromeinse Rijk (Byzantium). |
| 451 | Jeruzalem, tot dan toe deel van het aartsbisdom Caesarea, wordt een patriarchaat. |
| 529 | Opstand van de Samaritanen en verwoesting van vele kerken, die echter in hernieuwde pracht worden opgebouwd. Periode van materiële welvaart onder keizer Justinianus (527-565). |
| 614-629 | Chosroës II verovert het Heilige Land; de Perzische veroveraars krijgen steun van een messiaans-joodse beweging. |
| 636 | Kalief Omar verslaat bij de Yarmuk een Byzantijns leger. |
| 638 | De patriarch overhandigt Omar de sleutels van Jeruzalem. |
| 661-750 | Heerschappij van de Omajjaden; bouw van de Dom van de Rots, de al-Aqsa-moskee (beide in Jeruzalem) en de winterpaleizen te Jericho en aan het Meer van Genezareth. Stichting van Ramla. |
| 750-868 | Heerschappij van de Abbasieden. |
| 878 | Palestina komt onder Egyptisch bestuur. |
| 1009 | Kalief al-Hakim laat de Heilig-Grafkerk verwoesten. |
| 1070 | Inval van de Turkse Seltsjoeken; ze plunderen Jeruzalem. |
| 1096-1099 | De eerste kruistocht eindigt met de inneming van Jeruzalem in 1099. |
| 1099-1291 | Het koninkrijk Jeruzalem, dat op zijn hoogtepunt het gehele gebied tussen Beiroet en Eilat omvat. |
| 1187 | Sultan Saladin verslaat bij Hittim het kruisvaardersleger. Inneming van Jeruzalem. |
| 1191 | Akko wordt de hoofdstad van het koninkrijk Jeruzalem. |
| 1229 | Keizer Frederik II krijgt door onderhandelingen Jeruzalem weer in handen. |
| 1244 | Jeruzalem valt definitief in handen van de moslims. |
| 1291 | Val van Akko. Dit betekent het einde van de kruisvaardersstaat. |
| 1291-1516 | Van Egypte uit wordt het Heilige Land overheerst door de Mamelukken, vroeger militaire slaven. |
| 1516-1917 | Palestina maakt deel uit van het Osmaanse (= Turkse) Rijk. |
| 1539-1542 | Sultan Süleiman de Grote vernieuwt de muren van Jeruzalem. |
| 1799 | Napoleon belegert tevergeefs het door Achmed al-Dsjassar verdedigde Akko. |
| 1832 | Ibrahim Pasha, stiefzoon van de Egyptische heerser Mehmed Ali, verovert Palestina en Syrië, in 1841 echter moet hij onder druk van de Britten beide gebieden teruggeven aan Turkije. |
| 1881 | Vestiging van de eerste agrarische nederzettingen door joden, die na felle pogroms gevlucht zijn uit Rusland. |
| 1897 | Eerste zionistencongres in Bazel. |
| 1917 | Balfour-Declaratie, waarin door Engeland toezegging wordt gedaan voor een joods nationaal tehuis in Palestina. |
| 1922-1948 | Palestina Brits mandaatgebied. |
| 1947 | Het VN-verdelingsplan voor Palestina wordt door de Arabieren afgewezen. |
| 1948 | Israëlische onafhankelijkheidsverklaring. |
| 1956 | Sinaï-oorlog. |
| 1967 | Zesdaagse Oorlog. |
| 1973 | Jom-Kippuroorlog. |
| 1979 | Vredesverdrag tussen Egypte en Israël binnen de akkoorden van Camp David. |
| 1982 | Libanonoorlog. |

de klip, is met zijn hoge toren al van verre zichtbaar als een schilderachtig silhouet; het kan echter niet worden bezocht omdat het op verboden militair terrein ligt. Na hun definitieve verdrijving uit Jeruzalem bouwden de Tempelridders aan het begin van de 13e eeuw de machtige vesting *Chastel Peleau*. Ter herinnering aan de Dom van de Rots die zij in Jeruzalem als kerk gebruikten, bouwden ze ook in Atlit een achthoekige kerk. Na de val van Akko in 1291 verlieten de laatste Tempelridders het Heilige Land per schip vanuit Atlit en viel de vesting zonder strijd in handen van de belegeraars. In de loop der eeuwen verviel ze volledig; de grootste schade werd in 1837 aangericht door een geheel andere oorzaak: een aardbeving.

# Haifa

De stad **Haifa** wordt in de Talmud pas in de 3e eeuw genoemd. Als haven stond Haifa (Hefa) volledig in de schaduw van Akko. Zijn opkomst begon in de 19e eeuw met de vestiging van Duitse Tempeliers uit Württemberg (1867), een religieuze groepering die in het Heilige Land een voorbeeldig leven wilde leiden. Kort daarna nam ook de joodse immigratie vanuit Europa toe, vooral nadat Theodor Herzl Haifa na een bezoek in 1898 als de 'stad van de toekomst' had omschreven. Duitse zionisten stichtten er in 1912 een school voor moderne techniek, het Technion met het Duits als onderwijstaal. Na verloop van tijd moest het Duits wijken voor Ivriet.

Haifa is vooral een bezoek waard om zijn schitterende ligging aan zee en om de brede baai aan de voet van het Karmelgebergte. De stad is in drie etages gebouwd. Van het industrie- en havengebied aan de voet van de bergen voert een ondergrondse spoorweg via het zaken- en bestuurscentrum *Hadar* (= pracht) naar Centraal-Karmel, waar in een aangenaam bergklimaat de eerste woonwijken van Haifa liggen. Het uitzicht vanaf de Panoramaweg over de stad, de haven en de baai tot aan Akko is zowel overdag als bij avond overweldigend. Halverwege de helling, onder de Panoramaweg, schittert temidden van het groen van de PERZISCHE TUINEN de gouden koepel van de BAHAI-TEMPEL, het mausoleum van de stichter van de Bahai-godsdienst. Verder naar beneden ontwaart men nog een paar karakteristieke rode pannendaken van de vroegere Tempelierskolonie. Beneden bij de haven domineert de 68 m hoge graansilo; hij heeft een inhoud van 100 000 ton en bevat ook het DAGONMUSEUM, dat gewijd is aan de geschiedenis van de graanverwerking en -opslag.

Ten westen van de Panoramaweg ligt de wijk van de Franse Karmel, met het vestingachtige, in 1828 gebouwde KARMELIETENKLOOSTER; de monniken zijn hier al sinds 1767 gevestigd. Vlak bij het klooster staat de in 1821 gebouwde vuurtoren STELLA MARIS, en wat verder naar beneden, bij de kustweg, bevindt zich de GROT waarin de profeet Elia een toevlucht zou hebben gevonden op zijn vlucht voor Achab. Het is gewoonlijk een druk bezochte plaats want de grot is een bedevaartsoord voor joden, christenen en moslims.

# Van Haifa over de Karmel

De **Karmel**\* is een ongeveer 25 km lange, tot 12 km brede bergketen met een hoogte van meer dan 500 m. De sterk gelede kalksteenrug scheidt de Yizreelvlakte van de zee. Omdat het gevaarlijk was de smalle kuststrook

bij Kaap Karmel te passeren, boog een aftakking van de *Via Maris* vóór de Karmel naar het oosten en voerde over de Megiddopas naar de Yizreelvlakte (→ kaart blz. 137). De Karmel heeft een aangenaam klimaat en krijgt van zee uit veel regen. Heel wat grotten in het gebergte waren reeds in de prehistorie bewoond. In het Oude Testament zijn de verhalen over de profeet Elia zeer nauw met het Karmelgebergte verbonden. Hier lagen bij voorbeeld de oeroude offerplaatsen van de Kanaänieten. Maar reeds lang daarvoor en door alle tijden heen gold de Karmel als een heilige berg. Thutmosis III noemde hem al in de 15e eeuw v.C. 'de geheiligde kaap'; Vespasianus raadpleegde tijdens de opstand van de joden in de 1e eeuw op de Karmel een orakel; een inwoner van Caesarea richtte op de berg een standbeeld op ter ere van de Zeus van Heliopolis. In de Byzantijnse tijd en later, ten tijde van de kruistochten, vestigden zich christelijke kluizenaars van verschillende komaf in de grotten van de Karmel, ter nagedachtenis van Elia. Ze werden in de 13e eeuw tesamengebracht en kregen een toepasselijke naam, de karmelietenorde.

De weg over de Karmel begint in **Ahuza**, de hoogstgelegen voorstad van Haifa, en voert langs het door Oscar Niemeyer ontworpen UNIVERSITEITSCOMPLEX. Vanaf verscheidene balkons van de moderne gebouwen heeft men een schitterend uitzicht: in de verte reikt de blik over het dal van de Zebulon heen tot aan de bergen van Libanon; in de diepte ligt het Kishondal met zijn marinehaven en de hoge kraakinstallaties van de olieraffinaderij.

Langs het natuurreservaat VEERTIG EIKEN (Horshat ha'Arbaim), dat door de Arabieren wordt vereerd als een heilig woud, klimt de weg omhoog door een schilderachtig gebied dat de Israëli's *Klein Zwitserland* noemen, om vervolgens voorbij de hoogste top van de Karmel (546 m) de DRUZENDORPEN **Isfiya** en **Daliyat el-Karmil** te bereiken. Met hun rijk gesorteerde oosterse souvenirmarkt (veel karakteristiek en vrolijk gekleurd Druzisch vlechtwerk) vormen ze tegenwoordig een toeristische trekpleister. De Druzen zijn aanhangers van een geheime godsdienst, die zich in de 11e eeuw van de Islam afsplitste. Ze zijn loyaal ten opzichte van de staat Israël en dienen in het leger en bij de politie. Druzen zijn gemakkelijk te herkennen aan hun grote snorren en aan de witte keyfie, die ze dragen zonder zwarte hoofdband. Voorbij Daliyat el-Karmil is links een afslag naar **Muhraqa**. Op de plaats waar volgens een oude overlevering Elia het godsoordeel zou hebben afgeroepen (1 K 18) ligt thans een klein KARMELIETENKLOOSTER. Vanaf het terras van het klooster kijkt men naar het noorden en het oosten uit over de Yizreelvlakte, met haar kibbuzim en vruchtbare landerijen, en in het westen over de zee. De hoofdstraat daalt af naar de **Wadi Milh** en komt uit op de weg van Yoq-

ne'am naar de kust. Via de wadi Milh viel de Assyrische koning Tiglatpileser III Israël in 734 v.C. binnen op zijn tocht naar de grenzen van Egypte.

Op de zuidwestelijke hellingen van het Karmelgebergte, met uitzicht op de zee, ligt **Zikhron Ya'aqov**, een geliefd herstellingsoord, beroemd ook om zijn wijnkelders die gesticht zijn door baron Benjamin Edmond de Rothschild. Ten zuiden van het dorp ligt op een hooggelegen plateau boven de Sharonvlakte het nationale park RAMAT HANADIV (Hoogte van de Weldoener) waarin baron De Rothschild en zijn vrouw begraven liggen.

Onder Zikhron Ya'aqov komt men op de weg, die langs de voet van de Karmel naar Haifa voert. Ongeveer 3 km na de afslag HaBonim opent zich rechts het NAHAL HAMEAROT (Grottendal). In het dal liggen drie grote grotten waarin belangrijke prehistorische vondsten zijn gedaan, onder andere de schedel van een mens, die gerangschikt wordt tussen de *Homo sapiens* en de *Neanderthaler* en daarom van grote wetenschappelijke betekenis is.

De volgende afslag leidt naar **Ein Hod**, waar zich in de gebouwen van een verlaten Arabisch dorp een Israëlische kunstenaarskolonie heeft gevestigd, compleet met galerieën, ateliers en schilderachtige restaurants.

In plaats van over de kustvlakte onmiddellijk naar Haifa te rijden, loont het de moeite door het landschappelijk bijzonder aantrekkelijke DAL VAN BET OREN met zijn pijnboomwouden terug te keren naar de kam van het Karmelgebergte. Onderweg stoot men op een Kanaänitisch heiligdom en op verscheidene grotten, waarvan sommige met meerdere verdiepingen. Deze zijn bewoond geweest door mensen uit het stenen tijdperk en, vele eeuwen later, door Byzantijnse kluizenaars.

# Excursie naar Beth She'arim, Megiddo en Nazareth

De weg van Haifa naar Beth She'arim (18 km) loopt in het Kishondal door **Nesher**. In die plaats staat een cementfabriek; de steengroeven bijten diep in de hellingen van het Karmelgebergte. Op de splitsing van Sha'ar HaAmaqim (Poort van de Dalen), waar het Yizreeldal het Zebulondal ontmoet, voert de reis richting Nazareth. In **Qiryat Tivon** buigt de weg af naar het antieke Beth She'arim. De gelijknamige nieuwe nederzetting ligt ongeveer 6 km verderop aan de weg naar de stad Nazareth.

**Beth She'arim** dankt zijn betekenis aan rabbi Jehuda (135-220), bijgenaamd HaNasi (de vorst), die hier enige tientallen jaren resideerde met het Sanhedrin, het opperste gerechtshof voor alle zaken van het joodse leven. Als patriarch van de joodse bevolking in de provincie *Syria Palestina* was hij door de

*Karakteristiek voor de catacomben van Beth She'arim (Huis der Poorten) zijn de monumentale blinde bogen van enkele voorgevels.*

plaveisel van het belangrijkste plein van de stad is bewaard gebleven. Kolossale, gekartelde steenblokken herinneren aan de hal van het Sanhedrin. Verder naar beneden staat, dicht bij de weg, een over twee ruimten verdeelde antieke OLIEPERS.

De NECROPOLIS ligt in de vallei. In de bergwand zijn 26 catacomben uitgegraven. Elk ervan was afgesloten met een zware, stenen deur. De façaden van de twee grootste zijn door monumentale blinde bogen in drieën verdeeld. Een van deze catacomben kan bezichtigd worden. Brede gangen voeren naar grafkamers en nissen met in totaal zo'n 200 sarcofagen van steen of lood. Inscripties in het Hebreeuws, Grieks, Latijn en Aramees vertellen over naam en stand van de doden en over hun plaats van herkomst, die varieert van Jemen tot aan Babylon. Verbazingwekkend zijn de versieringen van vele sarcofagen. Ze vertonen niet alleen bekende joodse motieven, zoals de zevenarmige kandelaar, en abstracte ornamenten, maar ook dierfiguren en zelfs een menselijk gelaat. Het oudestamentische verbod op beeltenissen, dat de joodse kunst in het algemeen kenmerkt, is kennelijk voor korte tijd wat minder streng nageleefd.

In een van de vroegere waterkelders is een onderaards MUSEUM ingericht, dat gewijd is aan de geschiedenis van de stad en aan de betekenis van rabbi Jehuda. Hier is onder andere een maquette van de synagoge te bezichtigen.

Van Beth She'arim naar het zuidwesten loopt een smalle verbindingsweg, die bij **Yoqne'am** (Jokneam) aansluit op de weg van Haifa naar Megiddo-Afula. Het bijbelse *Jokneam** bewaakte de Karmelpas, die naar de wadi Milh en ten noorden van Caesarea naar de kust voert. Op een indrukwekkende, nog niet uitgegraven tell in de vork van een wegsplitsing staan nog wat muurresten van een kleine kruisvaardersburcht. Van Yoqne'am naar Megiddo (12 km) voert de weg tussen de hellingen van de Karmel rechts en de bloksgewijs aangelegde velden van de Yizreelvlakte ter linkerzijde. Aan de einder verheffen zich de bergen van Galilea, waarin Nazareth ligt.

De laatste oorlog aan het einde der tijden, 'op de grote dag van God, heerser over de gehele schepping', zal zich afspelen in **Megiddo***, het Harmagedon uit de *Openbaring van Johannes.* Het is niet voor niets dat Megiddo tot een zinnebeeld van de oorlog is geworden. Het ligt aan het einde van de weg over de pas waarmee de *Via Maris* om de Karmel heen draait (→ kaart blz. 112). Voor de Egyptenaren opende het de weg naar Syrië en het Tweestromenland; voor Hyksos, Hethieten, Assyriërs, Babyloniërs en Perzen was het de poort naar de zee en naar Egypte.

Romeinen bekleed met juridische en bestuurlijke volmachten. Als voorzitter van het Sanhedrin was Jehuda de geestelijke leider van alle joden in het Romeinse rijk en in Babylonië. Zijn ambtsperiode viel in een tijdperk van betrekkelijke rust en goede verstandhouding met Rome. Rabbi Jehuda kon in Beth She'arim op grootse wijze hof houden. Dank zij hem was de stad een veelbezocht geestelijk centrum voor joden uit alle landen. Zijn belangrijkste werk was de voltooiing van de *Mishna*, een verzameling geschriften waarin de mondelinge overlevering van het joodse geloof werd vastgelegd nadat Jeruzalem en de tempel verloren waren gegaan en het grootste gedeelte van het volk in de verstrooiing was geraakt. De Mishna werd de kern van de Talmud en voorwaarde voor het geestelijk overleven van de joden.

Aangezien het de joden na de opstand van Bar Kochba (132-135) verboden was Jeruzalem en omgeving te betreden en zij zich ook

niet meer, zoals het gebruik was, op de Olijfberg konden laten begraven, kozen veel vromen en welgestelden de stad van rabbi Jehuda als hun laatste rustplaats en lieten zij hun stoffelijk overschot van heinde en verre naar Beth She'arim brengen. Hun kunstzinnig versierde grafzerken en de uitgestrekte catacomben vormen heden ten dage dè toeristische trekpleister van Beth She'arim. De stad werd in 352, na een opstand, door de Romeinen verwoest en raakte tot 1936 in de vergetelheid.

De Arabieren noemen de stad *Sheikh Abreik*, naar het mausoleum van een islamitische heilige op een hoogte boven de opgravingen. Wellicht herinnert die naam aan Barak, de legeraanvoerder van de vrouwelijke rechter Debora, die bij de Kishon streed met de Kanaäniet Sisera.

De landschappelijk aantrekkelijke weg leidt van **Qiryat Tivon** aan de voet van de heuvels door een licht pijnbomenwoud en vervolgens langs het gebied van de oude stad naar de begraafplaats. Links boven de weg zijn de bogen en fundamenten te zien van een uitzonderlijk grote SYNAGOGE. Ook het

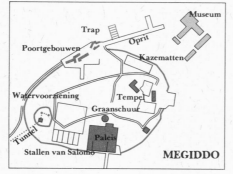

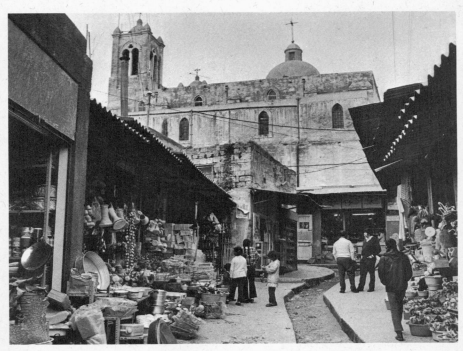

*De inwoners van Nazareth, de grootste Arabische stad binnen de grenzen van Israël, zijn voor het merendeel christenen; de vele kerken wijzen daarop.*

Drieduizend jaar lang werd met veldslagen in de vlakte van Megiddo de machtsstrijd beslist tussen de grote rijken voor wie het Heilige Land vaak slechts een doorgangsgebied was. Nog in 1918 behaalde de Britse veldmaarschalk Edmund Allenby bij Megiddo een beslissende overwinning op de Turken. Bij opgravingen in de tell van Megiddo stootte men op de sporen van twintig nederzettingsperioden, die elkaar gestaag opvolgden in een ritme van verwoesting en wederopbouw.

De oudste, thans nog zichtbare bebouwing in Megiddo is die van een Kanaänitische stad van omstreeks 1900 v.C. Wat daarvan rest is een TEMPELCOMPLEX met een interessant CIRKEL-ALTAAR; het heeft een diameter van ongeveer 8 m en draagt alle kenmerken van een heuvelheiligdom. De eerste mededeling over een verwoesting van Megiddo is te vinden in een inscriptie op de tempel van Karnak in Egypte; ze beschrijft de successen van Thutmosis III, die met de verovering van Megiddo in 1469 v.C. Kanaän weer schatplichtig maakte en zijn heerschappij uitbreidde tot aan de Eufraat.

Onder koning David (ca. 1000-961 v.C.) kwam Megiddo in handen van de Israëlieten. Salomo (ca. 961-922 v.C.) maakte er een provinciehoofdstad van en bouwde Megiddo uit tot een militair steunpunt. De meeste muurresten op de tell stammen uit de tijd van Salomo en uit het daarop aansluitende tijdperk der koningen van het noordelijke rijk. De brede TRAPPENOPGANG naar de stadspoort en de POORTVERSTERKINGEN zijn indrukwekkende voorbeelden van Salomo's bouwkunst. De zogenaamde STALLEN VAN SALOMO, een uitgebreid complex voor de verzorging van strijdwagenpaarden, dateren uit de tijd van koning Achab van Israël (869-850 v.C.). Voederbakken en doorboorde pilaren voor het vastbinden van de paarden zijn voor een deel bewaard gebleven. Een voor die tijd kolossale GRAANSCHUUR met dubbele binnentrap is gebouwd onder Jerobeam II (786-746 v.C.).

Een geniale constructie stelde de *watervoorziening* van de permanent bedreigde, hooggelegen stad veilig. Omdat de enige bron buiten èn onder de stadsmuur ontsprong, werd binnen de wallen een 35 m diepe schacht gegraven. Vanuit de onderzijde ervan werd vervolgens een *tunnel* aangelegd, die over een afstand van 63 m dwars door de rotsen naar de bron voerde. Aangezien deze geheime aansluiting op de bron van buitenaf niet zichtbaar was, kon de stad op deze wijze zonder gevaar van water worden voorzien. Via schacht en tunnel kan men tegenwoordig het opgravingsgebied bij de oude bron verlaten en een bezoek brengen aan het kleine MUSEUM.

Van Megiddo uit voert de weg dwars door het **Yizreeldal*** over Afula naar Nazareth (16 km). Het *Emeq Yizreel*, in Israël vaak kortweg *HaEmeq* (het dal) genoemd, strekt zich over een oppervlak van 60 km² uit tussen de bergen van Galilea, de Karmel en de heuvels van Samaria. De Bijbel vermeldt het dal vooral als slagveld en als startpunt voor de opmars van de uiteenlopendste volkeren. In rustiger tijden en bij een goede bevloeiing was het bekend om zijn grote graanoogsten. In de 19e eeuw lag het braak en was het overdekt met malariamoerassen, een gevolg van de overstromingen van de Kishon (→ afbeeldingen blz. 41 en 95). **Afula,** het bestuurscentrum van het dal, was oorspronkelijk een klein station aan de spoorweg van Haifa naar Damascus. Tegenwoordig komen hier de wegen naar Galilea, naar het Meer van Genezareth, naar het dal van de Jordaan, naar Samaria en naar de kust bijeen.

**Nazareth*** (Nazerat) was al bewoond in de tijd van de Kanaänieten. Het afgelegen en onbetekenende dorp wordt voor het eerst in het Nieuwe Testament genoemd, n.l. als geboorteplaats van Jezus. Reeds kort na diens dood schijnt zich in Nazareth een joods-christelijke gemeente gevestigd te hebben. Ze bekommerde zich om de twee huizen die in de christelijke traditie een rol spelen: het huis van Maria, met de kamer van de geboorteaankondiging, en dat van Jozef, waarin Jezus zijn jeugd doorbracht. Op beide plaatsen bouwde ze een synagoge-achtig heiligdom waarin de in de rotsen uitgehakte, spelonkachtige woningen waren opgenomen. Toen in de 4e eeuw het Christendom staatsgodsdienst werd, maakte het gebouw boven de Verkondigingsgrot plaats voor een Byzantijnse kerk.

De inwoners van de overwegend joodse stad hadden in toenemende mate te lijden onder de heerschappij der christenen, met het gevolg dat zij zich in 614, bij de inval van de Perzen, met de vreemde troepen verbonden tegen de christenen. Toen deze laatsten in 629 terugkeerden, verdreven ze alle joden en verwoestten de stad. Na de Arabische invasie raakte Nazareth verder in verval, al slaagden rijke Grieks-orthodoxe monniken erin de Verkondigingskerk open te houden en het pelgrimsverkeer voortgang te doen vinden. Ze kregen ook het huis van Jozef in handen. Ze werden tenslotte verdreven door de kruisvaarders, die er de Latijnse ritus invoerden en op de plaats van de Byzantijnse kerk een romaanse basiliek bouwden. Nog eenmaal kwam Nazareth tot bloei; het groeide uit tot het centrum van Galilea en behoorde met Jeruzalem, Betlehem en Kafarnaüm tot de belangrijkste heilige plaatsen. Daaraan kwam een einde toen de Mamelukken de heerschappij van de kruisvaarders braken en in 1263 ook in Nazareth de kerk en andere christelijke bouwwerken verwoestten.

Pas in 1620 kregen de franciscanen weer toestemming zich in Nazareth te vestigen. Een eeuw later, in 1720, werd het hen toegestaan boven de Verkondigingsgrot een eenvoudige kerk te bouwen. In de 19e eeuw kwam een groot aantal kloosterorden en zendingsgenootschappen naar Nazareth. Vele ervan verbonden hun bouwwerken met overleveringen uit Jezus' jeugdjaren.

Met meer dan 80 kerken en met zijn kloosters, hospitia, ziekenhuizen, scholen, torens, klokken en tuinen vol slanke cypressen maakt Nazareth tegenwoordig bijna de indruk van een Italiaanse stad. De inwoners zijn voor het grootste gedeelte christelijke Arabieren van uiteenlopende confessie. Het stadsbestuur is communistisch. In Nazerat'Illit, de moderne joodse bovenstad, wonen immigranten uit Noord-Afrika en Rusland. In de fabrieken van dit stadsgedeelte werken ook veel Arabieren. In totaal heeft Nazareth zo'n 60 000 inwoners.

Het centrum van de stad wordt tegenwoordig beheerst door de monumentale VERKONDIGINGSKERK, die in 1969 werd ingewijd. Ze heeft twee verdiepingen en omsluit in de benedenkerk de bewaard gebleven en gerestaureerde resten van vroegere godshuizen en de VERKONDIGINGSGROT. De bovenkerk, met haar kostbare inrichting, representeert de machtige wereldkerk van Rome.

Achter de Verkondigingskerk staat het FRANCISCANENKLOOSTER, waarin zich een klein maar bezienswaardig MUSEUM bevindt. De ST.-JOZEFKERK sluit erop aan. In dit gebouw wordt de bezoeker het 'huis van Jozef' getoond. Dit zijn in de rotswand uitgehakte grotten, die in de tijd van Jezus als woning werden gebruikt. Op ongeveer 1 km van het centrum, langs de weg naar Tiberias, ligt de *Bron van Maria*, de enige bron van de stad en waarschijnlijk een van de weinige echt authentieke plaatsen uit de jeugd van Christus. Niet ver daarvandaan staat de GABRIËLKERK; in de crypte ervan, gebouwd in de tijd van de kruisvaarders, bevindt zich een van de voedingsbekkens van de bron.

Door de nauwe straatjes van de oosterse markt kan men naar het KLOOSTER VAN DE DOCHTERS VAN MARIA HULP DER CHRISTENEN klimmen, waar men een wijde blik heeft over het rustieke berglandschap van Galilea en waar het na het gekrioel van pelgrims en toeristen in de stad zelf wat minder moeilijk is in gedachten terug te gaan naar het eenvoudige leven van het kind Jezus en zijn ouders.

Een paar kilometer ten noordwesten van Nazareth ligt **Zippori** (Sepforis*). Omringd door de ruïnes van een Turkse vesting, met een fraaie poort uit de kruisvaarderstijd, ligt daar de in 1860 gebouwde ANNAKERK, die mozaïeken uit de Byzantijnse tijd bevat en muurresten uit de tijd van de kruisvaarders. Zippori zou de woonplaats zijn geweest van Joachim en Anna, de ouders van Maria. De stad had haar grootste invloed in de 1e eeuw, toen Herodes Antipas ze aanzienlijk liet uitbreiden en ze omdoopte in *Diocaesarea*. Na het vertrek uit Beth She'arim zetelde het Sanhedrin enige tijd in wat nu Zippori heet. In

1931 werd een groot ROMEINS THEATER blootgelegd. In de 12e eeuw waakte een kruisvaardersburcht hier over de weg van Nazareth naar Akko. Vanuit deze burcht vielen in de zomer van 1187 de kruisridders uit voor hun desastreuze veldslag tegen de Hethieten. Langs Zippori voert een nieuwe weg door een fraai bebost heuvellandschap rechtstreeks naar de baai van Haifa en via Qiryat Ata, met de grootste textielfabriek van Israël, terug naar deze stad aan de Middellandse Zee (40 km).

## Haifa - Akko - Nahariyya

De autoweg van Haifa naar Akko (23 km) steekt in de buurt van de olieraffinaderijen de *Kishon* (Qishon) over en voert door het dichtbebouwde woon- en industriegebied naar de baai van Haifa. Even voor Akko kruist men de Na'aman, het antieke *Belos*, aan de monding waarvan volgens de overlevering de techniek van het glasmaken zou zijn uitgevonden.

De oudste gedeelten van **Akko***, dat reeds

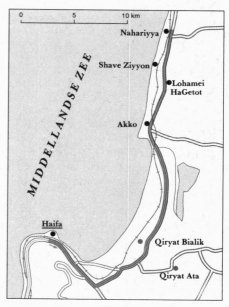

*Tegenwoordig wordt het beeld van Akko beheerst door de Ahmed Jazzar-moskee, die de stad aan de zee met haar rijke geschiedenis iets oosters geeft.*

in de zogenaamde Amarna-brieven ( 1350 v.C.) wordt genoemd, liggen in een nog niet afgegraven tell bij de afslag naar Zefat (Safed). Belegeraars van Akko, zoals Richard Leeuwenhart in 1191 en Napoleon in 1799, gebruikten de heuvel als uitkijkpost. In de tijd van het Nieuwe Testament heette de stad *Ptolomaïs.* Onder de naam *St. Jean d'Arce* was Akko in de 12e en 13e eeuw de belangrijkste

haven van het koninkrijk Jeruzalem. In hetzelfde jaar als Jeruzalem (1187) werd ook Akko ingenomen door Saladin. De stad kon echter in 1191 worden heroverd en bleef honderd jaar lang de hoofdstad van de resterende kruisvaardersstaat. Eigendoms- en handelsrechten in Akko waren zo gewild, dat de stad werd opgedeeld in gescheiden kwartieren voor de verschillende kruisridderorden (Johannieters, Tempeliers en Duitse Orde) en voor de Italiaanse zeesteden Genua, Pisa en Venetië. De periode werd gekenmerkt door welvaart en rijkdom, maar ook door haat en nijd en onderling gekrakeel. De stad raakte in verval na de verovering ervan door de Mamelukken (1291) en werd pas in de 18e eeuw als residentie weer opgebouwd door de even brutale als bouwlustige Turkse gouverneur Ahmed Pasja, die door de Arabieren el-Jazzar, de beul, werd genoemd. Bij het naderen van Napoleon bouwde hij de nog bestaande STADSMUUR en vernieuwde de havenversterkingen; dank zij de steun van de Britse vloot kon hij de stad houden.

Binnen de muren van de machtige CITADEL, die Ahmed Jazzar liet optrekken op de ruïnes van de kruisvaardersburcht, ligt de zogenaamde ONDERAARDSE KRUISVAARDERSSTAD, een reeks blootgelegde vroeg-gotische zuilengangen en ridderzalen en een reusachtige, 12 m hoge refter. De indrukwekkende ruimten behoorden tot het stadskwartier van de Johannieterorde en tonen nog iets van de rijkdom en het zelfbewustzijn van deze ridderorde. Na de bezichtiging ervan komt men bij het STADSMUSEUM, een voormalig Turks badhuis waarin het dagelijks leven en de traditie van het Arabische Galilea worden getoond. Hoog boven de kruisvaardersgebouwen, in een goed verzorgd, door bogen om-

geven tuincomplex, torent de grote AHMED JAZZAR-MOSKEE (1781) waarvan de minaret het stadsbeeld kenmerkt. Heel aardig is de FONTEIN voor het rituele reinigen. In het portaal van de moskee zijn graniet en porfier uit Tyrus, Caesarea en Ashqelon verwerkt. De muren van de gebedsruimte zijn rijk versierd met tegels, inlegwerk en spreuken uit de Koran. Via de OOSTERSE BAZAR komt men bij de zee. Bij de schilderachtige vissershaven of in een Arabisch restaurant boven de kademuur is het moeiteloos dromen over zeeslagen of over het binnenzeilen van machtige handelsvloten. Vlak bij de haven ligt de KHAN EL-UMDAN, een grote karavanserai uit de 18e eeuw, waarvan de zuilen afkomstig zijn uit verscheidene steden uit de Oudheid. Rond de grote vierkante binnenplaats, die ruimte bood aan kameelkaravanen en hun lading, staat een twee verdiepingen hoog gebouw.

Rechts van de weg van Akko naar Nahariyya (10 km) ligt in een fraaie Perzische tuin het GRAF VAN BAHA ALLAH, de profeet van het Bahai-geloof. Verderop loopt de weg even parallel met een decoratief AQUADUCT, door Ahmed Jazzar in antieke stijl gebouwd om water uit de bergbronnen van Kabri naar Akko te voeren. Het gerestaureerde gedeelte ervan eindigt bij een opvallend, modern gebouw. Het is een MUSEUM dat bij de kibbuz **Lohamei HaGetot** (getto van de strijders) behoort en dat gesticht werd door overlevenden van het getto van Warschau.

Even voor Nahariyya ligt, in de richting van de zee, de afslag naar **Shave Ziyyon** (Shavej Zion), een nederzetting van Duitse joden, gesticht in 1938. Ze exploiteren een goedverzorgd gastenhuis. Aan het strand herinneren de fundamenten van de vroeg-byzantijnse kerk en een prachtige mozaïekvloer aan een grote, verdwenen stad. De omringende katoenvelden liggen bezaaid met antieke keramiek-, glas- en mozaïekscherven.

**Nahariyya** is een rustig vakantieoord met veel pensions, lommerrijke lanen en een mooi strand, in de buurt waarvan overblijfselen van een KANAÄNITISCHE TEMPEL zijn gevonden. Het stadje, dat in 1934 werd gesticht door Duitse immigranten, heeft zijn gemoedelijke sfeer tot op de dag van heden bewaard. Van Nahariyya uit zijn heel gemakkelijk uitstapjes te maken in het noordelijke bergland van Galilea.

## Van Nahariyya de bergen van Galilea in en naar Bar'am

De weg van Nahariyya naar Tzfat voert al na een paar kilometer de ruige bergen van Galilea in. Het landschap is overdekt met niet ontsloten bergkammen en diep uitgesneden dalen waarin allerlei minderheden - joden, Druzen, Tsjerkessen, maronitische en orthodoxe christenen - in kleine nederzettingen de eeuwenlange vreemde heerschappij overleefden. Rotsachtige hellingen zijn met behulp van terrasaanleg met veel moeite vruchtbaar gemaakt en in de beschutte dalen gedijt de fruitteelt. Sprookjesachtig is het hier in het voorjaar, als de dorre aarde tussen rotsblokken en bremstruiken met een groen tapijt wordt overdekt en overal de anemonen, de zwaardlelies en de alpenviool
tjes overdadig beginnen te bloeien.

In de 13e eeuw was vrijwel het gehele gebied ten noordoosten van Akko in handen van de Duitse Orde, die het vanuit Montfort bestuurde. Ook YEHIAM, het *Castellum Yudin* van de kruisvaarders, behoorde tot de orde; het beheerste de oostelijke toegangsweg naar Akko. De ruïnes zijn in elk geval afkomstig van een residentie van de bedoeïenensjeik Daher el Amr die in de 18e eeuw liet bouwen op de grondvesten en met materiaal van de vroegere burcht. Een parallelweg, die bij de eerste heuvels van de hoofdweg afbuigt, voert naar Yehiam.

Hoger de bergen in doet de hoofdweg het dorp **Mi'ilya** aan. Een opmerkelijk feit bij deze nederzetting is dat zij bewoond wordt door Grieks-orthodoxe Arabieren. Het centrum van dit bergdorpje is in vroeger dagen binnen de beschermende omwalling van de burcht CASTRUM REGIS opgebouwd. Behalve de beschutting werden ook de stenen van deze vervallen sterkte ten nutte aangewend: eerst werd de oude moskee ervan gebouwd en van het resterende materiaal kon later nog een flink aantal landbouwershuisjes worden opgetrokken. Twee grote hoektorens en enkele delen van de muren zijn redelijk goed bewaard gebleven, maar verder is er van de burcht weinig over.

Van Mi'ilya gaat de tocht verder naar **Montfort** of **Starkenburg,** de 4 km verderop gelegen grootmeesterszetel van de Duitse Orde. De sterkte ligt wat verscholen op een vooruitspringende rotspunt in de diepuitgesneden en groen beboste wadi Keziz en is alleen te voet bereikbaar. Behalve VESTIGINGWERKEN met hun torens, muren en waterputten en het reusachtige vierkant van

*In de omgeving van Yizreel en in het bekken van het Hulameer wordt katoen verbouwd. Hij behoort evenals fruit en zuidvruchten tot de agrarische exportprodukten van Israël.*

het BELFORT is vooral de KAPITTELZAAL opmerkelijk: een gewelfde ruimte die gedragen wordt door een machtige, achtkantige pilaar. Toen in 1271 de Mamalukken onder Baybars voor de burcht verschenen, gaf de bezetting zich na een beleg van een week over en kon ze met het vermogen en het archief van de orde naar Akko vertrekken. Baybars liet de verdedigingswerken vernietigen en de waterputten onbruikbaar maken. Hoewel Montfort door verscheidene aardbevingen is getroffen, is het de best bewaard gebleven kruisriddersburcht in Israël.

Op de kruising bij Sasa rijdt men in de richting van Kiryat Shmona, naar de ruïnes van de SYNAGOGE van **Bar'am**. Na de twee noodlottige opstanden tegen de Romeinen werden de afgelegen en door de oorlogshandelingen niet beroerde delen van Galilea in de 2e en 3e eeuw tot een centrum van nieuw joods leven. Synagogen namen als ontmoetings- en gebedsruimten de plaats in van de tempel te Jeruzalem en zijn offerdiensten. Het oudste bewaard gebleven voorbeeld van zo'n vroege Galilese synagoge is te vinden in het op bijna 800 m hoogte gelegen Bar'am. De fraai ingedeelde toegangsfaçade is naar Jeruzalem gericht en heeft drie geornamenteerde torens. De voorhal rustte op zuilen, waarvan er een paar over hun volle hoogte bewaard zijn gebleven. Het interieur was door zuilenrijen verdeeld in langs- en dwarsbeuken. Griekse en Romeinse invloeden zijn duidelijk vertegenwoordigd in de bouwstijl. Sedert de Middeleeuwen is Bar'am op het joodse Purimfeest een bedevaartsoord, aangezien hier volgens een oude legende koningin Ester begraven zou liggen. De maronitische bewoners van het Arabische Bar'am werden in de Onafhankelijkheidsoorlog om militaire redenen geëvacueerd en wachten sindsdien tevergeefs op toestemming om terug te keren.

De weg naar Rosh HaNiqra, die voorbij Sasa in noordwestelijke richting afbuigt, voert door prachtige bergwouden langs kleine agrarische nederzettingen. Telkens opnieuw zijn de kale bergen van Libanon zichtbaar. In **Hanita** loont het de moeite een omweg te maken naar een hooggelegen uitkijkpunt van waaruit men uitzicht heeft op Tyrus en op de Libanese kust.

Nog vóór **Rosh HaNiqra** bereikt men de zee en de kustweg. Ontelbare veroveraars, pelgrims en handelskaravanen bereikten via de LADDER VAN TYRUS, een in zee uitstekende bergrug, het Heilige Land. De wit oplichtende krijtrotsen, die met een kabelbaan bereikbaar zijn, zijn aan de zeezijde uitgeslepen tot schilderachtige grotten.

Tussen Rosh HaNiqra en Nahariyya ligt de tell van de Kanaänitische en Fenicische kuststad **Akzib**\* of ACHZIV (Tel Akhziv). In de ruïnes van het Arabische dorp EZ-ZIB zijn nog delen te herkennen van de kruisvaardersvesting CASTEL IMBERT, die aan de monding van de wadi Keziv de toegang van Montfort tot de zee bewaakte. Een klein archeologisch MUSEUM wordt beheerd vanuit de nabijgelegen kibbuz GESHER HAZIV. Achziv heeft een mooi strand en een groot kampeerterrein.

## Nahariyya - Golanhoogten - Metulla

De weg van Akko naar Tzfat, die 53 km lang is, voert door het brede BET-KEREMDAL, dat Boven- en Beneden-Galilea van elkaar scheidt. In het noorden bevinden zich rotsachtige bergen. De hoogste toppen ervan reiken tot aan de 1200 m. Naar het zuiden toe gaat het landschap over in zacht glooiende heuvels, die nergens boven de 500 m komen. Dit vriendelijke gebied noodt tot lange wandelingen en ook het Bet-Keremdal zelf is erg aantrekkelijk. Het is beroemd om de eeuwenoude olijfbossen bij RAMA.

**Meron**, waar de tocht onderweg langs voert, is al een heel oude plaats. In de 2e en 3e eeuw was het een centrum van joodse wetenschap, waar veel geleerden naar toe kwamen. Tegenwoordig wordt Meron nog altijd bezocht vanwege de graven van zijn wijzen. Op het feest van *Lag Ba'omer* trekken duizenden feestgangers en toeris-

ten naar het bekoepelde MAUSOLEUM VAN RABBI SHIMON BAR IOCHAI en zijn zoon. Tegen de avond worden reusachtige fakkels ontstoken en branden er ontelbare vreugdevuren. Het zingen, bidden, dansen en eten duurt de gehele nacht. Shimon Bar Iochai steunde de opstand van Bar Kochba (132-135) en zou in Meron het mystieke boek *Sohar* hebben geschreven. Volgens anderen ontstond dit belangrijkste boek van de Kabbala pas in de 13e eeuw.

In de wanden van een klein dal zijn GRAFKAMERS uitgehouwen. Rabbi Hillel en rabbi Shammai, grote rivalen uit de 1e eeuw en grondleggers van twee elkaar bestrijdende scholen, liggen in de twee hellingen tegenover elkaar begraven. Op een hoogte met een weids uitzicht staan nog twee poorten van een SYNAGOGE uit de 3e eeuw. Ze zijn opgetrokken uit 3 m hoge steenblokken. De aan [5] bergzijde gelegen wand van de synagoge bestaat uit rots.

Tzfat (Safed of Zefat), de hoogstgelegen stad van Israël (tot 900 m), is de meest recente van de vier heilige steden van het Jodendom in Israël. Hebron is de stad van de

*Deze oude Druus uit een dorp in het noorden van de Golan-hoogvlakte heeft al veel heren gekend: Turken, Fransen, Syriërs en nu Israëli's.*

patriarchen, Jeruzalem de stad van de tempel, Tiberias de zetel van het Sanhedrin en Tzfat de stad van de joodse mystiek, van de Kabbala. In de 16e eeuw, na de verdrijving van de joden uit Spanje, vestigde zich hier een groep joodse geleerden van wie de faam al spoedig leerlingen aantrok uit alle delen van de wereld. Er ontstonden synagogen en Talmud-scholen, benevens de eerste drukkerij in Azië. In de gouden eeuw van de grote Osmaanse sultans Selim I en Süleiman de Grote groeide de joodse bevolking van de stad uit tot 12 000 zielen. De indrukwekkendste persoonlijkheid van de stad was rabbi Lurie, die Ha'Ari (leeuw) werd genoemd. Zijn van diepe vroomheid doortrokken leven gaf aanleiding tot het ontstaan van talrijke humoristische en beschouwende legenden. Nog steeds zijn in Tzfat zijn GRAF, het RITUELE BAD dat hij gebruikte en twee SYNAGOGEN waarin hij dikwijls bad, te bezichtigen.

Behalve het netwerk van nauwe straatjes, met zijn verborgen synagogen en plaatsen vol herinnering bezit Tzfat in het vroegere Arabische stadsdeel een sfeerrijke kunstenaarswijk, die tot rondslenteren noodt. Van de spreekwoordelijk zuivere lucht van Tzfat kan men het beste genieten in het hooggelegen PARK bij de overblijfselen van de vroegere KRUISVAARDERSBURCHT SAFAT.

Van de winderige hoogten van Tzfat voert de weg in steile slingers met fraaie panorama's naar de **Hulavallei** (Emeq Hula) (→ blz. 41), gelegen in de zoele vallei van de Jordaan (zeespiegelhoogte). De vaak verwoeste en weer opgebouwde smalle brug BENOT YA'A-QOV (Dochter van Jacob) was tot in het recente verleden de enige overgang over het noordelijke gedeelte van de Jordaan naar Syrië. Aan de overzijde klimt de weg over een afstand van bijna 25 kilometer door vrijwel on-

bewoond gebied naar een hoogte van ongeveer 1000 m, tot aan de door VN-troepen bewaakte wapenstilstandslijn bij QUNEITRA.

De **Golanhoogvlakte** daalt van de Hermon in het noorden langzaam af naar het dal van de Yarmuk in het zuiden. De bodem ervan is bedekt met vulkanisch gesteente, dat langzaam verweert tot vruchtbare aarde. In de Bijbel heet dit gebied *Basan** en behoort het tot het stamgebied van Manasse. Een plaats *Golan** wordt in het Oude Testament genoemd als vrijstad. Tot in de 3e eeuw lagen er op de Golanvlakte talrijke joodse nederzettingen. De Turken stuurden er in de 19e eeuw Druzen en Tsjerkessen heen. In 1918 werd de Golanhoogvlakte van Syrië, dat het na 1948 uitbouwde tot een uitvalsbasis tegen Israël. De dorpen in de Hulavallei en aan het Meer van Genezareth hadden zwaar te lijden onder de overvallen en de artilleriebeschietingen. Sinds 1967 stond het gebied onder Israëlisch bestuur; in 1981 werd het geannexeerd. Met uitzicht op de majesteitelijke, 2814 m hoge berg HERMON (→ afbeelding blz. 41) rijdt men van de wapenstilstandslijn bij Quneitra door een steppeachtig landschap in noordwestelijke richting naar het Druzendorp **Masada** en van daar door een hooggelegen vruchtbaar dal met fruit- en veeteelt naar het lager gelegen Baniyas.

**Baniyas** heette in de hellenistische tijd *Paneas*, omdat hier de Griekse god Pan werd vereerd. Aan de voet van een steile bergwand ligt in een brede kom de BRON VAN DE HERMON (*Baniyas*), een van de drie bronrivieren van de Jordaan. Vroeger ontsprong ze, even boven de huidige plaats, in een holte in de rotsen. Op die plek zijn nog resten van een Griekse inscriptie en in de rotsen uitgehakte nissen voor standbeelden te zien. De kleine MOSKEE op de rotswand daarboven, opvolger van een

aan St.-Joris toegewijd kapelletje, is gebouwd ter ere van de profeet Elia. Ook Herodes de Grote bouwde hier ooit een tempel. Zijn zoon Filippus bouwde Paneas uit tot de hoofdstad van zijn erfdeel en noemde het *Caesarea Filippi** (→ blz. 177). In deze stad zou Petrus Jezus erkend hebben als de messias en de naam Petrus (= rots) gekregen hebben (Mt 16:13-20). Om de stad is veel strijd geleverd. Ze beheerste aan de ene zijde de toegang tot de Golanhoogvlakte en de weg naar Damascus, en aan de andere kant de weg naar zuidelijk Libanon en naar Tyrus. Het Arabische dorp Baniyas werd tijdens de Zesdaagse Oorlog van 1967 verwoest.

Van de versterkte kruisvaardersstad zijn slechts enige muurresten bewaard gebleven. Erboven echter, op een hoogte van 800 m vastgeklonken op een smalle bergkam, verheft zich de machtige burcht SUBAIBE (Qual'at Nimrod), die afwisselend in islamitische en christelijke handen was. Men komt er via de weg naar de kibbuz NEVE ATIV, die van de hoofdweg over de Golanhoogvlakte naar links afbuigt. De burcht, gelegen temidden van een troosteloos berglandschap en met een weids panorama over de Hulavallei, is 450 m lang en op het smalste punt nog altijd zo'n 60 m breed.

Een paar kilometer ten westen van Baniyas ligt rondom het brongebied van de **Dan** een groen en lommerrijk NATUURRESERVAAT met hoge bomen, varens, mossen en wilde wijnstokken, een idyllische jungle waarin het ruisen is te horen van de heldere beekjes waarmee het gebied doorsneden is. In het centrum verheft zich de overwoekerde en nog slechts ten dele onderzochte tell van het oude *Dan**, aan de voet waarvan een rijke bron ontspringt. Blootgelegd zijn onder andere de ZUIDELIJKE POORT en de ALTAARHEUVEL, beide zeer de moeite waard.

Door een vruchtbaar, parkachtig landschap voert de weg verder naar Metulla; onderweg kruist hij daarbij nog een derde voedingsrivier van de Jordaan, de *Senir* (Hasbani). Reeds de verkenners uit Dan prezen het gebied als 'een land waar werkelijk aan niets gebrek is' (Ri 18:10). Bij Kiryat Shmona, dat men links laat liggen, buigt de weg af naar het noorden. Na enige tijd verschijnt rechts van de weg de tell van de bijbelse stad ABEL-BET-MAÄKA*. Niet ver van Metulla voert rechts een pad in het ravijn van de *Jjon*, opnieuw een voedingsrivier van de Jordaan, waar men de TANUR kan bewonderen, de enige permanente waterval van Israël. Overnachten kan men vervolgens in het aangename klimaat van **Metulla** de noordelijkste plaats van Israël. Vanaf de grens kan men tot ver in Libanees gebied kijken. In de verte verheffen zich de ruïnes van de vroeger door de PLO bezette kruisvaardersvesting Beaufort.

# Metulla - Tiberias

Van Metulla uit voert de weg rechtstreeks naar het zuiden. Rijdend in de richting van **Kiryat Shmona,** een nieuwe, zich snel ontwikkelende stad en bestuurscentrum van de Hulavallei, liggen rechts het bergland van Boven-Galilea en links de Hulavallei (→ blz. 41) met zijn vruchtbare landerijen en z'n visvijvers. Na 32 km bereikt de reiziger de tell van **Hazor** (Hasor*) (→ blz. 78-81). Van deze zeer oude Kanaänitische stad is al sprake in Egyptische teksten uit de 19e eeuw v.C. Hazor beheerste het punt waar de twee noordelijke toegangswegen elkaar troffen en als *Via Maris* of zeeweg door Kanaän verder voerden naar Egypte. Het waren de weg uit Damascus en uit het Tweestromenland, dus van de andere zijde van de Jordaan, en de weg uit Azië die vanuit het noorden over de pas bij Metulla kwam.

De kolossale tell, die na de verovering door Tiglatpileser in 733 v.C. nog slechts sporadisch en sedert ongeveer 150 v.C. helemaal niet meer werd bewoond, bevat in verschillende lagen de restanten van 21 steden uit 25 eeuwen en verschafte archeologen, historici en kunsthistorici uitzonderlijk rijk materiaal over de Kanaänitische en Israëlitische architectuur en religie. In het MUSEUM van de vlakbij gelegen kibbuz *Ayelet HaShahar* zijn replica's te zien van de bijzondere stèles en godenbeelden waarvan de originelen zijn ondergebracht in het Israëlmuseum te Jeruzalem (→ afbeelding blz. 80).

De tweedeling van de stad in een bovenstad op de 40 m hoge eigenlijke tell en een benedenstad op het noordelijk daarvan gesitueerde plateau is duidelijk te zien. Aangezien de benedenstad in de Israëlitische tijd niet meer bewoond is geweest, zijn hier voornamelijk Kanaänitische fundamenten blootgelegd, waaronder die van een TEMPEL die, evenals die van Salomo, een voorhal, een heiligdom en een allerheiligste had en waarvan de binnenmuren bekleed waren met basaltplaten. Opgegraven zijn voorts een groot, uit één rotsblok gehouwen ALTAAR en een PALEIS met twee binnenplaatsen. De benedenstad was omgeven door een ten dele nog aanwezige STENEN MUUR met daarvóór een diepe GRACHT. In de Israëlitische BOVENSTAD zijn verschillende bouwwerken een bezoek waard, zoals de 2 m dikke muur van de CITADEL van Achab uit de 9e eeuw, een VOORRAADSCHUUR waarvan de steunpilaar, uit één stuk steen gehouwen, (→ blz. 120) nog overeind staat en vooral het WATERTOEVOERSYSTEEM. Behalve uit een loodrechte schacht bestaat het uit een brede, in de rotsen uitgehakte tunnel die in 150 treden afdaalt naar het grondwaterniveau.

*Op deze luchtfoto van de opgravingen in Hazor herkent men aan de pijlers het voorraadgebouw tussen de andere uitgravingen in de bovenstad. Op de achtergrond de diepe putten.*

Vanaf de hoofdweg naar Tiberias neemt men na ongeveer 1 km de afslag links in de richting Akko. Via deze smalle weg bereikt men na 2 km **Korazim,** het *Chorazin** (→ blz. 179) uit het Nieuwe Testament. De stad die Jezus tegelijk met Betsaïda en Kafarnaüm waarschuwde (Mt 11:21) ligt sinds de 4e eeuw in puin. In de 16e eeuw vestigde er zich opnieuw een kleine joodse gemeenschap. Chorazin was in de Romeinse tijd (2e en 3e eeuw) een klein joods stadje dat in de Talmud genoemd wordt vanwege de kwaliteit van zijn graan. Behalve fundamenten van woningen en openbare gebouwen zijn grote kelders en waterputten blootgelegd. Als bouwmateriaal is zwart basalt uit de buurt gebruikt. Meer nog dan in andere Galilese synagogen uit de betrokken periode zijn in die van Chorazin de hellenistische invloeden te zien, die inbreuk maken op het strenge joodse verbod op het 'snijden van beelden'. De eenvoudige taferelen uit de wijnoogst, de gestalten van dieren en zelfs een soort medusakop die op kroonlijsten en kapitelen staan

afgebeeld, zijn technisch minder van kwaliteit dan die in Kafarnaüm. Toch maken ze een bijzondere indruk door het sombere, ruige basalt. De zwarte ruïnes van Chorazin in het doodstille heuvellandschap stemmen tot nadenken en vormen een rustige aanloop naar de plaatsen aan zee, waar scharen pelgrims en toeristische drukte vaak weinig gelegenheid tot bezinning overlaten.

De hoofdweg voert vervolgens in grote slingers langs markeringen van 0 tot 210 m onder zeeniveau. Halverwege is het de moeite waard een bezoek te brengen aan het park van de Italiaanse zusters op de BERG VAN DE ZALIGPRIJZINGEN. Volgens de overlevering hield Jezus hier de Bergrede (Mt 5:7). De achtzijdige kerk (1937) is omringd door bogen waarin de zee gevat ligt als op sfeervolle Italiaanse afbeeldingen. Het **Meer van Genezareth** (→ blz. 40 en 180), dat in Israël inmiddels weer zijn oudtestamentische naam *Yam Kinneret* draagt en in het Nieuwe Testament het *meer van Galilea* of het *meer van Tiberias* wordt genoemd, is tot het zuidelijkste uiteinde ervan te overzien. Op de zuidoostelijke oever ligt de kibbuz EN GEV aan de voet van de heuvel Susita, waarop de resten liggen van *Hyppos*\*, een van de steden van de Dekapolis. Daarachter liggen de opgaande hellingen naar de

Golanhoogten; in het zuiden heeft men een uitzicht op Tiberias en op de steile hellingen van de berg ARBEEL, met daarachter de HOORNS VAN HITTIM.

Vanaf de BERG VAN DE ZALIGSPREKINGEN is het mogelijk via een veldpad binnen een half uur af te dalen naar Tabgha aan de zee. Meer dan in welke kerk of ruïne ervaart men langs dit pad het landschap waarin Jezus zich moet hebben thuisgevoeld. Een ontmoeting met een herder en zijn kudde versterkt die indruk, en in het voorjaar doen irissen en oplichtende anemonen langs de rand van de weg meer dan wat ook denken aan Jezus' woorden over de 'leliën in het veld' (Mt 6:28).

De naam **Tabgha** is afgeleid van het Griekse woord *Heptapegon* (zeven bronnen). Bronnen en beken veranderen de kleine oevervlakte in een weelderig, tropisch parklandschap. Sinds de Byzantijnse tijd geldt Tabgha als de plaats waar Jezus brood en vis vermenigvuldigde om zijn talrijke toehoorders te spijzigen. Toch lijkt het onwaarschijnlijk dat juist hier, nauwelijks 3 km van Kafarnaüm en in een destijds dichtbewoond gebied, zo'n wonder nodig was; reden waarom sommigen het wonder van de broodvermenigvuldiging maar verleggen naar de oostelijke oever van het meer. Overigens neemt dit niet weg dat

*Het wellicht mooiste mozaïek van Israël bevindt zich in de kerk van de Broodvermenigvuldiging in Tabgha. Watervogels en lotusbloemen doen vermoeden dat de kunstenaar uit Egypte afkomstig was.*

deze vroege traditie en de komst van pelgrims uit de eerste tijd van het christendom Tabgha een zekere sfeer en betekenis geven.

Een esthetische belevenis is een bezoek aan de mozaïekvloer van de Byzantijnse BROODVERMENIGVULDIGINGSKERK; planten en dieren in een waterlandschap zijn er bijna wetenschappelijk exact op uitgebeeld in sierlijke composities en zorgvuldig op elkaar afgestemde kleuren. Lotusplanten en papyrusriet herinneren aan de Nijl, en ook een afgebeelde zgn. nilometer (een vroeger bij de Nijl gebruikte waterstandmeter) doet vermoeden dat de onbekende kunstenaar zeer waarschijnlijk niet inheems was maar wellicht uit Egypte is overgekomen. Achter het altaar bevindt zich het enige mozaïek waarvan het motief betrekking heeft op de geschiedenis van de stad zelf: een met brood gevulde mand tussen twee vissen. Een rotsblok bij het altaar wordt al in beschrijvingen uit de 4e eeuw genoemd als de plaats waar het wonder zou hebben plaatsgevonden. Christenen uit die tijd gebruikten het als altaar. Op het grondplan van de Byzantijnse basiliek die in de 7e eeuw werd verwoest, is in 1981 over de mozaïeken heen een nieuwe kerk gebouwd, die door benedictijner monniken wordt beheerd.

Op korte afstand van Tabgha, vlak bij de plaats waar nog altijd een kleine vissershaven in bedrijf is, ligt de uit donker basalt opgetrokken franciscaanse PETRUSKERK. Het rotsblok in het kerkje wordt *mensa Christi* genoemd en is al sinds de Byzantijnse tijd in verband gebracht met het verhaal in het evangelie van Johannes (Joh 21) waarin de verrezen Christus verschijnt aan een aantal leerlingen die in het meer aan het vissen zijn. Op die plaats zou Jezus Petrus hebben aangesteld als herder over zijn kudde; reden waarom de kerk ook wel Kapel van de Primaat wordt genoemd.

**Kafarnaüm** of **Kapernaum** (Kefar Nahum) wordt in het Oude Testament niet genoemd. In de periode van het Nieuwe Testament was het een vissersplaatsje op de noordelijke oever van het Meer van Genezareth, bij de grens tussen Galilea en het gebied van de tetrarch Filippus in het noordoosten. Het had een tolkantoor (Mt 9:9) en er was een klein Romeins garnizoen gelegerd (Lc 7:1-10). Nadat Hij uit Nazaret was verdreven, verbleef Jezus vaak in Kafarnaüm (→ blz. 179) en woonde hij waarschijnlijk in het huis van Simon Petrus. Hier verrichtte Hij de meeste van zijn tekenen en genezingen en een groot gedeelte van zijn prediking was gericht tot de bewoners van stad en omgeving. Toen dezen niet bereid bleken hun leven te veranderen, sprak Jezus zijn 'Wee u' uit over Kafarnaüm, Chorazin en Betsaïda (Mt 11:20-24).

Volgens joodse geschriften uit de 1e eeuw waren de inwoners van Kafarnaüm ketters en daarenboven zeer verdorven. Mogelijkerwijs hebben deze teksten betrekking op een joods-christelijke gemeente te Kafarnaüm waarvan de leden, behalve in de synagoge, ook bijeenkwamen in het huis van Simon Petrus en op die wijze de traditie van deze plek in stand hielden.

In de 2e of 3e eeuw kreeg Kafarnaüm, ongeveer tegelijkertijd met Bar'am, Meron en Chorazin, een nieuwe synagoge op de plaats van de eerdere, die in de tijd van Jezus was gebouwd door de Romeinse hoofdman. Uit de toepassing van kalksteen voor het gebouw zou kunnen worden afgeleid dat de stad in die tijd een zekere welvaart genoot. In de 4e eeuw bouwde de joodse bekeerling (en bisschop van Tiberias) Jozef een achthoekige Byzantijnse kerk boven het graf van Petrus.

Kafarnaüm werd in de 6e eeuw door een aardbeving verwoest en raakte na de inval van de Perzen in 614 in de vergetelheid. Kruisvaarders noch pelgrims wisten waar de stad gelegen had. In 1896 begonnen de franciscanen met de opgravingen. Behalve de synagoge en de fundamenten van de Byzantijnse kerk werd tot op heden ook een groot deel van de stad blootgelegd. Bij de opgravin-

*Aan het composietkapiteel en de zuilbasis op deze afbeelding zien we dat de architectonische bijzonderheden van de synagoge in Kapernaum niet wezenlijk verschillen van soortgelijke heidense details.*

gen kwam allerlei huisraad te voorschijn, waaronder een kolossale oliepers van zwart basalt. Met gebruikmaking van de vondsten kon de SYNAGOGE (→ illustratie blz. 181) voor een deel worden gereconstrueerd. De noordelijke muur met de oorspronkelijk daarbinnen gelegen zuilenrij staat weer overeind. Vorm en bouwwijze van het gebedshuis verraden een Syrisch-hellenistische invloed. Kenmerkend voor de synagogen van Galilea waren het gericht zijn naar het zuiden, richting Jeruzalem, en de vormgeving van het interieur. Eén zuilenrij in de breedte en twee in de lengte verdeelden het inwendige van het gebouw en ondersteunden de vrouwengalerij. Tegen beide zijwanden waren stenen banken aangebracht. Rijk versierd was met name de zuidelijke façade met haar drie portalen, ramen, zuilen en sierlijsten. Op een groot aantal afgebroken kapitelen en op fragmenten van een fries met reliëf zijn nauwgezet uitgevoerde ornamenten en joodse symbolen aangebracht, zoals de davidster, de zevenarmige kandelaar en vruchten uit het land van Israël. Een met zuilen versierde kast op wielen (→ illustratie blz. 106)

wordt gezien als een afbeelding van de Ark van het Verbond, maar kan ook een verplaatsbare thoraschrijn zijn. Tot de opgegraven relicten behoort eveneens een Romeinse adelaar, het krijgssymbool van het in Palestina gelegerde 10e legioen.

Het als park aangelegde gebied van het voormalige Kafarnaüm is in het bezit van de franciscanen. Een niet aflatende stroom toeristen en pelgrims uit alle delen van de wereld en van velerlei ras en religie verdringt zich permanent op deze plaats vanwaar het christendom zijn vleugels uitsloeg.

Van Kafarnaüm komt men via Tabgha terug op de hoofdweg. Deze loopt langs de tell van de oude stad KINNERET* (Genezareth), die al omstreeks 1350 v.C. wordt genoemd als mijlpaal op de weg naar Damascus en waaraan het meer zijn naam te danken heeft (Jos 12:3). Niet ver ervandaan staan de hoogspanningsmasten van het pompstation van de LANDELIJKE WATERLEIDING. Daarmee wordt hier het water uit het meer ondergronds naar boven gepompt. In eerste instantie stroomt dit water naar een open kanaal en vervolgens via een reusachtig leidingenstelsel naar het zuiden, tot in de Negebwoestijn.

Een afslag ter linkerzijde, meteen na de hoogspanningsmasten, leidt naar de ruïnes van **Khirbet Minja,** het winterpaleis van een Omajjaden-kalief uit de 7e eeuw met een ten dele bewaard gebleven ringmuur. Daarbinnen bevinden zich onder andere de fundamenten van de oudste moskee in Israël en fraaie vloermozaïeken. Geruime tijd is hier gezocht naar het bijbelse *Betsaïda*. Tegenwoordig vermoedt men deze stad eerder ten oosten van Kafarnaüm, op de plaats waar de Jordaan uitmondt in zee.

Het smalle kanaal, dat aan de linkerkant voor een gedeelte parallel loopt met de weg naar Tiberias, voert naar de Jordaan het water af van zoutrijke bronnen die op de bodem van het meer worden afgetapt.

Rechts strekt zich de vruchtbare **Vlakte van Ginossar** of **Genezareth** uit, waar Jezus en zijn leerlingen meermalen doorheen trokken. Het gebied, dat in de 19e eeuw in een moeras was veranderd en als een broeinest van malariamuggen gold, ligt thans bezaaid met landerijen die vroeg in het jaar groenten leveren (en in februari al de eerste aardbeien) en waarop in de zomermaanden bananen en dadels worden geoogst. Ze worden bewerkt door de bewoners van de nederzettingen GINOSSAR en MIGDAL. Migdal ontleent zijn naam aan *Magdala*, (de geboorteplaats van Maria Magdalena), waarvan de ruïnes aan de oever van het meer liggen.

Even voor Tiberias wordt de vlakte begrensd door de bergrug van de ARBEEL. De steile wanden ervan liggen bezaaid met grotten die in de tijd van de Makkabeeën en tijdens de regeringsperiode van Herodes de Grote werden uitgebreid en als schuilplaats dienden voor joodse vrijheidsstrijders.

## Tiberias

**Tiberias*** (Teverya) was in de tijd van Jezus
een stad in ontwikkeling. Herodes Antipas
kreeg ze met moeite bewoond omdat ze voor
overtuigde joden onrein was, een gevolg van
het feit dat bij de stichting ervan de graven
van een vroegere nederzetting vernield waren. Ook de vormgeving in Griekse stijl,
compleet met theater en sportvelden en met
standbeelden op pleinen en bij de badinrich-
tingen, stuitte de vrome joden tegen de borst.
De grote opbloei van Tiberias begon pas in
de 3e eeuw, toen het Sanhedrin er zich vestigde. De geleerden van de stad trokken toen
leerlingen aan uit alle delen van de toenmaals
bekende wereld.

In de 4e eeuw werd hier de Jeruzalemse
Talmud tot stand gebracht. Toen in 1204 in
Caïro de joodse wijsgeer Maimonides stierf,
werd zijn stoffelijk overschot overgebracht
naar Tiberias en aldaar begraven. Tot op de
dag van vandaag wordt Tiberias gerekend tot
een van de vier heilige steden van het jodendom. Door alle eeuwen heen is Tiberias een
typisch joodse stad gebleven.

Tiberias is gebouwd op een steile berg. Op
een hoogte van 200 m, dat is 400 m boven de
zeespiegel, ligt het moderne TEVERYA'ILLIT, een
stadsdeel met pensions en sanatoria waar
ook in de zomermaanden een aangenaam
klimaat heerst. Halverwege de helling ligt de
voorstad KIRYAT SHMU'EL, met haar grote hotels
die vooral in de wintermaanden bezoek trekken. De OUDE STAD moest na de aardbeving
van 1837 en tot tweemaal toe na de gevechten van 1918 en 1948 opnieuw worden opgebouwd. De verspreide overblijfselen uit de
tijden van Romeinen, kruisvaarders en Turken zijn alleen een bezoek waard als men
langere tijd in de stad kan blijven en de verschillende tochten naar deze bezienswaardigheden niet allemaal binnen enkele uren hoeft
te maken. Op het oude joodse kerkhof toont
men de bezoeker het GRAF VAN MAIMONIDES, en
verscholen onder de helling beneden de
fabriekswijk bevindt zich het MAUSOLEUM VAN
RABBI AQIVA. Zeer de moeite waard is de boot-
tocht naar Kapernaum of naar de daar tegenover gelegen kibbuz **En Gev** die vooral bekend geworden is door zijn tropische park,
zijn muziekfestival in de lente en zijn visres-
taurant.

**Hammath Teverya,** ongeveer een kilometer ten zuiden van de oude stad en tegenwoordig een buitenwijk van Tiberias, ligt op
de plaats van de veel oudere stad *Chammat**.
Deze ontstond bij de warme bronnen (ca.
60°C) die hier uit het vulkanische gesteente
ontspringen. De kern van het Romeinse
Tiberias lag tussen de tegenwoordige oude
stad (op de plaats van de versterkte kruisvaardersstad) en Hammath Teverya.

De warme bronnen bevinden zich in een
19e-eeuws KURHAUS uit de tijd van Ibrahim
Pasha en in een moderne badinrichting uit

1955. Daartussen en op de helling erboven
ligt een NATIONAAL PARK met de overblijfselen
van een oude badplaats en de thermen ervan.
Bijzonder indrukwekkend is de MOZAÏEK-
VLOER van een synagoge uit de 4e eeuw. De
door ornamenten omgeven vakken tonen
achtereenvolgens een thoraschrijn tussen
twee zevenarmige kandelaars, een dierenriem met Griekse motieven maar met
Hebreeuwse teksten en een Griekse wij-
dingsinscriptie, gevat tussen twee leeuwen.
Boven het park torenen de koepels van de
gebouwen en van het GRAFMONUMENT VAN
RABBI MEIR BA'AL HANESS.

*In deze sobere Turkse moskee, vlak aan de oever van
het Meer van Genezareth, bevindt zich tegenwoordig
het gemeentelijk museum van Tiberias.*

## Tiberias - Tabor - Bet Yerah - Hammath Gader - Tiberias

Na een steile klim door de stad voert de weg
naar Nazareth naar een brede hoogvlakte.
Rechts ervan verheft zich een kraterspits met
een verzakte wand waarvan de randen van
het noorden uit gezien wel wat op hoorns lijken. Bij deze **Hoorns van Hittem** stond op
een hete julidag in 1187 de tent waarin de
koning van Jeruzalem en zijn leenmannen
zich voorbereidden op de overgave, nadat het
volledige kruisvaardersleger door Saladin
was verslagen. Bij de GOLANIKRUISING, met het
monument voor de gevallenen van de Gola-
nibrigade uit 1948, buigt de weg af naar A-
fula en komt dan in de buurt van de berg
**Tabor*** (Har Tavor), die als een eenzame
kegel uittorent boven de velden van de Yizreelvlakte. Een smalle, bochtige weg leidt van
Daburiya aan de voet van de berg naar de
588 m hoge top (→ illustratie blz. 181). De
weg is niet geschikt voor bussen.

Al eeuwenlang is de Tabor een berg van altaren en vestingwerken. Via de POORT VAN DE WINDEN (Bab el-Hawa) komt men in het beboste gebied bij de top, dat omgeven is door een zeer oude muur van basaltblokken; tegenwoordig is het terrein verdeeld tussen de Grieks-orthodoxe en de rooms-katholieke kerk. Beide stichtten er aan het begin van deze eeuw een kerk ter herinnering aan de verheerlijking van Christus, respectievelijk op de overblijfselen van een Byzantijnse kerk en een kruisvaarderskerk. Vanaf het gerestaureerde hoekbastion van de Saraceense vesting heeft de bezoeker een overweldigend uitzicht. Naar alle windstreken kijkt men over de Yizreelvlakte ongehinderd uit over bijbelse landschappen: van de Hermon in het noorden via het Meer van Genezareth en het nabijgelegen Nazareth tot aan Gilboa en de bergen van Samaria in het zuiden; van de Karmel in het westen tot de bergen van Gilead in het oosten.

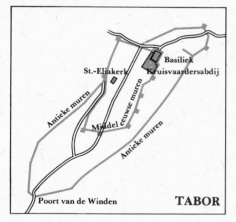

Op de terugweg naar het meer daalt de panoramarijke weg via Yave'el af naar de oever, vlak bij KINNERET. Iets ten zuiden daarvan ligt BET YERAH (Huis van de Maan). Op de tell van een Kanaänitische stad, waar eens een maangodin werd vereerd, en op de ruïnes van de Griekse vestiging *Filoteria** die tot de 5e eeuw een bloeiend bestaan leidde en ten tijde van de kruisvaarders bekend was als *Sennabris*, staat thans een grote middelbare school die de nederzettingen in de streek bedient. In het goedverzorgde park van de school, met een rijkdom aan bloemen en tropische gewassen, zijn resten van een Kanaänitisch heiligdom, geornamenteerde zuilfragmenten van een synagoge, antieke badruimten en mozaïekresten van een Byzantijnse kerk te zien.

Via DEGANYA, de oudste kibbuz van het land, die in 1909 werd gesticht door Russische immigranten, bereikt men de zuidelijke punt van het meer, waar de Jordaan het weer verlaat. Op de oever van de rivier is een terrein ingericht voor doop- en bedevaartsplechtigheden; men kan er getuige zijn van de gebruiken en rituelen van de uiteenlopende religies en sekten van het christendom. In

Ma'agan verlaat men naar het zuidoosten de weg langs het meer, richting YARMUKDAL. In de diepuitgesneden kloof tussen de Golanhoogten en de bergen van Gilead vormt de rivier hier de grens tussen Jordanië en Israël. Het prikkeldraadhek langs de weg wordt voortdurend onderbroken door brede betonmuren die de auto's en voorbijgangers moeten beschermen tegen beschietingen vanaf de tegenovergelegen helling. In het dal ziet men de opgeblazen brug in de in 1905 aangelegde spoorlijn Haifa-Damascus.

De warme bronnen van **Hammath Gader** ontsprongen in een kom op de steile helling boven de Yarmuk. Ze waren al in de Kanaänitische tijd bekend, maar werden met name door de Romeinen uitgebouwd tot een omvangrijk complex met bassins, een theater en een tempel. De Israëli's, die Hammath Gader (el-Hamma) in 1967 veroverden, hebben rondom bronnen en bassins een uitgestrekt park aangelegd, waarbinnen zich ook de opgravingen uit de Romeinse en Byzantijnse tijd bevinden. De witte minaret van het tijdens de krijgshandelingen verwoeste Arabische dorp contrasteert met het groen van het park. Brede trappen leiden van het warme water (42°C) naar een platform vanwaar men neerkijkt in het steile rivierdal. Zuilen en zetels van zwart basalt zijn afkomstig van een SYNAGOGE uit de 4e eeuw. Naar Tiberias terug is het 20 km.

## Van Tiberias over Nablus naar Jeruzalem

De 158 km lange tocht van Tiberias naar Jeruzalem voert door drie sterk uiteenlopende bijbelse landschappen. Tot aan Bet She'an (39 km) rijdt men door het diep uitgesneden, warme Jordaandal, dat beneden de zeespiegel ligt. Vervolgens gaat het naar het westen langs de voet van de Gilboabergen en de rand van de Yizreelvallei tot de weg Nazareth-Jeruzalem. Daar buigt de weg af naar het zuiden, om bij Dshenin de bergen van Samaria te bereiken, die zich bij Nablus verheffen tot een hoogte van 900 m. Van Dshenin naar Jeruzalem is het nog 110 km.

Van de weg van Tiberias naar **Bet She'an** leidt na 23 km een bergweg naar de 7 km verderop gelegen kruisvaardersburcht BELVOIR, die door de Israëli's *Kokhav HaYarden* (Ster van de Jordaan) wordt genoemd. Het uitzicht, dat van het Meer van Genezareth via de monding van de Yarmuk en de Jordaan tot aan Bet She'an reikt, verklaart meteen de strategische betekenis van deze Johannieterburcht, die de doorwaadbare plaatsen in de Jordaan en de weg door het Jordaandal naar Jeruzalem beheerste. Door middel van signaalvuren stond de vesting in verbinding met kruisvaardersburchten op de Tabor, in Tzfat en in Bet She'an. Na de slag van Hittim (1187) hield Belvoir nog achttien maanden

stand tegen de belegering van Saladin; in ruil voor een vrije aftocht gaf de bezetting zich daarna over. In 1240 kregen de Johannieters hun burcht door onderhandelingen weer terug, maar in 1247 verloren ze de vesting weer in de strijd tegen de Mamelukken. Daarna werd Belvoir gedeeltelijk verwoest. De ruïnes ervan zijn thans gerestaureerd.

De versterking heeft vrijwel de vorm van een vierkant en is voorzien van hoek- en muurtorens en langs drie zijden van een 25 m brede en 12 m diepe gracht; het is de grootste kruisvaardersburcht van Israël. In plaats van een belfort bevond zich in het centrum van de burcht een tweede, kleinere vesting met eigen muren en torens. Een ingewikkeld systeem van poorten, waarbij telkens een binnenpoort haaks op de buitenpoort stond, beveiligde de toegangen. Onderaardse gangen dienden als vluchtweg of werden gebruikt voor uitvallen tegen de belegeraars. In Belvoir zijn stenen gevonden met afbeeldingen van de menora en van andere joodse symbolen, die wellicht afkomstig zijn van een plaatselijke synagoge uit de 3e eeuw.

'Indien de Hof van Eden in het land Israël ligt, dan bevindt de poort ervan zich in Bet She'an', staat er in de Talmud. De vlakte van Bet She'an, dat zelf 120 m onder de zeespiegel ligt, was al sinds de oudste tijden bekend om haar vruchtbaarheid. Ze heeft een warm klimaat en wordt rijkelijk bevloeid door de bronnen van de Gilboabergen. Zolang de kanalen en irrigatiewerken worden onderhouden, levert de verbouw van olijven, graan, druiven en fruit rijke en vroege oogsten op. De eerste gift van rijpe gerst voor het Paasfeest (Pesach) kwam volgens de Talmud

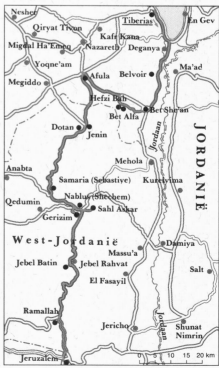

uit Bet She'an. In de Turkse tijd veranderde het gebied in een moeras; het moest in 1948 worden ontwaterd en van de permanente malariaplaag worden bevrijd.

De 80 m hoge tell EL HUSN, de nederzettingsheuvel van **Bet She'an** (Bet-Sean*) is opgebouwd uit de overblijfselen van achttien verschillende stadjes, waarvan de oudste teruggaat tot 3500 v.C. De stad was al heel vroeg in haar geschiedenis versterkt. Ze beheerste de toegang tot het Jordaandal en de

van Ramses II (1290-1224 v.C.) die contemporaine achtergrondinformatie verschaft over het bijbelse verhaal van de uittocht uit Egypte. Deze voorwerpen, andere stèles, een basaltreliëf met diervoorstellingen en een sarcofaag in de vorm van een mens bevinden zich in het Rockefeller Museum te Jeruzalem. Andere vondsten zijn overgebracht naar Philadelphia (VS), terwijl kleinere objecten en een uitstekend historisch overzicht te zien zijn in het MUSEUM van het moderne Bet

westen van de tell en aan de overzijde van de Harod, een riviertje dat de oude stad in tweeën deelde. De blootgelegde resten zijn overdekt om de kostbare mozaïeken te beschermen. Als het even kan moet men de tijd nemen om de grote kalendercirkel te bekijken, waarop figuren staan uitgebeeld die bezig zijn met de werkzaamheden op het land zoals die maand voor maand verricht moesten worden. Ze liggen in een cirkel om zon en maan, die eveneens gepersonifieerd zijn. Ook degene die de vele Griekse teksten in de verschillende vakken niet kan ontcijferen, kan genieten van de originele motieven en de kleurrijke, naturalistische afbeeldingen: een neger met kameel, taferelen uit de wijnbouw, een ezeldrijver, een fluitspeler met een dansende hond.

Na de Arabische inval dook de oude semitische naam van de stad weer op, nu samengetrokken tot *Beisan*. Geleidelijk verloor de plaats haar betekenis; de kruisvaarders verplaatsten de bisschopszetel al naar Nazareth. De moderne stad, die opnieuw het centrum is van een vruchtbaar landbouwgebied, strekt zich uit ten zuiden van de opgravingen.

In de buurt van de kibbuz HEFZIBAH, 7 km ten westen van Bet She'an, werden in 1928 bij toeval de fundamenten gevonden van de SYNAGOGE van **Bet Alfa,** met een vloermozaïek dat volgens een Aramees inschrift stamt uit de regeringsperiode van Justinus I (518-527). Buiten de muren van de christelijk georiënteerde stad leidde de joodse plattelandsbevolking enige tientallen jaren lang een tamelijk ongestoord bestaan, omdat de christenen verwikkeld waren in een onderlinge strijd over de tweenaturenleer. Onder Justinus' opvolger Justinianus I (527-565) is er echter sprake van een nieuwe reeks antijoodse wetten en vervolgingen. In tegenstelling tot synagogen uit de 2e en 3e eeuw, zoals die van Bar'am of Kapernaüm, is in de van Bet Alfa niet de ingang naar Jeruzalem gekeerd, maar de absis, waar de thoraschrijn inmiddels zijn vaste plaats had gekregen. Het MOZAÏEK van het hoofdschip is verdeeld in drie vlakken: bij de ingang een uitbeelding van het offeren van Isaak, in het midden de dierenriem met Hebreeuwse inschriften, en vóór de absis de afbeelding van een thoraschrijn, omgeven door religieuze symbolen uit het joodse geloof. Terwijl de ornamentering van de omlijstingen het karakter heeft van ambachtelijk routinewerk, zijn de figuren in de vlakken zeer naïef uitgevoerd maar hebben ze een grote zeggingskracht; perspectief en grootte-verhoudingen spelen geen enkele rol. Uit het midden van de dierenriem komt de met vier paarden bespannen en door Helius bestuurde zonnewagen op de toeschouwer toestormen. Terwijl de paarden op gedurfde wijze frontaal zijn afgebeeld, moesten beide voorwielen in zijaanblik worden uitgebeeld om herkenbaar te zijn. Het offeren van Isaak is minutieus naverteld met

*Bet She'an heette in de Oudheid Skytopolis. Aan deze tijd herinnert het Romeinse theater, het best bewaard gebleven theater in Israël.*

Yizreelvlakte en fungeerde als een vooruitgeschoven verdedigingspost tegen de roofzuchtige nomadenstammen, die steeds opnieuw over de bergen van Gilead kwamen, de Jordaan overstaken en het ontgonnen land plunderden. De comfortabelste karavaanweg van Mesopotamië naar Egypte liep langs Bet She'an.

De tell werd in de jaren twintig afgegraven door Amerikaanse archeologen, die negen van de achttien lagen hebben onderzocht. De oudste ervan stamt uit de tijd van Thutmosis III (1490-1436 v.C.). In een van de blootgelegde Kanaänitische tempels, toegewijd aan de godin Astarte, legden de Filistijnen eens de wapenrusting van Saul neer, terwijl ze zijn lichaam aan de muren van de stad hingen (1 S 31:10).

Uit een aantal vondsten valt de grote rol van de stad in de geschiedenis van het Oosten af te lezen. Tot die vondsten behoren een kleine stèle van kalksteen met hiëroglifen (ca. 1500 v.C.) die opgedragen is aan Mekal, de stadsgod van Bet She'an; de beroemde basaltstèle van de Egyptische koning Seti I, waarvan de inscripties de verovering van Bet She'an en steden in de buurt door de Egyptenaren in 1318 v.C. beschrijven, en de stèle

She'an. Een bezoek aan de opgravingen op de heuvel zijn alleen de moeite waard onder leiding van een deskundige gids èn als het niet te warm is.

Ten zuiden van de oude stadsheuvel ontstond onder de Ptolomeeën een hellenistische stad, die de naam *Skytopolis** droeg en in 107 v.C. door Johannes Hyrkanus werd veroverd. De Romeinen maakten ze in 63 v.C. weer los uit de invloedssfeer van de Hasmoneeën en in 47 v.C. trad ze als enige stad ten westen van de Jordaan toe tot de Dekapolis, een Griekse tienstedenbond. De omtrek van een paardenrenbaan en resten van tempels en openbare gebouwen vertellen nog over de rijkdom van de stad. Aan de voet van de tell ligt in een park het best bewaard gebleven ROMEINSE THEATER van heel Israël. Het heeft een middellijn van 90 m en bood op tien rijen uit basalt gehouwen banken plaats aan zo'n 5000 toeschouwers.

Evenals in Caesarea vormde zich ook in Skytopolis al heel vroeg een gemeente van niet-joodse christenen. In de Byzantijnse tijd werd de stad bisschopszetel en bracht ze een Grieks-orthodoxe heilige voort. Bekend is verder de monnik Cyrillus van Skytopolis, die in zeven hagiografieën het vroeg-christelijke Palestina heeft beschreven. Uit de 6e eeuw zijn de weelderige MOZAÏEKVLOEREN van een Byzantijns NONNENKLOOSTER ten noord-

*Mens en natuur gaven samen gestalte aan het oeroude cultuurlandschap in Samaria. De oude terrassen volgen - vanuit de lucht gezien - sierlijk de vorm van het heuvelachtige land.*

alle details uit het bijbelse verhaal. Gods ingrijpen is aangeduid door middel van een hand. Verrassenderwijs staan ook de namen van de kunstenaars vermeld, Marianos en zijn zoon Hanina. Dat is opmerkelijk omdat dergelijke ambachtslieden elders in Israël nergens met name worden genoemd. Mogelijk dat deze twee uit Bet Alfa zelf afkomstig waren. In elk geval hebben ze een heel persoonlijk kunstwerk tot stand gebracht. In die periode waren godsdienstige motieven op de vloer van christelijke kerken verboden. Bovendien stond het orthodoxe jodendom op het punt weer krachtig de hand te gaan houden aan het verbod op het afbeelden van

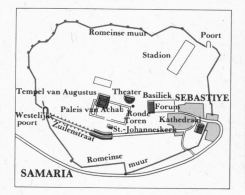

mens en dier. De mozaïeken in de synagoge van Bet Alfa vormen daarom een zeldzaam voorbeeld van oorspronkelijke zeggingskracht.

Op de verdere tocht door het Yizreeldal ligt ter linkerzijde eerst de berg GILBOA. In het verkeersknooppunt AFULA, het centrum van het dal, buigt men in zuidelijke richting af om na 18 km **Yenin** te bereiken, het bijbelse *En-Gannim\**. Het ligt zo'n beetje op de grens van Galilea en Samaria en is tegenwoordig de noordelijkste stad van de door Israël bestuurde westelijke Jordaanoever. Vervolgens voert de weg dwars door de vlakte van DOTAN\*, waar Jozef eens door zijn broers werd verkocht. Daarna slingert hij in talrijke bochten door de bergen van Samaria. De vruchtbare grond in de dalen en de kleine vlaktes beneden is afkomstig van de brede, bijna kaalgespoelde bergtoppen. Beneden worden graan en olijven verbouwd; de hellingen leveren voedsel aan schapen en geiten. Met landbouw en veeteelt 'zoals in de tijd van Abraham' slaagden de bewoners van Samaria er in de dorpen van hun afgelegen bergdalen in oorlogen, bezettingen en vreemde heerschappijen te doorstaan.

Ongeveer 32 km na Yenin loopt links een zijweg (2 km) naar het Arabische dorp SEBASTIYE, met de ruïnes van **Samaria\*** (→ illustratie blz. 132). Politieke wijsheid, imponerende

machtsontplooiing en misdadige gewetenloosheid gingen hand in hand bij de twee grondleggers van Samaria (Shomron), de koningen Achab (869-850 v.C.) en Herodes (37-4 v.C.). Wie vandaag de dag langs de steile windingen van de berg naar de voormalige residentie van de Israëlitische koningen klimt, ziet de vloek verwerkelijkt van de profeet Micha: 'Van Samaria maak ik een puinhoop op het veld, als was er een wijngaard aangelegd; zijn steden gooi Ik in het dal, zijn fundamenten leg ik bloot' (Mi 1:6). De fundamenten van de STADSBURCHT uit de Israëlitische tijd en delen van de KAZEMATTENMUUR (→ illustratie blz. 121) zijn door archeologen blootgelegd. In de vertrekken van het Omridenpaleis is kostbaar Fenicisch ivoorsnijwerk gevonden (→ illustratie blz. 118), dat waarschijnlijk deel uitmaakte van meubelversieringen. Het is te zien in het Israël Museum te Jeruzalem en onderstreept wat de profeet Amos 'de zorgelozen in Sion' (Am 6:1), voor de voeten wierp: 'Zij liggen op ivoren bedden en strekken zich uit op hun rustbanken' (Am 6:4).

De meeste ruïnes op de berg stammen uit de tijd van Herodes de Grote. Deze bouwde op de overblijfselen van een Griekse stad, die hier 300 jaar eerder door Alexander de Grote en 6000 Macedonische veteranen was gesticht, een nieuwe stad die hij **Sebaste** noem-

de ter ere van keizer Augustus (in het Grieks *Sebastos*). Boven de puinhopen van het Omridenpaleis, waar 800 jaar eerder Izebel de Fenicische Baälcultus invoerde, ontstond op een dominerende plek de nieuwe AKROPOLIS met de grote TEMPEL VAN AUGUSTUS. Het brede bordes voert ook heden nog naar het platform van de vroegere tempel, vanwaar men een goed uitzicht heeft. Vanaf de noordelijke zijde van de akropolis zijn de zitplaatsen van een ROMEINS THEATER te zien, dat als decor de rustige bergen van Samaria benutte. Achter het theater staat een ronde Griekse toren met ernaast muurresten uit de Israëlitische en Griekse tijd. Ten oosten van het theater staan de hoge, afgebroken basaltzuilen van het vroegere *forum*. Daarop aansluitend stond eens een *basiliek*; uit de fundamenten ervan is de plaats af te lezen van de absis, waarin recht werd gesproken. Ten noorden van het forum is nog de uitholling te zien van het antieke stadion. De Herodiaanse stad werd in 199 onder Septimius Severus gerestaureerd en uitgebreid. In die tijd ontstond de met zuilen versierde *winkelstraat* waarvan de overblijfselen nog te zien zijn langs de weg die ten zuiden van de akropolis naar de WESTELIJKE POORT leidt. Deze poort werd geflankeerd door twee ronde torens, de linker uit de Griekse, de rechter uit de Herodiaanse tijd.

Al heel vroeg is er sprake van de overlevering dat in Sebaste Johannes de Doper werd begraven nadat hij door Herodes Antipas was onthoofd. Op de heuvel liggen de ruïnes van een kleine JOHANNESKERK. De MOSKEE in het dorp Sebastiye ligt binnen de vervallen muren van een grote drieschepige KATHEDRAAL met gotische steunberen en boogribben uit de tijd van de kruisvaarders. Naast de Heilig-Grafkerk was deze kathedraal het mooiste kruisvaardersbouwwerk in het Heilige Land. In de *crypte* wordt de bezoeker, behalve het GRAF VAN JOHANNES, ook de GRAVEN VAN DE PROFETEN ELISA EN OBADJA getoond.

Teruggekeerd naar de hoofdweg bereikt men na een rit van 10 km **Nablus.** De stad ligt in het centrale hoogland van Samaria op een berghelling tussen de Ebal (940 m) en de Gerizim (881 m). Vanuit Nablus voeren wegen naar Jeruzalem, naar Galilea, naar de kust en naar de Jordaan. De stad heeft de naam nogal vijandelijk te staan tegenover vreemdelingen. In de 19e eeuw kwam ze in opstand tegen de Turken, in 1936 tegen de Britten, in 1958 tegen de bezetting door Jordanië. Tegenwoordig is Nablus een haard van anti-Israëlisch Arabisch nationalisme. Behalve twee grote MOSKEEËN en het Samaritanenkwartier met een SYNAGOGE waarin een Samaritaanse thorarol wordt bewaard, heeft de stad geen bijzondere bezienswaardighe-

twee bergen gebouwde voorstad van Nablus, ligt de tell van de bijbelse stad **Sichem**\*. De opgravingen bevestigen veel van de overleveringen die verbonden zijn met deze plaats waar Abraham het eerste altaar in het Beloofde Land bouwde (Gn 12:7). Er liggen muurresten uit de Midden Bronstijd, waarin de aartsvaders Kanaän binnentrokken, en ruïnes uit de tijd van de Hyksos (1700-1550 v.C.) met wallen en een drievoudige POORT. Misschien heeft Jozua deze vestingwerken nog aangetroffen toen hij omstreeks 1200 v.C. een begin maakte met de verovering van het land en het volk bij Sichem liet beloven de wet Gods na te leven (Joz 24). Een machtige KANAÄNITISCHE TEMPEL zou de tempel van Baäl-Berit uit het verhaal van Abimelek (Ri 9:46) geweest kunnen zijn. De overblijfselen van ISRAËLITISCHE WOONHUIZEN uit de tijd van het verdeelde koninkrijk, toen Jerobeam I (922-901 v.C.) vanuit Sichem over Israël regeerde, vertellen iets over het dagelijks leven in die tijd (→ reconstructie blz. 134-135). Nadat Sichem in 128 v.C. grondig was verwoest door de Hasmoneeër Johannes Hyrkanus I, stichtten de Romeinen in 72 n.C. ten noordwesten van de ruïnes de stad *Flavia Neapolis* (Nieuwe Stad), waarvan de naam na de Arabische inval in de 7e eeuw verbasterd werd tot het huidige Nablus.

plaats van de tegenwoordigheid van God. Op basis van de vijf boeken van Mozes vormden ze een zelfstandige geloofsgemeenschap met een eigen hogepriester in Sichem en, later, in Nablus. Ze werden veracht door joden, Grieken, Romeinen en christenen en steeds opnieuw weer gruwelijk vervolgd. Hadrianus (117-138) liet op de berg een Jupitertempel bouwen. In de Byzantijnse tijd, toen Nablus bisschopsstad was, vonden er bloedige botsingen plaats tussen christenen en Samaritanen. Tenslotte liet keizer Zenon (474-491) op de Gerizim een Mariakerk bouwen, die door Justinianus (527-565) werd vernieuwd.

Dat alles ten spijt heeft zich tot op heden in Nablus een kleine Samaritaanse gemeenschap van zo'n 300 zielen kunnen handhaven. Nog eens 200 Samaritanen wonen in Holon, bij Tel Aviv. Ieder voorjaar vieren ze op de Gerizim acht dagen lang het Paasfeest, waarbij volgens bijbels voorschrift (Ex 12) lammeren worden geofferd. Om alle belangstellenden plus radio en televisie te kunnen onderbrengen, moest de afgelopen jaren bij de afgezette offerplaats een tribune worden gebouwd. Gedurende de rest van het jaar is op de berg alleen maar een Israëlisch radiostation te zien. De weg vanuit Nablus naar boven is niet gemakkelijk te vinden.

De BRON VAN JAKOB ligt 1 km ten oosten van el-Balata bij het dorp **Askar,** het bijbelse *Sichar*\*. Volgens de joodse overlevering, die in het Nieuwe Testament is bevestigd (Joh 4:5), kocht Jakob hier na zijn terugkeer uit Haran een stuk grond (Gn 33:18-20). Op weg van Jeruzalem naar Galilea vroeg Jezus bij de bron van Jakob een Samaritaanse vrouw water voor hem te putten en sprak hij met haar over het levende water dat hij te bieden had. Het verhaal vertelt iets over de wederkerige haat die Joden en Samaritanen elkaar destijds toedroegen. Boven de bron werd in de 4e eeuw een Byzantijnse kerk gebouwd. Op de ruïnes ervan trokken de kruisvaarders een drieschepige basiliek op, waarvan de CRYPTE bewaard is gebleven; hierin bevindt zich de bron. In ruil voor een kleine bijdrage aan de bouw van de grote, nog niet voltooide Grieks-orthodoxe kerk, haalt een bejaarde monnik voor pelgrims en toeristen water uit de 30 m diepe put.

In zuidelijke richting verder rijdend bereikt de reiziger na 25 km de pas tussen de Djebel Batin en de Djebel Rahvat, vanwaar men neerkijkt in het dal van *Shiloh* (Silo\*). De opgravingen ter plaatse zijn alleen maar interessant voor archeologen. Hetzelfde geldt voor de opgravingen in de tell van AI\* (et-Tell), die men even vóór Ramallah bereiken kan via Betin (het bijbelse *Bet-El*\*). **Ramallah,** met Yenin en Nablus een van de drie centra van West-Jordanië (Samaria), ligt op een hoogte van 880 m en is geliefd als zomerverblijf. De meeste Arabische inwoners zijn christen. Jeruzalem bereikt men via een moderne autoweg (13 km).

*De talrijke koepels en koepeldaken accentueren het oosterse karakter van Nablus, waarvan de naam teruggaat op het oude Neapolis.*

den. De bevolking leeft voornamelijk van de olijventeelt en van een belangrijke zeepindustrie die zich op basis van die teelt heeft ontwikkeld.

In el-Balata, een op het zadel tussen de

Tussen de Ebal en de Gerizzim vernam het volk van Jozua zegen en vervloeking (Joz 8:30-35). De traditionele berg van de zegen, de **Gerizzim,** werd na de terugkeer van de Judeeërs uit de Babylonische gevangenschap (538 v.C.) de heilige berg van de Samaritanen. Omdat ze niet mochten deelnemen aan de wederopbouw van de tempel en van Jeruzalem, proclameerden ze de Gerizzim tot hun

# Jeruzalem

Hoogtepunt van iedere reis naar het Heilige Land is **Jeruzalem**\*. Al meer dan tweeduizend jaar reizen bedevaartgangers uit alle delen van de wereld naar deze stad. Aanvankelijk alleen joden, maar later ook christenen en moslims, want voor de drie religies is Jeruzalem een heilige stad. De Arabieren noemen haar eenvoudig *El-Quds*, de Heilige, en haar Hebreeuwse naam *Yerushalayim* wordt graag vertaald als 'stad van de vrede'. In beide betekenissen ligt een pretentie, die de mensheid in de verste verte niet heeft waargemaakt. Er zijn weinig steden waarvoor zoveel bloed is vergoten, en door de eeuwen heen heeft juist in Jeruzalem naast het allerheiligste het profane van het allerlaagste allooi hoogtij gevierd. Maar dat alles ten spijt kan zelfs de moderne toerist in het aangezicht van deze stad ongewild veranderen in een pelgrim.

De geschiedenis van de Heilige Stad van David tot Bar Kochba is, als essentieel onderdeel van de geschiedenis van het Heilige Land, onderwerp van dit boek. Haar lotgevallen vanaf het *Colonia Aelia Capitolina* van Hadrianus via het christelijke Jeruzalem van het Oostromeinse Rijk, de islamitische verovering, de heerschappij van de kruisvaarders en Mamelukken tot in de Turkse tijd en vervolgens tot de omstreden stad die Jeruzalem thans is - dat alles is af te lezen uit de tijdstabel op blz. 253.

Van veel bezienswaardigheden van Jeruzalem kan men onbekommerd genieten: de muren van de oude stad in het avondlicht, de majestueuze ruimte van het Tempelplein, het blauw van de Dom van de Rots. Wie echter iets wil voelen van de eeuwenoude uitstraling van de stad, dient haar rustig, omzichtig en goed voorbereid te benaderen.

## Maquette van Jeruzalem

Veel christelijke bezoekers van Jeruzalem zijn in de eerste plaats op zoek naar de stad van David (→ plattegrond blz. 107) en het Jeruzalem waarin Jezus de joodse feestdagen vierde en waar Hij zijn lijdensweg ging (→ plattegrond blz. 187). Ze worden geconfronteerd met het probleem dat de muren van de huidige oude stad anders lopen dan in de tijd van Christus en dat de stad van David nu als een onherkenbare puinhelling vóór de poorten ligt.

Een goed hulpmiddel ter oriëntatie is een MAQUETTE VAN HET ANTIEKE JERUZALEM in het park van het Heilig-Landhotel, die ook ten grondslag heeft gelegen aan de reconstructietekening op blz. 184-185. Op een schaal van 1:50 zijn in die maquette en uit het oorspronkelijke bouwmateriaal alle bekende gebouwen van de stad vóór de verwoesting door Titus (70 n.C.) gereconstrueerd. Het model wordt regelmatig uitgebreid en zonodig ook verbeterd.

Door de aanschouwelijke uitbeelding maakt de maquette, beter dan tekeningen of kaarten, duidelijk waarom juist op de smalle bergrug ten zuiden van de tegenwoordige Tempelberg de Jebusietenstad ontstond, die zich ontwikkelde tot de stad van David en tot de kern van Jeruzalem. Afgezien nog van de natuurlijke beschutting door drie dalen, lag hier de enige belangrijke bron in de omgeving, de Gihonbron. Pas toen de bewoners geleerd hadden regenwater op te slaan in cisternen en via leidingen bronwater uit de buurt aan te voeren, kon de stad zich voorbij het Tyropeondal (Dal van de Kaasmakers) naar het westen toe uitbreiden tot op de bredere en hogere berg Sion en later over de onbeschutte hoogvlakte verder naar het noorden. De noordelijke wijken van de tegenwoordige oude stad lagen ten tijde van Christus nog grotendeels buiten de muren. Dat

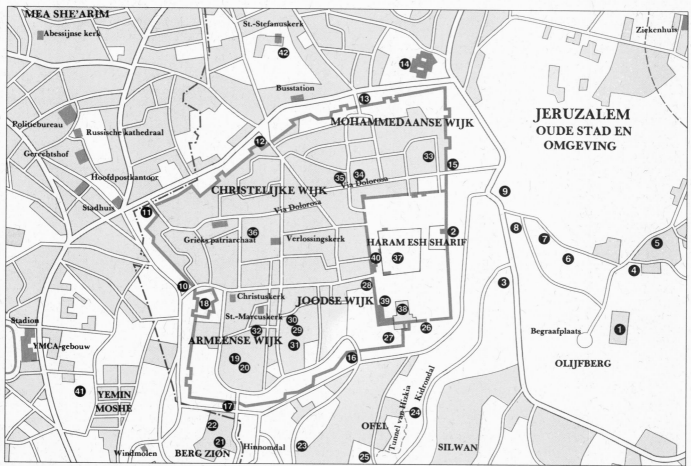

gold ook voor het wat hoger gelegen Golgotha (→ kaart blz. 187).

Bij de wederopbouw van de stad na 135 liet men zich, voor zover het terrein dit toestond, leiden door het karakteristieke, vierkante grondplan van een Romeinse kolonie. Het hogergelegen gedeelte van het Tyropeondal werd opgevuld met het puin van de ruïnes en de stad werd naar het noorden toe uitgebreid. De aan tradities zo rijke zuidelijke stadsgedeelten op de bergrug van de vroegere stad van David, in het lager gelegen gedeelte van het Dal van de Kaasmakers en op de hellingen van de berg Sion, bleven buiten de stadsmuren en werden prijsgegeven aan het verval. Alleen in de Byzantijnse bloeitijd speelden ze nog éénmaal een rol. De kruisvaarders vielen definitief terug op het grondplan van Hadrianus.

De maquette geeft vooal een aanschouwelijk beeld van de luister van de Herodiaanse stad, met haar paleizen en tuinen, het theater en de paardenrenbaan. Majestueus verheft zich daarboven de Tempelberg met zijn ruime hoven en de naar het oosten, naar de Olijfberg gekeerde tempel. De meeste pelgrims betraden het gebied van de tempel van het zuiden uit, via de Huldapoort en een onderaardse gang. Plotseling stonden ze dan in het felle zonlicht op de witblinkende voorhof.

## Gezicht vanaf de Olijfberg

Wie Jeruzalem niet via de klassieke route is genaderd - vanuit de woestijn over de **Olijfberg** - zou zijn bezoek aan de stad eigenlijk moeten beginnen met een rit naar het UITZICHTSPLATFORM[1] vóór het INTERCONTINENTAL HOTEL op de Olijfberg en met een tocht in het Kidrondal daaronder. Zo krijgt hij een overzichtelijk beeld van het geheel.

Ten oosten van het Kidrondal verheft zich, zo'n 70 m hoger dan het Tempelplein, een bergketen waarvan de kam zonder enige overgang woestijn en cultuurland van elkaar scheidt. Dat is de Olijfberg. Hij ligt halverwege de Scopusberg in het noorden met de Hebreeuwse Universiteit, en de Berg van de Slechte Raad in het zuiden waarop het VN-hoofdkwartier is gelegen. Op de top ervan uitkijkend naar het westen, heeft men achter zich de kale bergen van de woestijn van Juda, die afdalen naar de Dode Zee. Aan de voet van de Olijfberg ligt het schitterende PANORAMA VAN HET TEMPELPLEIN. De gouden koepel van de Dom van de Rots en de zilveren koepel van de al-Aqsa-moskee lichten tussen het groen van de bomen op boven de machtige steunmuur die zich op de tegenoverliggende helling van de Kidrondal verheft en die de Tempelberg omsluit. De muur wordt alleen onderbroken door de al eeuwen dichtgemet-

selde bogen van de GOUDEN POORT[2] en haar tinnen. Van de Olijfberg, uit de richting van de opgaande zon, verwachten joden en christenen de messias en verlosser. Volgens de overlevering zal zich bij zijn nadering de Gouden Poort openen en zal op de Olijfberg de opstanding der doden een aanvang nemen.

Tussen Olijfberg en Tempelplein wordt het **Kidrondal** ook wel het *Dal van Josafat* (= de Heer oordeelt) genoemd. Hier zou eens het Laatste Oordeel plaatsvinden. Op de hellingen van de Olijfberg liggen de oudste bewaard gebleven JOODSE BEGRAAFPLAATSEN. Sinds de dagen van de tweede tempel is het de wens van joden uit alle delen van de wereld hier begraven te worden. In het Kidrondal liggen enige GRAFMONUMENTEN van zeer rijke families. Vele ervan worden in verband gebracht met bijbelse figuren, zoals bij voorbeeld het GRAF VAN ZACHARIAS en het GRAF VAN ABSALOM[5], maar stammen in feite uit de Griekse tijd. De helling onder de oostelijke muur van het Tempelplein doet dienst als islamitische begraafplaats.

Op de Olijfberg, met vóór zich de pracht van de Herodiaanse tempel, sprak Jezus met zijn leerlingen over het einde der tijden. Ter herinnering daaraan liet keizerin Helena daar in 326, tegelijk met de Heilig-Grafkerk, de 70 m lange ELEONAKERK bouwen. In de tuin

van de in 1875 ingewijde PATERNOSTERKERK[4] van de zusters karmelitessen zijn delen ervan blootgelegd; ze worden thans gebruikt voor erediensten in de openlucht. In verband met de legende dat Jezus zijn discipelen op deze plaats het Onze Vader leerde, is de Paternosterkerk versierd met majolicategels waarop dit gebed in 62 talen is neergeschreven.

Op een sabbatsreis (ca. 1000 m) van Jeruzalem verwijderd zou op de Olijfberg de plaats liggen vanwaar Jezus ten hemel voer en waar hij eens weer zal terugkeren op aarde. De kleine, achthoekige HEMELVAARTKAPEL[5] staat tegenwoordig in de tuin van een voormalig derwijklooster. Binnen toont men de pelgrim de voetafdruk van Christus. De sierlijk bewerkte marmeren kapitelen van het voorfront verraden de herkomst van het gebouw (dat lange tijd in gebruik is geweest als moskee) uit de tijd van de kruisvaarders. De mooiste aanblik vanaf de Olijfberg biedt de 60 m hoge TOREN VAN HET HEMELVAARTSKLOOSTER van de Witrussische nonnen. Jammer genoeg is het niet gemakkelijk er toegang te krijgen.

Wie 's avonds van Jericho uit door de woestijn naar Jeruzalem komt, zal niet gauw het silhouet vergeten van de DRIE TORENS die de stad al van verre aankondigen. De zuidelijkste en hoogste is de toren van het Russische klooster, in het midden staat de mas-

Vanaf de Olijfberg met zijn vele graven heeft men het fraaiste uitzicht op de heilige stad. De Tempelberg wordt nu bekroond door de schitterende Dom van de Rots.

sieve toren van het Augusta-Victoriaziekenhuis, dat in 1898 werd gesticht en in het noorden verheft zich de toren van de Hebreeuwse Universiteit op de Scopusberg.

De helling die van de Olijfberg afdaalt in het Kidrondal is vol herinneringen aan het lijden van Christus (→ blz. 186 e.v.). Wie te voet over de steile weg tussen graven, muren en tuinen naar beneden komt, volgt ongeveer de processieweg naar de oude stad, die vanaf de Byzantijnse tijd tot op heden op Palmzondag en op Hemelvaartsdag wordt gebruikt.

De franciscanenkapel DOMINUS FLEVIT[6], in 1955 gebouwd in de vorm van een gestileerde traan, herinnert aan het feit dat Jezus tranen over Jeruzalem weende alvorens hij er zijn intocht deed. Bijzonder indrukwekkend is het gezicht uit het altaarraam op de Dom van de Rots. Bij opgravingen op het terrein

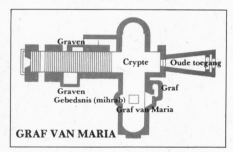

**GRAF VAN MARIA**

werden de fundamenten gevonden van een Byzantijnse kerk en een kruisvaarderskerk. Bovendien zijn er graven uit verscheidene perioden gevonden.

De Russische MARIA-MAGDALENAKERK[7] met haar zeven vergulde uienkoepels, werd in 1888 gesticht door tsaar Alexander III. Vooral de tuin en het uitzicht vanaf het terras zijn een bezoek waard. Even voor de hoofdweg door het Kidrondal ligt links de poort naar de HOF VAN GETHSEMANE. De zeven eeuwenoude olijfbomen zouden gegroeid kunnen zijn uit wortels die de kaalslag van keizer Titus bij de verwoesting van Jeruzalem overleefden en vervolgens opnieuw uitliepen. Boven de rotsen waar Jezus volgens de overlevering in de nacht voor zijn dood gebeden zou hebben, staat de KERK DER NATIES of DOODSANGSTBASILIEK[8]. Voor de bouw van de in 1924 ingewijde kerk lagen op deze plaats achtereenvolgens een Byzantijnse kerk en een kruisvaarderskerk. De vloer is bedekt met de reconstructie van een Byzantijnse mozaïek. Op verschillende plaatsen kan men door ruitjes het daaronderliggende, oorspronkelijke mozaïek bewonderen. Blauwige ramen van albast laten een vreemd, bijna plechtig licht door. Elk van de twaalf koepels is gewijd aan een land dat aan de financiering van de kerk heeft bijgedragen.

In het Kidrondal, lager dan de weg, ligt de

KERK VAN MARIA'S GRAF[9]. Evenals bij het graf van Jezus werd ook bij het graf van Maria al in de 4e eeuw het omringende gesteente afgegraven en werd rond het nu vrijliggende graf een kapel gebouwd. De kruisvaarders bouwden vervolgens de vesting ST.-MARIA-JOSAFAT, met een grote kerk waarvan de crypte het graf omsloot. In twee kapellen rechts en links van de trap die naar de crypte voert, bevinden zich de graven van de koningen van Jeruzalem. Ze worden tegenwoordig vereerd als de graven van de heilige Jozef en van Joachim en Anna, de ouders van Maria. Saladin liet destijds de vesting verwoesten, maar hij spaarde de crypte met haar fraaie buitenpoort en de 6 m brede, overwelfde trap die met veertig marmeren treden naar het heiligdom leidt. Ter ere van Maria liet hij ter plaatse een islamitische gebedsnis aanbrengen. Onder Grieks-orthodox bestuur werd de crypte gebruikt door verschillende oosterse kerken.

Een smalle gang rechts naast het portaal van het graf van Maria leidt naar de GROT VAN GETHSEMANE, een natuurlijke uitholling die wellicht als oliepers heeft gediend. Vóór de aanleg van de weg door het Kidrondal naar de Hof van Gethsemane behoorde deze grot aan de franciscanen. In de grot zouden Jezus en zijn leerlingen de nacht vóór zijn dood hebben doorgebracht.

## De muur en zijn poorten

De Turkse **muur** van de oude stad behoort tot de indrukwekkendste bouwwerken van Jeruzalem. Niet alleen voor fotografen is het de moeite waard tenminste één keer over en langs de muur om het oude Jeruzalem heen te lopen. Beter dan in de wirwar van steegjes is vanaf de hoogte der tinnen de indeling van de stad te zien in een joods, een mohammedaans, een christelijk en een Armeens gedeelte.

Süleiman de Grote liet de tegenwoordige STADSMUUR tussen 1538 en 1541 optrekken op de resten van oudere complexen. Met veel hoeken en zigzaglijnen omspant hij de stad in een onregelmatig vierkant. De muur is 4 km lang, ongeveer 12 m hoog en voorzien van acht poorten. Ontelbare pelgrims, die via Jaffa uit Europa kwamen, betraden door de Yaffa- of Yafopoort[10] de Heilige Stad. Teneinde de Duitse keizer Wilhelm II in 1898 in de gelegenheid te stellen in een rijtuig de oude stad binnen te rijden, werd tussen de Yaffapoort en de citadel een bres gebroken, waarvan tegenwoordig het gemotoriseerde verkeer gebruik maakt. De Arabieren noemen de poort *Bab el-Chalil* (Vriendenpoort), omdat hier de weg begint naar Hebron, de stad van de Godsvriend Abraham. Een Arabische inscriptie in de Yaffapoort zegt: 'Er is geen God buiten Allah, en Abraham is Zijn vriend'. Vanaf dit punt tot de Damascuspoort loopt de muur om het *christelijke gedeelte* van de stad.

Halverwege beide toegangspoorten werd in 1889 de NIEUWE POORT[11] gebouwd. De DAMASCUSPOORT[12] is de grootste en tevens de artistiek waardevolste van de stad. In het onderste gedeelte zijn vanaf de buitenkant de resten van twee vroegere poorten te herkennen, een Herodiaanse en een Romeinse. De Israëli's noemen de poort *Sha'ar Shechem* (Sichempoort), de Arabieren spreken van de Nabluspoort of *Bab el-Amud* (Zuilenpoort), naar een zuil die al sinds de Byzantijnse tijd op de binnenplaats staat en wel als landmeetkundig richtpunt voor het gehele land is gebruikt.

De HERODESPOORT[13] of Bloemenpoort vormt de belangrijkste toegangsweg tot het *islamitische gedeelte* van Jeruzalem. Schuin er tegenover ligt op een heuvel buiten de muren het ROCKEFELLER MUSEUM[14] waarin de eerste beroemde archeologische vondsten in het Heilige Land worden bewaard. Vanaf deze heuvel bestormden de kruisvaarders in 1099 de stad. De LEEUWENPOORT[15] dankt haar naam aan de twee leeuwenreliëfs op de zijkanten. De legende verhaalt over een droom van Süleiman waarin hem voorzegd werd dat hij door leeuwen zou worden verscheurd als hij de muren van Jeruzalem niet zou vernieuwen. Historici brengen de leeuwen in verband met

*De bizar gevormde olijfbomen, die misschien al bijna tweeduizend jaar overleefd hebben, verlenen de Hof van Gethsemane een bijzondere sfeer.*

de Mamelukkensultan Baybars (1260-1277); op diens wapen op de brug van Ramla zijn soortgelijke leeuwen afgebeeld. Ter herinnering aan de steniging van Stefanus wordt de poort ook wel Stefanuspoort genoemd, terwijl de Arabieren haar Mariapoort noemen omdat de weg naar Jericho, die hier begint, al meteen langs het graf van Maria in het Kidrondal voert.

De GOUDEN POORT[2] in de steunmuur van het Tempelplein tegenover de Olijfberg is sinds 1530 dichtgemetseld. In de 5e eeuw hield keizerin Eudokia de overblijfselen van een Herodiaanse poort op deze plaats voor het punt waar Jezus op de eerste Palmzondag het Tempelplein betrad. Ze liet een schitterend poortgebouw optrekken waarvan de zuilengangen en koepels vanaf het Tempelplein te bezichtigen zijn. Aan de buitenzijde ontbreekt alleen de prachtige gesloten dubbelboog van de poort de muurwand.

De MESTPOORT[16] ligt het dichtst bij de KLAAGMUUR en de opgravingen van de stad van David. Al ten tijde van Nehemia werd hier het afval de stad uit gebracht. De ZIONSPOORT[17] leidt uit de oude stad naar de berg Zion. De Arabieren spreken van de *Davidspoort*, omdat ze toegang geeft tot de plaats waar volgens de overlevering David begraven zou zijn. Ter versiering zijn in de muur van de poort een paar mooie kapitelen uit de kruisvaarderstijd ingemetseld. Door de

Zionspoort bestormden de joden in 1948 het ingesloten joodse gedeelte van de stad, dat ze echter niet konden houden. De poort toont nòg de sporen van die strijd.

## Van de citadel naar de berg Zion

De slanke minaret op een massieve verdedigingstoren boven de muur van de CITADEL[18] is kenmerkend voor het silhouet van de stad vanuit westelijke richting; tegenwoordig wordt het bouwwerk meestal de *Davidstoren* genoemd. Vroeger was dat de naam van de grote, noordoostelijke toren naast de toegang tot de burcht in de Yaffapoort. Tegenwoordig wordt deze toren, naar de broer van Herodes, weer de *Phasael* genoemd; het was een van de drie machtige torens die Herodes liet bouwen ter bescherming van de bovenstad en van zijn eigen paleis. Na de opstand van Bar Kochba liet keizer Hadrianus de toren intact en bouwde onder de beschutting ervan de legerplaats van het 10e legioen. Op de Phasael zijn tot op een hoogte van 20 m dezelfde gekartelde, Herodiaanse vierkanten te zien als in de westelijke muur.

Het grondplan van de tegenwoordige citadel met haar vijf torens dateert nog uit de tijd van de kruisvaarders. De sterke muren vormen een uitbreiding naar twee zijden van de

antieke stadsmuur. Resten van de blootgelegde OUDE MUUR zijn te zien in de binnenhof van de citadel. Na opeenvolgende verwoestingen heeft Süleiman de Grote als laatste de citadel grondig gerestaureerd en opgenomen in de door hem aangelegde muur. In een kruisvaardershal in de noordwestelijke toren is 'EEN STEEN IN DE TOREN VAN DAVID' te zien, een diapresentatie, die 4000 jaar stadsgeschiedenis tot leven brengt. Vrijwel onbekend maar zeer de moeite waard is op de bovenverdieping van de Phasael een tentoonstelling van 66 levensgrote poppen in klederdracht, die vertegenwoordigers van de verschillende religieuze gemeenschappen in Israël voorstellen.

Het tegenwoordige *Armeense gedeelte* van de stad en, buiten de muren, de ZIONSBERG, vormden in de tijd van Christus de *bovenstad*. Volgens de overlevering stonden hier niet alleen de huizen van de leden van de Hoge Raad maar ook de woningen van de eerste joodse christenen waarin de kleine gemeente bijeenkwam en de eerste vervolgingen doorstond. Van hieruit begon dus het Christendom. Reeds de christenen van het Romeinse rijk droegen de naam *Sion*, die aanvankelijk de stad van David en later vaak geheel Jeruzalem aanduidde, over op de westelijke heuvel en beriepen zich daarbij op de profetie

van Jesaja: 'Ja, uit Sion komt Gods onderricht, uit Jeruzalem het woord van de Heer' (Js 2:3). Middelpunt van de Armeense wijk is de JAKOBUSKERK[19]; ze is zowel toegewijd aan de apostel Jakobus, die in 44 n.C. door Herodes werd terechtgesteld, als aan Jezus' broeder Jakobus die in 60 n.C. in het Kidrondal werd gestenigd. In de 4e eeuw bracht men zijn gebeente over naar de plaats waar volgens de overlevering zijn huis zou hebben gestaan; het zou er nog altijd rusten onder het hoofdaltaar van de kathedraal. Het godshuis stamt wat zijn oorsprong betreft uit de 12e eeuw en is van een vreemde schoonheid met de centrale koepel boven het brede middenschip, de kostbare tapijten en het beeldsnijwerk en met de beschilderde tegels op muren en pilaren.

Het OLIJFBOOMKLOOSTER[20] van de Armeense nonnen waakt over een zeer oude olijfboom waaraan Jezus vastgebonden zou zijn toen hij voor Annas werd gevoerd. Een kapel uit de 13e eeuw staat op de plaats waar eens het *Huis van Annas* zou hebben gestaan. De Armeense Kerk, sinds de 4e eeuw onafgebroken in Jeruzalem vertegenwoordigd, heeft als leidende monofysitische religie rechten in de belangrijkste heilige plaatsen. De Armeense wijk geldt als een gesloten stad met eigen muren. Rondom de residentie van de patriarch liggen scholen, een seminarie, een drukkerij en bestuursgebouwen. Be-

zienswaardig is de BIBLIOTHEEK van de patriarch met kostbare geïllumineerde handschriften, en een MUSEUM waarin waardevolle stukken uit de Armeense kerkschat zijn te zien.

Via de ZIONSPOORT komt men in het stadsdistrict dat naar de berg Zion genoemd is. Op de plaats van een oudere kerk stond hier in de Byzantijnse tijd de basiliek *Hagia Sion*. Op de resten ervan bouwden de kruisvaarders ST.-MARIA VAN DE BERG ZION, waarvan het zuidelijke zijschip toegewijd was aan de *Dormitio Sanctae Mariae*, het inslapen van Maria. In een aanbouw van het noordelijke zijschip wordt op de bovenste verdieping het Laatste Avondmaal herdacht (dat zou hier hebben plaatsgevonden) en op de begane grond de voetwassing. Nadat de kruisvaarders verdreven waren, raakte hun kerk in verval. In 1333 konden de franciscanen de AVONDMAALSKAPEL (Cenakel)[21] kopen en restaureren. De 15 m lange en 9 m brede bovenzaal is tegenwoordig de enige ruimte in Jeruzalem in de stijl van de hooggotiek. Rabbi Benjamin van Tudela, een joodse pelgrim die in 1173 een bezoek bracht aan Jeruzalem, meldde dat men hier het *graf van David* had ontdekt nadat op de berg Zion een kerkmuur was ingestort - een aanwijzing hoe hecht indertijd ook

*Aan de kleding herkent men al op een afstand de streng orthodoxe joden.*

*De mensenmenigte, die hier door de Damascuspoort trekt, doet werkelijk cosmopolitisch aan.*

voor de joden de naam Zion met deze berg was verbonden. In de benedenzaal van de Avondmaalskapel, en dus niet op de berg Ofel, herdenkt men nu David, wiens graf ook door de moslims wordt vereerd. In 1551 werd het gehele gebouw dan ook veranderd in een moskee, die voor christenen en joden slechts zelden toegankelijk was. Gebedsnissen in beide ruimten en een minaret herinneren aan die tijd. Ook het grafmonument stamt uit de Turkse tijd. Tussen 1948 en 1967, toen joodse pelgrims niet langer de oude stad en de Klaagmuur konden bezoeken, kreeg het graf van David voor hen een nieuwe betekenis.

De herinnering aan de dood van Maria kwam weer tot leven in 1898, toen de Turkse sultan de Duitse keizer Wilhelm II een stuk land op het terrein van de vroegere kruisvaarderskerk ten geschenke gaf. Beïnvloed door de pfaltzkapel van Karel de Grote in Aken verrees het ronde gebouw van de DORMITIOKERK[22]. In de crypte bevindt zich een levensgroot beeld van de ontslapen moeder Gods. De mozaïeken zijn gewijd aan de bijbelse vrouwen Ruth, Jaël, Mirjam, Judit, Ester en Eva. De kerk wordt beheerd door benedictijnen uit Beuron; vanaf de TOREN VAN DE DORMITIO-ABDIJ heeft men een weids uitzicht. Met de oude stad achter zich ziet de bezoeker vóór zich het **Hinnomdal** (Ge-Hinnom) liggen, waarin eens kinderen werden geofferd aan de god Moloch en waarvan de Griekse naam *Gehenna* tot een synoniem werd voor de hel. In de moderne *westelijke stad* ertegenover springt vooral de toren van de YMCA (Young Men's Christian Association) in het oog en verder naar het zuiden een windmolen; deze bevindt zich in *Yemin Moshe,* het eerste joodse stadsdeel buiten de muren waarvan de bouw werd mogelijk gemaakt door sir Mozes Montefiori.

Op de terugweg naar de Zionspoort passeert men links een Armeense kerk, die staat op de plaats waar het *paleis van de hogepriester Kajafas* gelegen zou kunnen hebben. In de buurt ervan zijn langs de muur delen van de Herodiaanse bovenstad blootgelegd. Even vóór de Zionspoort gaat men rechts naar beneden en stoot dan halverwege op de kerk van ST.-PETRUS IN GALLICANTU[23] (van het hanegekraai). Ook hier vermoedt men de locatie van het huis van Kajafas. De kerk is gebouwd boven een grot, die Christus die nacht tot kerker zou hebben gediend. Ook zonder deze legendarische verhalen zijn de opgravingen in de buurt van de kerk belangrijk voor onze kennis van het alledaagse leven in het antieke Jeruzalem.

Een blootgelegde Romeinse TRAPPENSTRAAT naast de kerk leidt naar het Kidrondal. Het loont de moeite ze in alle rust althans voor een gedeelte af te dalen en in gedachten te houden, dat Jezus en zijn leerlingen na het Paasfeest (Pesach) wellicht langs deze weg naar de Hof van Gethsemane zijn gelopen.

## Via de Ofel naar het joodse stadsdeel

De ligging van de Jebusietenstad en de stad van David op de smalle en naar drie zijden steil afdalende rotspunt van de berg **Ofel** had tot gevolg dat bij verwoestingen het puin voor een groot gedeelte in de dalen verdween. Het Kidron- en het Hinnomdal zijn ermee overdekt; het Tyropeondal werd met puin opgevuld en vrijwel geëgaliseerd. Op de rotskammen van de Ofel zijn alleen in het noorden en ten dele op de hellingen stukken van de oude muren bewaard gebleven.

Toen de Ofel na 135 n.C. buiten de stadsmuren lag, werd hij zelfs gebruikt als steengroeve voor *Aelia Capitolina,* de nieuwe stad van Hadrianus. Daarbij werden ondergrondse *rotsgraven* blootgelegd, misschien wel van bijbelse koningen. In tegenstelling daarmee bleef de voormalige levensader van Jeruzalem, het onderaardse WATERLEIDINGSYSTEEM door de eeuwen heen intact. Wie op de oostelijke helling van de Ofel afdaalt naar de GIHONBRON[24], die diep tussen de rotswanden ontspringt, betreedt een historische plaats. De bron was de vaak omstreden sleutel tot het bezit van de stad; het was hier dat Salomo tot koning werd gezalfd. Met rubberlaarzen en aangepaste kleding kan men door de 500 m lange, bochtige tunnel lopen die koning Hizkia in 701 v.C. in de rotsen liet uithakken om het water van de buiten de stadsmuur gelegen Gihonbron naar het dieper gelegen en beschermde Shiloahbassin binnen de muren te leiden. Op deze tocht ziet men ook het punt waar de SCHACHT VAN DE JEBUSIETEN naar boven voert, de verticale tunnel waardoor het water van de bergrug naar beneden kwam en die een rol speelde bij de verovering van de stad door David. Even voor de uitgang van de tunnel werd in 1880 het oudste bewaard gebleven *Hebreeuwse inschrift* ontdekt waarin beschreven wordt hoe de twee groepen tunnelgravers elkaar halverwege ontmoetten.

Het SHILOAHBASSIN[25], tegenwoordig een 17 m lang en 6 m breed overdekt waterbekken waarvan de overloop de tuinen bevloeit van het Arabische dorp Silwan (Shiloah) in het Kidrondal, was in de tijd van Jezus omgeven door zuilengangen. In plaats van de ongemakkelijke en nogal smerige weg door de tunnel kan men ook het Kidrondal nemen om via de Gihonbron het Shiloahbassin te bereiken. Rechts reikt de Ofel, de heuvel van de stad van David, tot aan de Turkse stadsmuur en de zuidelijke muur van het Tempelberg. Op de helling links ontwaart men het dorp Silwan, waarvan de eenvoudige huisjes gebouwd zijn op de grafstad van de joodse koningen. Wie het Shiloahbassin wil laten voor wat het is, kan op de oostelijke helling boven de Gihonbron langs een trap naar de stadsmuur klimmen. Tussen de moderne terrasmuren rechts zijn delen blootgelegd van de JEBUSITISCHE STADSMUUR en van de funda-

*De 29 taferelen op de reusachtige bronzen menora voor de Knesset, het Israëlische parlement, beelden de geschiedenis van het joodse volk uit.*

menten van een TOREN UIT DE TIJD VAN SALOMO.

Aan de andere zijde van de weg naar de Mestpoort zijn in de buitenste hoek tussen de Turkse stadsmuur en de zuidelijke steunmuur van het Tempelplein sedert 1967 opzienbarende ontdekkingen gedaan. Reeds vanuit de verte zijn de brede treden van een MONUMENTALE TRAP te zien die omhoog leidt naar de buitenmuur van het Tempelplein en waar zich de omtrekken aftekenen van een DUBBELE POORT en, verder naar het oosten, van een DRIEDELIGE POORT[26]. De trap bestond uit dertig treden van uiteenlopende hoogte en was 65,5 m breed. Hij leidde in de tijd van Christus van de Ofel naar de *Huldapoorten* bij het Tempelplein en was de belangrijkste toegangsweg voor pelgrims. De onderaardse HERODIAANSE WEG achter de dubbele Huldapoort is bewaard gebleven. Hij loopt onder de gehele lengte van de al-Aqsamoskee naar het tempelplatform.

Binnen de Mestpoort ligt een groot OPGRAVINGSVELD[27] tot om de zuidwestelijke hoek van het Tempelplein. Tot in het wegdek van de Tyropoionstraat beneden zijn islamitische, Byzantijnse en Romeinse gebouwen geïdentificeerd en waardevolle vondsten veiliggesteld. Ongeveer halverwege rijst het verlengstuk van de zogenaamde ROBINSONBOOG op uit de westelijke muur. Het steunt een trap die vanuit de benedenstad naar het Tempelplein voert.

Bijna 1900 jaar lang is de WESTELIJKE MUUR[28] van de Tempelberg, tussen de oprit naar het Tempelplein en de zogenaamde WILSONBOOG, voor joden uit alle delen van de wereld de plaats geweest waar ze konden treuren over het verlies van de tempel. Sinds 1967 is het

jodenvervolgingen in Europa in hevigheid toenamen.

In 1948, tijdens de slag om Jeruzalem, werd de joodse wijk vrijwel volledig verwoest. Verscheidene synagogen herinneren nog aan de geschiedenis van dit stadsdeel. Tot de oudste gebouwen behoort de RAMBANSYNAGOGE[29] uit de 13e eeuw. Massieve zuilen in het eenvoudige interieur tonen aan dat ze gebouwd is op de overblijfselen van een kruisvaarderskerk. Niet ver ervandaan, in de buurt van dezelfde kruisvaarderskerk, ligt de HURVASYNAGOGE[30]. De tegenwoordige ruïne, met haar schilderachtige toegangsboog, is afkomstig van een grote synagoge die in 1864 gereed kwam en in 1948 werd verwoest. Ze was het centrum van een omvangrijke ashkenazische geloofsgemeenschap, die bestond uit Duits of jiddisch sprekende Europese joden. (Ashkenazim is het Hebreeuwse woord voor Duitsland). Ze heette HaHurva (de ruïne) omdat ze oorspronkelijk, in 1701, gesticht was door een Poolse rabbi en zijn leerlingen, die haar echter nooit hadden afgebouwd.

Centrum van een sefardische gemeenschap van joden uit Spanje, Noord-Afrika en Turkije was de JOCHANAN BEN ZAKKAISYNAGOGE[31] waarvan voor het eerst melding wordt gemaakt in 1625. Ze is onderverdeeld in vier gebedsruimten die door de gemeenteleden elk naar hun land van herkomst onafhankelijk van elkaar werden gebruikt. Het gehele complex, voorzien van stevige muren en gewelven, ligt tegenwoordig iets onder straatniveau. In 1948 was de synagoge het laatste toevluchtsoord voor de bewoners van de joodse wijk. Na de restauratie ervan werden de vertrekken van het gebedshuis versierd met kostbare kunstwerken uit verlaten synagogen in Italië.

Het dagelijks leven in de 19e-eeuwse joodse wijk van Jeruzalem is uitgebeeld in het JISHUVMUSEUM[32] dat ondergebracht is in een karakteristiek huis met drie binnenhoven in de oude stad. Te zien zijn onder andere woninginrichting en synagogestijl van de ashkenazische en sefardische joden. Sedert 1970 is de joodse wijk compleet gesaneerd en weer opgebouwd. Ze is een belangrijk voorbeeld van moderne stadsplanning binnen een historisch kader. De smalle, van trappen vergeven steegjes zonder autoverkeer, zijn in stand gehouden. Alle huizen zijn bekleed met fel geel-, bruin- of roodglanzend Jeruzalemkalksteen. Binnenhofjes, kleine balkons en winkelgewelven bepalen het stadsbeeld. Tussen de synagogen en talmudscholen wordt de bezoeker aangetrokken door boetieks en exposities. De bewoners van de wijk zijn voor het merendeel streng-religieuze joden.

Tijdens de wederopbouw van de joodse wijk konden de archeologen meer dan elders

ruime plein vóór de muur het belangrijkste bedevaartsoord van het joodse geloof geworden. Nog altijd wordt op 9 av de verwoesting van de tempel herdacht. Maar tegelijkertijd worden bij de muur de dagelijkse gebedsuren, de sabbatdienst, Bar Mizva (vergelijkbaar met het christelijke aannemingsfeest) en de feesten van het joodse religieuze jaar gevierd. Volgens een oud gebruik steken de gelovigen kleine stukjes papier met persoonlijke wensen tussen de scheuren van de indrukwekkende steenblokken, die geheiligd zijn door de gebeden van ontelbare generaties joden. Een hek scheidt de gebedsplaatsen van de mannen en de vrouwen.

Het gedeelte van de westelijke muur dat als *Klaagmuur* bekend is geworden, is 57 m lang en bestaat aan de onderzijde uit vijf rijen Herodiaanse steenblokken die minstens 90 cm hoog zijn en zonder specie op elkaar zijn gestapeld. De lagen hogerop dateren uit recentere tijden. Ondergronds liggen nog eens zestien rijen stenen uit de Herodiaanse tijd, zodat de muur vanaf de kale rots zo'n 21 m hoog is. De *Wilsonboog* is de noordelijke begrenzing van de Klaagmuur. Oorspronkelijk

was het een brug over het Tyropeondal, die van de bovenstad naar het Tempelplein voerde. Het zichtbare gedeelte van het bovengewelf wordt gebruikt als synagoge.

Vanaf het zuidwestelijke gedeelte van het plein leidt een trap naar de *joodse stadswijk.* In een ARCHEOLOGISCHE TUIN halverwege staat een Mariakerk uit de kruisvaarderstijd. Het *zelfbedieningsrestaurant* boven aan de trap is als rustpunt bijzonder aan te bevelen; vanaf het terras heeft men een schitterend uitzicht over het Tempelplein.

De aanwezigheid van de Klaagmuur zette joden uit alle perioden van de geschiedenis ertoe aan terug te keren naar dit deel van de stad, dat sinds de 8e eeuw v.C. tot de hoofdstad van het Jodendom behoorde en dat ten tijde van Christus de bovenstad van Jeruzalem vormde, de wijk van rijke en aanzienlijke burgers en van de priesters. Toen de beroemde geleerde Nachmanides, ook wel Ramban genaamd, zich in 1267 in Jeruzalem vestigde, trof hij er slechts twee joodse burgers aan, het droeve gevolg van vervolgingen en verblijfsverboden. Hij stichtte twee nieuwe joodse gemeenschappen die groeiden naarmate de hun gang gaan. Grote gebieden onder de moderne huizen zijn met betonpijlers onderstut en op die manier toegankelijk gemaakt. Bijzonder indrukwekkend zijn de bestrating en de winkelgewelven van het Romeinse CARDO MAXIMUS onder de Habadstraat. Te bezichtigen zijn ook de overblijfselen van de NEA, die in pelgrimsverslagen uit het verleden vaak werd genoemd, een Byzantijnse basiliek die in 543 door Justinianus is gebouwd en waarvan de locatie lang onbekend was.

## Over de Via Dolorosa naar de Heilig-Grafkerk

Zo'n 100 m voorbij de Leeuwenpoort voert een onaanzienlijk poortje rechts de oude stad in, naar het kloosterterrein van de Witte Paters met de Annakerk en de opgravingen bij het Bethesdabassin.

De ANNAKERK[33] is gebouwd in de 12e eeuw en geldt als de mooiste kruisvaarderskerk van Jeruzalem. Aan de buitenkant doet ze denken aan een vesting; van binnen bleef de strenge Romaanse stijl van de drieschepige gewelfde basiliek behouden. Het verhoogde middenschip is door een koepel boven het priesterkoor verbonden met een dwarsschip, dat niet buiten de twee zijschepen uitsteekt. Aan deze koepel dankt de kerk haar verbazingwekkende overvloed aan licht en haar beroemde akoestiek. In de crypte zijn in de rotswand uitgehakte woongrotten te zien, die beschouwd worden als het huis van Anna en Joachim, de ouders van Maria, en als de geboorteplaats van de moeder van Jezus. Een Arabische inscriptie boven het portaal vermeldt, dat de kerk door Saladin werd veranderd in een koranschool.

In het BETHESDABASSIN, een 120 m lang en 60 m breed waterbekken met een dam in het midden, werden ten tijde van de tweede tempel de offerschapen gewassen. Ook kwamen hier zieken bijeen, aangezien het water blijkbaar van tijd tot tijd in beweging werd gebracht door een onregelmatig vloeiende bron en dan als geneeskrachtig gold. De Bijbel verhaalt dat de zieke die als eerste in het bewegende water lag, genezen was. Bij opgravingen vanaf 1956 kwamen het bassin en vele muurresten weer te voorschijn. Romeinse soldaten vereerden hier Aesculapius, de god van de geneeskunde. Byzantijnse christenen bouwden boven de dam in het midden van het bekken een kerk waarvan de steunbogen rustten op de bodem van het 8 m diepe bassin; van een kruisvaarderskerk is met name de absis nog te herkennen.

De straat vanaf de Leeuwenpoort loopt met een flauwe helling naar boven en leidt naar het terrein van de voormalige ANTONIA-BURCHT, waar de VIA DOLOROSA begint. Herodes de Grote bouwde de burcht ter beveiliging van de bedreigde noordelijke zijde van de stad en van het Tempelplein en noemde

hem naar zijn beschermer, de triumvir Marcus Antonius. Later kon van hieruit de Romeinse landvoogd tijdens de pelgrimsfeesten de activiteiten op het Tempelplein gadeslaan. Volgens de christelijke overlevering werd Jezus in de Antoniaburcht voorgeleid aan Pontius Pilatus en door deze veroordeeld; vanaf hier droeg Hij zijn kruis naar de terechtstellingsplaats buiten de stad. Op het terrein van de burcht bevindt zich tegenwoordig links van de weg een islamitische school, terwijl aan de rechterzijde een FRANCISCA-NENKLOOSTER[34] ligt, met de GESELINGS- en de OORDEELSKAPEL benevens een bijbelinstituut en een museum, die een bezoek ruimschoots waard zijn.

De interessantste opgravingen zijn te zien in het CONVENT VAN DE ZUSTERS VAN ZION[35] bij de Ecce-Homoboog. Ondergronds werden hier grote delen blootgelegd van de LITHOSTROTOS, de geplaveide binnenplaats van de Antoniaburcht waarop militaire oefeningen en parades werden gehouden, maar waar zich ook de legioensoldaten konden ophouden. De binnenplaats ligt boven twee reusachtige waterreservoirs, die nog altijd worden gebruikt. In sommige plavuizen hebben de soldaten speelvelden gegrift, onder andere voor het KONINGSSPEL, waarbij een ter dood veroordeelde tot spelkoning werd verheven, met spot en hoon werd overladen en geslagen en gemarteld werd. In de KLOOSTERKAPEL van de Zusters van Zion wordt het altaar omvat door het noordelijke gedeelte van de zogenaamde Ecce-Homoboog, waarvan het middelste gedeelte de straat overspant. Lange tijd werd deze boog aangezien voor de plaats waar Pilatus Jezus toonde aan het volk met de woorden: 'Ziehier de mens' (Joh 19:5), in het Latijn 'ecce homo'. In werkelijkheid gaat het waarschijnlijk om een triomfboog, die de keizer Hadrianus liet oprichten ter herinnering aan de verovering van Jeruzalem in 135 n.C. In het klooster dragen maquettes en tekeningen van het antieke Jeruzalem bij tot een beter begrip van de opgravingen. De zusters, die een gerenommeerd ziekenhuis beheren, zijn bereid in verscheidene talen rondleidingen te geven.

De VIA DOLOROSA toont in veertien staties de lijdensweg van Jezus tussen veroordeling en graflegging. De route volgt min of meer de oorspronkelijke weg tussen de Antoniaburcht en Golgotha. Het niveau van de straten ligt tegenwoordig in elk geval een stuk hoger. Iedere vrijdagmiddag begint om 15 uur een processie onder leiding van de franciscanen.

De Via Dolorosa volgt allereerst een tamelijk rustige straat, halverwege wordt de route overspannen door een schilderachtige boog en tenslotte voert ze door het drukke gewoel van de Arabische markt. De afzonderlijke staties zijn aangegeven met kapelletjes of inscripties; de laatste vijf bevinden zich binnen de Heilig-Grafkerk.

Om iets te begrijpen van het wezen van de HEILIG-GRAFKERK[36] kan de bezoeker niet buiten een zeker religieus besef, dat hem los van alle uiterlijkheden om hem heen in staat stelt op deze plaats dood en opstanding van Christus te herdenken. Of hij zou een sterk ontwikkeld gevoel moeten hebben voor de veelheid aan historische gebeurtenissen en voor de grootheid èn de zwakheden van de mensen die dit bouwwerk tot stand hebben gebracht. Meer dan 1600 jaar lang zetten christelijke pelgrims bezit en gezondheid op het spel om in deze kerk te kunnen bidden. Al bijna even lang echter duurt de verbeten strijd om het bezit van de kerk tussen de verschillende christelijke religies, een gevecht dat er uiteindelijk toe heeft geleid dat het godshuis nu onder zes kerkgenootschappen is opgedeeld. Als gevolg hiervan toont het interieur een (naar keuze) fascinerende of stuitende mengeling van religieuze kunst uit de meest uiteenlopende tijdperken en culturen. De sleutels van de kerk zijn al sinds eeuwen in handen van twee islamitische families.

Middelpunt van de kerk is het HEILIG GRAF, waar het wonder van de verrijzenis wordt

*Met grote ernst en brede gebaren onderricht een leraar in een Talmudschool een nieuwe generatie in de joodse traditie. De kinderen worden hier van jongs af aan onderwezen in de oude leer.*

herdacht. De eerste kerk die keizer Constantijn in 336 op deze plaats liet bouwen, had de ronde vorm van het antieke mausoleum en werd *Anastasis* (Opstanding) genoemd. Uit de rondbouw boven het graf valt momenteel nog het duidelijkst iets af te lezen over de aard van deze Constantijnse bouw. Reeds Constantijn liet de rotsen rondom het graf afgraven; tegenwoordig ligt het geheel verborgen onder een met veel krullen versierde opbouw in de Russisch-orthodoxe stijl van de 19e eeuw. Via het portaal, de KAPEL VAN DE ENGEL, komt men in de GRAFKAMER, een vierkante ruimte van ongeveer twee bij twee meter. De rotsbank waarop het lichaam gelegen zou hebben, is bedekt met een plaat marmer. Aan het plafond hangen 43 kostbare lampen die onder de verschillende kerkgenootschappen zijn verdeeld op basis van hun aandeel in het gehele gebouw. Achter de westelijke bogen van de rondbouw zijn nog meer rotsgraven te zien. Ze tonen aan, dat op de plaats van de Heilig-Grafkerk inderdaad een antiek grafveld heeft gelegen. Het in het Nieuwe Testament beschreven graf kan men zich nog het beste voorstellen als men het zogenaamde HERODIAANSE GRAF[41] naast het King David Hotel heeft gezien; het heeft nog altijd de reusachtige ronde steen waarmee de grafkamer werd afgesloten. Ook bij het TUINGRAF[42] ten noorden van de Damascuspoort kan men zich het verhaal uit het Nieuwe Testament beter voorstellen dan in de Heilig-Grafkerk.

Twee trappen met vijftien hoge treden leiden in de kerk naar de heuvel van GOLGOTHA, die Constantijn liet stroomlijnen tot een 5 à 6 m hoog en breed rotsblok. De oppervlakte ervan is overdekt met mozaïekwerk en door zuilen verdeeld in twee kapelletjes. Rechts bij de franciscanen bevinden zich de tiende en de elfde statie van de kruisweg (Jezus wordt ontkleed, respectievelijk aan het kruis gena-

*Toeristen in Jeruzalem mogen een wandeling door de nauwe straatjes van de oude stad met haar schilderachtige bedrijvigheid beslist niet missen.*

geld); in de Grieks-orthodoxe kapel links worden de kruisdood en de kruisafneming (twaalfde en dertiende statie) herdacht. Onder de kapel van de Calvarieberg is in de rots van Golgotha de ADAMSKAPEL uitgehakt. Volgens een oude legende lag hier Adam begraven, de eerste mens; op Goede Vrijdag zou hij door het bloed van Jezus van zijn zonden zijn gereinigd. In de rotsen is duidelijk een scheur te zien; deze zou ontstaan zijn tijdens de aardbeving op het moment van Jezus' dood (Mt 27:52).

In de Byzantijnse tijd sloot de rondbouw boven het graf aan op een binnenhof waarin de Calvarieberg nog in de openlucht lag; pas daarachter lag een vijfschepige basiliek. Aan de oostelijke zijde ervan was een atrium aangebouwd, dat men betrad door drie poorten van het antieke forum. Delen van deze poorten zijn nog te zien in het RUSSISCHE KLOOSTER aan de Muristan (voormalig pelgrimshospitaal). De crypte van de Constantijnse basiliek was gebouwd boven de waterbekkens waarin keizerin-moeder Helena volgens de legende het Heilig Kruis gevonden zou hebben. Het Constantijnse complex doorstond in gro-

te lijnen alle stormen van de geschiedenis tot het in 1009 werd verwoest door kalief al-Hakim. De Heilig-Grafkerk heeft daarna nooit meer haar vroegere omvang en samenhang teruggekregen. De huidige plattegrond ervan gaat terug op de in 1049 ingewijde kruisvaarderskerk. De kruisvaarders verbonden de rondbouw met een romaanse kerk, die ook de Calvarieberg omsloot. In het hart van dit onderdeel van het gebouw bevindt zich thans het Grieks-orthodoxe Katholikon. Van hieruit komt men bij de lager gelegen HELENAKERK met de KRUISVINDINGSKAPEL. Erboven en aan de oostelijke zijde op de kerk aansluitend verhief zich in de tijd van de kruisvaarders het klooster van de kanunniken van het Heilig Graf. Het is de moeite waard te gaan kijken naar de spaarzame muurresten op het dak bij de kleine koepel van de Helenakerk en dan tevens een bezoek te brengen aan het ETHIOPISCHE KLOOSTER met zijn rijzige monniken en eenvoudige cellen.

Sedert de bouwactiviteiten van de kruisvaarders bevindt de hoofdingang van de Heilig-Grafkerk zich op het zuiden; men kan hem bereiken via een voorhof, die met

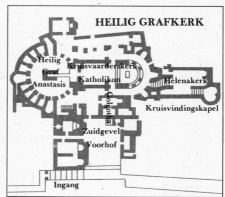

HEILIG GRAFKERK

Heilig Graf
Anastasis
Kruisvaarderskerk
Katholikon
Golgotha
Helenakerk
Kruisvindingskapel
Zuidgevel
Voorhof
Ingang

oudere kapellen is omgeven. Terwijl de rondbouw nog de geest ademt van de Constantijnse bouwwijze, is de rijkversierde romaanse ZUIDGEVEL het zuiverste voorbeeld van kruisvaardersarchitectuur aan de Heilig-Grafkerk. De dubbele bogen van het portaal, waarvan één kant sinds de tijd van Saladin is dichtgemetseld, doen in talloze details denken aan de Gouden Poort op de Tempelberg. Lijden en opstanding van Christus zijn op die wijze verbonden met zijn wederkomst aan het einde der tijden.

## De Tempelberg

**El Haram Esh Sharif** (Hoge Heiligdom), zoals de Arabieren de *Tempelberg* noemen, is voor joden, christenen en moslims een plaats waar God zeer nabij is. Reeds de priesterkoning Melchisedek, door wie Abraham werd gezegend, kwam uit Jeruzalem. Volgens de joodse overlevering is de Tempelrots in feite de berg Moria, waar Abraham zijn zoon moest offeren. Sinds Salomo omstreeks 950 v.C. de eerste tempel voltooide bevindt zich hier echter vóór alles het aardse middelpunt van het verbond tussen God en Israël.

De eerste christenen, die ook na de dood van Jezus naar zijn voorbeeld de tempel bezochten om er te bidden en offers te brengen, zagen de verwoesting ervan als de vervulling van de voorspelling: 'Voorwaar, Ik zeg u: geen steen zal hier op de andere gelaten worden, alles zal worden verwoest' (Mt 24:2). Daarom werd in de Byzantijnse tijd wèl de Jupitertempel verwoest, die Hadrianus op het Tempelplein had laten bouwen, maar bleven de puinhopen ervan liggen. Toen de Arabieren de stad in 638 innamen, troffen ze de Tempelberg bedekt met puin en afval aan; hij lag braak en gold als vervloekt.

De moslims, die Abraham eveneens als hun stamvader zien, beschouwen het Tempelplein als de - van Mekka uit bekeken - 'verre gebedsplaats' (al-Aqsa) waar Mohammed volgens de 17e soera van de Koran in het visioen van een nachtelijke reis naartoe werd gevoerd. Legenden verhalen hoe zijn paard Burak hem 's nachts van de Heilige Rotsen naar de hemel voerde. Afgezien van de krap honderdjarige heerschappij van de kruisvaarders (1099-1187) draagt de Tempelberg sinds de 7e eeuw het stempel van de islam.

Het TEMPELPLEIN beslaat ongeveer een zesde van het gebied van de oude stad. Het is omgeven door muren, die in het oosten en het zuiden tevens deel uitmaken van de stadsmuur. De rotsvlakte is door Herodes de Grote met behulp van uitgestrekte funderingen in het zuiden en het westen uitgebouwd tot een kunstmatig platform. Het is iets minder dan 500 m lang en 280 tot 320 m breed. Hoewel de Romeinen alle gebouwen erop verwoestten, is het platform zelf met z'n onderaardse gewelven en steunmuren grotendeels bewaard gebleven. Bekend zijn bij voorbeeld de veelal niet toegankelijke STALLEN VAN SALOMO onder het zuidoostelijke gedeelte van het plein. Twaalf rijen machtige pijlers stutten de gewelfde, soms wel 10 m hoge gangen. De stallen kregen hun naam van de kruisvaarders, die er hun paarden onderbrachten.

De DOM VAN DE ROTS³⁷ wordt ten onrechte ook wel moskee van Omar genoemd; het is geen moskee en het gebouw is niet door Omar neergezet. Deze liet na de inneming van Jeruzalem op de naar Mekka gekeerde zuidzijde van het Tempelplein slechts een eenvoudig houten gebedshuis plaatsen. Abd el-Malik, een van zijn opvolgers, probeerde Jeruzalem tot een bedevaartsoord te maken dat Mekka naar de kroon zou steken. Hij bouwde de Dom van de Rots met behulp van Byzantijnse handwerkslieden naar het voorbeeld van de rondbouw boven het Heilig Graf en van de Hemelvaartskerk op de Olijf-

*Het meest verheven en meest harmonische bouwwerk van Jeruzalem is de Dom van de Rots, die kalief Abd el Malik tussen 688 en 691 liet optrekken.*

berg. Het gebouw kwam tot stand tussen 688 en 691. Op de bergtop waar Abraham Isaak moest offeren, heeft sinds de tijd van Salomo waarschijnlijk een brandofferaltaar gestaan. Bovendien zou Mohammed van hier ten hemel zijn gevaren. Daarom bouwde Abd el-Malik er een tweede, verhoogd platform, waarop de Dom van de Rots verrees. De achthoekige buitenmuur is bekleed met marmeren platen en met blauwglanzende keramische tegels. Hoog daarboven staat de gouden koepel (van aluminiumplaat) die het stadsbeeld van Jeruzalem beheerst. In het interieur neemt de lichtgolvende, kale rotsbodem de gehele ruimte onder de koepel in beslag. De binnenkoepel is van hout en bedekt met gouden stucwerkarabesken op een rode ondergrond. De zuilen en kapitelen van de twee omgangen zijn afkomstig van antieke of Byzantijnse bouwwerken. Goudglanzende mozaïeken en zestien felgekleurde ramen onder de koepel zetten de ruimte in een warm en feestelijk licht. De vloer is bedekt met kostbare tapijten en mag, zoals in alle islamitische heiligdommen, slechts met ongeschoeide voeten worden betreden. Onder de rots bevindt zich een natuurlijke grot waarin Elia, Abraham, David en Salomo worden vereerd. De Dom van de Rots is het oudste bewaard gebleven bouwwerk van de Islam en straalt overweldigende schoonheid en harmonie uit.

De AL-AQSAMOSKEE³⁸, met haar zilveren koepel, is ongeveer 90 m lang en 60 m breed en daarmee het grootste gebouw van het Tempelplein. De zeven bogen van de open voor-

hal leiden naar een breed en verhoogd middenschip waarop eens drie zijschepen aansloten. De moskee biedt plaats aan 5000 gelovigen; in volgorde van heiligheid komt ze na Mekka en Medina. In tegenstelling tot de Dom van de Rots is de moskee vele malen verwoest en weer opgebouwd. Van het eerste gebouw, dat werd neergezet door kalief al-Walid, de zoon van Abd el-Malik, en overeind bleef tot het begin van de 8e eeuw, zijn slechts een paar pilaren en muren op het zuidoosten bewaard gebleven. De marmeren zuilen in het interieur en de ramen zijn nieuw; de kapitelen zijn afkomstig van verschillende Byzantijnse kerken. In de kruisvaarderstijd deed de moskee aanvankelijk dienst als koningspaleis; later vormde ze met het gehele Tempelplein de residentie van de Tempelridders. Zij beschouwden de Dom van de Rots als de tempel van Salomo en maakten er hun ordekerk van. Naar het voorbeeld ervan bouwden ze ook in Europa een aantal ronde kerken. Op de voorhal van de moskee zijn nog versieringen uit de kruisvaarderstijd te zien. Binnen zijn de ZETEL VAN DE IMAM onder de koepel en de ZACHARIASKAPEL, een zijkapel tegen de oostelijke muur, opgebouwd uit Frankische bouwresten. Gedeelten van het voormalige Tempelierspaleis ten westen van de al-Aqsamoskee herbergen tegenwoordig de VROUWENMOSKEE en het ISLAMITISCH MUSEUM³⁹. Behalve onderdelen die tijdens verbouwingen op het Tempelplein overbleven, zijn in het museum koranhandschriften en koperwerk te zien. Vóór de al-Aqsamoskee voeren zestien treden naar een gesloten, groene deur, waarachter zich een gewelfde gang bevindt die onder de moskee door naar de voormalige Huldapoort in de zuidelijke muur loopt. Via deze donkere gang kwamen de pelgrims op het zonbeschenen Tempelplein.

Het beste zicht op de verdere monumenten op het Tempelplein heeft men vanaf het verhoogde platform van de Dom van de Rots. Vlak voor de oostelijke zijde ervan staat, als een verkleinde kopie van de Dom van de Rots, de DOM VAN DE KETTING. In twee concentrische cirkels zijn de zeventien zuilen van dit gebouw zo opgesteld, dat ze alle tegelijk te zien zijn. De kerk stamt uit de 10e eeuw; de zuilen zijn ouder. Vanaf de Dom van de Ketting glijdt de blik over bomen en grasvelden naar de Olijfberg. De twee koepels vóór de binnenzijde van de oostelijke muur behoren tot de Byzantijnse toegangshal van de GOUDEN POORT[2].

Op beide platforms ligt in het noorden, westen en zuiden een groot aantal kleinere ISLAMITISCHE HEILIGDOMMEN en schilderachtige bronnen met koepels en zuilen. Talloze legenden verhalen over herkomst en betekenis van deze gebouwtjes, waarvan er vele weer uit oudere resten zijn opgetrokken - een caleidoscoop van bouwstijlen tussen de Romeinse en de Turkse tijd. Desondanks bezit elk gebouwtje een eigen schoonheid die bijdraagt tot de pracht van het gehele complex zonder de bijna feestelijke ruimte ervan te verstoren.

Aan de noordelijke zijde van het onderste platform ligt tussen de gazons een stuk van de oorspronkelijke rotsbodem bloot en is een deel te zien van het HERODIAANSE PLAVEISEL. De noordelijke en westelijke zijde van het plein zijn omzoomd door islamitische scholen en instituten, waartussenin de POORTEN naar de oude stad liggen. Hier, en ook elders in de oude stad, is de kenmerkende stijl van de Mamelukken te herkennen aan de veelkleurige baksteenbouw en aan de koepels, die van binnen met een soort stalactieten zijn versierd. Een bijzonder fraai voorbeeld ervan is de KATOENPOORT (Bab el-Qattanim)[40] in het westen.

## Kijkje in de nieuwe stad

De oude stad met haar 4000 jaar lange geschiedenis, de heilige plaatsen, de oosterse bazaar en de bonte verscheidenheid van haar bewoners, is zó fascinerend dat men gemakkelijk vergeet hoe klein ze eigenlijk is in verhouding tot Jeruzalem als geheel. Haar muren omsluiten slechts een 25e gedeelte van de huidige stad, waarvan veel inwoners vaak alleen maar in het oude gedeelte komen om er van tijd tot tijd buitenlandse gasten rond te leiden.

De meeste bezoekers rest over het algemeen maar weinig tijd om het *moderne Jeruzalem* te ontdekken. De belangrijkste beziens-

waardigheden ervan liggen zo'n 2 à 3 km ten westen van de oude stad. Ruime plantsoenen overdekken hier een breed en hooggelegen dal. Tegen de hellingen liggen de gebouwencomplexen van de Hebreeuwse Universiteit, het Israël Museum en de Knesset, het Israëlische parlement. Een opvallend contrast hiermee vormen op de bodem van het dal de vestingachtige, middeleeuwse muren van het KLOOSTER VAN HET KRUIS.

De HEBREEUWSE UNIVERSITEIT ontstond in 1954 in het westelijke deel van de stad, omdat de oudere universiteitsinstituten op de Scopusberg tot 1967 niet gebruikt konden worden: ze lagen immers in een kleine Israëlische enclave in het oostelijke Jordaanse gedeelte van de stad. Na de Zesdaagse Oorlog is de uitbreiding van de complexen op de

*Middelpunt van het Israël Museum is de Tempel van het Boek. Hier worden de meer dan tweeduizend jaar oude handschriften van bijbelboeken bewaard, die in de grotten van Qumran werden gevonden.*

Scopus met kracht ter hand genomen. De Hebreeuwse Universiteit bezit momenteel de grootste bibliotheek van het hele Midden-Oosten.

Kern van het in 1965 geopende ISRAËL-MUSEUM is het HEILIGDOM VAN HET BOEK, waarin de beroemde Dode-Zeerollen worden getoond. Deze handschriften van de Essenen uit de tijd rond Christus' geboorte werden in de buurt van Qumran in een spelonk gevonden. Het verblindend-witte gebouw heeft de vorm van het deksel van een antieke lemen kruik. In de tegenstelling tussen het gebouw en een inktzwarte, rechthoekige basaltmuur is de strijd tussen licht en donker gesymboliseerd, die de denkwereld van de Essenen bepaalde. De archeologische en volkenkundige collecties van het museum en een permanente expositie van moderne kunst zijn ondergebracht in een complex van kubusvormige gebouwen van verschillende grootte; daarin bevindt zich ook een *zelfbedieningsrestaurant*. In de nabijgelegen BILLY ROSE BEELDENTUIN zijn, in de open lucht, moderne beeldhouwwerken opgesteld.

De in 1966 in gebruik genomen KNESSET, een sierlijk gebouw uit licht Jeruzalemkalksteen, is vooral indrukwekkend onder het kunstlicht bij avond. De ontvangstruimte is door Marc Chagall gedecoreerd met een mozaïek en met schitterende wandkleden waarop perioden uit de joodse geschiedenis zijn uitgebeeld. Tegenover de Knesset staat een grote, zevenarmige kandelaar van brons, een *menora*; het is een geschenk van het Britse parlement.

Knesset en omgeving symboliseren Jeruzalem als de hoofdstad van de moderne staat Israël. In hetzelfde Jeruzalem vindt men echter ook MEA SHE'ARIM, het stadsdeel van de ultra-orthodoxe joden ten noordwesten van de oude stad; het maakt de indruk van een Oosteuropese jodenwijk en de bewoners ervan erkennen de staat Israël niet. In kleding en levenswijze houden ze vast aan de tradities van de verdwenen joodse cultuur van Oost-Europa.

Aan de westelijke rand van Jeruzalem ligt de gedenkplaats YAD VASHEM. Langs de HERZL-BERG, waar Theodor Herzl ligt begraven, de grondlegger van het moderne zionisme, voert de weg naar de LAAN DER RECHTVAARDIGEN. Iedere boom langs deze laan houdt de herinnering levend aan een niet-jood die tijdens het Derde Rijk zijn leven op het spel zette om een joodse medemens te redden. Yad Vashem is in de eerste plaats een archief, dat naam en lot bewaart van hen die in de holocaust zijn omgekomen. Aansluitend vindt men er een gedenkplaats en een museum. De permanente expositie *Waarschuwing en Getuigenis* brengt de anti-joodse hetze van de nazi's in beeld. Hier worden beelden en documenten getoond over de afschuwelijke periode die de joden in de Tweede Wereldoorlog hebben moeten doormaken.

# Van Jeruzalem naar Jericho en Qumran

Op de zuidoostelijke helling van de Olijfberg, ongeveer 6 km buiten Jeruzalem en dicht bij de rand van de woestijn, ligt **El-Azariya**, het *Betanië*\* uit het Nieuwe Testament. Reeds de kerkvader Eusebius (265-340) maakte melding van het feit, dat hier het graf van Lazarus werd vereerd. Ook door Maria en Marta en door Simon de Melaatse is de plaats op verschillende manieren verbonden met het leven van Jezus. De kerken, kloosters en bedevaartsplaatsen raakten in verval na het vertrek van de kruisvaarders. In de 16e eeuw werd tussen de ruïnes een MOSKEE gebouwd. Eronder ligt het oude GRAF VAN LAZARUS, dat van buiten af slechts via een schacht is te bereiken. De franciscanen kochten een gedeelte van het terrein op, deden er opgravingen en bouwden een LAZARUSKERK (1954), die delen bevat van een Byzantijnse kerk en van een kerk uit de tijd van de kruisvaarders. Boven de kerk liggen de ruïnes van een BENEDICTIJNENKLOOSTER uit de kruisvaarderperiode. Van Betanië uit leidt een sfeervol voetpad langs olijfgaarden en de plaats van het oude **Betfage**\* naar de kam van de Olijfberg, met een overweldigend uitzicht op Jeruzalem.

Voorbij El-Azariya draait de weg rechtstreeks de **Woestijn van Juda** in. Slechts zwarte bedoeïenententen, donkere vrouwengestalten, schaapskudden en kamelen verlevendigen af en toe de uitgestrekte, zandige valleien. Ietwat misplaatst liggen daartussenin een paar nieuwe, militaire nederzettingen van het Israëlische leger. In iets minder dan een uur bereikt men de Dode Zee en de vruchtbare oase van Jericho. Het hoogteverschil tussen Jeruzalem en de bijna 400 m onder de zeespiegel gelegen Dode Zee bedraagt ongeveer 1200 m. De landschappelijke verscheidenheid is dan ook enorm.

Halverwege de weg naar Jericho ligt rechts van de weg KHAN HATHRUR, een vervallen Turkse karavanserai met muurresten uit een nog eerdere periode. Al sinds de 14e eeuw toont men de bezoeker hier de HERBERG VAN DE BARMHARTIGE SAMARITAAN. Even verderop splitst zich van de moderne weg de niet geasfalteerde ROMEINENWEG af. Met een beetje stevige auto kan men die volgen tot aan Jericho en zo een indruk krijgen van de eeuwenoude, gevaarlijke pelgrimsroute waarvan Jezus rept in zijn gelijkenis (Lc 10:30-35). Wie goed ter been is en twee tot drie uur de tijd heeft, kan vanaf de oude weg afdalen in de **wadi Qilt** (→ illustratie blz. 43). Het dal werd in de Byzantijnse tijd bewoond door monniken en kluizenaars; woongrotten en waterleidingen herinneren nog aan die periode. Als een adelaarsnest hangt tegen de steile helling aan de

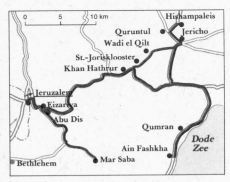

overzijde het ST.-JORISKLOOSTER. Het wordt bewoond door enkele bejaarde, Grieks-orthodoxe monniken, die in de vallei een paar verrassend groene tuinen onderhouden. Een voetpad in het dal leidt naar de oase van Jericho. Geïsoleerde poortbogen, overeind gebleven bruggen en vervallen muurresten herinneren steeds opnieuw aan vervlogen tijden. Op het punt waar het dal zich opent naar de Jordaanvlakte, sluit het weer aan op de

Romeinenweg. Op deze plaats, ten zuidwesten van de moderne stad, zijn de ruïnes blootgelegd van het hellenistische JERICHO\*, dat Jezus aandeed op weg naar Jeruzalem. Herodes had hier zijn winterverblijf.

Het moderne **Jericho** (Yeriho) wordt gekenmerkt door zijn bloemenpracht, het groen van zijn tuinen en de smakelijke vruchten van zijn subtropisch klimaat, die overal op straat worden verkocht. Ongeveer 9 km naar het oosten ligt de ALLENBYBRUG, de enige open grensovergang met Jordanië.

De rijkste bron van de oase wordt, naar het bijbelse verhaal (2 K 2:19), nog altijd de Elisabron genoemd. Ze ligt tegenover het beroemdste opgravingsveld van Jericho, de **Ein Es-Sultan** (→ blz. 75). Hier ligt de oudst bekende stad ter wereld. Ze werd beschermd door een 2 m dikke muur en een ongeveer 9 m hoge STENEN TOREN, die met een wenteltrap beklommen kon worden. In de wirwar van muurresten in het opgravingsterrein is hij duidelijk te zien.

Meteen ten noorden van de tell liggen de troosteloze leemhutten van een reusachtig vluchtelingenkamp, dat in 1967 werd opgeheven. In het westen hangt hoog tegen de rotswanden van de BERG VAN DE VERZOEKING het Grieks-orthodoxe klooster DEIR QUARANTAL (1874). Sinds de Byzantijnse tijd wordt hier de plaats vereerd waar Jezus tijdens zijn veertigdaags verblijf in de woestijn door de duivel in verzoeking zou zijn gebracht.

Sedert de tijd van Herodes bouwden vooraanstaande families in de warme oase van Jericho met haar vele bronnen hun winterverblijven. Het indrukwekkendste voorbeeld ervan is het ruïnencomplex KHIRBET EL MAFFIR, 3 km ten noorden van de moderne stad gelegen aan de weg naar Bet She'an. Dit winter-

*In elkaar gestrengelde, gevlochten banden vormen een zespuntige ster in een cirkel. Dit ornamentale venster staat tegenwoordig in de tuin van het Hishampaleis.*

paleis van kalief Hisham (724-743) werd al in 746 door een aardbeving verwoest. De ruïnes laten nog iets zien van de uitgestrektheid van het complex en van het hoge peil van de door Byzantium en Perzië beïnvloede islamcultuur, nauwelijks 100 jaar nadat de Arabieren uit de woestijn te voorschijn waren gekomen.

Links van een ruim voorhof, met een oorspronkelijk overdekt waterbassin, liggen de resten van het eigenlijke paleis gegroepeerd rondom een atrium met zuilengalerijen. Hier bevindt zich het veel gefotografeerde ROOSVENSTER in de vorm van een zespuntige ster; het behoorde oorspronkelijk tot een van de praalruimten van het paleis. Aan het paleis grensden een grote MOSKEE en een BADENCOMPLEX. Van dit complex zijn de zuilen en pilaren van de enorme overdekte toegangshal met mozaïekvloer en delen van de ondergrondse verwarmingsinstallatie bewaard gebleven. Een klein, bijzonder zorgvuldig gebouwd nevenvertrek, de DIVAN, herbergt in de absis een van de mooiste MOZAÏEKEN van het land: een met vruchten beladen boom met drie gazellen en een leeuw. De waardevolste resten van het overdadige beeldhouw- en stucwerk vullen in het Rockefeller Museum in Jeruzalem een hele zaal.

Terwijl Jericho in vele perioden van zijn geschiedenis een stad van luister en luxe was, trok de omringende woestijn steeds weer asceten aan. Vele kloosters en kluizenaarswoningen getuigen ervan. Zo lag in **Qumran***, ongeveer 20 km ten zuiden van Jericho, tussen de 2e eeuw v.C. en 68 n.C. het centrum van de Essenen. Het bevond zich op een terras tussen Dode Zee en de steile helling van de Judeese rotswoestijn. De bibliotheek van deze joodse sekte (→ blz. 27) werd vanaf 1947 bij stukjes en beetjes gevonden in GROTTEN in de omgeving. Vanaf 1949 wordt gewerkt aan het blootleggen van de KLOOSTERACHTIGE NEDERZETTING. Daarbij vond men onder andere zeven schalen voor het rituele reinigen, en leidingen en aquaducten die het water voor die reiniging aanvoerden uit veraf gelegen bronnen. Een eigenaardige zaal met tafels voorzien van inktpotten was de werkplaats van de schrijvers van de sekte.

Vanaf de plaats van de opgravingen heeft men een weids uitzicht over de DODE ZEE en op de roodachtige bergen van Moab in het tegenwoordige Jordanië (→ illustratie blz. 43). De laagte van de Dode Zee is de diepste slenk ter wereld. Hoewel de afvoerloze binnenzee (76 km lang, tot 17 km breed) het water van de Jordaan ontvangt, schommelt de waterspiegel door de sterke verdamping vrijwel permanent om de 400 m beneden de zeespiegel. Als gevolg daarvan, en ook door de mineraal- en zwavelrijke bronnen in en om de Dode Zee, heeft het water een zoutgehalte van rond de 30 procent.

Een paar kilometer ten zuiden van Qumran, in de kleine oase **En-Fesha** (Ein Fashka), heeft de reiziger de gelegenheid de opmerkelijke eigenschappen van dit pekelwater aan het eigen lichaam te ervaren. Men kan in elke gewenste houding bewegingloos in het water blijven hangen (alleen oppassen dat het water niet in mond en ogen komt). In kuurhotels wordt het water van de Dode Zee en van de geneeskrachtige bronnen op de oevers therapeutisch benut.

Ten zuiden van En-Fesha breekt een diep uitgesneden wadi door de rotsen van het westelijke oevergebergte. Hier eindigt het **Kidrondal.** Ongeveer halverwege de weg van Jeruzalem naar de Dode Zee ligt, midden in de woestijn, op een steile helling boven het dal het klooster MAR SABA, dat via Abu Dis bereikt kan worden over een nog maar gedeeltelijk geasfalteerde weg. Na de stichting in de 5e eeuw door de heilige Sabas was het klooster het centrum van een gemeenschap van meer dan 5000 monniken en kluizenaars, die voor het grootste gedeelte leefden in de grotten van het Kidrondal en de omgeving ervan. De grote vertrekken, die gegroepeerd liggen rondom een koepelkerk uit de 17e eeuw, werden na een aardbeving in 1840 weer opgebouwd met steun van de tsaar van Rusland. Tegenwoordig woont er nog een vijftiental monniken. Ze tonen de bezoeker de kloostercel en het graf van de kerkvader Johannes Damascenus, en bovendien een collectie schedels van monniken die in de 7e eeuw door Perzen en moslims werden vermoord. Vrouwen worden in het klooster niet toegelaten.

## Excursie naar Abu Gosh en Amwas

De autoweg van Jeruzalem door de bergen van Judea naar de kustvlakte heeft ongeveer hetzelfde tracé als de weg die de Romeinen aanlegden in de 1e eeuw n.C. en waarlangs later de pelgrims van Jaffa naar Jeruzalem trokken. Op het landschappelijk fraaie traject tot Latrun ligt ongeveer halverwege, bij de afslag naar Qiryat Anavim, een veelbezocht park- en recreatiegebied. Het heet **En-Hemed** (Bron van Vreugde) en is het *Aqua Bella* van de kruisvaarders. Een beekje, dat

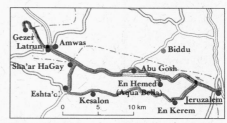

zich soms verbreedt tot kleine meertjes, zorgt voor groene gazons en groepjes bomen.

Via een parallelweg naast de autobaan bereikt men na 2 km Abu Gosh. Boven de plaats verheft zich de tell van **Kirjat-Jearin** * waar twintig jaar lang de Ark van het Verbond stond. Op de plaats waar het huis van Abinadab zou hebben gestaan, ligt nu het KLOOSTER VAN DE ARK DES VERBONDS (1924). Het is gebouwd op de overblijfselen van een Byzantijnse kerk en van een nog oudere synagoge waarvan de mozaïekvloer voor een deel bewaard is gebleven.

**Abu Gosh** met z'n bron was oorspronkelijk een versterkte plaats langs de Romeinenweg waar in een fort onderdelen van het 10e

*Waar eens een Byzantijnse kluizenaar, de H. Joris van Koshiba, in een grot woonde, hangt nu het Jorisklooster tegen de rotswand.*

*De oudste overblijfselen van de stad Gezer zijn de geweldige stenen pilaren of stèles van een Kanaänitisch heiligdom.*

legioen waren gelegerd. De Arabieren bouwden er in de 9e eeuw een karavanserai. Sinds die tijd ongeveer houden Latijnse christenen de plaats voor de plek waar *Emmaüs** zou hebben gelegen. De kruisvaarders bouwden op Romeinse en Arabische fundamenten een vestingachtige ROMAANSE KERK, die na hun vertrek gebruikt werd als moskee en later als stal. In de 19e eeuw deed ze dienst als gevangenis voor gierige pelgrims. De familie Abu Gosh, naar wie het dorp tegenwoordig is genoemd, eiste namelijk tolgeld van iedere passant. De drieschepige basiliek is naast de Annakerk in Jeruzalem een van de mooiste bewaard gebleven kruisvaarderskerken van het land. De eenvoudige, onopgesmukte ruimte maakt tegelijkertijd een strenge en een feestelijke indruk. In de crypte bevindt zich een bron in een marmeren bassin. Tegen de buitenmuur en in de tuin zijn vondsten te zien uit de Romeinse tijd met inscripties van het 10e legioen.

Voorbij Abu Gosh slingert de autoweg zich in een smal ravijn naar beneden. In 1948 vonden hier verbitterde gevechten plaats toen de Arabieren de bevoorradingskonvooien voor het ingesloten Jeruzalem aanvielen. Roestige wrakken van uitgebrande vrachtwagens op de beboste hellingen herinneren nog aan die tijd.

Nog vóór men de kustvlakte met het brede dal van **Ajjälon** bereikt, ligt rechts van de weg en vlak bij de afslag naar Ramallah **Amwas,** het laatantieke *Nikopolis*, waarin reeds Eusebius en Hieronymus het bijbelse *Emmaüs** vermoedden. Ter linkerzijde ligt de heuvel van Latrun. Het OPGRAVINGSGEBIED is een rustige en sfeervolle plek aan de voet van een kleine heuvel, die bekroond wordt door de moderne gebouwen van het Franse Instituut voor Bijbelse Archeologie. Tot de oudste opgravingen behoren de fundamenten van een Romeins huis, dat wellicht het huis van Kleopas is geweest. Op de ruïnes ervan verrezen in de Byzantijnse tijd een grote, drieschepige basiliek en een baptisterium, dat later werd vergroot tot een tweede, kleinere basiliek. Het indrukwekkendst zijn tegenwoordig de muren en pilaren van een ZAALKERK van de kruisvaarders; ze staan op de plaats van het middenschip van de Byzantijnse kerk.

De heuvel van **Latrun,** gelegen voor de laatste klim naar Jeruzalem, is altijd van grote strategische betekenis geweest. Aan de voet ervan ligt sinds 1927 het trappistenklooster van Latrun; op de helling bevinden zich de ruïnes van de kruisvaardersburcht LE TORON DES CHEVALIERS. Jonge Europese christenen herstellen de ruïnes momenteel en proberen er een ontmoetingsplaats tussen joden en Arabieren van te maken. Ook de verwoeste Britse politievesting uit de mandaatsperiode

is nog te zien. Bij de vesting hoorde ook een pompstation in de waterleiding naar Jeruzalem. Toen de Britten Latrun in 1948 hadden overgedragen aan de Arabieren, konden deze de watertoevoer naar de stad onderbreken.

Vanaf de heuveltop heeft men een weids uitzicht over de kustvlakte tot aan Tel Aviv. Ongeveer 7 km verderop ligt de tell van **Gezer** aan de oude wegverbinding tussen Egypte en Mesopotamië. Betekenis en geschiedenis van de stad komen overeen met die van Hasor en Megiddo. Ook in Gezer werd een onderaardse WATERLEIDING opgegraven, werden MUUR- en POORTRESTEN blootgelegd en werden rijke vondsten gedaan. De tell is toeristisch niet ontsloten en moeilijk toegankelijk. Op de overwoekerde heuvel staan tien reusachtige MONOLIETEN van een Kanaänitisch heiligdom.

Op de terugweg moet men de autoweg bij Sha'ar HaGay verlaten in de richting Eshtaol en daar een steile bergweg naar Jeruzalem inslaan. De bochtige route door prachtige pijnboomwouden en geurende heidevelden volgt het tracé van de zogenaamde *Birmaweg*, die de Israëli's in 1948 met behulp van twee bulldozers aanlegden door het van rotsspleten vergeven bergland van Judea teneinde het joodse deel van Jeruzalem van wapens en voedsel te kunnen voorzien. Want Latrun, dat ze niet in handen konden krijgen, versperde hen de doortocht over de hoofdweg. Op de hoogte van **Kesalon,** met een mooi uitzicht op de groene dalen en ravijnen en over het heuvelachtige hoogland, staat het 7½ m hoge monument dat Nathan Rapaport in 1969 oprichtte. Het reliëf verbeeldt de geschiedenis van de verstrooiing en vervolging van de joden tot hun terugkeer naar Israël.

Bij de wegsplitsing in Zova houdt men

rechts aan. Na een rit van 5 km door een woest berglandschap bereikt men **Ein Kerem.** Het dorp ligt in een lieflijk dal en doet met zijn kerktoren en cipressen tussen olijfgaarden bijna Italiaans aan. Ein Kerem geldt sinds de 5e eeuw als de geboorteplaats van Johannes de Doper en bezat ten tijde van de kruisvaarders twee grote kerken. Op hun plaats staan thans twee franciscanenkerken, de ST.-JOHANNES (1885) in het centrum van het dorp en de VISITATIO MARIAE, de Visitatie- of Bezoekkerk uit 1955, op de helling boven het dorp. Bij de bouw van de Johanneskerk werd een Byzantijns mozaïek blootgelegd met de Griekse inscriptie: 'Weest gegroet, martelaren van de Heer!'. In de crypte toont men de bezoeker de geboortegrot van Johannes de Doper. De Visitatiekerk is gebouwd boven een waterbassin, dat misschien behoord heeft tot het zomerhuis van Elisabet en Zacharias, bij wie Maria drie maanden lang verbleef. In de bovenkerk is de absis van de kruisvaardersbasiliek opgenomen. Beneden de kerk ligt de oude dorpsbron, die als MARIABRON wordt vereerd. De moskee die eroverheen werd gebouwd is tegenwoordig tot een ruïne vervallen.

Ein Kerem is sinds kort een deel van Jeruzalem. In het zuiden wordt het stadsbeeld beheerst door het hooggelegen gebouwencomplex van het HADASSAHZIEKENHUIS. De kleine vrijstaande synagoge van het ziekenhuis is versierd met twaalf kleurige glas-in-loodramen van Marc Chagall, een Franse kunstenaar met joods-Russische voorouders. De schitterende ramen symboliseren de twaalf zonen (stammen) van Israël. De inspiratie voor de kleuren en de symboliek ontleende Chagall aan teksten uit Genesis (49:1-27) en Deuteronomium (33:6-25).

# Excursie in het gebied van Benjamin

Aan weerszijden van de weg naar Nablus, die vanaf de Damascuspoort naar het noorden voert, liggen tot ver in de omgeving talloze joodse rotsgraven uit de Griekse en Romeinse tijd. Het TUINGRAF vlak bij de Damascuspoort, dat een tijdlang is aangezien voor het echte graf van Christus, wordt verder naar het noorden gevolgd door het GRAF VAN DE KONINGEN, een luxueus complex met een groot, diepgelegen voorhof dat men bereiken kan over een in de rotsen uitgehakte trap. In de treden zijn geultjes uitgehakt die het regenwater naar twee bassins leiden, zodat er altijd water aanwezig is voor de rituele reiniging bij het grafveld. De toegang tot de onderaardse ruimten en grafnissen is met een ronde steen af te sluiten. De brede façade is rijk versierd. Het graf behoorde toe aan koningin Helena van Adiabene die oorspronkelijk in het noorden van Mesopotamië woonde. In 30 n.C. is zij echter tot het jodendom overgegaan en in een latere periode van haar leven is zij in Jeruzalem gaan wonen.

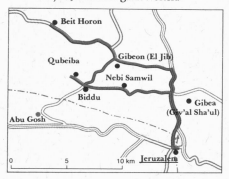

Een paar kilometer verderop liggen ten westen van de weg naar Nablus de SANHEDRIN-GRAVEN. De naam ontstond doordat een van de grotten 71 grafnissen bleek te bevatten, evenveel als de vergadering van het Sanhedrin te Jeruzalem permanente deelnemers had. De voorzijde van veel rotsgraven is versierd met Griekse zuilen, frontons en beeldhouwwerk.

Ongeveer 5 km buiten de stad ligt op een dominerende heuveltop (839 m) rechts van de weg de basis van een paleis, dat koning Hoessein van Jordanië hier in 1964 begon te bouwen. De heuvel biedt een goed uitzicht over geheel Jeruzalem, maar heeft ook grote historische betekenis: hier lag **Gibea\*** in Benjamin, geboorteplaats en residentie van Saul, de eerste koning van Israël. In de tell van Gibea, die tegenwoordig GIV'AT SHA'UL heet, werden in 1868 de eerste opgravingen in het Heilige Land verricht.

Even voor het vliegveld Ataroth bij Jeruzalem neemt men in Ram de afslag links; 4 km verderop ligt het dorp **El-Dshib** (El-Jib) met de tell van *Gibeon\**. De belangrijkste opgravingen hier zijn die van een groot waferbas-

sin met wenteltrap uit de 12e eeuw v.C. (→ illustratie blz. 97) en een ondergronds tunnelstelsel dat naar de belangrijkste bron buiten de stad leidde. In een reusachtige, in de rotsen uitgehakte wijnkelder uit dezelfde periode zijn 60 oren gevonden van wijnkruiken; ze dragen in oudhebreeuws schrift de naam Gibeon. Misschien is het bassin de 'vijver van Gideon' (2 S 2:12-17) waar de mannen van David na de dood van Saul de manschappen van Isboset ontmoetten. Ten noorden van El-Dshib voert tot op de dag van vandaag een weg uit Ramallah over de pas van Bet-Choron naar de vlakte van Ajjalon en verder naar Latrun. Vanaf deze weg zijn Gibeon en het dal van Ajjalon tegelijkertijd te zien, zodat Jozua, toen hij hier de Kanaänieten achtervolgde, kon zeggen: 'Zon, sta stil bij Gibeon, en gij, maan, bij Ajjalons dal' (Joz 10:12). Over dezelfde weg vluchtten later ook de Filistijnen voor koning Saul uit naar de kust.

Vanuit El-Dshib komt men over een kleine landweg bij het dorp Biddu in het zuidwesten en kort daarna in het plaatsje **El-Qubeibe**. De nederzetting lag oorspronkelijk aan een Romeinse weg, die vanuit Jeruzalem naar de pas van Bet-Choron leidde. Hier zijn de fundamenten opgegraven van een KRUISVAARDERSDORP met kerk en gemeenschapscentrum, dat - erg onoosters - in een lintbebouwing links en rechts van de weg was gelegen. Ook hier meende men Emmaüs weer eens gevonden te hebben, en wel in de 13e eeuw, toen de weg over Abu Gosh voor pelgrims was afgesloten. In de KERK (1901) zijn resten van de kruisvaardersbasiliek verwerkt. Deze werd tijdens opgravingen aangetroffen en was op nog andere puinhopen gebouwd, volgens sommigen ook van het huis van Kleopas.

Ter afsluiting van deze excursie ten noordwesten van Jeruzalem een bezoek aan **Nebi Samwil**. Joden, christenen en moslims vereren hier het historisch twijfelachtige GRAF VAN DE PROFEET SAMUËL. Bij helder weer kan men vanaf de 895 hoge berg uitkijken over grote delen van het Heilige Land, van de Middellandse Zee tot aan de bergen van Moab aan de andere kant van het Jordaandal en van de Hermon in het noorden tot Hebron in het zuiden. Toen de deelnemers aan de eerste kruistocht in 1099 vanaf deze plaats Jeruzalem zagen liggen, doopten ze de berg *Mons Gaudii* (Berg van de Vreugde). Boven een verwoeste Byzantijnse kerk en de grot met het graf van de profeet bouwden ze in 1157 een drieschepige basiliek met een uitzonderlijk lang dwarsschip. Het godshuis werd in 1187 door Saladin verwoest. In de 18e eeuw verrees op de ruïnes ervan de tegenwoordige MOSKEE, waarvan de minaret al vanuit de verte te zien is.

Van Nebi Samvil komt men al na een paar kilometer op de autoweg, die via de voorstad Sanhedriya met de Sanhedrin-graven weer terugvoert naar het centrum van Jeruzalem.

*Mar Saba in het diepe Kidrondal, het oudste klooster in het Heilige Land, wordt nog altijd bewoond door Grieks-orthodoxe monniken.*

# Excursie naar Bethlehem en Hebron

In plaats van rechtstreeks vanuit Jeruzalem naar het 10 km verderop gelegen Bethlehem te rijden, kan men de stad ook verlaten via de voorstad Talpiot. Men bereikt dan na 4 km de kibbuz **Ramat Rahél**, met zijn gastenverblijf en jeugdherberg. Om deze zuidelijke voorpost van Jeruzalem is in 1948 hevig gevochten en hij werd dan ook volledig verwoest, zij het dat de post in handen van de Israëli's bleef. De kibbuz moest opnieuw opgebouwd worden.

Bij opgravingen ontdekte men hier zeven boven elkaar gelegen lagen van nederzettingen uit de 8e eeuw v.C. tot de 7e eeuw n.C. Toen de fundamenten van een paleis en van een vesting uit de Israëlitische koningstijd blootgelegd werden, zijn belangrijke vondsten gedaan; de kapitelen en een balustrade zijn tentoongesteld in het Israël Museum. Talrijke stempels op de oren van wijnkruiken wijzen op de aanwezigheid van een grote pottenbakkerij. De Hebreeuwse naam Jojakim en de beeltenis van een bebaarde koning op de potscherven veroorzaakten bij de archeologen nogal wat opschudding. De hoogte werd in de Byzantijnse tijd vereerd als een van de herbergen waar Maria en Jozef overnachtten tijdens hun vlucht naar Egypte. Er zijn resten gevonden van een KERK uit de 5e eeuw. Reizigers zijn door Ramat Rahél vooral gecharmeerd vanwege het fraaie uitzicht in de richting van Bethlehem en over het vruchtbare hoogland van Judea. De verkenners van Mozes noemden deze streek een 'land van melk en honing'. Tot op de dag van vandaag levert het land hier nog steeds een overdaad aan fruit en druiven.

De hoofdweg naar Hebron bereikt men bij het orthodoxe klooster MAR ELIAS, dat de Jordaniërs tussen 1948 en 1967 gebruikten als een versterkte grenspost. Even voor de afslag naar Bethlehem ligt het GRAF VAN RACHEL. Het exterieur van het koepelgraf, dat gebouwd is rondom een cenotaaf, is vele malen veranderd en stamt hoofdzakelijk uit de 18e en 19e eeuw. Hoewel een bepaalde bijbelpassage

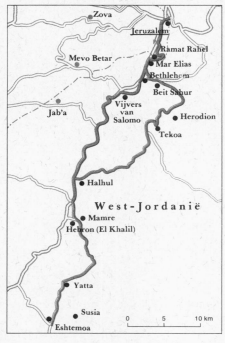

het graf van Rachel eerder ten noorden van Jeruzalem situeert, doen andere passages vermoeden dat de vrouw begraven is in de buurt van Bethlehem. De evangelist Matteüs sluit in zijn verhaal over de kindermoord te Bethlehem op deze laatste traditie aan. Onder Turkse heerschappij werd het graf van Rachel een islamitisch heiligdom, dat voor joden en christenen niet toegankelijk was. In 1841 verwierf sir Mozes Montefiore voor joden het recht er gebedsdiensten te houden en liet hij het gebouw restaureren. Tegenwoordig zijn de gebedstijden voor joden en moslims nauwkeurig vastgelegd; gedurende die tijden is het graf voor toeristenbezoek gesloten.

**Bethlehem*** (Beit Lahm), de stad van David, is als geboorteplaats van Christus een pelgrimsoord bij uitstek. Reeds Justinus, de kerkvader die omstreeks het jaar 100 in Flavia Neapolis (Sichem - Nablus) geboren werd, maakte melding van de verering van een geboortegrot in Bethlehem. Om deze traditie te verdringen, liet keizer Hadrianus boven de grot een heilig woud aanplanten ter ere van de jaarlijks terugkerende, jeugdige

god Adonis. In verband met de reis van zijn moeder Helena liet Constantijn de Grote na 325 boven de geboortegrot een achtkantig heiligdom bouwen, waarop aan de westelijke zijde een vijfschepige basiliek voor de geloofsgemeenschap aansloot. In 384 kwam de kerkvader Hiëronymus uit Rome naar Bethlehem en schiep er de *Vulgaat*, de goedgekeurde Latijnse vertaling van de Heilige Schrift.

Toen de Constantijnse kerk in 529 tijdens een opstand van de Samaritanen ernstig werd beschadigd, liet keizer Justinianus ze op grootse wijze herbouwen. De vloer werd 60 cm opgehoogd. Dit bouwwerk bleef in grote trekken bewaard tot op de dag van vandaag. Een mozaïek boven de ingang, dat de wijzen uit het oosten in Perzische klederdracht voorstelde, weerhield de Perzen er in 614 van de kerk te verwoesten. Het gebruik als moskee ter verering van Isa ben Jusuf (Jezus, zoon van Jozef) beschermde het gebouw in 1009 tegen de blinde woede van de waanzinnige kalief el-Hakim. De christelijke bevolking van Bethlehem zond het tegen Jeruzalem oprukkende kruisvaardersleger in 1099 bij Abu Gosh een gezantschap tegemoet, waarop een voorhoede onder het commando van de Noormannenkoning Tankred de stad nog vóór Jeruzalem zonder bloedvergieten innam.

De kruisvaarders verhieven Bethlehem tot bisschopszetel en versierden de kerk met fresco's en mozaïeken. Aan de noordzijde breidden ze het gebouw uit met een klooster van augustijner kanunniken. Ondanks talrijke beperkingen bleef Bethlehem ook onder Mamelukse en Turkse heerschappij het reisdoel van christelijke pelgrims uit alle delen van de wereld en leefden de bewoners van de stad voornamelijk van het toeristenverkeer. In de 19e eeuw vestigden zich in Bethlehem tal van kerkelijke instituten uit de westerse landen. Sindsdien bepalen kerken, kloosters, scholen, hospitia en ziekenhuizen het beeld van de stad. Aangezien Bethlehem het economische en bestuurlijke centrum is van de omliggende Arabische dorpen, zijn de straatjes vooral op marktdagen gevuld met een bont, oosters leven. Tegelijkertijd dingen tientallen fraaie souvenirwinkels op het plein bij de Geboortekerk naar de gunst en het geld van de internationale reisgezelschappen.

De GEBOORTEKERK, die aan weerszijden geflankeerd wordt door kloostergebouwen, ziet er van buiten uit als een vesting. Die indruk wordt nog versterkt doordat op een enkel klein poortje na de portalen van de westelijke gevel zijn dichtgemetseld, naar men zegt omdat onder Turkse heerschappij moslims te paard nogal eens de basiliek wilden binnenstormen. Beweerd wordt ook dat het voor iedere christen juist op deze plaats zin heeft, gebukt naar binnen te gaan - en vandaar dus dat ene, lage poortje. Via een duistere voorhal en een deur met waardevol Armeens

houtsnijwerk (1227) komt men in de ruime basiliek. Van de eens zo schitterende versieringen is bar weinig overgebleven; de indrukwekkende ruimtelijke werking is er echter nog steeds.

Op de vloer van het middenschip zijn op verscheidene plaatsen nog delen te zien van het dieper gelegen vloermozaïek van de Constantijnse kerk. De mozaïeken op de muren van het middenschip dateren uit de tijd van de kruisvaarders en beelden symbolisch het eerste oecumenische concilie uit en de voorouders van Christus.

Vanaf beide zijden van het priesterkoor kan men de GEBOORTEGROT bereiken via trappen die men betreedt door kruisvaardersportalen met bronzen deuren uit de 6e eeuw. Een niet aflatende stroom pelgrims en toeristen schuifelt rechts de grot binnen en komt er links weer uit. Een ster van verguld zilver en een Latijnse inscriptie in een witte plaat marmer op de bodem van een nis duiden de plaats aan waar Jezus geboren zou zijn. In een andere nis wordt de in de rotsen uitgehakte en inmiddels met marmer beklede voederbak getoond waarin Maria haar kind zou hebben neergelegd. Op deze plaats stond

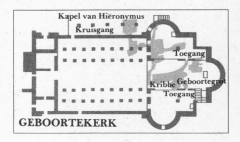

**GEBOORTEKERK**

destijds ook een zilveren kribbe, een geschenk van keizerin-moeder Helena. Momenteel bevindt deze zich in de Santa Maria Maggiore te Rome. Het altaar tegenover de nis met de kribbe is toegewijd aan het bezoek van de drie wijzen uit het oosten. De rotswanden zijn bekleed met leer en kostbare textielsoorten; de ruimte wordt verlicht door 53 oosterse hanglampen.

Aan de noordzijde grenst de Geboortekerk aan de CATHARINAKERK (1881) en aan het klooster van de franciscanen, die beide gebouwd zijn op de overblijfselen van het augustijnenklooster uit de tijd van de kruisvaarders. In de KRUISGANG uit 1948 zijn veel oude bouwresten opnieuw gebruikt. Hier staat ook het standbeeld van de heilige Hiëronymus. Vanuit de rechter zijbeuk van de Catharinakerk leidt een trap naar een netwerk van onderaardse grafnissen, grotten en gangen, dat wel wat wegheeft van een kleine CATACOMBE en daarom ook zo wordt genoemd. Allerlei altaren en kapelletjes verwijzen naar gebeurtenissen uit de jeugdjaren van Jezus en naar de heilige Hiëronymus. Een afgesloten deur scheidt het complex van

*Een onafgebroken stroom vrome pelgrims en andere bezoekers daalt in de Geboortegrot af. Daarboven verheft zich de Geboortekerk in Bethlehem.*

noemen hem *Ibrahim el-Khalil ar-Rahman*, wat betekent: Abraham, vriend van de Barmhartige. Hebron zelf heet in het Arabisch dan ook *El-Khalil*, en de grafplaats van Abraham wordt *Haram el-Khalil* genoemd. De vaak bloedige strijd om de rechten op de grafgrot tussen moslims en joden duurt voort tot op de dag van vandaag.

De stad behoort tot de weinige plaatsen in het Heilige Land waarin door de eeuwen heen joden hebben gewoond. In 1919 werd de joodse gemeente door islamitische fanatici verdreven. Bij de pogrom die daaraan vooraf ging, kwamen 59 joden om het leven. Na 1967 is de nieuwe joodse voorstad *Qiryat Arba* ontstaan, waarin de tweede bijbelse naam van Hebron (Kirjat-Arba*) is verwerkt.

Wat in HARAM EL-KHALIL (→ illustratie blz. 169) het eerste opvalt, is de indrukwekkende muur waarmee Herodes het terrein met de

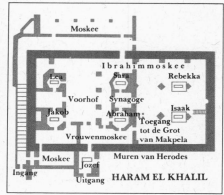

de Geboortegrot. Ten zuidoosten van de Geboortekerk staat boven de zogenaamde MELK-GROT, een franciscanenkapel. De legende, dat Maria hier een druppel moedermelk zou hebben verloren, gaat terug tot de 6e eeuw. Het merkwaardige witte gesteente van de grot worden wonderdadige krachten toegedicht.

Het stadje **Beit Sahur** ten oosten van Bethlehem geldt als de woonplaats van de herders die in de kerstnacht tot hun stomme verbazing hoorden dat de Messias was geboren. In de kerk van de stad en in verscheidene kapelletjes in de buurt wordt daaraan herinnerd. Het is de moeite waard in alle rust eens door het bijbelse landschap van de HERDERS-VELDEN in de buurt van Beit Sahur te lopen. Evenals in de tijd waarin Ruth en Boaz, de grootouders van koning David, elkaar hier tijdens de gerstoogst ontmoeten, wordt in de vruchtbare dalen akkerbouw bedreven, terwijl op de rotshellingen vol grotten en spelonken schapen en geiten worden gehoed.

Als men over de hoofdweg verder naar het zuiden rijdt, ligt zo'n 3¹₂ km verderop links van de weg de VIJVER VAN SALOMO: drie grote,

door bomen omgeven open waterbassins, die volgens de legende door koning Salomo zijn gebouwd, maar die waarschijnlijk pas zijn aangelegd in de tijd van Herodes of zelfs daarna. Ze spelen een rol bij de watervoorziening van Jeruzalem. De tocht gaat daarna verder naar de bergruggen van Judea, en na een kleine 24 km arriveert men in Hebron.

**Hebron\*** is de grootste stad in het door Israël bezette gebied ten zuiden van Jeruzalem. Het ligt op een hoogte van bijna 1000 m en bezit zes grote bronnen. Hebron is bekend om zijn overvloedige fruit- en olijvenoogsten. Een bijzondere bezienswaardigheid zijn de naar de straat toe open GLASBLAZERIJEN, waarin vaardige handwerkslieden kleurig glaswerk vervaardigen uit het voor Hebron karakteristieke ruwe glas.

Voor joden en christenen is Hebron van betekenis als de stad van Abraham, die op deze plaats de grot van Makpela kocht om er Sara te begraven. Ook hij en de andere aartsvaders rusten hier. Moslims pelgrimeren naar de stad omdat Abraham voor hen niet alleen een profeet was maar als vader van Ismaël ook stamvader van de Arabieren. Ze

rotsgraven van de aartsvaders liet omgeven en die doet denken aan de steunmuren van de Tempelberg in Jeruzalem. De 59 keer 34 m lange en 2,65 m dikke muur is opgebouwd uit mooie gekartelde steenblokken; de tinnen zijn aangebracht door de Mamelukken. Twee minaretten steken boven de muren uit. Op het terrein zelf zijn in verschillende moskeeën de cenotafen te vinden van Abraham, Sara, Isaak, Rebekka, Jakob en Lea en, in een aanbouwtje, van Jozef, die volgens de Bijbel overigens in Sichem is begraven (Joz 24:32). Sommige van de hier genoemde gebouwen doen tegenwoordig geheel of ten dele dienst als synagoge.

De ruimte met de grafstenen van Isaak en Rebekka wordt al in de Byzantijnse tijd als kerk vermeld. Het tegenwoordige gebouw met drie schepen, een verhoogd middenschip en een kruisribgewelf in de zijbeuken, dateert uit de tijd van de kruisvaarders. Naast de islamitische gebedsnis tegen de oostelijke muur staat een fraaie, uit hout gesneden *min-bar*, een islamitische kansel, uit de 12e eeuw. Rechts ervan ziet men in de vloer een van de gaten, die toegang geven tot de grot zelf.

Terwijl de kruisvaders, die Hebron *Castel Abraham* noemden en het tot bisschopsstad verhieven, de grafkamers onder het heiligdom openden en vrijmoedig onderzochten, verbood sultan Baybars in 1266 alle niet-moslims het heilige gebied te betreden. Dit verbod bleef meer dan 600 jaar van kracht, tot 1928. En ook op dit moment zijn de graf-spelonken zelf nog steeds niet toegankelijk.

Ten zuiden van Hebron bereikt men via **Jutta**\* (Yatta) het opgravingsgebied van **Susa** (Khirbet Susya) en **Eshtemoa** (Es-Semua, Estemoa\*), waar de ruïnes zijn blootgelegd van twee synagogen uit de 5e en 6e eeuw. Beide zijn in de breedte gebouwd met in de noordelijke wand een nis voor de thora-schrijn die gericht was op Jeruzalem. Op de smalle oostzijde zijn een voorhal en een atrium aangebouwd. Beide synagogen waren versierd met een vloermozaïek.

Op de terugweg van Hebron naar Jeruzalem komt men via de naar rechts afbuigende rondweg naar Qiryat Arba in **Mamre**\* (Ramat el-Khalil). Hier stond onder een steeneik of terpentijnboom volgens de over-levering het huis van Abraham en zijn fami-lie. De op 1024 m hoogte gelegen plek schijnt reeds in bijbelse tijden een gebedsoord te zijn geweest. Herodes liet de stad ommuren en keizer Hadrianus bouwde de muren weer op nadat ze in 70 n.C. door Titus waren ver-woest. In Mamre organiseerden de Romei-nen aan het einde van de Bar-Kochba-op-stand in 135 n.C. een reusachtige slaven-markt om de gevangen genomen joden van de hand te doen. Later vonden er grote bede-vaartsfeesten plaats, waaraan zowel joden als christenen deelnamen en die in verband stonden met bijgelovige volksgebruiken en offerriten. Keizer Constantijn maakte een

naar Jeruzalem terug te keren, verlaat men in Halhul de hoofdweg en slaat rechtsaf een parallelweg in. Deze voert door een schaars bewoond, heuvelachtig weidegebied langs het terrein van het bijbelse *Tekoa*\* (Khirbet Toku) naar de vesting en de begraafplaats van Herodes, 9 km buiten Bethlehem. Het Herodion (→ illustratie blz. 166) is een kunstig aangepaste, kegelvormige heuvel. Twee ringmuren met drie halfronde en één ronde toren beschutten het paleiscomplex op de heuveltop. De bebouwing was slechts be-reikbaar via een brede trap en één enkele poort. Aan de voet van de heuvel liet Hero-des een stad bouwen, Herodia genaamd, waarvan nauwelijks een spoor is overgeble-ven. De VIJVER VAN SALOMO voorzag het paleis en de stad van water. Flavius Josefus be-schrijft, hoe na de dood van Herodes (4 v.C.) diens stoffelijk overschot in een pronkerige lijkstoet werd overgebracht naar Herodion. Herodes' graf is tot op dit moment nog niet gevonden. Mogelijk ligt het in de fundamen-ten van de machtige, oostelijke toren, die uit-steken boven de blootgelegde fundamenten van de binnenste der opgegraven muren. Na de verwoesting van Jeruzalem door Titus in 70 n.C., trok een deel van de joodse verzets-strijders zich terug in het Herodion. Datzelf-de gebeurde tijdens de Bar-Kochba-opstand in 135 n.C. Ze richtten in de voormalige eet-zaal van het vervallen paleis een synagoge in en in een zijvertrek een ritueel bad. In de Byzantijnse tijd verbouwden monniken de voormalige badinrichting tot kloostercellen en een kleine kapel.

Het Herodion ligt tussen het agrarische ge-bied in het westen en de woestijn in het oos-ten. Bij goed weer kijkt men aan de ene zijde tot aan de Dode Zee uit over de brede,

drooggevallen wadi's, terwijl zich aan de an-dere kant de landerijen en weidegebieden rondom Bethlehem uitstrekken. In het noor-den verheffen zich de torens van Jeruzalem.

## Van Jeruzalem over Qiryat Gat naar Be'er Sheva

Deze tocht, zo'n 125 km lang, voert door de **Shefelah** (de Laagte), het heuvelland dat zich uitstrekt tussen de kustvlakte en het bergland van Judea. Van Jeruzalem uit heeft men de keuze uit verschillende routes. Wie niet om tijdsredenen de autoweg moet nemen en ook de Birmaweg al kent, kan het beste vanuit Ein Kerem via het Sorekdal naar Bet She-mesh rijden. De weg leidt over de Sorek (Soreq) en over de spoorweg van Jeruzalem naar Tel Aviv en daalt dan naar het zuiden via prachtige pijnboombossen af naar de vlakte. Bij **Mahseya,** 2 km voor Bet Shemesh, kan men de grootste druipsteengrot van het land bezichtigen. Het **Sorekdal** en de omge-ving van Bet Shemesh zijn ten nauwste ver-bonden met de strijd van Simson tegen de Filistijnen. Langs de bergweg toont men de bezoeker de GROT VAN ETAM\*, waarin Simson zijn toevlucht zocht. Zo'n 3 km ten noorden van Bet Shemesh ligt de tell van ZOR'AH (*Sora*\*), de geboorteplaats van Simson, en ook de plaats waar hij volgens de overlevering be-graven zou zijn.

**Bet Shemesh** beheerste aan het begin van het dal de toegang tot Jeruzalem. De naam betekent 'Huis van de Zon' en gaat misschien terug op een heiligdom van de Kanaänitische zonnecultus. De weg die vanuit de moderne stad naar het zuiden voert, leidt langs de tell van het bijbelse *Bet-Semes*\*. Opgravingen

einde aan de uitwassen en liet binnen de om-walling een basiliek bouwen, die reeds in de 7e eeuw wordt vermeld. In het voorhof ervan stond de zogenaamde eik van Abraham. Be-halve de indrukwekkende, 65 bij 50 m lange OMMURING zijn in Mamre ook nog een WATER-BASSIN en de FUNDAMENTEN VAN DE KERK te zien.

Om via het HERODION\* (Dshebel Furedis)

*De cirkelvormige plattegrond van de paleisvesting He-rodion met zijn vier halfronde of ronde torens is op deze luchtfoto goed te zien.*

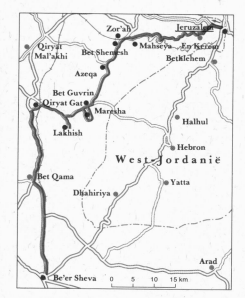

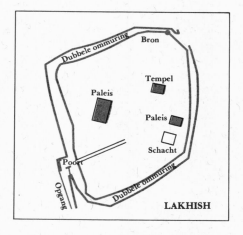

**LAKHISH**

hebben bevestigd dat de plaats ten tijde van de patriarchen onder Egyptisch bestuur stond en onder Israëlitisch bewind een versterkte stad met betekenis was.

Bij Zekharya, 10 km ten zuiden van Bet Shemesh, komt men bij het **Emeq Ha'ela,** het dal van de terpentijnbomen, waar David de reus Goliat doodde. Rechts van de weg ligt de tell van AZEKA*, die deel uitmaakte van de Kanaänitische steden in de Laagte waarover Filistijnen en Israëlieten strijd leverden. Later vormde de stad met Bet Shemesh en Gezer in het noorden en Maresha en Lakhish in het zuiden de verdedigingslijn van Judea. Azeka bewaakte het dal van de terpentijnbomen dat via Betlehem de weg naar Jeruzalem opende.

Ook het gebied in de omgeving van **Bet Guvrin,** zo'n 10 km verderop, is rijk aan historie. Het begin van alle latere ontwikkelingen ligt in het sinds de 14e eeuw v.C. versterkte **Maresha** (*Maresa*\*), dat in 40 v.C. door de Parten werd verwoest; 2 km noordelijker bouwden de Romeinen omstreeks 200 n.C. de Griekse nederzetting *Baitogabris* (Bet Guvrin) uit tot de stad Eleutheropolis (Vrije Stad). Tot de invasie van de Arabieren was dit de hoofdstad van het gebied ten zuiden van Jeruzalem, van Gaza tot de Dode Zee. De kruisvaarders bouwden op een deel van de ruïnes het stadje *Bet Gibelin* en een burcht.

In en om de kibbuz Bet Guvrin zijn delen van de oude stad opgegraven. Twee fraaie mozaïekvloeren uit de Byzantijnse tijd zijn te bezichtigen. Ten zuiden van Bet Guvrin ligt links van de weg naar de tell van Maresha de ruïne van een KRUISVAARDERSKERK. De tell zelf is reeds in 1900 onderzocht en is intussen al weer dichtgegroeid.

Bijzonder de moeite waard, zeker voor amateurfotografen, is een bezoek aan de grotten in de omgeving. In reusachtige, onderaardse koepels valt door kleine openingen telkens weer licht van boven naar binnen. Het uitgestrekte grottenstelsel, dat thans voor

een deel is ingestort, werd in de Byzantijnse tijd gedeeltelijk bewoond door monniken. Het is niet helemaal duidelijk hoe het is ontstaan. Naar alle waarschijnlijkheid is het zachte gips, dat hier dicht onder een harde rotslaag ligt, via een smalle opening door de mens verder uitgehold.

Op de hoofdweg naar Qiryat Gat volgt 6 km na Bet Guvrin aan de linkerzijde de afslag naar de **Tel Lakhish** (Lakis\*), de oudste en tevens grootste versterkte stad in de Shefelah. De Assyrische koning Sanherib liet de verovering van Lakis in 701 v.C. tot in details vastleggen op een reliëf in zijn paleis te Ninevé (momenteel in de collectie van het British Museum). Lakis en Azeka waren, afgezien van Jeruzalem, de laatste steden van Judea die standhielden tegen Nebukadnessar. In de tell zijn op kleifragmenten achttien brieven aangetroffen, die als niet-bijbelse getuigenissen uit de tijd van Jeremia van onschatbare betekenis zijn.

De tell ligt temidden van perzikplantages en kan beklommen worden langs een steile en nogal lastige weg. Om op de top te komen moet men langs de overblijfselen van een dubbele RINGMUUR uit de Israëlitische tijd lopen. Bewaard gebleven zijn verder de fundamenten van twee PALEIZEN uit de 10e en de 9e v.C. en van een Kanaänitische ZONNE- of MAANTEMPEL, met drie vertrekken.

Voorbij Qiryat Gat, in de buurt waarvan men de locatie veronderstelt van de Filistijnenstad *Gat*\*, slaat men op de hoofdweg linksaf naar Be'er Sheva (48 km). Het landschap van de Shefelah met z'n akkers en

*Meestal is het niet veel bijzonders wat een marktvrouw te bieden heeft, maar haar verschijning draagt wel bij tot het fascinerende karakter van een oosterse markt.*

fruitplantages gaat nu geleidelijkaan over in het steppeachtige gebied van de noordelijke **Negeb** (*Negev*). Al spoedig verschijnen de eerste kamelen en in het zwart geklede bedoeïenenvrouwen. Afgelegen groene nederzettingen in de weidse, dorre vlakten bewijzen dat ook hier de bodem vruchtbaar is als hij maar bevloeid wordt. Langs de weg liggen verscheidene tells van ondergestoven Kanaänitische steden. Een ervan is **Tell El-Hesi** (→ blz. 36-37), misschien het bijbelse *Eglon*\*.

**Be'er Sheva,** de op drie na grootste stad van Israël, heeft een universiteit en een bekend researchinstituut, dat zich bezighoudt met de levensomstandigheden in de woestijn, de toepassing van zonne-energie en met bevloeiingsvraagstukken. Een omvangrijke chemische industrie verwerkt de mineralen van de Dode Zee. De Turkse oude stad werd met Duitse steun pas in 1907 gebouwd. Het MUSEUM in de voormalige moskee is gewijd aan de geschiedenis van de stad en aan het leven van de bedoeïenen. Aan de zuidelijke

rand van de stad wordt iedere donderdagochtend een drukbezochte MARKT voor de bedoeïenen uit de omgeving gehouden.

Ongeveer 7 km naar het oosten ligt de tell van het bijbelse *Berseba*\*; een deel van de uitgegraven stad is gerestaureerd en toegankelijk gemaakt. Een sfeervol plein rondom de blootgelegde BRON midden in de woestijn voert de historisch geïnteresseerde bezoeker terug naar de tijd van Abraham, die hier resideerde als een nomadische woestijnsjeik. De meeste ruïnes op de heuvel zijn afkomstig van een vesting uit de Israëlitische koningstijd.

## Excursie naar Masada en En Gedi

Men verlaat Be'er Sheva via de weg naar Hebron en slaat na 13 km rechtsaf richting Arad. Ongeveer 9 km voor de moderne bebouwing leidt een afslag links naar de tell van het bijbelse **Arad**\*. Hoewel er geen water is, werd de plaats al sedert de Bronstijd bewoond, wellicht als karavaanstation tussen Egypte en Mesopotamië. Het water van de winterregens werd via zorgvuldig gepleisterde kanalen naar diepe ROTSBASSINS gevoerd en daar opgeslagen. Van een Kanaänitische stad zijn resten van een 2,50 m dikke MUUR bewaard gebleven en fundamenten van WOONRUIMTEN met stenen banken en tafels. Beschreven kleischerven uit de 10e tot de 7e eeuw v.C. geven informatie over het bestuur van Judea in deze periode. De interessantste vondst is een TEMPEL uit de tijd van Salomo. Een van de brandofferaltaars, die stonden opgesteld voor het Allerheiligste, is te zien in het Israël Museum te Jeruzalem.

Het moderne **'Arad,** gesticht als woonplaats voor de arbeiders van de industrieën bij de Dode Zee, ligt 600 m boven de zeespiegel en 1000 m boven de Dode Zee. De stad heeft eigen aardgasvoorraden. Het droge en warme klimaat heeft een genezende uitwerking op astmapatiënten.

Van 'Arad uit leiden twee wegen naar Masada (Horvat Mezada). Over een doodlopende weg (19 km) rijdt men van het westen uit door een avontuurlijk berglandschap rechtstreeks naar de oude ROMEINSE TOEGANGSWEG, die men gemakkelijk in een minuut of twintig kan beklimmen. Op die manier ontloopt men de vele toeristen bij de kabelbaan aan de oostelijke zijde van de vesting. Ook kan men zo de WATERBASSINS op de westelijke helling van de berg bezichtigen. In de wintermaanden werden ze via een ingewikkeld leidingstelsel gevuld met het neerkolkende water uit de wadi's. De aanleg van de bassins was voorwaarde voor het luxueuze stadsontwerp dat Herodes voor ogen had. Men betreedt de vesting via de WESTELIJKE POORT.

Wie na het bezoek aan Masada ook nog verder wil naar En Gedi, kan beter gebruik maken van de weg van 'Arad naar Neve Zohar (24 km) aan de Dode Zee. Vanaf een uitzichtsplatform langs de bergweg kan men het bijbelse *Soar*\* met zijn Romeinse ruïnes zien liggen. Na **Neve Zohar** rijdt men nog een kilometer of twintig langs het meer naar het noorden. Men nadert Masada vervolgens van het oosten uit en bereikt de voet van de vesting op de plaats waar een kabelbaan, een restaurant, een jeugdherberg en talloze souvenirwinkels de geweldige stroom toeristen maar net kunnen verwerken. Heel mooi, maar wel erg inspannend, is vanaf hier de klim over het SLANGENPAD, dat al door Josefus is beschreven. Men moet er zeker een uur voor uittrekken. Busreizigers kunnen via de oprit in het westen naar de stad wandelen en na de bezichtiging ervan via het Slangenpad of met de kabelbaan naar de kuststraat gaan, waar de bus wacht.

De vesting **Masada**\* (→ blz. 170-171; → illustratie blz. 200) werd beschermd door een 1300 m lange, dubbele kazematmuur met 37 torens. In de 4 m brede kazematten waren ten tijde van de joodse opstand (→ blz. 202) onderkomens, werkplaatsen en winkels ingericht voor de Zeloten en hun gezinnen. Het PRIVÉPALEIS VAN HERODES, dat uitsluitend via de vesting te bereiken was, hing op de smalle, bijna loodrecht naar beneden aflopende noordelijke kam en was gebouwd in drie terrassen met ontzagwekkende steunmuren. In het paleis, en ook elders in Masada, zijn door het droge klimaat zelfs KLEURIGE WANDSCHILDERINGEN bewaard gebleven. Diep beneden in de woestijn ziet men de rechthoekige omtrekken van acht ROMEINSE KAMPEN en delen van de 3½ km lange ROMEINSE BELEGERINGSMUUR.

Het bijna 4000 m² grote, officiële PALEIS van de koning lag bij de tegenwoordige westelijke ingang. Het fornuis van de paleiskeuken had acht reusachtige kookplaatsen. In de ontvangstruimte zijn de oudste MOZAÏEKVLOEREN van het land blootgelegd. Het zijn zeer minutieus uitgevoerde kunstwerken met planten en geometrische figuren. Een wat eenvoudiger mozaïek bevindt zich bij de toegang tot de badinrichting van het paleis; voor een deel is het verdwenen onder een ruwgemetselde muur. Hier ervaart men heel sterk het verschil tussen de instelling van de belegerde Zeloten en de absurde luxe van Herodes waarmee ze omgeven waren.

Ten zuidoosten van het paleis dalen brede trappen af naar een ruim bassin, dat de koninklijke familie gebruikte als OPENLUCHTBAD. In de muurnissen werd de kleding opgeborgen.

De BYZANTIJNSE KAPEL in het noordelijke gedeelte van het paleis herinnert aan het feit, dat in de 5e en 6e eeuw een groep monniken zich in Masada had gevestigd. De pleisterlaag op de muren ervan is versierd met steentjes en potscherven. In een nevenvertrek is een Byzantijns mozaïek blootgelegd. In het noordwestelijke gedeelte van de vesting is een deel van de kazematmuur vergroot tot een synagoge. Trapsgewijs geplaatste banken en de stompen van zuilen zijn bewaard gebleven. Een vertrek ernaast bevatte, onder het puin, schriftrollen en beschreven kleischerven. Op twee plaatsen zijn ook RITUELE ONDERDOMPELINGSBADEN gevonden, die exact voldoen aan de voorschriften die later in de Talmud zijn vastgelegd. Ten noorden van de synagoge bevindt zich een naar voren uitspringende muur. Vanaf deze plaats heeft men een prachtig, weids uitzicht over de woestijn die het rotsplateau omgeeft. Langs de noordwestelijke zijde van het complex, diep beneden de drie terrassen van het noordelijke paleis, loopt het WATERPAD waarlangs het water uit de grote bassins naar de vesting moest worden gedragen. Dit pad en de drie terrassen van het noordelijke paleis zijn, op basis van de reconstructies van archeologen, weergegeven in de illustratie op blz. 170 van dit boek. Deze illustratie is zó opgezet dat de noordwestelijke punt van Masada, waar het hier over gaat, juist naar voren wijst. De WATERPOORT met daarin een aantal banken en een bewakingsruimte is goed bewaard gebleven. Het noordelijke gedeelte van het rotsterras was dicht bebouwd. De meeste ruimte werd in beslag genomen door een uitgestrekt complex van lange rechthoekige PAKHUIZEN, waarin kolossale voorraden levensmiddelen opgeslagen konden worden. Het zuidelijke front ervan en een erop aansluitend BESTUURSGEBOUW sluiten het privépaleis van Herodes vrijwel geheel af van de rest van het

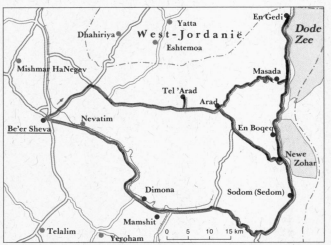

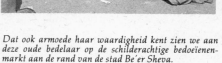

*Dat ook armoede haar waardigheid kent zien we aan deze oude bedelaar op de schilderachtige bedoeïenenmarkt aan de rand van de stad Be'er Sheva.*

*Door deze opening in de muren van de vesting Masada ontwaart men diep onder zich de Dode Zee in een dor, onherbergzaam landschap.*

rotsterras. Aan het paleis grenst een THERMEN-COMPLEX naar Romeins voorbeeld. Het verwarmingssysteem is nog te onderscheiden. Via de pakhuizen komt men bij de OOSTELIJKE MUUR en bij de SLANGENPADPOORT, de uitgang naar de kabelbaan.

Op het zuidelijke gedeelte van het terras staan onder andere de overblijfselen van een raadselachtige rondbouw met nissen; mogelijk is het een Romeins *columbarium* geweest voor het bijzetten van urnen. In het uiterste zuidoostelijke gedeelte is in de rotsen een reusachtig ondergronds waterreservoir uitgehouwen. Er werd regenwater in verzameld, maar voor de rest werd het gevuld met water uit de bekkens op de berghelling. Via een trap kan men er in afdalen. Ook bij grote drukte is het aan deze zijde van het rotsterras meestal wel mogelijk ongestoord te genieten van het uitzicht over de Dode Zee tot aan de bergen van Moab en de geschiedenis van Masada op zich te laten inwerken.

De weg naar En Gedi (17 km) voert door een reeks droge valleien waardoor zich na winterse wolkbreuken vaak kolkende waterstromen met slijk en stenen een weg banen. De hoger gelegen steile gedeelten van deze dalen, die diep in de rotswoestijn van Judea doordringen, vormden de laatste schuilplaats van de vrijheidsstrijders van Bar Kochba (→ blz. 202-203).

Hoe intenser de reiziger de hitte en de woestijn heeft ervaren, des te indrukwekkender zal **En Gedi** (*Engedi*\*) bij hem overkomen. Tussen kale, zinderende rotsen daalt men plotseling af in een groen beekdal met bamboe, slingerplanten en varens, een ruisende

**MASADA**

*Kaart met: Romeinse oprang, Synagoge, Privé-paleis, Waterpoort, Administratiegebouw, Thermen, Byzantijnse kapel, Westelijke poort, Magazijnen, Paleis, Zwembassin, Kazematmuur, Columbarium, Waterreservoir, Doopbad, Kabelbaan, Slangenpad, Kazematmuur*

waterval en een rotsmeertje met koel water dat uitnoodt tot een bad. Deze bron in de NA-HAL DAVID (beek van David), die zo'n 200 m boven de Dode Zee ontspringt, vormt samen met een tweede oase de plaats En Gedi (Bokkebron). Als droge rivierbedding loopt de Nahal David nog een heel eind verder de woestijn van Judea in. Hier verschool de jonge David zich voor de woede van koning Saul. En Gedi is tegenwoordig een kibbuz, die bekend staat om zijn zeer vroege fruit- en groente-oogsten. Er is een jeugdherberg en een badinrichting op de oever van de Dode Zee, waar hete ZWAVELBRONNEN ontspringen en waar zwarte, geneeskrachtige modder verkrijgbaar is. Zwemmen in de Dode Zee is een zeer bijzondere ervaring omdat men er door het hoge zoutgehalte van het water niet zinkt en alle gewichtsverhoudingen in het water plotseling veranderen.

De omgeving is rijk aan archeologische vondsten. Op een hoogte boven de kibbuz liggen de resten van een 20 m lange TEMPEL met omheining uit ca. 4000 v. C. De bewoningslagen in de tell van het bijbelse *Engedi* gaan terug tot de 7e eeuw v. C. Klaarblijkelijk verbouwden de bewoners bijzondere spece-

rijen (balsem) waaruit ze parfum bereidden. De Hasmoneeën maakten Engedi tot bestuurscentrum van de pas veroverde provincie Idumea. Nog in de Byzantijnse tijd had de plaats een grote, joodse gemeente; de MOZAÏEKVLOER in een synagoge getuigt er nog van.

Van En Gedi rijdt men terug tot de afslag naar 'Arad. Vanaf de oostelijke oever deelt een schiereiland de Dode Zee hier bijna in tweeën. Terwijl het noordelijke gedeelte van de zoutzee tot 400 m diep is, bereikt ze ten zuiden van het schiereiland slechts een diepte van een paar meter. Tussen Masada en Neve Zohar ligt een aantal moderne (en dure) sanatoria en hotels. De WARMTEBADEN En-Boqeq en Hamme Zohar zijn wereldberoemd om hun genezende werking op de huidziekte psoriasis. In plaats van af te slaan naar 'Arad rijdt men verder naar het zuiden. Rechts verheft zich de **Berg van Sodom,** waarvan het zoutgesteente soms de vorm aanneemt van merkwaardige zuilen en menselijke gestalten. Van een ervan wordt gezegd dat het de VROUW VAN LOT is. Een van de ZOUTGROTTEN in de berg, een hoge, schoorsteenvormige ruimte die van boven licht ontvangt, is van de weg af bereikbaar.

**Sedom** (Sodom) is tegenwoordig de naam van een reusachtig industriecomplex dat uit de Dode Zee vooral potas, fosfaat, kali en broom wint; de arbeiders wonen in de hoger gelegen koelere woestijnstadjes Dimona en 'Arad. Over de locatie van het bijbelse *Sodom\** bestaan slechts gissingen (→ blz. 60). Na een rit van 13 km door een spookachtig landschap waarin tussen grijs zoutslijk en

*Gastvrije bedoeïnen onder hun zwarte geitenharen tent - een beeld dat ook in de Negev steeds zeldzamer wordt.*

aangevreten rotsen tientallen graafmachines en transportbanden aan het werk zijn, draait de weg naar Dimona (35 km) rechts de bergen in. Bij de eerste grote bocht is vanaf een breed rotsterras nog één keer een schitterend uitzicht mogelijk op het dal van Sodom.

Ongeveer 5 km voor Dimona ligt links van de weg **Mamshit** (Kurnub), het antieke *Mampsis*. Deze oude Nabateeërstad deelt met de gehele noordelijke Negev, maar vooral met Shivta (Soubeita) en Avdat (Oboda) een heel eigen geschiedenis. Na de ondergang van het rijk van Juda (586 v.C.) drongen de Edomieten het onbewoonde gebied binnen en stichtten er later het vrijwel onafhankelijke IDUMEEËNRIJK, met Maresha als hoofdstad. In het door de Edomieten verlaten gebied ten zuiden van de Dode Zee drongen van het oosten uit de Nabateeërs binnen. Hun centrum was *Petra\**, in het tegenwoordige Jordanië, en gedurende enige tijd maakte ook Damascus deel uit van hun rijk. De Nabateeërs beheersten met name de 2500 km lange karavaanroute van Zuid-Arabië naar Gaza, waarlangs specerijen uit Indië en voor de vervaardiging van wierook onmisbare harsen uit zuidelijk Arabië naar het Romeinse rijk vervoerd werden. In het noordelijke gedeelte van de Negev lagen vijf Nabateeërsteden, die zelfs nog in de Romeinse en Byzantijnse tijd in voortdurende strijd waren gewikkeld met de bedoeïenen uit de woestijn. Pas na de invasie van de Arabieren in de 7e eeuw raakten ze in verval en verdwenen onder het zand. Een van die steden was Mamshit. Het lag boven de diep uitgesneden Nahal Mamshit, die de toegang vormde tot de reeds in de Bijbel genoemde *Schorpioenentrap*. Deze weg was tot in de 20e eeuw een belangrijke verbindingsroute naar Eilat; de Nabateeërs gebruikten hem ook om in Petra te komen. De historische weg ligt er nog steeds, maar is door de steile en scherpe bochten niet geschikt voor autobussen. In de Nahal Mamshit zijn goed bewaard gebleven damcomplexen te zien, die zorgden voor de watervoorziening van de stad.

De gebouwen binnen de bewaard gebleven STADSMUUR, die soms nog wel 3 m hoog is, stammen voor het grootste gedeelte uit de tijd van de Nabateeërs; tot in de 7e eeuw zijn ze voortdurend vernieuwd en uitgebreid. Typisch Nabatees zijn de WONINGEN; ze bestaan uit twee verdiepingen en hebben een buitentrap die op de eerste verdieping eindigt op een open buitenterras. Hoge vertrekken met dikke muren en zeer smalle vensterspleten houden de hitte buiten. Veel huizen hebben een binnenhof met waterbassin. Door een bijzondere boogconstructie was het mogelijk grotere vertrekken te overwelven en daarboven tegelijkertijd platte daken en dakterrassen te bouwen: losstaande luchtbogen werden met elkaar verbonden door vlakke

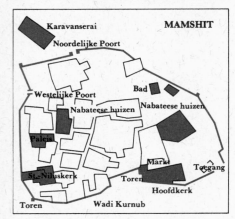

MAMSHIT

Karavanserai
Noordelijke Poort
Westelijke Poort
Bad
Nabateese huizen
Nabateese huizen
Paleis
St.-Niluskerk
Markt
Toegang
Toren
Toren
Hoofdkerk
Toren
Wadi Kurnub

steenplaten, waarna de zwikken aan weerszijden werden opgevuld met metselwerk. Ook voor kapitelen, beeldhouwwerk en beschilderd keramiek ontwikkelden de Nabateeërs een eigen stijl.

In de Romeinse tijd was Mamshit een poststation op de weg naar Eilat. Het ROMEINSE BAD, waarvan de vloerverwarming en de erotische wandbeschildering bewaard zijn gebleven, getuigt daar nog van. In de 5e en 6e eeuw beleefde de stad een laatste bloeiperiode. In die tijd werden twee kerken gebouwd. De kleinere NILUSKERK in het zuidwesten van de stad bezit in het middenschip een zeer fraai MOZAÏEK met pauwen als symbool van de onsterfelijkheid. Tweemaal wordt in inscripties de naam van Nilus genoemd als bouwer van de kerk. De grotere HOOFDKERK ligt in het zuidoostelijke gedeelte van de stad. Het voorportaal ervan was via een breed bordes toegankelijk vanaf de noordzijde, waar al in de Nabateese tijd het MARKTPLEIN was gelegen. Vlak bij de stadsmuur achter de kerk bevindt zich het BAPTISTERIUM met een met marmer beklede doopvont.

Van Mamshit is het nog 42 km naar Be'er Sheva. Voorbij **Dimona,** een moderne groei-

kern net als 'Arad, voert de weg door een grotendeels lege woestijn, waarin regelmatig de zwarte tenten van de bedoeïenen opduiken.

## Van Be'er Sheva naar Eilat

Tussen Be'er Sheva en Eilat ligt 228 km woestijn. De afstand is bijna even groot als die naar Tzfat in het noorden van Israël (264 km). Voor de kleine staat Israël was de **Negev** (droog land) van meet af aan een uitdaging. Gemiddeld ontvangt het gebied per jaar slechts 50 mm neerslag. Dorre zandvlakten, steenwoestijnen, diepe wadi's, rotskraters en kale bergen kenmerken het landschap. Toch was Ben Goerion er al van overtuigd dat in de Negev miljoenen mensen zouden kunnen wonen als men erin zou slagen het watervraagstuk tot een oplossing te brengen. In 1955 werd vanaf de bronnen van de Yarkon bij Tel Aviv de eerste waterleiding naar het noordelijke gedeelte van de Negev aangelegd. In de omgeving van de opgravingen der Nabateese steden vond men sporen van zeer oude methoden om met heel weinig water landbouw te bedrijven. Op de lössgrond ten zuiden van Be'er Sheva, die sinds de 7e eeuw braak had gelegen, ontstonden weer nederzettingen en plantages. In de terreininzinking van de Araba, waar grondwater aanwezig is en waar de wadi's uit de Negev of de wind vruchtbare aarde aanvoeren, konden dichtgeslibde bronnen weer bruikbaar worden gemaakt. Vooral in het zuidelijke gedeelte van de Negev worden graniet, koper, ijzererts en mangaan gewonnen. Het centrale gedeelte van de Negev is nagenoeg onbewoond en onbegroeid.

Bij de nederzetting Talalim, 29 km voorbij Be'er Sheva, buigt men in zuidwestelijke richting van de weg naar Eilat af. Ruim een half uur later bereikt men dan de Nabateese ruïnenstad **Shivta** (Soubeita), die nog in de

*Op deze luchtfoto van Avdat zijn heel duidelijk de citadel (achter), de Noorderkerk (links vooraan) en de St.-Theodoruskerk (rechts) te onderscheiden.*

Byzantijnse tijd een bloeitijd beleefde als halte op de pelgrimsweg naar het veelbezochte Catharinaklooster in de Sinaï. De ruïnes van drie KERKEN en twee KLOOSTERCOMPLEXEN zijn bewaard gebleven. DRUIVENPERSEN en de overblijfselen van boerderijen in de omgeving tonen aan, dat Shivta midden in een agrarisch gebied lag. Uit de Sinaï geëvacueerde kolonisten vonden hier in nieuwe kibbuzim een tehuis en een nieuwe levensvervulling. Voor een bezoek aan Shivta vanaf de hoofdweg moet men minstens twee uur uittrekken; wat dat betreft zijn Mamshit en Avdat, die met hun vrijwel parallelle geschiedenis nagenoeg hetzelfde beeld opleveren, heel wat gemakkelijker te bereiken. Shivta wordt trouwens toch heel weinig door reisgezelschappen aangedaan.

De volgende nederzetting op de route is de in 1952 gestichte kibbuz **Sede Boqer,** waarvan Ben Goerion lid was, de eerste ministerpresident van Israël. In zijn vroegere woning is een klein museum ingericht. Sede Boqer ligt temidden van groene bosschages en tuinen en laat zien hoe men in Israël de woestijn vruchtbaar maakt. De kibbuz verbouwt tegenwoordig bloemen, fruit en wijn, ook voor de export. Een paar kilometer verderop ligt links van de weg het ONDERZOEKSCENTRUM van Sede Boqer, waar de levensomstandigheden in de Negev worden onderzocht. Het loont de moeite langs het instituut naar het einde van de doodlopende zijweg te rijden; op een terras met een schitterend uitzicht op de woestijn liggen David Ben Goerion en zijn vrouw Paula begraven. Voorbij Paula het onderzoekscentrum maakt de weg een ruime bocht naar het westen om een diepuitgesneden ravijn heen dat hier in de rotsen is uitgesleten door de Nahal Zin. Een onverharde weg leidt naar het noordelijke eind van het ravijn; vanhier kan men in drie kwartier gaans tussen steile rotswanden, maar in de schaduw van bomen langs het water de bronnen EN MOR en EN AVDAT bereiken. Wie niet terugschrikt voor een kleine klimpartij kan aan de zuidkant van het ravijn vanaf de hoofdweg ook over het gemarkeerde voetpad naar de bronnen afdalen.

Op een al van verre zichtbare heuvel 13 km voorbij Sede Boqer liggen de ruïnes van **Avdat,** de belangrijkste van de vijf Nabateese steden in de Negev. De plaats beheerste een heel netwerk van karavaanroutes die vanuit Oost-Afrika en Zuid-Arabië over Eilat en Petra naar Gaza aan de Middellandse Zee leidden. Na de verovering van het Nabateese rijk door keizer Trajanus (106 n.C.) verloor Avdat aan betekenis doordat de Romeinen een karavaan- en postweg aanlegden die door de Araba en over Mamshit naar de kust voerde. In de 5e en 6e eeuw beleefde de stad een tweede bloeiperiode. In 634 werd de stad

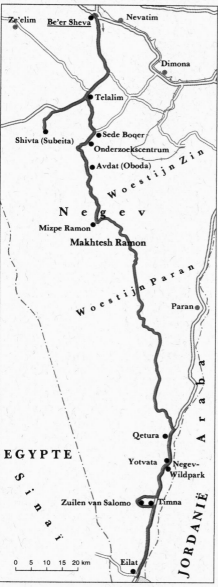

ingenomen door de Arabieren, waarna ze verviel. Pas in de 10e eeuw echter werd ze definitief aan de woestijn prijsgegeven.

De heuvel wordt beheerst door een Byzantijnse AKROPOLIS met Nabateese overblijfselen. Het westelijke gedeelte ervan bevat de resten van twee kerken. In de vloer van de kleinere ZUIDERKERK zijn talrijke grafzerken met lange Griekse inscripties ingemetseld. De kerk was vroeger toegewijd aan de heilige Theodorus en maakte deel uit van een Byzantijns KLOOSTER waarvan de cellen rondom het atrium en de daarop aanwezige waterbassins lagen. Ook de NOORDERKERK bezat een atrium met waterbassins en had, evenals de Zuiderkerk, een verhoogd priesterkoor met koorhek. Op het atrium van de Noorderkerk sloot aan de westelijke zijde een BAPTISTERIUM aan, en ten zuiden daarvan een ZUILENHAL en een POORT uit de Nabateese tijd.

Ten oosten van dit eredienstcomplex ligt de zwaar ommuurde en door acht torens beschutte CITADEL. Het ruime binnenplein had twee grote WATERBEKKENS; de leidingen die er het regenwater naar toe voerden, zijn in de stenen vloer nog duidelijk te zien. Binnen de citadel lag een kleine KAPEL. Vanaf de torens kan men op de tegenovergelegen hellingen nog sporen herkennen van het oorspronkelijke Nabateese IRRIGATIESYSTEEM, waarmee de stad midden in de woestijn in het eigen levensonderhoud kon voorzien. Om van de schaarse regens geen druppel verloren te laten gaan, werden op de steenachtige, onvruchtbare hellingen grote terrassen aangelegd, waarin kanaaltjes het water naar de vruchtbare lössbodem van het dal of naar de waterbekkens voerden. De grote aantallen kleine rotshoopjes die op het vruchtbare terrein zijn aangetroffen, dienden waarschijnlijk om de dauw te concentreren bij jonge plantjes. De Israëlische PROEFBOERDERIJ in een naburig dal heeft met deze methode al de eerste successen geboekt.

Op de westelijke helling van de heuvel bevinden zich goed aangelegde en onderling door gangen verbonden WOONGROTTEN. Aan de aangenaam koele, schemerige ruimten is te zien dat ze waarschijnlijk zijn gebruikt als winkel, werkplaats of keuken. In verband met de warmte en het felle licht is het aannemelijk dat zulke grotten ook graag gebruikt werden door de meer welgestelde bewoners van Avdat.

Ten zuidoosten van de akropolis zijn de overblijfselen te zien van een ROMEINSE WOONWIJK en van een huis met twee verdiepingen, gebouwd in de Nabateese bogentechniek. Door het droge klimaat zijn zelfs houten balken en de drempel bewaard gebleven. Bij de wandeling van deze woonwijk naar de akropolis passeert men de resten van een druivenpers.

Van Avdat uit voert de weg in zuidelijke richting door de **Woestijn van Sin.** Het dorre dal van de Nahal Zin loopt van het zuidwesten naar het noordoosten dwars door het gebied, tot aan de Araba. In de woestijn van Sin zou Mozes water uit de rotsen hebben geslagen toen het volk tegen hem in opstand kwam. De verrassende bronnen in het rotsdal bij Avdat kunnen met deze geschiedenis in verband worden gebracht.

De plaats **Mizpe Ramon,** gelegen aan de rand van het 37 km lange en 8 km brede bekken **Makhtesh Ramon** (Reuzevijzel), werd in 1953 gesticht ten behoeve van de arbeiders die bezig waren met de aanleg van de weg naar Eilat. Tegenwoordig worden er leem, gips en marmer gewonnen. Vóór de afslag die naar de 300 m dieper gelegen krater voert, biedt een terras boven de steile rotswand een fantastisch uitzicht op het kolossale, natuurlijke amfitheater met zijn bizarre rotsdecor. De Makhtesh Ramon is rijk aan fossielen, terwijl ook de veelkleurige stenen het hart van de verzamelaar sneller doen kloppen.

Nadat men de krater in het zuidoosten heeft verlaten rijdt men even later door de monotone vlakte van de **Woestijn Paran.** Ze loopt van de Sinaï dwars door de Negev tot aan de Araba. De diep ingesneden hoofdwadi van de Nahal Paran staat vrijwel altijd droog maar kan bij zware regenval, ook als die wat verderweg plaatsvindt, plotseling vollopen met snel stijgende en gevaarlijke watermassa's.

Van Mizpe Ramon voert de weg bijna 100 km lang door onbewoond gebied tot hij over een steile bergpas bij Qetura het dal van de Araba en 12 km verder naar het zuiden de welvarende kibbuz Yotvata bereikt.

In **Yotvata** (Jotbata*) is nieuw leven ontstaan in een eeuwenoude oase waarvan de bodem volledig verzilt was. De kibbuz exploiteert langs de weg een benzinestation en een groot zelfbedieningsrestaurant, dat beroemd is om zijn yoghurt en andere melkdranken. Yotvata heeft namelijk de grootste rundveestapel in de Negev en zet zijn produkten in het gehele land af.

De verdere reis naar Eilat voert langs het omrasterde NEGEV-WILDPARK. Met een beetje geluk kan men van de weg af antilopen, struisvogels en andere woestijnbewoners zien waarvan sommige met uitsterven worden bedreigd. De dieren kunnen hier leven in de relatieve vrijheid van een groot natuurreservaat.

Bij een afslag naar het westen, 13 km ten zuiden van Yotvata, staat een richtingaanwijzer met de tekst 'Salomon's Pillars/Amudei Shlomo'. Deze **Zuilen van Salomo,** 9 km verderop, zijn bijna 50 m hoge, door de woestijnwind uitgeschuurde, massieve blokken van roodachtig Nubisch zandsteen. Ze bewaken het zogenaamde slavendal van **Timna,** waarin onder de Egyptenaren en later onder koning Salomo een leger van slaven koper smolt uit het erts dat in de buurt gedolven werd. Ook de Nabateeërs en de Romeinen wonnen in Timna koper. Nog steeds zijn de overblijfselen te zien van de SMELTOVENS en van een ROMEINSE WACHTTOREN.

Door zijn schitterende ligging tussen schilderachtige bergruggen aan een diepblauwe baai en door het droge, zonnige klimaat is **Eilat** het grootste vakantie- en toeristencentrum van Israël geworden. De haven van de stad opent voor het land de zeeverbinding met Afrika en Azië. Met de rest van het land is Eilat verbonden door de twee wegen naar Be'er Sheva en door een luchtverbinding. In de bijbel wordt de plaats *Elat\**, *Elot\** of *Esjon-Geber\** genoemd. De tell van Eziyon Geber ligt tussen Eilat en Akaba, op Jordaans grondgebied.

Eilat bezit een keur aan hotels, restaurants en bars van alle categorieën en biedt alle denkbare ontspanningsmogelijkheden, van bioscoop tot klassieke uitvoeringen in het moderne amfitheater. Men kan een bezoek brengen aan een van de SLIJPERIJEN waar de turkooisegetinte eilatsteen uit de kopermijnen van Timna tot sieraden wordt verwerkt. Beroemd is het ONDERWATEROBSERVATORIUM. Via een vlonder bereikt men een toren in het water waarin men tot op de bodem van de zee kan afdalen. Grote ruiten gunnen de bezoeker een blik op de natuurlijke koraalriffen waartussen scholen exotische vissen in felle kleuren heen en weer schieten. Ook kan men tochtjes over de Rode Zee maken in boten met een doorzichtige bodem en zo de onderwaterplanten en vissen bewonderen. Enkele kilometers ten zuiden van Eilat ligt het koraaleiland IE HA'ALMOGIM, ook wel Gezirah Fara'um (eiland van de farao) genoemd. Er bevindt zich een kruisvaardersburcht (12e eeuw).

# Aanbevolen literatuur

(*A* = Archeologie, *G* = Geologie, Geografie, *H* = Historie, *T* = Tekstkritiek, Tekstverklaring)

Avi-Yonah, Michael. *De geschiedenis van het Heilige Land.* Amsterdam-Boek, Amsterdam, 1974. *(A)*

Beek, M.A. *Wegen en voetsporen van het Oude Testament.* Het Wereldvenster, Baarn, 1969 (6). *(T)*

Beek, M.A. *Israël: land, volk, cultuur.* Baarn, 1973 (5). *(AGH)*

Beek, M.A. *Aan Babylons stromen. Hoofdmomenten uit de cultuurgeschiedenis van Mesopotamië in het oudtestamentische tijdvak.* Amsterdam, 1974 (3). *(AH)*

Beek, M.A., Sevenster, G. e.a. *Encyclopedie van de Bijbel.* Elsevier, Amsterdam-Brussel, 1977. *(T)*

Bermant, Chaim. *Joods gezinsleven.* Amerongen, 1976. *(H)*

Beyerlin, Walter. *Godsdiensthistorisch tekstboek rond het Oude Testament.* Katholieke Bijbelstichting, Boxtel, 1976. *(T)*

Breffny, Brian de. *De synagoge.* Amerongen, 1979. *(AT)*

Bruggen, J. van. *Wegwijs in bijbelvertalingen.* Boekencentrum, 's-Gravenhage, 1981. *(T)*

*Bijbels Handboek 1. De wereld van de bijbel.* Kok, Kampen, 1981. *(GAT)*

*Bijbels Handboek 2a. Het Oude Testament.* Kok, Kampen, 1982. *(GAT)*

*Bijbels woordenboek.* Romen & Zn, Roermond, 1969 (3). *(GAT)*

Calder, N. *De rusteloze aarde.* Baarn, 1973. *(G)*

Dronkert, K. *Gids voor het Oude Testament.* Kok, Kampen, zj. *(T)*

Flusser, David. *Jezus.* De Haan, Haarlem, 1979 (3). *(H)*

Franken, H.J. *Grondstoffen voor de materiële cultuur in Palestina en omliggende gebieden.* Kok, Kampen, 1982. *(GA)*

*Geïllustreerde encyclopedie van de bijbel.* Septuaginta, Alphen aan de Rijn, 1976 *(GAT)*

Geus, C.H.J. de. *De israëlitische stad.* Kok, Kampen, 1983. *(GA)*

Gispen, W.H. e.a. (red). *Bijbelse encyclopedie.* Kok, Kampen, 1982 (4). *(GAT)*

Grollenberg, Luc. H. *Atlas van de Bijbel.* Elsevier, Amsterdam-Brussel, 1962 (6). *(GA)*

Grollenberg, Luc. H. *Kleine altas van de Bijbel.* Elsevier, Amsterdam-Brussel. *(GAT)*

Hallam, A. *Een revolutie in de geologie.* Spectrum, Utrecht, 1975. *(G)*

Houtman, C. *Nederlandse vertalingen van het Oude Testament.* Boekencentrum, 's-Gravenhage, 1980. *(T)*

*Israël.* Koninklijke Nederlandse Toeristenbond ANWB, 1982. *(AGH)*

Kenyon, Kathleen N. *Archeologie in het Heilige Land.* Utrecht, 1965. *(A)*

Kenyon, Kathleen N. *De bijbel en de nieuwste archeologie.* Maarssen, 1980. *(A)*

Klijn, A.F.J. (red). *Inleiding tot de studie van het Nieuwe Testament.* Kok, Kampen, 1982. *(T)*

Landay, Jerry M. *Archeologie in het land van de bijbel.* Fibula-Van Dishoeck, Bussum, 1972. *(A)*

Mulder, H. *Gids voor het Nieuwe Testament.* Kok, Kampen, 1979 (3). *(T)*

Negenman, J.H. *De bakermat van de bijbel.* Elsevier, Amsterdam-Brussel, 1968. *(GAT)*

Negenman, Johan. *Geografische gids bij de bijbel.* Katholieke Bijbelstichting, Boxtel, 1981. *(G)*

Negenman, J.H. *Geografie van Palestina.* Kok, Kampen, 1983 *(G)*

Negev, A. *Schatten uit bijbelse bodem.* Ede, 1979. *(A)*

Nir, Dov. *Reisgids voor Israël,* Becht, Amsterdam, 1981 (3). *(AGH)*

*Oceanen, De.* Zomer en Keunig, Wageningen, 1979. *(G)*

Pannekoek, A.J. en Straaten, L.M.J.U. van. *Algemene Geologie,* 1982 (3). *(G)*

Pearlman, Moshe en Yannai, Yaacov. *Historische plaatsen in Israël.* Amerongen, 1981. *(AH)*

Ploeg, J.P.M. van der. *Vondsten in de woestijn van Juda.* Spectrum, Utrecht-Antwerpen, 1970. *(T)*

Reicke, Bo en Rost, Leonhard. *Bijbels-historisch woordenboek.* Spectrum, Utrecht-Antwerpen, 1969. *(GAT)*

Teune, P.J. en Terlingen, M.J.M. *Milieugeografie.* Malmberg, 's-Hertogenbosch, 1979 (2). *(G)*

Vaux, R. de. *Hoe het oude Israël leefde. De instellingen van het Oude Testament.* Romen & Zn, Roermond, 1973 (2). *(HT)*

*Vulkanen.* De Haan, Bussum, 1976. *(G)*

Vriezen, Th. C. en Woude, A.S. van der. *Literatuur van Oud-Israël.* Servire, Wassenaar, 1973 (4). *(T)*

Wilkinson, John. *Jeruzalem in Jezus' tijd. Gids voor oud Jeruzalem.* Fibula-Van Dishoeck, Haarlem, 1980. *(GA)*

Yadin, Yigael. *Masada. Herodes' burcht en het laatste bolwerk der joden.* Unieboek, Bussum, 1971. *(A)*

# Register

# Illustratieverantwoording